HEBREW-ENGLISH

CONTENTS

Hebrew-English

English-Hebrew

(See other end of book.)

PREFACE

The language of the sacred writings of the Jews, from the earliest documents of the Bible down to modern times, has been Hebrew. Its history extends over a period of three millennia, during which time the language had naturally undergone significant linguistic development.

The *Jewish Encyclopedia* lists two broad phases of this linguistic development: (1) the creative period with its pre-exilic, postexilic and mishnaic phases, and (2) the reproductive period, beginning with amoraic literature (third century C.E.) and continuing until the present.

Biblical or classical Hebrew, concise, vigorous and poetic, underwent little change during the first commonwealth. Beginning with exilic times, however, aramaic influence on Hebrew began to be felt: increased number of word-borrowings, greater aramaization of its syntax; and its entrance into tannaitic literature, the chief work of which is the Mishnah.

New Hebrew or postbiblical Hebrew emerged as the language of the reproductive period, the second phase of linguistic development. The writers of talmudic, midrashic and liturgical literature adopted mishnaic Hebrew, avoiding the more poetic biblical Hebrew.

The translation of Arabic works on philosophy and science necessitated a remodeling of mishnaic Hebrew, which was insufficient for the treatment of scientific subjects. A philosophic Hebrew, the language of medieval translators, grammarians, poets and writers, enriched the old language. New vocabulary items were coined; Arabic words and syntax patterns were borrowed. However, neither the Arabic influence on the Hebrew of medieval times nor the aramaic influence on the Hebrew of biblical times impaired the essential characteristics of the Hebrew language.

The period of enlightenment followed by the rise of national consciousness throughout European Jewry created a modern Hebrew—a synthesis of biblical and mishnaic Hebrew, fusing the rhetoric and grandeur of the one with the clarity and simplicity of the other.

The revival of Hebrew as a living, spoken language and the advocacy of a return to the ancestral homeland inspired dedicated men to coin new terms for new ideas. Biblical, mishnaic and medieval sources were culled by these dedicated men and were used as a scaffolding on which to enlarge the Hebrew vocabulary and serve modern times.

Such a dedicated man was Eliezer Ben-Yehuda, the father of modern Hebrew. With a zealotry bordering on fanaticism, he labored constantly for the revival of Hebrew as a spoken tongue. The publication of his *Dictionary and Thesaurus of the Hebrew Language*, the work upon which this Pocket Dictionary, as well as all other modern Hebrew dictionaries, is based, climaxed years of tireless work and effort.

To his memory this volume is dedicated—the first international edition of a bilingual Hebrew-English, English-Hebrew dictionary of popular size and price.

E. B. Y., D. W.

Bibliography

A Concise English-Hebrew Dictionary, by H. Danby and M. H. Segal

A Concise Hebrew-English Dictionary, by M. H. Segal

The Complete English-Hebrew Dictionary, by Reuben Alcalay

A Dictionary of the Targumim, by Marcus Jastrow

Dictionary and Thesaurus of the Hebrew Language, by Eliezer Ben-Yehuda

English-Hebrew Dictionary, by Judah Ibn-Shmuel Kaufman

Hebrew Dictionary, by Judah Gur

Hebrew Dictionary, by Meir Medan

New Hebrew Dictionary, by A. Even Shoshan

The Merriam-Webster Pocket Dictionary

Webster's New Collegiate Dictionary

Larousse's French-English, English-French Dictionary

Langenscheidt's German-English, English-German Dictionary

HEBREW PRONUNCIATION הַהִגּוּי הָעִבְרִי

The Hebrew alphabet, like all Semitic alphabets, consists solely of consonants, twenty-two in number. The following chart gives the form (printed and written), name (English and Hebrew), pronunciation and numerical value of each consonant.

I. CONSONANTS הָעִצּוּרִים

OLD HEBREW	FORM Printed	FORM Written	NAME English	NAME Hebrew	PRONUNCIATION		NUMERICAL VALUE
	א		aleph	אָלֶף	' (silent)		1
	בּ		beth	בֵּית	b	(b)	2
	ב		bheth	בֵית	bh	(v)	
	ג		gimel	גִּימֶל	g, gh	(g)	3
	ד		daleth	דָּלֶת	d, dh	(d)	4
	ה		he	הֵא	h	(h)	5
	ו		vau	וָו	w, v	(w)	6
	ז		zayin	זַיִן	z	(z)	7
	ח		cheth	חֵית	ḥ	(k)	8
	ט		teth	טֵית	ṭ	(t)	9
	י		yodh	יוֹד	y	(y)	10
	כּ		caph	כָּף	k		
	כ		chaph	כָף	kh	(k)	20
	ךְ		chaph sophith	כָף סוֹפִית	kh		
	ל		lamedh	לָמֶד	l	(l)	30
	מ		mem	מֵם	m	(m)	40
	ם		mem sophith	מֵם סוֹפִית	m		
	נ		nun	נוּן	n	(n)	50
	ן		nun sophith	נוּן סוֹפִית	n		
	ס		samekh	סָמֶךְ	s	(s)	60
	ע		'ayin	עַיִן	' (silent)		70
	פּ		pe	פֵּא	p	(p)	80
	פ		phe	פֵא			
	ף		phe sophith	פֵא סוֹפִית	phe	(f)	
	צ		sadhe	צָדֵי	ts (s sharp)		90
	ץ		sadhe sophith	צָדֵי סוֹפִית			
	ק		koph	קוֹף	k	(k)	100
	ר		resh	רֵישׁ	r	(r)	200
	שׁ		shin	שִׁין	sh	(sh)	300
	שׂ		sin	שִׂין	ṣ	(s)	
	תּ		tav	תָּו	t	(t)	400
	ת		thav	תָו	th		

The Hebrew language, unlike European languages, is both read and written from *right* to *left*. The pronunciation given is the Sephardic, the type of Hebrew pronunciation used officially by the state of Israel.

Examination of this chart shows that two of the consonants, the א and the ע, are silent wherever they occur. (The Hebrew אָלֶף is a glottal stop; the עַיִן is a pharyngeal sound that has no English equivalent.) Furthermore, a number of consonants are, practically speaking, pronounced alike: the ו and ב are both v; the כ and ח are both ḥ; the ק and כּ are both k; the שׂ and ס are both s; the ת, תּ and ט are all t. The שׁ (sh) and שׂ (s) are distinguished only by the dot placed either to the right or to the left of them respectively. Five additional consonants have two forms:

צ, ץ; פ, ף; נ, ן; מ, ם; כ, ך

The last consonant in each of these series (reading from right to left) is a final consonant used only at the end of a word.

II. VOWELS הַתְּנוּעוֹת

NAME: English	NAME: Hebrew	VOWEL SIGN	PRONUNCIATION
		SHORT VOWELS	
pattaḥ	פַּתָּח	◌ַ	a as in *father*
qubbuts	קִבּוּץ	◌ֻ	oo as in *soon*
ḥiriq ḥaser	חִירִיק חָסֵר	◌ִ	ee as in *feet*
segol	סֶגוֹל	◌ֶ	e as in *pet*
qamats qatan	קָמָץ קָטָן	◌ָ	o as in *cord*
		LONG VOWELS	
ḥolam male	חוֹלָם מָלֵא	◌וֹ	o as in *cord*
ḥolam ḥaser	חוֹלָם חָסֵר	◌ֹ	o as in *cord*
shuruq	שׁוּרוּק	◌וּ	oo as in *soon*
ḥiriq male	חִירִיק מָלֵא	◌ִי	ee as in *feet*
tsere male	צֵירֵי מָלֵא	◌ֵי	e as in *they*
tsere ḥaser	צֵירֵי חָסֵר	◌ֵ	e as in *pet*
qamats gadol	קָמָץ גָּדוֹל	◌ָ	a as in *father*

HALF VOWELS

sheva na'	שְׁוָא נָע	ְ	silent
ḥataph pattaḥ	חֲטַף פַּתָּח	ֲ	like ַ but of shorter length
ḥataph segol	חֲטַף סֶגּוֹל	ֱ	like ֶ but of shorter length
ḥataph qamats	חֲטַף קָמָץ	ֳ	o as in *cord*

All the Hebrew vowels are placed either above or below the consonants with the exception of the shuruq (וּ) and holam (וֹ), which are placed to the left of the consonant. Each vowel combined with one or more consonants forms a syllable. Hebrew words of more than one syllable are most often accented on the last syllable. Otherwise, the accent falls on the next to the last syllable.

THE NOUN שֵׁם הָעֶצֶם

I. GENDER הַמִּין

Hebrew nouns are either masculine or feminine. There is no neuter gender. Names of things and abstractions are either masculine or feminine.

Masculine gender:

The masculine, because it is the more common gender, has no special indication.

Feminine gender:

1. Feminine nouns also have no indication of gender when the word is feminine by nature, e.g., אֵם *mother*, בַּת *daughter*, עֵז *she-goat.*

2. Nouns ending in a tone-bearing ָה or in ת are feminine.

3. Names of cities and countries, including the Hebrew equivalents for city and country, are feminine, since they are regarded as the *mothers* of their inhabitants.

4. Most names of parts of the body in man or beast, especially members occurring in pairs, are feminine. So, too, are most names of instruments and utensils used by man.

5. Names of the elements or natural substances are generally feminine, e.g., שֶׁמֶשׁ *sun*, אֵשׁ *fire*, אֶבֶן *stone*.

6. The letters of the Hebrew alphabet are all feminine.

7. Many words are of both genders, though where this is the case one gender generally predominates.

II. PLURAL מִסְפַּר הָרַבִּים

1. The regular plural endings for the masculine gender is ־ִים, with a tone; this termination is added to the masculine singular.

2. The plural termination of the feminine gender is generally indicated by ־וֹת; this termination is added to the feminine singular if it has no feminine ending. If the feminine singular ends in ־ָה, the plural feminine is formed by changing the ־ָה into ־וֹת.

3. Many masculine nouns form their plurals in ־וֹת while many feminine nouns have a plural in ־ִים. The gender of the singular is retained in the plural.

4. The dual in Hebrew (a further indication of number) is used to denote those objects which naturally occur in pairs. The dual termination is indicated in both genders by the ending ־ַיִם. It is formed by adding ־ַיִם to the masculine singular for the masculine and to the old or original feminine ending ־ַת (instead of ־ָה).

THE ARTICLE הֵא הַיְדִיעָה

The Hebrew language has no indefinite article. The definite article, by nature a demonstrative pronoun, usually takes the form הַ and a strengthening of the next consonant by means of a *dagesh forte* (a dot in the consonant). It never appears in Hebrew as an independent word but as an inseparable particle prefixed to words. Like the English article *the*, it suffers no change for gender and number.

Before the gutturals ע, ר, ח, ה, א, the pattaḥ ַ of the article is lengthened to qamats ָ, e.g., הָאִישׁ *the man*, הָרֹאשׁ *the head*. When the guttural letters

ע, ה, not in tone, are vocalized with a qamats, the article becomes הֶ, e.g., הֶהָרִים *the mountains,* הֶעָמָל *the toil, trouble.* Before חָ, the article is invariably הֶ without regard to tones (e.g., הֶחָג *the holiday*).

THE PREPOSITION מִלַּת הַיַּחַס

Prepositions in Hebrew may appear as independent words or may be reduced by abbreviation to a single consonant inseparably prefixed to words:

... בְּ = *in, at, by, with*
... אֶל, לְ = *to, at, for, towards*
... כְּמוֹת, כְּמוֹ, כְּ = *as, like, according to*
מִן (מֵ..., מִ...) = *from, out of*
עַל = *on, upon;* אֵצֶל = *close by, near*
בֵּין = *between;* בְּלִי = *without*
מוּל, נֶגֶד = *opposite, before, over, against*
עַד = *during, until;* שֶׁל = *of*
אַחַר = *behind, after;* זוּלַת = *except*
תַּחַת = *under, instead of;* עִם = *with*

Hebrew prepositions are frequently formed by uniting with other prepositions, e.g., מֵעַל *off (from, upon),* or with nouns, e.g., עַל יַד *by, beside (on hand).*

As all prepositions were originally substantives (accusative), they may be united with the noun suffixes, e.g., אֶצְלִי *by me,* לְפָנַי *before me.*

THE ADJECTIVE שֵׁם הַתֹּאַר

I. AGREEMENT הַתְאָמָה

The adjective in Hebrew agrees in gender and number with the noun it modifies and stands *after* the noun. When an adjective qualifies several nouns of different genders, it agrees with the masculine. Nouns in the dual are followed by adjectives in the plural.

II. FORMATION OF THE FEMININE AND PLURAL

Feminine adjectives are formed by adding ָה, ֶ ֶת, (ַ ַת), ִית, or ִיָּה to the masculine form.

Adjectives form their masculine plural by adding ִים to the masculine singular, and their feminine plural by adding וֹת to the masculine singular.

After feminine plurals ending in ִים, the adjectival attribute, in accordance with the rule of agreement, takes the ending וֹת.

III. COMPARISON OF ADJECTIVES הַדְרָגַת הַתֹּאַר

Hebrew possesses no special forms either for the comparative or superlative of the adjective. In the camparison, the adjective undergoes no change of termination or vocalization.

The comparative degree is expressed by the positive or by יוֹתֵר preceding the positive, and followed by the proposition מִן, e.g., טוֹב מִן, יוֹתֵר טוֹב מִן *better than.*

The superlative degree is expressed by the article prefixed to the adjective or by the article prefixed to the positive and followed by בְּיוֹתֵר, e.g., הַטּוֹב, הַטּוֹב בְּיוֹתֵר *the best,* הַגָּדוֹל, הַגָּדוֹל בְּיוֹתֵר *the biggest.*

THE NUMERALS שֵׁם הַמִּסְפָּר

The numeral *one* is an adjective that agrees in gender with the noun it modifies and, like other adjectives, stands after it.

The numerals from *two* to *ten* stand before the noun in either the absolute or construct state, e.g., שְׁלֹשָׁה יָמִים, שְׁלֹשֶׁת יָמִים *three days.*

The numerals from *eleven* to *nineteen* generally take the plural, but with a few common nouns frequently used with numerals and the tens (twenty, thirty, one hundred, etc.), the singular is more common, e.g.:

אַחַד עָשָׂר יוֹם *eleven days,* חֲמֵשׁ עֶשְׂרֵה שָׁנָה *fifteen years*
שְׁנֵים עָשָׂר אִישׁ *twelve men,* עֶשְׂרִים דַּקָּה *twenty minutes*

The ordinal numbers from *one* to *ten* are adjectives and follow the general rule of agreement. After *ten* the cardinal numbers are used also as ordinals.

CARDINAL NUMBERS הַמִּסְפָּר הַיְסוֹדִי

FEMININE		MASCULINE			
Construct	Absolute	Construct	Absolute		
אַחַת־	אַחַת	אַחַד־	אֶחָד	א	1
שְׁתֵּי־	שְׁתַּיִם	שְׁנֵי־	שְׁנַיִם	ב	2
שְׁלֹשׁ־	שָׁלֹשׁ	שְׁלֹשֶׁת־	שְׁלֹשָׁה	ג	3
אַרְבַּע־	אַרְבַּע	אַרְבַּעַת־	אַרְבָּעָה	ד	4
חֲמֵשׁ־	חָמֵשׁ	חֲמֵשֶׁת־	חֲמִשָּׁה	ה	5
שֵׁשׁ־	שֵׁשׁ	שֵׁשֶׁת־	שִׁשָּׁה	ו	6
שְׁבַע־	שֶׁבַע	שִׁבְעַת־	שִׁבְעָה	ז	7
שְׁמוֹנֶה־	שְׁמוֹנֶה	שְׁמוֹנַת־	שְׁמוֹנָה	ח	8
תְּשַׁע־	תֵּשַׁע	תִּשְׁעַת־	תִּשְׁעָה	ט	9
עֶשֶׂר־	עֶשֶׂר	עֲשֶׂרֶת־	עֲשָׂרָה	י	10
אַחַת־עֶשְׂרֵה		אַחַד־עָשָׂר		יא	11
שְׁתֵּים־עֶשְׂרֵה		שְׁנֵים־עָשָׂר		יב	12
שְׁלֹשׁ־עֶשְׂרֵה		שְׁלֹשָׁה־עָשָׂר		יג	13
אַרְבַּע־עֶשְׂרֵה		אַרְבָּעָה־עָשָׂר		יד	14
חֲמֵשׁ־עֶשְׂרֵה		חֲמִשָּׁה־עָשָׂר		טו	15
שֵׁשׁ־עֶשְׂרֵה		שִׁשָּׁה־עָשָׂר		טז	16
שְׁבַע־עֶשְׂרֵה		שִׁבְעָה־עָשָׂר		יז	17
שְׁמוֹנֶה־עֶשְׂרֵה		שְׁמוֹנָה־עָשָׂר		יח	18
תְּשַׁע־עֶשְׂרֵה		תִּשְׁעָה־עָשָׂר		יט	19
עֶשְׂרִים		עֶשְׂרִים		כ	20
עֶשְׂרִים וְאַחַת		עֶשְׂרִים וְאֶחָד		כא	21
עֶשְׂרִים וּשְׁתַּיִם		עֶשְׂרִים וּשְׁנַיִם		כב	22
	שְׁלֹשִׁים			ל	30
	אַרְבָּעִים			מ	40
	חֲמִשִּׁים			נ	50
	שִׁשִּׁים			ס	60
	שִׁבְעִים			ע	70
	שְׁמוֹנִים			פ	80
	תִּשְׁעִים			צ	90
	מֵאָה			ק	100
	מָאתַיִם			ר	200
	שְׁלֹשׁ מֵאוֹת			ש	300

CARDINAL NUMBERS הַמִּסְפָּר הַיְסוֹדִי

400	ת	אַרְבַּע־מֵאוֹת
500	תק	חֲמֵשׁ־מֵאוֹת
600	תר	שֵׁשׁ־מֵאוֹת
700	תש	שְׁבַע־מֵאוֹת
800	תת	שְׁמוֹנֶה־מֵאוֹת
900	תתק	תְּשַׁע־מֵאוֹת
1000	א׳....	אֶלֶף
2000	ב׳....	אַלְפַּיִם
3000	ג׳....	שְׁלֹשֶׁת אֲלָפִים
4000	ד׳....	אַרְבַּעַת אֲלָפִים
5000	ה׳....	חֲמֵשֶׁת אֲלָפִים
6000	ו׳....	שֵׁשֶׁת אֲלָפִים
7000	ז׳....	שִׁבְעַת אֲלָפִים
8000	ח׳....	שְׁמוֹנַת אֲלָפִים
9000	ט׳....	תִּשְׁעַת אֲלָפִים
10000	י׳....	עֲשֶׂרֶת אֲלָפִים, רִבּוֹא, רְבָבָה

ORDINAL NUMBERS הַמִּסְפָּר הַסִּדּוּרִי

	MASCULINE	FEMININE
first	רִאשׁוֹן	רִאשׁוֹנָה
second	שֵׁנִי	שְׁנִיָּה, שֵׁנִית
third	שְׁלִישִׁי	שְׁלִישִׁית
fourth	רְבִיעִי	רְבִיעִית
fifth	חֲמִישִׁי	חֲמִישִׁית
sixth	שִׁשִּׁי	שִׁשִּׁית
seventh	שְׁבִיעִי	שְׁבִיעִית
eighth	שְׁמִינִי	שְׁמִינִית
ninth	תְּשִׁיעִי	תְּשִׁיעִית
tenth	עֲשִׂירִי	עֲשִׂירִית
eleventh	הָאַחַד עָשָׂר	הָאַחַת עֶשְׂרֵה
twelfth	הַשְּׁנֵים עָשָׂר	הַשְּׁתֵּים עֶשְׂרֵה
etc.	וכו׳	וכו׳

THE CONSTRUCT CASE סְמִיכוּת

When a noun is so closely connected in thought with a following noun that the two make up one idea, the first (a dependent noun) is said to be in the construct state. The second (the independent noun) is said to be in the absolute state, e.g., בֵּית־סֵפֶר *school*, תַּפּוּחַ־אֲדָמָה *potato*, סוּס דָּוִד *David's horse*. This construction corresponds to the genitive or to the relation expressed by the *of* in English.

Only those nouns in the construct state undergo, at times, change of termination and/or vocalization.

In masculine singular, there is no change of termination, in feminine singular nouns ending in ־ָה, the original or old ending ־ַת is regularly retained as the feminine termination in the construct state. But feminine endings ־ֶת and ־ַת and feminine plural nouns ending in ־וֹת remain unchanged in the construct state.

In the construct state, masculine plural and dual, the ending is ־ֵי, e.g., סוּסִים שֶׁל דָּוִד = סוּסֵי דָּוִד *David's horses*, הָעֵינַיִם שֶׁל הַיֶּלֶד = עֵינֵי הַיֶּלֶד *the child's eyes*.

The definite article is prefixed only to the noun in the absolute state.

THE ADVERB תֹּאַר הַפֹּעַל

Nouns with prepositions e.g., כְּאֶחָד *together*, in the accusative e.g., הַיּוֹם *today*, adjectives, especially in the feminine e.g., בָּרִאשׁוֹנָה *at first*, pronouns and numerals e.g., הֵנָּה *here, hither;* שֵׁנִית *for the second time* are used adverbially without change.

Some adverbs are formed by the addition of formative syllables to nouns or adjectives e.g., אָמְנָם *truly*; חִנָּם *gratis*.

THE VERB הַפֹּעַל

Stem:

The vast majority of stems or roots in Hebrew consists of three consonants, though a number of triliteral stems were formed from biliteral roots. Today verb stems of four consonants, an extension of the triliteral stem, are not uncommon.

The third person masculine singular form of the perfect tense is regarded as the pure stem or *Qal* קַל, since it is the simplest form of the verb, without additional letters. Thus, the third person masculine singular perfect form of each verb conjugation or formation was selected for inclusion in this dictionary.

Tense:

The Hebrew verb has only two tense forms, the *perfect*, expressing a completed action, and the *imperfect*, expressing an incompleted action. All relations of time are expressed by these forms or by combinations of these forms.

The perfect action includes all past tenses of other languages (perfect, pluperfect, future perfect, etc.). The imperfect action includes all imperfect tenses, classical imperfect, future and present. The later is expressed by the Hebrew participle. There is also an imperative, derived from the imperfect, and two infinitives (an absolute and a construct).

Mood:

Both the perfect and imperfect may be indicative; the subjunctive moods are expressed by the imperfect and its modifications.

Inflection:

The inflection of Hebrew tense forms as to persons is different from the Romance languages in that it has distinct forms for the two genders, which correspond to the different forms of the personal pronouns. Personal inflections of these tense forms arise from the union of the pronoun with the stem.

Conjugations:

Derived stems are formed from the pure stem or Qal. These *formations* בִּנְיָנִים, for the most part regular and systematic, correspond to the grammatical term *conjugations*. The common "conjugations" in Hebrew are seven in number, each of which is formed by the modification of the Qal (by means of vowel change and strengthening of the middle radical) or by the introduction of formative additions.

THE SEVEN CONJUGATIONS

1. Qal (pa'al)	קַל (פָּעַל)	קָצַר	*to cut, reap*
2. Niph'al	נִפְעַל	נִקְצַר	*to be reaped*
3. Pi'el	פִּעֵל	קִצֵּר	*to shorten (abridge)*
4. Pu'al	פֻּעַל	קֻצַּר	*to be shortened*
5. Hiph'il	הִפְעִיל	הִקְצִיר	*to make short, shorten*
6. Hoph'al	הָפְעַל	הָקְצַר	*to be shortened*
7. Hithpa'el	הִתְפַּעֵל	הִתְקַצֵּר	*to be shortened*

These verb conjugations may be divided satisfactorily into four classes: (1) the simple or pure, Qal; (2) the intensive Pi'el with its passive Pu'al; (3) the causative Hiph'il with its passive Hoph'al; (4) the reflexive or passive Niph'al and Hithpa'el.

Niph'al

In meaning the Niph'al is properly the reflexive of the Qal. The common usage of the Niph'al, however, is as the passive of the Qal. The essential characteristics of this conjugation consist of a "נ" prefixed to the stem in the perfect (נִקְצַר) and participle (נִקְצָר), and of the dagesh in the first radical in the imperfect, infinitive and imperative (הִקָּצֵר, לְהִקָּצֵר, יִקָּצֵר).

Pi'el (Pu'al)

The characteristic of the Pi'el conjugation consists of the strengthening of the middle radical קִצֵּר. The passive Pu'al is distinguished by the vowel "ֻ" in the first syllable and "ַ" in the second קֻצַּר.

The Pi'el is the intensive form of the Qal, adding such ideas as much, often, eagerly, etc., to the Qal idea of the verb.

Hiph'il (Hoph'al)

The Hiph'il or causative is formed by prefixing "הִ" to the stem and by expanding the final vowel to "ִי". Similarly in the imperfect יַקְצִיר, the participle מַקְצִיר and the infinitive לְהַקְצִיר.

The Hoph'al is the passive of the Hiph'il and is distinguished by הֻ or הָ prefixed to the stem הֻקְצַר or הָקְצַר.

Hithpa'el

The Hithpa'el is formed by prefixing the syllable "הִתְ־," a reflexive force, to the Pi'el stem הִתְקַצֵּר. In meaning, as in form, the Hithpa'el is thus the reflexive of the Pi'el.

The paradigms that follow will enable the reader to examine the regular verb schemes of the seven conjugations described above.

	QAL בִּנְיַן קַל (פָּעַל)	NIPH'AL בִּנְיַן נִפְעַל	PI'EL בִּנְיַן פִּעֵל	PU'AL בִּנְיַן פֻּעַל
Infinitive מָקוֹר, שֵׁם הַפֹּעַל	קְצֹר, (לִ)קְצֹר	נִקְצֹר (לְ)הִקָּצֵר	קַצֵּר	קֻצַּר
Perfect זְמַן עָבָר	קָצַרְתִּי קָצַרְתָּ קָצַרְתְּ קָצַר קָצְרָה קָצַרְנוּ קְצַרְתֶּם קְצַרְתֶּן קָצְרוּ	נִקְצַרְתִּי נִקְצַרְתָּ נִקְצַרְתְּ נִקְצַר נִקְצְרָה נִקְצַרְנוּ נִקְצַרְתֶּם נִקְצַרְתֶּן נִקְצְרוּ	קִצַּרְתִּי קִצַּרְתָּ קִצַּרְתְּ קִצֵּר קִצְּרָה קִצַּרְנוּ קִצַּרְתֶּם קִצַּרְתֶּן קִצְּרוּ	קֻצַּרְתִּי קֻצַּרְתָּ קֻצַּרְתְּ קֻצַּר קֻצְּרָה קֻצַּרְנוּ קֻצַּרְתֶּם קֻצַּרְתֶּן קֻצְּרוּ
Participle זְמַן הֹוֶה	קוֹצֵר קוֹצֶרֶת קוֹצְרִים קוֹצְרוֹת	נִקְצָר נִקְצֶרֶת נִקְצָרִים נִקְצָרוֹת	מְקַצֵּר מְקַצֶּרֶת מְקַצְּרִים מְקַצְּרוֹת	מְקֻצָּר מְקֻצֶּרֶת מְקֻצָּרִים מְקֻצָּרוֹת
Imperfect זְמַן עָתִיד	אֶקְצֹר תִּקְצֹר תִּקְצְרִי יִקְצֹר תִּקְצֹר נִקְצֹר תִּקְצְרוּ תִּקְצֹרְנָה יִקְצְרוּ תִּקְצֹרְנָה	אֶקָּצֵר תִּקָּצֵר תִּקָּצְרִי יִקָּצֵר תִּקָּצֵר נִקָּצֵר תִּקָּצְרוּ תִּקָּצַרְנָה יִקָּצְרוּ תִּקָּצַרְנָה	אֲקַצֵּר תְּקַצֵּר תְּקַצְּרִי יְקַצֵּר תְּקַצֵּר נְקַצֵּר תְּקַצְּרוּ תְּקַצֵּרְנָה יְקַצְּרוּ תְּקַצֵּרְנָה	אֲקֻצַּר תְּקֻצַּר תְּקֻצְּרִי יְקֻצַּר תְּקֻצַּר נְקֻצַּר תְּקֻצְּרוּ תְּקֻצַּרְנָה יְקֻצְּרוּ תְּקֻצַּרְנָה
Imperative צִוּוּי	קְצֹר קִצְרִי קִצְרוּ קְצֹרְנָה	הִקָּצֵר הִקָּצְרִי הִקָּצְרוּ הִקָּצַרְנָה	קַצֵּר קַצְּרִי קַצְּרוּ קַצֵּרְנָה	

	בִּנְיַן הִפְעִיל HIPH'IL	בִּנְיַן הָפְעַל HOPH'AL	בִּנְיַן הִתְפַּעֵל HITHPA'EL
Infinitive מָקוֹר, שֵׁם הַפֹּעַל	הַקְצֵר, (לְ)הַקְצִיר	הָקְצֵר	(לְ)הִתְקַצֵּר
Perfect זְמַן עָבָר	הִקְצַרְתִּי הִקְצַרְתָּ הִקְצַרְתְּ הִקְצִיר הִקְצִירָה הִקְצַרְנוּ הִקְצַרְתֶּם הִקְצַרְתֶּן הִקְצִירוּ	הָקְצַרְתִּי הָקְצַרְתָּ הָקְצַרְתְּ הָקְצַר הָקְצְרָה הָקְצַרְנוּ הָקְצַרְתֶּם הָקְצַרְתֶּן הָקְצְרוּ	הִתְקַצַּרְתִּי הִתְקַצַּרְתָּ הִתְקַצַּרְתְּ הִתְקַצֵּר הִתְקַצְּרָה הִתְקַצַּרְנוּ הִתְקַצַּרְתֶּם הִתְקַצַּרְתֶּן הִתְקַצְּרוּ
Participle זְמַן הֹוֶה	מַקְצִיר מַקְצִירָה מַקְצִירִים מַקְצִירוֹת	מָקְצָר מָקְצֶרֶת מָקְצָרִים מָקְצָרוֹת	מִתְקַצֵּר מִתְקַצֶּרֶת מִתְקַצְּרִים מִתְקַצְּרוֹת
Imperfect זְמַן עָתִיד	אַקְצִיר תַּקְצִיר תַּקְצִירִי יַקְצִיר תַּקְצִיר נַקְצִיר תַּקְצִירוּ תַּקְצֵרְנָה יַקְצִירוּ תַּקְצֵרְנָה	אָקְצַר תָּקְצַר תָּקְצְרִי יָקְצַר תָּקְצַר נָקְצַר תָּקְצְרוּ תָּקְצַרְנָה יָקְצְרוּ תָּקְצַרְנָה	אֶתְקַצֵּר תִּתְקַצֵּר תִּתְקַצְּרִי יִתְקַצֵּר תִּתְקַצֵּר נִתְקַצֵּר תִּתְקַצְּרוּ תִּתְקַצֵּרְנָה יִתְקַצְּרוּ תִּתְקַצֵּרְנָה
Imperative צִוּוּי	הַקְצֵר הַקְצִירִי הַקְצִירוּ הַקְצֵרְנָה		הִתְקַצֵּר הִתְקַצְּרִי הִתְקַצְּרוּ הִתְקַצֵּרְנָה

THE WEAK VERBS הַפְּעָלִים הַנֶּחֱשָׁלִים

When one or more of the three stem radicals of a verb is a weak one, the verb is regarded as a weak verb.

The letters ר, ע, י, ח ו, ה, א, the guttural and quiescent letters, are the weak letters. The letter (ן) נ is also regarded as a weak letter.

The three stem radicals of the verb are designated by the letters פ ע ל. The position of the weak letter or letters in the stem determines the classification of weak verbs. For example, ישב is a פ״י verb, meaning that the initial radical of the stem is "י"; the verb פנה is classified as a ל״ה verb, the "ה" being the third radical of the stem.

If a verb has more than one weak letter it is named after all the classes whose irregularities it shares. Thus ירה is classified as both a פ״י and a ל״ה verb.

The paradigms that follow will enable the reader to examine the weak (irregular) verb schemes of the seven conjugations. Infinitive, imperative and third person masculine perfect, participle and imperfect forms are listed.

For a detailed and complete study of Hebrew grammar, consult:

Gesenius' Hebrew Grammar, edited by E. Kautzsch
Introductory Hebrew Grammar, by A. B. Davidson
Modern Hebrew Grammar and Composition, by Harry Blumberg
Naor's Ikkare ha-Dikduk ha-Ibri

WEAK VERBS הַפְּעָלִים הַנֶּחֱשָׁלִים

Conjugation בִּנְיָן		פ"י ישב (1)	פ"י יסד/יטב (2)	פ"א אכל	פ"נ נפל/נגף
Qal קַל (פָּעַל)	inf.	יָשֹׁב, לָשֶׁבֶת	יָסֹד, לִיסֹד	אָכֹל, לֶאֱכֹל	נָפֹל, לִנְפֹּל
	3rd. per.	יָשַׁב, יוֹשֵׁב, יֵשֵׁב	יָסַד, יוֹסֵד, יִיסַד	אָכַל, אוֹכֵל, יֹאכַל	נָפַל, נוֹפֵל, יִפֹּל
	imp.	שֵׁבוּ	יְסַדוּ	אֱכֹלוּ	נְפֹלוּ
Niph'al נִפְעַל	inf.	נוֹשֹׁב, לְהִוָּשֵׁב	נוֹסֹד, לְהִוָּסֵד	נַאֲכֹל, לְהֵאָכֵל	לְהִנָּגֵף
	3rd. per.	נוֹשַׁב, נוֹשָׁב, יִוָּשֵׁב	נוֹסַד, נוֹסָד, יִוָּסֵד	נֶאֱכַל, נֶאֱכָל, יֵאָכֵל	נִגַּף, נִגָּף, יִנָּגֵף
	imp.	הִוָּשְׁבוּ	הִוָּסְדוּ	הֵאָכְלוּ	הִנָּגְפוּ
Pi'el פִּעֵל	inf.	לְיַשֵּׁב	לְיַסֵּד	לְאַכֵּל	לְנַגֵּף
	3rd. per.	יִשֵּׁב, מְיַשֵּׁב, יְיַשֵּׁב	יִסֵּד, מְיַסֵּד, יְיַסֵּד	אִכֵּל, מְאַכֵּל, יְאַכֵּל	נִגֵּף, מְנַגֵּף, יְנַגֵּף
	imp.	יַשְּׁבוּ	יַסְּדוּ	אַכְּלוּ	נַגְּפוּ
Pu'al פֻּעַל	inf.	יֻשֹּׁב	יֻסֹּד	אֻכֹּל	נֻגֹּף
	3rd. per.	יֻשַּׁב, מְיֻשָּׁב, יְיֻשַּׁב	יֻסַּד, מְיֻסָּד, יְיֻסַּד	אֻכַּל, מְאֻכָּל, יְאֻכַּל	נֻגַּף, מְנֻגָּף, יְנֻגַּף
	imp.				

WEAK VERBS הַפְּעָלִים הַנֶּחֱשָׁלִים

Conjugation בִּנְיָן		פ״י ישב (1)	פ״י יסד/יטב (2)	פ״א אכל	פ״נ נפל/נגף
Hiph'il הִפְעִיל	inf.	הוֹשֵׁב, לְהוֹשִׁיב	הֵיטֵב, לְהֵיטִיב	הַאֲכֵל, לְהַאֲכִיל	הַפֵּל, לְהַפִּיל
	3rd. per.	הוֹשִׁיב, מוֹשִׁיב, יוֹשִׁיב	הֵיטִיב, מֵיטִיב, יֵיטִיב	הֶאֱכִיל, מַאֲכִיל, יַאֲכִיל	הִפִּיל, מַפִּיל, יַפִּיל
	imp.	הוֹשֵׁבוּ	הֵיטֵבוּ	הַאֲכֵלוּ	הַפֵּלוּ
Hoph'al הָפְעַל	inf.	הוּשַׁב	הוּטַב	הָאֳכַל	הֻפַּל
	3rd. per.	הוּשַׁב, מוּשָׁב, יוּשַׁב	הוּטַב, מוּטָב, יוּטַב	הָאֳכַל, מָאֳכָל, יָאֳכַל	הֻפַּל, מֻפָּל, יֻפַּל
	imp.				
Hithpa'el הִתְפַּעֵל	inf.	לְהִתְיַשֵּׁב	לְהִתְיַסֵּד	לְהִתְאַכֵּל	לְהִתְנַפֵּל
	3rd. per.	הִתְיַשֵּׁב, מִתְיַשֵּׁב, יִתְיַשֵּׁב	הִתְיַסֵּד, מִתְיַסֵּד, יִתְיַסֵּד	הִתְאַכֵּל,מִתְאַכֵּל,יִתְאַכֵּל	הִתְנַפֵּל, מִתְנַפֵּל, יִתְנַפֵּל
	imp.	הִתְיַשְּׁבוּ	הִתְיַסְּדוּ	הִתְאַכְּלוּ	הִתְנַפְּלוּ

WEAK VERBS הַפְּעָלִים הַנֶּחֱשָׁלִים

Conjugation בִּנְיָן		ע״ו קום/כון	ע״י בין	ל״א מצא/רפא	ל״ה פנה	ע״ע (כְּפוּלִים) סבב
Qal קַל (פָּעַל)	inf.	קוּם, לָקוּם	בִּין, לָבִין	מְצֹא, לִמְצֹא	פְּנֹה, לִפְנוֹת	סְבֹב, סֹב, לָסֹב
	3rd. per.	קָם, קָם, יָקוּם	בָּן, בָּן, יָבִין	מָצָא, מוֹצֵא, יִמְצָא	פָּנָה, פּוֹנֶה, יִפְנֶה	סַב, סַב (סוֹבֵב), יָסֹב
	imp.	קוּם!	בִּין!	מְצָא!	פְּנֵה!	סֹב!
Niph'al נִפְעַל	inf.	לְהִכּוֹן	נָבוֹן, לְהִבּוֹן	נִמְצֹא, לְהִמָּצֵא	הִפָּנֵה, לְהִפָּנוֹת	הִסֹּב, לְהִסֵּב
	3rd. per.	נָכוֹן, נָכוֹן, יִכּוֹן	נָבוֹן, נָבוֹן, יִבּוֹן	נִמְצָא, נִמְצָא, יִמָּצֵא	נִפְנָה, נִפְנֶה, יִפָּנֶה	נָסַב, נָסָב, יִסַּב
	imp.	הִכּוֹן!	הִבּוֹן!	הִמָּצֵא!	הִפָּנֵה!	הִסַּב!
Pi'el פִּעֵל	inf.	לְקוֹמֵם	לְבוֹנֵן	לְרַפֵּא	לְפַנּוֹת	לְסוֹבֵב
	3rd. per.	קוֹמֵם, מְקוֹמֵם, יְקוֹמֵם	בּוֹנֵן, מְבוֹנֵן, יְבוֹנֵן	רִפֵּא, מְרַפֵּא, יְרַפֵּא	פִּנָּה, מְפַנֶּה, יְפַנֶּה	סוֹבֵב, מְסוֹבֵב, יְסוֹבֵב
	imp.	קוֹמֵם!	בּוֹנֵן!	רַפֵּא!	פַּנֵּה!	סוֹבֵב!
Pu'al פֻּעַל	inf.	כּוֹנַן	בּוֹנַן	רֻפֹּא	פֻּנֹּה	סוֹבֹב
	3rd. per.	כּוֹנַן, מְכוֹנָן, יְכוֹנַן	בּוֹנַן, מְבוֹנָן, יְבוֹנַן	רֻפָּא, מְרֻפָּא, יְרֻפָּא	פֻּנָּה, מְפֻנֶּה, יְפֻנֶּה	סוֹבַב, מְסוֹבָב, יְסוֹבַב
	imp.					

WEAK VERBS הַפְּעָלִים הַנֶּחֱשָׁלִים

Conjugation בִּנְיָן		ע״ו קום/כון	ע״י בין	ל״א מצא/רפא	ל״ה פנה	ע״ע (כְּפוּלִים) סבב
	inf.	הָקֵם, לְהָקִים	הָבֵן, לְהָבִין	הַמְצֵא, לְהַמְצִיא	הַפְנֵה, לְהַפְנוֹת	לְהָסֵב
Hiph'il הִפְעִיל	3rd. per.	הֵקִים, מֵקִים, יָקִים	הֵבִין, מֵבִין, יָבִין	הִמְצִיא, מַמְצִיא, יַמְצִיא	הִפְנָה, מַפְנֶה, יַפְנֶה	הֵסֵב, מֵסֵב, יָסֵב
	imp.	הָקֵםוּ	הָבֵןוּ	הַמְצֵאוּ	הַפְנֵהוּ	הָסֵבוּ
	inf.	הוּקַם	הוּבַן	הֻמְצָא	הָפְנֵה	הוּסֵב
Hoph'al הָפְעַל	3rd. per.	הוּקַם, מוּקָם, יוּקַם	הוּבַן, מוּבָן, יוּבַן	הֻמְצָא, מֻמְצָא, יֻמְצָא	הָפְנָה, מָפְנֶה, יָפְנֶה	הוּסַב, מוּסָב, יוּסַב
	imp.					
	inf.	לְהִתְקוֹמֵם	לְהִתְבּוֹנֵן	לְהִתְמַצֵּא	לְהִתְפַּנּוֹת	לְהִסְתּוֹבֵב
Hithpa'el הִתְפַּעֵל	3rd. per.	הִתְקוֹמֵם, מִתְקוֹמֵם, יִתְקוֹמֵם	הִתְבּוֹנֵן, מִתְבּוֹנֵן, יִתְבּוֹנֵן	הִתְמַצֵּא, מִתְמַצֵּא, יִתְמַצֵּא	הִתְפַּנָּה, מִתְפַּנֶּה, יִתְפַּנֶּה	הִסְתּוֹבֵב, מִסְתּוֹבֵב, יִסְתּוֹבֵב
	imp.	הִתְקוֹמֵםוּ	הִתְבּוֹנֵןוּ	הִתְמַצֵּאוּ	הִתְפַּנֵּהוּ	הִסְתּוֹבֵבוּ

WEIGHTS AND MEASURES מִדּוֹת וּמִשְׁקָלוֹת

1. *Linear Measure* (Length)

1 inch (in.) = 2.54 centimeters (cm)
1 foot (ft.) = 12 inches = 0.3048 meter (m)
1 yard (yd.) = 36 inches = 0.9144 meter
1 mile (mi.) = 1760 yards = 1609.3 meters = 1.6093 kilometers (km)
1 knot (nautical mile) = 6026.7 = 1853 meters = 1.853 kilometers

1. מִדּוֹת אֹרֶךְ

אִינְטְשׁ = 2.54 סַנְטִימֶטְרִים (ס"מ)
פּוּט = 12 אִינְטְשׁ = 0.3048 מֶטֶר (מ')
יַרְד = 36 אִינְטְשׁ = 0.9144 מֶטֶר
מִיל = 1760 יַרְד = 1609.3 מֶטֶר = 1.6093 קִילוֹמֶטֶר (ק"מ)
מִיל יַמִּי = 6026.7 יַרְד = 1853 מֶטֶר = 1.853 קִילוֹמֶטֶר

2. *Square Measure* (*Area*)

1 square inch (sq. in.) = 6.452 square centimeters (sq. cm)
1 square foot (sq. ft.) = 144 square inches = 929 square centimeters
1 square yard (sq. yd.) = 9 square feet = 0.8361 square meters (sq.m)
1 acre (a.) = 4840 square yards
1 square mile (sq. mi.) = 640 acres = 2.59 square kilometers (sq. km)

2. מִדּוֹת שֶׁטַח

אִינְטְשׁ מְרֻבָּע = 6.452 סַנְטִימֶטְרִים מְרֻבָּעִים (סמ"ר)
פּוּט מְרֻבָּע = 144 אִינְטְשׁ מְרֻבָּע = 929 סמ"ר
יַרְד מְרֻבָּע = 9 פּוּט מְרֻבָּע = 0.8361 מֶטֶר מְרֻבָּע (מ"ר)
אַקֶר = 4840 יַרְד מְרֻבָּע
מִיל מְרֻבָּע = 640 אַקֶר = 2.59 קִילוֹמֶטְרִים מְרֻבָּעִים (קמ"ר)

3. *Cubic Measure (Volume)*

1 cubic inch (cu. in.) = 16.387 cubic centimeters (cu. cm)
1 cubic foot (cu. ft.) = 1728 cubic inches = 0.0283 cubic meters (cu. m)
1 cubic yard (cu. yd.) = 27 cubic feet = 0.7646 cubic meters

3. מִדּוֹת נֶפַח

אִינְטְשׁ מְעֻקָּב = 16.387 סַנְטִימֶטֶר מְעֻקָּב (סמ"ק)
פּוּט מְעֻקָּב = 1728 אִינְטְשׁ מְעֻקָּב = 0.0283 מֶטֶר מְעֻקָּב (מ"ק)
יַרְד מְעֻקָּב = 27 פּוּט מְעֻקָּב = 0.7646 מֶטֶר מְעֻקָּב

4. *Liquid and Dry Measure*

1 pint (pt.) = 0.5679 liters (l)
1 quart (qt.) = 2 pints = 1.1359 liters
1 gallon (gal.) = 4 quarts = 4.5436 liters
1 peck (pk.) = 2 gallons = 9.087 liters
1 bushel (bu.) = 4 pecks = 36.35 liters

4. מִדּוֹת הַלַּח וְהַיָּבֵשׁ

פַּיְנְט = 0.5679 לִיטֶר (ל')
קְוַרְט = 2 פַּיְנְטִים = 1.1359 לִיטְרִים
גַּלּוֹן = 4 קְוַרְטִים = 4.5436 לִיטְרִים
פֶּיק = 2 גַּלּוֹנִים = 9.087 לִיטְרִים
בּוּשֶׁל = 4 פֶּיקִים = 36.35 לִיטֶר

5. *Units of Weight*

1 ounce (oz.) = 28.3495 grams (g)
1 pound (lb.) = 16 ounces = 453.59 grams
1 ton = 2000 pounds = 1016.05 kilograms (kg)

5. יְחִידוֹת מִשְׁקָל

אֻנְקִיָּה = 28.3495 גְּרַם
לִטְרָה = 16 אֻנְקִיּוֹת = 453.59 גְּרַם (ג.)
טוֹן = 2000 לִטְרָה = 1016.05 קִילוֹגְרַם (ק"ג.)

6. *Time Measure*

60 seconds = 1 minute (min.)
60 minutes = 1 hour (hr.)
24 hours = 1 day (da.)
7 days = 1 week (wk.)
30 or 31 days = 1 calendar month (mo.)
365 days = 12 calendar months = 1 common year (yr.)
366 days = 1 leap year
50 years = jubilee

6 מִדּוֹת זְמַן

60 שְׁנִיָּה = דַּקָּה
60 דַּקָּה = שָׁעָה
24 שָׁעָה = יוֹם (יְמָמָה)
7 יָמִים = שָׁבוּעַ
30 יוֹם (בִּמְמֻצָּע) = חֹדֶשׁ
365 יוֹם = 12 חֹדֶשׁ = שָׁנָה
366 יוֹם = שָׁנָה מְעֻבֶּרֶת
50 שָׁנָה = יוֹבֵל

7. *Temperature*

United States of America
212° Fahrenheit (F.) = 100° Centigrade (C.)
To convert Fahrenheit into Centigrade degrees deduct 32, multiply by 5 and divide by 9.

7. מַדְרֵגַת הַחֹם

יִשְׂרָאֵל
(C.) 100° סֶנְטִיגְרָד = °(F) 212 פַּרֶנְהַייט
לְחַשֵּׁב מַעֲלוֹת סֶנְטִיגְרָד לְמַעֲלוֹת פַּרֶנְהַייט:
הַכְפֵּל פִּי 9, חַלֵּק לְ 5 וְהוֹסֵף 32

8. *Currency (Coins)*

United States of America

100 cents (c) = 1 dollar ($)

Israel

100 agorot = 1 Israeli pound (£I) = $2.16

Great Britain

20 shillings = 1 pound (£) = $2.80 = £I 6.07

Canada

100 cents = 1 dollar ($) = $1.04 = £I 2.20

8. מַטְבְּעוֹת

אַרְצוֹת הַבְּרִית

100 סֶנְט = 1 דּוֹלָר

יִשְׂרָאֵל

100 אֲגוֹרוֹת = 1 לִירָה יִשְׂרְאֵלִית (לִ״י) = $2.16 ארה״ב

אַנְגְּלִיָּה

20 שִׁילִינְג = פָּאוּנְד·שְׁטֶרְלִינְג = $2.80 ארה״ב = 6.07 ל״י

קַנָדָה

100 סֶנְט = 1 דּוֹלָר = $1.04 ארה״ב = 2.20 ל״י

א A

א Aleph, first letter of Hebrew alphabet; one, first; 1,000

אָב, ז׳, ר׳, אָבוֹת father, ancestor; master, teacher; originator; source; Ab (Hebrew month)

אָב זָקֵן grandfather

אָב חוֹרֵג stepfather

אַב־בֵּית־דִּין chief justice, head of Sanhedrin; president of court of law

אַב־טֻמְאָה prime cause of defilement

אֵב, ז׳, ר׳, אִבִּים young sprout, shoot; youth

אַבָּא, ז׳ daddy, dad

[אבב] הֶאֱבִיב, פ״י to bring forth shoots

אֲבָבִית, נ׳ ague, malarial fever

אַבְגָּר, ז׳, ר׳, ־רִים agrimony

אָבַד, פ״ע, נֶאֱבַד to be lost, perish

אִבֵּד, הֶאֱבִיד פ״י to lose, destroy

הִתְאַבֵּד, פ״ח to commit suicide, destroy oneself

אָבֵד, ת״ז, אֲבֵדָה, ת״נ lost, spoiled, perishable

אֲבֵדָה, נ׳, ר׳, ־דוֹת lost object, loss; casualty (military)

אֲבַדּוֹן, ז׳ destruction, hell

אָבְדָן, אַבְדָן, ז׳ destruction, ruin, loss

אָבָה, פ״ע to desire, want; to consent

אֵבֶה, ז׳, ר׳, ־בִים reed

אַבְהוּת, נ׳ fatherhood

אַבּוּב, ז׳, ר׳, ־בִּים pipe, tube; oboe; knotgrass

אָבוּד, ת״ז, אֲבוּדָה, ת״נ perishable, lost

אִבּוּד, ז׳ ruin, loss, destruction

אֲבוֹי, מ״ק alas! woe!

אַבּוּל, ז׳, ר׳, ־לִים arcade, vaulted passage

אֵבוּס, ז׳, ר׳, אֲבוּסִים manger, stall; trough

אָבוּס, ת״ז, אֲבוּסָה, ת״נ stuffed, fattened

אִבּוּק, ז׳ dusting

אֲבוּקָה, נ׳, ר׳, ־קוֹת torch

אִבַּח, פ״י to slay

אִבְחָה, נ׳ slaughter

אַבְחֹם, ז׳, ר׳ אַבְחַמִּים calorie

אַבְחֶמֶץ, ז׳ oxygen

אַבְחָנָה, נ׳, ר׳, ־נוֹת diagnosis

אַבְחֶנֶק, ז׳ nitrogen

אֲבַטִּיחַ ז׳, ר׳, ־חִים watermelon

אֲבַטִּיחַ צָהֹב, ז׳, ר׳, ־חִים צְהֻבִּים muskmelon

אַבְטָלָה, נ׳, ר׳, ־לוֹת unemployment, lay off

אָבִיב, ז׳, ר׳, אֲבִיבִים spring; green ear of corn

אֲבִיבִי, ת״ז, ־בִית ת״נ springlike

אֶבְיוֹן, ז׳, ר׳, ־נִים poor, needy, destitute (person)

אֲבִיּוֹנָה, נ׳ caper berry; lust, sensuality

אֶבְיוֹנוּת, נ׳ poverty, indigence

אֲבִיכָה, נ׳ compactness, thickness

אֲבִילָה, נ׳ mourning

אֲבִיסָה, נ׳ fattening, stuffing

אָבִיק, ז׳, ר׳, אֲבִיקִים (water) drain

אָבִיר, ז׳ the Almighty

אַבִּיר, ז׳, ר׳ ־רִים knight, hero; steed; bull (Apis)

אַבִּיר, ת"ז brave, strong, mighty
אַבִּיר לֵב stubborn, stouthearted
אַבִּירוּת, נ' knighthood; bravery; stubbornness
[אבך] הִתְאַבֵּךְ, פ"ע to thicken, mix; to rise (smoke)
[אבל] הִתְאַבֵּל, פ"ע to mourn, lament
אָבֵל, ת"ז, אֲבֵלָה, ת"נ; ז', נ' mournful; desolate, ruined; mourner
אֵבֶל, ז', ר', אֲבָלִים mourning, sorrow
אֲבָל, תה"פ but, however
אֲבֵלוּת, נ' mourning
אַבְמַיִם, ז"ר hydrogen
אֶבֶן, נ', ר', אֲבָנִים stone; (unit of) weight
אֶבֶן־אֹפֶל paperweight
אֶבֶן־אֵשׁ silex, flint
אֶבֶן־בְּדִיל plummet
אֶבֶן־בֹּחַן touchstone
אֶבֶן־הַמֶּלֶךְ standard, official weight
אֶבֶן־גָּזִית hewed stone
אֶבֶן־חֵן, אֶבֶן־חֵפֶץ, אֶבֶן־טוֹבָה jewel, precious stone
אֶבֶן־מַשְׁחֶזֶת grindstone
אֶבֶן־נֶגֶף stumbling block
אֶבֶן־פִּנָּה, אֶבֶן־רֹאשָׁה corner-stone
אֶבֶן־שׁוֹאֶבֶת magnetic stone
אִבֵּן, פ"י petrify
הִתְאַבֵּן, פ"ח to be petrified
אֹבֶן, ז', ר', אָבְנִים fossil
אַבְנֵט, ז', ר', ־טִים belt, sash, girdle
אַבְנִי, ת"ז, ־נִית, ת"נ stonelike, stony
אָבְנַיִם, ז"ז potter's wheel; birthstool
אָבַס, פ"י to fatten, stuff
אֲבַעְבּוּעָה, נ', ר', ־עוֹת boil, blister, pimple, wart

אֲבַעְבּוּעוֹת smallpox
אָבָץ, ז' zinc
אָבָק, ז' dust, powder
[אבק] נֶאֱבַק, פ"ע to wrestle
אִבֵּק, פ"י to cover with dust, remove dust
הִתְאַבֵּק, פ"ח to be covered with dust, wrestle
אֲבַק־שְׂרֵפָה, ז' gunpowder
אֶבֶק, ז', ר', אֲבָקִים slipknot, noose
אֲבָקָה, אַבְקָה, נ' fine powder
אֵבֶר, ז', ר', אֲבָרִים wing; limb, member (of a body)
[אבר] הֶאֱבִיר, פ"ע to fly, spread one's wings, soar
אֲבָר, ז' lead
אֶבְרָה, נ', ר', אֲבָרוֹת wing; feather
אַבְרוּמָה, נ', ר', ־מוֹת pike
אַבְרֵךְ, ז', ר', ־כִים young (married) man, gentleman
אַבְרְנִי, ז', ר', ־נִים waterfowl
אָבָשׁ, ז', ר', אֲבָשִׁים wild grape
אַגַּב, מ"י by means (of), by the way (of)
אָגַד, פ"י to tie, bind together
אִגֵּד, פ"י to unite, tie
אֶגֶד, ז', ר', אֲגָדִים bandage; bundle, bunch
אֲגֻדָּה, אֲגוּדָה, נ', ר', ־דּוֹת association, society; bunch
אַגָּדָה, נ', ר', ־דוֹת Aggadah; legend, tale
אַגָּדִי, ת"ז, ־דִית, ת"נ legendary, mythical
אִגּוּד, ז', ר', ־דִים band, union, organization
אֲגוּדָה, אֲגֻדָּה, נ', ר', ־דּוֹת association, society; bunch

אֲגוּדָל, ז׳, ר׳, ־לִים thumb; toe
אֱגוֹז, ז׳, ר׳, ־זִים nut
אֱגוֹז־הֹדּוּ, ז׳, ר׳, אֱגוֹזֵי הֹדּוּ coconut
אַגּוֹז, ז׳, ר׳, ־זִים grappling iron
אֱגוֹזָה, נ׳, ר׳, ־זוֹת nut tree
אֲגוֹרָה, נ׳, ר׳, ־רוֹת coin (of little value)
אֲגִידָה, נ׳, ר׳, ־דוֹת bundling, tying (up)
אֲגִירָה, נ׳ ר׳, ־רוֹת hoarding, storing
אֵגֶל, ז׳, ר׳, אֶגָלִים drop (of dew, rain, sweat), droplet
אֲגַם, ז׳, ר׳, ־מִּים pond, lake; bushwood
אָגֵם, ת״ז, אֲגֵמָה, ת״נ sorrowful, sad
אַגְמוֹן, ז׳, ר׳, ־נִים reed, bulrush; fishhook
אַגָּן, ז׳, ר׳, ־נִים basin, bowl
אַגַּן הַיְרֵכַיִם pelvis
אֹגֶן, ז׳, ר׳, אֳגָנִים rim (of bucket), brim, border, edge
אַגָּנָה, נ׳, ר׳, אַגָּנוֹת hopper
אַגָּס, ז׳, ר׳, אַגָּסִים pear
אֲגַף, ז׳, ר׳, ־פִּים wing (of building, army), flank, side; department
אִגֵּף, פ״י to flank
אָגַר, פ״י to hoard; to gather, collect
אִגָּר, ז׳, ר׳, ־רִים roof (flat)
אַגְרָה, נ׳ (license) fee
אֶגְרוֹן, ז׳, ר׳, ־נִים, ־נוֹת dictionary, vocabulary
אִגְרוֹן, ז׳, ר׳, ־נִים collection of letters
אֶגְרוֹף, ז׳, ר׳, ־פִים fist
אִגְרוּף, ז׳ boxing
אֶגְרוֹפִית, נ׳, ר׳ ־פִיּוֹת boxing glove
אֶגְרוֹפָן, ז׳, ר׳, ־נִים boxer, pugilist
אֲגַרְטָל, ז׳, ר׳, ־לִים basin; vase

אִגְרֵף, פ״י to clench one's fist
הִתְאַגְרֵף, פ״ח to box
אִגֶּרֶת, נ׳, ר׳, אִגְּרוֹת letter, epistle; document
אֵד, ז׳, ר׳, ־דִים vapor, mist
[אדב] הֶאֱדִיב to afflict
אִדָּה, פ״י to rise (skyward); to vaporize, evaporate
אָדוֹם, אָדֹם, ת״ז, אֲדוּמָה, אֲדֻמָּה, ת״נ red
אָדוֹם, ז׳, ר׳, אֲדוּמִים ducat
אָדוֹן, ז׳, ר׳, אֲדוֹנִים master, sir, mister
אָדוּק, ז׳, ר׳, אֲדוּקִים pious, devout (man), orthodox
אֹדוֹת, אוֹדוֹת, מ״י about, concerning, pertaining to
אֲדוּת, נ׳ evaporation
אֵדִי, ת״ז, אֵדִית, ת״נ vaporous
אָדִיב, ת״ז, אֲדִיבָה, ת״נ polite, courteous, well-mannered
אֲדִיבוּת, נ׳ politeness, courtesy
אֲדִיקוּת, נ׳ piety, orthodoxy
אַדִּיר, ת״ז, ־רָה, ת״נ mighty, noble, rich and respectable
אַדִּירוּת, נ׳ might
אָדִישׁ, ת״ז, אֲדִישָׁה, ת״נ indifferent, apathetic
אֲדִישׁוּת, נ׳ indifference, apathy
אַדְכִּיר, אַדְכַּר, ז׳ aeschynanthus
אָדֵל, ז׳ cress, water cress
אָדָם, ז׳ man, mankind, human being; Adam
אָדָם הָרִאשׁוֹן first man
בֶּן־אָדָם person
פֶּרֶא אָדָם wildman
אָדֹם, אָדוֹם, ת״ז, אֲדֻמָּה, אֲדוּמָה, ת״נ red

אָדַם, פ"ע — to be red
הֶאְדִּים, פ"ע — to redden, become red
הִתְאַדֵּם, פ"ח — to blush, flush
אֹדֶם, ז' — lipstick, ruby, redness
אֲדַמְדַּם, ת"ז, ־דֶּמֶת, ת"נ — reddish
אֲדָמָה, נ', ר' ־מוֹת — earth, soil, ground
אַדְמוּמִית, נ' — redness, reddish hue
אַדְמוֹן, ז', ר', ־נִים — peony
אַדְמוֹנִי, ת"ז, ־נִית, ־נִיָּה, ת"נ — ruddy, red-haired
אֲדַמִּי, אֲדוּמִי, ת"ז ־מִית, ת"נ — sanguine
אֲדַמִּיוּת, אֲדוּמִיּוּת, נ' — temperament
אַדֶּמֶת, נ' — measles
אֶדֶן, ז', ר', אֲדָנִים — pedestal; sleeper
אַדְנוּת, נ' — authority, suzerainty, lordship
אֲדֹנָי — Lord, God
אֶדֶק, ז', ר', אֲדָקִים — drip vessel
[אדר] נֶאְדַּר, פ"ע — to be mighty, glorious
הֶאְדִּיר, פ"י — to glorify, magnify
אֶדֶר, ז', ר', אֲדָרִים — cloak, mantle; glory, beauty; oak (tree); stuffed animal
אֲדָר, ז' — Adar (Hebrew month)
אֲדָר שֵׁנִי — Second Adar (leap year)
אַדְרַבָּה, תה"פ — on the contrary, by all means
אִדְרָה, נ', ר' אֲדָרוֹת — fishbone
אַדְרִיכָל, אַרְדִּיכָל, ז', ר', ־לִים — architect
אַדֶּרֶת, נ', ר', אַדָּרוֹת — cloak, coat; glory
אָדַשׁ, פ"ע — to be indifferent
אֹדֶשׁ, ז' — essence (being)

אָהַב, פ"י — to love
הִתְאַהֵב, פ"ח — to fall in love
אֹהַב, אַהַב, ז', ר', אֳהָבִים, אֲהָבִים — love (passages)
אַהֲבָה, נ', ר', אֲהָבוֹת — love, amour
אֲהַבְהֵב, פ"ע — to flirt
אֲהַבְהָב, ז', ר', ־בִים — flirt
אָהַד, פ"י — to like, sympathize
אַהֲדָה, נ' — sympathy
אֲהָהּ, מ"ק — woe! alas!
אָהוּב, ת"ז, אֲהוּבָה, ת"נ — beloved, lovable
אָהוּד, ת"ז, אֲהוּדָה, ת"נ — sympathetic
אֱהִי, תה"פ — where?
אֶהְיֶה — name of God
אָהִיל, ז', ר', אֲהִילִים — umbrella, shade
אֹהֶל, ז', ר', אֹהָלִים, אֳהָלִים — tent; tabernacle
אָהַל, פ"ע — to pitch a tent
הֶאֱהִיל, פ"ע — to cover up
אֲהָל, ז' — aloe (wood), heartwood
אָהֳלִיָּה, נ', ר', ־יוֹת — tent (camp)
אֹהַר, ז', ר', אֳהָרִים — snare (basket)
אוֹ, מ"ק — or
אוֹ ... אוֹ — either...or
אוֹ אָז — perhaps
אוֹב, ז', ר', ־בוֹת — skin bottle; magic, necromancy; ventriloquist
אוֹבֵד, ת"ז, ־בֶדֶת, ־בְדָה, ת"נ — lost, unfortunate
אוֹג, ז', ר', ־גִים — sumac
אוֹגָה, נ' — zenith, apogee
אוֹגֵר, ז', ר', ־גְרִים — collector
אוּד, ז', ר', ־דִים — firebrand, poker (fire)
אוֹדוֹת, אֹדוֹת, מ"י — about, concerning, pertaining to
אוּדָן, ז', ר', ־נִים — tub

אִוָּה, פ״י to desire, covet
הִתְאַוָּה, פ״ח to long for, aspire, crave
אַוָּה, נ׳ lust, desire
אוֹהֵב, ז׳, ר׳ ־הֲבִים lover, friend
אִוּוּי, ז׳, ר׳, ־יִים covetousness
אַוָּז, ז׳, ר׳, ־זִים gander
אַוָּזָה, נ׳ goose
בַּר־אַוָּז, בַּרְוָז duck
אוֹי, אוֹיָה, מ״ק oh! woe! alas!
אוֹיֵב, ז׳, ר׳, ־יְבִים foe, enemy
אֱוִיל, ז׳, ר׳, ־לִים fool
אֱוִילוּת, נ׳ folly, foolishness
אֲוִיר, ז׳, ר׳, ־רִים air, atmosphere
אֲוִירָה, נ׳, ר׳, ־רוֹת atmosphere (e.g., congenial)
אֲוִירוֹן, ז׳, ר׳, ־נִים airplane
אֲוִירִי, ת״ז, ־רִית׳ ת״נ airy
אֲוִירִיָּה, נ׳, ר׳, ־יּוֹת air force
אוּכְלוֹסִיָּה, אֻכְלוֹסִיָּה, נ׳ population
אוּכָּף, אֻכָּף, ז׳, ר׳, ־פִים, ־פוֹת saddle
אוּל, ז׳ body, organism
אוּלַי, תה״פ perhaps
אוּלָם, מ״ח but, however; only
אוּלָם, ז׳, ר׳, ־לַמִּים hall, vestibule
אוּלְפָּן, אֻלְפָּן, ז׳, ר׳, ־נִים Ulpan, school (for intensive training)
אוֹלָר, ז׳, ר׳, ־רִים penknife, jackknife
אִוֶּלֶת, נ׳ folly, foolishness, stupidity
אוֹמֶד, אֹמֶד, ז׳ estimate, appraisal, assessment
אוּמָּה, אֻמָּה, נ׳, ר׳, ־וֹת nation, people
או״ם, אוּם, נ״ר United Nations
אוּמְדָּנָה, אֻמְדָּנָה, נ׳, ר׳, ־נוֹת appraisal, estimate

אוֹמֵן, ז׳, ר׳, ־מְנִים educator; director; male nurse
אוֹמָן, ז׳, ר׳, ־נִים, ־נִיּוֹת harvest-strip
אוּמָּן, אֻמָּן, ז׳, ר׳, אוּמָּנִים artisan, craftsman
אוּמָּנוּת, אֻמָּנוּת, נ׳, ר׳, ־נֻיּוֹת trade, handicraft, craftsmanship
אוֹמֶנֶת, נ׳, ר׳, ־מְנוֹת midwife, nurse
אוּמְצָה, אֻמְצָה, נ׳, ר׳, ־צוֹת steak
אוֹן, ז׳, ר׳, ־נִים strength, virility, vigor; wealth; sorrow, sadness
אָוֶן, ז׳, ר׳, אוֹנִים iniquity, evil, injustice; sorrow, misfortune
אוֹן, ז׳, ר׳, ־נִים skein
אוֹנָאָה, הוֹנָאָה, נ׳, ר׳, ־אוֹת deceit, fraud
אוּנָּה, אֻנָּה, נ׳, ר׳, ־נוֹת lobe (of lung)
אַוָּנָה, נ׳, ר׳, ־נוֹת roadside inn, wayside station
אוֹנֵן, ז׳, ר׳, ־נְנִים mourner
אוֹנָנוּת, נ׳ self-abuse, defilement, masturbation
אוֹנָן, ז׳, ר׳, ־נִים masturbator
אוֹפֶה, ז׳, ר׳, ־פִים baker
אוֹפִי, אֹפִי, ז׳, ר׳, אֳפָיִים character, nature
אוֹפְיָנִי, אָפְיָנִי, ת״ז, ־נִית, ת״נ characteristic
אוֹפֶן, אֹפֶן, ז׳, ר׳, אֳפָנִים manner, style, way
אוֹפַן, ז׳, ר׳, ־נִּים wheel; name of angel
אוֹפַנּוֹעַ, ז׳, ר׳, ־עִים motorcycle
אוֹפַנַּיִם, ז״ז bicycle
אוֹפַנָּן, ז׳, ר׳, ־נָּנִים cyclist
[אוץ] אָץ, פ״ע to hurry, hasten; to urge, press
אוֹצָר, ז׳, ר׳, ־רוֹת treasure, treasury, storehouse

אוֹקְיָנוֹס, ז׳, ר׳, ־סִים ocean
אוֹר, ז׳, ר׳, ־רִים, ־רוֹת light, fire
אוֹר לְיוֹם night before, on the eve
אוֹר, פ״ע to be light, shine
הֵאִיר, פ״ע, פ״י to shine, cause light
אוּר, ז׳, ר׳, ־רִים fire, campfire; colony
אוֹרֵב, ז׳, ר׳, ־רְבִים ambusher
אוֹרֵג, ז׳, ר׳, ־רְגִים weaver
אוֹרָה, נ׳, ר׳, ־רוֹת light; happiness; herb, berry
אוֹרֶה, ז׳, ר׳, ־רִים fruit-picker
אוּרְוָה, אֻרְוָה, נ׳, ר׳, ־רָווֹת stable, manger
אִוְרוּר, ז׳ ventilation, airconditioning
אוֹרֵז, ז׳, ר׳, ־רְזִים packer, binder
אוֹרֶז, אֹרֶז, ז׳ rice
אוֹרֵחַ, ז׳, ר׳, ־רְחִים guest, visitor, traveler
אוֹרַח, אֹרַח, ז׳, ר׳, אֳרָחוֹת, ־חִים way, path; behavior, manner, mode, custom; menstruation, menses; flowers
אוֹרְחָה, אֹרְחָה, נ׳, ר׳, ־חוֹת caravan
אוּרִים, ז״ר׳ אוּרִים וְתֻמִּים oracles
אוֹרִית, נ׳ radium
אוֹרַיְתָא, נ׳ Torah, Pentateuch
אוֹרְלוֹגִין, ז׳, ר׳, ־נִים clock (wall)
אוֹרֶן, אֹרֶן, ז׳, ר׳, אֳרָנִים pine
אִוְרֵר, פ״י to air, ventilate
אִוְשָׁה, נ׳ rustle
אוֹשֶׁר, אֹשֶׁר, ז׳ happiness, luck
אוֹת, ז׳, ר׳, ־תוֹת sign, proof, symbol; miracle
אוֹת, נ׳, ר׳, ־תִיּוֹת letter (of alphabet)
[אות] נֵאוֹת, פ״ע to consent, enjoy, be suitable

אוֹתִי, אוֹתְךָ, וְכוּ׳ ע׳ אֵת
אָז, אֲזַי, תה״פ then, in this case, therefore
אַזְהָרָה, ע׳ הַזְהָרָה
אִזּוּן, ז׳, ר׳, ־נִים listening; balancing, weighing
אֵזוֹר, ז׳, ר׳ אֲזוֹרִים girdle; district
אָזַל, פ״ע to go, be gone, exhausted
אִזְמֵל, ז׳, ר׳, ־לִים scalpel, chisel
אֹזֶן, נ׳, ר׳, אָזְנַיִם ear; handle; auricle
אִזֵּן, פ״י to poise, balance
הֶאֱזִין, פ״י to listen (to radio)
אֵזֶן, ז׳, ר׳, אֲזֵנִים arm, weapon; kit
אָזְנִיָּה, נ׳, ר׳, ־יּוֹת earphone
אַזְעָקָה, נ׳, ר׳, ־קוֹת alarm
אֲזִקִּים, אֲזִיקִים, ז״ר handcuffs, chains
אָזַר, פ״י to gird
אָזַר חַיִל to strengthen, fortify
הִתְאַזֵּר (עֹז) to overcome, strengthen oneself
אֶזְרוֹעַ, זְרוֹעַ, נ׳, ר׳, ־עוֹת arm
אֶזְרָח, ז׳, ר׳, ־חִים native, citizen; well-rooted tree
אִזְרֵחַ, פ״י to naturalize
אֶזְרָחוּת, נ׳ citizenship
אֶזְרָחִי, ת״ז, ־חִית, ת״נ civil
אַחַ, ז׳, ר׳, ־חִים marten
אָח, מ״ק alas!
אָח, זו״נ, ר׳, אַחִים fireplace, hearth
אָח, ז׳, ר׳, אַחִים brother, countryman, kinsman
אָח חוֹרֵג stepbrother
אֶחָד, ש״מ; ז׳ one, someone; first
אֶחָד אֶחָד one by one
אֶחָד מִ־, בְּ־ one of ...
אֲחָדִים, ־דוֹת some, few, several; units (in retail selling)

eleven (*m.*) אַחַד עָשָׂר
to unite אִחֵד, פ"י
to become one, unite, join הִתְאַחֵד, פ"ח
unity, solidarity, concord אַחְדוּת, נ'
to put together, sew, stitch up אִחָה, פ"י
rushes, reeds; pasture אָחוּ, ז'
union, amalgamation אִחוּד, ז'
declaration אַחְוָה, נ', ר', ־ווֹת
brotherhood, brotherliness, fraternity אַחֲוָה, נ'
per cent, rate אָחוּז, ז', ר', אֲחוּזִים
holding אִחוּז, ז'
property, possession אֲחוּזָה, אֲחֻזָּה, נ', ר', ־זּוֹת
sewing, seam אִחוּי, ז'
congratulation, blessing אִחוּל, אֵחוּל, ז', ר', ־לִים
prune אֲחוֹן, ז', ר', ־נִים
rear, buttocks, back אָחוֹר, ז', ר', אֲחוֹרַיִם
delay, lateness, tardiness אִחוּר, ז', ר', ־רִים
backwards אָחוֹרָה, תה"פ
rear, posterior אֲחוֹרִי, ת"ז, ־רִית, ת"נ
backwards אֲחוֹרַנִּית, אֲחֹרַנִּית, תה"פ
sister; nurse; nun אָחוֹת, נ', ר', אֲחָיוֹת
stepsister אָחוֹת חוֹרֶגֶת
to seize, grasp אָחַז, פ"י
to settle (in) הִתְאַחֵז, פ"ח
farm, property, possession אֲחֻזָּה, אֲחוּזָה, נ', ר', ־זּוֹת
homogeneous אָחִיד, ת"ז, אֲחִידָה, ת"נ
seizure אֲחִיזָה, נ', ר', ־זוֹת
prestidigitation, conjuring אֲחִיזַת עֵינַיִם
nephew אַחְיָן, ז', ר', ־נִים

niece אַחְיָנִית, נ', ר', ־יוֹת
to congratulate, wish (well) אִחֵל, פ"י
on that ...; would that ... אַחֲלַי, אַחֲלֵי, מ"ק
amethyst אַחְלָמָה, ז', ר', ־מוֹת
convalescence אַחְלָמָה, הַחְלָמָה, נ', ר', ־מוֹת
archive אַחְמָת, ז', ר', ־תִים
to store אִחְסֵן, פ"י
storage אַחְסָנָה, נ'
then, thereafter, after אַחַר, תה"פ
afterwards אַחַר־כָּךְ
other, another; strange אַחֵר, ת"ז, אַחֶרֶת, ת"נ
to tarry, delay, be late אָחַר, אֵחַר, פ"ע
responsible, liable אַחֲרַאי, אַחֲרַי, ת"ז, ־רָאִית, ת"נ
frenzy אַחֲרָה, נ'
last, latter אַחֲרוֹן, ת"ז, ־נָה, ת"נ
after אַחֲרֵי, תה"פ
after (that); since אַחֲרֵי שֶׁ־, אַחֲרֵי אֲשֶׁר
afterwards אַחֲרֵי כֵן
responsibility, liability אַחֲרָיוּת, נ'
end (of time); future; rest, remainder אַחֲרִית, נ'
backwards אֲחֹרַנִּית, אֲחוֹרַנִּית, תה"פ
one, someone; special אַחַת, ש"מ, נ'
it is all the same אַחַת הִיא
eleven (*f.*) אַחַת עֶשְׂרֵה
pit אֶחָת, ז', ר', ־תִים
slowly אַט, לְאַט, תה"פ
soothsayer, fortuneteller אִט, ז', ר', אִטִּים
clamp, clip אֶטֶב, ז', ר', אֲטָבִים
bramble, boxthorn אָטָד, ז', ר', אֲטָדִים

closed, clogged, opaque אָטוּם, ת"ז, אֲטוּמָה, ת"נ
string אֵטוּן, ז', ר', אֵטוּנִים
to slow up [אטט] הֵאֵט, פ"י
slow אִטִּי, ת"ז, ־טִּית, ת"נ
slowness אִטִּיּוּת, נ'
impenetrable אָטִים, ת"ז, אֲטִימָה, ת"נ
mockery אִטְלוּלָה, אִטְלוּלָא, נ'
butcher shop אִטְלִיז, ז', ר', ־זִים
substructure; cork אֹטֶם, ז'
gasket אֶטֶם, ז', ר', אֲטָמִים
to close, shut (a gap, hole) אָטַם, פ"י
hole (in cheese) אֶטֶף, ז', ר', אֲטָפִים
lefthanded אִטֵּר, ת"ז, אִטֶּרֶת, ת"נ
to close, shut up אָטַר, פ"י
noodle, vermicelli אִטְרִיָּה, אִטְרִית, נ', ר', ־יּוֹת,
island; jackal אִי, ז', ר', ־יִּים
no, not; woe אִי, תה"פ, מ"ק
impossible אִי אֶפְשָׁר
where אֵי, תה"פ
whence, where from אֵי מִזֶּה
to be hostile to, an enemy of אָיַב, פ"י
enmity, hate, animosity אֵיבָה, נ'
limb אֵיבָר, אֵבָר, ז', ר', ־רִים
to evaporate אִיֵּד, פ"י
misfortune, calamity אֵיד, ז'
Yiddish אִידִישׁ, אִידִית, נ'
that, the other אִידָךְ, מ"ג
willow; bast אִידָן, ז'
hawk אַיָּה, נ', ר', ־יּוֹת
where אַיֵּה, תה"פ
qualification אִיּוּךְ, ז', ר', ־כִים
threat, menace אִיּוּם, ז', ר', ־מִים
which, what, who; any, some אֵיזֶה, מ"ג
which, what, who is ... אֵיזֶהוּ, מ"ג
which, what, who; any, some אֵיזוֹ, אֵיזוּ, מ"ג
cattail אִיטָן, ז', ר', ־נִים
Iyyar (Hebrew month) אִיָּיר, אִיָּר
how אֵיךְ, אֵיכָה, תה"פ
to qualify אִיֵּךְ, פ"ע
where אֵיכֹה, אֵיכוֹ, תה"פ
quality אֵיכוּת, נ', ר', ־כֻיּוֹת
how? how then? אֵיכָכָה, תה"פ
concern, care אִיכְפַּת, אִכְפַּת, תה"פ, נ'
stag, hart אַיָּל, ז', ר', ־לִים
ram; leader, chief; buttress, ledge אַיִל, ז', ר', אֵילִים
might, strength אֱיָל, ז'
terebinth (tree) אֵיל, ז', ר', ־לִים
doe, gazelle, hind אַיָּלָה, אַיֶּלֶת, נ', ר', ־לוֹת
which אֵילוּ, ע' אֵיזֶה, אֵיזוֹ
barren, sterile woman אַיְלוֹנִית, אֵילוֹנִית, נ', ר', ־נִיּוֹת
might, power, strength אֱיָלוּת, נ'
hither; further (on); thither אֵילֵךְ, תה"פ
to and fro אֵילָךְ וְאֵילָךְ
tree אִילָן, ז', ר', ־נוֹת, ־נִים
fruit tree אִילַן מַאֲכָל
fruitless (barren) tree אִילַן סְרָק
musical instrument אַיֶּלֶת, נ'
horrible, terrible אָיֹם, אָיוֹם, ת"ז, אֲיֻמָּה, ת"נ
to frighten, threaten אִיֵּם, פ"י
terror, dread אֵימָה, נ', אֵים, ז', ר', ־מוֹת, ־מִים
when? אֵימַת, אֵימָתַי, תה"פ
great fear, terror אֵימָתָה, נ'

אֵימְתָן, ז׳, ר׳, ־נִים terrorist
אֵימְתָנוּת, נ׳ terrorism
אַיִן, ז׳ nothing, nought
אַיִן, אֵין, תה״פ there is (are) not; not, no
אֵין דָּבָר it is nothing, don't mention it
אֵין־סוֹף infinite
אֵיפֹה, תה״פ where?
אֵיפָה, נ׳, ר׳, ־פוֹת a measure of grain
אֵיפוֹא, אֵיפוֹ, אֵפוֹא, תה״פ then, so
אִיפּוּל, אִפּוּל, ז׳ blackout (of windows)
אִיפּוּר, אִפּוּר, ז׳ make-up (theatrical)
אִיָּר, אִיָּיר, ז׳ Iyyar (Hebrew month)
אִיר, ז׳ fleece
אֵירוּסִים, ־ן, אֵרוּסִים, ־ן, ז״ר betrothal
אִירִיס, ז׳, ר׳, ־סִים Iris
אִישׁ, ז׳, ר׳, אֲנָשִׁים, אִישִׁים man, male; husband; hero; everyone; nobody
אִישׁ אִישׁ everyone
אִישׁ ... רֵעֵהוּ (אָחִיו) each one; one another
אִישׁ בֵּינַיִם champion; agent
אִישׁוֹן, ז׳, ר׳, ־נִים pupil (of eye); darkness; manikin, dwarf
אִישׁוּר, אִשּׁוּר, ז׳ ר׳, ־רִים confirmation, endorsement
אִישׁוּת, נ׳ matrimony
אִישִׁי, ת״ז, ־שִׁית, ת״נ individual, personal
אִישִׁיּוּת, נ׳ personality
אִישִׁית, תה״פ personally
אִיֵּת, פ״י to spell
אִיתוֹן, ז׳, ר׳, ־נִים entrance

אֵיתָן, ת״ז, ־נָה, ת״נ perpetual, perennial; incessant, strong
אַךְ, תה״פ surely, only, but, indeed
אִכּוּל, ז׳ digestion; corrosion
אִכְזֵב, פ״י to disappoint
הִתְאַכְזֵב, פ״ח to be disappointed
אַכְזָב, ת״ז, ־בָה, ת״נ; ז׳ deceptive, disappointing; dry spring, brook
אַכְזָבָה, נ׳, ר׳, ־בוֹת disappointment, disillusionment
אַכְזָר, אַכְזָרִי, ת״ז, ־רִית, ת״נ cruel, pernicious
אִכְזֵר, פ״י to become, be cruel
אַכְזָרִיּוּת, נ׳ cruelty
אֲכִילָה, נ׳, ר׳, ־לוֹת eating
אֲכִילָה גַּסָּה gluttonous meal
אָכַל, פ״י to eat, consume
אִכֵּל, פ״י to devour, burn
הֶאֱכִיל, פ״י to feed
אֹכֶל, ז׳, אָכְלָה, נ׳, ר׳, אֳכָלִים food, nourishment
אֻכְלוּסִיָּה, אוּכְלוּסִיָּה, נ׳, ר׳, ־יוֹת population
אַכְלָן, ז׳, ר׳, ־נִים glutton
אִכְלֵס, פ״י to populate
אָכֹם, ת״ז, אֲכֻמָּה, ת״נ brown
אֻכְמָנִיָּה, נ׳, ר׳, ־יוֹת blackberry
אָכֵן, תה״פ truly, surely; but, nevertheless
אֶכֶס, ז׳, ר׳, ־סִים bill of exchange
אַכְסַדְרָה, אַכְסַדְרָא, נ׳, ר׳, ־אוֹת hall
אִכְסוּן, ז׳ lodging
אִכְסֵן, פ״י to lodge, give hospitality
הִתְאַכְסֵן, פ״ח to stay as guest
אַכְסְנַאי, אַכְסְנַי, ז׳, ר׳, ־נָאִים guest; sublessee
אַכְסַנְיָה, נ׳, ר׳, ־יוֹת inn, motel; hospitality

אָכַף, פ"י — to urge, compel
אֶכֶף, ז' — pressure
אֻכָּף, אוּכָּף, ז', ר', אֻכָּפִים, ־פוֹת — saddle
אִכְפַּת, אִיכְפַּת, תה"פ, נ' — concern, care
אִכָּר, ז', ר', ־רִים — farmer, peasant
אִכֵּר, פ"י, הִתְאַכֵּר, פ"ח — to be, become a farmer
אִכָּרוּת, נ' — farming, husbandry
אַכְרָזָה, ע' הַכְרָזָה
אַל — don't, do not; nothing
אֶל, מ"י — to, towards, at, near
אֶל נָכוֹן — absolutely, certainly
אֵל, ז', ר', ־לִים — God, deity; strength, power
לְאֵל יָדוֹ — within his power
אֶלָּא, מ"ח — only, but, except
אֶלְגָּבִישׁ, ז' — hailstone; crystal; meteorite
אַלְגֹּם, אַלְגּוֹם, ז', ר', ־גֻּמִּים, ־גּוּמִים — sandalwood; coral
אַלָּה, נ', ר', ־לוֹת — cudgel, club
אָלָה, נ', ר', ־לוֹת — oath, curse, imprecation
אָלָה, פ"ע — to curse, swear
הֶאֱלָה, פ"ע — to swear in, put under oath
אֵלָה, נ', ר', ־לוֹת — terebinth; goddess
אֵלֶּה, מ"ג — these
[אלה] הֶאֱלִיהַּ, פ"י — to deify, worship
אֱלֹהַּ, אֱלוֹהַּ, ז', ר', ־הִים — God
אֱלֹהוּת, אֱלָהוּת, נ' — divinity, deity
אֱלֹהִי, אֱלָהִי, ת"ז, ־הִית, ת"נ — godlike
אֱלֹהִים, ז"ר — God; judge
אֵלּוּ, מ"ג — these
אִלּוּ, אִילוּ, מ"ח — if
אִלּוּחַ, נ' — infection

אֱלוּל, ז' — Elul (Hebrew month)
אִלּוּלֵי, מ"ח — if not, if
אַלּוֹן, אֵלוֹן, ז', ר', ־נִים — oak; acorn
אֲלוּנְטִית, אֲלֻנְטִית, נ', ר', ־טִיּוֹת — towel
אֲלוּנְקָה, אֲלֻנְקָה, נ', ר', ־קוֹת — stretcher
אַלְזָן, ז' — atrophy
אַלּוּף, ז', ר', ־פִים — ox; friend; ruler; brigadier general
אִלּוּץ, ז' — imposition
אָלַח, פ"י — to dirty, infect
נֶאֱלַח, פ"ע — to be corrupted, tainted
אַלְחוּט, ז' — radio, wireless
אַלְחוּטַאי, אַלְחוּטַי, ז', ר', ־טָאִים — radioman, radio operator
אַלְחוּשׁ, ז, ר', ־שִׁים — anesthesia
אִלְחֵשׁ, פ"י — to anesthetize
אַלִּיבִּי, ז' — alibi
אַלְיָה, נ', ר', אֲלָיוֹת — tail (of sheep); ear lobe
אִלְיָה, נ', ר', ־יוֹת — dirge, elegy
אַלְיוֹן, ז', ר', ־נִים — toe, thumb
אֱלִיל, ז', ר', ־לִים — idol; nothing
אֱלִילָה, נ', ר', ־לוֹת — goddess
אֱלִילוּת, נ' — paganism
אֱלִילִי, ת"ז, ־לִית, ת"נ — pagan
אַלִּים, ת"נ, ־מָה, ת"נ — violent; powerful
אַלִּיפוּת, נ' — championship
אֲלַכְסוֹן, ז', ר', ־נִים — diagonal, hypotenuse
אָלָל, ז', ר', אֲלָלִים — sinew, tendon
אַלְלַי, מ"ק — woe! woe is me! alas!
אִלֵּם, ת"ז, אִלֶּמֶת, ת"נ — dumb
[אלם] נֶאֱלַם, פ"ע — to become dumb
אִלֵּם, פ"י — to bind sheaves
אֵלֶם, ז', אִלְמוּת, נ' — dumbness
אַלָּם, ז', ר', ־מִים — tyrant, powerful person

אֲלֻמָּה, נ׳, ר׳, ־מּוֹת, ־מִּים sheaf
אַלְמוֹג, אַלְמֹג, ז׳, ר׳, ־מַגִּים coral; sandalwood
אַלְמוֹן, אַלְמֹן, ז׳ widowhood
אַלְמוֹנִי, ת״ז, ־נִית, ת״נ unknown, unnamed
אַלָּמוּת, נ׳ violence, force
אַלְמָוֶת, ז׳ immortality
אִלְמָלֵא, אִלְמָלֵי, מ״ח if not, if
אַלְמָן, ז׳, ר׳, ־נִים widower
אַלְמֹן, אַלְמוֹן, ז׳ widowhood
אִלְמֵן, פ״י to widow
הִתְאַלְמֵן, פ״ח to become a widower
אַלְמָנָה, נ׳, ר׳, ־נוֹת widow
אַלְמְנוּת, נ׳ widowhood
אֲלַנְטִית, אֲלוּנְטִית, נ׳, ר׳, ־טִיּוֹת towel
אֲלַנְקָה, אֲלוּנְקָה, נ׳, ר׳, ־קוֹת stretcher
אִלְסָר, ז׳, ר׳, ־רִים hazelnut
אֶלֶף, ז׳, ר׳, אֲלָפִים thousand; clan; cattle
אָלֶף, אַלְפָא, נ׳ Aleph, first letter of Hebrew alphabet
אָלַף, פ״ע to learn
אִלֵּף, פ״י to train (animals), tame; to teach
הֶאֱלִיף, פ״י to bring forth thousands
אָלֶף־בֵּית, אָלֶפְבֵּית, אָלֶפְבֵּיתָא, זו״נ alphabet
אָלֶפְבֵּיתִי, ת״ז, ־תִית, ת״נ alphabetical
אַלְפוֹן, ז׳, ר׳, ־נִים primer
אַלְפִּית, נ׳, ר׳, ־פִּיּוֹת thousandth
אֻלְפָּן, אוּלְפָּן, אֻלְפָּנָא, ז׳, ר׳, ־פָּנִים Ulpan, School (for intensive training)
אִלְפָּס, ז׳, ר׳, ־סִים pan, saucepan, casserole

[אלץ] נֶאֱלַץ, פ״ע must, ought to, be compelled to
אִלֵּץ, פ״י to compel, force
אַלְקוּם, ז׳, ר׳, ־מִים dictator, leader; power
אַל־תִּגַּע־בִּי, ז׳ touch-me-not
אִלְתִּית, נ׳, ר׳, ־תִּיּוֹת codfish; salmon
אַלְתָּר, לְאַלְתָּר, תה״פ immediately, soon
אֵם, נ׳, ר׳, אִמּוֹת, אִמָּהוֹת mother; womb; origin; metropolitan
אֵם־הַדֶּרֶךְ crossroad
אֵם זְקֵנָה grandmother
אֵם חוֹרֶגֶת stepmother
אִם, מ״ח if, whether, when; or
אִם ... אִם whether ... or
אָם, ז׳, ר׳, ־מִים pustule
אֹם, ז׳, ר׳, אֻמִּים nation, people; nut (screw)
אִמָּא, אִמָּא נ׳ mom, mummy, mama
אַמְבָּט, ז׳, ר׳, ־טִים bath, bathtub
אִמְבֵּט, פ״י to bathe
אַמְבַּטְיָה, נ׳, ר׳, ־יוֹת bathroom
אֹמֶד, אוֹמֶד, ז׳ estimate, appraisal, assessment
אָמַד, פ״י to estimate, appraise, assess
אֻמְדָּן, אוּמְדָּן, ז׳, אֻמְדָּנָה, אוּמְדָּנָה, נ׳, ר׳, ־נִים, ־נוֹת appraisal, estimate
אַמָּה, נ׳, ר׳, ־מּוֹת cubit; penis; forearm; middle finger; canal
אַמָּה עַל אַמָּה square cubit
אָמָה, נ׳, ר׳, אֲמָהוֹת maid, servant
אֻמָּה, אוּמָּה, נ׳, ר׳, ־מּוֹת nation, people
אֻמּוֹת הָעוֹלָם gentile nations
אִמָּהוּת, נ׳ motherhood
אִמָּהִי, ת״ז, ־הִית, ת״נ motherlike, motherly

אֲמוֹדָאִי, אֲמוֹדַי, ז׳, ר׳, ־דָאִים diver (deep sea)

אִמּוּם, ז׳, ר׳ ־מִים form, model, last, block

אָמוֹן, ז׳ pupil; artificer, builder; Amen (Egyptian deity)

אָמוּן, ת״ז, אֲמוּנָה, ת״נ faithful, loyal, dependable

אֵמוּן, ז׳, ר׳, אֱמוּנִים faith, trust, faithfulness

אִמּוּן, ז׳, ר׳, ־נִים training, practice

אֱמוּנָה, נ׳, ר׳, ־נוֹת faith, belief, trust, creed, confidence

אֱמוּנָה טְפֵלָה superstition

אִמּוּץ, ז׳ strengthening, encouraging

אִמּוּץ לֵב hardening (cruelty)

אִמּוּץ לְבֵן adoption

אָמוּץ, ת״ז, אֲמוּצָה, ת״נ sweet-sour

אִמּוּר, ז׳, ר׳, ־רִים strike (labor)

אֲמוֹרָא, ז׳, ר׳, ־אִים Amora, Talmudic sage

אֱמוֹרִי, אֱמֹרִי, ז׳ Amoraite

אֵמוּרִים, ז״ר sacrificial offerings (portions)

אִמּוּת, ז׳ verification

אָמִיד, ת״ז, אֲמִידָה, ת״נ wealthy, well-to-do

אֲמִידוּת, נ׳ wealth

אֲמִידָה, נ׳, ר׳, ־דוֹת supposition

אָמִין ת״ז, אֲמִינָה, ת״נ authentic, authentical

אֲמִינוּת, נ׳ authenticity

אֲמִיַנְטוֹן, ז׳ asbestos

אַמִּיץ, ת״ז, אַמִּיצָה, ת״נ strong, mighty, courageous

אַמִּיץ לֵב brave, courageous

אַמִּיצוּת, נ׳ bravery, courage

אָמִיר, ז׳, ר׳, אֲמִירִים summit, top (of tree)

אֲמִירָה, נ׳, ר׳, ־רוֹת saying, speech; peace conference

אַמִּיתָה, נ׳, ר׳, ־תוֹת Ammiaceae, bullwort

אָמֵל, ת״ז, אֲמֵלָה, ת״נ depressed, weak

אָמַל, פ״ע to be weak, depressed, languid

אֻמְלָה, אֲמוּלָה, נ׳ despondency

אֻמְלָל, אֻמֵלָל, ת״ז, ־לָה, ת״נ languid, weak, unhappy

אִמְלֵל, פ״י to make unhappy, unfortunate

אֹמֶן, ז׳ faithfulness

אָמָן, אָמָּן, ז׳, ר׳, ־נִים artist, artisan

אָמֵן, תה״פ Amen, so be it

אָמַן, פ״י to rear, nurse

נֶאֱמַן, פ״ע to be faithful, trusty, true; to be established

אִמֵּן, פ״י to train, teach

הֶאֱמִין, פ״ע to trust, believe (in)

הִתְאַמֵּן, פ״ח to practice, train oneself

אָמְנָה, תה״פ; נ׳ truly, verily; education, nursing

אֹמְנָה, נ׳, ר׳, ־נוֹת column, pilaster

אֲמָנָה, נ׳, ר׳, ־נוֹת treaty, pact, contract; faith, trust, credit

אַמְנוֹן וְתָמָר, ז׳ pansy

אָמָנוּת, אֻמָּנוּת, נ׳, ר׳, ־נֻיּוֹת art

אָמְנָם, אֻמְנָם, תה״פ indeed, truly, verily

אֹמֶץ, ז׳ might, strength

אֹמֶץ לֵב courage, fortitude

אָמֹץ, ת״ז, אֲמֻצָּה, ת״נ gray; brownish-red

אָמַץ, פ״ע to be strong
אִמֵּץ, פ״י to strengthen, encourage; to adopt
הִתְאַמֵּץ, פ״ח to make an effort, exert oneself; to be determined
אַמְצָאָה, נ׳, ר׳, ־אוֹת invention
אָמְצָה, אוּמְצָה, נ׳, ר׳, ־צוֹת meat (raw), beefsteak
אֶמְצַע, ז׳, ר׳, ־עִים middle; means
אֶמְצָעוּת, נ׳ middle; means
בְּאֶמְצָעוּת, תה״פ by means of
אֶמְצָעִי, ת״ז, ־עִית, ת״נ; ז׳ middle, mean; means
אֶמְצָעִים, ז״ר resources, means
אֹמֶר, ז׳, ר׳, אֲמָרִים word, utterance, speech
אָמַר, פ״י to say; to intend; to tell
הֶאֱמִיר, פ״י to elevate, proclaim; to rise (prices)
הִתְאַמֵּר, פ״ח to boast, pretend
אַמְרָאָה, נ׳, ר׳, ־אוֹת take-off (of airplane)
אֲמַרְגָּן, ז׳, ר׳, ־נִים impresario
אִמְרָה, נ׳, ר׳, אֲמָרוֹת saying, utterance; seam, hem
אֲמֵרִיקָאִי, ת״ז, ־אִית, ת״נ American
אֲמַרְכָּל, ז׳, ר׳, ־לִים officer (of Temple), administrator
אֶמֶשׁ, תה״פ last night
אֱמֶת, נ׳ truth
בֶּאֱמֶת, תה״פ indeed, really
אִמֵּת, פ״י to verify, substantiate, prove (true)
אַמְתָּה, נ׳, ר׳, ־תּוֹת axiom
אֲמִתּוּת, נ׳ reality, veracity, authenticity
אַמְתַּחַת, נ׳, ר׳, ־תָּחוֹת sack, bag, valise

אֲמִתִּי, ת״ז, ־תִּית, ת״נ true, genuine, authentic
אֲמַתְלָה, נ׳, ר׳, ־לוֹת, ־לָאוֹת pretext, excuse
אָן, אָנָה, לְאָן, תה״פ whither, where(to)
אָנָּא, אָנָּה, מ״ק pray, please
אַנְגְּלִי, ז׳ Englishman
אַנְגְּלִיָּה, נ׳ England; Englishwoman
אַנְגְּלִית, נ׳ English
אַנְדְּרוֹגִינוּס, ז׳, ר׳, ־סִים hermaphrodite
אָנָה, פ״ע to lament, mourn
אִנָּה, פ״י to cause to happen; to wrong, deceive
אֻנָּה, פ״ע to happen, befall
הִתְאַנָּה, פ״ח to find an excuse, pretext (to do wrong)
אָנוּ, מ״ג we
אָנוּס, ת״ז, אֲנוּסָה, ת״נ; ז׳ raped, forced; marrano
אֹנֶס, ז׳, ר׳, ־סִים compulsion; rape
אָנוּשׁ, ת״ז, אֲנוּשָׁה, ת״נ incurable
אֱנוֹשׁ, ז׳ man, human being
אֱנוֹשׁוּת, נ׳ mankind, humanity
אֱנוֹשִׁי, ת״ז, ־שִׁית, ת״נ human
אֱנוֹשִׁיּוּת, נ׳ humanity, humanitarianism
[אנח] נֶאֱנַח, פ״ע to moan, groan, sigh
אֲנָחָה, נ׳, ר׳, ־חוֹת sigh, groan
אֲנַחְנוּ, מ״ג we
אַנְטִישֵׁמִי, ת״ז, ־מִית, ת״נ anti-semite
אַנְטִישֵׁמִיּוּת, נ׳ anti-semitism
אֲנִי, מ״ג I
אֳנִי, זו״נ fleet (of ships)
אֳנִיָּה, נ׳, ר׳, ־יּוֹת ship, vessel
אֲנִיָּה, נ׳ lament
אָנִין, ת״ז, אֲנִינָה, ת״נ delicate, refined; squeamish

אֲנִינָה, אֲנִינוּת, נ׳ sorrow, grief, mourning; sensitiveness, touchiness, squeamishness
אָנִיץ, ז׳, ר׳, אֲנִיצִים stalk (of flax)
אֲנָךְ, ז׳, ר׳, ־כִים plummet, plumb line
אֲנָכִי, ת״ז, ־כִית, ת״נ vertical
אָנֹכִי, מ״ג I
אָנֹכִיּוּת, נ׳ egotism, egoism
אָנֹכִיִּי, ת״ז, ־כִיִּית, ת״נ egotistic
אָנַן, פ״ע to mourn
הִתְאוֹנֵן, פ״ח to complain
אֲנָנָס, ז׳, ר׳, ־סִים pineapple
אֹנֶס, ז׳, ר׳, אֲנָסִים compulsion, force; rape
אַנָּס, ז׳, ר׳, ־סִים violent man
אָנַס, פ״י to force, compel; to restrain; to rape
אָנַף, פ״ע to be angry, enraged
אֲנָפָה, נ׳, ר׳, ־פוֹת heron
אָנַק, פ״ע to cry, groan
אֲנָקָה, נ׳, ר׳, ־קוֹת cry, groan; lizard; ferret
אַנְקוֹר, ז׳, ר׳, ־רִים sparrow
[אנש] נֶאֱנַשׁ, פ״ע to become quite ill
אַסְדָּה, נ׳, ר׳, אַסָדוֹת raft
אָסוּךְ, ז׳, ר׳, אֲסוּכִים flask (of oil)
אָסוֹן, ז׳, ר׳, אֲסוֹנוֹת misfortune, accident
אֲסוּפִי, ז׳, ר׳, ־פִים foundling
אֵסוּר, ז׳, ר׳, אֱסוּרִים fetter, bond, chain
אָסוּר, תה״פ; ת״ז, אֲסוּרָה, ת״נ forbidden, prohibited; chained, imprisoned
אִסּוּר, ז׳, ר׳, ־רִים prohibition
אָסוּתָא, נ׳ health
אַסְטְרָטֵגִי, ת״ז, ־גִית, ת״נ strategic

אִסִּי, ז׳, ר׳, ־יִים Essene
אֲסִימוֹן, ז׳, ר׳, ־נִים old coin; token (for telephone)
אָסִיף, ז׳ harvest
אֲסִיפָה, נ׳, ר׳, ־פוֹת gathering, collection
אָסִיר, ז׳, ר׳, אֲסִירִים prisoner
אֲסִיר תּוֹדָה grateful, obliged
אַסְכּוֹלָה, נ׳, ר׳, ־לוֹת school; trend
אַסְכָּלָה, נ׳, ר׳, ־לוֹת grill, grating
אַסְכָּרָה, נ׳ angina; diphtheria
אֵסֶל, ז׳, ר׳, אֲסָלִים yoke
אִסְלֵם, פ״י to convert to Islam
הִתְאַסְלֵם, פ״ח to become a Moslem
אָסָם, ז׳, ר׳, אֲסָמִים granary, storehouse
אֹסֶם, ז׳ rich harvest
אִסֵּם, פ״י to store away (grain)
אַסְמַכְתָּה, נ׳, ר׳, ־תּוֹת, ־תָּאוֹת precedent, source, proof; document
אָסַף, פ״י to gather, assemble; to remove
אִסֵּף, פ״י to act as rearguard
הִתְאַסֵּף, פ״ח to meet, assemble
אֹסֶף, ז׳, ר׳, אֳסָפִים collection, gathering
אֲסֵפָה, נ׳, ר׳, ־פוֹת meeting, assembly
אֲסֻפָּה, נ׳, ר׳, פּוֹת collection; academy
אַסְפָן, ז׳, ר׳, ־נִים collector
אֲסַפְסוּף, ז׳ rabble, mob, crowd
אַסְפֶּסֶת, נ׳ alfalfa, lucerne
אַסְפָּקָה, נ׳ supplies, supplying
אַסְפַּקְלַרְיָה, נ׳, ר׳, ־יוֹת mirror, looking glass
אִסָּר, אֱסָר, ז׳, ר׳, ־רִים prohibition, abstinence

אָסַר, פ"י — to imprison; to tie, bind; to harness; to forbid, prohibit
אִסְרוּ־חַג — the day after a holiday
אַף, ז', ר' אַפִּים — nose; anger
אַפַּיִם, ז"ז — nostrils, face
אַף, מ"ח — also, though, even
אַף כִּי — though
אַף־עַל־פִּי (כֵן) — although, though (nevertheless)
אָפַד, פ"י — to gird
אֲפֻדָּה, אֲפוּדָה, נ', ר', ־דּוֹת — sweater, pullover
אַפֶּדֶן, ז' — palace, pavilion
אָפָה, פ"י — to bake
אֵפוֹא, אֵפוֹ, אֵיפוֹא, תה"פ — then, so
אֵפוֹד, ז', ר', אֲפוֹדִים — ephod, priestly garment
אָפוּי, ת"ז, אֲפוּיָה, ת"נ — baked
אִפּוּל, אִיפּוּל, ז' — blackout (of windows)
אָפוּן, ז', אֲפוּנָה, נ', ר', ־נִים — pea
אִפּוּר, אִיפּוּר, ז' — make-up (theatrical)
אָפוֹר, אָפֹר, ת"ז, אֲפֹרָה, ת"נ — gray
אַפּוֹתֵיקָה, נ', ר', ־קָאוֹת — mortgage
אַפְטָרָה, נ', ר', ־רוֹת — farewell speech
אֶפִּטְרוֹפּוֹס, ז', ר', ־סִים, ־סִין — guardian, administrator, executor
אֶפִּטְרוֹפְּסוּת, נ' — guardianship, administration
אֹפִי, אוֹפִי, ז', ר', אֳפָיִים — character, nature
אֲפִיָּה, ז', ר', ־יּוֹת — baking
אִפְיוּן, ז' — characterization
אָפִיל, ת"ז, אֲפִילָה, ת"נ — late, tardy, late-ripening
אֲפִילוּ, אֲפִלּוּ, מ"ח — even, even though (if)
אִפְיֵן, פ"י — to characterize

אָפְיָנִי, ת"ז, ־נִית, ת"נ — characteristic
אֲפִיסָה, אֲפִיסוּת, נ' — cessation; exhaustion
אַפִּיפְיוֹר, ז', ר', ־רִים — Pope
אָפִיץ, ע' עָפִיץ
אָפִיק, ז', ר', אֲפִיקִים — bed (of river), brook; channel of thought
אֲפִיקוֹמָן, ז', ר', ־נִים — afikomen (matzoth), dessert; entertainment (after meal)
אֶפִּיקוֹרוֹס, ז', ר', ־סִים, ־רְסִים — atheist, freethinker, heretic
אֶפִּיקוֹרְסוּת, נ' — atheism, heresy
אָפֵל, ת"ז, אֲפֵלָה, ת"נ — dark, dim, gloomy
אָפַל, פ"ע — to darken
אִפֵּל, פ"י — to black out (windows)
אֹפֶל, ז', אֲפֵלָה, נ' — darkness, gloom
אֲפִלּוּ, אֲפִילוּ, מ"ח — even, even though (if)
אַפְלוּלִי, ת"ז, ־לִית, ת"נ — dim
אַפְלוּלִית, נ' — dimness
אַפְלָיָה, נ' — discrimination
אֹפֶן, ז', ר', אֳפָנִים — manner, mode, style
אָפַן, פ"ע — to bicycle
אָפְנָה, נ', ר', ־נוֹת — style, mode, fashion
אֶפֶס, ז', ר', אֲפָסִים — zero; nought
אֶפֶס, תה"פ — but, only, however
אֹפֶס, ז', ר', אפסים — ankle
אַפְסִי, ת"ז, ־סִית, ת"נ — worthless
אַפְסְנָאוּת, נ' — quartermaster (corps)
אַפְסְנַאי, ז', ר'־נָאִים — quartermaster, supply clerk
אֶפַע, ז' — nothing, nought
אֶפְעֶה, ז', ר', ־עִים — viper, adder
אֶפְעוֹן, ז' — bugloss, thistle

אָפַף, פ״י to surround, encircle
[אפק] הִתְאַפֵּק, פ״ח to restrain oneself, refrain
אֹפֶק, אוֹפֶק, ז׳, ר׳, אֳפָקִים horizon
אָפְקִי, ת״ז, ־קִית, ת״נ horizontal
אֵפֶר, ז׳ ashes
אָפֹר, אָפוֹר, ת״ז, אֲפֹרָה, ת״נ gray
אִפֵּר, פ״י to put on make-up (theatrical)
הִתְאַפֵּר, פ״ח to make oneself up
אֲפֵר, ז׳, ר׳, ־רִים eye mask; bandage; blinder
אֲפָר, ז׳, ר׳, ־רִים meadow, pasture
אֶפְרוֹחַ, ז׳, ר׳, ־חִים chick
אַפְרוּרִי, ת״ז, ־רִית, ת״נ grayish
אַפִּרְיוֹן, ז׳, ר׳, נִים litter; canopy
אַפְרִיקָאִי, אַפְרִיקָנִי, ז׳ African
אֲפַרְכֶּסֶת, נ׳, ר׳, ־כָסוֹת funnel, auricle
אֲפַרְסֵק, ז׳, ר׳, ־קִים peach
אֶפְרָתִי, ת״ז, ־תִית, ת״נ; ז׳ aristocratic, noble; Ephraimite
אֶפְשָׁר, תה״פ perhaps, possible
אִפְשֵׁר, פ״י to enable, make possible
הִתְאַפְשֵׁר, פ״ח to become possible
אֶפְשָׁרוּת, נ׳ possibility
אֶפְשָׁרִי, ת״ז, ־רִית, ת״נ possible
אַפְתָּעָה, הַפְתָּעָה, נ׳, ר׳, ־עוֹת surprise
אָץ [אוץ], פ״ע to hurry, hasten; to urge, press
אָץ, ת״ז, אָצָה, ת״נ hurried, pressed
אֶצְבַּע, נ׳, ר׳, ־בָּעוֹת finger, forefinger
אֶצְבְּעוֹן, ז׳, ר׳, ־נִים thimble
אֶצְבְּעוֹנִי, אֶצְבָּעִי, ת״ז, ־נִית, ־עִית, ת״נ very small, dwarfish
אַצָּה, נ׳, ר׳, ־צּוֹת sea weed

אִצְטַדְיוֹן, ז׳, ר׳, ־נִים stadium, sports field
אִצְטַבָּה נ׳, ר׳, בּוֹת, ־בָּאוֹת shelf, bench
אִצְטְוָנָה, נ׳, ר׳, ־נוֹת cylinder
אִצְטְוָנִי, ת״ז, ־נִית, ת״נ cylindrical
אָצִיל, ז׳, ר׳, אֲצִילִים noble, aristocrat; extremity
אַצִּיל, ז׳, אַצִּילָה, נ׳, ר׳, ־לִים, ־לוֹת upper arm, armpit; joint; elbow
אֲצִילוּת, נ׳ nobility, aristocracy
אֲצִירָה, נ׳, ר׳, ־רוֹת hoarding, storing
אֵצֶל, מ״י beside, near, at, with
אָצַל, פ״י to impart, give away; to withhold
נֶאֱצַל, פ״ע to be withdrawn, separated
הֶאֱצִיל, פ״י to withdraw; to emanate
אֶצְעָדָה, נ׳, ר׳, ־עָדוֹת anklet, bracelet
אָצַר, פ״י to store, gather, accumulate
אֶקְדָּח, אֶקְדּוֹחַ, ז׳, ר׳, ־חִים gun, revolver; carbuncle
אַקְדָּמָה, נ׳, ר׳, ־מוֹת prelude
אַקּוֹ, ז׳, ר׳, ־וִּים wild goat, ibex
אַקְלִים, ז׳, ר׳, ־מִים climate
אִקְלֵם, פ״י to acclimate
הִתְאַקְלֵם, פ״ח to be acclimated, be integrated
אֶרְאֵל, ז׳, ר׳, ־לִים messenger; angel
אֶרֶב, אֹרֶב, ז׳ ambush, ambuscade
אָרַב, פ״ע to lie in ambush, lie in wait
אַרְבֶּה, ז׳ locust; grasshopper
אָרְבָּה, נ׳, ר׳, ־בּוֹת artifice
אֲרֻבָּה, נ׳, ר׳, ־בּוֹת lattice; smokestack, chimney

אַרְבָּה, נ׳, ר׳, אֲרָבוֹת skiff, flat boat
אַרְבַּע, נ׳, אַרְבָּעָה, ז׳; ש״מ four
אַרְבַּע עֶשְׂרֵה, נ׳, אַרְבָּעָה עָשָׂר, ז׳ fourteen
אַרְבָּעִים, ש״מ forty
אַרְבַּעְתַּיִם, תה״פ fourfold
אֶרֶג, אָרִיג, ז׳, ר׳, אֲרָגִים, אֲרִיגִים cloth (woven); loom; shuttle
אָרַג, פ״י to weave
אִרְגּוּן, ז׳, ר׳, ־נִים organization
אַרְגְּוָן, ז׳ purple
אַרְגָּז, ז׳, ר׳, ־זִים chest, box
אַרְגִּיעָה, נ׳ moment
אַרְגָּמָן, ז׳ purple
אִרְגֵּן, פ״י to organize
הִתְאַרְגֵּן, פ״ח to be organized
אַרְגָּעָה, נ׳, ר׳, ־עוֹת calming; "all-clear" (signal)
אָרָד, ז׳ bronze
אַרְדִּיכָל, אַדְרִיכָל, ז׳, ר׳, ־לִים architect
אָרָה, פ״י to pluck, gather (fruit)
אֲרוּבָּה, נ׳, ר׳, ־בּוֹת baking board
אֻרְוָה, אוּרְוָה, נ׳, ר׳, ־רָווֹת stable
אָרוּז, ת״ז, אֲרוּזָה, ת״נ tied, packed
אֲרוּחָה, אֲרֻחָה, נ׳, ר׳, ־חוֹת meal
אָרוֹךְ, אָרֹךְ, ת״ז, אֲרֻכָּה, ת״נ long, lengthy
אֲרוּכָה, אֲרֻכָה, נ׳, ר׳, ־כוֹת cure, healing
אָרוֹן, ז׳, ר׳, אֲרוֹנוֹת chest, cupboard, closet; coffin
אֲרוֹן הַקֹּדֶשׁ Holy Ark
אָרוּס, ז׳, אֲרוּסָה, נ׳, ר׳, ־סִים, ־סוֹת betrothed, fiancé, fiancée, bridegroom, bride
אֵרוּסִים, אֵרוּסִין, ז״ר betrothal
אָרוּר, ת״ז, אֲרוּרָה, ת״נ cursed

אֶרֶז, ז׳, ר׳, אֲרָזִים cedar
אָרַז, פ״י to pack
אֹרֶז, אוֹרֶז, ז׳ rice
אַרְזָה, נ׳ cedar work
אֹרַח, אוֹרַח, ז׳, ר׳, אֳרָחוֹת way, path; behavior, manner
אָרַח, פ״ע to travel, journey
אֵרַח, פ״י to lodge, entertain (a guest)
הִתְאָרֵחַ, פ״ח to stay as a guest
אֲרֻחָה, אֲרוּחָה, נ׳, ר׳, ־חוֹת meal
אֲרִי, אַרְיֵה, ז׳, ר׳, אֲרָיוֹת, ־יִים lion
אֲרִיאֵל, ז׳ Name of Jerusalem; The Temple; hero
אָרִיג, אֶרֶג, ז׳, ר׳, אֲרִיגִים, אֲרָגִים cloth (woven); loom; shuttle
אֲרִיגָה, נ׳, ר׳, ־גוֹת weaving
אֲרִיָּה, נ׳, ר׳, ־יּוֹת picking, gathering fruit
אַרְיֵה, אֲרִי, ז׳, ר׳, אֲרָיוֹת, ־יִים lion (constellation)
אֲרִיזָה, נ׳, ר׳, ־זוֹת packing, tying
אָרִיחַ, ז׳, ר׳, אֲרִיחִים small brick; bracket
אֲרִיחַיִם brackets
אָרִיךְ, ת״ז, אֲרִיכָה, ת״נ lengthy
אֲרִיכָה, אֲרִיכוּת, נ׳ length
אָרִיס, ז׳, ר׳, אֲרִיסִים tenant farmer, sharecropper, squatter
אֲרִיסוּת, נ׳ tenancy
אֹרֶךְ, אוֹרֶךְ, ז׳ length (dimension)
אָרֹךְ, אָרוֹךְ, ת״ז, אֲרֻכָּה, ת״נ long
אָרַךְ, פ״ע to be long
הֶאֱרִיךְ, פ״י to lengthen, prolong
אֲרֻכָה, אֲרוּכָה, נ׳, ר׳, ־כוֹת cure, healing
אַרְכּוּבָה, אַרְכֻּבָּה, ז׳, ר׳, ־בּוֹת knee, knee joint; crank (auto)

אַרְכִיּוֹן, ז׳, ר׳, ־נִים archive, archives
אַרְכָן, ז׳, ר׳, ־נִים long-winded person
אַרְמוֹן, ז׳, ר׳, ־נוֹת, ־מְנוֹת palace, castle
אֲרַמִּי, ת״ז, ־מִּית, ת״נ Aramaean
אֲרָמִית, נ׳ Aramaic language; Aramaic woman
אֹרֶן, אוֹרֶן, ז׳, ר׳, אֳרָנִים pine, fir
אַרְנָב, ז׳, אַרְנֶבֶת, נ׳, ר׳, ־בִים, ־נָבוֹת hare
אַרְנָה, אַרְנִיָּה, נ׳, ר׳, ־נוֹת, ־נִיּוֹת mushroom, boletus (fungi)
אַרְנוֹנָה, נ׳, ר׳, ־נוֹת tax
אַרְנָק, ז׳, ר׳, ־קִים purse, wallet
אָרַס, פ״י, אֵרַס, פ״י to betroth
נֶאֱרַס, פ״ע, הִתְאָרֵס, פ״ח to become engaged, be betrothed
אֶרֶס, ז׳ poison, venom; opium
אַרְסִי, ת״ז, ־סִית, ת״נ poisonous, venomous
אָרַע, פ״ע to happen, occur
אֲרָעִי, אַרְעִי, ת״ז, ־עִית, ת״נ temporary, provisional, transient
אַרְעִית, נ׳, ר׳, ־עִיּוֹת bottom
אֶרֶץ, נ׳, ר׳, אֲרָצוֹת earth, country, land
אַרְצָה, נ׳, ר׳, ־צוֹת territory
אַרְצוֹת הַבְּרִית United States of America
אַרְצִי, ת״ז, ־צִית, ת״נ earthy, territorial
אַרְצִיּוּת, נ׳ territoriality
אָרָק, ז׳ insomnia; whisky
אָרַר, פ״י to curse
נֵאַר, פ״ע to be cursed
אֵרַשׁ, ע׳ אֵרַס
אֶרֶשׁ, ז׳ request, speech

אָרַשׁ, פ״י to express
אֲרֶשֶׁת, נ׳ expression
אֵשׁ, נ׳, ר׳, אִשִּׁים, אִשּׁוֹת fire; fever
אִשׁ, ע׳ יֵשׁ
אֶשְׁבּוֹל, ז׳, ר׳, ־לִים cluster of flowers
אַשְׁפָּרָן, ז׳, ר׳, ־בְּרָנִים plain field
אֶשֶׁד, ז׳, ר׳, אֲשָׁדִים waterfall
אֲשֵׁדָה, נ׳, ר׳, ־דוֹת slope, cataract
אִשָּׁה, נ׳, ר׳, נָשִׁים, אִשּׁוֹת woman, wife
אִשֶּׁה, ז׳, ר׳, אִשִּׁים sacrifice
אַשְׁוָה, נ׳, ר׳, ־ווֹת spool (of thread)
אַשׁוּחַ, ז׳, ר׳, ־חִים fir tree, Christmas tree; water tank
אִשּׁוּם, ז׳ indictment
אֱשׁוּן, ז׳ darkness; middle
אָשׁוּן, ת״ז, אֲשׁוּנָה, ת״נ stiff; rough
אָשׁוּר, ז׳, ר׳, אֲשׁוּרִים step, footstep
אִשּׁוּר, אִישּׁוּר, ז׳, ר׳, ־רִים confirmation, endorsement
אַשּׁוּרִי, ת״ז, ־רִית, ת״נ Assyrian
אָשׁוּת, אֲשׁוּת, נ׳ mole
אָשְׁיָה, נ׳, ר׳, אֻשְׁיּוֹת foundation, base; principle
אָשִׁיחַ, ז׳, ר׳, אֲשִׁיחִים water tank
אָשִׁישׁ, ז׳, אֲשִׁישָׁה, נ׳, ר׳, אֲשִׁישִׁים, ־שׁוֹת fruit cake; glass bottle
אֶשֶׁךְ, ז׳, ר׳, אֲשָׁכִים, אֶשְׁכַּיִם testicle
אַשְׁכָּבָה, נ׳ funeral service
אֶשְׁכּוֹל, אֶשְׁכֹּל, ז׳, ר׳, ־לוֹת cluster of grapes, bunch; learned man
אֶשְׁכּוֹלִית, נ׳, ר׳, ־לִיּוֹת grapefruit
אַשְׁכְּנַז, ז׳ Germany
אַשְׁכְּנַזִּי, ת״ז, ־זִּית, ת״נ German; Ashkenazi
אַשְׁכְּנַזִּית, נ׳ German language; Yiddish; Ashkenazi pronunciation of Hebrew

אַשְׁכָּף, ז׳, ר׳, ־פִים cobbler, shoemaker
אֶשְׁכָּר, ז׳, ר׳, ־רִים tribute, gift
אֶשְׁכְּרוֹעַ, ז׳, ר׳, ־עִים boxwood
אֵשֶׁל, ז׳, ר׳, אֲשָׁלִים tamarisk; boarding house, inn, hospice; expenses (during travel)
אַשְׁלָג, ז׳ potash (alkali)
אַשְׁלָיָה, נ׳, ר׳, ־יוֹת illusion
אָשָׁם, ז׳, ר׳, אֲשָׁמִים guilt; guilt sacrifice
אָשֵׁם, ת״ז, אֲשֵׁמָה, ת״נ guilty
אָשַׁם, פ״ע to be guilty; bear punishment
נֶאֱשַׁם, פ״ע to be accused, blamed
הֶאֱשִׁים, פ״י to accuse, blame
אַשְׁמַאי, אַשְׁמַי, ת״ז, ־מָאִית, ת״נ uncultured, boorish
אַשְׁמְדַאי, אַשְׁמְדַי, ז׳ Asmodeus, king (Jewish demonology)
אַשְׁמָה, נ׳, ר׳, אֲשָׁמוֹת fault, blame, guilt
אַשְׁמוּרָה, אַשְׁמֹרֶת, נ׳, ר׳, ־רוֹת, ־מוּרוֹת watch, night watch
אַשְׁמָן, ז׳, ר׳, ־מַנִּים darkness; grave
אַשְׁמָצָה, נ׳ slander
אֶשְׁנָב, ז׳, ר׳, ־נַבִּים lattice (window)
אַשְׁנָה, נ׳ moss
אַשָּׁף, ז׳, ר׳, ־פִים magician
אַשְׁפָּה, אַשְׁפָּת, נ׳, ר׳, ־פּוֹת, ־פַּתּוֹת quiver (for arrows); refuse, garbage; dump
אִשְׁפּוּז, ז׳ hospitalization; accommodation (hotel)
אֶשְׁפָּר, ז׳, ר׳, ־רִים portion (of food, meat)

אֶשֶׁק, ז׳ ammonia
אִשְׁקוּקָה, נ׳, אִשְׁקוּקִי, ז׳ chess
אֹשֶׁר, אוֹשֶׁר, ז׳ happiness, luck
אָשַׁר, פ״ע to march, walk
אִשֵּׁר, פ״י to confirm; to praise, congratulate
הִתְאַשֵּׁר, פ״ח to be confirmed, ratified
אֲשֶׁר, מ״ג; תה״פ which, that, who; in order to
בַּאֲשֶׁר, תה״פ where, whereas, as for
אַשְׁרַאי, אַשְׁרַי, ז׳ credit
אֲשֵׁרָה, נ׳, ר׳, ־רוֹת, ־רִים Ashera (deity); sacred tree
אֲשָׁרָה, נ׳, ר׳, ־רוֹת confirmation; visa
אַשְׁרֵי, מ״ק happy is...
אִשֵּׁשׁ, אוֹשֵׁשׁ, פ״י to encourage, strengthen
הִתְאוֹשֵׁשׁ, פ״ח to recuperate
אֶשְׁתָּקַד, אֶשְׁתָּקַד, תה״פ last year
אַתְּ, מ״ג you (thou) (*f. sing.*)
אֵת, אֶת־ sign of definite accusative
אוֹתִי (אִתִּי) me; אוֹתְךָ (אִתְּךָ, אֹתְךָ, אֹתְכָה) thee, you (*m. sing.*); אוֹתָךְ (אֹתָךְ) you (*f. sing.*); אוֹתְכֶם (אֶתְכֶם) you (*m. pl.*); אֶתְכֶן you (*f. pl.*); אוֹתָם (אֹתָם, אוֹתְהֶם, אֶתְהֶם) them (*m. pl.*); אוֹתָן (אֹתָנָה, אֹתְהֶן, אֶתְהֶן) them (*f. pl.*)
אֵת, מ״י with
אֵת, ז׳, ר׳, אִתִּים, אֵתִים spade
אָתָא, אָתָה, פ״ע to come
אֶתְגָּר, ז׳ challenge
אַתָּה, מ״ג you (*m. sing.*)
אָתוֹן, נ׳, ר׳, אֲתוֹנוֹת she-ass
אִתּוּת, ז׳ signaling, signalling

אֶתְנָה, נ׳, אֶתְנָן, ז׳, ר׳, ־נוֹת, ־נַנִּים gift (esp. for harlot)

אֲתַר, אַתְרָא, ז׳ place, site (historic)

אִתֵּר, פ״י to localize

אַתְרָאָה, נ׳, ר׳, ־אוֹת alert

אֶתְרֹג, אֶתְרוֹג, ז׳, ר׳, ־גִים citron

אַתָּת, ז׳, ר׳, ־תִים signalman

אִתֵּת, פ״י to signal

אַתִּיק, ז׳, ר׳, ־קִים porch, balcony

אֶתְכֶם, ־ן, מ״ג, ע׳ אֵת, אֶת you (*m.* & *f. pl. acc.*)

אַתֶּם, מ״ג you (*m. pl.*)

אֶתְמוֹל, אֶתְמֹל, תה״פ yesterday

אַתֶּן, אַתֵּנָה, מ״ג you (*f. pl.*)

אַתָּן, ז׳, ר׳, ־נִים tonic

אִתֵּן, פ״ע to recuperate

ב, בּ

בּ, ב Beth, second letter of Hebrew alphabet; two (ב)

בְּ־, בַּ־, בָּ־, בֶּ־, בִּ־, מ״י in, by, at, with

בָּא, פ״ע, ע׳ [בוא] to come, arrive, enter

בָּא־כֹּחַ, ז׳, ר׳, בָּאֵי־כֹחַ deputy, representative

בֵּאוּר, ז׳, ר׳, ־רִים commentary, explanation

בָּאוּשׁ, ת״ז, בְּאוּשָׁה, ת״נ spoiled (food)

בָּאוּת־כֹּחַ, בִּיאַת־כֹּחַ, נ׳ representation

בְּאֵר, נ׳, ר׳, ־רוֹת, בֶּאֱרוֹת well

בֵּאֵר, פ״י to explain

הִתְבָּאֵר, פ״ח to become clear

בָּאַשׁ, פ״ע to stink; to grow foul; to be bad

הִבְאִישׁ, פעו״י to emit a bad smell; to cause to stink; to be about to ripen

בְּאֹשׁ, ז׳ stench

בָּאְשָׁה, נ׳, ר׳, ־שׁוֹת stench; noxious weed

בָּאֳשָׁן, ז׳, ר׳, ־נִים skunk

בַּאֲשֶׁר, תה״פ, ע׳ אֲשֶׁר where, whereas, as for

בָּבָא, ז׳, בָּבָה, נ׳, ר׳, ־בוֹת gate; section, chapter

בָּבָה, נ׳, ר׳, ־בוֹת pupil of the eye; apple of one's eye

בֻּבָּה, נ׳, ר׳, ־בּוֹת doll

בָּבוּאָה, נ׳, ר׳, ־אוֹת image, reflection

בַּבּוּנָג, ז׳, ר׳, ־גִים camomile

בַּבְלִי, ת״ז, ־לִית, ת״נ Babylonian

בְּבַקָּשָׁה, ע׳ בַּקָּשָׁה please!

בְּבַת אַחַת, תה״פ, ע׳ בַּת at once

בַּג, ז׳, פַּת־בַּג, נ׳ delicacy

בֶּגֶד, ז׳, ר׳, בְּגָדִים, ־דוֹת garment; betrayal

בָּגַד, פ״ע to deal treacherously

בְּגֶדֶר, תה״פ, ע׳ גָּדֵר in the realm, in the area

בָּגוֹד, ת״ז, ־דָה, ת״נ traitor

בְּגִידָה, נ׳, ר׳, ־דוֹת treachery

בְּגִין, מ״י for, in behalf of

בַּגִירָה, נ׳, ר׳, ־רוֹת puberty, adolescence

בִּגְלַל, מ״י, ע׳ גְּלַל for, for the sake of, on account of

בְּגַפּוֹ, תה״פ, ע׳ גַּף alone, by himself

בָּגַר, פ״ע to come of age, grow up

הִתְבַּגֵּר, פ״ח to reach adolescence

בַּגְרוּת, נ׳ maturity, adolescence

בַּד, ז׳, ר׳, ־דִּים — bar; limb; cloth; olive press
בָּדָא, בָּדָה, פ״י — to concoct, invent
הִתְבַּדָּה, פ״ח — to come to nothing; to be caught lying
בַּדָּאוּת, נ׳ — deceit, fraud
בַּדַּאי, בַּדַּי, ז׳, ר׳, ־דָּאִים — impostor, liar
בָּדָד, לְבָדָד, תה״פ — solitary, alone
בָּדַד, פ״ע — to be alone
בֹּדֵד, בּוֹדֵד, פ״י — to insulate; to isolate
הִתְבּוֹדֵד, פ״ח — to seclude oneself, be alone
בַּדָּד, ז׳, ר׳, ־דִים — olive-treader
בָּדָה, בָּדָא, פ״י — to concoct, invent
הִתְבַּדָּה, פ״ח — to come to nothing; to be caught lying
בִּדּוּד, ז׳ — isolation, insulation
בִּדּוּחַ, ז׳ — entertainment
בִּדּוּי, ז׳ — fiction
בָּדוּי, ת״ז, בְּדוּיָה, ת״נ — fictitious
בֶּדְוִי, ז׳, ר׳, ־וִים — Bedouin
בִּדּוּל, ז׳ — segregation
בְּדוֹלַח, בְּדֹלַח, ז׳ — crystal, bdellium
בִּדּוּר, ז׳ — entertainment
בָּדַח, פ״ע — to be glad, rejoice
בִּדַּח, פ״י — to gladden
הִתְבַּדֵּחַ, פ״ח — to become joyful; to joke
בַּדְחָן, ז׳, ר׳, ־נִים — jester, humorist
בַּדְחָנוּת, נ׳ — buffoonery
בָּדִיד, ז׳, ר׳, בְּדִידִים — hoe; watering ditch
בְּדִידָה, נ׳, ר׳, ־דוֹת — small olive press
בְּדִידוּת, נ׳ — seclusion, loneliness
בְּדָיָה, נ׳, ר׳, ־יוֹת — fib, fairy tale
בְּדִיחָה, נ׳, ר׳, ־חוֹת — anecdote, joke
בְּדִיחוּת, נ׳ — gaiety, mirth
בְּדִיל, ז׳, ר׳, ־לִים — tin
אֶבֶן הַבְּדִיל — plummet
בְּדִיעֲבַד, תה״פ — post factum, when done
בְּדִיקָה, נ׳, ר׳, ־קוֹת — inspection; search
בָּדַל, פעו״י — to separate
הִבְדִּיל, פ״י — to distinguish, separate
הִתְבַּדֵּל, פ״ח — to isolate oneself, dissociate oneself
בָּדָל, ז׳, ר׳, בְּדָלִים — butt (cigarette); piece
בְּדַל אֹזֶן — ear lobe
בָּדֵל, ת״ז, בְּדֵלָה, ת״נ — detached, separated
בְּדֹלַח, בְּדוֹלַח, ז׳ — crystal, bdellium
בַּדְלָנוּת, נ׳ — isolationism
בֶּדֶק, ז׳, ר׳, בְּדָקִים — breach, fissure
בָּדַק, פ״י — to inspect, test; to repair
בִּדֹּקֶת, נ׳ — censorship
בִּדֵּר, פ״י — to entertain; to scatter, disperse
הִתְבַּדֵּר, פ״ח — to be scattered, be dispersed; to clear one's mind
בַּדְרָן, ז׳, ר׳, ־נִים — entertainer
בָּהּ, מ״ג, ע׳ בְּ־ — in (her, it), at, by, among, with, by means of, through, against
בָּהָה, בָּהָא, פ״ע — to be amazed
בֹּהוּ, ז׳ — emptiness, chaos
תֹּהוּ וָבֹהוּ — utter confusion, chaos
בָּהוּל, ת״ז, בְּהוּלָה, ת״נ — hasty, excited
בְּהֶחְלֵט, תה״פ, ע׳ הֶחְלֵט — absolutely
בַּהַט, ז׳ — alabaster
בְּהִיָּה, נ׳ — astonishment
בְּהִילוּת, נ׳ — hastiness, precipitation
בָּהִיר, ת״ז, בְּהִירָה, ת״נ — bright, clear
בְּהִירוּת, נ׳ — clearness, brightness

[בהל] נִבְהַל, פ"ע to be alarmed; to hasten
בִּהֵל, פ"י to hasten; to dismay
הִבְהִיל, פ"י to frighten; to hasten
בֶּהָלָה, נ', ר', ־לוֹת sudden haste; terror
בָּהֶם, בָּהֶן, מ"ג, ע' בְּ־ in (them), at, by, among, with, by means of, through, against
בֶּהָם, ז', ר', ־מִים (cattle) driver
בְּהֵמָה, נ', ר', ־מוֹת animal, beast
בְּהֵמוֹת, ז', ר', ־תִים hippopotamus
בַּהֲמִי, ת"ז, ־מִית, ת"נ brutish, animal-like
בַּהֲמִיּוּת, נ' bestiality
בֹּהֶן, ר', בְּהוֹנוֹת thumb, big toe
בָּהַק, פ"ע to be white, shine
הִבְהִיק, פ"ע to brighten, be bright
בֹּהַק, ז' white scurf; albino
בַּהֲקָן, ז', ר', ־נִים albino (person)
[בהר] הִבְהִיר, פעו"י to make clear, bright
בַּהֶרֶת, נ', ר', בֶּהָרוֹת bright spot on skin
בּוֹ, מ"ג, ע' בְּ־ in (him, it), at, by, among, with, by means of, through, against
[בוא] בָּא, פ"ע to come, arrive, enter
הֵבִיא, פ"י to bring; to lead in
בּוֹגֵד, ז', ר', ־גְדִים treacherous person, traitor
בּוֹגֵר, ז', ר', ־גְרִים adult, adolescent
בּוֹדֵד, ת"ז, ־דֶדֶת, ת"נ single, lonely
בּוֹדֵק, ז', ר', ־דְקִים examiner
[בוז] בָּז, פ"י to disdain, despise
בּוּז, ז' mockery, contempt
בּוֹזֵז, ז', ר', ־זְזִים plunderer
בּוֹחֵן, ז', ר', ־חֲנִים inspector, examiner

בּוֹחֵר, ז', ר', ־חֲרִים elector, voter
[בוך] נָבוֹךְ, פ"ע to be perplexed, be confused
בּוּל, ז', ר', ־לִים postage stamp; produce; lump
בּוּלָאוּת, נ' philately
בּוּלַאי, ז', ר', ־לָאִים philatelist
בּוֹלֵט, ת"ז, ־לֶטֶת, ת"נ prominent, protruding
בּוּלְמוּס, בֻּלְמוּס, ז' faintness; ravenous hunger; mania, rage
בּוֹלֶשֶׁת, נ' secret police
בּוֹנֶה, ז', ר', ־נִים beaver
[בוס] בָּס, פ"י to trample, tread down
הִתְבּוֹסֵס, פ"ח to be rolling
בּוּסְתָּן, בֻּסְתָּן, ז', ר', ־נִים garden
בּוּסְתָּנַאי, בֻּסְתָּנַאי, ז', ר', ־נָאִים gardener
[בוע] בָּע, פ"ע to shout, to rejoice
בּוּעָה, נ', ר', ־עוֹת blister, boil; bubble
בּוֹעֵר, ע', בַּעַר
בּוֹעֵר, ת"ז, ־עֶרֶת, ת"נ burning, aflame
בּוּץ, ז' fine linen
בּוּצִית, נ', ר', ־יוֹת dinghy, small fishing boat
בּוֹצֵר, ז', ר', ־צְרִים grape-gatherer, vintner
בּוּקָה, נ' emptiness, desolation
בּוֹקֵק, ת"ז, ־קֶקָה, ת"נ luxuriant; empty
בּוֹקֶר, בֹּקֶר, ז', ר', בְּקָרִים morning
בּוֹקֵר, ז', ר', ־קְרִים herdsman
[בור] בָּר, פ"ע to be empty, uncultivated, waste, to lie fallow
הֵבִיר, הוֹבִיר, פ"י to neglect, let lie waste

בּוּר, ת"ז, ־רָה, ת"נ uncultured, boorish
בּוֹר, ז', ר', ־רוֹת pit, cistern; dungeon; grave
בּוֹרֵא, ז' creator
בּוֹרֶג, בֹּרֶג, ז', ר', בְּרָגִים screw
בּוּרְגָנִי, בֻּרְגָּנִי, ת"ז, ־נִית, ת"נ bourgeois, middle class
בּוּרְדָם, ז' dysentery
בּוּרוּת, נ' boorishness, ignorance
בּוּרְסִי, בֻּרְסִי, ז', ר', ־סִים tanner
בּוֹרֵר, ז', ר', ־רְרִים referee, arbitrator
בּוֹרְרוּת, נ' arbitration
בּוֹשׁ, פ"ע to be disappointed, be ashamed
בּוֹשֵׁשׁ, פ"י to delay, tarry
הֵבִישׁ, הוֹבִישׁ, בִּיֵּשׁ, פ"י to put to shame
הִתְבּוֹשֵׁשׁ, הִתְבַּיֵּשׁ, פ"ח to be ashamed
בּוּשָׁה, נ' blush, shame
בַּז, ז', ר', ־זִּים, בִּזָּה, נ', ר', ־זּוֹת spoil, plunder
בָּזָא, פ"י to cut, divide
בִּזְבּוּז, ז', ר', ־זִים squandering, extravagance
בִּזְבֵּז, פ"י to spend; to squander
בַּזְבְּזָן, ז', ר', ־נִים spendthrift
בָּזָה, פ"י to scorn, despise
הִתְבַּזָּה, פ"ח to degrade oneself; to be despised
בִּזָּה, נ', ר', ־זּוֹת, ע', בַּז booty, spoil
בָּזוּי, ת"ז, בְּזוּיָה, ת"נ contemptible, despicable
בִּזּוּר, ז' decentralization
בָּזַז, פ"י to plunder, pillage
בִּזָּיוֹן, ז', ר', ־יוֹנוֹת disgrace, shame

בָּזִיךְ, בָּזָךְ, ז', ר', בְּזִיכִים censer, dish
בַּזְיָר, ז', ר', ־רִים falconer
בַּזֶּלֶת, נ' basalt
בֶּזֶק, ז' telecommunication
בָּזָק, ז', ר', בְּזָקִים flash, lightning
בָּזַק, פ"י to bomb, shell
בָּזַר, פ"י to scatter
בַּחוּן, ז', ר', ־נִים tower
בָּחוּר, ז', ר', בַּחוּרִים bachelor, young man
בַּחוּרָה, נ', ר', ־רוֹת girl, young woman
בְּחוּרוֹת, נ"ר, בְּחוּרִים, ז"ר youth
בְּחֶזְקַת, תה"פ, ע' חֲזָקָה the status of; under the presumption that
בְּחִילָה, נ' disgust, loathing; nausea
בְּחִינָה, נ', ר', ־נוֹת examination, test; aspect; experiment
בָּחִיר, ת"ז, בְּחִירָה, ת"נ elect, chosen
בְּחִירָה, נ', ר', ־רוֹת choice, free will
בְּחִירוֹת, נ"ר elections
בָּחַל, פ"ע to nauseate, loathe; to ripen
בָּחַן, פ"י to test, examine, prove
הִבְחִין, פ"י to distinguish, discriminate
בֹּחַן, ז', ר', בְּחָנִים criterion; testing
בַּחַן, ז', ר', בְּחָנִים watch tower
בָּחַר, פ"י to choose, select
בַּחֲרוּת, נ' youth
בַּחֲרָן, ת"ז, ־נִית, ת"נ fastidious in diet
בָּחַשׁ, פ"י to mix, stir
בָּטָא, פ"י to speak rashly; to utter words
בִּטֵּא, פ"י to articulate, pronounce; to speak rashly
הִתְבַּטֵּא, פ"ח to express oneself

בְּטָאוֹן, ז׳, ר׳, ־טְאוֹנִים — organ, publication (literary, political)

[בטבט] הִתְבַּטְבֵּט, פ״ח — to swell

בָּטָה, פ״י — to utter words

בִּטּוּא, ע׳ בִּטּוּי

בָּטוּחַ, ת״ז, בְּטוּחָה, ת״נ — secure, sure, confident

בְּטוּחוֹת, נ״ר — security

בִּטּוּחַ, ז׳ — insurance

בִּטּוּי, ז׳, ר׳, ־יִים — uttering, pronouncing; expression

בִּטּוּל, ז׳ — abolition, cessation, revocation

בָּטַח, פ״ע — to be confident, trust

בִּטַּח, פ״י — to insure

הִבְטִיחַ, פ״י — to promise; to make secure; to insure

בֶּטַח, ז׳; תה״פ — security, safety; surely, certainly

בִּטְחָה, נ׳ — confidence, safety

בִּטָּחוֹן, ז׳, ר׳, ־טְחוֹנוֹת — faith, trust, confidence; security

בְּטִישָׁה, נ׳, ר׳, ־שׁוֹת — treading (cloth)

בָּטֵל, פ״ע — to stop; to be idle

בִּטֵּל, פ״י — to suspend, abolish, cancel

הִבְטִיל, פ״י — to suspend, interrupt; to lay off

הִתְבַּטֵּל, פ״ח — to be abolished; to be interrupted; to go idle, loaf

בָּטֵל, ת״ז, בְּטֵלָה, ת״נ — void, null; idle

בַּטָּלָה, נ׳ — naught; idleness

בַּטְלָן, ז׳, ר׳, ־נִים — slovenly, impractical person; idler

בַּטְלָנוּת, נ׳ — triviality; idleness

בֶּטֶן, נ׳, ר׳, בְּטָנִים — belly, womb; bowels

בֹּטֶן, בָּטְנָה, ז׳, ר׳, בָּטְנִים — pistachio nut

בִּטְנָה, נ׳, ר׳, בְּטָנוֹת — lining (of coat)

בַּטְנוּן, ז׳, ר׳, ־נִים — violincello

בָּטַשׁ, פ״י — to stamp, beat

בִּי, מ״ג — in me, at me, by me, with me

בִּי, מ״ק — pray, please

בִּיאָה, נ׳, ר׳, ־אוֹת — entrance; cohabitation

בִּיב, ז׳, ר׳, ־בִים — pipe, gutter, sewer

בִּיבָר, ז׳, ר׳, ־רִים — zoo

בִּיּוּב, ז׳ — sewage, sewerage, drainage

בִּיּוּם, ז׳ — direction (stage)

בִּיּוּן, ז׳ — intercalation, interpolation

בִּיּוּשׁ, ז׳ — shaming

בְּיוֹתֵר, תה״פ, ע׳ יוֹתֵר — especially

בְּיִחוּד, תה״פ, ע׳ יִחוּד — privately; particularly, especially

בִּיטּוּחַ, בִּטּוּחַ, ז׳ — insurance

בִּיטּוּל, בִּטּוּל, ז׳ — abolition, cessation, revocation

בִּיֵּם, פ״י — to direct (a play)

בַּיָּם, ז׳, ר׳, ־מִים — director (play)

בִּימַאי, ז׳, ע׳ בִּימָר

בִּימָה, נ׳, ־מוֹת — pulpit; stage, raised platform

בִּימָר, ז׳, ר׳, ־רִים — stage manager

בֵּין, מ״י — between, among, during

בִּיֵּן, פ״י — interpolate

[בין] בָּן, פ״י — to understand, discern

הֵבִין, פ״י — to understand, give understanding, explain, teach

הִתְבּוֹנֵן, פ״ח — to look attentively, observe, consider, reflect, study

בִּינְאוּם, ז׳, ע׳ בִּנְאוּם

בִּינָה, נ׳, ר׳, ־נוֹת — reason, understanding

בֵּינוֹנִי, ת"ז, ־נִית, ת"נ intermediate; middle; mediocre; participle; mean

בֵּינַיִם, ז"ז middle, between

יְמֵי הַבֵּינַיִם middle ages

בֵּינְלְאֻמִּי, ת"ז, ־מִּית, ת"נ international

בֵּינְתַיִם, בֵּינָתַיִם, תה"פ meanwhile, between

בִּיֵּץ, פ"י to mix with egg

בֵּיצָה, נ', ר', ־צִים egg; testicle

בֵּיצִי, ת"ז, ־צִית, ת"נ oval

בִּיצוּעַ, בִּצּוּעַ, ז' arbitration; compromise; execution

בִּיצוּר, בִּצּוּר, ז', ר', ־רִים fortifying, fort, fortification

בֵּיצִיָּה, נ', ר', ־יּוֹת fried egg

בִּיקוּר, בִּקּוּר, ז', ר', ־רִים investigation; visit

בַּיִר, נ', ר', בֵּירוֹת well

בַּיָּר, ז', ר', ־רִים well-digger

בִּירָה, נ', ר', ־רוֹת capital city; castle, fort; sanctuary; beer

בִּירִית, נ', ר', ־יּוֹת knee-band, garter

בִּירָנִית, נ', ר', ־יּוֹת palace, fortified castle

בִּיֵּשׁ, פ"י, ע' [בוש] to put to shame

הִתְבַּיֵּשׁ, פ"ח to be ashamed

בִּישׁ, ת"ז, ־שָׁה, ת"נ unlucky, bad

בִּישׁוּל, בִּשּׁוּל, ז' cookery, cooking; ripeness

בַּיְשָׁן, ת"ז, ־נִית, ת"נ modest, bashful

בַּיְשָׁנוּת, נ' bashfulness, modesty

בֵּית, נ', ר', ־תִין Beth, second letter of Hebrew alphabet

בַּיִת, ז', ר', בָּתִּים house; household; stanza

בֵּית־אָב, ז', ר', בָּתֵּי אָבוֹת family

בֵּית־אֹכֶל, ז', ר', בָּתֵּי־ restaurant

בֵּית־אֲסוּרִים, ז', ר', בָּתֵּי־ jail, prison

בֵּית־אֲרִיזָה, ז', ר', בָּתֵּי־ packing house

בֵּית־בַּד, ז' oil press

בֵּית־בְּלִיעָה, ז' gullet, esophagus

בֵּית־דֹּאַר, ז' postoffice

בֵּית־דִּין, בֵּית־מִשְׁפָּט, ז' courthouse

בֵּית־דְּפוּס, ז', ר', בָּתֵּי־ printing house

בֵּית־הַבְרָאָה, ז' sanatorium

בֵּית־זוֹנוֹת, ז', ר', בָּתֵּי־ whorehouse

בֵּית־זִקּוּק, ז', ר', בָּתֵּי־ refinery

בֵּית־חוֹלִים, ז', ר', בָּתֵּי־ hospital

בֵּית־חַיִּים, ז' cemetery

בֵּית־חֲרֹשֶׁת, ז', ר', בָּתֵּי־ factory

בֵּית־יְצִיקָה, ז', ר', בָּתֵּי־ foundry

בֵּית־יְתוֹמִים, ז', ר', בָּתֵּי־ orphanage

בֵּית־כָּבוֹד, בֵּית־כִּסֵּא, ז' toilet

בֵּית־כֶּלֶא, בֵּית אֲסוּרִים, ז', ר', בָּתֵּי־ jail, prison

בֵּית־כְּנֶסֶת, ז', ר', בָּתֵּי־כְּנֵסִיּוֹת synagogue

בֵּית־כִּסֵּא, בֵּית־כָּבוֹד, ז', ר', בָּתֵּי־ toilet

בֵּית־מִדְרָשׁ, ז', ר', בָּתֵּי־מִדְרָשׁוֹת, ־מִדְרָשִׁים Beth-Midrash, institute of Jewish learning

בֵּית־מִטְבָּחַיִם, ז', ר', בָּתֵּי־ slaughterhouse

בֵּית־מְלָאכָה, ז', ר', בָּתֵּי־ workshop

בֵּית־מִסְחָר, ז', ר', בָּתֵּי־ business, store

בֵּית־הַמִּקְדָּשׁ, ז' Beth-ha-Mikdash, the Temple

בֵּית־מַרְגּוֹעַ, בֵּית־הַבְרָאָה, ז׳, ר׳, בָּתֵּי־ sanatorium
בֵּית־מַרְזֵחַ, ז׳, ר׳, בָּתֵּי־ tavern, pub, bar
בֵּית־מֶרְחָץ, ז׳, ר׳, בָּתֵּי־ מֶרְחֲצָאוֹת bathhouse
בֵּית־מִרְקַחַת, ז׳, ר׳, בָּתֵּי־ pharmacy, drugstore
בֵּית־מְשֻׁגָּעִים, ז׳, ר׳, בָּתֵּי־ insane asylum
בֵּית־מִשְׁפָּט, ז׳, ר׳, בָּתֵּי־ court of law, courthouse
בֵּית־נְכוֹת, ז׳, ר׳, בָּתֵּי־ museum
בֵּית־סֹהַר, בֵּית־כֶּלֶא, ז׳, ר׳, בָּתֵּי־ jail, prison
בֵּית־סֵפֶר, ז׳, ר׳, בָּתֵּי־ school
בֵּית קְבָרוֹת, ז׳, ר׳, בָּתֵּי־ cemetery
בֵּית־קָפֶה, ז׳, ר׳, בָּתֵּי־ coffehouse
בַּיִת רִאשׁוֹן first Temple (Solomon's)
בֵּית־שִׁמּוּשׁ, בֵּית כִּסֵּא, ז׳ toilet
בַּיִת שֵׁנִי second Temple (post Babylon)
בֵּית־תַּבְשִׁיל, ז׳, ר׳, בָּתֵּי־ kitchen
בֵּית־תְּפִלָּה, בֵּית־כְּנֶסֶת, ז׳, ר׳, בָּתֵּי־ synagogue
בֵּיתִי, ת״ז, ־תִית, ת״נ domestic
בִּיתָן, ז׳, ר׳, ־נִים park
בֵּיתָן, ז׳, ר׳, ־נִים pavilion
בְּךָ, בָּךְ, מ״ג, ע׳בְּ־ in (you), at, by, with, through, against
בָּכָא, ז׳, ר׳, בְּכָאִים weeping; balsam tree
בָּכָה, פ״ע to weep
בִּכָּה, פ״י to move to tears; to bewail
בֶּכֶה, ז׳ weeping
בְּכוֹר, ז׳, ר׳, ־רִים first-born boy
בִּכּוּר, ע׳ בִּכּוּרִים

בִּכּוּרָה, בַּכּוּרָה, נ׳, ר׳, ־רוֹת early fig, early fruit
בְּכוֹרָה, נ׳, ר׳, ־רוֹת first-born girl; birthright; priority; primogeniture
הַצָּגַת בְּכוֹרָה first showing (play, movie)
בִּכּוּרִים, ז״ר first fruits
בָּכוּת, נ׳ weeping
בְּכִי, ע׳ בֶּכֶה weeping
בְּכִיָּה, בִּכְיָה, ע׳ בְּכִי, בֶּכֶה
בַּכְיָן, ז׳, ר׳, ־נִים weeper
בַּכְיָנוּת, נ׳ weeping
בַּכִּיר, ת״ז, ־רָה, ת״נ early, first-ripening
בָּכִיר, ז׳, בְּכִירָה, נ׳, ר׳, ־רִים, ־רוֹת eldest
בַּכִּירָה, נ׳ first rains
בְּכִית, נ׳ weeping; mourning
בְּכָל זֹאת, תה״פ nevertheless, in spite of this
בִּכְלָל, תה״פ in general, generally speaking
בָּכֶם, בָּכֶן, מ״ג, ע׳בְּ־ in (you), at, by, among, with, through, against
בְּכֵן, מ״י thus; and so; therefore
בֻּכְנָה, נ׳ piston
בִּכֵּר, פ״י to produce early fruit; to invest with the birthright; to prefer
הִבְכִּירָה, פ״י to bear for the first time
בֶּכֶר, ז׳, ר׳, בְּכָרִים young he-camel
בִּכְרָה, נ׳, ר׳, בְּכָרוֹת young she-camel
בַּל, מ״ש not
לְבַל so as not
בְּלֹא, תה״פ without
בְּלָאִים, ז״ר, בְּלָאוֹת, נ״ר worn garments, rags

בִּלְבַד, תה"פ, ע' לְבַד only, but

בִּלְבּוּל, ז', ר', ־לִים confusion

בִּלְבֵּל, פ"י to confuse

הִתְבַּלְבֵּל, פ"ח to become confused

[בלג] הִבְלִיג, פ"ע to pluck up courage, bear up

בַּלְדָּר, ז', ר', ־רִים messenger, courier (diplomatic)

בָּלָה, פ"ע to be worn out, decay

בִּלָּה, פ"י to consume, wear out; to spend (time)

בָּלֶה, ת"ז, ־לָה, ת"נ worn out

בִּלָּה, נ', ר', ־לּוֹת mixture

בַּלָּהָה, נ', ר', ־הוֹת calamity; terror

בַּלּוּט, ז', ר', ־טִים acorn

בַּלּוּטָה, נ', ר', ־טוֹת gland

בָּלוּי, ת"ז, בְּלוּיָה, ת"נ shabby, worn out (old)

בָּלוּל, ת"ז, בְּלוּלָה, ת"נ mixed

בָּלוּם, ת"ז, בְּלוּמָה, ת"נ swollen; plugged, closed

בָּלוּס, ת"ז, בְּלוּסָה, ת"נ mixed

בְּלוֹרִית, נ', ר', ־יּוֹת tuft or lock of hair; plait

[בלח] הִבְלִיחַ, פ"ע to flicker

בָּלַט, פ"ע to stand out, protrude, project

הִבְלִיט, פ"י to emboss; to display, emphasize

הִתְבַּלֵּט, פ"ח to be prominent, be eminent

בְּלִי, מ"ש without

בְּלִיָּה, בְּלָיָה, נ' wear and tear

בְּלִיטָה, נ', ר', ־טוֹת embossment; projection

בְּלִיל, ז' mixed fodder, mixture

בְּלִילָה, נ', ר', ־לוֹת mixture

בְּלִימָה, נ', ר', ־מוֹת restraint; nothingness

בְּלִיעָה, נ', ר', ־עוֹת swallowing

בֵּית הַבְּלִיעָה throat

בְּלִיַּעַל, ז' worthlessness, wickedness; scoundrel, villain

בָּלַל, פ"י to mix, confuse; to stir, knead

הִתְבּוֹלֵל, פ"ח to mix oneself; to assimilate

בָּלַם, פ"י to curb, muzzle, restrain

בַּלָּם, בֶּלֶם, ז', ר', בְּלָמִים brake (automobile)

בַּלָּן, ז', ר', ־נִים bathhouse keeper, bathhouse attendant

בָּלַע, פ"י to swallow

בִּלַּע, פ"י to swallow up, destroy

הִבְלִיעַ, פ"י to cause to swallow; to slur over; to elide

בֶּלַע, ז' swallowing, devouring; leakage, absorption

בַּלָּע, ז', ר', ־עִים glutton

בִּלְעֲדֵי, מ"י without, except

בִּלְעָדִי, ת"ז, ־דִית, ת"נ exclusive

בְּלַעַז, תה"פ, ע' לַעַז in a foreign language

בַּלְעָן, ז', ר', ־נִים glutton

בַּלְעָנוּת, נ' voracity

בָּלַק, פ"י to lay waste, destroy

בָּלַשׁ, פ"י to search; to investigate

בַּלָּשׁ, ז', ר', ־שִׁים detective

בַּלְשָׁן, ז', ר', ־נִים linguist, philologist

בַּלְשָׁנוּת, נ' linguistics, philology

בַּלֶּשֶׁת, בּוֹלֶשֶׁת, נ' secret police

בִּלְתִּי, מ"י not, except

בָּם, בָּהֶם, מ"ג, ע' בְּ־ in (them), by, among, with, by means of, through, against

director (stage) בַּמַּאי, ז׳, ר׳, ־מָּאִים
high place, mountain; altar; stage בָּמָה, נ׳, ר׳, ־מוֹת
okra; lady's finger בַּמְיָה, נ׳, ר׳, ־יוֹת
in place of, instead of בִּמְקוֹם, תה״פ
son, child; branch בֵּן, ז׳, ר׳, בָּנִים
human being, man, person בֶּן־אָדָם, ז׳, ר׳, בְּנֵי־אָדָם
בֶּן־בְּרִית, ז׳, ר׳, בְּנֵי־בְּרִית Jew; partner
בֶּן־דּוֹד, בֶּן־דּוֹדָה, ז׳, ר׳, בְּנֵי־ cousin
partner; one of a couple (or pair) בֶּן־זוּג, ז׳, ר׳, בְּנֵי־זוּג
בֶּן־חוֹרֵג, ז׳, ר׳, בָּנִים חוֹרְגִים stepson
בֶּן־חוֹרִים, בֶּן־חוֹרִין, ז׳, ר׳, בְּנֵי־ free (man)
internationalization בִּנְאוּם, ז׳
in the night, during the night בֵּן־לַיְלָה, תה״פ
in a moment בֵּן־רֶגַע, תה״פ
builder בַּנַּאי, בַּנַּי, ז׳, ר׳, בַּנָּאִים
to internationalize בִּנְאֵם, פ״י
to build, erect בָּנָה, פ״ע
to be built, be erected, established נִבְנָה, פ״ע
in (us), by, among, with, through, against בָּנוּ, מ״ג, ע׳ בְּ־
in regard to, concerning בְּנוֹגֵעַ, מ״י
built, erected בָּנוּי, ת״ז, בְּנוּיָה, ת״נ
building, structure בִּנְיָה, נ׳, ר׳, בְּנָיוֹת
construction, architecture בְּנִיָּה, נ׳, ר׳, ־יּוֹת
building, structure; conjugation, stem (gram.) בִּנְיָן, ז׳, ר׳, ־נִים
banking בַּנְקָאוּת, נ׳
banker בַּנְקַאי, בַּנְקַאי, ז׳, ר׳, ־קָאִים

to trample בָּס [בוס], פ״י
perfuming בִּסּוּם, ז׳
basing, consolidation בִּסּוּס, בִּיסוּס, ז׳
basis, base בָּסִיס, ז׳, ר׳, בְּסִיסִים
basic בְּסִיסִי, ת״ז, ־סִית, ת״נ
to be fragrant בָּסַם, בָּשַׂם, פ״ע
to spice, perfume בִּסֵּם, בִּשֵּׂם, פ״י
to be perfumed; to be tipsy הִתְבַּסֵּם, הִתְבַּשֵּׂם, פ״ח
spice, perfume בֹּסֶם, בֹּשֶׂם, ז׳, ר׳, בְּסָמִים
perfumer בַּסָּם, בַּשָּׂם, ז׳, ר׳, ־מִים
to tread בָּסַס, פ״י
to base, strengthen, consolidate, establish בִּסֵּס, פ״י
to be consolidated, be established הִתְבַּסֵּס, פ״ח
sour grapes, unripe fruit בֹּסֶר, ז׳
to tread upon; to be overbearing בָּסַר, פ״ע
to treat lightly בִּסֵּר, פ״ע
garden בֻּסְתָּן, בּוּסְתָּן, ז׳, ר׳, ־נִים
gardener בֻּסְתְּנַאי, ז׳, ר׳, ־תְּנָאִים
bubble בַּעְבּוּעַ, ז׳, ר׳, ־עִים
for the sake of, on account of, in order that בַּעֲבוּר, מ״י
to bubble, be frothy בִּעְבַּע, פעו״י
through, about, for, on behalf of בְּעַד, בַּעַד, מ״י
to ask, inquire; to bubble בָּעָה, פ״י
to be uncovered, be laid bare; to be revealed נִבְעָה, פ״ע
while; within בְּעוֹד, תה״פ
married woman בְּעוּלָה, נ׳, ר׳, ־לוֹת
burning, removal בִּעוּר, ז׳
terror בְּעוּת, ז׳, ר׳, ־תִים
to kick; to spurn בָּעַט, פ״י

בַּעֲטָן, ז׳, ר׳, ־נִים kicker
בְּעָיָה, נ׳, ר׳, ־יוֹת problem
בְּעִיטָה, נ׳, ר׳, ־טוֹת kick
בְּעִילָה, נ׳ sexual intercourse
בְּעִיר, ז׳ beast, cattle
בָּעִיר, ת״ז, בְּעִירָה, ת״נ combustible
בְּעִירָה, נ׳ combustion
בַּעַל, ז׳, ר׳, בְּעָלִים owner, possessor; lord; husband; Baal
בַּעַל־בַּיִת, ז׳, ר׳, בַּעֲלֵי־בַיִת house owner, landlord, proprietor
בַּעַל־חוֹב, ז׳, ר׳, בַּעֲלֵי־חוֹב debtor, creditor
בַּעַל־מְלָאכָה, ז׳, ר׳, בַּעֲלֵי־מְלָאכָה artisan, craftsman
בַּעַל־עֲגָלָה, ז׳, ר׳, בַּעֲלֵי־עֲגָלָה driver (of wagon), coachman
בַּעַל־צוּרָה, ז׳, ר׳, בַּעֲלֵי־צוּרָה refined person
בַּעַל־קוֹמָה, ז׳, ר׳, בַּעֲלֵי־קוֹמָה tall person
בַּעַל־קְרִיאָה, ז׳, ר׳, בַּעֲלֵי־קְרִיאָה (Torah) reader
בַּעַל־שֵׁם, ז׳, ר׳, בַּעֲלֵי־שֵׁם miracle worker
בַּעַל־תְּפִלָּה, ז׳, ר׳, בַּעֲלֵי־תְּפִלָּה cantor, hazzan
בַּעַל־תְּקִיעָה, ז׳, ר׳, בַּעֲלֵי־תְּקִיעָה person who blows the shofar
בַּעַל־תְּשׁוּבָה, ז׳, ר׳, בַּעֲלֵי־תְּשׁוּבָה repentant sinner
בָּעַל, פ״י to marry; to rule over; to have sexual intercourse
בַּעֲלָה, נ׳, ר׳, בְּעָלוֹת proprietress, mistress
בַּעֲלוּת, נ׳ proprietorship
בַּעֲלִיל, תה״פ, ע׳ עֲלִיל openly, clearly

בְּעַל־כָּרְחוֹ, תה״פ against one's will
בְּעָלְמָא, תה״פ in a general way; merely
בְּעַל־פֶּה, תה״פ oral, orally, by heart
בַּעַץ, ז׳ tin, pewter
בְּעֶצֶם, תה״פ the very thing, in the midst, during
בָּעַר, פעו״י to burn, consume
בִּעֵר, פ״י to kindle, burn, consume; to remove
הִבְעִיר, פ״י to set on fire; to cause to be grazed over
הִתְבָּעֵר, פ״ח to be removed, be cleared
בַּעַר ,ז׳, ר׳, בְּעָרִים boor, ignorant person
בְּעֵרָה, נ׳, ר׳, ־רוֹת conflagration, burning
בַּעֲרוּת, נ׳ ignorance
בְּעֵרֶךְ, תה״פ approximately
[בעת] נִבְעַת, פ״ע to be startled, be terrified
בִּעֵת, פ״י to terrify
הִבְעִית, פ״י to frighten
בַּעַת, ז׳ phobia
בְּעָתָה, נ׳, ר׳, ־תוֹת terror
בְּפֹעַל, תה״פ in practice, in actuality
בְּפֵרוּשׁ, תה״פ distinctly, clearly, expressly, explicitly
בִּפְרָט, תה״פ particularly
בִּפְנִים, תה״פ ומ״י inside, within
בֹּץ, ז׳ mud, mire
בִּצְבֵּץ, פ״ע to ooze; to sprout
בִּצָּה, נ׳, ר׳, ־צוֹת swamp, marsh
בִּצּוּעַ, ז׳ compromise; arbitration; execution
בָּצוּר, ת״ז, בְּצוּרָה, ת״נ fortified
בִּצּוּר, ז׳, ר׳, ־רִים fortification

בַּצּוֹרֶת, בַּצֹּרֶת, נ׳, ר׳, ־צָּרוֹת drought, scarcity

בְּצִיעָה, נ׳, ר׳, ־עוֹת cutting, breaking

בָּצִיר, ז׳ vintage

בָּצָל, ז׳, ר׳, בְּצָלִים onion

בִּצֵּל, פ״י to flavor, to spice (with onions)

בְּצַלְצוּל, בְּצַלְצָל, ז׳, ר׳, ־לִים, ־צָלִים onion, shallot

בֶּצַע, ז׳ unjust gain; profit

בָּצַע, פ״י to cut, break; to be greedy for gain

בִּצַּע, פ״י to cut off; to execute; to accomplish

בִּצָּע, ז׳, ר׳, בִּצָּעִים pool, pond

בָּצַץ, פ״ע to trickle, ooze, drip

הִתְבַּצֵּץ, פ״ח to shine

בָּצֵק, ז׳, ר׳, בְּצֵקוֹת dough

בָּצַק, פ״ע to swell, become swollen

בֶּצֶר, ז׳, ר׳, בְּצָרִים strength; gold

בָּצַר, פ״י to weaken; to fortify; to gather grapes

נִבְצַר, פ״ע to be restrained

בִּצֵּר, פ״י to strengthen

הִתְבַּצֵּר, פ״ח to fortify oneself; to strengthen oneself

בָּצְרָה, נ׳, ר׳, ־רוֹת enclosure, sheepfold

בִּצָּרוֹן, ז׳, ר׳, ־צְרוֹנִים stronghold; drought

בַּקְבּוּק, ז׳, ר׳, ־קִים bottle

בִּקּוּעַ, ז׳, ר׳, ־עִים cleavage

בִּקּוּר, ז׳, ר׳, ־רִים visit; investigation

בִּקּוּשׁ, ז׳ seeking; demand

בָּקִי, בָּקִיא, ת״ז, בְּקִיאָה, ת״נ erudite; skilled

בְּקִיאוּת, נ׳ erudition; expertness

בְּקִיעַ, ז׳, ר׳, ־עִים fissure, crack, cleft

בְּקִיעָה, נ׳, ר׳, ־עוֹת fissure, cleft, crack

בֶּקַע, ז׳, ר׳, בְּקָעִים half a shekel

בָּקַע, פ״י to cleave, split

בִּקַּע, פ״י to cleave; to hatch

הִבְקִיעַ, פ״י to break through, take by assault

הִתְבַּקַּע, פ״ח to burst open

בִּקְעָה, נ׳, ר׳, בְּקָעוֹת valley, plain

בַּקַּעַת, נ׳, ר׳, ־עְיוֹת, בַּקְעָיוֹת log of wood

בָּקַק, פ״י to empty, despoil

בּוֹקֵק, פ״י to empty, waste

בֹּקֶר, ז׳, ר׳, בְּקָרִים morning

בָּקָר, ז׳ cattle, herds, oxen

בִּקֵּר, פ״י to examine; to visit, attend; to criticize, censure

בַּקָּר, ז׳, ר׳, ־רִים herdsman

בַּקָּרָה, נ׳ inspection, examination

בְּקֵרוּב, תה״פ nearly, approximately

בְּקָרוֹב, תה״פ shortly

בִּקֹּרֶת, בִּקּוֹרֶת, נ׳, ר׳, ־קוֹרוֹת investigation; criticism, review (of book); censorship

בִּקֵּשׁ, פ״י to seek, search; to desire; to beg, pray; to ask

הִתְבַּקֵּשׁ, פ״ח to be asked; to be sought, be summoned

בַּקָּשָׁה, נ׳, ר׳, ־שׁוֹת entreaty, request; desire, wish

בְּבַקָּשָׁה please!

בַּקְשִׁישׁ, ז׳, ר׳, ־שִׁים bribery; contribution, gift

בַּר, בָּר, ז׳ grain, corn; prairie, field; exterior

בַּר, תה״פ outside

בַּר, ת"ז, בָּרָה, ת"נ pure, clean, clear
בַּר, ז', ר', בָּנִים son
בַּר־אֲוָז, ע' בַּרְוָז
בַּר־מִצְוָה, ז', ר', בְּנֵי־מִצְוָה bar mizvah
בַּר־נַשׁ, בַּרְנַשׁ, ז', ר', בַּרְנָשִׁים guy, fellow (often in contempt)
בַּר־פְּלֻגְתָּא, ז', ר', בְּנֵי־פְּלֻגְתָּא disputant
בֹּר, ז' purity, cleanness; innocence
בָּרָא, פ"י to create, form
בֵּרֵא, פ"י to cut down trees, fell
הִבְרִיא, פער"י to make fat; to become healthy, recuperate
בְּרֵאשִׁית, נ'; תה"פ the beginning; nature, creation; at first, in the beginning
בַּרְבּוּר, ז', ר', ־רִים swan
בַּרְבָּרִיּוּת, נ' uncouthness, vulgarity
בֹּרֶג, ז', ר', בְּרָגִים screw
בָּרַג, פ"י to screw
בָּרְגִּי, ת"ז, ־גִּית, ת"נ spiral
בָּרְגָּנִי, בּוּרְגָּנִי, ת"ז, ־נִית, ת"נ bourgeois, middle class
בָּרָד, ז' hail
בָּרַד, פ"ע to hail
בָּרֹד, בָּרוֹד, ת"ז, בְּרֻדָּה, ת"נ spotted
בַּרְדְּלָס, ז', ר', ־סִים panther
בָּרָה, פ"י to eat
הִבְרָה, פ"י to feed
בָּרוּא, ז', ר', בְּרוּאִים creature, human being
בֻּרְדָּם, ע' בּוּרְדָם
בַּרְדָּס, ז', ר', ־סִים hood
בַּרְוָז, ז', בַּרְוָזָה, נ', ר', ־זִים, ־זוֹת duck
בָּרוּךְ, ת"ז, בְּרוּכָה, ת"נ blessed
בָּרוּךְ־הַבָּא welcome!

בָּרוּךְ־הַשֵּׁם (ב"ה) praise to God! thank the Lord!
בֵּרוּץ, ז', ר', ־צִים excess, surplus
בָּרוּר, ת"ז, בְּרוּרָה, ת"נ clear, lucid; certain, apparent, evident
בֵּרוּר, ז', ר', ־רִים clarification; edification; arbitration
בְּרוּר, ז' froth, lather
בְּרוּרוֹת, תה"פ clearly, evidently
בְּרוֹשׁ, ז', ר', ־שִׁים cypress
בָּרוֹת, בָּרוּת, נ' food
בֶּרֶז, ז', ר', בְּרָזִים water tap
בֶּרֶז שְׂרֵפָה hydrant
בַּרְזֶל, ז' iron
בָּרַח, פ"ע to flee
הִבְרִיחַ, פ"י to cause to flee; to bolt
בָּרִי, תה"פ certainly, surely
בֹּרִי, ז' normal health
בָּרִיא, ת"ז, בְּרִיאָה, ת"נ healthy; fat
בְּרִיאָה, נ' creation; universe
בְּרִיאוּת, נ' health
בְּרִיָּה, נ' dietary food, diet
בְּרִיָּה, בִּרְיָה, נ', ר', ־יּוֹת creation, creature
בִּרְיוֹן, ז', ר', ־נִים rebel, terrorist, outlaw
בִּרְיוֹנוּת, נ' terrorism
בְּרִיוּת, ז' dietetics
בְּרִיּוֹת, נ"ר people, persons
בְּרִיחַ, ז', ר', ־חִים bolt, bar
בָּרִיחַ, ז', ר', ־חִים fugitive
בְּרִיחָה, נ', ר', ־חוֹת flight
בְּרִיכָה, נ', ר', ־כוֹת kneeling; brood; slip
בְּרֵירָה, בְּרֵרָה, נ', ר', ־רוֹת choice, selection; alternative; arbitration
בְּרִית, נ', ר', ־תוֹת covenant, treaty

הַבְּרִית הַחֲדָשָׁה, נ' New Testament
בְּרִית מִילָה, נ', ר', בְּרִיתוֹת מִילָה circumcision
בֹּרִית, ז' lye, alkali; soap
בָּרַיְתָא, נ', ר', ־תוֹת Baraitha, teaching of the Tannaim not included in the Mishna
בֶּרֶךְ, נ', ר', בִּרְכַּיִם knee
בָּרַךְ, פ"ע to kneel
בֵּרַךְ, פ"י to bless; to praise; to curse
הִבְרִיךְ, פ"י to cause to kneel; to engraft
הִתְבָּרֵךְ, פ"ח to be blessed, bless oneself
בְּרָכָה, נ', ר', ־כוֹת blessing, benediction; prosperity; gift
בִּרְכַּת הַמָּזוֹן, נ' grace after meals
בְּרֵכָה, נ', ר', ־כוֹת pool, pond
בְּרַם, תה"פ but, however; truly
בֻּרְסָה, נ', ר', ־סוֹת stock market
בַּרְנַשׁ, ע' בַּר־נַשׁ
בֻּרְסִי, בּוּרְסִי, ז', ר', ־סִים tanner
בֵּרֵץ, פ"י to fill (to the brim)
בָּרָק, ז', ר', בְּרָקִים lightning; flash
בָּרַק, פ"י to flash (lightning)
הִבְרִיק, פעו"י to glitter; to polish; to cable
בַּרְקַאי, ז' morning star
בַּרְקִית, נ' cataract of the eye, glaucoma
בַּרְקָן ז', ר', ־נִים thistle, brier
בָּרֶקֶת, נ', ר', ־רָקוֹת emerald
בָּרַר, פ"י to choose; to investigate, test
בֵּרֵר, פ"י to make clear, explain; to choose
הִתְבָּרֵר, פ"ח to be made clear; to purify oneself; to be made pure

בְּרֵרָה, בְּרֵירָה, נ', ר', ־רוֹת choice, selection; alternative; arbitration
בֵּרַשׁ, פ"י to brush
בִּשְׁבִיל, מ"י for the sake of, for
בִּשּׁוּל, ז' cooking, cookery; ripeness
בְּשׂוֹרָה, נ', ר', ־רוֹת tidings, good tidings
בָּשַׁל, פ"ע to cook, boil; to grow ripe
בִּשֵּׁל, פ"י to cook, boil; to cause to ripen
הִבְשִׁיל, פ"ע to ripen
הִתְבַּשֵּׁל, פ"ח to be well boiled; to become ripe
בָּשֵׁל, ת"ז, בְּשֵׁלָה, ת"נ ripe, boiled; done
בֹּשֶׂם, ז', ר', בְּשָׂמִים perfume, spice
בִּשֵּׂם, פ"י to perfume, spice
הִתְבַּשֵּׂם, פ"ח to be perfumed; to be tipsy
בַּשָּׂם, ז', ר', ־מִים perfumer
בָּשָׂר, ז', ר', בְּשָׂרִים flesh, meat
בָּשָׂר וָדָם flesh and blood, human
בִּשֵּׂר, פ"י to bring tidings; to gladden with good tidings
בְּשָׂרִי, ת"ז, ־רִית, ת"נ carnal
בֹּשֶׁת, נ' shame, shameful thing
בַּת, נ', ר', בָּנוֹת daughter, child, girl; suburb
בְּבַת־אַחַת at once
בַּת־זוּג, נ' partner
בַּת־יַעֲנָה, ע' יָעֵן
בַּת־צְחוֹק, נ' smile
בַּת־עַיִן, ע' אִישׁוֹן
בַּת־קוֹל, נ' echo; divine voice
בַּת־שִׁיר, נ' muse
בָּתָה, בַּתָּה, נ', ר', בַּתּוֹת desolation, waste land
בְּתוּלָה, נ', ר', ־לוֹת virgin

בְּתוּלִים, ז"ר tokens of virginity, hymen, virginity, flowers
בִּתּוּר, ז' dissection
בְּתוֹר, בְּתוֹרַת, תה"פ as, like
בִּתֵּק, פ"י to cut, cut off
בֶּתֶר, ז', ר', בְּתָרִים piece, part; cut
בָּתַר, פ"י to cut in two, dissect
בַּתְרָא, ז'; ת"ז the last, latest; the end
בִּתְרוֹן, ז', ר', ־נִים deep ravine

ג, ג

ג, ג Gimel, third letter of Hebrew alphabet; three
גֵּא, גֵּאֶה, ת"ז, גֵּאָה, ת"נ proud, haughty
גָּאָה, פ"ע to rise, grow
הִתְגָּאָה פ"ח to be proud, be exalted; to boast
גַּאֲוָה, נ', ר', ־וֹות pride, haughtiness
גָּאוּל, ת"ז, גְּאוּלָה, ת"נ redeemed, liberated
גְּאוּלָה, ע' גְּאֻלָּה
גָּאוֹן, ת"ז, גְּאוֹנִית, ת"נ Gaon (rabbinic title)
גְּאוֹנוּת, ע' גְּאוֹנִיּוּת
גְּאוֹנִי, ת"ז, ־נִית, ת"נ geniuslike
גְּאוֹנִיּוּת, גְּאוֹנוּת, נ' position of Gaon; genius
גֵּאוּת, נ' grandeur; haughtiness
גֵּאוּת (הַיָּם) flood tide
גָּאַל, פ"י to redeem, deliver, free; to contaminate
נִגְאַל, פ"ע to be redeemed, liberated; to be defiled, contaminated
הִגְאִיל, פ"י to contaminate, pollute
הִתְגָּאֵל, פ"ח to defile oneself
גְּאֻלָּה, גְּאוּלָה, נ', ר', ־לּוֹת, לוֹת redemption, liberation, Geullah
גְּאֻלַּת דָּם feud
גַּב, ר', ז', ־בִּים, ־בּוֹת back; hub, nave (of wheel)

גַּב, מ"י towards, with
עַל גַּב, עַל גַּבֵּי upon
אַף עַל גַּב although
לְגַבֵּי about, concerning
גֵּב, ר', ז', ־בִים pit, pool; board
גַּבָּאוּת, נ' treasurership; synagogical office
גַּבַּאי, גַּבַּי, ז', ר', ־בָּאִים treasurer, synagogical head
גָּבַב, פ"י to gather, heap up; to blab
גָּבַהּ, פ"ע to be high; to be tall; to be haughty
הִגְבִּיהַּ, פ"י to exalt, elevate, raise
גֹּבַהּ, גּוֹבַהּ, ז', ר', גְּבָהִים height; pride
גָּבֹהַּ, גָבוֹהַּ, ת"ז, גְּבֹהָה, גְּבוֹהָה, ת"נ high, lofty; proud
גָּבָה, פ"י to collect payment (of debts, taxes)
גַּבָּה, נ', ר', ־בּוֹת eyebrow
גִּבּוּב, גִּיבּוּב, ז' piling up
גָּבוֹהַּ, גָּבֹהַּ, ת"ז, גְּבֹהָה, גְּבוֹהָה, ת"נ high, lofty, proud
גְּבוּל, ז', ר', ־לוֹת boundary, border, limit
בְּלִי (לְלֹא) גְּבוּל endless
גִּבּוּל, ז' kneading
גִּבּוֹר, ת"ז, ־רָה, ת"נ; ז' strong, mighty; hero
גְּבוּרָה, נ', ר', ־רוֹת strength, might, heroism; God

גִּבּוּשׁ, גִּיבּוּשׁ, ז׳, ר׳, ־שִׁים crystallization

גְּבִיָּה, נ׳, ר׳, ־יּוֹת collection of payment; taking of evidence

גְּבִינָה, נ׳, ר׳, ־נוֹת cheese

גָּבִיעַ, ז׳, ר׳, גְּבִיעִים goblet, cup, chalice

גְּבִיר, ז׳, ר׳, ־רִים lord, master; rich man

גְּבִירָה, גְּבֶרֶת, נ׳, ר׳, ־בִירוֹת, ־בָרוֹת lady, mistress; rich lady

גָּבִישׁ, אֶלְגָּבִישׁ, ז׳, ר׳, גְּבִישִׁים crystal

גְּבִישִׁי, ת״ז, ־שִׁית, ת״נ crystal-like

גָּבַל, גִּבֵּל, פ״י to set boundary; to border; to knead

הִגְבִּיל, פ״י to set bounds, limit

הֻגְבַּל, פ״ע to be bounded, be limited

גִּבֵּן, ז׳, ר׳, ־בְּנִים hunchback

גַּבְנוּן, גַּבְנֹן, ז׳, ר׳, ־נִים, ־נֻּנִּים rounded peak (of mountain); hunch

גַּבְנוּנִי, ת״ז, ־נִית, ת״נ convex (lens)

גִּבְנֵן, פ״י to round, hunch

גֶּבֶס, ז׳ gypsum; plaster of Paris

גִּבֵּס, פ״י to put in a cast

גֶּבַע, ז׳, ר׳, ־גְּבָעִים, גִּבְעָה, נ׳, ר׳, גְּבָעוֹת hill

גִּבְעוֹל, גִּבְעֹל, ז׳, ר׳, ־לִים stalk, stem

גָּבַר, פ״ע to be strong; to conquer

גִּבֵּר, הִגְבִּיר, פ״י to strengthen

הִתְגַּבֵּר, פ״ח to prevail, overcome

גֶּבֶר, ז׳, ר׳, גְּבָרִים male, man; warrior; cock

גַּבְרוּת, נ׳ adulthood

גַּבְרִי, ת״ז, ־רִית, ת״נ male-like, manly

גְּבֶרֶת, גְּבִירָה, נ׳, ר׳, ־בָרוֹת, ־בִירוֹת lady, mistress; rich lady

גָּבַשׁ, פ״י to fill (with stones)

גִּבֵּשׁ, פ״י to crystallize

הִתְגַּבֵּשׁ, פ״ח to become crystallized

גַּבְשׁוּשִׁית, נ׳, ר׳, ־יּוֹת mound

גַּג, ז׳, ר׳, ־גּוֹת roof

גַּגּוֹן, ז׳, ר׳, ־נִים awning

גִּגִּית, נ׳, ר׳, ־יּוֹת tub

גָּד, פ״י, ע׳ [גוד] to attack

גַּד, ז׳ good fortune

גָּדַד, פעו״י to cut, cut off; to gather (troops)

הִתְגּוֹדֵד, פ״ח to cut oneself; to assemble

גָּדָה, נ׳, ר׳, ־דוֹת river bank

גְּדוּד, ז׳, ר׳, ־דִים unit (of troops), group; furrow

גָּדוּד, ת״ז, גְּדוּדָה, ת״נ cut, pruned

גָּדוֹל, ת״ז, גְּדוֹלָה, ת״נ big, large, great; adult

גְּדוּלוֹת, נ״ר great deeds

גִּדּוּל, ז׳, ר׳, ־לִים growth, tumor

גְּדוּלָּה, ע׳ גְּדֻלָּה

גִּדּוּף, ז׳, גְּדוּפָה, נ׳, ר׳, ־פִים, פוֹת taunt, abuse, insult

גָּדוּר, ת״ז, גְּדוּרָה, ת״נ fenced in

גָּדוּשׁ, ת״ז, גְּדוּשָׁה, ת״נ overflowing

גְּדִי, גַּדְיָא, ז׳, ר׳, ־דָיִים kid (goat)

גְּדִיל, גָּדִיל, ז׳, ר׳, גְּדִילִים tassel

גָּדִישׁ, ז׳, ר׳, גְּדִישִׁים heap of corn, stack of sheaves

גָּדַל, פ״ע to grow up, be great

גִּדֵּל, פ״י to glorify; to raise, rear; to educate

הִגְדִּיל, פ״י to make great, increase

הִתְגַּדֵּל, פ״ח to praise oneself, boast

גֹּדֶל, גּוֹדֶל, ז׳, ר׳, גְּדָלִים size, greatness

גְּדֻלָּה, גְּדוּלָּה, נ׳, ר׳, ־לּוֹת, ־לּוֹת greatness, dignity

גַּדְלוּת, נ׳	greatness, magnitude
גִּדֵּם, ת״ז, גִּדֶּמֶת, ת״נ	crippled, maimed; one-handed
גִּדַּם, פ״י	to cripple, maim
גָּדַע, גִּדַּע, פ״י	to cut off
גִּדֵּף, פ״י	to insult, blaspheme
גַּדְּפָן, ז׳, ר׳, ־נִים	blasphemer, reviler
גָּדַר, פ״י	to fence in; restrain
הִגְדִּיר, פ״י	to define
הִתְגַּדֵּר, פ״ח	to be proficient, distinguish oneself; to boast
גָּדֵר, ז׳, ר׳, גְּדֵרִים	wall, fence
בְּגֶדֶר, תה״פ	in the realm, in the area
גְּדֵרָה, נ׳, ר׳, ־רוֹת	sheepfold
גָּדַשׁ, הִגְדִּישׁ, פ״י	to heap up, overfill
גֵּהָה, נ׳, ר׳, ־הוֹת	cure, appearance
גִּהוּץ, ז׳, ר׳, ־צִים	ironing, pressing
גָּהוּץ, ת״ז, גְּהוּצָה, ת״נ	smart (military)
גִּהוּק, גֵּהוּק, ז׳, ר׳, ־קִים	belch, burp
גֵּהוּת, נ׳	hygiene
גִּהֵץ, פ״י	to iron, press
גַּהַץ, ז׳	smartness
גִּהֵק, פ״ע	to belch, burp
גָּהַר, פ״ע	to crouch, bend
גֵּו, גַּו, ז׳, ר׳, ־וִים, ־ווֹת	back (of body); interior; body
גּוֹאֵל, ז׳, ר׳, ־אֲלִים	redeemer, savior; Messiah
גּוֹאֵל הַדָּם, ז׳	avenger (of blood)
גּוֹב, גּוֹבַי, ז׳	locust (swarm)
גּוֹבַהּ, גֹּבַהּ, ז׳, ר׳, גְּבָהִים	height, pride
גּוֹבֶה, ז׳, ר׳, ־בִים	collector (of funds)
גּוּבַיְנָא, גּוּבַיְנָה, נ׳, ר׳, ־נוֹת	collection; C.O.D.
[גוד] גָּד, פ״י	to attack
גּוֹד, ע׳ נאד	
גּוֹדְרוֹת, נ״ר	flock in pen
גּוֹדֶל, ע׳ גֹּדֶל	
גִּוּוּן, ז׳, ר׳, ־נִים	coloring, variation, nuance
[גוז] גָּז, פ״ע	to pass, change
גּוֹזֵז, ז׳, ר׳, ־זְזִים	shearer (of sheep)
גּוֹזָל, ז׳, ר׳, ־לִים, ־לוֹת	young dove, young bird, squab
גּוּזְמָה, גֻּזְמָה, נ׳, ר׳, ־מוֹת, ־מָאוֹת	exaggeration, hyperbole
גּוֹי, ז׳, ר׳, ־יִים	nation; gentile, goi; non-religious Jew
גְּוִיָּה, נ׳, ר׳, ־יוֹת	body; corpse
גּוֹלָה, נ׳, ר׳, ־לוֹת	golah, exile
גּוֹלֶה, ז׳, ר׳, ־לִים	exiled one
גּוֹלֵל, ז׳	tombstone
גּוֹלֶם, גֹּלֶם, ז׳, ר׳, גְּלָמִים	shapeless matter; ignorant person; golem; dummy
גּוּמָה, נ׳, ר׳, ־מוֹת	hole (in ground)
גּוֹמֵל, ז׳, ר׳, ־מְלִים	doer of good deeds
גּוֹמְלִים, ־ן, ז״ר	reciprocity
גּוּמָץ, גֻּמָּץ, ז׳, ר׳, ־צִים	pit
גָּוֶן, ז׳, ר׳, גּוֹנִים, גְּוָנִים	color, nuance, shade
גִּוֵּן, פ״י	to color
[גוס] הֵגִיס, פ״י	to stir
גּוֹסֵס, ז׳, ר׳, ־סְסִים	dying, moribund
גָּוַע, פ״ע	to die
גּוּף, ז׳, ר׳, ־פִים, ־פוֹת	body, substance, person
[גוף] גָּף, פ״י	to stop up, cork
הֵגִיף, פ״י	to shut, lock
גּוּפָה, נ׳, ר׳, ־פוֹת	cadaver; torso
גּוּפִיָּה, נ׳, ר׳, ־יוֹת	undershirt

גּוּפָנִי, ת"ז, ־נִית, ת"נ bodily, corporeal
גּוּץ, ת"ז, גּוּצָה, ת"נ short
גּוּר, גּוֹר, ז', ר', ־רִים cub, whelp
[גור] גָּר, פ"ע to dwell, live; to fear
הִתְגּוֹרֵר, פ"ח to dwell; to burst forth
גּוֹרָל, ז', ר', ־לוֹת lot, fate; lottery
גּוֹרָלִיּוּת, נ' fatality
גּוֹרֵם, ז', ר', ־רְמִים factor, cause
גּוֹרֶן, גֹּרֶן, ז', ר', גְּרָנוֹת threshing floor
גּוּשׁ, ז', ר', ־שִׁים block, bulk
גּוּשִׁישׁ, ז', ר', ־שִׁים particle
גּוּשְׁפַּנְקָה, גֻּשְׁפַּנְקָה, נ', ר', ־קוֹת seal, signet
גָּז, פ"ע, ע' [גוז] to pass, change
גֵּז, ז', ר', גִּזִּים shearing
גִּזְבָּר, ז', ר', ־רִים treasurer, cashier
גִּזְבָּרוּת, נ' office of treasurer
גִּזָּה, נ', ר', ־זּוֹת fleece
גַּזּוֹז, ז' soda water (with syrup)
גְּזוּזְטְרָה, גְּזֻזְטְרָה, נ', ר', ־רוֹת, ־רָאוֹת balcony
גָּזַז, פ"י to shear, clip
גְּזִיזָה, נ', ר', ־זוֹת shearing, clipping
גָּזִית, נ' hewn stone
גָּזַל, פ"י to rob, embezzle
גֵּזֶל, גָּזֵל, ז', גְּזֵלָה, נ', ר', ־לוֹת robbery, embezzlement
גַּזְלָן, ז', ר', ־נִים robber, embezzler
גַּזְלָנוּת, נ' robbery, embezzlement
גָּזַם, פ"י to trim (branches); to threaten; to exaggerate
הִגְזִים, פ"י to exaggerate, frighten
גֻּזְמָה, גּוּזְמָה, נ', ר', ־מוֹת, ־מָאוֹת exaggeration, hyperbole
גֶּזַע, ז', ר', גְּזָעִים trunk, stem; race
גִּזְעָנִי, ת"ז, ־נִית, ת"נ racial
גָּזַר, פ"י to cut, split; to decree; to decide
גֶּזֶר, ז', ר', גְּזָרִים carrot; (a) cut
גְּזַר־דִּין, ז', ר', גִּזְרֵי־דִּין verdict
גְּזֵרָה, נ', ר', ־רוֹת decree, enactment
גְּזֵרָה שָׁוָה, נ' comparison by analogy
גִּזְרָה, נ', ר', גְּזָרוֹת cut; beam; conjugation; form; sector
גִּזָּרוֹן, ז', גִּזְרוֹנוּת, נ' etymology
גָּח, פ"ע, ע' [גיח] to break through
גָּחָה, פעו"י to hang over; to take out
גִּחוּךְ, ז', ר', ־כִים smile
גָּחוֹן, ז', ר', גְּחוֹנִים, גְּחוֹנוֹת belly (of reptiles)
גָּחוּן, ת"ז, גְּחוּנָה, ת"נ bent, stooped
גִּחֵךְ, פ"י to smile
גַּחֲלִית, נ' carbunculosis
גַּחֲלִילִית, נ', ר', ־לִיּוֹת glow worm
גַּחֶלֶת, נ', ר', גֶּחָלִים burning coal
גָּחַן, פ"ע to bend, stoop
גֵּט, ז', ר', גִּטִּים, ־ין divorce, legal document
גִּטִּין Gittin, tractate in Talmud
גֶּטוֹ, ז', ר', ־טָאוֹת ghetto, quarter of the Jews
גַּי, גַּיְא, גֵּיא, ז', ר', גֵּאָיוֹת, גֵּיאוֹת valley
גֵּיא־צַלְמָוֶת, ז' valley of the shadow of death
גֵּי־הִנּוֹם, גֵּיהִנּוֹם, זו"נ Gehenna
גִּיגִית, נ', ר', ־יּוֹת tub, vat
גִּיד, ז', ר', ־דִים sinew; penis
גִּיּוּס, ז', ר', ־סִים conscription, mobilization
גִּיּוֹר, ז', גִּיֶּרֶת, גִּיּוֹרֶת, נ', ־רִים, ־רוֹת proselyte to Judaism

[גיח] גָּח, פ"ע to break through
גִּיחָה, נ', ר', ־חוֹת break through, attack
[גיל] גָּל, פ"ע to rejoice
גִּיל, ז', ר', ־לִים joy, rejoicing; age; clapper
גִּילָה, נ' joy; stubble
גִּילַת, נ' joy
גִּילוּי, גִּלּוּי, ז', ר', ־יִים revealing, discovery
גִּילוּחַ, גִּלּוּחַ, ז', ר', ־חִים shaving
גִּילוּף, גִּלּוּף, ז', ר', ־פִים carving (wood)
גִּימֶל, ז', ר', ־מְלִין third letter of Hebrew alphabet
גִּימַטְרִיָּה, גַּמַטְרִיָּה, נ' use of alphabet as numerals
גִּינוּי, גִּנּוּי, ז' shame, criticism
גִּיס, ז', ר', ־סִים brother-in-law
גִּיֵּס, פ"י to mobilize (army)
הִתְגַּיֵּס, פ"ח to join (army, etc.)
גַּיִס, ז', ר', גְּיָסוֹת army unit
גַּיִס חֲמִישִׁי fifth column
גִּיסָה, נ', ר', ־סוֹת sister-in-law
גִּיר, ז', ר', ־רִים chalk, lime
גִּיֵּר, פ"י to proselytize (to Judaism)
הִתְגַּיֵּר, פ"ח to become a proselyte (to Judaism)
גִּישָׁה, נ', ר', ־שׁוֹת approach; attitude; copulation
גִּישׁוּם, גִּשּׁוּם, ז', ר', ־מִים execution (of plan); materialization
גִּישׁוּר, גִּשּׁוּר, ז', ר', ־רִים bridge; tie
גָּל, פ"ע, ע' [גיל] to rejoice
גַּל, ז', ר', ־לִים wave; pile
גֹּל, ז', גֻּלָּה, נ' ר', גֻּלִּים, ־לּוֹת marble (for children's game)
גַּלָּב, ז', ר', ־בִים barber

גִּלְגּוּל, ז', ר', ־לִים rolling, revolving
גִּלְגּוּל נֶפֶשׁ reincarnation
גַּלְגַּל, ז', ר', ־לִּים wheel
גַּלְגַּל הָעַיִן, ז' eyeball
גִּלְגֵּל, פ"י to roll, revolve; to knead; to cause to happen
הִתְגַּלְגֵּל, פ"ח to roll, turn; to wander
גַּלְגִּלָּה, נ', ר', ־לוֹת pulley
גַּלְגַּלַּיִם, ז"ז scooter
גַּלְגִּלִּית, נ', ר', ־יּוֹת roller skate
גֻּלְגֹּלֶת, נ', ר', ־גָּלוֹת skull; pulley
גֶּלֶד, ז', ר', גְּלָדִים skin (of body)
[גלד] הִגְלִיד, פ"ע to grow (skin over wound)
גְּלָדָה, נ', ר', גְּלָדוֹת sole (of shoe)
גָּלָה, פעו"י to reveal, uncover; to go into exile
הִגְלָה, פ"י to banish into exile
גִּלּוּחַ, גִּילוּחַ, ז', ר', ־חִים shaving
גָּלוּי, ת"ז, גְּלוּיָה, ת"נ; ז' uncovered, evident; purchase deed
גִּלּוּי, גִּילוּי, ז', ר', ־יִים revelation, discovering
גִּלּוּי דַּעַת declaration, manifesto
גִּלּוּי לֵב frankness
גִּלּוּי עֲרָיוֹת incest
גְּלוּיָה, נ', ר', ־יוֹת post card
גְּלוּלָה, נ', ר', ־לוֹת pill
גִּלּוּלִים, ז"ר idols
גְּלוֹם, ז', ר', ־מִים wrap
גִּלּוּף, גִּילוּף, ז', ר', ־פִים carving (of wood)
גָּלוּת, נ', ר', ־לֻיוֹת exile, captivity
גָּלוּתִי, ת"ז, ־תִית, ת"נ exilic
גַּלִּי, ת"ז, ־לִית, ת"נ wavy
גִּלַּח, גִּלֵּחַ, פ"י to shave
הִתְגַּלַּח, פ"ח to shave oneself

גַּלָּח, ז׳, ר׳, ־חִים Catholic clergyman

גְּלִידָה, נ׳, ר׳, ־דוֹת ice cream

גִּלָּיוֹן, ז׳, ר׳, ־לְיוֹנִים, ־לְיוֹנוֹת sheet, tablet, copy of newspaper

גָּלִיל, ז׳, ר׳, גְּלִילִים spool; cylinder; district; region; Galilee

גְּלִילָה, נ׳, ר׳, ־לוֹת circuit, district

גְּלִילִי, ת״ז, ־לִית, ת״נ cylindrical

גְּלִימָה, נ׳, ר׳, ־מוֹת cloak

גְּלִיפָה, נ׳, ר׳, ־פוֹת engraving

גְּלִישָׁה, נ׳, ר׳, ־שׁוֹת glide, slide

גָּלַל, גּוֹלֵל, פ״י to roll, roll up

הִתְגּוֹלֵל, פ״ח to wallow

גָּלָל, בִּגְלַל, מ״י for, for the sake of, on account of

גָּלָל, גֵּלֶל, ז׳, ר׳, גְּלָלִים dung

גָּלַם, פ״י to wrap, fold

הִתְגַּלֵּם, פ״ח to be embodied

גֹּלֶם, גּוֹלֶם, ז׳, ר׳, גְּלָמִים shapeless matter; ignorant person; golem; dummy

גֹּלֶם, ז׳, ר׳, גְּלָמִים pupa, chrysalis

גַּלְמוּד, ת״ז, ־דָה, ת״נ lonely, forsaken

גָּלְמִי, ת״ז, ־מִית, ת״נ raw (materials)

[גלע] הִתְגַּלַּע, הִתְגַּלֵּעַ, פ״ח to break out (quarrel)

גַּלְעִין, ז׳, גַּלְעִינָה, נ׳, ר׳, ־נִים, ־נוֹת seed (of fruit)

גָּלַשׁ, פ״ע to glide, slide, ski; to boil over

גַּלָּשׁ, ז׳, ר׳, ־שִׁים skier

גִּלְשׁוֹן, ז׳, ר׳, ־נִים glider

גַּם, מ״ח also, moreover

גָּמָא, גָּמַע, פ״י to sip, drink, gulp, swallow

הִגְמִיא, פ״י to give to drink

גֹּמֶא, ז׳, ר׳, גְּמָאִים reed, papyrus

גִּמְגּוּם, ז׳, ר׳, ־מִים stuttering, stammering

גִּמְגֵּם, פ״ע to stutter, stammer

גַּמָּד, ז׳, ר׳, ־דִים dwarf

גָּמוּל, ת״ז, גְּמוּלָה, ת״נ weaned

גְּמוּל, ז׳, גְּמוּלָה, נ׳, ר׳, ־לִים, ־לוֹת recompense, reward

גְּמוֹנִית, נ׳, ר׳, ־יוֹת band

גָּמוּר, ת״ז, גְּמוּרָה, ת״נ complete, finished

גֻּמִּי, גּוּמִי, ז׳ rubber; contraceptive

גְּמִיאָה, גְּמִיעָה, נ׳, ר׳, ־אוֹת, ־עוֹת swallow (drink)

גֻּמִּיָּה, גּוּמִיָּה, נ׳, ר׳, ־יוֹת garter

גְּמִילָה, נ׳, ר׳, ־לוֹת ripening; weaning; doing

גְּמִיעָה, גְּמִיאָה, נ׳, ־עוֹת, ־אוֹת swallow (drink)

גְּמִילוּת, נ׳, ר׳, ־לֻיּוֹת doing; deeds of charity

גְּמִילוּת חֶסֶד doing good; loaning (without interest)

גָּמִישׁ, ת״ז, גְּמִישָׁה, ת״נ flexible,pliant, elastic

גְּמִישׁוּת, נ׳ flexibility, elasticity

גָּמַל, פ״י to wean; ripen; to deal with

הִתְגַּמֵּל, פ״ח to deprive oneself, break a habit

גָּמָל, ז׳, ר׳, גְּמַלִּים camel

גַּמָּל, ז׳, ר׳, ־לִים camel driver

גַּמְלוֹן, ז׳, ר׳, ־נִים gable

גַּמֶּלֶת, נ׳, ר׳, ־מָּלוֹת camel caravan

גָּמַע, גָּמָא, פ״י to sip, drink, gulp, swallow

גֻּמָּץ, גּוּמָץ, ז׳, ר׳, ־צִים pit

גָּמַר, פ״י to end, finish, complete

גֶּמֶר, גְּמָר, ז׳ completion, finish

completely, altogether לְגַמְרֵי, תה"פ
Gemara, the Armaic portion of the Talmud גְּמָרָא, גְּמָרָה, נ'
garden גַּן, ז', ר', ־נִּים
zoo גַּן חַיּוֹת
kindergarten גַּן יְלָדִים
Garden of Eden, Paradise גַּן עֵדֶן
disgrace, shame גְּנַאי, גְּנַי, ז'
to steal, rob גָּנַב, פ"י
to deceive גָּנַב לֵב, גָּנַב דַּעַת
to kidnap גָּנַב נֶפֶשׁ
to be stolen נִגְנַב, פ"ע
to interject indirectly הִגְנִיב, פ"י
to steal away הִתְגַּנֵּב, פ"ח
thief, robber גַּנָּב, ז', ר', ־בִים
theft גְּנֵבָה, נ', ר', ־בוֹת
to decorate גִּנְדֵּר, פ"י
to dress up, decorate oneself הִתְגַּנְדֵּר, פ"ח
coquette, flirt גַּנְדְּרָן, ת"ז, ־נִית, ת"נ
small vegetable garden גִּנָּה, גַּנָּה, נ', ר', ־נּוֹת
to blame, censure גִּנָּה, פ"י
hidden גָּנוּז, ת"ז, גְּנוּזָה, ת"נ
Apocrypha סְפָרִים גְּנוּזִים
shame, criticism גִּנּוּי, ז', ר', ־יִים
awning גְּנוֹנָה, נ', ר', ־נוֹת
shame, disgrace גְּנוּת, נ'
to hide גָּנַז, פ"י
treasure גֶּנֶז, ז', ר', גְּנָזִים
treasury; archives גִּנְזַךְ, גַּנְזַךְ, ז', ר', ־כִים
to sigh, groan גָּנַח, פ"ע
hiding place, storehouse גְּנִיזָה, נ', ר', ־זוֹת
hidden texts, Genizah הַגְּנִיזָה

groaning, sighing גְּנִיחָה, נ', ר', ־חוֹת
to cover over, defend גָּנַן, פ"י
to defend, protect הֵגֵן, פ"י
to defend oneself הִתְגּוֹנֵן, פ"ח
gardener גַּנָּן, ז', ר', ־נִים
gardening גַּנָּנוּת, נ', ר', ־נוּיוֹת, ־נֻיּוֹת
kindergarten teacher גַּנֶּנֶת, נ', ר', ־נָנוֹת
bulky; crude, coarse גַּס, ת"ז, גַּסָּה, ת"נ
haughty, vulgar, obscene גַּס־רוּחַ
rudeness גַּסּוּת, נ', ר', ־יוֹת, סֻיּוֹת
agony, dying גְּסִיסָה, נ', ר', ־סוֹת
to be dying; to be rude גָּסַס, פ"ע
yearning, longing גַּעְגּוּעִים, ז"ר
to bleat, cry גִּעְגַּע, פ"ע
to yearn, long for הִתְגַּעְגֵּעַ, פ"ח
to cry, bleat, howl גָּעָה, פ"ע
cry, bleat גְּעִי, ז', גְּעִיָּה, נ', ר', ־יוֹת
to loathe, abhor; to cleanse גָּעַל, פ"י
to be loathed נִגְעַל, פ"ע
to be soiled הִתְגָּעֵל, פ"ח
loathing; nausea גֹּעַל, גֹּעַל נֶפֶשׁ, ז'
to scold, rebuke; to curse גָּעַר, פ"ע
rebuke, reproach גְּעָרָה, נ', ר', ־רוֹת
to shake, quake גָּעַשׁ, פ"ע
to toss; to reel הִתְגָּעֵשׁ, פ"ח
quaking גַּעַשׁ, ז'
volcano הַר־גַּעַשׁ
wing; arm; handle; wing (of air corps) גַּף, ז', ר', ־פִּים
alone, by himself בְּגַפּוֹ
vine גֶּפֶן, נ', ר', גְּפָנִים
to seal, mend גִּפֵּס, פ"י
to embrace, caress, hug גִּפֵּף, פ"י
to sulphurize גִּפֵּר, פ"י
match גַּפְרוּר, ז', ר', ־רִים

sulphur, brimstone גָּפְרִית, נ'
spark גֵּץ, ז', ר', גִּצִּים
stranger, resident in foreign land גֵּר, ז', ר', ־רִים
to dwell, live; to quarrel; to fear גָּר, פ"ע, ע' [גור]
to burst forth, to dwell; to sojourn הִתְגּוֹרֵר, פ"ח
scab; earthenware vessel גָּרָב ז', ר', גְּרָבִים
sock, stocking גֶּרֶב, ז', ר', גַּרְבַּיִם
berry, pill גַּרְגִּיר, גַּרְגֵּר, ז', ר', ־רִים
to gargle; to pick berries גִּרְגֵּר, פ"י
glutton גַּרְגְּרָן, ז', ר', ־נִים
gluttony גַּרְגְּרָנוּת, נ'
windpipe גַּרְגֶּרֶת, נ'
to scratch, scrape גָּרַד, גֵּרֵד, פ"י
to scratch oneself; to scrape oneself הִתְגָּרֵד, פ"ח
only, merely גְּרֵדָא, גְּרֵידָא, תה"פ
scaffold, gallows גַּרְדּוֹם, ז', ר', ־מִים
weaver גַּרְדִּי, ז', ר', ־יִּים
cud; coin; proselyte (female) גֵּרָה, נ', ר', ־רוֹת
to excite, stir up, provoke גֵּרָה, פ"י
to provoke, excite oneself; to start a quarrel הִתְגָּרָה, פ"ח
junk גְּרוּטָאוֹת, גְּרוּטוֹת, נ"ר
stimulus גֵּרוּי, ז', ר', ־יִים
throat, neck גָּרוֹן, נ', ר', גְּרוֹנִים, גְּרוֹנוֹת
grist maker גָּרוֹס, ז', ר', ־סִים, ־סוֹת
inferior, worse גָּרוּעַ, ת"ז, גְּרוּעָה, ת"נ
trailer (auto) גָּרוּר, ז', ר', גְּרוּרִים
expulsion, banishment גֵּרוּשׁ, ז', ר', ־שִׁים
divorce גֵּרוּשִׁים, ז"ר

Gerushin, tractate in Talmud גֵּרוּשִׁין
piaster, coin in Arab countries and Israel (1/2 cent) גְּרוּשׁ, ז', ר', ־שִׁים
divorced man or woman גָּרוּשׁ, ז', גְּרוּשָׁה, נ', ר', גְּרוּשִׁים, גְּרוּשׁוֹת
ax, hatchet גַּרְזֶן, ז', ר', ־זִנִּים
itchy גָּרִי, ת"ז, ־רִית, ת"נ
only, merely גְּרֵידָא, גְּרֵדָא, תה"פ
scratching; cleaning the womb גְּרִידָה, נ', ר', ־דוֹת
itch גְּרִיָּה, נ'
allergy גְּרִיּוּת, נ'
grits, groats גְּרִיס, ז', ר', גְּרִיסִים
deterioration גְּרִיעוּת, נ'
to raffle, cast lots [גרל] הִגְרִיל, פ"י
to cause, bring about; to break (bone) גָּרַם, פ"י
bone; astral body גֶּרֶם, ז', ר', גְּרָמִים
threshing floor גֹּרֶן, גּוֹרֶן, נ', גְּרָנוֹת
to crush; to study, learn גָּרַס, פ"י
to break, crush הִגְרִיס, פ"י
version, text גִּרְסָא, גִּרְסָה, נ', ר', ־אוֹת, ־סוֹת
to diminish; to withdraw; to subtract גָּרַע, פעו"י
to be diminished נִגְרַע, פ"ע
to withdraw גֵּרַע, פ"י
deficit גֵּרָעוֹן, ז', ר', גֵּרְעוֹנוֹת
stone, kernel גַּרְעִין, ז', גַּרְעִינָה, נ', ר', ־נִים, ־נוֹת
trachoma גַּרְעֶנֶת, נ'
to sweep away; to clean; to gather; to make a fist גָּרַף, פ"י
bedpan גְּרָף, גָּרָף, ז', ר', ־פִים
to pull, effect גָּרַר, פ"י

נִגְרַר, פ"ע — to be dragged

גֵּרֵר, פ"י — to scrape, plane

גְּרָרָה, נ', ר', ־רוֹת — sled, sleigh

גָּרַשׁ, פ"י — to cast out, drive out

גֵּרַשׁ, פ"י — to expel; to divorce

הִתְגָּרֵשׁ, פ"ח, פ"י — to be divorced; to divorce

גֶּרֶשׁ, ז' — produce, yield

גֵּרֵשׁ, ז' — apostrophe

גֵּרְשַׁיִם, ז"ז — quotation marks

גָּשׁוּם, ת"ז, גְּשׁוּמָה, ת"נ — rainy

גִּשּׁוּם, גִּישׁוּם, ז', ר', ־מִים — execution (of plan); materialization

גִּשּׁוּר, גִּישׁוּר, ז', ר', ־רִים — bridge; tie

גֶּשֶׁם, ז', ר', גְּשָׁמִים, — rain; substance

גִּשֵּׁם, פ"י — to execute (plan)

הִגְשִׁים, פ"י — to materialize; to rain

הִתְגַּשֵּׁם, פ"ח — to be executed, materialized

גַּשְׁמִי, ת"ז, ־מִית, ת"נ — corporeal, bodily; physical

גַּשְׁמִיּוּת, נ' — corporeality

גֻּשְׁפַּנְקָה, גּוּשְׁפַּנְקָה, נ', ר', ־קוֹת — seal, signet

גֶּשֶׁר, ז', ר', גְּשָׁרִים — bridge

גָּשַׁר, גִּשֵּׁר, פ"י — to build a bridge

גָּשַׁשׁ, פ"ע — to run aground (boat)

גִּשֵּׁשׁ, פ"י — to feel, grope, probe; to track (down)

הִתְגּוֹשֵׁשׁ, פ"ע — to wrestle

גַּשָּׁשׁ, ז', ר', ־שִׁים — scout, tracker

גִּשְׁתָּה, נ' — siphon

גַּת, ר', גִּתּוֹת, גִּתִּים — wine press, vat

גִּתִּית, נ', ר', ־יוֹת — musical instrument

ד, ד

ד — Daleth, fourth letter of Hebrew alphabet; four

דָּאַב, פ"ע — to hurt, be in pain

הִדְאִיב, פ"י — to cause pain

דְּאָבָה, נ', דְּאָבוֹן, ז', ר', ־בוֹת — sorrow, pain

דָּאַג, פ"ע — to worry, be concerned; to fear

הִדְאִיג, פ"י — to cause worry, anxiety

דְּאָגָה, נ', ר', ־גוֹת — worry, care, concern

דָּאָה, פ"ע — to fly, dart

דָּאוֹן, ז', ר', דְּאוֹנִים — glider

דֹּאַר, ז' — mail, post

דֹּאַר־אֲוִיר — airmail

דֹּב, ז', ר', דֻּבִּים — bear

דָּבַב, פ"ע — to speak, whisper

דּוֹבֵב, פ"י — to cause to speak up

דֻּבְדְּבָן, ז', ר', ־נִים — cherry (tree)

דִּבָּה, נ', ר', ־בּוֹת — slander, defamation

דָּבוּק, ת"ז, דְּבוּקָה, ת"נ — stuck, glued

דִּבּוּק, ז', ר', ־קִים — attachment; dibbuk

דִּבּוּר, ז', ר', ־רִים — word, speech

דָּבוּר, ת"ז, דְּבוּרָה, ת"נ — spoken, expressed

דַּבּוּר, ז', ר', ־רִים — large bee, bumblebee

דְּבוֹרָה, נ', ר', ־רִים — bee

דְּבוֹרִית, נ', ר', ־יוֹת — swarm (of bees)

דָּבִיק, ת"ז, דְּבִיקָה, ת"נ — gluey, sticky

דְּבִיקוּת, נ' — glueyness, stickiness

דְּבִיר, ז', ר', ־רִים — Holy of Holies

to cling, be attached, be glued; to join דָּבַק, פ"ע
to glue together דִּבֵּק, הִדְבִּיק, פ"י
to infect; to overtake הִדְבִּיק, פ"י
to be joined together הִתְדַּבֵּק, הִדַּבֵּק, פ"ח
attached דָּבֵק, ת"ז, דְּבֵקָה, ת"נ
glue, paste דֶּבֶק, ז', ר', דְּבָקִים
adhesiveness; strong spiritual adherence דְּבֵקוּת, נ'
word, saying; thing דָּבָר, ז', ר', דְּבָרִים
chronicles, history דִּבְרֵי הַיָּמִים
Deuteronomy דְּבָרִים
עֲשֶׂרֶת הַדְּבָרִים (הַדִּבְּרוֹת)
The Decalogue (Ten Commandments)
to speak דָּבַר, דִּבֵּר, פ"י
to overwhelm, subdue הִדְבִּיר, פ"י
speech, commandment דִּבֵּר, ז', ר', ־בְּרוֹת
leader, dictator דַּבָּר, ז', ר', ־רִים
pasture דֹּבֶר, ז', ר', דְּבָרִים
plague, pestilence דֶּבֶר, ז', ר', דְּבָרִים
floating plank, raft דֹּבְרָה, נ', ר', ־רוֹת
saying, commandment דִּבְרָה, דִּבְּרָה, נ', ר', דְּבָרוֹת
upon my word עַל דִּבְרָתִי
orator, speaker; talkative person דַּבְּרָן, ז', ר', ־נִים
oratory, loquacity דַּבְּרָנוּת, נ'
honey דְּבַשׁ, ז'
to spoil, ferment [דבש] הִדְבִּישׁ, פ"ע
דְּבַשָׁן, ז', דְּבְשָׁנִית, נ', ר', ־נִים, ־נִיּוֹת
honey cake
hump (of camel) דַּבֶּשֶׁת, נ', ר', ־בָּשׁוֹת

to fish דָּג, פ"י, ע' [דוג]
fish דָּג, ז', ר', ־גִים
to tickle; to titillate דִּגְדֵּג, פ"י
clitoris דַּגְדְּגָן, ז'
to multiply, increase דָּגָה, פ"ע
exalted; conspicuous, prominent דָּגוּל, ת"ז, דְּגוּלָה, ת"נ
marked with daghesh; stressed דָּגוּשׁ, ת"ז, דְּגוּשָׁה, ת"נ
incubation דְּגִירָה, נ', ר', ־רוֹת
to raise a flag דָּגַל, פעו"י
flag, banner דֶּגֶל, ז', ר', דְּגָלִים
דַּגָּל, דַּגְלָן, ז', ר', ־לִים, ־נִים
flag-bearer
to give an example [דגם] הִדְגִּים פ"י
דֻּגְמָא, דֻּגְמָה, נ', ר', ־אוֹת, ־מוֹת
example; sample
model, manikin דֻּגְמָנִית, נ', ר', ־יּוֹת
corn, grain דָּגָן, ז', ר', דְּגָנִים
hatch דָּגַר, פ"י
daghesh sign for stressing the consonant דָּגֵשׁ, ז', ר', דְּגָשִׁים
to mark with daghesh דִּגֵּשׁ, פ"י
to emphasize, stress הִדְגִּישׁ, פ"י
breast (chiefly of animal); nipple דַּד ,ז', ר', דַּדִּים
to lead (slowly), walk (babies) דִּדָּה, פ"י
to fade, be discolored דָּהָה, דִּהָה, פ"ע
to cause to fade הִדְהָה, פ"י
faded דֵּהֶה, ת"ז, דֵּהָה, ת"נ
fading דִּהוּי, ז', דְּהִיָּה, נ'
gallop דְּהִירָה, נ', ר', ־רוֹת
to be astonished, confused [דהב] נִדְהַב, פ"ע
to gallop דָּהַר, פ"ע
galloping דְּהָרָה, נ', ר', ־רוֹת

דו bi-, two
דו־חַי, ע' דוּחַי
דו־כְּנָף biplane
דו־קְרָב duel
דו־שְׁבוּעוֹן biweekly
דו־שִׂיחַ dialogue
דּוּבְדְּבָן, דֻּבְדְּבָן, ז', ר', ־נִים cherry
דּוֹבֵר, ז', ר', ־בְרִים spokesman
[דוג] דָּג, פ"י to fish
דּוּגָה, נ', ר', ־גוֹת fishing boat, dory
דּוּגִית, נ', ר', ־יוֹת canoe
דּוּגְמָה, ע' דֻּגְמָא
דּוּגְמָנִית, ע' דֻּגְמָנִית
דּוּד, ז', ר', ־דִים, דְּוָדִים boiler; kettle, pot
דּוֹד, ז', ר', ־דִים uncle; friend, lover
דּוּדָא, ז', ר', ־אִים pot, basket; mandrake
דּוֹדָה, נ', ר', ־דוֹת aunt
דּוֹדִים, ז"ר lovemaking, sexual intercourse
דּוֹדָן, ז', דּוֹדָנִית, נ', ר', ־נִים, ־נִיוֹת cousin
דָּוָה, פ"ע to be sick, be ill; suffer pain during menstruation
דָּוֶה, דָּוּוּי, ת"ז, דָּוָה, דְּוּוּיָה, ת"נ sick, sad; menstruating
דו"חַ, דִּין־וְחֶשְׁבּוֹן, ז' report
דִּוַּח, פ"י to report
דַּוָּח, ז', ר', ־חִים reporter (press)
[דוח] נָדוֹחַ to be rinsed, flushed
הֵדִיחַ, פ"י to rinse, flush
דּוּחַי, דּוּ־חַי, ז', ר', ־יִּים amphibian
דּוֹחַן, דֹּחַן, ז' millet, panicum
דּוֹחַק, דֹּחַק, ז' pressure; closeness; poverty
דְּוַי, ז' sickness, pain
[דוך] דָּךְ, פ"י to crush, pound

דּוּכִיפַת, נ', ר', ־תִים hoopoe
דּוּכָן, דּוּכָנָא, ז', ר', ־נִים platform, pulpit
דּוּכָּס, דֻּכָּס, ז', ר', ־סִים duke
דּוּמָה, נ', ר', ־מוֹת grave
דּוֹמֶה, ת"ז, דּוֹמָה, ת"נ alike, similar
דּוּמִיָּה, נ' silence, quietness
דּוֹמֵם, פ"י, ע' [דמם] to silence
דּוּמָם, תה"פ silently, noiselessly
[דון] דָּן, פ"י to judge, weigh; to discuss
דּוֹנַג, דֹּנַג, ז' wax
דּוֹפֶק, דֹּפֶק, ז', ר', דְּפָקִים pulse
דּוֹפֵק, ז', ר', ־פְקִים frame supporting movable stone of tomb
[דוץ] דָּץ, פ"ע to rejoice; to jump, leap
[דוק] דָּק, פ"ע to scrutinize
דַּוְקָא, דַּוְקָה, תה"פ only thus, exactly
דּוֹר, ז', ר', ־רוֹת generation; period; age
דּוּר, ז', ר', ־רִים circle; rim (of wheel)
דַּוָּר, דַּוָּאר, ז', ר', ־רִים postal clerk, mailman
[דור] דָּר, פ"ע to dwell, live
דִּיֵּר, פ"י to provide lodging
דּוֹרוֹן, ז', ר', ־נוֹת gift, present
[דוש] דָּשׁ, פ"י to thresh, tread, trample
דִּוֵּשׁ, פ"י to pedal
דַּוְשָׁה, נ', ר', דַּוָּשׁוֹת pedal
דָּחָה, פ"י to push; to defer, postpone
דָּחוּי, ת"ז, דְּחוּיָה, ת"נ tottering
דִּחוּי, ז', דְּחִיָּה, נ', ר', ־יִים, ־יּוֹת postponement
דָּחוּף, ת"ז, דְּחוּפָה, ת"נ in haste, hurried, urgent

דָּחוּק, ת״ז, דְּחוּקָה, ת״נ — pressed; hard up

דָּחוּק, ז׳, ר׳, ־קִים — needy person

דְּחִי, ז׳ — fall, accident

דְּחִיָּה, נ׳, דִּחוּי, ז׳, ר׳, ־יוֹת, ־יִים — postponement

דְּחִיסוּת, נ׳ — tightness; compression

דְּחִיפָה, נ׳, ר׳, ־פוֹת — pushing; incitement

דְּחִיקָה, נ׳, ר׳, ־קוֹת — pressure; pushing

דַּחְלִיל, ז׳, ר׳, ־לִים — scarecrow

דָּחַף, פ״י — to push, drive

נִדְחַף, פ״ע — to be in a hurry, hasten

דַּחְפּוֹר, ז׳, ר׳, ־רִים — bulldozer

דָּחַק, פ״י — to press, oppress

דֹּחַק, דּוֹחַק, ז׳ — pressure; closeness; poverty

דַּי, ז׳ — sufficiency; enough, sufficient

דִּיבּוּק, דִּבּוּק, ז׳, ר׳, ־קִים — attachment; ghost, dibbuk

דִּיבּוּר, דִּבּוּר, ז׳, ר׳, ־רִים — word, saying; speech

[דיג] דָּג, פ״י — to fish

דַּיִג, ז׳ — fishing

דַּיָּג, ז׳, ר׳, ־גִים — fisherman

דַּיָּגוּת, נ׳, דִּיּוּג, ז׳ — fishing

דְּיוֹ, נ׳, ר׳, ־אוֹת — ink

דִּיּוּג, ז׳, דַּיָּגוּת, נ׳ — fishing

דְּיוֹטָה, נ׳, ר׳, ־טוֹת — floor, story

דִּיּוּן, ז׳, ר׳, ־נִים — consideration

דִּיּוּק, ז׳, ר׳, ־קִים — accuracy, exactness, precision

דַּיּוֹר, ז׳, ר׳, ־רִים — tenant

דְּיוֹתָה, נ׳, ר׳, ־תוֹת — ink pot

דִּיחוּי, דִּחוּי, ז׳ — postponement

דַּיָּל, ז׳, דַּיֶּלֶת, נ׳, ־יָּלִים, ־יָּלוֹת — host, hostess; waiter, waitress

דִּילּוּג, דִּלּוּג, ז׳, ר׳, ־גִים — jump, skip, omission

דִּימוֹס, ז׳ — amnesty, pardon

[דין] דָּן, פ״י — to judge, punish; argue

דַּיֵּן, פ״ע, הִתְדַּיֵּן, פ״ח — to argue, discuss

דִּין, ז׳, ר׳, ־נִים — judgment; justice; law

דִּין וְחֶשְׁבּוֹן, ז׳, ר׳, דִּינִים וְחֶשְׁבּוֹנוֹת — report, account

דַּיָּן, ז׳, ר׳, ־נִים — judge (rabbinical)

דִּינָר, ז׳, ר׳, ־רִים — dinar; coin

דַּיְסָה, נ׳, ר׳, ־סוֹת — cereal, porridge

דִּיֵּק, פ״ע — to be exact, accurate

דָּיֵק, ז׳, ר׳, דָּיֵקִים — bulwark, defense wall

דַּיְקָן, ז׳, ר׳, ־נִים — perfectionist, punctual person

דַּיְקָנוּת, נ׳ — exactness, precision; punctuality

דִּיר, ז׳, ר׳, ־רִים — sheepfold; stable, shed

דַּיָּר, ז׳, ר׳, ־רִים — tenant, lodger

דִּירָה, נ׳, ר׳, ־רוֹת — apartment, flat

דַּיִשׁ, ז׳, דִּישָׁה, נ׳ — threshing

דַּיָּשׁ, ז׳, ר׳, ־שִׁים — thresher

דִּישׁוֹן, ז׳, ר׳, ־נִים — antelope

דַּיֵּת, פ״י — to retouch

דָּךְ, פ״י, ע׳ [דוך] — to crush, pound

דַּךְ, ת״ז, דַּכָּה, ת״נ — oppressed, crushed

דִּכָּא, פ״י — to oppress, subdue

דַּכָּא, ת״ז, ־אָה, ת״נ — crushed, subdued

דִּכָּאוֹן, ז׳, ר׳, ־כְאוֹנוֹת — depression

דִּכְדּוּךְ, ז׳ — dejection, depression

דִּכְדֵּךְ, פ״י — to crush, break, oppress

דָּכָה, פ״ע — to be subdued, be crushed

דַּכָּה, נ׳ testicle; bruise, break
דִּכּוּי, דִּיכּוּי, ז׳, ר׳, ־יִים oppression, tyranny
דַּל, ת״ז, דַּלָּה, ת״נ poor; thin
דָּלַג, דִּלֵּג, פ״י to skip, omit
דַּלְגִּית, נ׳, ר׳, ־יּוֹת skipping rope
דִּלְדּוּל, ז׳, ר׳, ־לִים impoverishment
דִּלְדֵּל, פ״י to impoverish
דֻּלְדַּל, פ״ע to be hanging limp
הִדַּלְדֵּל, הִתְדַּלְדֵּל, פ״ח to be reduced to poverty
דַּלָּה, נ׳, ר׳, ־לּוֹת masses; lock of hair
דָּלָה, פ״י to draw water
דִּלָּה, פ״י to raise
דִּלּוּג, דִּילּוּג, ז׳, ר׳, ־גִים skip, jump, omission
דָּלוּחַ, ת״ז, דְּלוּחָה, ת״נ muddy, polluted
דְּלִי, ז׳, ר׳, ־לָיִים bucket, pail
דְּלִיחָה, דְּלִיחוּת, נ׳, ר׳, ־חוֹת, ־חָיּוֹת pollution
דָּלִיל, ת״ז, דְּלִילָה, ת״נ sparse, thin (liquid)
דְּלִיל, ז׳, ר׳, ־לִים thread, cord
דְּלִילוּת, נ׳ thinness (liquid)
דְּלִיפָה, נ׳, ר׳, ־פוֹת drop (of water), leak (of liquid, news)
דָּלִיק, ת״ז, דְּלִיקָה, ת״נ inflammable
דְּלִיקָה, דְּלֵקָה, נ׳, ר׳, ־קוֹת fire, conflagration
דָּלַל, פ״ע to dwindle; to be weakened
דִּלֵּל, פ״י to weaken; to thin out
הֵדַל, פ״י to trim (trees)
דְּלַעַת, נ׳, ר׳, ־לוּעִים pumpkin
דָּלַף, פ״ע to drop, drip, leak
דֶּלֶף, ז׳, ר׳, דְּלָפִים leakage, leak

דִּלְפָּה, נ׳, ר׳, דְּלָפוֹת drainpipe
דָּלַק, פעו״י to burn; to pursue
נִדְלַק, פ״ע to be ignited
הִדְלִיק, פ״י to kindle, set a match to
דֶּלֶק, ז׳ fuel, inflammable material
דְּלֵקָה, דְּלִיקָה, נ׳, ר׳, ־קוֹת fire, conflagration
דַּלֶּקֶת, נ׳, ר׳, ־לָּקוֹת inflammation
דֶּלֶת, נ׳, ר׳, דְּלָתוֹת door; page (scroll); first half of verse
דָּלֶת, נ׳ Daleth, fourth letter of Hebrew alphabet
דַּלְתוֹת נ׳ (stock) exchange
דַּלְתִּית, נ׳, ר׳, ־יּוֹת hatch
דָּם, ז׳, ר׳, ־מִים blood
דְּמַאי, דְּמַי, ז׳ dubious thing
דִּמְדּוּם, ז׳, ר׳, ־מִים dim light; twilight
דִּמְדּוּם חוּשִׁים, ז׳ blackout (of senses)
דִּמְדֵּם, פ״ע to be hysterical, be confused (from fever)
דָּמָה, פ״ע to be like, resemble; to cease
נִדְמָה, פ״ע to be cut off
דִּמָּה, פ״י to liken, compare; to think, imagine
הִדַּמָּה, פ״ח to become like
דִּמָּה, נ׳, ר׳, ־מּוֹת buoy
דֶּמֶה, ז׳, ר׳, דְּמָאִים decoy
דִּמּוּי, ז׳, ר׳, ־יִים comparison, simile
דָּמוּי, ת״ז, דְּמוּיָה, ת״נ similar, comparable
דָּמוּם, ת״ז, דְּמוּמָה, ת״נ silent
דְּמוּמִית, נ׳, ר׳, ־יּוֹת anemone
דְּמוּת, נ׳, ר׳, ־מֻיּוֹת, ־מוּיוֹת image, form

rest, quiet, silence דְּמִי, ז'
imagination; דִּמְיוֹן, ז', ר', ־נוֹת
likeness, resemblance
imaginary דִּמְיוֹנִי, ת"ז, ־נִית, ת"נ
money, cost, value; דָּמִים, ז"ר
blood
entrance fee דְּמֵי כְּנִיסָה
hush money דְּמֵי לֹא יַחֲרֹץ
key money (real estate) דְּמֵי מַפְתֵּחַ
deposit דְּמֵי קְדִימָה
to be still, be silent דָּמַם, פ"ע
to be made silent, dumb נָדַם, פ"ע
to make silent דּוֹמֵם, פ"י
to silence; to destroy הֵדַם, פ"י
silence, whisper דְּמָמָה, נ', ר', ־מוֹת
to shed tears דָּמַע, הִדְמִיעַ, פ"ע
to cause someone to הִדְמִיעַ, פ"י
shed tears
tear; juice; lachrymosity דֶּמַע, ז'
tear דִּמְעָה, נ', ר', דְּמָעוֹת
judge, weigh; דָּן, פ"י, ע' [דון]
discuss
wax דֹּנַג, דּוֹנַג, ז'
(metal) tag, דִּסְקִית, נ', ר', ־יוֹת
dogtag
דֵּעַ, ז', דֵּעָה, נ', ר', ־עִים, ־עוֹת
knowledge, wisdom; opinion
to flicker, be extinguished; דָּעַךְ, פ"ע
to be on verge of crying
to be made extinct, נִדְעַךְ, פ"ע
be destroyed
knowledge, דַּעַת, נ', ר', דֵּעוֹת
wisdom, understanding
energetic person; דַּעְתָּן, ז', ר', ־נִים
obstinate person
leaf, page; board, דַּף, ז', ר', ־פִּים
plank
to turn pages; to browse דִּפְדֵּף, פ"י

loose-leaf דַּפְדֶּפֶת, נ', ר', ־דָּפוֹת
notebook
printing press; דְּפוּס, ז', ר', ־סִים
form, mold
blemish, fault דֹּפִי, ז'
knocking; דְּפִיקָה, נ', ר', ־קוֹת
beating
דֹּפֶן, זו"נ, ר', דְּפָנִים, דְּפָנוֹת
partition, board
דַּפְנָה, דַּפְנָא, נ', ר', ־נִים, ־אִים
laurel
to be printed [דפס] נִדְפַּס, פ"ע
to print הִדְפִּיס, פ"י
to knock, beat דָּפַק, פ"י
to beat, knock הִתְדַּפֵּק, פ"ח
violently
pulse דֹּפֶק, דּוֹפֶק, ז', ר', דְּפָקִים
register דִּפְתָּר, ז', ר', ־תְּרָאוֹת
registrar דִּפְתְּרָן, ז', ר', ־נִים
to rejoice; to דָּץ, פ"י, ע' [דוץ]
jump, leap
thin דַּק, ת"ז, דַּקָּה, ת"נ
intestines דַּקִּים
to scrutinize דָּק, פ"ע, ע' [דוק]
grammar; דִּקְדּוּק, ז', ר', ־קִים
exactness, detail, minuteness
to examine, observe דִּקְדֵּק, פ"י
carefully; to deal with grammar
grammarian, דַּקְדְּקָן, ז', ר', ־נִים
pedant
דַּקָּה, נ', דַּק, ז', ר', ־קוֹת, ־קִין
minute
דָּקוֹר, דֶּקֶר, ז', ר', ־רִים, דְּקָרִים
chisel, pickax
דַּקּוּת, נ', ר', ־קֻיּוֹת, ־קוּיוֹת
thinness; nicety
second דַּקִּיקָה, נ', ר', ־קוֹת
(sixtieth part of a minute)

דְּקִירָה, נ׳, ר׳, ־רוֹת stubbing; pricking

דֶּקֶל, ז׳, ר׳, דְּקָלִים palm tree

דִּקְלוּם, ז׳, ר׳, ־מִים declamation

דִּקְלֵם, פ״י to declaim, recite

דִּקֵּק, פ״י to crush, make fine

דָּקַר, פ״י to pierce, prick, stab

דֶּקֶר, דָּקוֹר, ז׳, ר׳, דְּקָרִים, ־רִים chisel, pickax

דָּר, פ״ע, ע׳ [דור] to dwell, live

דַּר, ז׳, ר׳, דָּרִים mother-of-pearl

דֵּרָאוֹן, ז׳ shame, abomination

דָּרְבָן, דָּרְבוֹן, ז׳, ־בָנוֹת, ־בוֹנוֹת spur

דַּרְבָּן, ז׳, ר׳, ־נִים porcupine

דִּרְבֵּן, פ״י to spur on, goad

דֵּרַג, הִדְרִיג, פ״י to step, grade

דַּרְגָּה, נ׳, ר׳, דְּרָגוֹת step, grade, rank

דַּרְגָּשׁ, ז׳, ר׳, ־שִׁים couch

דַּרְדַּק, ז׳, ר׳, ־קִים child; pupil (beginner)

דַּרְדַּר, ז׳, ר׳, ־רִים thistle

דִּרְדֵּר, פ״י to roll down

דָּרוּג, ת״ , דְּרוּגָה, ת״נ graded

דֵּרוּג, ז׳, ר׳, ־גִים grading (rank, pay)

דָּרוֹם, ז׳ south

דְּרוֹמִי, ת״ז, ־מִית, ת״נ southern

דָּרוּס, ת״ז, דְּרוּסָה, ת״נ run-over, trodden

דְּרוֹר, ז׳, ר׳, ־רִים freedom, liberty; swallow

דְּרוּשׁ, ז׳, ר׳, ־שִׁים sermon, homily; lecture

דָּרוּשׁ, ת״ז, דְּרוּשָׁה, ת״נ required, needed

דְּרִיכָה, נ׳ treading; cocking (of a gun)

דְּרִיכוּת, נ׳ readiness, tenseness

דְּרִיסָה, נ׳, ר׳, ־סוֹת treading

דְּרִיסַת רֶגֶל right of way; access

דְּרִישָׁה, נ׳, ר׳, ־שׁוֹת request; investigation

דָּרַךְ, פ״ע to step, walk, march, tread; to squeeze, press

הִדְרִיךְ, פ״י to lead, guide, direct; to educate

דֶּרֶךְ, ז״נ, ר׳, דְּרָכִים road, way; journey; manner, custom

דֶּרֶךְ, תה״פ through, by way of

דֶּרֶךְ אֶרֶץ good manners, occupation

דַּרְכּוֹן, ז׳, ר׳, ־נִים passport

דָּרַס, פ״י to tread, trample

דָּרַשׁ, פ״י to seek, inquire, ask; to investigate; to lecture

דְּרַשׁ, ז׳, דְּרָשָׁה, נ׳, ר׳, ־רָשִׁים, ־שׁוֹת sermon, homiletical exposition

דַּרְשָׁן, ז׳, ר׳, ־נִים lecturer, preacher

דַּרְשָׁנוּת, נ׳ preaching (Jewish)

דָּשׁ, פ״י ע׳ [דוש] to thresh, tread, trample

דַּשׁ, ז׳, ר׳, ־שִּׁים lapel, flap

דֶּשֶׁא, ז׳, ר׳, דְּשָׁאִים vegetation; grass, lawn

דָּשָׁא, פ״ע to sprout, grow grass

הִדְשִׁיא, פ״י to cause to grow

דִּשּׁוּן, ז׳, ר׳, ־נִים removal of ashes; fertilizer

דֶּשֶׁן, ז׳, ר׳, דְּשָׁנִים fat, fat of sacrifices

דָּשֵׁן, ת״ז, דְּשֵׁנָה, ת״נ fat, vigorous

דָּשַׁן, פ״ע to grow fat

דִּשֵּׁן, פ״י to make fat; to remove fat; to fertilize

הִתְדַּשֵּׁן, הִדַּשֵּׁן, פ״ח to grow fat

דָּת, נ׳, ר׳, ־תוֹת religion; law, statute; custom

דָּתִי, ת״ז, דָּתִית, ת״נ religious, pious

דָּתִיּוּת, נ׳ piety, religiousness

ה

ה He, fifth letter of Hebrew alphabet; five

הַ־, [הָ־, הֶ־], הֵא הַיְדִיעָה the (*def. art.*)

הֲ־, [הַ־, הֶ־], הֵא הַשְּׁאֵלָה interrogative particle

הֵא, נ׳, ר׳, הֵאִים, הֵאִין; מ״ק He, name of fifth letter of Hebrew alphabet; lo, behold

הָא, מ״ג this

הֶאֱבִיב, פ״י, ע׳ [אבב] to bring forth shoots

הֶאֱבִיד, פ״י, ע׳ [אבד] to lose; to destroy

הֶאֱבִיר, פ״י [אבר] to fly, spread one's wings, soar

הֵאָבְקוּת, נ׳, ר׳, ־קֻיוֹת struggling, wrestling

הֶאְדִּים, פ״ע, ע׳ [אדם] to redden, become red

הַאְדָּרָה, הַאֲדָרָה, נ׳, ר׳, ־רוֹת glorification

הֶאֱהִיל, פ״י, ע׳ [אהל] to cover up

הֶאֱזִין, פ״י, ע׳ [אזן] to listen (to the radio)

הַאֲזָנָה, נ׳, ר׳, ־נוֹת attentiveness

הֶאָח, מ״ק Aha!

הֵאֵט, פ״י, ע׳ [אטט] to slow up

הֵאִיץ, פ״י, ע׳ [אוץ] to urge, press

הֵאִיר, פ״י ע׳ [אור] to brighten, make shine; to become bright

הֶאֱכִיל, פ״י, ע׳ [אכל] to feed

הֶאֱלָה, פ״ע, ע׳ [אלה] to swear in, put under oath

הֶאֱלִיהַּ, פ״י, ע׳ [אלה] to deify; to worship

הֶאֱלִיף, פ״י, ע׳ [אלף] to bring forth thousands

הֶאֱמִין, פ״ע, ע׳ [אמן] to trust, believe (in)

הֶאֱמִיר, פ״י, ע׳ [אמר] to elevate; to proclaim

הַאֲמָנָה, נ׳ faith; confirmation

הַאֲמָתָה, נ׳, ר׳, ־תוֹת verification

הַאֲפָלָה, נ׳, ר׳, ־לוֹת darkening; blackout

הֶאֱצִיל, פ״י, ע׳ [אצל] to withdraw; to emanate

הַאֲצָלָה, נ׳, ר׳, ־לוֹת emanation

הֲאָרָה, הֶאָרָה, נ׳, ר׳, ־רוֹת lighting, kindling, illumination

הֶאָרַת פָּנִים grace, kindliness, welcome

הֶאֱרִיךְ, פ״י, ע׳ [ארך] to lengthen, prolong

הַאֲרָכָה, נ׳, ר׳, ־כוֹת lengthening, extension of time

הֶאֱשִׁים, פ״י, ע׳ [אשם] to accuse, blame

הַאֲשָׁמָה, נ׳, ר׳, ־מוֹת accusation, blaming

הַב, פ״י, ע׳ [יהב] give!

הֲבָאָה, נ׳, ר׳, ־אוֹת quotation

הֲבַאי, הֲבַי, ז׳ exaggeration; vain talk

הִבְאִישׁ, פעו״י, ע׳ [באש] to emit a bad smell
הַבְאָשָׁה, נ׳, ר׳, ־שׁוֹת spoiling, defamation
הִבְדִּיל, פ״י, ע׳ [בדל] to distinguish, separate
הֶבְדֵּל, ז׳, ר׳, ־לִים difference, distinction
הַבְדָּלָה, נ׳, ר׳, ־לוֹת separation; Habdalah, benediction over a wine at the conclusion of the sabbath and festivals
הִבָּדְלוּת, נ׳, ר׳, ־לֻיּוֹת separation, dissimulation
הָבָה, מ״ק come on, well then, let's
הִבְהֵב, פ״י to roast, singe
הִבְהוּב, ז׳ roasting, singeing
הִבְהִיל, פ״י, ע׳ [בהל] to frighten, hasten
הִבְהִיק, פ״ע, ע׳ [בהק] to brighten, be bright
הִבְהִיר, פעו״י, ע׳ [בהר] to make clear, make bright
הַבְהָרָה, נ׳, ר׳, ־רוֹת clearing, clarification
הִבְחִין, פ״י, ע׳ [בחן] to distinguish, discriminate
הַבְחָלָה, נ׳, ר׳, ־לוֹת ripening
הַבְחָנָה, נ׳, ר׳, ־נוֹת discernment, discrimination
הַבְטָאָה, נ׳, ר׳, ־אוֹת pronunciation
הַבָּטָה, נ׳, ר׳, ־טוֹת glance; aspect
הַבְטָחָה, נ׳, ר׳, ־חוֹת assurance, promise
הִבְטִיחַ, פ״י, ע׳ [בטח] to promise; to insure; to make secure
הבטיל, פ״י, ע׳ [בטל] to suspend, interrupt

הַבְטָלָה, נ׳, ר׳, ־לוֹת unemployment
הֲבִי, הֲבַאי, ז׳ exaggeration; vain talk
הֵבִיא, פ״י, ע׳ [בוא] to bring, lead in
הִבִּיט, פ״י, ע׳ [נבט] to look, look at
הֵבִין, פ״י, ע׳ [בין] to understand; to teach, explain
הִבִּיעַ, פ״י, ע׳ [נבע] to utter, express
הֵבִיר, הוֹבִיר, פ״י, ע׳ [בור] to neglect, let lie waste
הֵבִישׁ, פ״י, ע׳ [בוש] to put to shame
הִבְכִּירָה, פ״י, ע׳ [בכר] to bear for the first time
הֶבֶל, ז׳, ר׳, הֲבָלִים vapor, heat, air; vanity, emptiness
הָבַל, פ״ע to become vain
הֶהְבִּיל, פ״י to lead astray; to give off vapor
הַבְלָגָה, נ׳, ר׳, ־גוֹת self-restraint; restraining
הַבְלָטָה, נ׳, ר׳, ־טוֹת bringing into relief, emphasizing
הִבְלִיג, פ״ע, ע׳ [בלג] to pluck up courage, bear up
הִבְלִיחַ, פ״ע, ע׳ [בלח] to flicker
הִבְלִיט, פ״י, ע׳ [בלט] to emboss; to display; to emphasize
הִבְלִיעַ, פ״י, ע׳ [בלע] to cause to swallow; to slur over, elide
הַבְלָעָה, נ׳, ר׳, ־עוֹת absorption; ellipsis
הֹבֶן, הָבְנֶה, ז׳, ר׳, הָבְנִים ebony; ebony tree
הֲבָנָה, נ׳ discernment, understanding
הַבָּעָה, נ׳, ר׳, ־עוֹת enunciation, expression
הִבְעִיר, פ״י, ע׳ [בער] to set on fire; to cause to be grazed over
הִבְעִית, פ״י, ע׳ [בעת] to frighten

הֶבְעֵר, ז' kindling, burning

הַבְעָרָה, נ', ר', ־רוֹת burning; removal

הִבְקִיעַ, פ"י, ע' [בקע] to break through, take by assault

הַבְקָעָה, נ', ר', ־עוֹת break-through

הָבַר, פ"י to divide; to pronounce

הַבְרָאָה, נ' recuperation

הִבָּרְאוּת, נ' creation

הֲבָרָה, נ', ר', ־רוֹת syllable, sound; enunciation

הַבְרָחָה, נ', ר', ־חוֹת concealment

הַבְרָחַת מֶכֶס smuggling

הִבְרִיא, פעו"י, ע' [ברא] to make fat, become healthy, recuperate

הִבְרִיחַ, פ"י, ע' [ברח] to cause to flee; to bolt

הִבְרִיךְ, פ"י, ע' [ברך] to cause to kneel; to engraft

הִבְרִיק, פ"י, ע' [ברק] glitter, polish; to cable

הַבְרָכָה, נ', ר', ־כוֹת grafting

הַבְרָקָה, נ', ר', ־קוֹת shining, polishing; cabling

הִבְשִׁיל, פ"י, ע' [בשל] to ripen

הַבְשָׁלָה, נ', ר', ־לוֹת ripening

הִגְאִיל, פ"י, ע' [גאל] to contaminate, pollute

הֲגָבָה, נ', ר', ־בוֹת reaction

הַגְבָּהָה, נ', ר', ־הוֹת raising; raising of the open scroll of the Law in the synagogue

הִגְבִּיהַּ, פ"י, ע' [גבה] to exalt, elevate, raise; to jack up

הִגְבִּיל, פ"י, ע' [גבל] to set bounds, limit

הִגָּבֵל, פ"ע, ע' [גבל] to be bounded, limited

הִגְבִּיר, פ"י, ע' [גבר] to strengthen

הַגְבָּלָה, נ', ר', ־לוֹת limitation; definition

הַגְבָּרָה, נ', ר', ־רוֹת strengthening

הַגָּדָה, נ', ר', ־דוֹת tale, legend; homiletics; popular lecture; Haggadah; service on Passover night

הַגָּדִי, ת"ז, ־דִית, ת"נ legendary, mythical

הִגְדִּיל, פ"י, ע' [גדל] to make great, increase

הִגְדִּיר, פ"י, ע' [גדר] to define

הַגְדָּרָה, נ', ר', ־רוֹת definition

הָגָה, פ"י to speak, murmur; to moan; to reason, argue; to meditate; to read, pronounce; to remove

הֶהְגָּה, פ"י to murmur, utter

הֹגָה, פ"ע to be removed

הֶגֶה, ז', ר', ־הֲגָאִים, הֲגָיִים sound; moan; rudder (of ship); steering wheel (of automobile)

הַגָּהָה, נ', ר', ־הוֹת correction of texts; proof (in printing); annotation

הִגּוּי, הִיגּוּי, ז', ר', ־יִים utterance; pronunciation

הָגוּן, הָגִין, ת"ז, הֲגוּנָה, ת"נ worthy, proper, respectable, suitable

הָגוּת, נ' meditation; utterance

הִגְזִים, פ"י, ע' [גזם] to exaggerate; to frighten

הַגְזָמָה, נ', ר', ־מוֹת exaggeration

הֲגָחָה, נ', ר', ־חוֹת sudden attack, outbreak

הֵגִיב, פ"י ע' [גוב] to react

הָגִיג, ז', ר', ־הֲגִיגִים meditation; murmuring

to declare, tell; הִגִּיד, פ״י, ע׳ [נגד]
to announce, inform
to cause to shine; הִגִּיהַּ, פ״י, ע׳ [נגה]
to correct, revise
הֲגָיָה, הֲגִיָּה, נ׳, ר׳, ־יוֹת, ־יּוֹת
pronunciation
logic, הִגָּיוֹן, ז׳, ר׳, הֶגְיוֹנוֹת
meditation
logical הֶגְיוֹנִי, ת״ז, ־נִית, ת״נ
to stir הֵגִיס, פ״י, ע׳ [גוס]
to reach; to הִגִּיעַ, פ״ע, ע׳ [נגע]
approach; to arrive
to close, lock הֵגִיף, פ״י, ע׳ [גוף]
(door, gate)
to spill; to pour הִגִּיר, פ״י, ע׳ [נגר]
down
migration הֲגִירָה, נ׳, ר׳, ־רוֹת
to bring near; הִגִּישׁ, פ״י, ע׳ [נגשׁ]
to bring, offer
to banish, exile הִגְלָה, פ״י, ע׳ [גלה]
to grow skin הִגְלִיד, פ״ע, ע׳ [גלד]
(over wound)
bishop, cardinal, הֶגְמוֹן, ז׳, ר׳, ־נִים
official
to give to drink הִגְמִיא, פ״י, ע׳ [גמא]
to protect, defend הֵגֵן, פ״י, ע׳ [גנן]
defense, protection הֲגַנָּה, הֲגָנָה, נ׳
to interject הִגְנִיב, פ״י, ע׳ [גנב]
mixing, stirring הֲגַסָּה, נ׳, ר׳, ־סּוֹת
touching הֲגָעָה, נ׳
rinsing with הַגְעָלָה, נ׳, ר׳, ־לוֹת
boiling water
closing, locking; הֲגָפָה, נ׳, ר׳, ־פוֹת
rattling
to emigrate; to immigrate הֵגֵר, פ״ע
to raffle, cast הִגְרִיל, פ״י, ע׳ [גרל]
lots
to break, crush הִגְרִיס, פ״י, ע׳ [גרס]

casting lots; הַגְרָלָה, נ׳, ר׳, ־לוֹת
lottery
serving; הַגָּשָׁה, נ׳, ר׳, ־שׁוֹת
bringing near
to materialize; הִגְשִׁים, פ״י, ע׳ [גשם]
to rain
materialization; הַגְשָׁמָה, נ׳, ר׳, ־מוֹת
ascribing to the spiritual,
material attributes
echo; shout; noise הֵד, ז׳, ר׳, ־דִים
to infect; to הִדְבִּיק, פ״י, ע׳ [דבק]
overtake
to spoil; to הִדְבִּישׁ, פ״י, ע׳ [דבשׁ]
ferment
to be joined הִדַּבֵּק, פ״ח, ע׳ [דבק]
together
adhesion הַדְבָּקָה, נ׳, ר׳, ־קוֹת
cleaving to, הִדַּבְּקוּת, נ׳, ר׳, ־קֻיּוֹת
attachment
to emphasize, הִדְגִּישׁ, פ״י, ע׳ [דגשׁ]
stress
exemplification הַדְגָּמָה, נ׳, ר׳, ־מוֹת
stress, emphasis הַדְגָּשָׁה, נ׳, ר׳, ־שׁוֹת
to echo הִדֵּד, פ״י
each other, הֲדָדִי, ת״ז, ־דִית, ת״נ
reciprocal, mutual
reciprocity הֲדָדִיּוּת, נ׳
to stretch out הָדָה, פ״י
to cause to הִדְהָה, פ״י, ע׳ [דהה]
fade
India הֹדּוּ, הוֹדוּ נ׳
footstool הֲדוֹם, הֲדֹם, ז׳, ר׳, ־מִים
hoop; bending הִדּוּק, הִידּוּק, ז׳
rugged place הָדוּר, ז׳, ר׳ הֲדוּרִים
adorned, הָדוּר, ת״ז, הֲדוּרָה, ת״נ
splendid
הִדּוּר, הִידּוּר, ז׳, ר׳, ־רִים
embellishment, decoration

הֲדָחָה, נ׳, ר׳, ־חוֹת rinsing, washing off; thrusting away; leading astray

הֹדִּי, ת״ז, הֹדִּית, ת״נ Indian

הֶדְיוֹט, ז׳, ר׳, ־טִים, ־טוֹת layman; common, ignorant person

הֵדִיחַ, פ״י, ע׳ [דוח] to rinse, flush, cleanse

הִדִּיחַ, פ״י, ע׳ [נדח] to banish, expel; to lead astray

הֲדִיפָה, נ׳, ר׳, ־פוֹת pushing, kicking

הִדִּיר, פ״י, ע׳ [נדר] to put under a vow, prohibit by a vow

הָדַךְ, פ״י to cast down

הֵדֵּל, פ״י, ע׳ [דלל] to trim (trees)

הִדַּלְדֵּל, פ״ח, ע׳ [דלדל] to be reduced to poverty

הִדְלִיק, פ״י, ע׳ [דלק] to kindle, set match to

הַדְלָקָה, נ׳, ר׳, ־קוֹת lighting, illumination, bonfire

הֵדֵם, פ״י, ע׳ [דמם] to silence; to destroy

הֲדֹם, הֲדוֹם, ז׳, ר׳, ־מִים footstool

הִדַּמָּה, פ״ח, ע׳ [דמה] to become like

הִדַּמּוּת, נ׳, ר׳, ־מֻיּוֹת resemblance

הִדְמִיעַ, פעו״, ע׳ [דמע] to shed tears; to cause to shed tears

הֲדַס, ז׳, ר׳, ־סִּים myrtle

הִדֵּס, פ״ע to spring; to dance; to jump (chickens)

הָדַף, פ״י to thrust, push, drive

הִדְפִּיס, פ״י, ע׳ [דפס] to print

הַדְפָּסָה, נ׳, ר׳, ־סוֹת printing

הִדֵּק, פ״י to press together, squeeze

הֶדֶק, ז׳, ר׳, הֲדָקִים trigger; clip

הָדָר, ז׳, ר׳, הֲדָרִים ornament; splendor, majesty; honor

הָדַר, פ״י to adorn, honor

הִדֵּר, פ״י to be zealous

הִתְהַדֵּר, פ״ע to boast

הֶדֶר, ז׳ splendor, ornament

הַדְרָגָה, נ׳, ר׳, ־גוֹת gradation

הַדְרָגִי, ת״ז, ־גִית, ת״נ step by step, gradual

הִדְרִיג, פ״י, ע׳ [דרג] to step; to grade

הֲדָרָה, נ׳, ר׳, ־רוֹת splendor

הַדְרַת פָּנִים beauty, dignity (of face)

הִדְרִיךְ, פ״י, ע׳ [דרך] to lead, guide, direct, educate

הַדְרָכָה, נ׳, ר׳, ־כוֹת guidance, direction

הַדְרָן, ז׳, מ״ק encore!, let us repeat; utterance on concluding a Talmud tractate

הִדְשִׁיא, פ״י, ע׳ [דשא] to cause to grow

הִדַּשֵּׁן, פ״ח, ע׳ [דשן] to grow fat

הָהּ, מ״ק woe!, alas!, ah!

הוֹ, הוֹי, מ״ק ah!, alas!

הוּא, מ״ג he; it; that; copula, connecting subject and predicate

הַהוּא that one

הוֹאִיל, פ״ע, ע׳ [יאל] to agree, be willing, consent; to undertake

הוֹאִיל וְ־ תה״פ since

הוֹבִיל, פ״י, ע׳ [יבל] to bring; to lead

הוֹבִישׁ, פ״י, ע׳ [יבש] to cause to dry up; to put to shame

הוֹבָלָה, נ׳, ר׳, ־לוֹת bringing, carrying, transporting, transportation

הוֹבֵר, ז׳, ר׳, ־הוֹבְרִים astrologer

הוֹגֵן, ת״ז, הוֹגֶנֶת, ת״נ worthy, suitable, proper

הוֹגִיעַ, פ״י, ע׳ [יגע] to exhaust, tire; to weary

הוֹד, ז׳ glory, splendor, beauty, majesty

הוֹדָאָה, נ׳, ר׳, ־אוֹת admission, confession; thanksgiving, praise

הוֹדָה, פ״י, [ידה] to admit; to give thanks; to praise

הוֹדוֹת לְ־, תה״פ thanks to, owing to

הוֹדִי, הֹדִי, ת״ז, הֹדִית, ת״נ Indian

הוֹדָיָה, נ׳, ר׳, ־יוֹת admission, acknowledgment, confession; thanksgiving, praise

הוֹדִיעַ, פ״י, ע׳ [ידע] to inform, make known

הוֹדָעָה, נ׳, ר׳, ־עוֹת announcement; definiteness

הַוָּה, נ׳, ר׳, הַוּוֹת lust; mischief; destruction

הֹוָה, נ׳, ר׳, הֹווֹת ruin, calamity

הָוָה, פ״ע to be; to exist

הִוָּה, פ״י to form, constitute

הִתְהַוָּה, פ״ח to become

הֹוֶה, ז׳ existing; present; present tense

הוֹזֶה, ז׳, ר׳, ־זִים dreamer, visionary

הוֹזִיל, פ״י, ע׳ [זול] to reduce (price)

הוֹזָלָה, נ׳, ר׳, ־לוֹת reduction, cheapening

הוֹחִיל, פ״ע, ע׳ [יחל] to wait, tarry; to hope for

הוּטַב, פ״ע, ע׳ [טוב] to become better, ameliorate

הוֹי, הוֹ, מ״ק oh!, alas!

הֱוִי, ז׳ existence

הֱוָיָה, נ׳, ר׳, ־יוֹת existence; name of the Deity, Tetragrammaton

הוֹכָחָה, נ׳, ר׳, ־חוֹת evidence, proof

הוֹכִיחַ, פ״י, ע׳ [יכח] to prove, argue, admonish

הוֹלָדָה, נ׳, ר׳, ־דוֹת birth; procreation

הוּלֶדֶת, הֻלֶּדֶת, נ׳ birth

הוֹלִיד, פ״י, ע׳ [ילד] to beget

הוֹלִיךְ, פ״י, ע׳ [הלך, ילך] to lead; to carry

הוֹלָכָה, נ׳, ר׳, ־כוֹת carrying; leading

הוֹלֵל, ז׳, ר׳, ־לְלִים mocker; fool

הוֹלֵלוּת, הוֹלֵלוֹת, נ׳, ר׳, ־לֻיוֹת folly, madness; mockery; hilarity

הוּם, פ״ע, ע׳ [הים] to make a noise, roar

הוֹמֶה, ת״ז, הוֹמָה, הוֹמִיָּה, ת״נ bustling, noisy

הוּמָם, פ״ע, ע׳ [מום] to become deformed, crippled

הוּמַק, פ״ע, ע׳ [מקק] to fall apart; to be crushed

הוּמַת, פ״ע, ע׳ [מות] to be killed

הוּן, פ״ע, ע׳ [הין] to dare

הוֹן, ז׳ wealth, capital

הוֹן, תה״פ enough

הוֹנָאָה, הוֹנָיָה, נ׳, ר׳, ־אוֹת oppression; overcharging; fraud

הוֹנָה, פ״י, ע׳ [ינה] to oppress, to vex; to deceive

הוֹסִיף, פ״י, ע׳ [יסף] to add, increase; to continue

הוֹסָפָה, נ׳, ר׳, ־פוֹת increase; supplement

הוֹעִיד, פ״י, ע׳ [יעד] to fix a time (for an appointment); designate

הוֹעִיל, פ״י, ע׳ [יעל] to benefit; to be useful

הוֹפִיעַ, פ״ע, ע׳ [יפע] to appear; to shine
הוֹפָעָה, נ׳, ר׳, ־עוֹת appearance; phenomenon
הוֹצָאָה, נ׳, ר׳, ־אוֹת expenditure, cost, outlay; edition
הוֹצָאָה לָאוֹר publishing
הוֹצִיא, פ״י, ע׳ [יצא] to bring out, carry out; to exclude; to spend
הוֹצִיא לָאוֹר to publish
הוֹקִיעַ, פ״י, ע׳ [יקע] to hang; to stigmatize
הוֹקִיר, פ״י, ע׳ [יקר] to honor, treat with respect; to make rare
הוֹקָעָה, נ׳, ר׳, ־עוֹת hanging
הוֹקָרָה, נ׳, ר׳, ־רוֹת raising the price; esteem, appreciation
הוֹרָאָה, נ׳, ר׳, ־אוֹת instruction; decision; meaning
הוֹרָדָה, נ׳, ר׳, ־דוֹת bringing down
הוֹרֶה, ז׳, ר׳, ־רִים parent (father)
הוֹרָה, נ׳, ר׳, ־רוֹת parent (mother)
הוֹרָה, פ״י, ע׳ [ירה] to teach, instruct; to point; to shoot
הוֹרִיד, פ״י, ע׳ [ירד] to bring down, lead down, lower
הוֹרִיק, פעו״י, ע׳ [ירק] to become green
הוֹרִישׁ, פ״י, ע׳ [ירש] to cause to inherit; to dispossess
הוֹרָשָׁה, נ׳, ר׳, ־שׁוֹת bequest, a giving of inheritance
הוֹשָׁבָה, נ׳, ר׳, ־בוֹת seating, placing
הוֹשִׁיב, פ״י, ע׳ [ישב] to seat; to settle
הוֹשִׁיט, פ״י, ע׳ [ישט] to hold out; to stretch out

הוֹשִׁיעַ, פ״י, ע׳ [ישע] to save, deliver
הוֹשַׁעְנָא, הוֹשַׁעְנָה, נ׳, ר׳, ־נוֹת help!; I pray!; hosanna!
הוֹשַׁעְנָא רַבָּא seventh day of Feast of Tabernacles
הוֹשַׁעְנוֹת, נ״ר willow twigs used in the synagogue on Feast of Tabernacles
הוֹתִיר, פ״י, ע׳ [יתר] to leave over
הַזָּאָה, הַזָּיָה, נ׳, ר׳, ־אוֹת, ־יוֹת sprinkling
הִזְדַּבֵּן, פ״ח, ע׳ [זבן] to be sold
הִזְדַּהוּת, נ׳ identification
הִזְדַּוֵּג, פ״ע, ע׳ [זוג] to be paired, be mated
הִזְדַּוְּגוּת, נ׳, ר׳, ־גֻיּוֹת coupling, pairing; cohabitation
הִזְדַּיֵּן, פ״ע, ע׳ [זין] to arm oneself
הִזְדַּיְּנוּת, נ׳, ר׳, ־נֻיּוֹת equipment; arming oneself
הִזְדַּכֵּךְ, פ״ע, ע׳ [זכך] to become clean, clear, pure
הִזְדַּכְּכוּת, נ׳, ר׳, ־כֻיּוֹת cleansing, purification
הִזְדַּמֵּן, פ״ע, ע׳ [זמן] to prepare oneself; to meet; to chance
הִזְדַּמְּנוּת, נ׳, ר׳, ־נֻיּוֹת occasion, opportunity, chance
הִזְדַּעְזֵעַ, פ״ח, ע׳ [זעזע] to be agitated; to shake
הִזְדַּקֵּן, פ״ע, ע׳ [זקן] to grow old
הִזְדָּרֵז, פ״ע, ע׳ [זרז] to be alert, be zealous
הָזָה, פ״ע to daydream
הִזָּה, פ״י, ע׳ [נזה] to sprinkle
הַזְהָבָה, נ׳, ר׳, ־בוֹת gold-plating
הִזְהִיר, פ״ע, ע׳ [זהר] to teach, warn
הַזְהָרָה, אַזְהָרָה, נ׳, ר׳, ־רוֹת warning

displacing, moving — הֲזָזָה, נ׳, ר׳, ־זוֹת

to boil, seethe; to act insolently — הֵזִיד, פ״י, ע׳ [זוד]

hallucination, delusion, superstition — הֲזָיָה, נ׳, ר׳, ־יוֹת

הַזָּיָה, הַזָּאָה, נ׳, ר׳, ־יוֹת, אוֹת sprinkling

to move, remove — הֵזִיז, פ״י, ע׳ [זוז]

to move, remove — הֵזִיחַ, פ״י, ע׳ [זוח, נזח]

to become cheap — הֵזִיל, פ״י, ע׳ [זול]

to refute; to convict of plotting — הֵזִים, פ״י, ע׳ [זמם]

to feed — הֵזִין, פ״י, ע׳ [זון]

to tremble, quake; to perspire — הֵזִיעַ, פ״ע, ע׳ [יזע, זוע]

to cause injury or damage — הִזִּיק, פ״י, ע׳ [נזק]

to make clean; to make clear — הֵזֵךְ, הֵזַךְ, פ״י, ע׳ [זכך]

to purify oneself; to be acquitted — הִזַּכָּה, פ״ח, ע׳ [זכה]

to remind, mention, commemorate — הִזְכִּיר, פ״י, ע׳ [זכר]

mention, reminding; Divine Name — הַזְכָּרָה, נ׳, ר׳, ־רוֹת

cheapening — הֲזָלָה, נ׳, ר׳, ־לוֹת

to refute; to convict of plotting — הֵזַם, פ״י, ע׳ [זמם]

conviction of false witnesses, refutation — הֲזָמָּה, הֲזָמָה, נ׳, ר׳, ־מוֹת

to invite; to make ready — הִזְמִין, פ״י, ע׳ [זמן]

invitation; summons; order (for goods, etc.) — הַזְמָנָה, נ׳, ר׳, ־נוֹת

to visit a house of prostitution — הִזְנָה, פעו״י, ע׳ [זנה]

nourishment, feeding — הֲזָנָה, נ׳, ר׳, ־נוֹת

negligence, neglect — הַזְנָחָה, נ׳, ר׳, ־חוֹת

to reject, cast off, neglect — הִזְנִיחַ, פ״י, ע׳ [זנח]

perspiration — הֲזָעָה, נ׳, ר׳, ־עוֹת

to call out, convoke — הִזְעִיק, פ״י, ע׳ [זעק]

damage — הֶזֵּק, ז׳, ר׳, ־קִים, ־קוֹת

to appear old, to grow old — הִזְקִין, פעו״י, ע׳ [זקן]

to produce seed — הִזְרִיעַ, פ״י, ע׳ [זרע]

seeding — הַזְרָעָה, נ׳, ר׳, ־עוֹת

hiding, concealment — הַחְבָּאָה, נ׳, ר׳, ־אוֹת

to conceal, hide — הֶחְבִּיא, פ״י, ע׳ [חבא]

to make strong; to seize; to contain; to maintain — הֶחֱזִיק, פ״י, ע׳ [חזק]

to restore, return (something); to revoke — הֶחֱזִיר, פ״י, ע׳ [חזר]

support, maintenance — הַחֲזָקָה, נ׳, ר׳, ־קוֹת

returning — הַחֲזָרָה, נ׳, ר׳, ־רוֹת

miss, strike (sports) — הַחֲטָאָה, נ׳, ר׳, ־אוֹת

to miss (a mark); to make someone sin — הֶחֱטִיא, פ״י, ע׳ [חטא]

revival — הַחֲיָאָה, נ׳, ר׳, ־אוֹת

to revive, restore — הֶחֱיָה, פ״י, ע׳ [חיה]

to hasten — הֵחִישׁ, פ״י, ע׳ [חוש]

to begin — הֵחֵל, פ״י, ע׳ [חלל]

final decision — הֶחְלֵט, ז׳

resolution, decision — הַחְלָטָה, נ׳, ר׳, ־טוֹת

to make ill; to become rusty; to soil — הֶחֱלִיא, פ״י, ע׳ [חלא]

הֶחֱלִיט, פ״י, ע׳ [חלט] to determine, decide
הֶחֱלִים, פ״י, ע׳ [חלם] to restore, recuperate
הֶחֱלִיף, פ״י, ע׳ [חלף] to exchange, change; to renew
הֶחֱלִיץ, פ״י, ע׳ [חלץ] to invigorate; to strengthen
הֶחֱלִיק, פ״י, ע׳ [חלק] to flatten; to make smooth
הַחְלָפָה, נ׳, ר׳, ־פוֹת change
הַחְלָקָה, נ׳, ר׳, ־קוֹת gliding, skidding, slipping
הַחְלָשָׁה, נ׳ weakening
הֶחֱמִיץ, פ״ע, ע׳ [חמץ] to become fermented; to put off, delay
הֶחְמִיר, פ״י, ע׳ [חמר] to be strict
הַחְמָצָה, נ׳, ר׳, ־צוֹת leavening
הַחְמָרָה, נ׳, ר׳, ־רוֹת severity
הֶחֱנָה, פ״י, ע׳ [חנה] to encamp
הֶחְסִין, פ״י, ע׳ [חסן] to store; to conserve
הֶחְסִיר, פ״י, ע׳ [חסר] to deduct
הַחְסָנָה, נ׳, ר׳, ־נוֹת storage
הַחְסָרָה, נ׳, ר׳, ־רוֹת subtraction
הֶחְפִּיר, פ״י, ע׳ [חפר] to be ashamed; to put to shame
הֶחֱצִיב, פ״י, ע׳ [חצב] to beat, kill
הֶחֱצִיף, פ״ע, ע׳ [חצף] to be impertinent, bold
הֶחֱרָה, פ״י, ע׳ [חרה] to make angry; to be zealous
הֶחֱרִיב, פ״י, ע׳ [חרב] to destroy; to cause to be dry
הֶחֱרִיד, פ״י, ע׳ [חרד] to terrify
הֶחֱרִים, פ״י, ע׳ [חרם] to excommunicate; to destroy

הֶחֱרִישׁ, פעו״י, ע׳ [חרש] to be silent; to silence; to plot; to deafen
הֶחְשִׁיךְ, פ״י, ע׳ [חשך] to darken
הַחְשָׁכָה, נ׳ darkening
הֵחַת, פ״י, ע׳ [חתת] to break (yoke of slavery)
הֶחְתִּים, פ״י, ע׳ [חתם] to stamp; to make sign
הַחְתָּמָה, נ׳, ר׳, ־מוֹת subscription
הֲטָבָה, נ׳, ר׳, ־בוֹת doing good; betterment
הֲטָבַת נֵרוֹת trimming of candles
הִטְבִּיל, פ״י, ע׳ [טבל] to immerse; to baptize
הַטְבָּלָה, נ׳, ר׳, ־לוֹת immersion, baptism
הִטָּה, פ״י, ע׳ [נטה] to turn, turn aside; pervert (judgment); to seduce, entice
הִטַּהֵר, פ״ח, ע׳ [טהר] to become pure, purify oneself
הִטַּיֵּב, פ״ח, ע׳ [טיב] to improve soil (field)
הַטָּיָה, נ׳, ר׳, ־יוֹת bending; perversion of justice; inclination
הֵטִיחַ, פ״י, ע׳ [טוח] to plaster; to press; to knock against
הִטִּיל, פ״י, ע׳ [נטל] to throw; to lay; to put into
הֵטִיל, פ״י, ע׳ [טול] to cast, throw; to lay (egg)
הֵטִיס, פ״י, ע׳ [טוס] to cause to fly
הִטִּיף, פ״י, ע׳ [נטף] to drip; to speak, preach,
הַטְלָאָה, נ׳, ר׳, ־אוֹת mending, patching
הֲטָלָה, נ׳, ר׳, ־לוֹת throwing, casting; laying (of eggs); imposition (of taxes)

הִטְלִיא, פ״י, ע׳ [טלא] to mend
הִטַּמֵּא, פ״ח, ע׳ [טמא] to become impure
הִטַּמְטֵם, פ״ח, ע׳ [טמטם] to become cohesive; to become stupid
הִטְמִין, פ״י, ע׳ [טמן] to put away
הִטָּמֵן, פ״ע, ע׳ [טמן] to be concealed
הַטְמָנָה, נ׳, ר׳, ־נוֹת hiding
הַטְעָאָה, הַטְעָיָה, נ׳, ר׳, ־אוֹת, ־יוֹת leading astray, deception
הִטְעָה, פ״י, ע׳ [טעה] to lead astray, deceive
הִטְעִים, פ״י, ע׳ [טעם] to cause to taste, make tasty; to stress
הִטְעִין, פ״י, ע׳ [טען] to load
הַטְעָמָה, נ׳, ר׳, ־מוֹת emphasis, accentuation
הַטְעָנָה, נ׳, ר׳, ־נוֹת loading
הַטָּפָה, נ׳, ר׳, ־פוֹת dripping; preaching
הִטְפִּיס, פ״י, ע׳ [טפס] to copy, reprint
הֶטְפֵּס, ז׳, ר׳, ־סִים reprint
הַטְרָחָה, נ׳, ר׳, ־חוֹת bothering,bother
הִטְרִיד, פ״י, ע׳ [טרד] to trouble, bother
הִטְרִיחַ, פ״י, ע׳ [טרח] to burden, weary, bother
הִטְרִיף, פ״י, ע׳ [טרף] to feed; to declare unfit for food
הִי, ז׳ lamentation
הֵי, מ״ק lo! behold!
הִיא, מ״ג she, it; this, that
הֵיאַךְ, הֵיךְ, מ״ש how? how so?
הִיגּוּי, הִגּוּי, ז׳, ר׳, ־יִים utterance; pronunciation
הֵידָד, מ״ק shout, shouting cheer; hurrah
הִידּוּק, הִדּוּק, ז׳ hoop; bending
הִידּוּר, הִדּוּר, ז׳, ר׳, ־רִים adorning; honoring
הָיָה, פ״ע to be, exist; to become; to happen
הֱיוֹת וְ־ whereas, since
הֱיוֹת שֶׁ־ since, whereas
נִהְיָה, פ״ע to become; to be accomplished; to be finished
הִיּוּלִי, ת״ז, ־לִית, ת״נ primeval, formless
הֵיטֵב, תה״פ well, properly
הֵיטִיב, פ״י, ע׳ [יטב] to do good; to improve
הֵיךְ, מ״ש how?
הֵיכָל, ז׳, ר׳, ־לִים, ־לוֹת palace, temple
הֵיכָן, תה״פ where?
הֵילִיכִי, הֵילָךְ here; here you are
הֵילִיל, פ״ע, ע׳ [ילל] to lament
הִילְכָּךְ, הִלְכָּךְ, מ״ח so; therefore
הֵילֵל, ז׳ brightness; morning star
[הים] הָם, פ״ע to make a noise, roar; to wail
הֵימִין, פ״ע, ע׳ [ימן] to turn right
הֵימֶנּוּ, מ״ג from (of) him
[הין] הֵהִין, פ״ע to dare
הִין, ז׳, ר׳, ־נִים liquid measure
הַיְנוּ, הַיְינוּ, תה״פ namely, viz.
הִינוּמָה, הִנּוּמָה, נ׳ ר׳, ־מוֹת (bridal) veil
הַיְשָׁרָה, נ׳, ר׳, ־רוֹת leveling; making straight
הַכְאָבָה, נ׳, ר׳, ־בוֹת hurting
הִכְאָה, פ״י, ע׳ [כאה] to afflict
הַכָּאָה, נ׳, ר׳, ־אוֹת striking, beating
הִכְאִיב, פ״י, ע׳ [כאב] to hurt
הַכְבָּדָה, נ׳, ר׳, ־דוֹת encumbrance, burdening

הִכְבִּיד, פ"י, ע' [כבד] to make heavy; to honor

הִכְבִּיר, פ"י, ע' [כבר] to increase, heap up

הִכָּה, פ"י, ע' [נכה] to beat, strike; to defeat; to kill

הַכְוָנָה, נ', ר', ־נוֹת turning, dialing

הַכְזָבָה, נ', ר', ־בוֹת denial

הַכְחָדָה, נ', ר', ־דוֹת extermination

הִכְחִיד, פ"י, ע' [כחד] to deny; to annihilate

הִכְחִישׁ, פ"י, ע' [כחש] to contradict, deny

הַכְחָשָׁה, נ', ר', ־שׁוֹת denial, contradiction

הֵכִיל, פ"י, ע' [כול] to hold, contain; to include

הֵכִין, פ"י, ע' [כון] to prepare, provide; to arrange

הִכִּיר, פ"י, ע' [נכר] to recognize, acknowledge; to know, distinguish; to be acquainted with

הַכְלָאָה, נ', ר', ־אוֹת cross-breeding

הִכְלִים, פ"י, ע' [כלם] to offend; to put to shame

הַכְלָלָה, נ', ר', ־לוֹת generalization

הַכְמָנָה, נ', ר', ־נוֹת concealment

הָכֵן, תה"פ ready

הֲכָנָה, נ', ר', ־נוֹת preparation

הִכְנִיס, פ"י, ע' [כנס] to bring in; to admit

הִכְנִיעַ, פ"י, ע' [כנע] to submit; to subdue

הַכְנָסָה, נ', ר', ־סוֹת bringing in; income

הַכְנָסַת אוֹרְחִים hospitality; hostel for wayfarers

מַס הַכְנָסָה income tax

הַכְנָעָה, נ', ר', ־עוֹת humility, submission

הִכְסִיף, פ"י, ע' [כסף] to silver; to become pale

הַכְסָפָה, נ', ר', ־פוֹת plating with silver

הִכְעִיס, פ"י, ע' [כעס] to anger, vex

הַכְעָסָה, נ', ר', ־סוֹת angering

הִכְפִּישׁ, פ"י, ע' [כפש] to cower; to mourn; to incarcerate

הַכְפָּלָה, נ', ר', ־לוֹת doubling

הֶכֵּר, ז', ר', ־רִים recognition; indication, sign

הַכָּרָה, נ', ר', ־רוֹת recognition, perception

הַכָּרַת טוֹבָה, ־ תּוֹדָה gratitude, thankfulness

הַכָּרַת פָּנִים show, sign (of face)

הֶכֵּרוּת, נ', ר', ־רֻיּוֹת acquaintance

הַכְרָזָה, נ', ר', ־זוֹת proclamation

הֶכְרֵחַ, ז' necessity; compulsion

הַכְרָחָה, נ' constraint, force

הֶכְרֵחִי, ת"ז, ־חִית, ת"נ necessary, indispensable

הֶכְרֵחִיּוּת, נ' necessity

הִכְרִיז, פ"י, ע' [כרז] to announce, proclaim, herald

הִכְרִיחַ, פ"י, ע' [כרח] to force, compel, constrain

הִכְרִיעַ, פ"י, ע' [כרע] to subject; to bend

הֶכְרֵעַ, ז', הַכְרָעָה, נ', ר', ־עִים, ־עוֹת decision, adjudication

הַכְרָתָה, נ', ר', ־תוֹת cutting, cutting off

הַכָּשָׁה, נ', ר', ־שׁוֹת striking; bite

הֶכְשֵׁר, ז', ר', ־רִים fitness; permit of ritual fitness issued by a rabbi

הַכְשָׁרָה, נ׳, ר׳, ־רוֹת making fit; preparation

הִכֵּת, פ״י, ע׳ [כתת] to crush, smite

הֻכַּת, פ״ע, ע׳ [כתת] to be crushed, beaten

הַכְתָּבָה, נ׳, ר׳, ־בוֹת dictation

הַכְתָּרָה, נ׳, ר׳, ־רוֹת coronation

הֲלֹא, תה״פ is it not?, has it not?

הָלְאָה, תה״פ away, further, beyond

הִלְאִים, פ״י, ע׳ [לאם] to nationalize

הַלְאָמָה, נ׳ nationalization

הִלְבִּישׁ, פ״י, ע׳ [לבש] to clothe

הַלְבָּנָה, נ׳, ר׳, ־נוֹת whitening

הַלְבָּשָׁה, נ׳, ר׳, ־שׁוֹת dressing, clothing; dress, clothes

הֻלֶּדֶת, הוּלֶּדֶת, נ׳ birth

הַלָּה, מ״ג that one

הִלָּה, נ׳, ר׳, ־לּוֹת halo; sheen

הַלְהָבָה, נ׳, ר׳, ־בוֹת inflammation

הִלְהִיב, פ״י, ע׳ [להב] to inspire

הַלְוָאָה, נ׳, ר׳, ־אוֹת loan

הַלְוַאי, מ״ק oh that!, would that!

הִלְוָה, פ״י, ע׳ [לוה] to lend

הַלְוָיָה, נ׳, ר׳, ־יוֹת escorting; funeral

הִלּוּךְ, ז׳, ר׳, ־כִים walk, walking; speed (driving)

הִלּוּל, ז׳, ר׳, ־לִים praising; rejoicing

הִלּוּלִים, ז״ר wedding feast

הַלָּז, מ״ג that one

הַלָּזֶה, מ״ג that one (*m.*)

הֲלָזָה, נ׳, ר׳, ־זוֹת slander

הַלֵּזוּ, מ״ג that one (*f.*)

הַלְחָמָה, נ׳, ר׳, ־מוֹת soldering

הֶלְיוֹן, ז׳ asparagus

הֲלִיכָה, נ׳, ר׳, ־כוֹת walk, gait; manner

הֲלִימָה, נ׳, ר׳, ־מוֹת palpitation, beating

הָלַךְ, פ״ע to walk, go

נֶהֱלַךְ, פ״ע to be gone; to pass

הִלֵּךְ, פ״ע to walk, walk about

הוֹלִיךְ פ״י to lead; to carry, bring

הִתְהַלֵּךְ, פ״ע to move to and fro

הֵלֶךְ, ז׳, ר׳, הֲלָכִים flowing; traveler

הֲלָךְ, ז׳ road, walk; toll

הֲלָךְ־נֶפֶשׁ, ז׳ mood

הֲלָכָה, נ׳, ר׳, ־כוֹת practice; traditional law; halakah

כַּהֲלָכָה, תה״פ properly

הֲלָכִי, ת״ז, ־כִית, ת״נ halakic, traditional

הַלְכָן, ז׳, ר׳, ־נִים walker

הִלֵּל, פ״י to praise

הִתְהַלֵּל, פ״ע to praise oneself; to boast

הָלַל, פ״ע to shine; to be foolish, boastful

הוֹלֵל, פ״י to delude, make foolish

הִתְהוֹלֵל, פ״ע to act foolishly; to feign madness

הַלֵּל, ז׳ praise; group of psalms recited on the New Moon and festivals

הַלָּלוּ, מ״ג these, those

הַלְלוּיָהּ, מ״ק hallelujah!, praise ye the Lord!

הָלַם, פ״י to smite, strike down; to fit, become (of dress)

הֶלֶם, ז׳ beating

הֲלֹם, הֲלוֹם, תה״פ here, hither

הַלְמוּת, נ׳, ר׳, ־מֻיּוֹת beating; hammer

הַלָּן, לְהַלָּן, תה״פ thither, there; below

הֲלָנָה, נ׳, ר׳, ־נוֹת giving shelter for the night

הַלָּנָה, נ׳, ר׳, ־נוֹת complaint, grumbling

הַלְעָזָה, נ׳, ר׳, ־זוֹת slandering; translation

הַלְעָטָה, נ׳, ר׳, ־טוֹת feeding, stuffing

הִלְעִיב, פ״י, ע׳ [לעב] to deride, mock

הֲלָצָה, נ׳, ר׳, ־צוֹת recommendation; joke, jest

הֲלָצִי, ת״ז, ־צִית, ת״נ jocular

הַלְקָאָה, נ׳, ר׳, ־אוֹת flogging, whipping

הֶלְקֵט, ז׳, ר׳, ־טִים capsule; pod

הִלְקֵט, פ״י, ע׳ [לקט] to stuff (bird's pouch)

הַלְשָׁנָה, נ׳, ר׳, ־נוֹת informing, slandering

הֵם, הֵמָּה, מה״ג they (*m.*)

הִמְאִיס, פ״י, ע׳ [מאס] to make despised

הִמְאִיר, פ״י, ע׳ [מאר] to pierce; to become malignant; to infect

הִמְגִּיד, פ״י, ע׳ [מגד] to make delicious

הָמָה, פ״ע to make noise, be noisy

הִמָּה, פ״ע to rush after; to be greedy, covet

הֲמוּלָּה, הֲמֻלָּה, נ׳, ר׳, ־לּוֹת noise, tumult

הָמוֹן, ז׳, ר׳, הֲמוֹנִים tumult, confusion; crowd, multitude; abundance

הֲמוֹנִי, ת״ז, ־נִית, ת״נ vulgar, common

הֲמוֹנִיּוּת, נ׳ vulgarity

הַמְזָגָה, נ׳, ר׳, ־גוֹת blending

הַמְחָאָה, נ׳, ר׳, ־אוֹת check, draft

הִמְחָה, פ״י, ע׳ [מחה] to draw a check

הַמְחָזָה, נ׳, ר׳, ־זוֹת dramatization

הִמְחִיז, פ״י, ע׳ [מחז] to dramatize

הִמְטִיר, פ״י, ע׳ [מטר] to rain; to bring down

הֶמְיָה, נ׳, ר׳, ־יוֹת sound, noise

הֵמִיט, פ״י, ע׳ [מוט] to bring (misfortune)

הֶמְיָן, ז׳, ר׳, ־נִים belt, girdle

הֵמִיץ, פ״י, ע׳ [מיץ] to make slim; to make weak

הֵמִיק, פ״י, ע׳ [מקק] to crumble, dissolve

הֵמִיר, פ״י, ע׳ [מור] to change, exchange

הֵמִישׁ, פ״י, ע׳ [משש] to cause to feel

הֵמִית, פ״י, ע׳ [מות] to kill

הֲמֻלָּה, הֲמוּלָּה, נ׳, ר׳, ־לּוֹת noise, tumult

הָמְלַח, פ״ע, ע׳ [מלח] to be rubbed with salt

הַמְלָחָה, נ׳, ר׳, ־חוֹת salting

הַמְלָטָה, נ׳, ר׳, ־טוֹת laying (eggs)

הִמְלִיחַ, פ״י, ע׳ [מלח] to salt

הִמְלִיט, פ״י, ע׳ [מלט] to save; to give birth; to lay (eggs)

הִמְלִיךְ, פ״י, ע׳ [מלך] to make king; to cause to reign

הִמְלִיץ, פ״י, ע׳ [מלץ] to recommend

הָמְלַךְ, פ״ע, ע׳ [מלך] to be crowned a king

הַמְלָכָה, נ׳, ר׳, ־כוֹת coronation, appointing a king

הַמְלָצָה, נ׳, ר׳, ־צוֹת recommendation

הָמַם, פ״י to confuse, confound
הֲמָמָה, נ׳ perplexity
הָמַן, פ״ע to do ill
הִמְנוֹן, ז׳, ר׳, ־נִים hymn, anthem
הִמְנִיעַ, פ״י, ע׳ [מנע] to keep apart
הִמָּנְעוּת, נ׳, ר׳, ־עֻיּוֹת avoidance; impossibility
הֵמֵס, פ״י, ע׳ [מסס] to melt, liquefy, dissolve
הֶמֶס, ז׳, ר׳, הֲמָסִים melting; brushwood
הֲמַסָּה, הֲמָסָה, נ׳, ר׳, ־מַסּוֹת, ־מָסוֹת melting, dissolution
הֶמְסֵס, ז׳ first stomach of ruminants
הַמְעָדָה, נ׳, ר׳, ־דוֹת stumble, slip
הַמְעָטָה, נ׳, ר׳, ־טוֹת diminution, devaluation
הִמְעִיט, פ״י, ע׳ [מעט] to do little; to diminish, devaluate
הִמָּצֵא, פ״ע, ע׳ [מצא] to be supplied with; to be invented, created
הַמְצָאָה, נ׳, ר׳, ־אוֹת invention
הִמְצִיא, פ״י, ע׳ [מצא] to furnish, supply with; to cause to find; to invent
הֲמָקָה, נ׳ rot, decay
הַמְרָאָה, הַמְרָיָה, נ׳, ר׳, ־אוֹת, ־יוֹת stuffing; rebelliousness; betting; taking off
הֲמָרָה, נ׳, ר׳, ־רוֹת change; apostasy
הִמְרִיא, פ״ע, ע׳ [מרא] to soar, fly (high); to take off (plane); to fatten, stuff
הִמְרִיץ, פ״י, ע׳ [מרץ] to spur on; to be strong; to urge, energize
הִמְרִיק, פ״י, ע׳ [מרק] to rub in
הַמְרָכָה, נ׳, ר׳, ־כוֹת softening

הַמְרָצָה, נ׳, ר׳, ־צוֹת encouragement, urging
הִמְשִׁיךְ, פ״י, ע׳ [משך] to continue; to cause to extend; to pull; to prolong; to attract
הִמְשִׁיל, פ״י, ע׳ [משל] to compare; to cause to rule
הִמָּשֵׁךְ, פ״ע, ע׳ [משך] to be attracted; to be withdrawn from; to follow someone
הֶמְשֵׁךְ, ז׳, הַמְשָׁכָה, נ׳, ר׳, ־כִים, ־כוֹת continuation, duration
הִמָּשְׁכוּת, נ׳ continuance
הֶמְשֵׁכִיּוּת, נ׳ continuity
הַמְשֵׁל, ז׳ rule, power
הֲמָתָה, נ׳, ר׳, ־תוֹת putting to death, execution
הִמְתִּין, פ״ע, ע׳ [מתן] to wait; to tarry; to postpone
הִמְתִּיק, פ״י, ע׳ [מתק] to sweeten, make pleasant
הַמְתָּנָה, נ׳, ר׳, ־נוֹת waiting
הַמְתָּקָה, נ׳, ר׳, ־קוֹת sweetening
הֵן, מה״ג they (*f.*)
הֵן, מ״ק, תה״פ lo!, behold!; whether, if; yes
הֵן צֶדֶק word of honor
הֲנָאָה, נ׳, ר׳, ־אוֹת pleasure, enjoyment; benefit; frustration
הִנָּבְאוּת, נ׳, ר׳, ־אֻיּוֹת prophesying
הַנְגָּנָה, נ׳, ר׳, ־נוֹת intonation
הַנְדָּסָה, נ׳ engineering; geometry
הַנְדָּסִי, ת״ז, ־סִית, ת״נ geometrical
הֵנָּה, מה״ג they (*f.*)
הֵנָּה, תה״פ hither, here
הִנֵּה, מ״י lo!, behold!; here
הֵנָה, פ״י to give pleasure; to benefit

נֶהֱנָה, פ״ע — to enjoy; to profit, benefit

הַנְהָגָה, נ׳, ר׳, ־גוֹת — leading; behavior, conduct

הִנְהִיג, פ״י, ע׳ [נהג] — to drive, lead; to make a custom, habit

הַנְהָלָה, נ׳, ר׳, ־לוֹת — administration, management

הִנְוָה, פ״י, ע׳ [נוה] — to adorn, beautify, glorify

הִנּוּמָה, הִינוּמָה, נ׳, ר׳, ־מוֹת — (bridal) veil

הֲנָחָה, נ׳, ר׳, ־חוֹת — release; rest, relief

הַנָּחָה, נ׳, ר׳, ־חוֹת — putting down; supposition, hypothesis

הֵנִיא, פ״י, ע׳ [נוא] — to frustrate, restrain, hinder

הֵנִיד, פ״י, ע׳ [נוד] — to drive out; to move; to shake head

הֵנִיחַ, הִנִּיחַ, פ״י, ע׳ [נוח] — to set at rest, place; to leave behind; to permit; to assume

הֵנִיס, פ״י, ע׳ [נוס] — to hide

הֵנִיעַ, פ״י, ע׳ [נוע] — to move to and fro; to shake, to stir up

הֵנִיף, פ״י, ע׳ [נוף] — to wield a tool; to swing, wave, shake; to fan

הִנְמִיךְ, פ״י, ע׳ [נמך] — to lower, depress

הַנְמָקָה, נ׳, ר׳, ־קוֹת — motivation, motive

הֲנָעָה, נ׳, ר׳, ־עוֹת — motion, movement

הַנְעָלָה, נ׳, ר׳, ־לוֹת — locking, shoeing

הַנְעָמָה, נ׳, ר׳, ־מוֹת — making pleasant

הָנֵף, הֶנֶף, ז׳ — waving, swinging

הֲנָפָה, נ׳, ר׳, ־פוֹת — waving, swinging

הָנֵץ, הֶנֶץ, ז׳ — shining

הֲנָצָה, נ׳, ר׳, ־צוֹת — sprouting

הִנְצִיחַ, פ״י, ע׳ [נצח] — to make everlasting, perpetuate

הֲנָקָה, נ׳, ר׳, ־קוֹת — nursing, suckling

הַנְשָׁמָה, נ׳ — inhalation

הַס, מ״ק — hush, quiet

הֵסֵב, פ״י, ע׳ [סבב] — to turn; to recline at table; to transfer

הֶסֵּב, ז׳ — banquet, meal

הֲסִבָּה, נ׳, ר׳, ־בּוֹת — banquet

הִסְבִּיר, פ״י, ע׳ [סבר] — to explain

הֶסְבֵּר, ז׳, ר׳, ־רִים — exposition

הַסְבָּרָה, נ׳, ר׳, ־רוֹת — interpretation

הַסְבָּרַת פָּנִים — warm welcome

הַסָּגָה, ז׳, ר׳, ־גוֹת — removing, retreating

הַסָּגַת גְּבוּל — trespass, encroachment

הִסְגִּיר, פ״י, ע׳ [סגר] — to shut up; to deliver up

הִסְגִּיל, פ״י, ע׳ [סגל] — to make fit, accustom

הֶסְגֵּר, ז׳ — locking; quarantine; enclosure

הַסְגָּרָה, נ׳, ר׳, ־רוֹת — extradition

הֶסְדֵּר, ז׳, ר׳, ־רִים — order

הַסְדָּרָה, נ׳, ר׳, ־רוֹת — arrangement

הָסָה, פ״ע — to be silent

הֵהִיס, פ״י — to silence

הַסְוָאָה, נ׳, ר׳, ־אוֹת — camouflage

הִסְוָה, פ״י, ע׳ [סוה] — to camouflage, cover; to hide

הִסּוּס, ז׳, ר׳, ־סִים — hesitation

הֶסַּח, ז׳ — removal

הֶסַּח־הַדַּעַת — diversion of attention

הֶסֵּט, ז׳, ר׳, ־טוֹת — shifting

הִסְטִין, פ״י, ע׳ [סטן] — to accuse

הִסִּיג, פ"י, ע' [סוג, נסג] to remove, move back, displace

הִסִּיחַ, פ"י, ע' [נסח] to remove, discard

הֵסִיט, פ"י, ע' [סוט] to shift

הֵסִיךְ, פ"י, ע' [סוך] to anoint; to fence in

הִסִּיעַ, פ"י, ע' [נסע] to drive; to lead out; to pluck up; to remove

הֵסִיף, פ"י, ע' [סוף] to make an end of, destroy

הִסִּיק, פ"י, ע' [נסק] to heat up; to conclude

הֵסִיר, פ"י, ע' [סור] to remove, put aside

הֵסִית, פ"י, ע' [סות] to incite, instigate

הִסְכִּים, פ"ע, ע' [סכם] to agree, consent

הִסְכִּין, פ"ע, ע' [סכן] to be accustomed

הִסְכִּית, פ"ע, ע' [סכת] to be silent; to pay attention

הֶסְכֵּם, ז', הַסְכָּמָה, נ', ר', ־מִים, ־מוֹת agreement, consent, approval

הַסְכָּנָה, נ', ר', ־נוֹת adaptability

הַסְמָכָה, נ', ר', ־כוֹת conferring of degree

הַסְנָנָה, נ', ר', ־נוֹת filtering

הִסֵּס, פ"ע to hesitate

הַסְּסָן, ז', ר', ־נִים indecisive person

הַסְפָּגָה, נ', ר', ־גוֹת absorption

הֶסְפֵּד, ז', ר', ־דִים funeral oration; mourning

הִסְפִּיק, פעו"י, ע' [ספק] to have (give) the opportunity

הֶסְפֵּק, ז', ר', ־קִים ability, potential

הַסְפָּקָה, נ', ר', ־קוֹת supply, provision; maintenance

הֶסֵּק, ז', ר', ־קִים heating

הַסָּקָה, נ', ר', ־קוֹת lighting a fire, heating

הֲסָרָה, נ', removing

הַסְרָטָה, נ', ר', ־טוֹת filming

הֶסֵּת, ז', ר', ־תוֹת enticement; attempt

הִסְתַּבֵּךְ, פ"ע, ע' [סבך] to be entangled; to become complicated

הִסְתַּבְּכוּת, נ', ר', ־כֻיוֹת entanglement, complication

הִסְתַּבֵּל, פ"ח, ע' [סבל] to become burdensome

הִסְתַּבֵּר, פ"ח, ע' [סבר] to be explained; to be intelligible

הִסְתַּגֵּל, פ"ע, ע' [סגל] to adapt oneself; to become capable of

הִסְתַּגְּלוּת, נ', ר', ־לֻיוֹת adaptability

הִסְתַּגֵּר, פ"ח, ע' [סגר] to close oneself up, to be secretive

הִסְתַּדֵּר, פ"ח, ע' [סדר] to settle oneself; to arrange oneself

הִסְתַּדְּרוּת, נ', ר', ־רֻיוֹת organization; arrangement

הֲסָתָה, הַסָּתָה, נ', ר', ־תוֹת incitement, seduction

הִסְתּוֹבֵב, פ"ע, ע' [סבב] to surround, encircle; to turn around

הִסְתּוֹדֵד, פ"ח, ע' [סוד] to talk secretly, take council (secretly)

הִסְתּוֹפֵף, פ"ח, ע' [ספף] to be at the threshold

הִסְתּוֹפְפוּת, נ' loitering, lingering

הִסְתַּחְרְרוּת, נ', ר', ־רֻיוֹת spinning, going around

הִסְתַּיֵּג, פ"ח, ע' [סיג] to restrain oneself

הִסְתַּיְּגוּת נ', ר', ־גֻיוֹת fencing off, limitation

הִסְתַּיְּדוּת, נ׳, ר׳, ־דֻיּוֹת calcification

הִסְתַּיֵּם, פ״ע, ע׳ [סים] to be concluded, be finished

הִסְתַּיֵּעַ, פ״ע, ע׳ [סיע] to find support, be supported

הִסְתַּכֵּל, פ״ע, ע׳ [סכל] to look at, observe; to contemplate

הִסְתַּכְּלוּת, נ׳, ר׳, ־לֻיּוֹת observation; reflection, contemplation

הִסְתַּכֵּן, פ״ע, ע׳ [סכן] to expose oneself to danger

הִסְתַּכְּנוּת, נ׳, ר׳, ־נֻיּוֹת endangering oneself

הִסְתַּלֵּק, פ״ע, ע׳ [סלק] to be removed; to leave, depart

הִסְתַּלְּקוּת נ׳, ר׳, ־קֻיּוֹת removal; death

הִסְתַּמֵּךְ, פ״ע, ע׳ [סמך] to support oneself; to rely

הִסְתַּמְּכוּת, נ׳, ר׳, ־כֻיּוֹת relying; thickening

הִסְתַּנְּנוּת, נ׳, ר׳, ־נֻיּוֹת infiltration, filtering; purification

הִסְתָּעֵף, פ״ע, ע׳ [סעף] to branch out, ramify

הִסְתָּעֲפוּת, נ׳, ר׳, ־פֻיּוֹת ramification

הִסְתָּעֵר, פ״ע, ע׳ [סער] to attack violently; to storm

הִסְתָּעֲרוּת, נ׳, ר׳, ־רֻיּוֹת violent attack; storming

הִסְתַּפֵּחַ, פ״ע, ע׳ [ספח] to join oneself

הִסְתַּפְּחוּת, נ׳, ר׳, ־חֻיּוֹת joining

הִסְתַּפֵּק, פ״ע, ע׳ [ספק] to have enough, be satisfied; to be doubtful

הִסְתַּפְּקוּת, נ׳, ר׳, ־קֻיּוֹת contentment; frugality

הִסְתַּפֵּר, פ״ע, ע׳ [ספר] to have one's hair cut

הֶסְתֵּר, ז׳ hiding

הִסְתָּרֵק, פ״ע, ע׳ [סרק] to comb one's hair

הִסְתַּתֵּר, פ״ע, ע׳ [סתר] to hide oneself

הַעֲבָדָה, נ׳, ר׳, ־דוֹת employing

הֶעֱבִיד, פ״י, ע׳ [עבד] to enslave; to employ

הֶעֱבִיר, פ״י, ע׳ [עבר] to cause to pass over; to bring over; to remove

הַעֲבָרָה, נ׳, ר׳, ־רוֹת transfer, removal

הַעֲדָאָה, נ׳, ר׳, ־אוֹת preferment; surplus

הֶעֱדִיף, פ״י, ע׳ [עדף] to prefer

הַעֲדָפָה, נ׳ ,ר׳, ־פוֹת preference

הֶעְדֵּר, ז׳, ר׳, ־רִים absence

הַעֲוָיָה, נ׳, ר׳, ־יוֹת grimace, distortion

הֵעֵז, פ״ע, ע׳ [עזז] to dare

הֶעָזָה, הַעַזָּה, נ׳, ר׳, הֶעָזוֹת impudence, daring, audacity

הֵעִיב, פ״י, ע׳ [עוב] to darken

הֵעִיד, פ״י, ע׳ [עוד] to testify, to warn, admonish

הֵעִיז, פיו״ע, ע׳ [עוז] to bring into safety

הֵעִיף, פ״י, ע׳ [עוף] to make fly; to fly

הֵעִיק, פ״י, ע׳ [עוק] to press

הֵעִיר, פ״י, ע׳ [עור] to awaken, rouse, stir up; to remark

הַעֲלָאָה, נ׳, ר׳, ־אוֹת raise, promotion

הֶעֱלָה, פ״י, ע׳ [עלה] to bring up; to cause to ascend; to sacrifice

הֶעֱלִיל, פ״י, ע׳ [עלל] to bring a false charge

הֶעְלֵם, ז׳, הַעֲלָמָה, נ׳, ר׳, ־מוֹת concealment; unconsciousness

הַעֲמָדָה, נ׳, ר׳, ־דוֹת placing, setting up, presenting

הַעֲמָדַת פָּנִים appearance

הֶעֱמִיד, פ״י, ע׳ [עמד] to place, set; to appoint

הַעֲמָקָה, נ׳, ר׳, ־קוֹת deepening

הֶעֱנִיק, פ״י, ע׳ [ענק] to load with gifts

הַעֲנָקָה, נ׳, ר׳, ־קוֹת bonus; discount

הֶעֱסִיק, פ״י, ע׳ [עסק] to engage; to employ

הַעֲסָקָה, נ׳, ר׳, ־קוֹת employment; dealing; activity

הֶעְפִּיל, פ״ע, ע׳ [עפל] to presume; to be arrogant; to be daring

הַעְפָּלָה, נ׳, ר׳, ־לוֹת daring, audacity

הֲעָקָה, נ׳, ר׳, ־קוֹת oppression

הַעֲרֵב, ז׳ setting (of the sun)

הֶעָרָה, נ׳, ר׳, ־רוֹת remark, suggestion, note

הֶעֱרִיךְ, פ״י, ע׳ [ערך] to value, estimate, assess

הֶעֱרִים, פ״ע, ע׳ [ערם] to be crafty, sly

הֶעֱרִיץ, פ״י, ע׳ [ערץ] to admire deeply

הַעֲרָכָה, נ׳, ר׳, ־כוֹת assessment, evaluation

הַעֲרָמָה, נ׳, ר׳, ־מוֹת evasion, stratagem, trickery

הַעֲרָצָה, נ׳, ר׳, ־צוֹת admiration

הֶעְתִּיק, פ״י, ע׳ [עתק] to copy, translate; to remove

הֶעְתֵּק, ז׳, הַעְתָּקָה, נ׳, ר׳, ־קִים, ־קוֹת copy, translation; removal

הַעְתָּרָה, נ׳, ר׳, ־רוֹת request, solicitation; superfluity; verbosity

הֲפָגָה, נ׳, ר׳, ־גוֹת lessening

הִפְגִּיז, פ״י, ע׳ [פגז] to batter; to bombard, shell

הִפְגִּין, פ״י, ע׳ [פגן] to demonstrate (politically), make a demonstration; to cry out

הַפְגָּנָה, נ׳, ר׳, ־נוֹת public demonstration

הַפְגָּשָׁה, נ׳, ר׳, ־שׁוֹת meeting

הֲפוּגָה, נ׳, ר׳, ־גוֹת cessation, pause; armistice

הִפּוּךְ, ז׳, ר׳, ־כִים reversal; change

הָפוּךְ, ת״ז, הֲפוּכָה, ת״נ inverted

הַפְחָדָה, נ׳, ר׳, ־דוֹת intimidation

הֲפָחָה, נ׳, ר׳, ־חוֹת exhalation; blowing

הַפְחָתָה, נ׳, ר׳, ־תוֹת lessening, decrease

הִפְטִיר, פ״י, ע׳ [פטר] to conclude, read in the synagogue

הַפְטָרָה, נ׳, ר׳, ־רוֹת conclusion; lesson from the prophets

הֵפִיג, פ״י, ע׳ [פוג] to cool, weaken

הִפִּיחַ, פ״י, ע׳ [נפח] to breathe

הֵפִיחַ, פ״י, ע׳ [פוח] to breathe out; to puff, pant

הֲפִיכָה, נ׳, ר׳, ־כוֹת overturning; revolution

הִפִּיל, פ״י, ע׳ [נפל] to cause to fall; to throw down, let drop; to defeat; to miscarry

הֵפִיס, פ״י, ע׳ [פיס] to draw lots

הֵפִיץ, פ״י, ע׳ [פוץ] to scatter

הִפִּיק, פ״י, ע׳ [נפק] to go out; to bring forth; to derive

הֵפִיק, פ״י, ע׳ [פוק] to bring out; to obtain; to produce

הֵפִיר, פ״י, ע׳ [פור] to nullify

הָפַךְ, פ״י to turn; to change; to overturn, subvert

הִפֵּךְ, פ״י to turn; to pervert

הִתְהַפֵּךְ, פ״ח to turn over and over

הֵפֶךְ, הֶפֶךְ, הֹפֶךְ, ז׳, ר׳, הֲפָכִים the opposite, the contrary

הֲפֵכָה, נ׳, ר׳, ־כוֹת overthrow, destruction

הֲפַכְפַּךְ, ת״ז, ־פֶּכֶת, ת״נ crooked; fickle

הֲפַכְפְּכָן, ת״ז, ־נִית, ת״נ fickle (person)

הַפְלָגָה, נ׳, ר׳, ־גוֹת division; exaggeration; sailing

הַפָּלָה, נ׳, ר׳, ־לוֹת causing to fall; abortion, miscarriage

הִפְלִיג, פ״י, ע׳ [פלג] to depart; to sail, embark; to exaggerate

הִפְלִיט, פ״י, ע׳ [פלט] to give out

הַפְלָיָה, נ׳, ר׳, ־יוֹת discrimination

הַפְנָיָה, הַפְנָאָה, נ׳, ר׳, ־יוֹת diversion

הֶפְסֵד, ז׳, ר׳, ־דִים loss, damage

הִפְסִיד, פ״י, ע׳ [פסד] to lose, suffer loss

הִפְסִיק, פ״י, ע׳ [פסק] to sever, separate; to stop; to interrupt

הֶפְסֵק, ז׳, ר׳, ־קִים stoppage, interruption

הַפְסָקָה, נ׳, ר׳, ־קוֹת stoppage, interruption

הִפְעִיל, ז׳ hiph'il, the active of the causative stem of the Hebrew verb

הָפְעַל, ז׳ hoph'al, the passive of the causative stem of the Hebrew verb

הַפְעָלָה, נ׳, ר׳, ־לוֹת reaction; causing action

הֲפָצָה, נ׳, ר׳, ־צוֹת spreading; distribution; circulation

הִפְצִיל, פ״י, ע׳ [פצל] to split; to form branches

הִפְצִיר, פ״י, ע׳ [פצר] to be arrogant, stubborn; to urge strongly

הַפְצָצָה, נ׳, ר׳, ־צוֹת bursting, bombing

הֶפְצֵר, ז׳, הַפְצָרָה, נ׳, ר׳, ־רִים, ־רוֹת urging, entreaty, importunity

הֲפָקָה, נ׳, ר׳, ־קוֹת obtaining, bringing out

הִפְקִיעַ, פ״י, ע׳ [פקע] to split; to release; to cancel

הִפְקִיר, פ״י, ע׳ [פקר] to make free; to renounce ownership (of property)

הַפְקָעָה, נ׳, ר׳, ־עוֹת cancellation, release from debt

הַפְקָעַת שְׁעָרִים profiteering

הֶפְקֵר, ז׳ renunciation of ownership; ownerless property; license; anarchy

הֶפְקֵרוּת, נ׳, ר׳, ־רֻיוֹת lawlessness, licentiousness

הֵפֵר, פ״י, ע׳ [פרר] to break; to violate; to void, nullify

הַפְרָאָה, הַפְרָיָה, נ׳, ר׳, ־יוֹת fertilization

הַפְרָדָה, נ׳, ר׳, ־דוֹת separation; analysis

הֲפָרָה, נ', ר', ־רוֹת annulment
הַפְרָזָה, נ', ר', ־זוֹת exaggeration
הַפְרָחָה, נ', ר', ־חוֹת blossoming, blooming; spreading rumors
הִפְרִיא, פ"י, ע' [פרא] to be fruitful
הַפְרָיָה, הַפְרָאָה, נ', ר', ־יוֹת fertilization
הִפְרִיז, פ"י, ע' [פרז] to break through; to increase; to exaggerate
הִפְרִיס, פ"י, ע' [פרס] to part the hoof; to have parted hoofs
הִפְרִיעַ, פ"י, ע' [פרע] to disturb, cause disorder
הִפְרִישׁ, פ"י, ע' [פרש] to sting; to separate, set aside; to depart
הַפְרָעָה, נ', ר', ־עוֹת disturbance
הֶפְרֵז, ז' burlesque
הֶפְרֵשׁ, ז', ר', ־שִׁים difference
הַפְרָשָׁה, נ', ר', ־שׁוֹת differentiation, difference; separation
הֶפְשֵׁט, ז', ר', ־טִים skinning, flaying, stripping
הַפְשָׁטָה, נ', ר', ־טוֹת flaying, stripping; abstraction
הִפְשִׁיט, פ"י, ע' [פשט] to strip, flay
הִפְשִׁיל, פ"י, ע' [פשל] to fasten by knotting; to roll up (sleeves)
הִפְשִׁיר, פ"י, ע' [פשר] to defrost
הַפְשָׁלָה, נ', ר', ־לוֹת pushing back, folding, rolling up
הַפְשָׁרָה, נ', ר', ־רוֹת melting, defrosting
הִפְתִּיעַ, פ"י, ע' [פתע] to surprise
הַפְתָּעָה, נ', ר', ־עוֹת surprise
הַצָּבָה, נ', ר', ־בוֹת placing, setting up

הִצְבִּיא, פ"י, ע' [צבא] to mobilize; to muster
הִצְבִּיעַ, פ"י, ע' [צבע] to raise a finger; to vote
הַצָּגָה, נ', ר', ־גוֹת presentation; play (theatrical)
הַצְדָּעָה, נ', ר', ־עוֹת saluting
הַצְדָּקָה, נ', ר', ־קוֹת justification
הִצְהִיר, פ"י, ע' [צהר] to make public, publish; to make oil
הַצְהָלָה, נ', ר', ־לוֹת gladdening
הַצְהָרָה, נ', ר', ־רוֹת declaration
הִצְחִיק, פ"י, ע' [צחק] to ridicule; to make laugh
הִצְטַבֵּר, פ"ע, ע' [צבר] to add up, pile up
הִצְטַדֵּד, פ"ח, ע' [צדד] to step aside
הִצְטַדֵּק, פ"ע, ע' [צדק] to justify oneself, excuse oneself, apologize
הִצְטַדְּקוּת, נ', ר', ־קֻיּוֹת self-defense; excuse; vindication
הִצְטַחֵק, פ"ח, ע' [צחק] to smile, break out laughing
הִצְטַיֵּן, פ"ע, ע' [צין] to be distinguished, distinguish oneself
הִצְטַיְּנוּת, נ', ר', ־נֻיּוֹת distinction
הִצְטַיֵּר, פ"ע, ע' [ציר] to act as envoy; to be imagined
הִצְטַלֵּב, פ"ע, ע' [צלב] to cross oneself
הִצְטַלֵּם, פ"ע, ע' [צלם] to be photographed
הִצְטַלְּמוּת, נ', ר', ־מֻיּוֹת photographing
הִצְטַלֵּק, פ"ח, ע' [צלק] to form a scar

הִצְטַמְצֵם, פ"ע, ע' [צמצם] to confine oneself, limit oneself
הִצְטַמְצְמוּת, נ', ר', ־מֻיּוֹת condensation, contraction
הִצְטַנֵּן, פ"ע, ע' [צנן] to catch cold; to become cold
הִצְטַנְּנוּת, נ', ר', ־נֻיּוֹת catching cold, cold
הִצְטַעֵר, פ"ע, ע' [צער] to feel pain, grieve, be sorry
הִצְטָרֵד, פ"ח, ע' [צרד] to be hoarse
הִצְטָרֵךְ, פ"ע, ע' [צרך] to be in need; to be necessary
הִצְטָרֵף, פ"ח, ע' [צרף] to join, become attached
הִצְטָרְפוּת, נ', ר', ־פֻיּוֹת joining
הִצִּיב, פ"י, ע' [נצב] to erect; to fix, establish
הִצִּיג, פ"י, ע' [יצג, נצג] to set up; to present to, introduce
הִצִּיל, פ"י, ע' [נצל] to rescue, deliver, save
הִצִּיעַ, פ"י, ע' [יצע] to spread, unfold; to propose
הֵצִיץ, פ"י, ע' [צוץ, ציץ] to peek
הֵצִיק, פ"י, ע' [צוק] to constrain, distress, afflict
הִצִּית, פ"י, ע' [יצת] to set on fire
הֵצֵל, פ"י, ע' [צלל] to cast a shadow; to shade
הַצָּלָה, נ', ר', ־לוֹת saving, rescue
הַצְלָחָה, נ', ר', ־חוֹת success, prosperity
הַצְמָחָה, נ', ר', ־חוֹת sprouting
הִצְלִיחַ, פ"י, ע' [צלח] to succeed, prosper
הִצְלִיף, פ"י, ע' [צלף] to whip
הִצְמִיד, פ"י, ע' [צמד] to combine

הִצְמִית, פ"י, ע' [צמת] annihilate
הִצְנִיעַ, פ"י, ע' [צנע] to be modest, humble; to hide
הֶצְנֵעַ, ז' chastity, modesty
הַצְנָעָה, נ', ר', ־עוֹת hiding
הַצָּעָה, נ', ר', ־עוֹת spreading; exposition; proposition
הֲצָפָה, נ', ר', ־פוֹת inundation, flooding
הֲצָצָה, נ', ר', ־צוֹת peeping
הֲצָקָה, נ', ר', ־קוֹת oppression
הִצְרִיחַ, פ"י, ע' [צרח] to castle (in chess)
הַצָּתָה, נ', ר', ־תוֹת ignition, kindling
הֲקָאָה, נ', ר', ־אוֹת vomiting
הִקְבִּיל, פ"י, ע' [קבל] to be opposite, parallel; to correspond
הַקְבָּלָה, נ', ר', ־לוֹת contrasting, parallelism
הַקְבָּלַת פָּנִים welcome, reception
הַקָּדוֹשׁ־בָּרוּךְ־הוּא God
הִקְדִּים, פ"י, ע' [קדם] to anticipate, be early, pay in advance
הִקְדִּישׁ, פ"י, ע' [קדש] to dedicate; to purify
הֶקְדֵּם, ז', ר', ־מִים earliness
בְּהֶקְדֵּם, תה"פ early, soon
הַקְדָּמָה, נ', ר', ־מוֹת preface; hypothesis
הֶקְדֵּשׁ, ז', ר', ־שִׁים consecrated object (property)
הַקְדָּשָׁה, נ', ר', ־שׁוֹת consecration; dedication
הִקְהִיל, פ"י, ע' [קהל] to summon an assembly
הַקְהֵל, ז' assembly, gathering
הַקָּזָה, נ', ר', ־זוֹת bloodletting

הִקְטִין, פ"י, ע' [קטן] to reduce
הַקְטָנָה, נ', ר', ־נוֹת diminution; diminutive (*gram.*)
הֶקְטֵר, ז', הַקְטָרָה, נ', ר', ־רִים, ־רוֹת burning incense (esp. fat) on the altar
הֵקִיא, פ"י, ע' [קיא] to vomit, throw up
הִקִּיז, פ"י, ע' [נקז] to puncture; to let blood, bleed
הֵקִים, פ"י, ע' [קום] to set up
הִקִּיף, פ"י, ע' [נקף] to surround, encompass, give credit; to contain
הֵקִיץ, פעו"י, ע' [קוץ] to wake, awake; to be awakened
הֵקִיר, פ"י, ע' [קור] to well up, pour forth
הִקִּישׁ, פ"י, ע' [נקש] to strike at, knock, beat
הֵקִישׁ, פ"י, ע' [קיש] to compare
הֵקֵל, פ"י, ע' [קלל] to lighten; to despise; to be lenient
הֲקַלָּה, הֲקָלָה, נ', ר', ־לּוֹת, ־לוֹת alleviation, easing
הִקְלָה, פ"י, ע' [קלה] to treat with contempt
הַקְלָטָה, נ', ר', ־טוֹת recording (phonograph)
הִקְלִיט, פ"י, ע' [קלט] to record
הֲקָמָה, נ', ר', ־מוֹת erecting
הַקְנָאָה, הַקְנָיָה, נ', ר', ־אוֹת, ־יוֹת transfer
הַקְנָטָה, נ', ר', ־טוֹת teasing, vexation
הִקְנִיט, פ"י, ע' [קנט] to taunt, vex, anger
הִקְסִים, פ"י, ע' [קסם] to fascinate; to infatuate

הַקְסָמָה, נ', ר', ־מוֹת fascination, infatuation
הַקָעָה, נ', ר', ־עוֹת dislocation, sprain
הֶקֵּף, ז', ר', ־פִים surrounding, circumference
הַקְפָּאָה, נ', ר', ־אוֹת freezing, stiffening
הַקְפָּדָה, נ', ר', ־דוֹת irritability; strictness
הֲקָפָה, נ', ר', ־פוֹת going round
הֲקָפָה, נ', ר', ־פוֹת credit
הִקְפִּיד, פ"י, ע' [קפד] to mind; to be strict; to be angry
הַקְפָּצָה, נ', ר', ־צוֹת causing to jump
הַקְצָבָה, נ', ר', ־בוֹת budgeting
הֲקָצָה, נ', ר', ־צוֹת waking up
הִקְצִיעַ, פ"י, ע' [קצע] to plane
הִקְצִיף, פ"י, ע' [קצף] to boil; to whip (cream)
הַקְצָעָה, נ', ר', ־עוֹת planing, smoothing
הַקְצָפָה, נ', ר', ־פוֹת maddening, vexation
הַקְרָאָה, נ', ר', ־אוֹת recitation, dictation
הַקְרָבָה, נ', ר', ־בוֹת bringing near
הִקְרִיא, פ"י, ע' [קרא] to recite
הִקְרִיב, פ"י, ע' [קרב] to sacrifice
הִקְרִיס, פ"ע, ע' [קרס] to become sour (wine); to crack (from boiling water)
הַקְרָנָה, נ', ר', ־נוֹת radiation
הַקְרָשָׁה, נ', ר', ־שׁוֹת coagulation
הֶקֵּשׁ, הָקֵשׁ, ז', ר', הֶקֵּשִׁים comparing; analogy
הַקְשָׁאָה, הַקְשָׁיָה, נ', ר', ־אוֹת, ־יוֹת hardening

הַקְשָׁבָה, נ׳, ר׳, ־בוֹת attentiveness, listening
הַקָּשָׁה, נ׳, ר׳, ־שׁוֹת knocking; analogy; syllogism
הִקְשִׁיב, פ״ע, ע׳ [קשב] to pay attention
הַקְשָׁיָה, הַקְשָׁאָה, נ׳, ר׳, ־יוֹת, ־אוֹת hardening
הִקְשִׁיחַ, פ״י, ע׳ [קשח] to harden; to treat harshly
הֶקְשֵׁר, ז׳ context
הַר, ז׳, ר׳, הָרִים mountain, hill
הַר אֵשׁ, ־ גַּעַשׁ volcano
הֶרְאָה, פ״י, ע׳ [ראה] to show
הַרְבֵּה, תה״פ many, much
הִרְבִּיץ, פ״י, ע׳ [רבץ] to cause to lie down; to sprinkle; to flay
הִרְבַּךְ, פ״ע, ע׳ [רבך] to be well mixed
הַרְבָּעָה, נ׳, ר׳,־עוֹת coupling (of animals)
הַרְבָּצָה, נ׳, ר׳, ־צוֹת lying down (of cattle); watering, sprinkling
הָרַג, פ״י to kill, slay
הָרָג, ז׳, ר׳, ־גִים murderer
הֶרֶג, ז׳, הֲרֵגָה, נ׳, ר׳, ־גוֹת slaughter, massacre
הַרְגָּזָה, נ׳, ר׳, ־זוֹת annoying, irritating
הִרְגִּיל, פ״י, ע׳ [רגל] to accustom; to lead
הִרְגִּישׁ, פ״י, ע׳ [רגש] to notice; to feel
הֶרְגֵּל, ז׳, ר׳, ־לִים habit
הַרְגָּעָה, נ׳, ר׳, ־עוֹת calming
הֶרְגֵּשׁ, ז׳, הַרְגָּשָׁה, נ׳, ר׳, ־שִׁים, ־שׁוֹת feeling, sensation; sentiment; perception, sense
הַרְדּוּף, ז׳, ר׳, ־פִים oleander

הִרְדִּים, פ״י, ע׳ [רדם] to anesthetize
הַרְדָּמָה, נ׳, ר׳, ־מוֹת putting to sleep
[הרה] הָרְתָה, פ״ע to conceive, be pregnant
הָרָה, נ׳, ר׳, ־רוֹת pregnant woman
הִרְהוּר, הַרְהוֹר, ז׳, ר׳, ־רִים thought
הִרְהִיב, פ״י, ע׳ [רהב] to dare
הִרְהִיט, פ״י, ע׳ [רהט] to start a race
הִרְהֵר, פ״ע to think
הָרוּג, ז׳, ר׳, הֲרוּגִים slain person
הַרְוָחָה, נ׳, ר׳, ־חוֹת relief; comfort;
הִרְוִיחַ, פ״י, ע׳ [רוח] to give relief; to gain, earn, profit
הֵרוֹן, הֵרָיוֹן, ז׳ pregnancy, conception
הַרְחָבָה, נ׳, ר׳, ־בוֹת extension, expansion
הֲרָחָה, נ׳, ר׳, ־חוֹת smelling
הַרְחֵק, תה״פ far off
הֶרְחֵק, ז׳, הַרְחָקָה, נ׳, ר׳, ־קִים, ־קוֹת distance; removal; prevention
הִרְטִיט, פ״י, ע׳ [רטט] to terrorize
הֲרֵי, מ״ק lo!, behold!; here is
הֲרֵינִי I am
הֲרִי, ז׳ aspect, characteristic
הֲרִיגָה, נ׳, ר׳, ־גוֹת killing, execution
הֵרָיוֹן, הֵרוֹן, ז׳ pregnancy, conception
הֲרִיָּה, נ׳, ר׳, ־יּוֹת pregnant woman
הֵרִיחַ, פ״י, ע׳ [ריח] to smell
הֵרִים, פ״י, ע׳ [רום] to raise, lift, exalt
הֲרִיסָה, נ׳, ר׳, ־סוֹת destruction; ruin
הֵרִיעַ, פ״ע, ע׳ [רוע] to shout, cry out
הֵרִיץ, פ״י, ע׳ [רוץ] to make run; to bring quickly

הֵרִיק, פ"י, ע' [ריק] to empty, pour out
הֶרְכֵּב, ז', ר', ־בִים compound
הַרְכָּבָה, נ', ר', ־בוֹת carrying; compounding; inoculation; grafting
הַרְכָּבַת אֲבַעְבּוּעוֹת vaccination
הִרְכִּין, פ"י, ע' [רכן] to bow down, nod, lower
הַרְכָּזָה, נ', ר', ־זוֹת centralizing
הַרְכָּנָה, נ', ר', ־נוֹת bowing the head, nodding
הָרָם, ז', ר', הֲרָמִים pyramid
הֲרָמָה, נ', ר', ־מוֹת lifting, raising
הַרְמוֹן, ז', ר', ־נוֹת harem; palace
הַרְנוֹג, ז', ר', ־גִים mistletoe
הַרְנִי, ז', ר', ־נִיִּים heliotrope
הָרַס, פ"י to break, demolish, destroy
הֵרֵס, פ"י to overthrow, destroy
הֶרֶס, ז' overthrow, destruction
הֲרָעָה, נ', ר', ־עוֹת doing ill; becoming worse; blowing the trumpet
הִרְעִיל, פ"י, ע' [רעל] to poison; to veil
הִרְעִים, פ"י, ע' [רעם] to thunder; to vex
הִרְעִישׁ, פ"י, ע' [רעש] to bombard, shell; to make noise
הַרְעָלָה, נ', ר', ־לוֹת poisoning
הַרְעָפָה, נ', ר', ־פוֹת dripping, trickling
הַרְעָשָׁה, נ', ר', ־שׁוֹת confusion; bombardment
הֶרֶף, ז' pause, moment
הֶרֶף עַיִן wink of an eye, instant
בְּלִי הֶרֶף incessantly

הַרְפַּתְקָה, נ', ר', ־קָאוֹת adventure
הַרְפַּתְקָן, ז', ר', ־נִים adventurer
הַרְצָאָה, נ', ר', ־אוֹת lecture
הִרְצָה, פ"י, ע' [רצה] to lecture; to enumerate; to satisfy; to pay
הַרְקָבָה, נ', ר', ־בוֹת rotting
הַרְקָדָה, נ', ר', ־דוֹת shaking, sifting; dancing
הֲרָקָה, נ', ר', ־קוֹת emptying
הֶרֶר, ז', ר', ־הֲרָרִים mountain
הָרָר, ז', ר', הֲרָרִים debauched person
הֲרָרִי, ת"ז, ־רִית, ת"נ mountainous; mountain dweller
הַרְשָׁאָה, נ', ר', ־אוֹת authorization
כֹּחַ וְהַרְשָׁאָה power of attorney
הִרְשָׁה, פ"י, ע' [רשה] to authorize, permit
הִרְשִׁיעַ, פ"י, ע' [רשע] to condemn, convict
הַרְשָׁמָה, נ', ר', ־מוֹת registration
הַרְשָׁעָה, נ', ר', ־עוֹת condemnation
הַרְתָּחָה, נ', ר', ־חוֹת seething
הַשָּׁאָה, נ', ר', ־אוֹת beguiling
הִשְׁאִיל, פ"י, ע' [שאל] to lend
הִשְׁאִיר, פ"י, ע' [שאר] to leave (remaining); to spare
הַשְׁאָלָה, נ', ר', ־לוֹת lending; metaphor
הַשְׁאָרָה, נ', ר', ־רוֹת leaving
הִשָּׁאֲרוּת, נ', ר', ־רֻיּוֹת keeping, retaining
הִשָּׁאֲרוּת הַנֶּפֶשׁ immortality of the soul
הָשֵׁב, ז', הֲשָׁבָה, נ', ר', ־בוֹת restoring, returning
הִשָּׁבוֹן, ז' restitution
הַשְׁבָּחָה, נ', ר', ־חוֹת improvement

הִשְׁבִּיר, פ״י, ע׳ [שבר] to cause to break out, bring to birth; to sell grain
הִשְׁבִּית, פ״י, ע׳ [שבת] to fire, lay off from work
הַשְׂבָּעָה, נ׳, ר׳, ־עוֹת satiation
הַשְׁבָּעָה, נ׳, ר׳, ־עוֹת adjuration; spell, incantation
הַשְׁבָּרָה, נ׳, ר׳, ־רוֹת sale
הַשְׁבָּתָה, נ׳, ר׳, ־תוֹת removal; lockout
הֶשֵּׂג, ז׳, ר׳, ־גִים reaching, attaining
הַשָּׂגָה, נ׳, ר׳, ־גוֹת reaching, attaining; perception; criticism
הַשְׁגָּחָה, נ׳, ר׳, ־חוֹת supervision; providence
הִשְׁגִּיחַ, פ״י, ע׳ [שגח] to care for, supervise; to observe
הַשְׁגָּרָה, נ׳, ר׳, ־רוֹת routine; current phraseology
הַשְׁוָאָה, הַשְׁוָיָה, נ׳, ר׳, ־אוֹת, ־יוֹת comparison; equation
הַשְׁוָאַת הַחֹרֶף autumnal equinox
הַשְׁוָאַת הַקַּיִץ vernal equinox
הַשְׁחָזָה, נ׳, ר׳, ־זוֹת grinding, sharpening, whetting
הִשְׁחִיז, פ״י, ע׳ [שחז] to sharpen
הִשְׁחִיל, פ״י, ע׳ [שחל] to thread a needle
הִשְׁחִים, פעו״י, ע׳ [שחם] to paint (make) brown, become brown
הַשְׁחָרָה, נ׳, ר׳, ־רוֹת blackening
הַשְׁחָתָה, נ׳, ר׳, ־תוֹת destruction; corruption
הִשִּׁיא, פ״י, ע׳ [נשא] to beguile, deceive; to exact (payment)
הִשִּׂיא, פ״י, ע׳ [נשא] to give in marriage; to transfer; to advise
הֵשִׁיב, פ״י, ע׳ [שוב] to answer; to return

הִשִּׂיג, פ״י, ע׳ [נשג] to overtake; to reach, attain, obtain
הֵשִׁים, פ״י, ע׳ [שמם] to ravage, terrify
הִשִּׁיל, פ״י, ע׳ [נשל] to drop
הַשְׁכָּבָה, נ׳, ר׳, ־בוֹת lying down
הִשְׂכִּיל, פעו״י, ע׳ [שכל] to be wise, acquire sense; to succeed; to cause to understand; to cause to be successful
הִשְׁכִּים, פ״ע, ע׳ [שכם] to rise early, start early
הִשְׂכִּיר, פ״י, ע׳ [שכר] to hire out, rent
הַשְׂכֵּל, ז׳ understanding, wisdom; reflection
הַשְׂכָּלָה, נ׳ enlightenment, culture; reflection
הַשְׁכֵּם, תה״פ early in the morning
הַשְׁכָּמָה, נ׳, ר׳, ־מוֹת early morning, early rising
הַשְׁכָּנָה, נ׳, ר׳, ־נוֹת housing
הַשְׂכָּרָה, נ׳, ר׳, ־רוֹת loaning, hiring
הִשְׁלָה, פ״י, ע׳ [שלה] to cause to be at ease; to mislead
הִשְׁלִיג, פ״י, ע׳ [שלג] to snow
הַשְׁלָיָה, נ׳, ר׳, ־יוֹת deluding, disappointing
הִשְׁלִיחַ, פ״י, ע׳ [שלח] to send (plague, famine)
הִשְׁלִיט, פ״י, ע׳ [שלט] to cause to rule, cause to have power
הִשְׁלִיךְ, פ״י, ע׳ [שלך] to throw, cast, cast down, cast away
הִשְׁלִים, פ״י, ע׳ [שלם] to complete; to make peace
הִשְׁלִישׁ, פ״י, ע׳ [שלש] to deposit with a third party

הַשְׁלָמָה, נ׳, ר׳, ־מוֹת completion, complement; making peace

הֵשַׁם, פ״י, ע׳ [שמם] to ravage, terrify

הִשְׂמְאִיל, פ״ע, ע׳ [שמאל] to go to the left, turn left, use left hand

הַשְׁמָדָה, נ׳, ר׳, ־דוֹת extermination

הַשְׁמָטָה, נ׳, ר׳, ־טוֹת canceling (of debt), omission

הִשְׁמִיד, פ״י, ע׳ [שמד] to destroy, exterminate

הִשְׂמִיל, פ״ע, ע׳ [שמאל] to go to the left, turn left, use left hand

הִשְׁמִים, פ״י, ע׳ [שמם] to ravage, terrify

הִשְׁמִין, פ״י, ע׳ [שמן] to fatten, grow fat; to improve

הִשְׁמִיעַ, פ״י, ע׳ [שמע] to proclaim, summon

הַשְׁמָנָה, נ׳, ר׳, ־נוֹת fattening

הַשְׁמָעוּת, נ׳ causing to hear

הַשְׁמָצָה, נ׳ libel

הִשָּׁנוּת, נ׳, ר׳, ־נֻיוֹת repetition, review

הֵשַׁע, פ״י, ע׳ [שעע] to smear over, glue together; to shut

הִשָּׁעֲנוּת, נ׳ leaning, dependence

הַשְׁעָרָה, נ׳, ר׳, ־רוֹת conjecture, supposition, hypothesis

הַשְׁפָּלָה, נ׳, ר׳, ־לוֹת lowering, degradation

הַשְׁפָּעָה, נ׳, ר׳, ־עוֹת emanation; influence

הִשְׁקָה, פ״י, ע׳ [שקה] to water, irrigate; to give to drink

הַשְׁקָאָה, נ׳, ר׳, ־אוֹת watering, irrigation

הַשָּׁקָה, נ׳ launching

הַשְׁקֵט, ז׳ calmness, quietude

הַשְׁקָטָה, נ׳, ר׳, ־טוֹת calming, tranquilizing

הִשְׁקִיעַ, פ״י, ע׳ [שקע] to cause to sink; to set; to invest (money)

הִשְׁקִיף, פ״י, ע׳ [שקף] to observe, contemplate

הַשְׁקָעָה, נ׳, ר׳, ־עוֹת depression; investment

הַשְׁקָפָה, נ׳, ר׳, ־פוֹת looking; observation; review; view

הַשְׁרָאָה, הַשְׁרָיָה, נ׳, ר׳, ־אוֹת, ־יוֹת causing to dwell; inspiration

הַשָּׁרָה, נ׳, ר׳, ־רוֹת falling (hair, leaves)

הִשְׁרִישׁ, פ״י, ע׳ [שרש] to take root; to implant

הַשְׁרָשָׁה, נ׳, ר׳, ־שׁוֹת taking root

הִשְׁתַּבֵּחַ, פ״ח, ע׳ [שבח] to praise oneself, boast

הִשְׁתַּבְּרוּת, נ׳ refraction

הִשְׁתַּבֵּשׁ, פ״ע, ע׳ [שבש] to err

הִשְׁתַּבְּשׁוּת, נ׳, ר׳, ־שֻׁיוֹת making error (mistake, blunder)

הִשְׁתַּגֵּעַ, פ״ע, ע׳ [שגע] to become mad, be mad

הִשְׁתַּגְּעוּת, נ׳, ר׳, ־עֻיוֹת madness, becoming mad

הִשְׁתַּדֵּךְ, פ״ע, ע׳ [שדך] to arrange a marriage, negotiate (for marriage)

הִשְׁתַּדֵּל, פ״ע, ע׳ [שדל] to be persuaded; to endeavor, strive

הִשְׁתַּדְּלוּת, נ׳, ר׳, ־לֻיוֹת endeavor

הִשְׁתּוֹבֵב, פ״ע, ע׳ [שוב] to be wild, be naughty, be playful

הִשְׁתּוֹבְבוּת, נ׳, ר׳, ־בֻיוֹת naughtiness, wildness

הִשְׁתַּוּוּת, נ׳, ר׳, ־וֻיוֹת likeness, similarity

הִשְׁתּוֹלֵל, פ"ח, ע' [שלל] to run wild, act senselessly
הִשְׁתּוֹמֵם, פ"ע, ע' [שמם] to be astounded, wonder
הִשְׁתּוֹמְמוּת, נ', ר', ־מֻיּוֹת astonishment
הִשְׁתּוֹנֵן, פ"ח, ע' [שנן] to be pierced
הִשְׁתּוֹקֵק, פ"ע, ע' [שקק] to desire
הִשְׁתּוֹקְקוּת, נ', ר', ־קֻיּוֹת desire, longing
הִשְׁתַּזֵּף, פ"ע, ע' [שזף] to become sunburned, tanned
הִשְׁתַּחֲוָה, פ"ע, ע' [שחה] to bow down, prostrate oneself, worship
הִשְׁתַּחֲוָיָה, הִשְׁתַּחֲוָאָה, נ', ר', ־וָיוֹת prostration
הִשְׁתַּחֵץ, פ"ח, ע' [שחץ] to be proud, arrogant
הִשְׁתַּחְרֵר, פ"ע, ע' [שחרר] to be set free; to liberate oneself
הִשְׁתַּטָּה, פ"ח, ע' [שטה] to become mad
הִשְׁתַּטֵּחַ, פ"ע, ע' [שטח] to stretch oneself out; to prostrate oneself
הִשְׁתַּטְּחוּת, נ', ר', ־חֻיּוֹת prostration
הִשְׁתַּיֵּךְ, פ"ח, ע' [שיך] to belong, be related to
הִשְׁתִּין, פ"ע, ע' [שתן] to urinate
הִשְׁתַּיֵּר, פ"ח, ע' [שיר] to be left over
הִשְׁתִּית, פ"י, ע' [שתת] to base, lay a foundation
הִשְׁתַּכַּח, פ"ח, ע' [שכח] to be forgotten
הִשְׁתַּכְלֵל, פ"ע, ע' [שכלל] to be completed; be fully equipped
הִשְׁתַּכֵּר, פ"ע, ע' [שכר] to make oneself drunk
הִשְׁתַּכֵּר, פ"ע, ע' [שכר] to be paid, earn wages

הִשְׁתַּכְּרוּת, נ', ר', ־רֻיּוֹת drunkenness
הִשְׁתַּלֵּט, פ"ח, ע' [שלט] to have control over, rule, be master of
הִשְׁתַּלֵּם, פ"ע, ע' [שלם] to be complete; to complete an education; to be profitable
הִשְׁתַּלְּמוּת, נ', ר', ־מֻיּוֹת perfecting; (educational) finish
הִשְׁתַּלְשֵׁל, פ"ח, ע' [שלשל] to be evolved, developed; to let down
הִשְׁתַּלְשְׁלוּת, נ', ר', ־לֻיּוֹת evolution, development
הִשְׁתַּמֵּד, פ"ח, ע' [שמד] to convert
הִשְׁתַּמֵּט, פ"ח, ע' [שמט] to slip away, evade
הִשְׁתַּמְּטוּת, נ', ר', ־טֻיּוֹת evasion
הִשְׁתַּמֵּר, פ"ח, ע' [שמר] to be on one's guard; to be guarded
הִשְׁתַּמֵּשׁ, פ"ע, ע' [שמש] to be used; to make use of
הִשְׁתַּמְּשׁוּת, נ', ר', ־שֻׁיּוֹת usage
הַשְׁתָּנָה, נ', ר', ־נוֹת urinating
הִשְׁתַּנָּה, פ"ע, ע' [שנה] to change oneself, be changed
הִשְׁתַּנּוּת, נ', ר', ־נֻיּוֹת change
הִשְׁתַּנֵּק, פ"ח, ע' [שנק] to strangle oneself
הִשְׁתַּעְבֵּד, פ"ע, ע' [שעבד] to be subjected, be enslaved
הִשְׁתַּעְבְּדוּת, נ', ר', ־דֻיּוֹת subjection, enslavement
הִשְׁתָּעָה, פ"ח, ע' [שעה] to gaze about, look at each other
הִשְׁתָּעֵל, פ"ע, ע' [שעל] to cough
הִשְׁתָּעֵר, פ"ח, ע' [שער] to take by storm, attack violently
הִשְׁתָּעֲרוּת, נ', ר', ־רֻיּוֹת storming

הִשְׁתַּעֲשֵׁעַ, פ"ע, ע' [שעשע] to play; to take delight, enjoy pleasure
הִשְׁתַּעַשְׁעוּת, נ', ר', ־עֻיּוֹת playing, amusing oneself
הִשְׁתַּפֵּךְ, פ"ע, ע' [שפך] to pour itself out, be poured out
הִשְׁתַּפְּכוּת, נ', ר', ־כֻיּוֹת effusion, pouring out
הִשְׁתַּפֵּר, פ"ע, ע' [שפר] to improve oneself
הִשְׁתַּקֵּעַ, פ"ע, ע' [שקע] to be settled; to be forgotten; to settle down
הִשְׁתַּקְּעוּת, נ', ר', ־עֻיּוֹת settlement; sinking
הִשְׁתַּקֵּף, פ"ע, ע' [שקף] to be seen through, be reflected
הִשְׁתַּקְּפוּת, נ', ר', ־פֻיּוֹת reflection; transparence
הִשְׁתַּקְשֵׁק, פ"ח, ע' [שקשק] to run to and fro
הִשְׁתָּרֵב, פ"ח, ע' [שרב] to be overcome by heat
הִשְׁתָּרְגוּת, נ', ר', ־גֻיּוֹת entanglement
הִשְׁתָּרַע, פ"ח, ע' [שרע] to stretch oneself out
הִשְׁתָּרֵר, פ"ח, ע' [שרר] to dominate, have control over, prevail
הִשְׁתָּרֵשׁ, פ"ח, ע' [שרש] to take root; to be implanted
הִשְׁתַּתֵּף, פ"ע, ע' [שתף] to become a partner, take part, participate
הִשְׁתַּתְּפוּת, נ', ר', ־פֻיּוֹת participation
הִשְׁתַּתֵּק, פ"ע, ע' [שתק] to become silent, numb, paralyzed
הִתְאַבֵּד, פ"ע, ע' [אבד] to commit suicide, destroy oneself
הִתְאַבְּדוּת, נ', ר', ־דֻיּוֹת self-destruction, suicide

הִתְאַבֵּךְ, פ"ע, ע' [אבך] to thicken; to mix; to rise (smoke)
הִתְאַבְּכוּת, נ', ר', ־כֻיּוֹת condensation
הִתְאַבֵּל, פ"ע, ע' [אבל] to mourn, lament
הִתְאַבְּלוּת, נ', ר', ־לֻיּוֹת mourning
הִתְאַבֵּן, פ"ע, ע' [אבן] to be petrified
הִתְאַבְּנוּת, נ', ר', ־נֻיּוֹת petrification, fossilization
הִתְאַבֵּק, פ"ע, ע' [אבק] to be covered with dust; to wrestle
הִתְאַבְּקוּת, נ', ר', ־קֻיּוֹת struggling, wrestling
הִתְאַגְרֵף, פ"ע, ע' [אגרף] to box
הִתְאַגְרְפוּת, נ', ר', ־פֻיּוֹת boxing
הִתְאַדּוּת, נ', ר', ־דֻיּוֹת evaporation
הִתְאַדֵּם, פ"ח, ע' [אדם] to blush, flush, grow red
הִתְאַדְּמוּת, נ', ר', ־מֻיּוֹת erubescence
הִתְאַהֵב, פ"ע, ע' [אהב] to fall in love
הִתְאַהֲבוּת, נ', ר', ־בֻיּוֹת falling in love
הִתְאַוָּה, פ"ח, ע' [אוה] to long for, aspire, crave
הִתְאוֹנֵן, פ"ע, ע' [אנן] to murmur, complain
הִתְאוֹנְנוּת, נ', ר', ־נֻיּוֹת complaining, complaint
הִתְאַזֵּר (עֹז), פ"ע, ע' [אזר] to overcome; to strengthen oneself
הִתְאַזְרְחוּת, נ', ר', ־חֻיּוֹת naturalization
הִתְאַחֵד, פ"ע, ע' [אחד] to become one, unite; to join
הִתְאַחֲדוּת, נ', ר', ־דֻיּוֹת uniting oneself; union, association
הִתְאַחֵז, פ"ח, ע' [אחז] to settle (in)

הִתְאַחֲווּת, נ׳, ר׳, ־וְיוֹת possessing (land)
הִתְאַחֲרוּת, נ׳, ר׳, ־רְיוֹת tarrying
הִתְאַיְּדוּת, נ׳, ר׳, ־דְיוֹת evaporation
הִתְאַכְזֵב, פ״ח, ע׳ [אכזב] to be disappointed
הִתְאַכְזְרוּת, נ׳, ר׳, ־רְיוֹת being cruel, cruelty
הִתְאַכְּלוּת, נ׳, ר׳, ־לְיוֹת digestion
הִתְאַכְסֵן, פ״ח, ע׳ [אכסן] to stay as guest
הִתְאַכֵּר, פ״ח, ע׳ [אכר] to be (become) a farmer
הִתְאַלְמֵן, פ״ח, ע׳ [אלמן] to become a widower
הִתְאִים, פעו״י, ע׳ [תאם] to agree, conform, be fitting
הֶתְאֵם, ז׳, הַתְאָמָה, נ׳, ר׳, ־מִים, הַתְאָמוֹת agreement, accord, harmony
הִתְאַמֵּן, פ״ח, ע׳ [אמן] to practice, train oneself
הִתְאַמֵּץ, פ״ח, ע׳ [אמץ] to make an effort, be determined, exert oneself
הִתְאַמְּצוּת, נ׳, ר׳, ־צֻיוֹת exertion, effort
הִתְאַמֵּר, פ״ח, ע׳ [אמר] to rise (prices); to boast, pretend
הִתְאַמְּתוּת, נ׳, ר׳, ־תֻיוֹת verification
הִתְאַנָּה, פ״ח, ע׳ [אנה] to find an excuse, pretext
הִתְאַסְלֵם, פ״ח, ע׳ [אסלם] to become a Moslem
הִתְאַסֵּף, פ״ח, ע׳ [אסף] to assemble, gather
הִתְאַפֵּק, פ״ח, ע׳ [אפק] to restrain oneself, refrain

הִתְאַפְּקוּת, נ׳, ר׳, ־קֻיוֹת restraint
הִתְאַפֵּר, פ״ח, ע׳ [אפר] to make oneself up
הִתְאַפְשֵׁר, פ״ח, ע׳ [אפשר] to become possible
הִתְאַקְלֵם, פ״ח, ע׳ [אקלם] to become acclimated
הִתְאַקְלְמוּת, נ׳, ר׳, ־מֻיוֹת acclimatization
הִתְאַרְגֵּן, פ״ח, ע׳ [ארגן] to become organized
הִתְאָרַח, פ״ח, ע׳ [ארח] to stay as a guest
הִתְאָרֵס, פ״ח, ע׳ [ארס] to become engaged, be betrothed
הִתְאַשֵּׁר, פ״ח, ע׳ [אשר] to congratulate; to be confirmed, ratified
הִתְאוֹשֵׁשׁ, פ״ח, ע׳ [אשש] to recuperate
הִתְבָּאֵר, פ״ח, ע׳ [באר] to become clear
הִתְבַּגֵּר, פ״ח, ע׳ [בגר] to reach adolescence
הִתְבַּגְּרוּת, נ׳, ר׳, ־רֻיוֹת puberty, adolescence
הִתְבַּדָּה, פ״ח, ע׳ [בדה] to be caught lying
הִתְבַּדֵּחַ, פ״ח, ע׳ [בדח] to become joyful; to joke
הִתְבַּדֵּל, פ״ח, ע׳ [בדל] to isolate oneself, dissociate oneself, segregate
הִתְבַּדְּלוּת, נ׳, ר׳, ־לֻיוֹת isolation; segregation
הִתְבַּדֵּר, פ״ח, ע׳ [בדר] to be scattered, dispersed; to clear one's mind
הִתְבּוֹדֵד, פ״ח, ע׳ [בדד] to be alone, seclude oneself

הִתְבּוֹדְדוּת, נ׳, ר׳, ־דֻיּוֹת solitude, loneliness

הִתְבּוֹלֵל, פ״ע, ע׳ [בלל] to assimilate

הִתְבּוֹלְלוּת, נ׳, ר׳, ־לֻיּוֹת mixing oneself, assimilation

הִתְבּוֹנֵן, פ״ע, ע׳ [בין] to look attentively; to consider, study, reflect, contemplate

הִתְבּוֹנְנוּת, נ׳, ר׳, ־נֻיּוֹת meditation, reflection

הִתְבּוֹסֵס, פ״ח, ע׳ [בוס] to be rolling

הִתְבּוֹשֵׁשׁ, פ״ע, ע׳ [בוש] to be ashamed; to be late

הִתְבַּזָּה, פ״ח, ע׳ [בזה] to degrade oneself; to be despised

הִתְבַּזּוּת, נ׳, ר׳, ־זֻיּוֹת self-debasement

הִתְבַּטֵּא, פ״ח, ע׳ [בטא] to express oneself

הִתְבַּטְבֵּט, פ״ח, ע׳ [בטבט] to swell

הִתְבַּטֵּל, פ״ח, ע׳ [בטל] to be abolished; to be interrupted

הִתְבַּטְּלוּת, נ׳, ר׳, ־לֻיּוֹת self-deprecation; loafing

הִתְבַּיֵּשׁ, פ״ח, ע׳ [בוש] to be ashamed

הִתְבַּלְבֵּל, פ״ח, ע׳ [בלבל] to become confused

הִתְבַּלְבְּלוּת, נ׳, ר׳, ־לֻיּוֹת becoming confused

הִתְבַּלֵּט, פ״ח, ע׳ [בלט] to be prominent, eminent

הִתְבַּסֵּס, פ״ח, ע׳ [בסס] to be consolidated, be established

הִתְבָּעֵר, פ״ח, ע׳ [בער] to be removed, cleared

הִתְבַּצֵּר, פ״ח, ע׳ [בצר] to fortify oneself, strengthen oneself

הִתְבַּקַּע, פ״ח, ע׳ [בקע] to burst open, cleave asunder

הִתְבַּקֵּשׁ, פ״ח, ע׳ [בקש] to be asked, sought, summoned

הִתְבָּרֵךְ, פ״ח, ע׳ [ברך] to be blessed, bless oneself

הִתְבָּרֵר, פ״ח, ע׳ [ברר] to purify oneself, be pure, be made clear

הִתְבַּשֵּׁל, פ״ח, ע׳ [בשל] to be well boiled; to become ripe

הִתְבַּשֵּׂם, הִתְבַּסֵּם, פ״ח, ע׳ [בשם] to be perfumed; to be tipsy

הִתְגָּאָה, פ״ח, ע׳ [גאה] to be proud, exalted; to boast

הִתְגָּאוּת, נ׳, ר׳, ־אֻיּוֹת arrogance, conceit

הִתְגָּאֵל, פ״ח, ע׳ [גאל] to defile oneself

הִתְגַּבֵּר, פ״ח, ע׳ [גבר] to strengthen oneself

הִתְגַּבְּרוּת, נ׳, ר׳, ־רֻיּוֹת strengthening oneself

הִתְגַּבֵּשׁ, פ״ח, ע׳ [גבש] to become crystallized; to become definite (opinions)

הִתְגַּבְּשׁוּת, נ׳, ר׳, ־שֻׁיּוֹת crystallization

הִתְגַּדֵּל, פ״ח, ע׳ [גדל] to praise oneself, boast

הִתְגַּדְּלוּת, נ׳, ר׳, ־דְּלֻיּוֹת self-aggrandizement

הִתְגַּדֵּר, פ״ח, ע׳ [גדר] to be proficient; to distinguish oneself; to boast

הִתְגּוֹדֵד, פ״ח, ע׳ [גדד] to cut oneself

הִתְגּוֹדְדוּת, נ׳, ר׳, ־דֻיּוֹת itching

הִתְגּוֹרֵר, פ״ח, ע׳ [גרר] to dwell, burst forth

הִתְגּוֹשֵׁשׁ, פ״ח, ע׳ [גשש] to wrestle

הִתְגּוֹשְׁשׁוּת, נ׳, ר׳, ־שֻׁיּוֹת wrestling, gymnastics

הִתְגַּיֵּס, פ"ח, ע' [גיס] to join (army, etc.)

הִתְגַּיֵּר, פ"ח, ע' [גיר] to become a proselyte (to Judaism)

הִתְגַּלְגֵּל, פ"ח, ע' [גלגל] to roll, turn; to wander

הִתְגַּלְגְּלוּת, נ', ר', ־לֻיּוֹת rolling

הִתְגַּלּוּת, נ', ר', ־לֻיּוֹת uncovering; revelation

הִתְגַּלֵּחַ, פ"ח, ע' [גלח] to shave oneself

הִתְגַּלְּחוּת, נ', ר', ־חֻיּוֹת shaving

הִתְגַּלֵּם, פ"ח, ע' [גלם] to be embodied

הִתְגַּלְּמוּת, נ', ר', ־מֻיּוֹת embodiment

הִתְגַּלַּע, הִתְגַּלֵּעַ, פ"ח, ע' [גלע] to break out (quarrel)

הִתְגַּמֵּל, פ"ח, ע' [גמל] to deprive oneself; to wean oneself

הִתְגַּנֵּב, פ"ח, ע' [גנב] to steal away

הִתְגַּנְדֵּר, פ"ח, ע' [גנדר] to dress up, decorate oneself

הִתְגַּנְדְּרוּת, נ', ר', ־דְּרֻיּוֹת gaudiness

הִתְגַּנּוּת, נ', ר', ־נֻיּוֹת indecency

הִתְגָּאֵל, פ"ח, ע' [געל] to be soiled

הִתְגָּעֵשׁ, פ"ח, ע' [געש] to toss; to reel

הִתְגָּעֲשׁוּת, נ', ר', ־שֻׁיּוֹת eruption, excitation

הִתְגָּרֵד, פ"ח, ע' [גרד] to scratch, scrape oneself

הִתְגָּרָה, פ"ח, ע' [גרה] to provoke, excite oneself, start a quarrel

הִתְגָּרוּת, נ', ר', ־רֻיּוֹת engaging in strife, challenge

הִתְגָּרֵשׁ, פעו"י, ע' [גרש] to be divorced; to divorce

הִתְגַּשְּׁמוּת, נ', ר', ־מֻיּוֹת realization, embodiment

הִתְדַּבֵּק, פ"ח, ע' [דבק] to be joined together; to be infected

הִתְדַּבְּקוּת, נ', ר', ־קֻיּוֹת attachment; infection

הִתְדַּלְדֵּל, פ"ח, ע' [דלדל] to be reduced to poverty

הִתְדַּלְדְּלוּת, נ', ר', ־לֻיּוֹת impoverishment

הִתְדַּמּוּת, נ', ר', ־מֻּיּוֹת resemblance

הִתְדַּפֵּק, פ"ח, ע' [דפק] to beat, knock violently

הִתְדַּשֵּׁן, פ"ח, ע' [דשן] to grow fat

הִתְהַדֵּר, פ"ח, ע' [הדר] to decorate oneself, dress up

הִתְהַדְּרוּת, נ', ר', ־רֻיּוֹת gaudiness

הִתְהַוּוּת, נ', ר', ־וֻיּוֹת formation

הִתְהוֹלְלוּת, נ', ר', ־לֻיּוֹת riotousness

הִתְהַפְּכוּת, נ', ר', ־כֻיּוֹת change, transformation

הִתְוַדָּה, פ"ע, ע' [ידה] to confess

הִתְוַדַּע, פ"ע, ע' [ידע] to become known, acquainted

הִתְוַדְּעוּת, נ', ר', ־עֻיּוֹת making oneself known, making acquaintance

הִתְוַדָּה, פ"ח, ע' [ידה] to confess

הִתְוָה, פ"י, ע' [תוה] to set a mark; to outline

הִתּוּךְ, ז', ר', ־כִים smelting

הִתְוַכֵּחַ, פ"ע, ע' [יכח] to argue, dispute

הִתְוַכְּחוּת, נ', ר', ־חֻיּוֹת discussion

הִתּוּל, ז', ר', ־לִים sarcasm, mockery

הִתּוּלִי, ת"ז, ־לִית, ת"נ sarcastic, ironical

הֲתוּלִים, ז"ר mockery

הִתְוַעֵד, פ"ח, ע' [ועד] to assemble, meet

הִתְוַעֲדוּת, נ׳, ר׳, ־דֻיוֹת meeting together

הֵתַז, פ״י, ע׳ [תזז] to chop, strike off

הַתָּזָה, נ׳, ר׳, ־זוֹת chopping

הִתְחַבֵּב, פ״ח, ע׳ [חבב] to be liked, loved

הִתְחַבֵּט, פ״ח, ע׳ [חבט] to exert oneself

הִתְחַבֵּר, פ״ח, ע׳ [חבר] to become joined

הִתְחַבְּרוּת, נ׳, ר׳, ־רֻיוֹת union

הִתְחַדֵּשׁ, פ״ח, ע׳ [חדש] to be renewed

הִתְחַדְּשׁוּת, נ׳, ר׳, ־שֻׁיוֹת renovation, renewal

הִתְחַזֵּק, פ״ח, ע׳ [חזק] to strengthen oneself; to take courage

הִתְחַזְּקוּת, נ׳, ר׳, ־קֻיוֹת growing strong

הִתְחַיְּבוּת, נ׳, ר׳, ־בֻיוֹת obligation, undertaking a duty

הִתְחַיֵּב, פ״ח, ע׳ [חיב] to undertake (an obligation); to pledge oneself

הִתְחַכְּכוּת, נ׳, ר׳, ־כֻיוֹת rubbing, friction

הִתְחַכְּמוּת, נ׳, ר׳, ־מֻיוֹת display of wisdom, sophistry

הַתְחָלָה נ׳, ר׳, ־לוֹת beginning

הִתְחַלָּה, פ״ע, ע׳ [חלה] to feign sickness

הַתְחָלִי, ת״ז, ־לִית, ת״נ elementary

הִתְחַלֵּף, פ״ח, ע׳ [חלף] to be altered, transformed

הִתְחַלְּפוּת, נ׳, ר׳, ־פֻיוֹת change

הִתְחַלְּקוּת, נ׳, ר׳, ־קֻיוֹת slipping; division

הִתְחַמֵּם, פ״ח, ע׳ [חמם] to warm oneself

הִתְחַמְּמוּת, נ׳, ר׳, ־מֻיוֹת becoming warm

הִתְחַמֵּץ, פ״ח, ע׳ [חמץ] to be soured; to be degenerate

הִתְחַמְּצוּת, נ׳, ר׳, ־צֻיוֹת souring; degeneration

הִתְחַמֵּק, פ״ח, ע׳ [חמק] to turn hither and thither; to evade; to go slumming

הִתְחַמֵּשׁ, פ״ח, ע׳ [חמש] to arm oneself

הִתְחַנֵּךְ, פ״ח, ע׳ [חנך] to educate oneself; to be dedicated

הִתְחַנֵּן, פ״ח, ע׳ [חנן] to implore, supplicate; to find favor

הִתְחַסֵּד, פ״ח, ע׳ [חסד] to be kind; to feign piety

הִתְחַסְּדוּת, נ׳, ר׳, ־דֻיוֹת bigotry

הִתְחַסֵּם, פ״ח, ע׳ [חסם] to be tempered

הִתְחַסֵּר, פ״ח, ע׳ [חסר] to dwindle, be reduced

הִתְחַפֵּשׂ, פ״ח, ע׳ [חפש] to disguise, hide oneself

הִתְחַפְּשׂוּת, נ׳, ר׳, ־שֻׂיוֹת disguising

הִתְחַצֵּף, פ״ח, ע׳ [חצף] to be impudent

הִתְחַקָּה, פ״ח, ע׳ [חקה] to trace, investigate

הִתְחַקּוּת, נ׳, ר׳, ־קֻיוֹת tracing, investigation

הִתְחָרָה, פ״ח, ע׳ [חרה] to compete, rival

הִתְחָרוּת, נ׳, ר׳, ־רֻיוֹת rivalry, competition, contest

הִתְחָרֵט, פ״ע, ע׳ [חרט] to repent

הִתְחָרְטוּת, נ׳, ר׳, ־טֻיוֹת remorse, repentance

הִתְחָרֵשׁ, פ״ח, ע׳ [חרש] to whisper; to become deaf

הִתְחַשֵּׁב, פ"ח, ע' [חשב] to be considered, esteemed, taken into consideration
הִתְחַשְּׁבוּת, נ', ר', ־בֻיּוֹת consideration
הִתְחַשֵּׁק, פ"ח, ע' [חשק] to be lustful
הִתְחַתֵּן, פ"ח, ע' [חתן] to get married, be related by marriage
הִתְחַתְּנוּת, נ', ר', ־נֻיּוֹת contractual agreement for marriage
הִתְיָאֵשׁ, פ"ח, ע' [יאש] to despair
הִתְיַבְּשׁוּת, נ', ר', ־שֻׁיּוֹת drying up
הִתְיַדֵּד, פ"ח, ע' [ידד] to befriend, become friendly
הִתְיַהֵד, פ"ח, ע' [יהד] to become a Jew
הִתְיַהֲדוּת, נ', ר', ־דֻיּוֹת becoming Jewish
הִתְיַהֵר, פ"ח, ע' [יהר] to be haughty, arrogant
הִתְיַוֵּן, פ"ח, ע' [יון] to become Hellenized
הִתִּיז, פ"י, ע' [נתז] to chop off; to sprinkle; to articulate distinctly
הִתְיַחֵד, פ"ח, ע' [יחד] to commune with
הִתְיַחֲדוּת, נ', ר', ־דֻיּוֹת being alone with; communion
הִתְיַחֵס, פ"ח, ע' [יחס] to behave towards
הִתְיַחֲסוּת, נ', ר', ־סֻיּוֹת relationship
הִתְיַחֵשׂ, פ"ח, ע' [יחש] to be enrolled in genealogical records
הִתִּיךְ, פ"י, ע' [נתך] to pour out; to melt
הִתְיַלֵּד, פ"ח, ע' [ילד] to declare one's pedigree; to be born

הִתְיַמֵּר, פ"ח, ע' [ימר] to boast; to pretend
הִתְיַסְּדוּת, נ', ר', ־דֻיּוֹת founding
הִתְיָעֵץ, פ"ח, ע' [יעץ] to consult
הִתְיָעֲצוּת, נ', ר', ־צֻיּוֹת taking counsel, consultation
הִתְיַפּוּת, נ', ר', ־פֻיּוֹת beautifying
הִתְיַפֵּחַ, פ"ח, ע' [יפח] to cry out bitterly, bewail
הִתְיַצֵּב, פ"ח, ע' [יצב] to endure; to station oneself
הִתְיַצְּבוּת, נ', ר', ־בֻיּוֹת presenting oneself (in army); stabilizing
הִתִּיר, פ"י, ע' [נתר] to loosen; to permit
הִתִּישׁ, פ"י, ע' [נתש] uproot, destroy
הִתְיַשְּׁבוּת, נ', ר', ־בֻיּוֹת settlement, deliberation
הִתְיַשְּׁרוּת, נ', ר', ־רֻיּוֹת straightening
הִתְכַּבֵּד, פ"ח, ע' [כבד] to amass wealth; to be received
הַתָּכָה, נ', ר', ־כוֹת melting
הִתְכַּוֵּן, פ"ח, ע' [כון] to intend, mean
הִתְכּוֹנְנוּת, נ', ר', ־נֻיּוֹת preparing, readiness
הִתְכַּוֵּץ, פ"ח, ע' [כוץ] to become shrunk, contract
הִתְכַּוְּצוּת, נ', ר', ־צֻיּוֹת contraction, shrinking
הִתְכַּחֲשׁוּת, נ', ר', ־שֻׁיּוֹת denial, being false
הִתְכַּנְּסוּת, נ', ר', ־סֻיּוֹת concentration
הִתְכַּסָּה, פ"ח, ע' [כסה] to clothe oneself
הִתְכַּסּוּת, נ', ר', ־סֻיּוֹת covering
הִתְכַּתֵּב, פ"ח, ע' [כתב] to correspond
הִתְכַּתְּשׁוּת, נ', ר', ־שֻׁיּוֹת brawl
הֵתֵל, הֵתֵל, פ"י to mock, deceive

הִתְלַבֵּט, פ"ח, ע' [לבט] to toil; to be in trouble
הִתְלַבְּנוּת, נ', ר', ־נֻיּוֹת whitening (of metal); clarification
הִתְלַבְּשׁוּת, נ', ר', ־שֻׁיּוֹת dressing
הִתְלַהֵב, פ"ח, ע' [להב] to be enthusiastic
הִתְלַהֲבוּת, נ', ר', ־בֻיּוֹת enthusiasm; inspiration
הִתְלַהֲטוּת, נ', ר', ־טֻיּוֹת scorching (of metals)
הִתְלַהְלֵהַּ, פ"ח, ע' [להלה] to play the fool, behave madly
הִתְלַהֵם, פ"ח, ע' [להם] to strike, give blow
הִתְלוֹנֵן, פ"ח, ע' [לון] to dwell; to seek shelter; to complain
הִתְלוֹנְנוּת, נ', ר', ־נֻיּוֹת complaining
הִתְלוֹצֵץ, פ"ח, ע' [ליץ] to joke
הִתְלוֹצְצוּת, נ', ר', ־צֻיּוֹת mockery
הִתְלַחְלֵחַ, פ"ח, ע' [לחלח] become moist, damp
הִתְלִיעַ, פ"ע, ע' [תלע] to be worm-eaten
הִתְלַכֵּד, פ"ח, ע' [לכד] to unite, integrate
הִתְלַכְּדוּת, נ', ר', ־דֻיּוֹת uniting, merger
הִתְלַמֵּד, פ"ח, ע' [למד] to study by oneself
הַתְלָעָה, נ', ר', ־עוֹת being worm-eaten; rottenness
הִתְלַפֵּד, פ"ח, ע' [לפד] to glitter, sparkle
הִתְלַקְּחוּת, נ', ר', ־חֻיּוֹת catching on fire
הֵתַם, פ"י, ע' [תמם] to finish; to make perfect

הִתְמַגֵּן, פ"ח, ע' [מגן] to shield oneself
הַתְמָדָה, נ', ר', ־דוֹת diligence, perseverance
הִתְמַהְמֵהַּ, פ"ח, ע' [מהמה] to linger, hesitate; to be late
הִתְמַהְמְהוּת, נ', ר', ־הֻיּוֹת tarrying, lingering
הִתְמוֹגֵג, פ"ח, ע' [מוג] to melt away, flow
הִתְמוֹגְגוּת, נ', ר', ־גֻיּוֹת melting
הִתְמוֹדֵד, פ"ח, ע' [מדד] to stretch oneself out
הִתְמוֹטֵט, פ"ח, ע' [מוט] to disintegrate, collapse, depreciate
הִתְמוֹטְטוּת, נ', ר', ־טֻיּוֹת tottering, crumbling
הִתְמַזֵּג, פ"ח, ע' [מזג] to become mixed
הִתְמַזְּגוּת, נ', ר', ־גֻיּוֹת blending, fusion
הִתְמַזֵּל, פ"ח, ע' [מזל] to become lucky
הִתְמַזְמֵז, פ"ח, ע' [מזמז] to soften; to pet
הִתְמַזְמְזוּת, נ', ר', ־זֻיּוֹת petting
הִתְמַחָה, פ"ח, ע' [מחה] to specialize
הִתְמַחוּת, נ', ר', ־חֻיּוֹת becoming expert, specializing
הִתְמַטְמֵט, פ"ח, ע' [מטמט] to be crumbled; to totter, fall down
הִתְמִיד, פעו"י, ע' [תמד] to be diligent; to cause to be constant
הִתְמִיהַּ, פעו"י, ע' [תמה] to cause amazement, be amazed
הִתְמַכֵּר, פ"ח, ע' [מכר] to sell oneself; to devote oneself
הִתְמַכְּרוּת, נ', ר', ־רֻיּוֹת devotion, self-dedication

הִתְמַלֵּא, פ"ח, ע' [מלא] to become filled; to be gathered
הִתְמַלְּאוּת, נ', ר', ־אֻיּוֹת filling up; realization
הִתְמַלֵּט, פ"ח, ע' [מלט] to escape
הִתְמַלֵּל, פ"ח, ע' [מלל] to be pronounced, expressed
הִתַּמֵּם, פ"ח, ע' [תמם] to be innocent; to feign simplicity
הִתְמַמֵּשׁ, פ"ח, ע' [ממש] to become materialized
הִתְמַנּוּת, נ', ר', ־נֻיּוֹת appointment, nomination
הִתְמַסְמְסוּת, נ', ר', ־סֻיּוֹת melting, dissolution
הִתְמַסְּרוּת, נ', ר', ־רֻיּוֹת devoting oneself
הִתְמַעֵט, פ"ח, ע' [מעט] to be reduced, diminished
הִתְמַעֲטוּת, נ', ר', ־טֻיּוֹת lessening, diminution
הִתְמַעֵן, פ"ח, ע' [מען] to be humbled
הִתְמַצְאוּת, נ', ר', ־אֻיּוֹת orientation
הִתְמַצָּה, פ"ח, ע' [מצה] to drip out
הִתְמַקְמֵק, פ"ח, ע' [מקמק] to dissolve; to get weak bodily
הִתְמַרְמְרוּת, נ', ר', ־רֻיּוֹת embitterment
הִתְמָרֵק, פ"ח, ע' [מרק] to be purified; to be purged; to be digested
הִתְמָרֵר, פ"ח, ע' [מרר] to become bitter
הִתְמַשֵּׁךְ, פ"ח, ע' [משך] to extend, stretch out
הִתְמַשְּׁכוּת, נ', ר', ־כֻיּוֹת continuation
הִתְמַשֵּׁל, פ"ח, ע' [משל] to be likened; to become like

הִתְמַשֵּׁשׁ, פ"ח, ע' [משש] to become touchable
הִתְמַתֵּן, פ"ח, ע' [מתן] to do slowly, go easy
הִתְמַתֵּק, פ"ח, ע' [מתק] to become sweet, calm
הִתְנָאָה, פ"ח, ע' [נאה] to adorn oneself; to enjoy
הִתְנָאוּת, נ', ר', ־אֻיּוֹת beautifying oneself
הִתְנַבְּאוּת, נ', ר', ־אֻיּוֹת prophesying
הִתְנַבֵּל, פ"ח, ע' [נבל] to be disgraced
הִתְנַבֵּר, פ"ח, ע' [נבר] to act haughtily, cunningly
הִתְנַגֵּב, פ"ח, ע' [נגב] to be parched, dried up; to wipe oneself
הִתְנַגְּדוּת, נ', ר', ־דֻיּוֹת opposition, resistance
הִתְנַגְּחוּת, נ', ר', ־חֻיּוֹת butting in
הִתְנַגֵּן, פ"ח, ע' [נגן] to get played (automatically)
הִתְנַגֵּף, פ"ח, ע' [נגף] to strike (against); to stumble
הִתְנַגֵּשׁ, פ"ח, ע' [נגש] to draw near one another; to conflict, collide
הִתְנַגְּשׁוּת, נ', ר', ־שֻׁיּוֹת encounter; collision
הִתְנַדְּבוּת, נ', ר', ־בֻיּוֹת volunteering
הִתְנַדְנְדוּת, נ', ר', ־דֻיּוֹת swinging
הִתְנַדֵּף, פ"ח, ע' [נדף] to evaporate; to be blown away
הִתְנַדְּפוּת, נ', ר', ־פֻיּוֹת evaporation
הִתְנָה, פ"י, ע' [תנה] to stipulate, make a condition
הִתְנַהֵג, פ"ח, ע' [נהג] to conduct, behave oneself

הִתְנַהֲגוּת, נ׳, ר׳, ־גֻיּוֹת conduct, behavior

הִתְנַהֵל, פ״ח, ע׳ [נהל] to go on slowly; to be conducted

הִתְנוֹבֵב, פ״ח, ע׳ [נוב] to start growing

הִתְנוֹדֵד, פ״ח, ע׳ [נוד] to be moved; to sway, totter

הִתְנוֹדְדוּת, נ׳, ר׳, ־דֻיּוֹת swaying, tottering

הִתְנַוָּה, פ״ח, ע׳ [נוה] to be ostentatious; to adorn oneself

הִתְנַוְּנָה, פ״ח, ע׳ [נונה] to waste away, deteriorate

הִתְנַוְּנוּת, נ׳, ר׳, ־וְנֻיּוֹת degeneration, deterioration

הִתְנוֹעֲעוּת, נ׳, ר׳, ־עֻיּוֹת rocking, moving

הִתְנוֹפֵף, פ״ח, ע׳ [נוף] to be displayed as a banner; to flutter

הִתְנוֹצְצוּת, נ׳, ר׳, ־צֻיּוֹת shining, glittering

הִתְנַחֵל, פ״ח, ע׳ [נחל] to acquire as a possession

הִתְנַחֲמוּת, נ׳, ר׳, ־מֻיּוֹת consolation

הִתְנַכְּלוּת, נ׳, ר׳, ־לֻיּוֹת intriguing, plotting

הִתְנַכְּרוּת, נ׳, ר׳, ־כְּרֻיּוֹת estrangement

הִתְנַעֲרוּת, נ׳, ר׳, ־רֻיּוֹת getting up; shaking off

הִתְנַפֵּחַ, פ״ח, ע׳ [נפח] to put on airs

הִתְנַפֵּל, פ״ח, ע׳ [נפל] to attack, fall upon

הִתְנַפְּלוּת, נ׳, ר׳, ־לֻיּוֹת attack, assault

הִתְנַצְּלוּת, נ׳, ר׳, ־לֻיּוֹת apology

הִתְנַצֵּר, פ״ח, ע׳ [נצר] to become a Christian, be converted to Christianity

הִתְנַקְּשׁוּת, נ׳, ר׳, ־שֻׁיּוֹת plotting, laying snares

הִתְנַשֵּׂא, פ״ח, ע׳ [נשא] to lift oneself up, exalt oneself, rise

הִתְנַשְּׂאוּת, נ׳, ר׳, ־אֻיּוֹת self-elevation; self-exaltation

הִתְנַשְּׁמוּת, נ׳, ר׳, ־מֻיּוֹת breathing heavily

הִתְעַבּוּת, נ׳, ר׳, ־בֻּיּוֹת thickening; condensation

הִתְעַבֵּר, פ״ח, ע׳ [עבר] to be enraged; to become pregnant

הִתְעַבְּרוּת, נ׳, ר׳, ־רֻיּוֹת becoming pregnant; becoming enraged

הִתְעוֹרְרוּת, נ׳, ר׳, ־רֻיּוֹת awakening, stirring

הִתְעַטְּפוּת, נ׳, ר׳, ־פֻיּוֹת wrapping oneself

הִתְעַטֵּשׁ, פ״ח, ע׳, [עטש] to sneeze

הַתְעָיָה, נ׳, ר׳, ־יוֹת deception

הִתְעַכְּבוּת, נ׳, ר׳, ־בֻיּוֹת delay

הִתְעַלּוּת, נ׳, ר׳, ־לֻיּוֹת raising oneself, exaltation

הִתְעַלֵּל, פ״ח, ע׳ [עלל] to act ruthlessly

הִתְעַלְּמוּת, נ׳, ר׳, ־מֻיּוֹת shutting one's eyes; hiding oneself

הִתְעַלֵּף, פ״ח, ע׳ [עלף] to faint; to cover oneself, wrap oneself

הִתְעַלְּפוּת, נ׳, ר׳, ־פֻיּוֹת swoon, faint

הִתְעַמֵּל, פ״ח, ע׳ [עמל] to perform physical exercises

הִתְעַמְּלוּת, נ׳, ר׳, ־לֻיּוֹת exercising, gymnastics

הִתְעַמֵּק, פ״ח, ע׳ [עמק] to think deeply, ponder

הִתְעַמֵּר, פ״ח, ע׳ [עמר] to deal tyrannically

הִתְעַנְּגוּת, נ׳, ר׳, ־גֻיּוֹת amusement
הִתְעַנֵּן, פ״ח, ע׳ [ענן] to become cloudy
הִתְעַנּוּת, נ׳, ר׳, ־נֻיּוֹת suffering; fasting
הִתְעַנְיְנוּת, נ׳, ר׳, ־נֻיּוֹת interest
הִתְעַסְּקוּת, נ׳, ר׳, ־קֻיּוֹת dealing
הִתְעַצְּבוּת, נ׳, ר׳, ־בֻיּוֹת sorrowing, sorrow
הִתְעַצְּלוּת, נ׳, ר׳, ־לֻיּוֹת laziness, indolence
הִתְעַקֵּם, פ״ח, ע׳ [עקם] to become crooked (bent)
הִתְעַקְּמוּת, נ׳, ר׳, ־מֻיּוֹת crookedness
הִתְעַקֵּשׁ, פ״ח, ע׳ [עקש] to be obstinate
הִתְעַקְּשׁוּת, נ׳, ר׳, ־שֻׁיּוֹת obstinacy, stubbornness
הִתְעָרֵב, פ״ח, ע׳ [ערב] to inter-mingle; to interfere; to bet
הִתְעָרְבוּת, נ׳, ר׳, ־בֻיּוֹת meddling, interference; betting
הִתְעָרָה, פ״ח, ע׳ [ערה] to make naked; to spread oneself
הִתְעַשֵּׁת, פ״ח, ע׳ [עשת] to think, bethink, consider
הִתְפָּאֵר, פ״ח, ע׳ [פאר] to boast
הִתְפָּאֲרוּת, נ׳, ר׳, ־רֻיּוֹת boasting
הִתְפַּזְּרוּת, נ׳, ר׳, ־רֻיּוֹת dispersion
הִתְפַּחֲמוּת, נ׳, ר׳, ־מֻיּוֹת carbonization; electrocution
הִתְפַּטֵּר, פ״ח, ע׳ [פטר] to resign
הִתְפַּטְּרוּת, נ׳, ר׳, ־רֻיּוֹת resignation
הִתְפַּכְּחוּת, נ׳, ר׳, ־חֻיּוֹת sobering
הִתְפַּלֵּא, פ״ח, ע׳ [פלא] to wonder, be surprised
הִתְפַּלְּאוּת, נ׳, ר׳, ־אֻיּוֹת wonder, surprise

הִתְפַּלְּגוּת, נ׳, ר׳, ־גֻיּוֹת division, schism
הִתְפַּלֵּל, פ״ח, ע׳ [פלל] to pray
הִתְפַּלְמֵס, פ״ח, ע׳ [פלמס] to dispute
הִתְפַּלְסֵף, פ״ח, ע׳ [פלסף] to philosophize
הִתְפַּלֵּשׁ, פ״ח, ע׳ [פלש] to roll in
הִתְפַּעֵל, ז׳ hithpa'el, the reflexive form of the intensive stem of the Hebrew verb
הִתְפַּעֵל, פ״ח, ע׳ [פעל] to be impressed, affected
הִתְפַּעֲלוּת, נ׳, ר׳, ־לֻיּוֹת emotion; rapture
הִתְפָּעֵם, פ״ח, ע׳ [פעם] to be troubled
הִתְפַּצֵּל, פ״ח, ע׳ [פצל] to form branches
הִתְפַּקֵּד, פ״ח, ע׳ [פקד] to be mustered
הִתְפָּרֵד, פ״ח, ע׳ [פרד] to be separated from each other; to be scattered
הִתְפָּרְדוּת, נ׳, ר׳, ־דֻיּוֹת separation; decomposition
הִתְפַּרְסְמוּת, נ׳, ר׳, ־מֻיּוֹת becoming renowned
הִתְפָּרְצוּת, נ׳, ר׳, ־צֻיּוֹת outbreak
הִתְפָּרֵק, פ״ח, ע׳ [פרק] to be dismembered
הִתְפַּשֵּׁט, פ״ח, ע׳ [פשט] to undress; to be spread
הִתְפַּשְּׁטוּת, נ׳, ר׳, ־טֻיּוֹת expansion, spreading
הִתְפַּשֵּׁר, פ״ח, ע׳ [פשר] to be settled
הִתְפַּשְּׁרוּת, נ׳, ר׳, ־רֻיּוֹת compromising
הִתְפַּתֵּחַ, פ״ח, ע׳ [פתח] to develop oneself

הִתְפַּתְּחוּת, נ׳, ר׳, ־חֻיּוֹת development

הִתְפַּתֵּל, פ״ח, ע׳ [פתל] to deal tortu ously

הִתְקַבְּצוּת, נ׳, ר׳, ־צֻיּוֹת gathering; assembling

הִתְקַדֵּם, פ״ח, ע׳ [קדם] to progress

הִתְקַדְּמוּת, נ׳, ר׳, ־מֻיּוֹת progress

הִתְקַדֵּשׁ, פ״ח, ע׳ [קדש] to become sanctified

הִתְקַדְּשׁוּת, נ׳, ר׳, ־שֻׁיּוֹת sanctification

הִתְקוֹטֵט, פ״ח, ע׳ [קטט] to quarrel

הִתְקוֹטְטוּת, נ׳, ר׳, ־טֻיּוֹת quarreling

הִתְקוֹמֵם, פ״ח, ע׳ [קום] to rise against, revolt

הִתְקוֹמְמוּת, נ׳, ר׳, ־מֻיּוֹת uprising

הִתְקַטֵּעַ, פ״ח, ע׳ [קטע] to be crippled

הִתְקִין, פ״י, ע׳ [תקן] to prepare; to ordain; to establish

הִתְקַעֲקַע, פ״ח, ע׳ [קעקע] to be uprooted

הַתְקָפָה, נ׳, ר׳, ־פוֹת attack, assault

הִתְקַפְּלוּת, נ׳, ר׳, ־לֻיּוֹת folding up

הִתְקַצֵּף, פ״ח, ע׳ [קצף] to become angry

הִתְקַצְּפוּת, נ׳, ר׳, ־פֻיּוֹת becoming angry

הִתְקָרְבוּת, נ׳, ר׳, ־בֻיּוֹת coming near, approaching

הִתְקָרֵר, פ״ח, ע׳ [קרר] to catch cold

הִתְקָרְרוּת, נ׳, ר׳, ־רֻיּוֹת cooling off

הִתְקַשׁוּת, נ׳, ר׳, ־שֻׁיּוֹת hardening

הִתְקַשֵּׁט, פ״ח, ע׳ [קשט] to adorn oneself

הִתְקַשֵּׁר, פ״ח, ע׳ [קשר] to become attached; to get in touch with

הִתְקַשְּׁרוּת, נ׳, ר׳, ־רֻיּוֹת binding together, combination

הֶתֵּר, ז׳, ר׳, ־רִים loosening; permission

הִתְרָאָה, פ״ח, ע׳ [ראה] to see one another; to show oneself

לְהִתְרָאוֹת see you soon, au revoir

הַתְרָאָה, נ׳, ר׳, ־אוֹת warning

הִתְרַבּוּת, נ׳, ר׳, ־בֻּיּוֹת propagation; increase

הִתְרַבְרֵב, פ״ח, ע׳ [רברב] to swagger

הִתְרַגְּזוּת, נ׳, ר׳, ־זֻיּוֹת excitement; anger

הִתְרַגֵּל, פ״ח, ע׳ [רגל] to become accustomed

הִתְרַגֵּשׁ, פ״ח, ע׳ [רגש] to become excited

הִתְרַגְּשׁוּת, נ׳, ר׳, ־שֻׁיּוֹת excitement, emotion

הִתְרָה, פ״י, ע׳ [תרה] to warn, forewarn

הַתָּרָה, נ׳ ר׳, ־רוֹת loosening; permission

הִתְרוֹמְמוּת, נ׳, ר׳, ־מֻיּוֹת exaltation

הִתְרוֹעֵעַ, פ״ח, ע׳ [רוע, רעע] to shout in triumph; to become friendly

הִתְרוֹעֲעוּת, נ׳, ר׳, ־עֻיּוֹת befriending

הִתְרוֹצֵץ, פ״ח, ע׳ [רצץ] to run about

הִתְרוֹצְצוּת, נ׳, ר׳, ־צֻיּוֹת clash, conflict

הִתְרוֹקְנוּת, נ׳, ר׳, ־נֻיּוֹת emptying

הִתְרוֹשְׁשׁוּת, נ׳, ר׳, ־שֻׁיּוֹת impoverishment

הִתְרַחֲבוּת, נ׳, ר׳, ־בֻיּוֹת expansion

הִתְרַחֲקוּת, נ׳, ר׳, ־קֻיּוֹת estrangement

הִתְרִיז, פ״י, ע׳ [תרז] to have diarrhea

הִתְרִיס, פ״ע, ע׳ [תרס] to shield; to resist, defy, fight back

הִתְרִיעַ, פ"י, ע' [תרע] to blow the trumpet; to sound an alarm

הִתְרַכְּזוּת, נ', ר', ־זֻיוֹת centralization; concentration

הִתְרַכְּכוּת, נ', ר', ־כֻיוֹת softening

הִתְרַעֵם, פ"ח, ע' [רעם] to complain

הִתְרַעֲמוּת, נ', ר', ־מֻיוֹת being rancorous, complaining

הִתְרַפֵּס, פ"ח, ע' [רפס] to humiliate oneself

הִתְרַפְּסוּת, נ', ר', ־סֻיוֹת humbling oneself, self-abasement

הִתְרַפֵּק, פ"ח, ע' [רפק] to support oneself; to miss, long for

הִתְרַצּוּת, נ', ר', ־צֻיוֹת conciliation, acquiescence

הִתְרַשֵּׁל, פ"ח, ע' [רשל] to be lax

הִתְרַשְּׁלוּת, נ', ר', ־לֻיוֹת negligence

הִתְרַשֵּׁם, פ"ח, ע' [רשם] to be impressed

הִתְרַשְּׁמוּת, נ', ר', ־מֻיוֹת being impressed

הַתָּשָׁה, הֲתַשָּׁה, נ', ר', ־שׁוֹת annihilation, weakening, enfeeblement

הִתְשׁוֹטְטוּת, נ', ר', ־טֻיוֹת aimless walking, wandering

 ו

ו Waw, sixth letter of Hebrew alphabet; six

וְ־ (וּ־, וַ־, וָ־, וֶ־, וִ־) and; but

וַדָּאוּת, נ' certainty

וַדַּאי, וַדַּי, ז', ר', וַדָּאִים, וַדָּאוֹת certainty

וַדַּאי, בְּוַדַּאי, תה"פ certainly, surely

וַדָּאִי, ת"ז, ־אִית, ת"נ certain, sure

[ודה] הִתְוַדָּה, פ"ע, ע' [ידה] to confess

וִדּוּי, ז', ר', ־יִּים confession

וָדִי, וָאדִי, ז', ר', ־דִים, ־דִיוֹת stream; valley

[ודע] הִתְוַדַּע, פ"ע, ע' [ידע] to become known, acquainted

וָהָב, ז', ר', וְהָבִים pool

וָו, ז', ר', ־וִים hook; Waw, name of sixth letter in Hebrew alphabet

וָו הַחִבּוּר Waw (conjunctive)

וָו הַהִפּוּךְ Waw (conversive)

וָוִית, נ', ר', ־יוֹת peg, small hook

וָזִיר, ז', ר', וְזִירִים minister (of state)

וָטִיב, ז', ר', וְטִיבִים penis

וַי, מ"ק woe!, alas!

וִילוֹן, ז', ר', ־נוֹת curtain

וִכּוּחַ, ז', ר', ־חִים discussion, argument, controversy

וִכּוּחִי, ת"ז, ־חִית, ת"נ controversial, argumentative

וִכַּח, פ"ע, הִתְוַכַּח, פ"ע, ע' [יכח] to discuss, argue

וָלָד ז', ר', וְלָדוֹת child, infant

וַלְדָּנִית, נ', ר', ־יוֹת prolific mother

וֶסֶת, נ', ר', וְסָתוֹת, וֶסְתּוֹת conduct, manner, habit; menstruation

וִסֵּת, פ"י to regulate

וַסָּת, ז', ר', ־תִּים regulator

וַעַד, ז', ר' וְעָדִים committee; meeting

וַעַד פּוֹעֵל the executive

וִעֵד, פ"י to appoint (committee)

הִתְוַעֵד, פ"ח to assemble, meet

וָעֶד, תה"פ forever

וַעֲדָה, נ׳, ר׳, וְעָדוֹת commission, subcommittee
וְעִידָה, נ׳, ר׳, ־דוֹת conference, convention
וֶרֶד, ז׳, ר׳, וְרָדִים rose
וָרֹד, וַרְדִּי, ת״ז, וְרֻדָּה, וַרְדִּית, ת״נ rosy
וָרִיד, ז׳, ר׳, וְרִידִים jugular vein
וְרִידִי, ת״ז, ־דִית, ת״נ veined
וֶשֶׁט, ז׳ esophagus
וִתּוּר, ז׳, ר׳, ־רִים renunciation, concession
וָתִין, ז׳ aorta
וָתִיק, ת״ז, וְתִיקָה, ת״נ steady, conscientious, earnest; veteran
וְתִיקוּת, נ׳ conscientiousness, steadiness, earnestness
וֶתֶק, ז׳ tenure; experience; earnestness
וִתֵּר, פ״י to renounce; to surrender; to concede; to forgive
וַתְּרָן, ז׳, ר׳, ־נִים compromiser; liberal; generous man

Z ז

ז Zayin, seventh letter of Hebrew alphabet; seven
זְאֵב, ז׳, ר׳, ־בִים wolf
זַאֲטוּט, זַעֲטוּט, ז׳, ר׳, ־טִים young man, youth; student
זֹאת, מ״ג this, this one (*f.*)
זֹאת אוֹמֶרֶת that is to say
בְּכָל זֹאת yet, nevertheless
זָב, ז׳, ר׳, ־בִים person afflicted with gonorrhea
זֶבֶד, ז׳, ר׳, זְבָדִים bestowal, gift; dowry
זָבַד, פ״י to bestow, endow
זִבְדָּה, נ׳, ר׳, זְבָדוֹת cream
זְבוּב, ז׳, ר׳, ־בִים fly
זִבּוּל, זִיבּוּל, ז׳, ר׳, ־לִים manuring
זְבוּל, ז׳, ר׳, ־לִים habitation, residence
זִבּוּרִית, נ׳ lowest land, poorest soil
זְבוֹרִית, נ׳, ר׳, ־יוֹת ballast
זָבוּת, נ׳ gonorrhea
זֶבַח, ז׳, ר׳, זְבָחִים, ־חוֹת slaughter; sacrifice
זָבַח, פ״י to slaughter; to sacrifice
זְבִיחָה, נ׳, ר׳, ־חוֹת slaughtering; sacrificing
זָבַל, פ״י to dwell, live
זִבֵּל, פ״י to manure, fertilize
זֶבֶל, ז׳, ר׳, זְבָלִים dung, manure
זַבָּל, ז׳, ר׳, ־לִים scavenger
זַבְלְגָן, ת״ז, ־נִית, ת״נ blear-eyed
זַבֶּלֶת, נ׳, ר׳, ־בָּלוֹת dung heap
זָבַן, פ״י to buy; to bargain
זִבֵּן, פ״י to sell
הִזְדַּבֵּן, פ״ח to be sold
זָג, ז׳, ר׳, ־גִים skin of grapes
זַגָּג, ז׳, ר׳, ־גִים glassmaker, glazier
זִגֵּג, פ״י to glaze
זִגּוּג, זִיגוּג, ז׳, ר׳, ־גִים glazing
זֵד, ז׳, ר׳, ־דִים wicked person; presumptuous person
זָדוֹן, ז׳, ר׳, זְדוֹנִים, ־נוֹת insolence, presumptuousness
זְדוֹנִי, ת״ז, ־נִית, ת״נ insolent, presumptuous
זֶה, זוֹ, מ״ג this, this one
זָהָב, ז׳, ר׳, זְהָבִים gold
זָהָב לָבָן platinum

golden, gold — זָהָב, ת"ז, זְהֻבָּה, ת"נ
goldsmith, jeweler — זֶהָב, זֶהָבִי, ז', ר', זֶהָבִים
to gild — [זהב] הִזְהִיב, פעו"י
golden — זְהַבְהַב, ת"ז, ־בָּה, ת"נ
to identify — זִהָה, פ"י
this is, this is the one (*m.*) — זֶהוּ, מ"ג
gold coin — זָהוּב, ז', ר', זְהוּבִים
gilding — זִהוּב, ז', ר', ־בִים
identification — זִהוּי, ז', ר', ־יִים
filth, impurity — זִהוּם, ז', ר', ־מִים
crimson; artificial silk, nylon — זְהוֹרִית, נ', ר', ־רִיּוֹת
identity — זֶהוּת, נ', ר', ־הֻיּוֹת
prudent, careful; bright — זָהִיר, ת"ז, זְהִירָה, ת"נ
prudence, care, caution — זְהִירוּת, נ', ר', ־רֻיּוֹת
to make filthy, to dirty — זִהֵם, פ"י
dirt; filth; froth — זֻהֲמָה, נ', ר', ־מוֹת
brightness — זֹהַר, ז', ר', זְהָרִים
to shine; to teach; to warn — [זהר] הִזְהִיר, פ"י
to be careful, take heed — נִזְהַר, פ"ע
glow, glare, reflection — זַהֲרוּר, ז', ר', ־רִים
reflection of light — זַהֲרוּרִית, נ'
phosphorus — זַהֲרִית, נ'
glory, splendor — זו, זִיו, ז'
this, this one (*f.*) — זוֹ, מ"ג
who, which; this — זוּ, מ"י
to flow; to drip — [זוב] זָב, פ"ע
gonorrhea — זוֹב, ז'
pair — זוּג, ז', ר', ־גוֹת
partner, mate — בֶּן־זוּג
bell, the body of a bell — זוּג, ז', ר', ־גִים
to pair, match, mate — זִוֵּג, פ"י
to be paired, be mated — הִזְדַּוֵּג, פ"ח

female mate, wife — זוּגָה, נ', ר', ־גוֹת
dual — זוּגִי, ת"ז, ־גִית, ת"נ
duality — זוּגִיּוּת, נ'
to boil, flow over; to plan evil; to be insolent — [זוד] זָד, פ"ע
to boil, seethe; to act insolently — הֵזִיד, פ"ע
coupling, mating; matching (for matrimony) — זִוּוּג, ז', ר', ־גִים
to move, go away — [זוז] זָז, פ"ע
to move; remove — הֵזִיז, פ"י
a silver coin worth 1/4 shekel — זוּז, ז', ר', ־זִים
to move — [זוח] זָח, פ"ע
to be overbearing; to be proud — זָחָה (עָלָיו) דַּעְתּוֹ
crawler, creeper; reptile — זוֹחֵל, ז', ר', ־חֲלִים
reptiles — זוֹחֲלִים, ז"ר
bottom (of net, receptacle) — זוּט, ז', ר', ־טִים
corner; angle — זָוִית, נ', ר', ־יוֹת
right angle — זָוִית יְשָׁרָה
to disregard; to be cheap, worthless — [זול] זָל, פעו"י
cheap, low-priced — זוֹל, ת"ז, ־לָה, ת"נ
vile, worthless, mean; glutton — זוֹלֵל, ת"ז, ־לֵלָה, ־לֶלֶת, ת"נ
gluttony — זוֹלְלוּת, נ', ר', ־לֻיוֹת
except — זוּלַת־, זוּלָתִי־, מ"י
the other — הַזּוּלַת
altruist — זוּלְתָן, נ', ר', ־נִים
altruism — זוּלְתָנוּת, נ'
evil thinking — זוֹמֵם, ת"ז, ־מֶמֶת, ת"נ
to feed, nourish — [זון] זָן, פ"י
harlot, prostitute — זוֹנָה, נ', ר', ־נוֹת
to tremble, shake — [זוע] זָע, פ"ע
to perspire; to shake — הֵזִיעַ, פעו"י

trembling, fear; earthquake זְוָעָה, נ׳, ר׳, ־עוֹת

to barbecue, broil זִוֵּק, פ״י

to press, squeeze out; to be a stranger; to turn away [זור] זָר, פעו״י

cross-eyed, astigmatic זַוָּר, ז׳, ר׳, ־וָרִים

to sneeze זוֹרֵר, פ״ע, ע׳ [זרר]

to move זָח, פ״ע, ע׳ [זוח]

proud, haughty זָחוּחַ, ת״ז, זְחוּחָה, ת״נ

conceit זְחוּת, נ׳

to be moved; to be removed [זחח] נָזַח, נִזּוֹחַ, פ״ע

to move הֵזִיחַ, פ״י

crawling, creeping זְחִילָה, נ׳, ר׳, ־לוֹת

to crawl, creep; to flow; to fear זָחַל, פ״ע

caterpillar; larva זַחַל, ז׳, ר׳, זְחָלִים

sneak, creep; slimy individual זַחְלָן, ז׳, ר׳, ־נִים

boastful person זַחְתָּן, ז׳, ר׳, ־נִים

gonorrhea זִיבָה, זִיבוּת, נ׳

manuring זִיבּוּל, זִבּוּל, ז׳ ,ר׳, ־לִים

glazing זִיגּוּג, זִגּוּג, ז׳, ר׳, ־גִים

brightness, glory, splendor זִיו, זִו, ז׳

arming, putting on armor; decoration (of letters) זִיּוּן, ז׳, ר׳, ־נִים

handsome, good-looking זִיוְתָן, ת״ז, ־נִית, ת״נ

moulding, attachment; creeping things זִיז, ז׳, ר׳, ־זִים

movement, slight motion זִיזָה, נ׳, ר׳, ־זוֹת

console זִיזִית, נ׳, ר׳, ־יוֹת

gill זִים, ז׳, ר׳, ־מִים

weapon, armor זַיִן, ז׳

arms כְּלֵי זַיִן

Zayin, seventh letter of Hebrew alphabet זַיִן, נ׳

to equip, arm זִיֵּן, פ״י

to arm oneself הִזְדַּיֵּן, פ״ח

trembling זִיעַ, ז׳

bristle זִיף, ז׳, ר׳, ־פִים

to falsify, forge זִיֵּף, פ״י

forger זַיָּף, זַיְּפָן, ז׳, ר׳, ־פִים, ־נִים

forgery זַיְּפָנוּת, נ׳, ר׳, ־נֻיּוֹת

comet, meteor; spark; storm זִיק, ז׳, ר׳, ־קִים

spark; blast of wind זִיקָה, נ׳, ר׳, ־קוֹת

seed pod; bunch; cord זִיר, ז׳, ר׳, ־רִים

arena זִירָה, נ׳, ר׳, ־רוֹת

olive, olive tree זַיִת, ז׳, ר׳, זֵיתִים

pure, clean; clear זַךְ, ת״ז, ־כָּה, ת״נ

purity, cleanliness זֹךְ, ז׳

worthy; righteous, innocent זַכַּאי, זַכַּי, ת״ז, ־כָּאִית, ת״נ

to be innocent; to attain, win; to be worthy זָכָה, פ״ע

to declare innocent, acquit; to bestow; to credit זִכָּה, פ״י

to purify oneself; to be acquitted הִזַּכָּה, פ״ח

acquittal; bestowal; credit זִכּוּי, ז׳, ר׳, ־יִים

purifying, cleaning זִכּוּךְ, ז׳, ר׳, ־כִים

glassy זְכוּכִי, ת״ז, ־כִית, ת״נ

glass זְכוּכִית, נ׳, ר׳, ־יוֹת

magnifying glass זְכוּכִית מַגְדֶּלֶת

male זָכוּר, זְכוּר, ז׳, ר׳, ־רִים

acquittal; merit privilege; credit זְכוּת, נ׳, ר׳, ־כֻיּוֹת

זַכּוּת, נ׳ purity, clarity
זְכִיָּה, נ׳, ר׳, ־יּוֹת claim; merit
זִכָּיוֹן, ז׳, ר׳, ־כְיוֹנוֹת, ־נִים concession, granting of rights
זְכִירָה, נ׳, ר׳, ־רוֹת remembering, recollecting
זָכַךְ, פ״ע to be clean, be pure
זִכֵּךְ, פ״י to purify, cleanse
הִזְדַּכֵּךְ, פ״ח to become pure, become clean; to become clear
הֵזַךְ, הֵזַךְ, פ״י to make clean; to make clear
זָכָר, ז׳, ר׳ זְכָרִים male
זֵכֶר, זֶכֶר, ז׳, ר׳, זְכָרִים remembrance; memory; memorial
זָכַר, פ״י to remember; to mention
נִזְכַּר, פ״ע to be remembered; to recollect; to be mentioned
זִכֵּר, פ״י to treat as masculine
הִזְכִּיר, פ״י to remind; to mention; to commemorate
זִכָּרוֹן, זִכְרוֹן, ז׳, ר׳, ־כְרוֹנוֹת, ־נִים memory; memorial; record
זַכְרוּת, נ׳ masculinity, male genitals
זְכִרִיָּה, נ׳, זְכְרִינִי, ז׳ forget-me-not
זַכְרָן, ז׳, ר׳, ־נִים virile person
זָל, פעו״י, ע׳ [זול] to lavish; to disregard; to be cheap, worthless
זָלַג, פעו״י to drip, flow
זַלְדְּקָן, ז׳, ר׳, ־נִים thin-bearded person
זִלּוּחַ, ז׳, ר׳, ־חִים sprinkling
זִלּוּף, ז׳, ר׳, ־פִים spraying, sprinkling
זִלּוּת, נ׳ vileness, cheapness
זִלְזוּל, ז׳, ר׳, ־לִים contempt, disrespect
זַלְזַל, ז׳, ר׳, ־לִים tendril

זִלְזֵל, פ״י to despise
זֶלַח, ז׳, ר׳, זְלָחִים sprinkling fluid; perfume
זָלַח, פ״י to be wet; to sprinkle
זִלַּח, זִלֵּחַ, פ״י to spray
זָלַל, פ״י to be a glutton; to be vile
[זלל] נָזֹל, פ״ע to tremble
זַלְעָפָה, זִלְעָפָה, נ׳, ר׳, ־פוֹת raging heat; burning indignation
זֶלֶף, ז׳, ר׳, זְלָפִים spray, sprinkling
זָלַף, פ״י to pour, sprinkle, spray
זִמָּה, נ׳, ר׳, ־מּוֹת plan; evil device; cunning; lewdness
זָמוּם, ת״ז, זְמוּמָה, ת״נ muzzled
זְמוּם, ז׳, ר׳, ־מִים muzzle, bit
זִמּוּן, ז׳, ר׳, ־נִים designation, appointment
זִמּוּר, ז׳ lopping; pruning
זְמוֹרָה, נ׳, ר׳, ־רוֹת shoot, branch
זִמְזוּם, ז׳, ר׳, ־מִים buzzing, humming
זִמְזֵם, פעו״י to buzz, hum
זָמִיר, ז׳, ר׳, זְמִירִים singing; nightingale
זְמִירָה, נ׳, ר׳, ־רוֹת psalm, hymn; pruning, trimming
זְמִירוֹת, נ״ר Sabbath hymns
זָמִית, נ׳ brine
זָמַם, פ״י to plot; to devise; to muzzle
הֵזֵם, הֵזִים, פ״י to refute; to convict of plotting (perjury)
זָמָם, ז׳ evil purpose; false testimony; muzzle
זְמַן, זְמָן, ז׳, ר׳, ־נִים time; date; tense (*gram.*)
זִמֵּן, פ״י to invite; to prepare
הִזְמִין, פ״י to invite; to make ready
הִזְדַּמֵּן, פ״ח to meet; to chance

temporary	זְמַנִּי, ת״ז, ־נִּית, ת״נ
song, tune; giraffe	זֶמֶר, ז׳, ר׳, זְמָרִים
musical instruments	כְּלֵי זֶמֶר
singer, musician	זַמָּר, ז׳, ר׳, ־רִים
to trim, prune	זָמַר, פ״י
to sing; to play a musical instrument	זִמֵּר, פ״י
music, melody; choice fruit	זִמְרָה, נ׳
singer (*f.*)	זַמֶּרֶת, נ׳, ר׳, ־מָּרוֹת
to feed	זָן, פ״י, ע׳ [זון]
sort, kind	זַן, ז׳, ר׳, זַנִּים
adulterer	זַנַּאי, זַנַּי, ז׳, ר׳, ־אִים
tail; stump	זָנָב, ז׳, ר׳, זְנָבוֹת, ־בִים
to cut off the tail; to trim; to attack; to force passage	זִנֵּב, פ״י
ginger	זַנְגְּבִיל, ז׳
to go astray; to be a prostitute; to fornicate	זָנָה, פ״ע
to go a-whoring	הִזְנָה, פעו״י
perfume	זֶנֶה, ז׳, ר׳, זְנִים
cutting off (tail)	זִנּוּב, ז׳
prostitution	זְנוּנִים, ז״ר
spurt; sudden jump	זִנּוּק, ז׳, ר׳, ־קִים
prostitution; fornication	זְנוּת, נ׳
to reject, spurn	זָנַח, פ״י
to reject, cast off, neglect	הִזְנִיחַ, פ״י
to squirt; to leap forth	זִנֵּק, פ״ע
to tremble, shake	זָע, פ״ע, ע׳ [זוע]
sweat, perspiration	זֵעָה, נ׳, ר׳, ־עוֹת
trembling, fright	זַעֲוָה, נ׳, ר׳, זְעָווֹת
angry	זָעוּם, ת״ז, זְעוּמָה, ת״נ
agitation; shaking	זַעֲזוּעַ, ז׳, ר׳, ־עִים
to agitate, shake violently	זִעֲזַע, פ״י
to be agitated, shake	הִזְדַּעְזַע, פ״ח
young man, youth; student	זַעֲטוּט, זַאֲטוּט, ז׳, ר׳, ־טִים
small	זָעִיר, ת״ז, זְעִירָה, ת״נ
a little	זְעֵיר, תה״פ
miniature	זְעִירָה, נ׳, ר׳, ־רוֹת
smallness	זְעִירוּת, נ׳, ר׳, ־רֻיּוֹת
to be extinguished	[זעך] נִזְעַךְ, פ״ע
indignation, anger	זַעַם, ז׳, ר׳, זְעָמִים
to be angry, excited	זָעַם, פעו״י
anger, rage	זַעַף, ז׳, ר׳, זְעָפִים
to be enraged, vexed	זָעַף, פ״ע
ill-tempered, angry	זָעֵף, ת״ז, זְעֵפָה, ת״נ
to cry, call	זָעַק, פ״ע
to be called together, be assembled, be convoked	נִזְעַק, פ״ע
to call out, cause to cry; to convoke	הִזְעִיק, פ״י
outcry, cry	זְעָקָה, נ׳, ר׳, ־קוֹת
coating with pitch	זִפּוּת, ז׳, ר׳, ־תִים
to coat with pitch	זִפֵּף, פ״י
bird's crop	זֶפֶק, ז׳, ר׳, זְפָקִים
pitch	זֶפֶת, נ׳, ר׳, זְפָתוֹת
to coat with pitch	זִפֵּת, פ״י
pitch worker	זַפָּת, ז׳, ר׳, ־תִים
spark; firebrand; fetter	זֵק, ז׳, ר׳, זִקִּים
tie, closeness; obligation	זִקָּה, נ׳, ר׳, ־קוֹת
old age	זְקוּנִים, ז״ר
upright, erect	זָקוּף, ת״ז, זְקוּפָה, ת״נ
spark; flare; refining, distilling	זִקּוּק, ז׳, ר׳, ־קִים
refinery, distillery	בֵּית זִקּוּק
tied to, dependent on; distilled	זָקוּק, ת״ז, זְקוּקָה, ת״נ
rocket	זִקּוּקִית, נ׳, ר׳, ־יּוֹת
military guard	זָקִיף, ז׳, ר׳, זְקִיפִים
raising, putting up; crediting	זְקִיפָה, נ׳, ר׳, ־פוֹת

זָקָן, ז׳, ר׳, זְקָנִים beard
זָקֵן, ת״ז, זְקֵנָה, ת״נ old; respected; elder
זָקֵן, זָקַן, פ״ע to grow old, be old
הִזְקִין, פעו״י to appear old, grow old
זֹקֶן, ז׳, זִקְנָה, זְקֻנוּת, נ׳ old age
זָקַף, פעו״י to raise, set up; to credit
נִזְקַף, פ״ע to be erect; be credited
זָקַק, פ״י to purify, refine; to obligate
נִזְקַק, פ״ע to be dependent on; to be engaged in
זִקֵּק, פ״י to smelt, refine
זָקַר, פ״י to throw, fling
זָר, פעו״י, ע׳ [זור] to press, squeeze out; to be a stranger; turn away
זָר, ת״ז, ־רָה, ת״נ; ז׳ strange; stranger
זֵר, ז׳, ר׳, ־רִים crown, wreath; rim
זָרָא, ז׳ loathsome
[זרב] זֹרַב, פ״ע to be scorched
זֶרֶב, ז׳, ר׳, זְרָבִים lining; slipper
זַרְבּוּבִית, נ׳, ר׳, ־בִיּוֹת tap, spout
זֶרֶד, ז׳, ר׳, זְרָדִים shoot, green, young sprout
זָרַד, פ״ע to howl (wolf)
זֵרֵד, פ״י to trim, nip shoots off
זָרָה, פ״י to scatter; to winnow
נִזְרָה, פ״ע to be scattered, dispersed
זֵרָה, פ״י to scatter, disperse
זֹרָה, פ״ע to be scattered
זֵרוּד, ז׳, ר׳, ־דִים trimming, pruning
זֵרוּז, ז׳, ר׳, ־זִים urging, encouraging
זְרוֹעַ, נ׳, ר׳, ־עוֹת, ־עִים arm
זֵרוּעַ, ז׳, ר׳, ־עִים sowing; seed
זָרוּת, נ׳, ר׳, ־רֻיּוֹת strangeness; irregularity
זֵרֵז, פ״י to stimulate, urge

נִזְדָּרֵז, פ״ח to be alert; to be zealous, be conscientious
זַרְזִיף, ז׳, ר׳, ־פִים shower of rain
זַרְזִיר, ז׳, ר׳, ־רִים starling
זָרַח, פ״ע to rise (sun); to shine
זַרְחָן, ז׳, ר׳, ־נִים phosphorus
זְרִיָּה, נ׳, ר׳, ־יּוֹת dispersion, scattering; winnowing
זָרִיז, ת״ז, זְרִיזָה, ת״נ quick, alert, active
זְרִיזוּת, נ׳, ר׳, ־זֻיּוֹת quickness, alertness, activity
זְרִיחָה, נ׳, ר׳, ־חוֹת shining
זְרִימָה, נ׳, ר׳, ־מוֹת flowing
זְרִיעָה, נ׳, ר׳, ־עוֹת sowing
זְרִיקָה, נ׳, ר׳, ־קוֹת throwing; injection
זְרִירָה, נ׳, ר׳, ־רוֹת sneezing
זֶרֶם, ז׳, ר׳, זְרָמִים stream; current
זָרַם, פעו״י to flood, pour down, stream
זִרְמָה, נ׳, ר׳, זְרָמוֹת issue, offspring
זַרְנִיךְ, ז׳ arsenic, orpiment
זֶרַע, ז׳, ר׳, זְרָעִים, ־עוֹת seed; offspring
זָרַע, פ״י to sow
הִזְרִיעַ, פ״י to produce seed
זֵרָעוֹן, ז׳, זֵרְעוֹנִים seed
זַרְעִי, ת״ז, ־עִית, ת״נ seedy, seeded
זַרְעִית, נ׳, ר׳, ־יּוֹת posterity, family, descendants
זֶרֶק, ז׳, ר׳, זְרָקִים serum
זָרַק, פ״י to throw, toss; to sprinkle
זַרְקוֹר, ז׳, ר׳, ־רִים searchlight
[זרר] זוֹרֵר, פ״ע to sneeze
זֶרֶת, נ׳, ר׳, זְרָתוֹת, ־תִים span; little finger

ח H, Ḥ

Heth, eighth letter of the Hebrew alphabet; eight ח

to be indebted; to be responsible; to be guilty חָב, פ״ע, ע׳ [חוב]

bosom חֹב, ז׳, ר׳ חֻבִּים

to hide oneself, be hidden [חבא] נֶחְבָּא, פ״ע

to conceal, hide הֶחְבִּיא, פ״י

to endear; to love, cherish חָבַב, פ״י

to make beloved, endear חִבֵּב, פ״י

to be liked, loved הִתְחַבֵּב, נִתְ־, פ״ח

love, esteem חִבָּה, נ׳, ר׳, ־בּוֹת

to withdraw, hide חָבָה, פ״ע

to hide oneself נֶחְבָּה, פ״ע

beating, threshing חִבּוּט, ז׳, ר׳, ־טִים

undermining; corruption חִבּוּל, ז׳, ר׳, ־לִים

pledge, pawn חֲבוֹל, חֲבֹל, ז׳, ר׳, ־לִים

churning (butter) חִבּוּץ, ז׳, ר׳, ־צִים

hug, embrace חִבּוּק, ז׳, ר׳, ־קִים

idleness; leisure חִבּוּק יָדַיִם

connection; composition; addition; essay חִבּוּר, ז׳, ר׳, ־רִים

Waw (conversive) וָו הַחִבּוּר

conjunction (*gram.*) מִלַּת חִבּוּר

wound חַבּוּרָה, נ׳, ר׳, ־רוֹת

group, party חֲבוּרָה, נ׳, ר׳, ־רוֹת

imprisoned; saddled; wrapped חָבוּשׁ, ת״ז, חֲבוּשָׁה, ת״נ

quince חַבּוּשׁ, ז׳, ר׳, ־שִׁים

to thresh, beat; to hurt חָבַט, פ״י

to be struck down, fall down נֶחְבַּט, פ״ע

to exert oneself הִתְחַבֵּט, נִתְ־, פ״ח

fastening, buckle חֶבֶט, ז׳, ר׳, חֲבָטִים

blow, stroke חֲבָטָה, נ׳, ר׳, ־טוֹת

kind, amiable חָבִיב, ת״ז, חֲבִיבָה, ת״נ

amiability חֲבִיבוּת, נ׳, ר׳, ־יוֹת

hiding place חֶבְיוֹן, ז׳, ר׳, ־נִים

small barrel, cask חֶבְיוֹנָה, נ׳, ר׳, ־נוֹת

parcel, bundle חֲבִילָה, נ׳, ר׳, ־לוֹת

pudding (made of bread and honey) { חָבִיץ, ז׳, ר׳, חֲבִיצִים / חֲבִיצָה, נ׳, ר׳, ־צוֹת

barrel, cask; jug חָבִית, נ׳, ר׳, ־בִיּוֹת

omelet חֲבִיתָה, נ׳, ר׳, ־תוֹת

blintzes חֲבִיתִית, חֲבִתִּית, נ׳, ר׳, ־יוֹת

bondage; imprisonment חֲבִישָׁה, נ׳, ר׳, ־שׁוֹת

rope; region; band חֶבֶל, ז׳, ר׳, חֲבָלִים

pawn, pledge חֲבֹל, חֲבוֹל, ז׳, ר׳, ־לִים

to pawn; to wound חָבַל, פ״י

to ruin, destroy; to scheme חִבֵּל, פ״י

pain; suffering, agony חֵבֶל, ז׳, ר׳, חֲבָלִים

birth pains חֶבְלֵי לֵדָה

what a pity! חֲבָל, מ״ק

seaman, mariner, sailor חֹבֵל, חוֹבֵל, ז׳, ר׳, חוֹבְלִים

mast חִבֵּל, ז׳, ר׳, חִבְּלִים

saboteur חַבָּל, ז׳, ר׳, ־לִים

morning glory חֲבַלְבַּל, ז׳, ר׳, ־לִּים

injury, damage חֲבָלָה, נ׳, ר׳, ־לוֹת

sabotage, destruction חַבָּלָה, נ׳, ר׳, ־לוֹת

חַבְּלָן, ז׳, ר׳, ־נִים saboteur
חַבְּלָנִית, נ׳, ר׳, ־יּוֹת destroyer (ship)
חֹבֶץ, ז׳, חֻבְצָה, נ׳, ר׳, חֲבָצִים, ־צוֹת buttermilk
חֲבַצֶּלֶת, נ׳, ר׳, ־צָּלוֹת lily; crocus
חָבַק, חִבֵּק, פ״י to embrace, clasp
חֶבֶק, ז׳, ר׳, חֲבָקִים saddle belt; garter
חֲבָק, ז׳, ר׳, חֲבָקִים pennyroyal
חָבַר, פ״ע to unite, be joined; to decide jointly
חִבֵּר, פ״י to compose; to join
חֻבַּר, פ״ע to be attached, associated
הִתְחַבֵּר, פ״ח to become joined
חֶבֶר, ז׳, ר׳, חֲבָרִים league, association; spell
חָבֵר, ז׳, חֲבֵרָה, נ׳, ר׳, חֲבֵרִים, ־וֹת friend; partner; member
חַבָּר, ז׳, ר׳, ־רִים partner, associate; sorcerer
חֲבַרְבֻּרָה, חֲבַרְבּוּרָה, נ׳, ר׳, ־רוֹת stripe, streak
חֲבַרְבָּרִי, ת״ז, ־רִית, ת״נ striped
חֶבְרָה, נ׳, ר׳, חֲבָרוֹת company, society, association
חֲבֵרוּת, נ׳, ר׳, ־רֻיּוֹת membership, fellowship, friendship
חַבְרוּתִי, ת״ז, ־תִית, ת״נ sociable
חֶבְרָתִי, ת״ז, ־תִית, ת״נ social
חֹבֶרֶת, חוֹבֶרֶת, נ׳, ר׳, ־בָרוֹת pamphlet, fascicle
חָבַשׁ, פ״י to bind; to bandage, dress (wound); to imprison
נֶחְבַּשׁ, פ״ע to be imprisoned; to be detained
חַבָּשׁ, ז׳, ר׳, ־שִׁים male nurse, wound dresser

חֶבֶת, נ׳, ר׳, חֲבָתִים strap (of sandal)
חַג, ז׳, ר׳, ־גִּים festival, holiday, feast
חָג, פ״י, ע׳ [חוג] to make (draw) a circle
חָגָב, ז׳, ר׳, חֲגָבִים locust, grasshopper
חָגַג, פ״י to celebrate; to reel, be giddy
חָגָּא, ז׳ trembling, terror
חָגוּ, ז׳, ר׳, חֲגָוִים cleft
חָגוּר, ת״ז, חֲגוּרָה, ת״נ girded, girt
חֲגוֹר, ז, חֲגוֹרָה, נ׳, ר׳, ־רִים, רוֹת belt, girdle
חֲגִיגָה, נ׳, ר׳, ־גוֹת celebration, festival; pilgrimage
חֲגִיגוּת, חֲגִיגִיּוּת, נ׳ solemnity; festive nature
חֲגִיגִי, ת״ז, ־גִית, ת״נ solemn; festive
חָגְלָה, נ׳, ר׳, ־לוֹת quail, partridge
חָגַר, פ״י to gird, bind; to limp
חִגֵּר, ז׳, ר׳, ־גְּרִים; חִגֶּרֶת, נ׳, ר׳, ־גְּרוֹת lame person
חִגְּרוּת, נ׳ lameness
חָד, פ״י, ע׳ [חוד] to propose a riddle, make an enigma
חַד, ת״ז, חַדָּה, ת״נ sharp, acute; shrill
חֹד, חוֹד, ז׳, ר׳, חֻדִּים edge; point; apex
חַדְגּוֹנִי, ת״ז, ־נִית, ת״נ one-sided
חַדְגּוֹנִיּוּת, נ׳ one-sidedness; monotony
חָדַד, פ״ע to be sharp, keen
חִדֵּד, פ״י to sharpen
חָדָה, פ״ע to rejoice, be glad
חִדָּה, פ״י to gladden, make happy
חִדּוּד, ז׳, ר׳ ,־דִים sharpening; pinpoint; jest
חַדּוּד, ז׳, ר׳, ־דִים sharp edge; point

חֲדוּדִית, נ׳, ר׳, ־יוֹת cone
חֶדְוָה, נ׳, ר׳, ־וֹת gladness, joy
חֲדוֹפַן, ז׳, ר׳, ־נִּים wheelbarrow
חִדּוּשׁ, ז׳, ר׳, ־שִׁים novelty; news; singularity; renovation
חַדּוּת, נ׳, ר׳, חַדֻּיּוֹת sharpness, keenness
חָדִיר, ת״ז, חֲדִירָה, ת״נ penetrable; permeable
חֲדִירָה, חֲדִירוּת, נ׳, ר׳, ־רוֹת, ־רִיּוֹת penetration, penetrability
חָדִישׁ, ת״ז, חֲדִישָׁה, ת״נ modern
חֲדִישׁוּת, נ׳, ר׳, ־שֻׁיּוֹת modernization
חָדַל, פעו״י to cease, stop, desist
חֶדֶל, ז׳, cessation; the earth
חָדֵל, ת״ז, חֲדֵלָה, ת״נ ceasing; lacking
חֲדַל אִישִׁים despised, forsaken
חַדְפַּעֲמִי, ת״ז, ־מִית, ת״נ onetime
חֵדֶק, ז׳, ר׳, חֲדָקִים thorn, brier; trunk of elephant
חֶדֶר, ז׳, ר׳, חֲדָרִים room, chamber; Heder (religious school)
חָדַר, פ״ע to penetrate; to delve into
חַדְרָן, ז׳, ר׳, ־נִים valet
חָדָשׁ, ת״ז, חֲדָשָׁה, ת״נ fresh, new
חֹדֶשׁ, ז׳, ר׳, חֳדָשִׁים month; new moon
חִדֵּשׁ, פ״י to renew, renovate
הִתְחַדֵּשׁ, פ״ח to be renewed; to put on new clothing
חֲדָשָׁה, נ׳, ר׳, ־שׁוֹת newness
חֲדָשׁוֹת, ז״ר news, tidings
חָדְשִׁי, ת״ז, ־שִׁית, ת״נ monthly
חוֹב, ז׳, ר׳, ־בוֹת debt, indebtedness
[חוב] חָב, פ״ע to be indebted, owe; to be responsible
חוּב, ז׳, ר׳, ־בִּים stitch

חוֹבֵב, ת״ז, חוֹבֶבֶת, ת״נ lover; amateur
חוֹבָה, נ׳, ר׳, ־בוֹת duty; guilt; debt
חוֹבֵל, חֹבֵל, ז׳, ר׳, ־בְלִים sailor, seaman, mariner
רַב חוֹבֵל captain (sea)
חוֹבֵר, ז׳, ר׳, ־בְרִים sorcerer, snake charmer
חוֹבֶרֶת, חֹבֶרֶת, נ׳, ר׳, ־בָרוֹת pamphlet, fascicle
חוֹבֵשׁ, ז׳, ר׳, ־בְשִׁים male nurse, wound dresser
חוּג, ז׳, ר׳, ־גִים circle
[חוג] חָג, פ״י to make (draw) a circle
חוֹגֵג, ז׳, ר׳, ־גְגִים celebrator; pilgrim
חוּגָה, נ׳, ר׳, ־גוֹת dial (of telephone); lark
[חוד] חָד, פ״י to propose a riddle, make an enigma
חִוָּה, פ״י to declare, express opinion
חַוָּה, נ׳, ר׳, ־וֹת farm; village; announcement
חַוַּת־דַּעַת opinion
חוֹזֶה, חֹזֶה, ז׳, ר׳, ־זִים contract, pact; prophet, seer
חוֹזֵר, ז׳, ר׳, ־זְרִים circular letter
חוֹחַ, ז׳, ר׳, ־חִים, חֲוָחִים brier, thorn; cave; cliff
חוּט, ז׳, ר׳, ־טִים thread, cord; sinew
חוּט הַשִּׁדְרָה spinal cord
חוֹטֵא, ז׳, ר׳, ־טְאִים sinner
חוֹטֶם, חֹטֶם, ז׳, ר׳, חֲטָמִים nose, snout
חוֹטֵף, ז׳, ר׳, ־טְפִים kidnaper
חוֹטֶרֶת, נ׳, ר׳, ־טָרוֹת hump
חֲוָיָה, נ׳, ר׳, ־וֹת experience
חֲוִילָה, נ׳, ר׳, ־לוֹת, ־לָאוֹת villa
חוֹכֵר, ז׳, ר׳, ־כְרִים tenant
חוֹל, ז׳, ר׳, ־לוֹת sand; phoenix

[חול] חָל, פ"ע — to fall; to dance; to writhe

חוֹלֵל, פ"י — to bring forth; to wait

הִתְחוֹלֵל, פ"ח — to whirl, turn around

חוֹלֵב, ת"ז, חוֹלֶבֶת, ת"נ; ז' — milker, milkman, dairyman

חוֹלֶד, חֹלֶד, ז', ר', חֲלָדִים — mole

חוּלְדָּה, חֻלְדָּה, נ', ר', ־דּוֹת — weasel

חוֹלֶה, ת"ז, חוֹלָה, ת"נ; ז' — sick person, patient

חוּלְיָה, חֻלְיָה, נ', ר' ־יוֹת — bead; link; joint; vertebra

חוֹלֵל, פ"י, ע' [חול] — to bring forth; to wait

חוֹלָם, חוֹלֶם, ז' — Hebrew vowel *o* (as in *cord*)

חוֹלָנִי, ת"ז, ־נִית, ת"נ — sickly, ailing

חוֹלֵץ, ז', ר', ־לְצִים — tongs, pincers, pliers; cork screw

חוּלְצָה, חֻלְצָה, נ, ר', ־וֹת — blouse; waistcoat

חוּלְשָׁה, חֻלְשָׁה, נ', ר', ־וֹת — weakness, feebleness

חוּם, ת"ז, חוּמָּה, ת"נ — brown

חוֹמָה, נ', ר', ־מוֹת — wall

חוֹמֶט, חֹמֶט, ז', ר', חֲמָטִים — lizard

חוֹמֶץ, חֹמֶץ, ז', ר', חֲמָצִים — vinegar; acid

חוּמְצָה, חֻמְצָה, נ', ר', ־צוֹת — leavening; fermenting

חוֹמֶר, חֹמֶר, ז', ר', חֲמָרִים — clay; material; matter

חוּמְרָה, חֻמְרָה, נ', ר', ־רוֹת — severity, restriction

חוּמָּשׁ, חֻמָּשׁ, ז', ר', ־שִׁים — Pentateuch (the five books of the Torah)

חוֹמֶשׁ, חֹמֶשׁ, ז', ר', חֲמָשִׁים — one-fifth; groin

חוֹנֶף, חֹנֶף, ז' — flattery, hypocrisy

חוֹנֵן, פ"י, ע' [חנן] — to favor, pity

[חוס] חָס, פ"ע — to have compassion, pity

חוֹף, ז', ר', ־פִּים — seacoast, shore

חוּפָּה, חֻפָּה, נ', ר', ־פּוֹת — canopy (of marriage)

חוֹפֶן, חֹפֶן, ז', ר', חָפְנַיִם — handful

חוֹפֶשׁ, חֹפֶשׁ, ז', חוּפְשָׁה, חֻפְשָׁה, נ', ר', חֻפְשׁוֹת — freedom, liberty; vacation

חוּץ, ז', ר', חוּצוֹת — the outside; street

חוּץ מִן, תה"פ — besides, except

חוּץ לָאָרֶץ, תה"פ — abroad

חוּצָה, הַחוּצָה, תה"פ — outside

חוֹצֵב, ז', ר', ־צְבִים — stonecutter, quarrier

חוֹצֶלֶת, נ', ר', ־צָלוֹת — straw mat, matting

חוּצְפָּה, חֻצְפָּה, נ', ר', ־פּוֹת — impudence, insolence

חָוָק, ז', ר', חֲוָקִים — rung of a ladder

חוּקָּה, חֻקָּה, נ', ר', ־קּוֹת — statute, ordinance; constitution

חוּקִּי, ת"ז, ־קִּית, ת"נ — legal

חוֹקֶן, חֹקֶן, ז', ר', חֳקָנִים — enema

חוֹקֵק, פ"י, ע' [חקק] — to enact; to inscribe, engrave

חוֹקֵר, ז', ר', ־קְרִים — inquisitor, investigator, inquirer

חָוַר, פ"ע — to grow pale, grow white

חִוֵּר, פ"י — to clarify, make evident

נִתְחַוֵּר, פ"ח — to become clear, become evident

חִוֵּר, ת"ז, חִוֶּרֶת, ת"נ — pale

חוֹר, חֹר, ז', ר', ־רִים — hole, cave; nobleman

בֶּן־חוֹרִים, ־רִין — free man

חוּר, חוּרַי, ז׳ white linen, byssus
חוּרְבָּה, חָרְבָּה, נ׳, ר׳, ־בוֹת ruin, waste, desolation
חוּרְבָּן, חָרְבָּן, ז׳, ר׳, ־בָּנוֹת ruin, destruction
חוֹרֵג, ז׳, ־רֶגֶת, נ׳, ר׳,־רְגִים, ־רְגוֹת stepson, stepdaughter
אָב חוֹרֵג stepfather
אָח חוֹרֵג stepbrother
אָחוֹת חוֹרֶגֶת stepsister
אֵם חוֹרֶגֶת stepmother
חִוָּרוֹן, ז׳ pallor, paleness
חוֹרֶף, חֹרֶף, ז׳, ר׳, חֲרָפִים winter
חוֹרֶשׁ, חֹרֶשׁ, ז׳, ר׳, חֲרָשִׁים thicket, bush, wood
[חוש] חָשׁ, פ״י to make haste; to feel pain
חָשׁ בְּרֹאשׁוֹ to have a headache
חוּשׁ, ז׳, ר׳, ־שִׁים feeling, sense; thicket
חוּשִׁי, ת״ז, ־שִׁית, ת״נ sensual
חוּשִׁיּוּת, נ׳ sensibility
חוֹשֶׁךְ, חֹשֶׁךְ, ז׳ darkness
חוֹשֶׁן, חֹשֶׁן, ז׳, ר׳, חֲשָׁנִים breastplate
חוֹתָל, ז׳, חוֹתֶלֶת, נ׳, ר׳, ־לוֹת envelope, wrapping; diaper
חוֹתָם, ז׳, חוֹתֶמֶת, נ׳, ר׳, ־תָמוֹת seal, stamp; signet ring
חוֹתֵם, ז׳, ר׳, ־תְמִים subscriber; undersigned
חוֹתֵן, ז׳, חוֹתֶנֶת, נ׳, ר׳, ־תְנִים, ־תְנוֹת father-in-law, mother-in-law
חָזֶה, ז׳, ר׳, ־זוֹת chest, breast, thorax
חָזָה, פ״י to prophesy, perceive, behold
חוֹזֶה, חוֹזֶה, ז׳, ר׳, ־זִים pact, contract; seer, prophet
חִזּוּי, ז׳ forecast

חָזוֹן, ז׳, ר׳, חֲזוֹנוֹת prophecy, vision
חִזּוּק, ז׳, ר׳, ־קִים strengthening
חִזּוּר, ז׳, ר׳, ־רִים coming back; going around
חָזוּת, נ׳, ר׳, ־זֻיוֹת revelation; covenant; appearance
חֲזָזִית, נ׳, ר׳, ־זִיּוֹת lichen; skin disease
חֲזִיָּה, נ׳, ר׳, ־יוֹת sight; vest; brassiere
חִזָּיוֹן, ז׳, ר׳, חֶזְיוֹנוֹת vision, phenomenon; play, performance
חָזִיז, ז׳, ר׳, חֲזִיזִים rumbling (of thunder); cloud; thunderstorm
חֲזִינָה, נ׳, ר׳, ־נוֹת knob (of cane)
חֲזִיר, ז׳, ר׳, ־רִים swine, pig
חֲזִיר הַבָּר wild boar
חֲזִירָה, נ׳, ר׳, ־רוֹת returning; sow
חֲזִירוּת, נ׳ swinishness, obscenity
חֲזִירִית, חַזֶּרֶת, נ׳ mumps
חֲזִית, נ׳, ר׳, ־תוֹת front; frontispiece
חֲזָמָה, נ׳, ר׳, ־מוֹת tulip
חַזָּן, ז׳, ר׳, ־נִים sexton beadle; cantor
חַזָּנוּת, נ׳, ר׳, ־נֻיוֹת office of cantor; synagogal music
חָזָק, ת״ז, חֲזָקָה, ת״נ strong, firm, stiff
חָזַק, פ״ע to be strong, firm
חִזֵּק, פ״י to strengthen
חִזֵּק יָדַיִם to encourage
הֶחֱזִיק, פ״י to make strong; to seize; to contain, hold; to maintain
הִתְחַזֵּק, פ״ח to strengthen oneself; to take courage
חוֹזֶק, חֹזֶק, ז׳ strength
חֶזְקָה, חָזְקָה, נ׳, ר׳, חֲזָקוֹת strength, force; severity, vigor

חֲזָקָה, נ׳, ר׳, ־קוֹת taking hold of, seizing; standing right, presumption
בְּחֶזְקַת, תה״פ under the presumption that; the status of
חָזַר, פ״ע to return; to repent; to repeat
חָזַר עַל הַפְּתָחִים to beg (alms)
חָזַר חֲלִילָה to repeat continually
הֶחֱזִיר, פ״י to restore, return something; to revoke
חֲזָרָה, נ׳, ר׳, ־רוֹת return; rehearsal; repetition
חֻזְרָר, ז׳, ר׳, ־רִים crab apple
חֲזֶרֶת, נ׳, ר׳, ־וֹת mumps; horse radish
חוֹזֶרֶת, נ׳ refrain
חָח, ז׳, ר׳, ־חִים brooch; buckle
חָט, ז׳, ר׳, ־טִים incisor
חֵטְא, ז׳, ר׳, חֲטָאִים sin, fault
חֹטֶם, חוֹטֶם, ז׳, ר׳, חֲטָמִים nose, snout
חָטָא, פ״ע to incur guilt; to sin
חִטֵּא, פ״י to purify, disinfect
הֶחֱטִיא, פ״י to miss mark; to make someone sin
חַטָּא, ז׳, ר׳, ־אִים sinner
חַטָּאָה, חֲטָאָה, חַטָּאת, נ׳, ר׳, ־וֹת sin, guilt; sin offering
חָטַב, פ״י to cut, hew wood
חִטֵּב to carve, hew
חַטָּב, ז׳, ר׳, ־בִים sculptor
חֲטֻבָה, נ׳, ר׳, ־בוֹת tapestry, bedspread
חִטָּה, נ׳, ר׳, ־טִים wheat
חִטּוּי, חִטּוּא, ז׳, ר׳, ־יִים, ־אִים disinfection
חֲטוֹטֶרֶת, חֲטֹטֶרֶת, נ׳, ר׳, ־וֹת hump; hunch

חָטוּף, ת״ז, חֲטוּפָה, ת״נ snatched; hurried
חִטְטֵט, פ״י to pick; to scratch
חָטָט, ז׳, ר׳, חֲטָטִים pimple, scab
חֲטֹטֶרֶת, חֲטוֹטֶרֶת, נ׳, ר׳, ־וֹת hump; hunch
חֲטִיבָה, נ׳, ר׳, ־וֹת felling (of trees); unit
חֲטִיטָה, נ׳, ר׳, ־וֹת raking
חֲטִיפָה, נ׳, ר׳, ־וֹת snatching
חָטַם, פ״ע to thumb one's nose; to restrain (anger)
חֹטֶם, חוֹטֶם, ז׳, ר׳, חֲטָמִים nose, snout
חָטְמִי, ת״ז, ־מִית, ת״נ nasal
חָטַף, פ״י to do hurriedly; to snatch
נֶחְטַף, פ״ע to be seized
חֲטָף, חָטֵף, ז׳, ר׳, ־פִים Hataph, obscure vowel, compound sheva (ֲ, ֳ, ֱ)
חַטְפָן, ז׳, ר׳, ־נִים he who snatches, robs, kidnaper
חֹטֶר, ז׳, ר׳, חֲטָרִים branch, stick
חַי, ת״ז, חַיָּה, ת״נ living, alive, active; fresh, raw
חַיָּב, ת״ז, חַיֶּבֶת, ת״נ bound; guilty; obliged
חִיֵּב, פ״י to declare guilty; to oblige; to charge; to debit
הִתְחַיֵּב, פ״ח to undertake (obligation); to pledge oneself
חִיֵּג, פ״י to dial
חִידָה, נ׳, ר׳, ־וֹת riddle, puzzle
חִידוּת, נ׳ sophism
חַיְדַּק, ז׳, ר׳, ־קִים microbe, bacteria
חָיָה, פ״ע to live, be alive, exist; to survive; to recover health
הֶחֱיָה, פ״י to revive, restore

חַיָּה, נ׳, ר׳, ־וֹת — animal; soul; life; midwife

חָיֶה, ת״ז, חָיָה, ת״נ — lively, healthy, vigorous

חִיּוּב, ז׳, ר׳, ־בִים — debit; guilt; obligation

בְּחִיּוּב, תה״פ — positively, affirmatively

חִיּוּבִי, ת״ז, ־בִית, ת״נ — positive

חִיּוּג, ז׳ — dialing

חָיוּד, ת״ז, ־דָה, ת״נ — neutral

חִיּוּךְ, ז׳, ר׳, ־כִים — smile

חִיּוּל, ז׳, ר׳, ־לִים — recruiting

חִיּוּנִי, ת״ז, ־נִית, ת״נ — vital, essential

חִיּוּנִיּוּת, נ׳ — essence, vitality

חִיּוּת, חַיּוּת, נ׳ — life (power), living

חַיָּט, ז׳, ר׳, ־טִים — tailor

חִיֵּט, פ״י — to sew

חַיִט, ז׳, חַיָּטוּת, נ׳ — tailoring, sewing

חַיֶּטֶת, נ׳, ר׳, ־יָּטוֹת — dressmaker, seamstress

חַיִּים, ז״ר — life

לְחַיִּים — to your health

חִיֵּךְ, פ״ע — to smile

חִיל, ז׳, ר׳, ־לִים — childbirth pangs; anguish; trembling

[חיל] חָל, פ״ע — to feel pangs; to tremble; to wait

חַיִל, ז׳, ר׳, חֲיָלִים, חֲיָלוֹת — vigor; wealth; army; strength

חֵיל, חֵל, ז׳, ר׳, ־לִים — inner wall

חִיֵּל, פ״י — to give strength; to assemble army, call to arms

חַיָּל, ז׳, ר׳, ־לִים — soldier

חִין, ז׳ — comeliness, grace

חַיִץ, ז׳, ר׳, חֵיצִים — partition

חִיצוֹן, ת״ז, ־נָה, ת״נ, / חִיצוֹנִי, ת״ז, ־נִית, ת״נ — outer, external

חִיצוֹנִיּוּת, נ׳ — exterior

חֵיק, חֵק, ז׳, ר׳, ־קִים — bosom, lap; pocket; hem

חִירִיק, חִירֶק, ז׳ — Hiriq, Hebrew vowel

חִישׁ, תה״פ — quickly, speedily

חִישָׁה, נ׳, ר׳, ־שׁוֹת — bush, thicket

חֵית, נ׳, ר׳, ־תִין — Heth, name of eighth letter of Hebrew alphabet

חֵךְ, ז׳, ר׳, חִכִּים — palate

חָכָה, פ״ע — to wait, await

חִכָּה, פ״י — to hope, wish; to angle (for fish)

חַכָּה, נ׳, ר׳, ־כּוֹת — fish hook, angle

חִכּוּךְ, ז׳, ר׳, ־כִים — scratching, friction

חָכוֹר, חָכִיר, ז׳, ר׳, ־רִים — tenant

חֲכִירָה, נ׳, ר׳, ־רוֹת — tenancy

חָכַךְ, פעו״י — to scratch; to rub

חַכְלִיל, ת״ז, ־לָה, ת״נ, / חַכְלִילִי, ת״ז, ־לִית, ת״נ — dark red

חַכְלִילוּת, נ׳ — redness

חִכְלֵל, פ״י — to blush

חָכָם, ת״ז, חֲכָמָה, ת״נ — wise, intelligent; skillful

חָכַם, פ״ע — to be wise, intelligent

הֶחְכִּים, פ״ע, פ״י — to grow (make) wise

חֲכָמָה, נ׳, ר׳, ־מוֹת — intelligent woman; midwife

חָכְמָה, נ׳, ר׳, ־מוֹת — intelligence; science; wisdom

חָכַר, פ״י — to lease

חָל, פ״ע, ע׳ [חול] — to fall; to dance; to writhe

חָל, פ״ע, ע׳ [חיל] — to feel pangs; to tremble; to wait

חֹל, חוֹל, ז׳, ר׳, חֻלִּים — profane; common; secular

חֹל הַמּוֹעֵד intermediate days (between first and last days of Passover or Sukkoth)

חָלָא, פ"ע to be ill, diseased

הֶחֱלִיא, פ"י to make ill; to become rusty; to soil

חֶלְאָה, נ', ר', חֲלָאוֹת rust, filth

חָלָב, ז', ר', ־בִים milk

חָלַב, פ"י to milk

חֵלֶב, ז', ר', חֲלָבִים fat, lard

חֶלְבּוֹן, ז', ר', ־נִים albumen white of an egg

חֶלְבּוֹנִי, ת"ז, ־נִית, ת"נ albuminous

חֲלָבִי, ת"ז, ־בִית, ת"נ milky, lactic

חֶלְבִּי, ת"ז, ־בִּית, ת"נ fatty

חַלְבָּן, ז', ר', ־נִים milkman

חֶלְבְּנָה, נ' gum, galbanum

חַלְבָּנוּת, נ' dairying

חֲלַגְלוֹגָה, נ', ר', ־גוֹת purslane

חֹלֶד, חוֹלֶד, ז', ר', חֲלָדִים mole

חֹלֶד הָרִים ermine

חֶלֶד, ז', ר', חֲלָדִים span of life; world

חָלַד, פ"י to burrow; to undermine

הֶחֱלִיד, פ"ע to become rusty

חֲלֻדָּה, חֲלוּדָה, נ', ר', ־דּוֹת rust

חֻלְדָּה, חוּלְדָּה, נ', ר', ־דּוֹת weasel

חָלָה, פ"ע to be feeble; sick

חִלָּה, פ"י to make sick, implant disease; to mollify; to implore

הִתְחַלָּה, פ"ח to feign sickness

חַלָּה, נ', ר', ־לּוֹת white bread; Sabbath bread

חֲלוּדָה, חֲלֻדָּה, נ', ר', ־דּוֹת rust

חַלְוָה, חֲלָוָה, נ', ־ווֹת Halva

חָלוּט, ז', ר', חֲלוּטִים dough; dumpling

חָלוּט, ת" , חֲלוּטָה, ת"נ final, absolute

לַחֲלוּטִים, תה"פ absolutely

חִלּוּט, ז', ר', ־טִים quarantine

חִלּוּי, ז', ר', ־יִים sweetening, supplication

חֻלְיָה, חוּלְיָה, נ', ר', ־וֹת bead; link; joint; vertebra

חָלוּל, ת"ז, חֲלוּלָה, ת"נ hollow

חָלוּל, ז' hollow, cavity

חִלּוּל, ז', ר', ־לִים desecration, profanation

חֲלוֹם, ז', ר', ־מוֹת dream

חַלּוֹן, ז', נ', ר', ־נִים, ־נוֹת window

חִלּוֹנִי, ת"ז, ־נִית, ת"נ secular

חִלּוֹנִיּוּת, נ' secularism

חֲלוֹף, ז' perishableness; vanishing

חִלּוּף, ז', ר', ־פִים change; exchange; substitution; divergence

חִלּוּפִית, נ', ר', ־פִיּוֹת amoeba

חָלוּץ, ז', חֲלוּצָה, נ', ר', ־צִים, ־צוֹת pioneer; vanguard

חִלּוּץ, חִילוּץ, ז' strength, vigor

חֲלוּצִיּוּת, נ' pioneering

חָלוּק, ז', ר', חֲלוּקִים undershirt, bathrobe

חַלּוּק, ז', ר', ־קִים rubble; pebble

חִלּוּק, ז', ר', ־קִים division; distribution

חֲלוּקָה, חֲלֻקָּה, נ', ר', ־קוֹת division, partition; divergence of opinion; alms

חָלוּשׁ, ת"ז, חֲלוּשָׁה, ת"נ feeble, weak

חֲלוּשָׁה, נ', ר', ־שׁוֹת defeat

חִלָּזוֹן, ז', ר', חֶלְזוֹנוֹת, חֶלְזוֹנִים snail; cataract of eye

חֶלְזוֹנִי, ת"ז, ־נִית, ת"נ spiral

חַלְחוּל, ז', ר', ־לִים convulsion; shock; poison

חַלְחוּלִית, נ' intrigue

חַלְחוֹלֶת, חַלְחֹלֶת, נ׳, ר׳, ־לוֹת
rectum; mesentery
חִלְחֵל, פ״ע to shake; to perforate
חַלְחָלָה, נ׳, ר׳, ־לוֹת convulsion; anguish
חֵלֶט, ז׳ ר׳, חֲלָטִים humor (body fluid), secretion
חָלַט, פ״י to decide; to scald
הֶחֱלִיט, פ״י to determine
חֲלִי, ז׳, ר׳, חֲלָאִים ornament, jewel
חֳלִי, חֹלִי, חוֹלִי, ז׳, ר׳, חֳלָיִים
disease, illness
חֳלִי־נֶפֶל epilepsy
חֳלִי־רַע cholera
חֲלִיבָה, נ׳, ר׳, ־וֹת milking
חָלִיד, ת״ז, חֲלִידָה, ת״נ rusty
חֶלְיָה, נ׳, ר׳, חֲלָיוֹת jewelry
חֻלְיָה, חוּלְיָה, נ׳, ־וֹת bead; link; joint; vertebra
חֲלִיטָה, נ׳, ר׳, ־וֹת scalding dough; dumpling
חָלִיל, ז׳, ר׳, חֲלִילִים flute
חָלִילָה, תה״פ God forbid!
חָלִילָה, תה״פ round about, in turn
חָלִיף, ז׳, ר׳, חֲלִיפִים new shoot
חֲלִיפָה, נ׳, ר׳, ־וֹת attire; suit; change, replacement
חֲלִיפוֹת, תה״פ alternately
חֲלִיפִים, חֲלִיפִין, ז״ר exchange, barter
חֲלִיצָה, נ׳, ר׳, ־וֹת spoils of war; undressing; removing (shoe)
חֲלִיקָה, נ׳, ר׳, ־קוֹת blouse
חֲלִירָע, ז׳ cholera
חֵלֶךְ, ז׳, ר׳, חֲלָכִים wretched, hopeless person
חָלָל, ז׳, ר׳, חֲלָלִים slain person; empty space; profaned person

חָלַל, פ״ע to be pierced, wounded
חִלֵּל, פ״י to pierce, wound; to play the flute; to redeem
הֵחֵל, פ״י to begin; to profane
חֲלָלוּת, נ׳ hollowness
חָלַם, פ״ע to be healthy; to dream
הֶחֱלִים, פ״י to restore; to recuperate
חַלְמָה, חֲלָמָה, נ׳ potter's clay
חֶלְמוֹן, ז׳, ר׳, ־נִים yolk, yellow of egg
חֶלְמוֹנִי, ת״ז, ־נִית, ת״נ yolky
חַלָּמִישׁ, ז׳ flint, silex
חַלְמִית, נ׳, ר׳, ־יוֹת ox tongue
חֵלֶף, תה״פ in exchange for
חֵלֶף, חִילָף, ז׳, ר׳, חִילָפִים reed
חָלַף, פ״ע to pass away, pass; to sprout; to pierce
הֶחֱלִיף, פ״י to exchange; to change; to renew
הִתְחַלֵּף, פ״ח to be altered, transformed
חַלָּף, ז׳, ר׳, ־פוֹת very sharp knife
חַלְפִּית, נ׳, ר׳, ־פִּיוֹת swordfish
חַלְפָן, ז׳, ר׳, ־נִים money-changer
חַלְפָנוּת, נ׳, ר׳, ־נֻיוֹת exchange (of money)
חָלַץ, פ״י to strip; to take off shoe; to withdraw
נֶחֱלַץ, פ״ע to be girded for war; to be rescued
חִלֵּץ, פ״י to extract; to rescue
הֶחֱלִיץ, פ״י to invigorate; to strengthen
חָלָץ, ז׳, ר׳, חֲלָצַיִם loin, flank
חֻלְצָה, חוּלְצָה, נ׳, ר׳, ־צוֹת blouse; jerkin
חֵלֶק, ז׳, ר׳, חֲלָקִים share, part; fate; smoothness

חָלָק, ת״ז, חֲלָקָה, ת״נ — smooth, slippery; blank

חָלַק, פ״י — to divide; to differentiate; to glide

חִלֵּק, פ״י — to apportion; to distribute, share; to distinguish

הֶחֱלִיק, פ״י — to flatten; to make smooth

חֶלְקָה, נ׳, ר׳, חֲלָקוֹת — ground, field; smoothness

חֲלָקוֹת, נ״ר — flattery, adulation

חֲלֻקָּה, חֲלוּקָה, נ׳, ר׳, ־קּוֹת — division, partition; divergence of opinions; alms

חֶלְקִי, ת״ז, ־קִית, ת״נ — partial

חֶלְקִיּוּת, נ׳ — partiality

חֲלַקְלַק, ת״ז, ־קָּה, ת״נ — slippery

חֲלַקְלַקָּה, נ׳, ר׳, ־קּוֹת — slippery spot; ice-skating rink; flattery

חַלָּשׁ, ת״ז, ־שָּׁה, ת״נ — weak

חָלַשׁ, פ״ע — to be weak; to cast lots

חֻלְשָׁה, חוּלְשָׁה, חַלָּשׁוּת, נ׳, ר׳, ־שׁוֹת, ־שֻׁיּוֹת — weakness, feebleness

חֶלְתִּית, נ׳ — St. John's wort

חָם, ז׳, ר׳, ־מִים — father-in-law

חַם, ת״ז, חַמָּה, ת״נ — warm, hot

חַמִּים, חַמִּין — warm water, hot springs

חֹם, ז׳ — heat, warmth, temperature

חֶמְאָה, נ׳, ר׳, חֲמָאוֹת — curd, butter

חֶמֶד, ז׳ — desire; delight

חָמַד, פ״י — to covet, lust, desire

חֶמְדָּה, נ׳, ר׳, חֲמָדוֹת — joy, beauty; lust

חֶמְדָּן, חַמְדָן, ז׳, ר׳, ־נִים — lustful person

חֶמְדָּנוּת, חַמְדָּנוּת, נ׳, ר׳, ־נֻיּוֹת — lustfulness, sensuality, covetousness

חַמָּה, נ׳, ר׳, ־מּוֹת — sun; heat; fever

חֵמָה, נ׳, ר׳, ־מוֹת — wrath, fury; venom

חָמוּד, ת״ז, חֲמוּדָה, ת״נ — noble, lovely

חִמּוּד, ז׳, ר׳, ־דִים — lustfulness

חִמּוּם, ז׳ — warming, heating

חָמוּם, ת״ז, חֲמוּמָה, ת״נ — hot-headed

חָמוֹץ, ז׳, ר׳, ־צִים — brigand; ruthless person

חָמוּץ, ת״ז, חֲמוּצָה, ת״נ — sour

חִמּוּץ, ז׳, ר׳, ־צִים — leavening; becoming sour

חַמּוּק, ז׳, ר׳, ־קִים — curve, circuit; outline

חֲמוֹר, ז׳, ר׳, ־רִים — ass, donkey; dolt, idiot; trestle

חָמוּר, ת״ז, חֲמוּרָה, ת״נ — grave, weighty; severe

חֲמוֹרָה, נ׳, ר׳, ־רוֹת — ass (f.); idiotic woman

חָמוּשׁ, ת״ז, חֲמוּשָׁה, ת״נ — armed, equipped

חָמוֹת, נ׳, ר׳, חֲמָיוֹת — mother-in-law

חַמּוּת, נ׳ — warmth

חֹמֶט, חוֹמֶט, ז׳, ר׳, חֲמָטִים — lizard

חֲמִיטָה, נ׳, ר׳, ־טוֹת — griddle cake

חֲמִילָה, נ׳, ר׳, ־לוֹת — blanket; coat (of heavy cloth)

חָמִים, ת״ז, חֲמִימָה, ת״נ — warm

חֲמִימוּת, נ׳, ר׳, ־מֻיּוֹת — tepidity, lukewarmness

חָמִיץ, ז׳, ר׳, ־צִים — silage; fodder

חֲמִיצָה, נ׳, ר׳, ־צוֹת — sour soup

חֲמִיצוּת, נ׳, ר׳, ־צֻיּוֹת — acidity, sourness

חֲמִישִׁי, ת״ז, ־שִׁית, ת״נ — fifth

חֲמִישִׁיָּה, חֲמִשִּׁיָּה, נ׳, ר׳, ־יּוֹת — quintet

חֲמִישִׁית, חֲמִשִּׁית, נ׳, ר׳, ־שִׁיּוֹת — one-fifth

חֲמִית, נ׳, ר׳, ־מִיּוֹת calorie
חָמַל, פ״ע to spare, have pity
חֶמְלָה, נ׳ pity, compassion
חָמַם, חַם, פ״ע to become warm, be warm, warm oneself
נֶחֱמַם, פ״ע to be inflamed, heated
חִמֵּם, פ״י to keep warm, heat up
הִתְחַמֵּם, פ״ח to warm oneself
חֲמָמָה, נ׳, ר׳, ־מוֹת hothouse
חַמָּנִית, נ׳, ר׳, ־נִיּוֹת sunflower
חָמָס, ז׳, ר׳, חֲמָסִים injustice; plunder; violence
חָמַס, פ״י to treat violently; to do wrong; to devise; to shed
נֶחְמַס, פ״ע to suffer violence
חִמֵּס, פ״י to scratch
חַמְסִין, ז׳, ר׳, ־נִים very hot east wind; heatspell
חַמְסָן, ז׳, ר׳, ־נִים plunderer; extortioner; violent man
חַמְסָנוּת, נ׳, ר׳, ־נֻיּוֹת violence; plundering
חָמֵץ, ז׳ leavened bread
חָמַץ, פ״ע to be sour, fermented
חִמֵּץ, פ״י to cause to be leavened; to delay
חֻמַּץ, פ״ע to be leavened
הֶחְמִיץ, פ״ע to become fermented; to put off, delay
הִתְחַמֵּץ, פ״ח to be soured; to be degenerate
חֹמֶץ, חוֹמֶץ, ז׳, ר׳, חֲמָצִים acid; vinegar
חֻמְצָה, חוּמְצָה, נ׳, ר׳, ־צוֹת
leavening, fermenting
חַמְצָן, ז׳ oxygen
חָמַק, פ״ע to evade, slip away

הִתְחַמֵּק, פ״ח to turn hither and thither; to elude (duty); to shun
חֶמֶר, ז׳ wine
חֹמֶר, חוֹמֶר, ז׳, ר׳, חֲמָרִים clay; matter; material
קַל וָחֹמֶר from minor to major
חֵמָר, ז׳, ר׳, ־רִים asphalt, bitumen
חָמַר, פעו״י to foam; to cover with asphalt; to burn; to be strict
נֶחְמַר, פ״ע to be parched; to be kneaded
חִמֵּר, פ״י to drive an ass
הֶחְמִיר, פ״י to be strict; to cause pain
חַמָּר, ז׳, ר׳, ־רִים ass-driver
חֻמְרָה, חוּמְרָה, נ׳, ר׳, ־רוֹת severity, restriction
חָמְרִי, ת״ז, ־רִית, ת״נ material
חָמְרִיּוּת, נ׳ materialism
חֲמֹרֶת, נ׳, ר׳, חֲמָרוֹת caravan of donkeys
חָמֵשׁ, שמ״נ, חֲמִשָּׁה, שמ״ז five
חֲמֵשׁ עֶשְׂרֵה, נ׳, חֲמִשָּׁה עָשָׂר, ז׳ fifteen
חֻמָּשׁ, חוּמָּשׁ, ז׳, ר׳, ־שִׁים Pentateuch (five books of the Torah)
חֹמֶשׁ, חוֹמֶשׁ, ז׳, ר׳, חֳמָשִׁים one-fifth; groin
חִמֵּשׁ, פ״י to divide or multiply by five; to arm, prepare for war
חֻמַּשׁ, פ״ע to be divided or multiplied by five
הִתְחַמֵּשׁ, פ״ח to arm oneself
חֲמִשָּׁה, שמ״ז, חָמֵשׁ, שמ״נ five
חֲמִשִּׁי, ת״ז, ־שִׁית, ת״נ fifth
חֲמִשִּׁיָּה, חֲמִישִׁיָּה, נ׳, ר׳, ־יּוֹת quintet
חֲמִשִּׁים, ש״מ fifty
חֲמִשִּׁית, חֲמִישִׁית, שמ״נ one-fifth

חֵמֶת, נ׳, ר׳, חֵמָתוֹת water skin; file (for papers)
חֵמֶת־חֲלִילִים bagpipe
(חֲמַת) מֵחֲמַת, תה״פ in consequence of
מֵחֲמַת, מ״י because of
חֵן, ז׳ grace, charm
חֵן חֵן thank you, thanks
מָצָא חֵן, נָשָׂא חֵן to please
חָנַג, פ״ע to visit a grave
חִנֵּג, פ״ע to dance
חִנְגָּא, חִנְגָּה, נ׳, ר׳, ־גוֹת dance
חָנָה, פ״ע to encamp; to incline; to settle down
הֶחֱנָה, פ״י to cause to encamp; to settle
חָנוּט, ז׳, ר׳, חֲנוּטִים mummy, embalmed body
חִנּוּךְ, ז׳, ר׳, ־כִים education
חֲנוּכָּה, חֲנֻכָּה, נ׳, ר׳, ־כּוֹת dedication, inauguration; Hanukah
חֲנוּכִּיָּה, חֲנֻכִּיָּה, נ׳, ר׳, ־יוֹת Hanukah lamp; candelabrum
חִנּוּכִי, ת״ז, ־כִית, ת״נ educational
חַנּוּן, ת״ז, חַנּוּנָה, ת״נ gracious, merciful
חֶנְוָנִי, ז׳, ר׳, ־נִים shopkeeper
חֲנוּפָּה, חֲנֻפָּה, נ׳, ר׳, ־פּוֹת impiety; flattery; hypocrisy
חָנוּת, חֲנוּת, נ׳, ר׳, חֲנֻיוֹת shop, store
חָנַט, פ״י to embalm; to become ripe
נֶחְנַט, פ״ע to be embalmed; to be ripe
חַנָּט, ז׳, ר׳, ־טִים embalmer
חֲנָטָה, חֲנִיטָה, נ׳, ר׳, ־טוֹת ripening, embalming
חֲנָיָה, חֲנִיָּה, נ׳, ר׳, ־יוֹת encampment; parking

חָנִיךְ, ז׳, ר׳, חֲנִיכִים pupil, apprentice
חֲנִיכָה, נ׳, ר׳, ־כוֹת apprentice (*f.*); surname
חֲנִיכַיִם, ז״ר gums; jawbone, maxilla
חֲנִינָה, נ׳, ר׳, ־נוֹת parole; mercy; pardon
חֲנִיפָה, נ׳, ר׳, ־פוֹת flattery, hypocrisy
חֲנִיקָה, נ׳, ר׳, ־קוֹת suffocation, strangulation
חֲנִית, נ׳, ר׳, ־תוֹת dagger
חָנַךְ, פ״י to educate; to inaugurate
נֶחְנַךְ, פ״ע to become inaugurated
חֻנַּךְ, פ״ע to become educated
הִתְחַנֵּךְ, פ״ח to educate oneself; to be dedicated
חֵנֶךְ, ז׳, ר׳, חִנְכַּיִם, חֲנִיכַיִם gum
חֲנֻכָּה, חֲנוּכָּה, נ׳, ר׳, ־כּוֹת dedication, inauguration; Hanukah
חֲנֻכִּיָּה, חֲנוּכִּיָּה, נ׳, ר׳, ־יוֹת candelabrum; Hanukah lamp
חִנָּם, תה״פ gratuitously; undeservedly; in vain
חֲנָמַל, ז׳, ר׳, ־לִים large hailstone
חָנַן, פ״י to show favor; to forgive; to grant
חִנֵּן, פ״י to speak kindly; to beg mercy; to exalt someone
חוֹנֵן, פ״י to favor, pity
חֻנַּן, פ״ע to be pardoned, pitied
הִתְחַנֵּן, פ״ח to implore, supplicate; to find favor
חֹנֶף, חוֹנֶף, ז׳ flattery, hypocrisy
חָנֵף, ת״ז, חֲנֵפָה, ת״נ hypocrite; impostor
חָנַף, פ״ע to be profane; to be wicked; to flatter
חֲנֻפָּה, חֲנוּפָּה, נ׳, ר׳, ־פּוֹת impiety; hypocrisy, flattery

חַנְפָן, ז׳, ר׳, ־נִים flatterer; hypocrite
חָנַק, פ״י to suffocate, strangle
חֶנֶק, ז׳ strangulation
חַנְקָן, ז׳, ר׳, ־נִים nitrogen, azote
חָס, פ״ע, ע׳ [חוס] to have compassion, have pity
חַס וְשָׁלוֹם, חַס וְחָלִילָה God forbid!
חָס, ז׳, ר׳, ־סִים forbearance
חָסָא, חַסָּה, נ׳, ר׳, ־סּוֹת lettuce
חֶסֶד, ז׳, ר׳, חֲסָדִים grace, favor; righteousness; charity; disgrace
חִסֵּד, פ״י to do good; to reproach; to shame
הִתְחַסֵּד, פ״ח to be kind; to feign piety
חַסָּה, חָסָא, נ׳, ר׳, ־סּוֹת lettuce
חָסָה, פ״ע to seek refuge; to trust
חָסוּד, ת״ז, חֲסוּדָה, ת״נ kind, gracious
חִסּוּי, ז׳, ר׳, ־יִים shelter, sanctuary
חִסּוּל, ז׳ liquidation
חִסּוּם, ז׳, ר׳, ־מִים clogging, sharpening blades
חָסוֹן, חָסֹן, ת״ז, חֲסוֹנָה, חֲסֻנָה, ת״נ healthy, strong
חִסּוּן, ז׳, ר׳, ־נִים immunization
חִסּוּר, ז׳, ר׳, ־רִים subtraction; want
חָסוּת, נ׳, ר׳, ־סֻיּוֹת protection; patronage; refuge
חַסְחוּס, ז׳, ר׳, ־סִים cartilage
חָסִיד, ז׳, ר׳, חֲסִידִים orthodox, pious, righteous
חֲסִידָה, נ׳, ר׳, ־דוֹת stork
חֲסִידוּת, נ׳ piety; hassidism
חָסִיל, ז׳, ר׳, חֲסִילִים locust
חֲסִימָה, נ׳, ר׳, ־מוֹת blocking; muzzling
חָסִין, ת״ז, חֲסִינָה, ת״נ immune
חֲסִינוּת, נ׳ immunity

חָסַךְ, פ״י to have pity; to spare, save
חִסֵּךְ, פ״י to economize
חִסָּכוֹן, ז׳, ר׳, חֶסְכוֹנוֹת savings, thrift, economy
חַסְכָנוּת, נ׳ parsimony, stinginess
חָסַל, פ״י to devour, exterminate
חָסַם, פ״י to muzzle; to prevent, block; to temper
הִתְחַסֵּם, נִתְ־, פ״ח to be tempered
חֹסֶן, ז׳, ר׳, חֲסָנִים provision; treasure; immunity
[חסן] הֶחְסִין, פ״י to store, conserve
חִסֵּן, פ״י to immunize
חָסַן, פ״ע to dry up, become hard; to become strong
חָסַף, פ״י to divulge, reveal, lay bare
חִסְפֵּס, פ״י to make scaly; to make uneven
חֻסְפַּס, פ״ע to be grainlike, scaly
חֹסֶר, ז׳ lack, want
חֶסֶר, ז׳ poverty; decrease
חָסֵר, ת״ז, חֲסֵרָה, ת״נ lacking, defective
חָסַר, פ״ע to lack; to decrease; to be absent
חִסֵּר, פ״י to deprive; to lessen; to omit
חֻסַּר, פ״ע to be short of
הֶחְסִיר, פ״י to deduct
הִתְחַסֵּר, פ״ח to dwindle, be reduced
חִסָּרוֹן, חֶסְרוֹן, ז׳, ר׳, ־נוֹת need, deficiency; fault
חַף, ת״ז, חַפָּה, ת״נ clean, pure, innocent
חָף, ז׳, ר׳, ־פִּים tooth of key; clutch
חִפֵּא, פ״י to invent, fabricate, pretend

dust cover, case חָפָא, ז׳, ר׳, חֲפָאִים

to cover, wrap חָפָה, פ״י

to overlay, to camouflage חִפָּה, פ״י

canopy (in marriage ceremony) חֻפָּה, חוּפָּה, נ׳, ר׳, ־פּוֹת

lampshade חִפָּה, נ׳, ר׳, ־פּוֹת

camouflage; cover חִפּוּי, ז׳, ר׳, ־יִים

search; induction חִפּוּשׂ, ז׳, ר׳, ־שִׂים

inductive חִפּוּשִׂי, ת״ז, ־שִׂית, ת״נ

beetle חִפּוּשִׁית, נ׳, ר׳, ־שִׁיּוֹת

to be hasty; to be frightened חָפַז, פ״ע

to be hurried; to act rashly נֶחְפַּז, פ״ע

haste; trepidation חִפָּזוֹן, ז׳

hand broom חֲפִיָּה, נ׳, ר׳, ־פִיּוֹת

taking a handful חֲפִינָה, נ׳, ר׳, ־נוֹת

portfolio; handbag חֲפִיסָה, נ׳, ר׳, ־סוֹת

covering; cleaning; shampooing חֲפִיפָה, נ׳, ר׳, ־פוֹת

digging; ditch; excavation חֲפִירָה, נ׳, ר׳, ־רוֹת

handful חֹפֶן, חוֹפֶן, ז׳, ר׳, חָפְנַיִם

to take a handful חָפַן, פ״י

to measure by the handful נֶחְפַּן, פ״ע

to cover; to protect; to rub, comb; to wash (head) חָפַף, פ״י

itch; eczema, rash חֲפָפִית, נ׳, ר׳, ־יוֹת

wish, desire; object; belonging חֵפֶץ, ז׳, ר׳, חֲפָצִים

to wish, to desire חָפֵץ, פ״ע

to move, wiggle (tail) חָפַץ, פ״י

to dig, excavate; to spy; to explore חָפַר, פ״י

to be put to shame נֶחְפַּר, פ״ע

to be ashamed, put to shame הֶחְפִּיר, פעו״י

mole חֲפַרְפָּרָה, חֲפַרְפֶּרֶת, נ׳, ר׳, ־רוֹת

freedom, liberty; vacation חֹפֶשׁ, חוֹפֶשׁ, ז׳, ר׳, חֳפָשִׁים

to seek, search חָפַשׂ, פ״י

to search, investigate חִפֵּשׂ, פ״י

to be exposed חֻפַּשׂ, פ״ע

to disguise, hide oneself הִתְחַפֵּשׂ, פ״ח

to set free חִפֵּשׁ, פ״י

to be liberated חֻפַּשׁ, פ״ע

freedom, liberty; vacation חֻפְשָׁה, חוּפְשָׁה, נ׳, ר׳, ־שׁוֹת

free; emaciated and pale חָפְשִׁי, ת״ז, ־שִׁית, ת״נ

hospital; asylum (for leprosy) חָפְשִׁית, נ׳

fold חֵפֶת, ז׳, ר׳, חֲפָתִים

to fold up; to adapt, adjust חָפַת, חִפֵּת, פ״י

arrow, dart חֵץ, ז׳, ר׳, חִצִּים

to hew; to chisel, cleave חָצַב, פ״י

to be hewn, chiseled נֶחְצַב, פ״ע

to beat; to kill הֶחֱצִיב, פ״י

stonecutter חַצָּב, ז׳, ר׳, ־בִים

earthenware jar, pitcher; squill חָצָב, ז׳, ר׳, חֲצָבִים

measles חַצֶּבֶת, נ׳

to divide, halve; to cross; to bisect חָצָה, פ״י

tripod חֲצוּבָה, נ׳, ר׳, ־בוֹת

impudent, arrogant חָצוּף, ת״ז, חֲצוּפָה, ת״נ

trumpet; cavity of ear חֲצוֹצְרָה, נ׳, ר׳, ־רוֹת

trumpeter חֲצוֹצְרָן, ז׳, ר׳, ־נִים

midnight; middle; half חֲצוֹת, נ׳

half; middle חֲצִי, ז׳, ר׳, חֲצָאִים, ־יִים

חֲצִי־אִי, ז׳, ר׳, חֲצָאֵי אִיִּים peninsula
חֲצִיָּה, חֲצָיָה, נ׳, ר׳, ־יּוֹת halving
חָצִיל, ז׳, ר׳, חֲצִילִים eggplant
חָצִין, ז׳, ר׳, חֲצִינִים ax
חֲצִיפוּת, נ׳, ר׳, ־פֻיּוֹת impertinence; arrogance
חֲצִיצָה, נ׳, ר׳, ־צוֹת partition; interposition
חָצִיר, ז׳, ר׳, חֲצִירִים grass; meadow; hay; leek
חֹצֶן, ז׳, ר׳, חֳצָנִים bosom
[חצף] הֶחֱצִיף, פ״ע to be impertinent, bold
הִתְחַצֵּף, פ״ח to be impudent
חֻצְפָּה, חוּצְפָּה, נ׳, ר׳, ־פּוֹת insolence, impudence
חָצָץ, ז׳ gravel; arrow; kidney stone
חָצַץ, פ״י to partition; to divide; to pick one's teeth
חִצְצֵר, פ״ע to blow a trumpet
חָצֵר, ז׳, ר׳, ־רוֹת, ־רִים courtyard; hamlet; court of law
חַצְרָן, ז׳, ר׳, ־נִים court official; superintendent
חַצְרָנוּת, נ׳, ר׳, ־נֻיּוֹת courtesy
חֹק, ז׳, ר׳, חֻקִּים statute; custom; limit
חַקַּאי, חַקְיָן, ז׳, ר׳, ־קָאִים, ־נִים imitator, pantomimist
חֻקָּה, חוּקָּה, נ׳, ר׳, ־קּוֹת law, ordinance
חִקָּה, פ״ע to imitate; to pantomime; to inscribe
חֻקָּה, פ״ע to be engraved
הִתְחַקָּה, פ״ח to set limit; to trace; to resemble
חִקּוּי, ז׳, ר׳, ־יִים imitation
חִקּוּר, ז׳, ר׳, ־רִים searching; inquiry

חָקִי, ז׳ khaki
חֻקִּי, ת״ז, ־קִּית, ת״נ legal
חַקְיָנוּת, נ׳ pantomime, pantomimicry
חֲקִיקָה, נ׳, ר׳, ־קוֹת legislation; engraving
חֲקִירָה, נ׳, ר׳, ־רוֹת investigation; research
חַקְלָאוּת, נ׳ agriculture, farming
חַקְלַאי, ז׳, ר׳, ־אִים farmer, agriculturist
חַקְלָאִי, ת״ז, ־אִית, ת״נ agricultural
חֹקֶן, חוֹקֶן, ז׳, ר׳, חֳקָנִים enema
חֻקְנָה, נ׳ syringe
חָקַק, פ״י to engrave; to hollow; to legislate
חוֹקֵק, פ״י to enact; to inscribe; to carve
חֻקַּק, פ״ע to be decreed
חֶקֶק, ז׳, ר׳, חֲקָקִים decree, law
חָקַר, פ״י to investigate, explore; to study
חֵקֶר, ז׳, ר׳, חֲקָרִים investigation
חַקְרָן, ז׳, ר׳, ־נִים investigator
חַקְרָנוּת, ז׳, ר׳, ־נֻיּוֹת exploration
חֻקָּתִי, ת״ז, ־תִית, ת״נ constitutional
חֹר, חוֹר, ז׳, ר׳, ־רִים hole, cave; nobleman
חֻר, חוּר, ז׳ white linen, white garment
חֲרָאִים, ז״ר excrements
חָרֵב, ת״ז, חֲרֵבָה, ת״נ ruined; dry; desolate
חֹרֶב, ז׳ heat; dryness, drought; desolation
חָרַב, פ״ע to be dry; to be desolate; to be destroyed
נֶחֱרַב, פ״ע to be laid waste
הֶחֱרִיב, פ״י to destroy; to cause to be dry

חֶרֶב, נ׳, ר׳, חֲרָבוֹת sword, knife; blade (of plow)

חָרְבָּה, חָרְבָה, נ׳, ר׳, ־בוֹת, חֳרָבוֹת ruin, desolation, waste

חַרְבָּה, נ׳, ר׳, ־בּוֹת fruit knife

חָרָבָה, נ׳, ר׳, ־בוֹת dry land

חֲרָבוֹן, ז׳, ר׳, חַרְבוֹנִים heat; drought

חֶרְבּוֹן, ז׳, ר׳, ־נִים, ־נוֹת disappointment, let-down

חָרְבָּן, חוּרְבָּן, ז׳, ר׳, ־נוֹת ruin, destruction

חִרְבֵּן, פ״י to ensnarl; to spoil

חָרַג, פ״ע to quake; to spring forth

חַרְגּוֹל, ז׳, ר׳, ־לִים locust

חָרַד, פ״ע to tremble; to fear; to be anxious; to be orthodox

הֶחֱרִיד, פ״י to terrify

חָרֵד, ת״ז, חֲרֵדָה, ת״נ orthodox

חָרָד, ז׳, ר׳, חֲרָדִים cupboard, closet

חֲרָדָה, נ׳, ר׳, ־וֹת terror, anxiety; rags

חַרְדּוֹן, ז׳, ר׳, ־נִים lizard

חַרְדָּל, ז׳, ר׳, ־לִים mustard

חָרָה, פ״ע to be angry; to kindle, burn

הֶחֱרָה, פ״י to make angry; to do with zeal

הִתְחָרָה, פ״ח to compete, rival

חָרוּב, ז׳, ר׳, ־בִים carob

חֲרוּבִית, נ׳, ר׳, ־יוֹת carob tree

חָרוּז, ז׳, ר׳, חֲרוּזִים string of beads; verse, rhyme

חָרוֹז, ז׳, ר׳, ־זִים poet, bard

חֲרוּזִי, ת״ז, ־זִית, ת״נ versicular

חָרוּט, ז׳, ר׳, חֲרוּטִים cone; inscription

חֲרוּטִי, ת״ז, ־טִית, ת״נ conical

חָרוּךְ, ת״ז, חֲרוּכָה, ת״נ burnt (food), charred

חָרוּל, ז׳, ר׳, חֲרוּלִים weeds, nettle

חֵרוּם, ז׳ state of war, insecurity

שְׁעַת חֵרוּם emergency

חָרוּם, ת״ז, חֲרוּמָה, ת״נ flat-nosed

חֲרוּמַף, ז׳, ר׳, ־פִים flat-nosed person

חָרוֹן, ז׳, ר׳, חֲרוֹנִים anger; brier

חֲרוֹסֶת, חֲלֹסֶת, נ׳, ר׳, ־סוֹת sauce, condiment used on Passover eve

חֵרוּף, ז׳, ר׳, ־פִים blasphemy, abuse

חֵרוּף נֶפֶשׁ devotion, loyalty

חֲרוּפָה, נ׳, ר׳, ־פוֹת betrothed, destined one

חָרוּץ, ת״ז, חֲרוּצָה, ת״נ; ז׳ diligent; determined; sharp; maimed; gold

חָרוּק, ז׳, ר׳, חֲרוּקִים insect

חָרוּק, ת״ז, חֲרוּקָה, ת״נ punctured, dented

חָרוּר, ת״ז, חֲרוּרָה, ת״נ perforated

חָרוּשׁ, ת״ז, חֲרוּשָׁה, ת״נ plowed

חֵרוּת, נ׳, ר׳, ־יוֹת freedom

חָרוּת, נ׳, ר׳, חֲרָיוֹת palm leaf

חָרַז, פ״י to string together; to rhyme

נֶחֱרַז, פ״ע to be arranged

חַרְזָן, ז׳, ר׳, ־נִים versifier

חַרְחֲבִינָה, נ׳, ר׳, ־נוֹת snakeroot

חַרְחוּר, חַרְחֻר, ז׳, ר׳, ־רִים consumption; violent heat, fever

חִרְחוּר, ז׳, ר׳, ־רִים quarreling

חִרְחֵר, פ״י to kindle, provoke strife

חֶרֶט, ז׳, ר׳, חֲרָטִים mold; engraving tool; pen; paintbrush; crayon

[חרט] הִתְחָרֵט, פ״ח to regret, repent

חָרַט, פ״י to engrave, chisel

נֶחֱרַט, פ״ע to be printed, inscribed

חֲרָטָה, נ׳, ר׳, ־טוֹת repentance, regret

חַרְטוֹם, חֲרָטוֹם, ז׳, ר׳, ־מִים nose; bill, beak; bow (ship)
חַרְטֹם, ז׳, ר׳, חַרְטֻמִּים magician
כְּתָב הַחַרְטֻמִּים hieroglyphics
חַרְטוּמָן, ז׳, ר׳, ־נִים woodcock
חַרְטוּמַנּוֹן, ז׳, ר׳, ־נִים snipe
חֳרִי, חֳרִי־אַף, ז׳ burning anger
חֹרִי, חוֹרִי, ז׳ pastry, cake
חִרְיוֹנִים, ז״ר bird droppings
חָרִיט, ז׳, ר׳, חֲרִיטִים lady's purse
חֲרִיטָה, נ׳, ר׳, ־טוֹת engraving
חֲרִיכָה, נ׳, ר׳, ־כוֹת burning (food), singeing
חֲרִיעַ, ז׳, ר׳, ־עִים safflower; red dye
חָרִיף, ת״ז, חֲרִיפָה, ת״נ sharp; acute; sagacious
חֲרִיפוּת, נ׳, ר׳, ־יוֹת sharpness, acuteness; sagacity
חָרִיץ, ז׳, ר׳, חֲרִיצִים slice; incision; trench
חֲרִיצָה, נ׳, ר׳, ־צוֹת sharpening; cutting
חֲרִיצוּת, נ׳, ר׳, ־יוֹת diligence; skillfulness
חֲרִיקָה, נ׳, ר׳, ־קוֹת gnashing of teeth; clatter
חָרִיר, ז׳, ר׳, חֲרִירִים needle eye
חָרִישׁ, ז׳, ר׳, חֲרִישִׁים plowing time
חֲרִישָׁה, נ׳, ר׳, ־שׁוֹת plowing; dumbness; silence
חֲרִישִׁי, ת״ז, ־שִׁית, ת״נ silent; soft
חָרָךְ, ז׳, ר׳, חֲרַכִּים latticed window
חָרַךְ, פ״י to singe, char, burn
חָרֶלֶת, נ׳ nettle rash; urticaria
חֵרֶם, ז׳, ר׳, חֲרָמִים net; ban; excommunication
[חרם] הֶחֱרִים, פ״י to excommunicate; to destroy
חָרָם, ז׳, ר׳, ־מִים net fisherman
חָרְמָה, נ׳ extermination, destruction
חֶרְמֵשׁ, ז׳, ר׳, ־שִׁים sickle, scythe
חֶרֶס, ז׳, ר׳, חֲרָסִים clay; sun; prurigo
חָרָס, ז׳, ר׳, חֲרָסִים potter
חַרְסָה, נ׳ sun
חַרְסִית, נ׳, ר׳, ־יוֹת potter's clay; earthenware
חֲרֹסֶת, חֲרוֹסֶת, נ׳, ר׳, ־סוֹת sauce; condiment used on Passover eve
חֹרֶף, חוֹרֶף, ז׳, ר׳, חֳרָפִים winter
חָרַף, פעו״י to winter; revile
נֶחֱרַף, פ״ע to be betrothed
חֵרֵף, פ״י to make wintry; to revile
חֵרֵף נַפְשׁוֹ to expose oneself to danger
נִתְחָרֵף, פ״ח to be cursed
חֶרְפָּה, נ׳, ר׳, חֲרָפוֹת shame, outrage, abuse
חָרַץ, פ״י to cut into; to decree; to be diligent
נֶחֱרַץ, פ״ע to be cut into, dug; to be plowed
חַרְצֹב, ז׳, חַרְצֻבָּה, נ׳, ר׳, ־צֻבִּים, ־בּוֹת bond, fetter; pain
חַרְצָן, ז׳, ר׳, ־צַנִּים grape stone, grape kernel
חָרַק, פ״ע to squeak; to gnash; to grind
חֶרֶק, ז׳, ר׳, חֲרָקִים insect; notch, incision
חֲרָקָה, נ׳, ר׳, ־קוֹת squeak
חָרַר, חֵרַר, פעו״י to bore; to be scorched; to burn; to set free
חָרֵר, ז׳, ר׳, ־רִים parched soil
חֲרָרָה, נ׳, ר׳, ־רוֹת thin cake; clot
חָרַשׁ, פעו״י to plow; to engrave; to devise; to be silent

to become deaf נֶחֱרַשׁ, פ״ע
to be silent; to silence; to plot הֶחֱרִישׁ, פעו״י
to whisper; to become deaf הִתְחָרֵשׁ, נִתְ־, פ״ח
craftsman, artisan; magician חָרָשׁ, ז׳, ר׳, ־שִׁים
carpenter חָרַשׁ־עֵץ, ז׳
deaf person חֵרֵשׁ, ז׳, ר׳, ־רְשִׁים
earthenware; potsherd חֶרֶשׂ, ז׳, ר׳, חֲרָשִׂים
silently, secretly חֶרֶשׁ, תה״פ
thicket, wood, bush חֹרֶשׁ, חוֹרֶשׁ, ז׳, ר׳, חֳרָשִׁים
wood, forest חֻרְשָׁה, נ׳, ר׳, ־שׁוֹת
deafness חֵרְשׁוּת, נ׳
artichoke חַרְשָׁף, ז׳, ר׳, ־פִים
manufacture; craftsmanship חֲרֹשֶׁת, נ׳, ר׳, ־רוֹשׁוֹת
factory בֵּית חֲרֹשֶׁת
industrial חֲרָשְׁתִּי, ת״ז, ־תִּית, ת״נ
industrialist חֲרָשְׁתָּן, ז׳, ר׳, ־נִים
to engrave, inscribe חָרַת, פ״י
blacking; inscription חֶרֶת, ז׳
to make haste; to feel pain חָשׁ, פ״י, ע׳ [חוש]
stillness, quiet חֲשַׁאי, חֲשַׁי, ז׳
secretly בַּחֲשַׁאי, תה״פ
to think; to intend; to consider; to calculate חָשַׁב, פ״י
to think over, calculate חִשֵּׁב, פ״י
to be considered; to be esteemed; to take into consideration הִתְחַשֵּׁב, פ״ח
accountant חַשָּׁב, ז׳, ר׳, ־בִים
arithmetic; account חֶשְׁבּוֹן, ז׳, ר׳, ־נוֹת
report דִּין וְחֶשְׁבּוֹן (דו״ח)
introspection חֶשְׁבּוֹן הַנֶּפֶשׁ

current account חֶשְׁבּוֹן עוֹבֵר וָשָׁב
catapult חִשְׁבּוֹן, ז׳, ר׳, ־נוֹת
thought; device חִשָּׁבוֹן, ז׳, ר׳, ־שְׁבוֹנוֹת
arithmetical חֶשְׁבּוֹנִי, ת״ז, ־נִית, ת״נ
rack (for counting), abacus חֶשְׁבּוֹנִיָּה, נ׳, ר׳, ־יּוֹת
mathematician חַשְׁבָּן, ז׳, ר׳, ־נִים
to suspect חָשַׁד, פ״י
suspicion חֶשֶׁד, חֲשָׁד, ז׳, ר׳, חֲשָׁדוֹת
suspect חַשְׁדָן, ז׳, ר׳, ־נִים
suspicion חַשְׁדָנוּת, נ׳
to be silent; to be inactive חָשָׁה, הֶחֱשָׁה, פ״ע
importance; accounting חִשּׁוּב, ז׳, ר׳, ־בִים
important, esteemed חָשׁוּב, ת״ז, חֲשׁוּבָה, ת״נ
suspected חָשׁוּד, ת״ז, חֲשׁוּדָה, ת״נ
dark, obscure חָשׁוּךְ, ת״ז, חֲשׁוּכָה, ת״נ
lacking, bereft of חָשׂוּךְ, ת״ז, חֲשׂוּכָה, ת״נ
Heshvan, eighth Hebrew month חֶשְׁוָן, מַרְחֶשְׁוָן, ז׳
sweetheart; ring, rim חָשׁוּק, ז׳, ר׳, חֲשׁוּקִים
spoke חִשּׁוּר, ז׳, ר׳, ־רִים
stillness, quiet חֲשַׁי, חֲשַׁאי, ז׳
importance חֲשִׁיבוּת, נ׳, ר׳, ־יּוֹת
little flock חֲשִׂיף, ז׳, ר׳, ־פִים
marijuana, dope חֲשִׁישׁ, ז׳
darkness חֹשֶׁךְ, חוֹשֶׁךְ, ז׳
to grow dim חָשַׁךְ, פ״ע
to darken הֶחֱשִׁיךְ, פ״י
darkness; ignorance חָשֵׁךְ, ז׳, ר׳, חֲשֵׁכִים
ignoble, mean, low חָשֵׁךְ, ת״ז, חֲשֵׁכָה, ת״נ

חָשַׂךְ, פעו״י to withhold; to refrain; to spare; to save
חֲשֵׂכָה, נ׳ obscurity, darkness
חָשַׁל, נֶחְשַׁל, פ״ע to be faint; to lag behind
חִשֵּׁל, פ״י to temper, forge
חֻשַּׁל, פ״ע to be forged, tempered
נִתְחַשֵּׁל, פ״ח to become crystallized
חִשְׁמוּל, ז׳, ר׳, ־לִים electrification
חַשְׁמַל, ז׳, ר׳, ־לִים electrum, electricity
חִשְׁמֵל, פ״י to electrify, charge
חַשְׁמַלַּאי, ז׳, ר׳, ־אִים electrician
חַשְׁמַלִּי, ת״ז, ־לִית, ת״נ electric
חַשְׁמַלִּית, נ׳, ר׳, ־יּוֹת streetcar, tramway
חַשְׁמָן, ז׳, ר׳, ־נִים cardinal
חֹשֶׁן, ז׳, ר׳, חֳשָׁנִים breastplate
חָשַׂף, פ״י to uncover, make bare; to draw water
חַשְׂפָן, ז׳, ר׳, ־נִים archeologist
חַשְׂפָנוּת, נ׳ archeology
חֵשֶׁק, ז׳ desire, lust; pleasure
חָשַׁק, פ״י to ornament; to desire; to rim
הִתְחַשֵּׁק, פ״ח to be lustful
חַשְׁרָה, נ׳ density; collection
חֲשָׁשׁ, ז׳, ר׳, ־שׁוֹת fear, apprehension
חֲשַׁשׁ, ז׳ hay, chaff, dry grass
חָשַׁשׁ, פ״ע to feel pain; to apprehend; to pay attention
חֲשַׁשָּׁה, נ׳, ר׳, ־שׁוֹת hay shed
חַת, ז׳, חִתָּה, נ׳, ר׳, חִתִּים, ־תּוֹת fear, terror
חַת, ת״ז, חַתָּה, ת״נ dismayed, discouraged
חָתָה, פ״י to seize; to rake coals; to abhor

חִתָּה, נ׳, ר׳, ־תּוֹת terror, fright
חִתּוּךְ, ז׳, ר׳, ־כִים cutting, articulation
חִתּוּל, ז׳, ר׳, ־לִים bandage; diaper, swaddling clothes
חָתוּל, ז׳, ר׳, חֲתוּלִים cat
חָתוּם, ז׳, ר׳, חֲתוּמִים seal; document; subscriber
חֲתוּנָה, חֲתֻנָּה, נ׳, ר׳, ־נוֹת marriage, wedding
חַתְחַת, ז׳, ר׳, ־תִּים terror, pitfall
חֲתִיכָה, נ׳, ר׳, ־כוֹת cutting; piece
חֲתִיכַת־דִּין judgment
חֲתִימָה, נ׳, ר׳, ־מוֹת signature; conclusion; subscription; obstruction
חֲתִירָה, נ׳, ר׳, ־רוֹת undermining; rowing
חִתִּית, נ׳ terror, panic
חָתַךְ, פ״י to cut, sever, dissect
חָתַךְ דִּין to sentence
חִתֵּךְ, פ״י to cut up; to enunciate
חֶתֶךְ, חֲתָךְ, ז׳, ר׳, חֲתָכִים incision, cut, piece
חִתֵּל, פ״י to bandage; to swaddle
חֲתֻלָּה, נ׳, ר׳, ־לוֹת diaper
חֲתַלְתּוּל, ז׳, ר׳, ־לִים kitten
חָתַם, פ״י to sign; to seal; to close; to subscribe
חִתֵּם, פ״י to close, shut; to stamp
הֶחְתִּים, פ״י to stop; to make a sign
חֹתֶמֶת, חוֹתֶמֶת, נ׳, ר׳, ־מוֹת seal, stamp, signet
חָתָן, ז׳, ר׳, חֲתָנִים bridegroom; son-in-law
חִתֵּן, פ״י to marry off
הִתְחַתֵּן, פ״ח to get married; to be related through marriage

חֲתֻנָּה, חֲתוּנָּה, נ׳, ר׳, ־נּוֹת — marriage, wedding

חָתֶף, ז׳, ר׳, חֲתָפִים — robber

חָתַף, פ״י — to snatch, seize

חָתַר, פ״י — to dig, undermine; to row

חָתַת, פ״ע — to be shattered; to be terrified

חִתֵּת, פ״י — to break; to confound

הֵחֵת, פ״י — to break (yoke of slavery)

חֲתַת, ז׳ — terror, dismay, destruction

ט

ט — Teth, ninth letter of Hebrew alphabet; nine

טֵאוּט, טֵאטוּא, ז׳, ר׳, ־טִים, ־אִים — sweeping, sweepings

טֵאֵט, טִאטֵא, פ״י — to sweep

טָבוּחַ, ת״ז, טְבוּחָה, ת״נ — slaughtered

טְבוּל, ז׳, ר׳, ־לִים — turban

טָבוּל, ת״ז, טְבוּלָה, ת״נ — baptized

טִבּוּל, ז׳, ר׳, ־לִים — baptism

טִבּוּעַ, ז׳, ר׳, ־עִים — drowning; coining

טַבּוּר, טִבּוּר, ז׳, ר׳, ־רִים — navel; center

טִבּוּר הָאוֹפַן — hub, nave

טֶבַח, ז׳, טִבְחָה, נ׳, ר׳, טְבָחִים, ־חוֹת — slaughtering, slaughter, slaying

טָבַח, פ״י — to kill; to slaughter

טַבָּח, ז׳, ר׳, ־חִים — cook; butcher; executioner

טַבָּחוּת, נ׳ — cooking

טְבִילָה, נ׳, ר׳, ־לוֹת — immersion, baptism

טְבִיעָה, נ׳, ר׳, ־עוֹת — drowning, sinking

טְבִיעַת אֶצְבָּעוֹת — fingerprint

טְבִיעוּת־עַיִן — perceptive sense

טָבַל, פ״י — to dip, immerse

הִטְבִּיל, פ״י — to immerse, baptize

טֶבֶל, ז׳, ר׳, טְבָלִים — produce from which priestly shares have not been separated

טַבְלָה, נ׳, ר׳, ־לוֹת — tablet; board; list

טַבְלָן, ז׳, ר׳, ־נִים — diver

טָבַע, פעו״י — to sink; to drown; to coin

נִטְבַּע, פ״ע — to be immersed; to be impressed; to be coined

הִטְבִּיעַ, פ״י — to cause to drown; to implant

טֶבַע, ז׳, ר׳, טְבָעִים — coin; element; nature

מַדְעֵי הַטֶּבַע — natural sciences

טִבְעִי ,ת״ז, ־עִית, ת״נ — natural, physical

טַבַּעַת, נ׳, ר׳, ־עוֹת — ring

פִּי־הַטַּבַּעַת — anus, rectum

טִבְעֲתָן, ז׳, ר׳, ־נִיִּים — naturalist

טֵבֵת, ז׳ — Tebeth, tenth month of Hebrew calendar

טִגּוּן, ז׳, ר׳, ־נִים — frying

טִגֵּן, פ״י — to fry

טָדִי, ז׳, ר׳, ־יִים — pointed vault

טָהָב, ז׳ — bottom of sea

טָהוֹר, ת״ז, טְהוֹרָה, ת״נ — pure, clean

טֹהַר, ז׳, טָהֳרָה, נ׳, ר׳, ־רוֹת — purity, purification

טָהַר, פ״ע — to be clean, pure

טִהֵר, פ״י — to purify; to pronounce pure

to become pure, purify oneself הִטַּהֵר, פ״ח
purist טַהֲרָן, ז׳, ר׳, ־נִים
purism טַהֲרָנוּת, נ׳
good, pleasant טוֹב, ת״ז, טוֹבָה, ת״נ
to be good טוֹב, פ״ע
to do good; to improve הֵטִיב, הֵיטִיב, פ״י
to become better הוּטַב, פ״ע
goodness; valuables; gaiety טוּב, ז׳
welfare; kindness טוֹבָה, נ׳, ר׳, ־בוֹת
to spin טָוָה, פ״י
to be spun נִטְוָה, פ״ע
to plaster; to press; to knock against [טוח] הֵטִיחַ, פ״י
trajectory טְוָח, טְוַח, ז׳, ר׳, טְוָחִים
miller טוֹחֵן, ז׳, ר׳, ־נִים
molar טוֹחֲנָה, טוֹחֶנֶת, נ׳, ר׳, ־חֲנוֹת
frontlet; phylactery; badge טוֹטֶפֶת, נ׳, ר׳, ־טָפוֹת
spinning טְוִיָּה, נ׳, ר׳, ־יוֹת
to cast; to throw; to lay (egg) [טול] הֵטִיל, פ״י
uncleanness, defilement טוּמְאָה, טֻמְאָה, נ׳, ר׳, ־אוֹת
hermaphrodite, androgyny טוּמְטוּם, טֻמְטוּם, ז׳, ר׳, ־מִים
to fly, float (in air) [טוס] טָס, פ״ע
to cause to fly, float הֵטִיס, פ״י
peacock, peahen טַוָּס, ז׳, טַוֶּסֶת, נ׳, ר׳, ־סִים, ־וָּסוֹת
he who errs טוֹעֶה, ז׳, ר׳, ־עִים
claimant; pleader טוֹעֵן, ז׳, ר׳, טוֹעֲנִים
to drip; to sprinkle [טוף] טָף, פ״י
blank (document), copy טוֹפֶס, טֹפֶס, ז׳, ר׳, טְפָסִים
row, line, column טוּר, ז׳, ר׳, ־רִים
recruit, private טוּרַאי, ז׳, ר׳, ־רָאִים
prey טוֹרֶף, ז׳, ר׳, ־רָפִים
to fly, dart [טוש] טָשׁ, פ״ע
to plaster, smear טָח, פ״י ע׳ [טוח]
dampness, moisture; club moss טַחַב, ז׳
spleen טְחוֹל, ז׳, ר׳, ־לִים
millstone טְחוֹן, ז׳, ר׳, ־נִים
ground טָחוּן, ת״ז, טְחוּנָה, ת״נ
tumor; piles טָחוֹר, ז׳, ר׳, טְחוֹרִים
to be besmeared; to be coated; to become dim (eyes) [טחח] טַח, פ״ע
milling; chewing טְחִינָה, נ׳, ר׳, ־נוֹת
moss טַחְלַב, ז׳
to mill, grind, pulverize, chew טָחַן, פ״י
mill טַחֲנָה, נ׳, ר׳, ־נוֹת
nature, character טִיב, ז׳
to improve, ameliorate טִיֵּב, פ״י
to be well manured הִטַּיֵּב, נִ־, פ״ח
frying pan טִיגָן, ז׳, ר׳, ־נִים
defender טַיָּד, ז׳, ר׳, ־דִים
improvement טִיּוּב, ז׳, ר׳, ־בִים
draft (letter) טְיוּטָה, טִיוּטָה, נ׳, ר׳, ־טוֹת
excursion; stroll טִיּוּל, ז׳, ר׳, ־לִים
plaster טִיחַ, ז׳
to plaster טִיַּח, פ״י
plasterer טַיָּח, ז׳, ר׳, ־חִים
mud, mire, clay טִיט, ז׳
to smear; to erase; to draft (letter) טִיֵּט, פ״י
to (take a) walk טִיֵּל, פעו״י
excursionist טַיָּל, ז׳, ר׳, ־לִים
promenade, boardwalk טַיֶּלֶת, נ׳, ר׳, ־יָלוֹת
mud, clay טִין, ז׳
moisture; grudge טִינָה, נ׳, ר׳, ־נוֹת
pilot טַיָּס, ז׳, ר׳, ־סִים

טַיִס, ז׳, טִיסָה, נ׳, ר׳, טִיסוֹת flying, flight

טַיֶּסֶת, נ׳, טַיָּסוֹת squadron; pilot (*f.*)

טִיף, ז׳, ר׳, ־פִים dripping

טִיפָּה, טִפָּה, נ׳, ר׳, ־פּוֹת drop; gout

טִירָה, נ׳, ר׳, ־רוֹת tent village; enclosure; villa

טִירוֹן, ז׳, ר׳, ־נִים beginner, novice; recruit

טֵית, נ׳, ר׳, ־תִים Teth, ninth letter of Hebrew alphabet

טִכּוּס, ז׳, ר׳, ־סִים arranging, arrangement

טֶכֶס, טֶקֶס, ז׳, ר׳, טְכָסִים ceremony

טָכַס, פ״י to arrange

טִכֵּס, פ״י to array

טַכְסִיס, תַּכְסִיס, ז׳, ר׳, ־סִים strategy

טַכְסִיסָן, תַּכְסִיסָן, ז׳, ר׳, ־נִים strategist

טִכְסֵס, תִּכְסֵס, פ״י to maneuver

טַל, ז׳, ר׳, טְלָלִים dew

טָלָא, פ״י to patch

הִטְלִיא, פ״י to mend

טְלַאי, טְלַי, ז׳, ר׳, ־לָאִים patch

טָלֶה, ז׳, ר׳, טְלָאִים lamb; Ram, Aries (sign of zodiac)

טָלוּא, ת״ז, טְלוּאָה, ת״נ patched, spotted

טִלְטוּל, ז׳, ר׳, ־לִים moving; wandering

טִלְטֵל, פ״י to handle, carry; to move

טַלְטַל, ז׳, ר׳, ־לִים drive shaft; chattel

טַלִּית, טַלֵּית, נ׳, ר׳, ־תוֹת, ־לֵיתִים, ־לִיּוֹת prayer shawl

טִלֵּל, פ״י, הִטְלִיל, פ״י to cover with dew; to roof

טֶלֶף, ז׳, ר׳, טְלָפַיִם, טְלָפִים hoof

טִלְפֵּן, פ״י to telephone

טָמֵא, ת״ז, טְמֵאָה, ת״נ impure, unclean

טָמֵא, פ״ע to be unclean

נִטְמָא, פ״ע to be defiled

הִטַּמָּא, פ״ח to become impure

טֻמְאָה, טוּמְאָה, נ׳, ר׳, ־אוֹת uncleanness, defilement

[טמה] נִטְמָה, פ״ע to be stupid, idiotic

טָמוּם, ת״ז, טְמוּמָה, ת״נ stupid, senseless; massive

טָמוּן, ת״ז, טְמוּנָה, ת״נ hidden

טִמְטוּם, ז׳ kneading into lump; making stupid

טֻמְטֻם, טוּמְטוּם, ז׳, ר׳, ־מִים hermaphrodite; androgyny

טִמְטֵם, פ״י to knead into lump; to make stupid

הִטַּמְטֵם, פ״ח to become cohesive; to become stupid

טִמְיוֹן, ז׳ royal treasury; waste

טְמִינָה, נ׳, ר׳, ־נוֹת hiding; hidden thought

טְמִיעָה, נ׳, ר׳, ־עוֹת assimilation

טָמִיר, ת״ז, טְמִירָה, ת״נ hidden, secret

טָמַם, פ״י to fill, stop up

טָמַן, פ״י to hide, conceal

נִטְמַן, פ״ע to hide oneself

הִטְמִין, פ״י to put away

הָטְמַן, פ״ע to become concealed

טֶמֶן, ז׳, ר׳, טְמָנִים hidden treasure

[טמע] נִטְמַע, פ״ע to become assimilated; to become mixed up

טֶנֶא, ז׳, ר׳, טְנָאִים basket

טִנּוּף, ז׳, ר׳, ־פִים filth, impurity

טְנִי, ז׳, ר׳, ־יִים large bowl; bin

טָנַן, פ״ע to become moist

טִנֵּן, פ״י to moisten, dampen
טִנֵּף, פ״י to make dirty, soil
טִנֹּפֶת, נ׳, ר׳, ־נּוֹפוֹת filth, impurity
טָס, פ״ע, ע׳ [טוס] to fly, float (in air)
טַס, ז׳, ר׳, ־סִּים tray, metal plate; tin foil
טָעָה, פ״ע to err; to go astray
הִטְעָה, פ״י to lead astray, deceive
טָעוּן, ת״ז, טְעוּנָה, ת״נ laden; needing
טָעוּת, נ׳, ר׳, ־עֻיּוֹת error, mistake
טָעִים, ת״ז, טְעִימָה, ת״נ tasty
טְעִימָה, נ׳, ר׳, ־מוֹת tasting; snack; accentuation
טַעַם, ז׳, ר׳, טְעָמִים flavor; reason; accent
טָעַם, פ״י to taste
הִטְעִים, פ״י to cause to taste; to make tasty; to stress
טָעַן, פעו״י to load, be laden; to argue; to claim
הִטְעִין, פ״י to load
טַעֲנָה, נ׳, ר׳, ־נוֹת claim; accusation; plea; demand
טָף, פ״י, ע׳ [טוף] to drip; to sprinkle
טַף, ז׳ children, little ones
טִפָּה, נ׳, ר׳, ־פּוֹת drop; gout
טִפָּה־סְרוּחָה spermatozoon
טִפּוּחַ, ז׳, ר׳, ־חִים nursing; care; dandling
טִפּוּל, ז׳, ר׳, ־לִים nursing; paste
טָפוּל, ת״ז, טְפוּלָה, ת״נ stuck; bulky
טִפּוּס, ז׳, ר׳, ־סִים type
טִפּוּסִי, ת״ז, ־סִית, ת״נ typical
טֹפַח, טֶפַח, ז׳, טְפָחִים handbreadth, span
טָפַח, פעו״י to clap; to become puffed up; to become moist
טִפַּח, פ״י to stretch out; to nurse; to moisten; to clap
טִפְטוּף, ז׳, ר׳, ־פִים dripping
טִפְטֵף, פ״ע to drip, drop (rain)
טַפְטֶפֶת, נ׳, ר׳, ־טָפוֹת dropper
טְפִי, ז׳, ר׳, טְפָיִים oil can
טָפִיחַ, ז׳, ר׳, טְפִיחִים pitcher
טַפִּיל, ז׳, ר׳, ־לִים parasite
טַפִּילִי, ת״ז, ־לִית, ת״נ parasitic
טָפַל, פ״י to smear; to attach; to attach oneself
נִטְפַּל, פ״ע to attend
טֻפַּל, פ״ע to be busy
טָפֵל, ת״ז, טְפֵלָה, ת״נ tasteless; of secondary importance
טֶפֶל, ז׳, טְפָלִים putty; baby
טְפֹלֶת, נ׳ putty
טֹפֶס, טוֹפֵס, ז׳, ר׳, טְפָסִים copy; blank (document)
טִפֵּס, פ״ע to climb
[טפס] הִטְפִּיס, פ״י to copy, reprint
טַפְסָר, טִפְסָר, ז׳, ר׳, ־רִים undersecretary of state; scribe
טָפַף, פ״ע to trip
טָפַשׁ, פ״ע to become fat; to be stupid
טִפֵּשׁ, ז׳, ר׳, ־פְּשִׁים stupid person
טִפְּשׁוּת, נ׳, ר׳, ־שֻׁיּוֹת stupidity
טֶקֶס, טֶכֶס, ז׳, ר׳, טְקָסִים ceremony
טָרַד, פעו״י to drive away; to drip
הִטְרִיד, פ״י to trouble, bother
טִרְדָּה, נ׳, ר׳, טְרָדוֹת preoccupation; anxiety, care
טָרָה, פ״ע to argue; to infect
טֵרוּד, ז׳, ר׳, ־דִים banishment; bothering
טָרוּד, ת״ז, טְרוּדָה, ת״נ occupied, busy; anxious

bleary-eyed — טָרוּט, ת״ז, טְרוּטָה, ת״נ

confusion, distraction — טֵרוּף, ז׳

trouble; labor; endeavor — טֹרַח, ז׳, טִרְחָה, נ׳, ר׳, טְרָחִים, טְרָחוֹת

to take pains, take the trouble, make an effort — טָרַח, פ״ע

to burden; to weary — הִטְרִיחַ, פ״י

bothersome person — טַרְחָן, ז׳, ר׳, ־נִים

fresh, new — טָרִי, ת״ז, טְרִיָּה, ת״נ

festering sore — מַכָּה טְרִיָּה

freshness — טְרִיּוּת, נ׳

not yet, before — טֶרֶם, תה״פ

before — בְּטֶרֶם

to anticipate — טָרַם, פ״י

prey; food; leaf — טֶרֶף, ז׳, ר׳, טְרָפִים

leaf; plucked — טָרָף, ז׳, ר׳, טְרָפִים; ת״ז

to tear apart; to seize; to confuse; to beat — טָרַף, פ״י

to feed; to declare unfit for food — הִטְרִיף, פ״י

animai with organic defect; forbidden food — טְרֵפָה, נ׳, ר׳, ־פוֹת

midriff, diaphragm — טַרְפַּשׂ, ז׳, ר׳, ־שִׂים

to shake drinks — טָרַק, פ״י

cocktail — טְרָקָה, נ׳, ר׳, ־קוֹת

dining room; drawing room — טְרַקְלִין, ז׳, ר׳, ־נִים

rugged, stony ground — טֶרֶשׁ, ז׳, ר׳, טְרָשִׁים

to fly, dart — טָשׂ, פ״ע, ע׳ [טוּשׂ]

blurring; indistinctness; obliteration — טִשְׁטוּשׁ, ז׳, ר׳, ־שִׁים

to smear; to blur — טִשְׁטֵשׁ, פ״י

י

Yodh, Yod, tenth letter of Hebrew alphabet; ten — י

to long for, desire — יָאַב, פ״ע

to suit, befit; to become proper, fitting — יָאָה, פ״ע

fitting, right, nice — יָאֶה, ת״ז, יָאָה, ת״נ

canal, river; Nile — יְאוֹר, יְאֹר, ז׳, ר׳, ־רִים

despair, despondency — יֵאוּשׁ, ז׳

properly, rightly — יָאוּת, תה״פ

to be foolish; to be faulty — [יאל] נוֹאַל, פ״ע

to agree, be willing, consent; to undertake — הוֹאִיל, פ״ע

since, because — הוֹאִיל וְ־

to despair — [יאשׁ] נוֹאַשׁ, פ״ע, הִתְיָאֵשׁ, פ״ח

to import — יָבֵא, פ״י

to sob, wail — יָבֵב

sobbing — יְבָבָה, נ׳, ר׳, ־בוֹת

import — יְבוּא, ז׳

growth; produce — יְבוּל, ז׳, ר׳, ־לִים

levirate marriage — יִבּוּם, ז׳, ר׳, ־מִים

Jebusite — יְבוּסִי, ת״ז, ־סִית, ת״נ

portable — יָבִיל, ת״ז, יְבִילָה, ת״נ

stream — יָבָל, ז׳, ר׳, יְבָלִים

to bring; to lead — [יבל] הוֹבִיל, פ״י

finger grass — יַבְּלִית, נ׳, ר׳, ־לִיּוֹת

wart — יַבֶּלֶת, נ׳, ר׳, יַבָּלוֹת

brother-in-law — יָבָם, ז׳, ר׳, יְבָמִים

sister-in-law — יְבָמָה, נ׳, ר׳, ־מוֹת

mandrake — יַבְרוּחַ, ז׳, ר׳, ־חִים

dry — יָבֵשׁ, ת״ז, יְבֵשָׁה, ת״נ

to be dry, dried up — יָבֵשׁ, פ״ע

dryness, drought יֹבֶשׁ, ז'
dry land, continent יַבָּשָׁה, יַבֶּשֶׁת, נ', ר', יַבָּשׁוֹת
arable field יָגֵב, ז', ר', יְגֵבִים
to be grieved, afflicted [יגה] נוּגָה, פ"ע
grief, sorrow יָגוֹן, ז', ר', יְגוֹנִים, ־נוֹת
fearful יָגוֹר, ת"ז, יְגוֹרָה, ת"נ
labor, toil; product יְגִיעַ, ז', ר', ־עִים
weary יָגִיעַ, ת"ז, יְגִיעָה, ת"נ
toil, weariness; trouble יְגִיעָה, נ', ר', ־עוֹת
tired, weary, exhausted יָגֵעַ, ת"ז, יְגֵעָה, ת"נ
to toil; to be weary יָגַע, פ"ע
to be troubled יֻגַּע, פ"ע
to exhaust, tire; to weary הוֹגִיעַ, פ"י
exertion; earning יֶגַע, ז'
to fear יָגֹר, פ"ע
hand; share; monument; place; handle; forefoot; power יָד, נ', ר', יָדַיִם, יָדוֹת
to befriend, become friendly [ידד] הִתְיַדֵּד, פ"ח
cuff (sleeve) יָדָה, נ', ר', ־דוֹת
to give thanks; to praise; to admit [ידה] הוֹדָה
to confess הִתְוַדָּה, פ"ע
spark; cauldron יְדוֹד, ז', ר', ־דִים
known; certain, definite יָדוּעַ, ת"ז, יְדוּעָה, ת"נ
friend יְדִיד, ז', ר', ־דִים, יְדִידָה, נ', ר', ־דוֹת
lovely יָדִיד, ת"ז, יְדִידָה, ת"נ
friendship יְדִידוּת, יְדִידוֹת, נ'
knowledge; news, information יְדִיעָה, נ', ר', ־עוֹת
handle יָדִית, ז', ר', ־דִיּוֹת

to know, be acquainted with; to be skillful יָדַע, פ"י
to appoint, assign יִדַּע, פ"י
to inform, make known; to chastise הוֹדִיעַ, פ"י
wizard יִדְּעוֹנִי, ז', ר', ־נִים
sorceress יִדְּעוֹנִית, נ', ר', ־נִיּוֹת
man of knowledge, knower יַדְעָן, ז', ר', ־נִים
God's name יָהּ
burden, load יְהָב, ז'
to give; to provide יָהַב, פ"י
to convert to Judaism יִהֵד, פ"י
to become a Jew הִתְיַהֵד, פ"ח
Judaism יַהֲדוּת, נ'
a Jew יְהוּדִי, ז', יְהוּדִיָּה, נ', ר', ־דִים, ־דִיּוֹת
Jewish יְהוּדִי, ת"ז, ־דִית, ת"נ
God, the Lord, Jehovah יְהֹוָה
insolent (proud) one יָהִיר, ז', ר', יְהִירִים
haughtiness, arrogance; pride יְהִירוּת, נ'
diamond יַהֲלוֹם, ז', ר', ־מִים
to be haughty, arrogant [יהר] הִתְיַהֵר, פ"ח
ram; ram's horn; jubilee יוֹבֵל, ז', ר', ־בְלִים, ־בְלוֹת
stream, canal יוּבַל, ז', ר', ־בָלִים
farmer יוֹגֵב, ז', ר', ־גְבִים
Yod, Yodh, name of tenth letter of Hebrew alphabet יוֹד, יוּד, נ', ר', יוּדִין
almanac יוֹדְעָן, ז', ר', ־נִים
initiator יוֹזֵם, ז', ר', יוֹזְמִים
genealogy, pedigree יוֹחַס, יַחַס, ז', ר', ־חֲסִים, ־ן
woman in labor; mother יוֹלֵדָה, יוֹלֶדֶת, נ', ר', ־לְדוֹת

יוֹם, ז׳, ר׳, יָמִים day
הַיּוֹם today, this day
יוֹם הֻלֶּדֶת birthday
יוֹם טוֹב festival, holiday
יָמִים נוֹרָאִים Solemn Days; New Year and Day of Atonement
יְמֵי קֶדֶם ancient times
יְמֵי הַבֵּינַיִם Middle Ages
יוֹם יוֹם day by day, daily
יוֹמִי, ת״ז, ־מִית, ת״נ daily
יוֹמָם, תה״פ by day, daily
יוֹמָם וָלַיְלָה by day and night
יוֹמָן, ז׳, ר׳, ־נִים diary
יָוֵן, ז׳, ר׳, יְוֵנִים mud, mire
יָוָן, נ׳ Greece
יוֹן, ז׳, יוֹנָה, נ׳, ר׳, ־נִים dove, pigeon
יְוָנִי, ת״ז, ־נִית, ת״נ Greek
יִוֵּן, פ״י to Hellenize
הִתְיַוֵּן, פ״ח to become Hellenized
יוֹנֵק, ז׳, ר׳, ־קִים suckling, baby; sapling, sprout
יוֹנֶקֶת, נ׳, ר׳, ־נְקוֹת young shoot, twig
יוֹעֶזֶר, ז׳ maidenhair fern
יוֹעֵץ, ז׳, ר׳, יוֹעֲצִים counselor, adviser
יוֹפִי, יֹפִי, ז׳ beauty
יוֹצְאָנִית, נ׳, ר׳, ־נִיּוֹת a gadabout, a gadding woman
יוֹצֵר, ז׳, ר׳, ־רִים, ־רוֹת God, creator; potter; hymn
יוֹקֵשׁ, ז׳, ר׳, ־קְשִׁים fowler, hunter
יוֹרֶה, ז׳ early rain, first rain
יוֹרָה, נ׳, ר׳, ־רוֹת kettle, boiler
יוֹרֵשׁ, ז׳, ר׳, ־רְשִׁים heir, successor
יוֹרֵשׁ עֶצֶר heir to a throne
יוֹשֵׁב, ז׳, ר׳, ־שְׁבִים inhabitant
יוֹשֵׁב רֹאשׁ chairman
יוֹתֵר, תה״פ more, too much
בְּיוֹתֵר especially, very much
יוֹתֵר מִדַּי too much
יוֹתֶרֶת, יֹתֶרֶת, נ׳ appendage, lobe
יָזַם, פ״י to initiate, undertake
יָזְמָה, נ׳, ר׳, ־מוֹת undertaking, enterprise
יָזַן, פ״ע to be ruttish
יֶזַע, ז׳ sweat, perspiration
[יזע] הֵזִיעַ, פ״ע, ע׳ [זוע] to perspire; to tremble, quake
יַחַד, יַחְדָּו, יַחְדָּיו, תה״פ together, in unison
יָחַד, פ״ע to be together; to unite
הִתְיַחֵד, פ״ח to be alone (with)
יִחוּד, ז׳, ר׳, ־דִים privacy; setting apart; union with God
בְּיִחוּד especially, particularly
יִחוּל, ז׳, ר׳, ־לִים wish, expectation
יִחוּם, ז׳, ר׳, ־מִים fervor, desire, rut, sexual excitement
יִחוּס, ז׳, ר׳, ־סִים genealogy; pedigree
יִחוּף, ז׳ barefootedness
יִחוּר, ז׳, ר׳, ־רִים young shoot
יָחִיד, ת״ז, יְחִידָה, ת״נ solitary; unique, only; alone; singular (*number*)
יְחִידָה, נ׳, ר׳, ־דוֹת unit, oneness; loneliness
יְחִידִי, ת״ז, ־דִית, ת״נ single, alone
יָחַל, פ״ע to wait; to hope
הוֹחִיל, פ״ע to wait, tarry; hope for
יָחַם, פ״ע to become pregnant, conceive
יַחְמוּר, ז׳, ר׳, ־רִים roebuck, antelope

יַחַס, יַחַשׂ, ז׳, ר׳, יְחָסִים pedigree; genealogy; relation; ratio

יֹחַס, יוֹחַס, ז׳, ר׳, ־חֲסִים, ־ן genealogy, pedigree

יִחֵס, פ״י to attribute, to relate

יֻחַס, פ״י to be related

הִתְיַחֵס, פ״ח to behave towards

יַחֲסִי, ת״ז, ־סִית, ת״נ relative; of noble birth

יַחְסָן, ז׳, ר׳, ־נִים high-born person, person of noble birth

יָחֵף, ת״ז, יְחֵפָה, ת״נ barefoot

יָחַף, פ״ע to be barefooted

[יחש] הִתְיַחֵשׂ, פ״ח to be enrolled in genealogical records

יָטַב, פ״ע to be good, well, better

הֵיטִיב, פ״י to do well, good

יְיָ God

יַיִן, ז׳, ר׳, יֵינוֹת wine

יַיִן שָׂרוּף, יַיִן שָׂרָף (יַי״שׁ) brandy

יָכוֹל, ת״ז, יְכוֹלָה, ת״נ capable, able to, can

כִּבְיָכוֹל as it were; so to speak

[יכח] נוֹכַח, פ״ע to dispute, argue

הוֹכִיחַ, פ״י to admonish; to decide; to prove

הִתְוַכַּח, פ״ח to discuss, to argue

יָכֹל, פ״ע to be able; to prevail, overcome

יְכֹלֶת, נ׳ power; ability

יֶלֶד, ז׳, יַלְדָּה, נ׳, ר׳, יְלָדִים, יְלָדוֹת boy, girl; child

יָלַד, פ״י to give birth; to beget

נוֹלַד, פ״ע to be born

יִלֵּד, פ״י to assist in birth

הִתְיַלֵּד, פ״ח to declare one's pedigree

יַלְדוּת, נ׳ childhood; childishness

יָלוּד, ז׳, ר׳, יְלוּדִים baby, child; one born

יְלִיד, ז׳, ר׳, יְלִידִים a native of ..., one born in ...

יָלַל, פ״ע to howl, weep, lament

הֵילִיל, פ״ע to lament

יְלֵל, ז׳, יְלָלָה, נ׳, ר׳, יְלָלוֹת wailing, howling

יַלֶּפֶת, נ׳, ר׳, יַלָּפוֹת scab; dandruff

יֶלֶק, ז׳, ר׳, יְלָקִים a species of locust

יַלְקוּט, ז׳, ר׳, ־טִים satchel, bag; collection

יָם, ז׳, ר׳, יַמִּים sea; lake; reservoir; West

הַיָּם הַתִּיכוֹן, הַיָּם הַגָּדוֹל Mediterranean Sea

הַיָּם הַשָּׁקֵט Pacific Ocean

יַם סוּף Red Sea

יַם הַמֶּלַח Dead Sea

יַמַּאי, ז׳, ר׳, ־אִים sailor, mariner

יַמִּי, ת״ז, ־מִּית, ת״נ pertaining to the sea, naval

יַמִּיָּה, נ׳, ר׳, ־יּוֹת navy, fleet

יָמִין, ז׳ right side, right hand; south

יְמִינִי, ת״ז, ־נִית, ת״נ right

[ימן] הֵימִין, פ״ע to turn to the right; to use right hand

יְמָנִי, ת״נ, ־נִית, ת״נ right

[ימר] הִתְיַמֵּר, פ״ח to boast; to enjoy

יָמְרָה, נ׳ pretension

יָנָה, פ״י to oppress; to destroy

הוֹנָה, פ״י to oppress, vex; deceive

יִנּוֹן, ז׳ name of the Messiah

[ינח] הִנִּיחַ, פ״י to put; to leave alone

יָנִיק, ז׳, יְנִיקָה, נ׳, ר׳, ־קִים, ־קוֹת suckling, child; branch, twig

יָנַק, פ״י to suck

הֵינִיק, פ״י to nurse, suckle

ינקות, נ'	babyhood, childhood
ינשוף, ז', ר', ־פים	owl; buzzard
יָסַד, פ"י	to found; to establish
נוֹסַד, פ"ע	to be established; to come together
יְסוֹד, ז', ר', ־דִים, ־דוֹת; יְסוּדָה, נ'	base, foundation; compilation; principle
יְסוֹדִי, ת"ז, ־דִית, ת"נ	basic, principal
יִסּוּר, ז', ר', ־רִים	suffering, torture
יָסַף, פ"י	to add, increase; to continue
יָסַר, פ"י	to bind; to admonish; to discipline, correct
יָעַד, פ"י	to designate, appoint
נוֹעַד, פ"ע	to meet; to come together
הוֹעִיד, פ"י	to fix a time (for appointment); to designate
וַעַד, ז', ר', יְעָדִים	rendezvous
יָעֶה, ז', ר', ־עִים	dust pan; scoop
יָעָה, פ"י	to sweep away; to uproot
יִעוּד, ז', ר', ־דִים	designation, betrothal; promise; appointment
יִעוּץ, ז'	counseling
יִעוּר, ז'	afforestation
[יעז] נוֹעַז, פ"י	to dare; to be impudent
יָעַט, פ"י	to clothe; to cloak
יָעִיל, ת"ז, יְעִילָה, ת"נ	efficient
יְעִילוּת, נ'	efficiency
[יעל] הוֹעִיל, פ"י	to benefit, be useful
יָעֵל, ז', יַעֲלָה, נ', ר', יְעֵלִים, יְעֵלוֹת	antelope
יָעֵן, ז', יַעֲנָה נ', ר', יְעֵנִים, ־נוֹת	ostrich
יַעַן, יַעַן אֲשֶׁר, יַעַן כִּי, תה"פ	on account of, because
יָעֵף, ת"ז, יְעֵפָה, ת"נ	tired, fatigued
יָעַף, פ"ע	to be tired; to fly
יְעָף, ז'	flight
יָעַץ, פ"י	to advise; to deliberate; to decide
הִתְיָעֵץ, פ"ח	to consult
יַעַר, ז', ר', יְעָרִים, ־רוֹת	forest; wilderness
יִעֵר, פ"י	to forest
יַעֲרָן, ז', ר', ־נִים	forester
יַעֲרָנוּת, נ'	forestry
יַעְרָה, נ', ר', יַעֲרוֹת	pure honey; honeycomb
יָפֶה, ת"ז, יָפָה, ת"נ	fair, pretty, beautiful; worth
יָפָה, פ"ע	to be beautiful
יְפֵהפֶה, ת"ז, יְפֵהפִיָּה, ת"נ	very beautiful
יִפּוּי, ז', ר', ־יִים	special privilege; beautification
יִפּוּי כֹּחַ	power of attorney
[יפח] הִתְיַפֵּחַ, ־פֵּחַ, פ"ח	to cry out bitterly; to bewail
יָפֵחַ, ז', ר', יְפֵחִים	prediction
יֹפִי, יוֹפִי, ז', יָפְיוּת, נ'	beauty
יָפִיפָה, פ"ע	to be very beautiful
[יפע] הוֹפִיעַ, פ"ע	to appear; to shine
יִפְעָה, נ', ר', ־עוֹת	splendor, beauty
יָצָא, פ"ע	to go out, come forth
יָצָא דֹּפֶן	to be nonconformist
יָצָא יְדֵי חוֹבָתוֹ	to fulfill one's duty, obligation
יָצָא לָאוֹר	to appear; to be published
יָצָא לְפֹעַל	to carry out, execute
יָצָא מִדַּעְתּוֹ	to go mad
יָצָא מִכֵּלָיו	to let oneself go mad
יָצָא מִן הַכְּלָל	to be different; to be an exception

יָצְאָה נַפְשׁוֹ, ־נִשְׁמָתוֹ, ־רוּחוֹ to die
הוֹצִיא, פ״י to bring out, carry out; to exclude; to spend
[יצב] נִצַּב, פ״ע to set; to stand up
הִתְיַצֵּב, פ״ח to be firm, to station oneself, muster up
יִצֵּג, פ״י to represent
הִצִּיג, פ״י to introduce; to present
יִצְהָר, ז׳ pure oil, fresh oil
יְצוּא, ז׳ export
יְצוּאָן, ז׳, ר׳, ־נִים exporter
יִצּוּב, ז׳ fixing, stabilizing
יִצּוּג, ז׳ representation
יָצוּל, ז׳, ר׳, יְצוּלִים crosspiece (plow)
יָצוּעַ, ז׳, ר׳, יְצוּעִים couch; mattress; bedspread
יָצוּק, ת״ז, יְצוּקָה, ת״נ firm, cast, well-joined
יְצוּר, ז׳, ר׳, ־רִים creature
יִצּוּר, ז׳, ר׳, ־רִים production, manufacture
יְצִיאָה, נ׳, ר׳, ־אוֹת departure, exit; expense, expenditure
יַצִּיב, ת״ז, ־בָה, ת״נ firm; true, irrefutable
יָצִיעַ, ז׳, ר׳, יְצִיעִים gallery, balcony
יְצִיקָה, נ׳, ר׳, ־קוֹת pouring; casting
יְצִיר, ז׳, ר׳, ־רִים creation; creature
יְצִירָה, נ׳, ר׳, ־רוֹת creation; pottery
[יצע] הִצִּיעַ, פ״י to spread, unfold; to propose
יָצַק, פ״י to pour, pour out; to cast
יַצֶּקֶת, נ׳, ר׳, ־צָּקוֹת cast iron
יָצַר, פ״י to form; to create
יֵצֶר, ז׳, ר׳, יְצָרִים creation; impulse, inclination
יַצְרָן, ז׳, ר׳, ־נִים producer

יָצַת, פ״ע to burn; to kindle
הִצִּית, פ״י to set fire to
יֶקֶב, ז׳, ר׳, יְקָבִים wine cellar
יָקַד, פ״ע to burn
יְקָהָה, נ׳, ר׳, יְקָהוֹת obedience
יְקוֹד, ז׳, ר׳, ־דִים burning
יָקוֹד, ז׳, ר׳, ־דִים hearth
יְקוּם, ז׳ existence; essence
יָקוֹשׁ, ז׳, ר׳, ־שִׁים fowler; trap, pitfall
יַקִּינְתּוֹן, יַקִּנְתּוֹן, ז׳, ר׳, ־נִים hyacinth
יְקִיצָה, נ׳, ר׳, ־צוֹת wakefulness
יַקִּיר, ת״ז, יַקִּירָה, ת״נ dear, beloved
יָקַע, פ״ע to be dislocated
הוֹקִיעַ, פ״י to hang; to stigmatize
יָקַץ, פ״ע to wake up, be awake
יָקַר, פ״ע to be dear, rare, scarce
יִקֵּר, פ״י to honor; to raise the price of
הוֹקִיר, פ״י to honor; treat with respect; to make rare
יָקָר, ת״ז, יְקָרָה, ת״נ rare; dear, expensive
יְקָר, ז׳, יְקָרָה, נ׳ honor; precious thing
יֹקֶר, ז׳ dearness, costliness
בְּיֹקֶר, תה״פ expensively, costly, dearly
יַקְרוּת, נ׳ costliness; dignity
יַקְרָן, ז׳, ר׳, ־נִים one who demands high prices
יָקַשׁ, פ״י to lay a trap; to undermine
יָרֵא, ת״ז, יְרֵאָה, ת״נ fearing; pious
יָרֵא, פ״ע to fear; to revere
יִרְאָה, נ׳ fear, awe
יִרְאַת שָׁמַיִם reverence, piety
יַרְבּוּז, ז׳, ר׳, ־זִים strawberry tree; amaranth

יָרַד, פ"ע — to go down, descend
הוֹרִיד, פ"י — to bring down, lower
יָרָה, פ"י — to cast; to shoot
הוֹרָה, פ"י — to teach; to instruct; to point;
יֵרוּד, ז' — devaluation
יָרוּד, ת"ז, יְרוּדָה, ת"נ — common; immoral; degenerate
יָרוֹק, יָרֹק, ז' — greenery; herb
יָרוֹק, יָרֹק, ת" , יְרֻקָּה, ת"נ — green
יְרוֹקָה, נ', ר', ־קוֹת — duckweed, moss; jaundice
יְרוּשָׁה, יְרֻשָּׁה, נ' — inheritance; possession
יָרֵחַ, ז', ר', יְרֵחִים — moon
יֶרַח, ז', ר', יְרָחִים — month
יַרְחוֹן, ז', ר', ־נִים — monthly publication; monthly review
יָרַט, פ"ע — to be contrary
יְרִי, ז', ר', ־רָיִים — volley (shooting)
יָרִיב, ז', ר', יְרִיבִים — opponent; adversary
יָרִיד, ז', ר', יְרִידִים — market, fair
יְרִידָה, נ', ר', ־דוֹת — descent; decline; devaluation
יְרִיָּה, נ', ר', ־יּוֹת — shooting; shot
מְכוֹנַת יְרִיָּה — machine gun
יְרִיעָה, נ', ר', ־עוֹת — curtain; tentcloth; sheet, parchment
יְרִיקָה, נ' — spitting, expectoration
יָרֵךְ, יֶרֶךְ, נ', ר', יְרֵכַיִם — thigh, hip
יְרֵכָה, נ', יַרְכָתַיִם, נ"ר — hind part
יֶרֶק, ז', ר', יְרָקוֹת — greenness; vegetables
יֶרֶק, ז', ר', יְרָקוֹת — greenness; vegetables
יָרֹק, יָרוֹק, ת"ז, יְרֻקָּה, ת"נ — green
יָרַק, פ"י, פ"ע — to spit; to be green

יֵרָקוֹן, ז' — jaundice, mildew
יְרַקְרַק, ת"ז, ־קָה, ת"נ — greenish
יָרַשׁ, פ"י — to inherit; to succeed; to possess
נוֹרַשׁ, פ"ע — to be dispossessed, to be impoverished
הוֹרִישׁ, פ"י — to cause to inherit; to dispossess
יְרֻשָּׁה, יְרוּשָׁה, יְרֵשָׁה, נ' — inheritance; possession
יֵשׁ, תה"פ — there is, there are
יֵשׁ, ז', ר', יֵשִׁים — substance; existence capital; property
יָשַׁב, פ"ע — to sit; to dwell, inhabit
נוֹשַׁב, פ"ע — to be inhabited
הוֹשִׁיב, פ"י — to settle; to seat
הִתְיַשֵּׁב, פ"ח — to settle; to establish oneself
יַשְׁבָן, ז', ר',־נִים — posterior, behind
יִשּׁוּב, ז', ר', ־בִים — settlement; civilization
יִשּׁוּב הַדַּעַת — calmness; reflection
יִשּׁוּב הָעוֹלָם — civilization
יָשׁוּב, ת"ז, יְשׁוּבָה, ת"נ — seated
יִשּׁוּן, ז' — falling asleep; leaving unused
יְשׁוּעָה, נ', יְשׁוּעָתָה, נ', ר', ־עוֹת — redemption; victory; welfare
יִשּׁוּר, ז', ר', ־רִים — straightening, leveling
יֵשׁוּת, נ', ר', יֵשֻׁיּוֹת — being, existence
יֶשַׁח, ז' — hunger, emptiness; debility
[ישט] הוֹשִׁיט, פ"י — to stretch out; hold out
יְשִׁיבָה, נ', ר', ־בוֹת — sitting; academy
יְשִׁימוֹן, ז', ר', ־נִים — wasteland, desert
יָשִׁישׁ, ז', ר', יְשִׁישִׁים — elder, old man
יָשַׁם, פ"ע, ע' [שמם] — to be desolate
יָשָׁן, ת"ז, יְשָׁנָה, ת"נ — old, ancient

[ישן] נוֹשַׁן, פ״ע to be old, inveterate
יֹשֶׁן, ז׳ oldness
יָשֵׁן, פ״ע to sleep
יֵשַׁע, יֶשַׁע, ז׳ salvation; victory
[ישע] נוֹשַׁע, פ״ע to be saved; to be helped; to be victorious
הוֹשִׁיעַ, פ״י to save, deliver
יָשְׁפֵה, ז׳, ר׳, ־פִים precious stone, jasper
יָשָׁר, ת״ז, יְשָׁרָה, ת״נ straight; even; right
יֹשֶׁר, ז׳ straightness; equity; honesty
יָשַׁר, פ״ע to be straight; to be honest; to be pleasing
יִשְׂרָאֵל, ז׳ Israel
יִשְׂרְאֵלִי, ת״ז, ־לִית, ת״נ Israeli
יִשְׁרָה, נ׳ integrity, uprightness
יְשֻׁרוּן, ז׳ Jeshurun, poetic name of Israel
יַשְׁרָנוּת, נ׳, ר׳, ־נֻיּוֹת righteousness, equity
יַשְׁרָן, ז׳, ר׳, ־נִים honest person
יָשַׁשׁ, פ״ע to become old, to age
יִשֵּׁשׁ, פ״י to preserve; to make old
יָתֵד, נ׳, ר׳, יְתֵדוֹת peg; hook, handle; iambus

כְּתַב הַיְתֵדוֹת cuneiform writing
יִתֵּד, פ״י to drive in a peg
יָתוֹם, ז׳, ר׳, יְתוֹמִים orphan; unprotected child
יְתוֹם, יֹתֶם, ז׳ orphanhood
יִתּוּר, ז׳, ר׳, ־רִים residue; superfluity
יַתּוּשׁ, ז׳, ר׳, ־שִׁים gnat; mosquito
יִתָּכֵן, תה״פ probably, perhaps
יָתַם, פ״ע to be an orphan
יַתְמוּת, נ׳ orphanhood
יֶתֶר, ז׳, ר׳, יְתָרִים rest, remainder; excess; cord
יֶתֶר, תה״פ abundantly, exceedingly
יָתֵר, ת״ז, יְתֵרָה, יְתֶרֶת, ת״נ additional, more
[יתר] נוֹתַר, פ״ע to remain, be left over
יִתֵּר, פ״י to add
הוֹתִיר, פ״י to leave over, leave
יִתְרָה, נ׳, ר׳, יְתָרוֹת balance; property
יִתְרוֹן, ז׳, ר׳, ־נוֹת profit, gain; advantage; superfluity; surplus
עֵרֶךְ הַיִּתְרוֹן comparative
יֹתֶרֶת, יוֹתֶרֶת, נ׳ appendage, lobe
יְתֶרֶת, יַתֶּרֶת, נ׳ superfluous limb

כ, כ, ך

כּ, כ, ך Caph, khaph, eleventh letter of Hebrew alphabet; twenty
כְּ־, כִּ־, כָּ־, כַּ־, כֶּ־, כֵּ־ as, like; about
כְּאֵב, ז׳, ר׳, ־בִים pain, ache
כָּאַב, פ״ע to ache, have pain
הִכְאִיב, פ״י to hurt
[כאה] נִכְאָה, פ״ע to be afflicted; to be cowed
הִכְאָה, פ״י to afflict; to cow
(כְּאוֹרָה) לִכְאוֹרָה, תה״פ at first sight; apparently
כַּאן, כָּאן, תה״פ here, now
לְאַחַר מִכַּאן thereafter
מִכַּאן וְאֵילֵךְ from now on
כַּבָּאוּת, נ׳ firefighting
כַּבַּאי, ז׳, ר׳, כַּבָּאִים firefighter
כָּבֵד, ת״ז, כְּבֵדָה, ת״נ heavy; hard

stutterer כְּבַד לָשׁוֹן, כְּבַד פֶּה

to be heavy; weighty; important כָּבֵד, פ"ע

to be hard of hearing, seeing כָּבְדָה אָזְנוֹ, ־ עֵינוֹ

to be honored; to be wealthy נִכְבַּד, פ"ע

to honor; to glorify; to sweep כִּבֵּד, פ"י

to make heavy; to honor הִכְבִּיד, פ"י

to be honored; to amass wealth; to be received הִתְכַּבֵּד, פ"ח

liver כָּבֵד, ז', ר', כְּבֵדִים

heaviness; abundance כֹּבֶד, ז'

seriousness, solemnity כֹּבֶד רֹאשׁ

center of gravity מֶרְכַּז הַכֹּבֶד

difficulty, heaviness כְּבֵדוּת, נ'

to be extinguished כָּבָה, פ"ע

honor; riches; importance כָּבוֹד, ז'

baggage, wealth כְּבוּדָה, כְּבֻדָּה, נ'

extinguishing כִּבּוּי, ז'

peat; sandy soil; hairnet כָּבוּל, ז'

wrapped up כָּבוּן, ת"ז, כְּבוּנָה, ת"נ

wash; washing (of clothes) כִּבּוּס, ז'

pickled; preserved; paved כָּבוּשׁ, ת"ז, כְּבוּשָׁה, ת"נ

preserves כְּבוּשִׁים, ז"ר

conquest כִּבּוּשׁ, ז', ר', ־שִׁים

washing, wash, laundry כְּבִיסָה, נ', ר', ־סוֹת

mighty, much, great כַּבִּיר, ת"ז, ־רָה, ת"נ

quilt כָּבִיר, כְּבִיר, ז', ר', ־רִים

paved highway, macadamized road כְּבִישׁ, ז', ר', ־שִׁים

side path; preserved foods כְּבִישָׁה, נ', ר', ־שׁוֹת

fetter; shackle; chain; cable כֶּבֶל, ז', ר', כְּבָלִים

to chain, fetter כָּבַל, פ"י

to fasten, clasp כִּבֵּן, פ"י

to wash clothes כִּבֵּס, פ"י

laundryman כַּבָּס, ז', ר', ־סִים

detergent כֶּבֶס, ז'

to sift כָּבַר, פ"י

to increase, heap up הִכְבִּיר, פ"י

in abundance, abundantly לְמַכְבִּיר, תה"פ

already, long ago כְּבָר, תה"פ

sieve כְּבָרָה, נ', ר', ־רוֹת

an indefinite measure כִּבְרָה, נ'

to subdue; to force; to imprison; to preserve; to press כָּבַשׁ, פ"י

lamb, sheep כֶּבֶשׂ, ז', ר', כְּבָשִׂים

ascent; gangway; preserves כֶּבֶשׁ, ז', ר', כְּבָשִׁים

ewe, lamb כִּבְשָׂה, נ', ר', כְּבָשׂוֹת

secret כִּבְשׁוֹן, ז', ר', ־נִים

furnace, kiln כִּבְשָׁן, ז', ר', ־נִים, ־נוֹת

for example כְּגוֹן, תה"פ

jug, pitcher כַּד, זו"נ, ר', כַּדִּים

obtuse, blunt כַּד, ת"ז, כַּדָּה, ת"נ

worthy, deserving כְּדַאי, כְּדַי, תה"פ

potter כַּדָּד, ז' ר', ־דִים

crane; grappling iron כַּדּוּם, ז', ר', ־מִים

ball, globe כַּדּוּר, ז', ר', ־רִים

basketball כַּדּוּר סַל, כַּדּוּרְסַל

volleyball כַּדּוּר עָף

soccer; football כַּדּוּר רֶגֶל, כַּדּוּרֶגֶל

globular, spherical; cylindrical כַּדּוּרִי, ת"ז, ־רִית, ת"נ

ruby; carbuncle כַּדְכֹּד, ז', ר', ־כֳּדִים

to fix bayonets כִּדֵּן, פ"י

כִּדֵּר, פ״י — to make round; to arch
כַּדֹּרֶת, נ׳ — bowling
כֹּה, תה״פ — thus; here; so
כְּהֹגֶן, תה״פ — appropriately, reasonably
כָּהָה, פ״ע — to be dim; to be weak, shaded
כֵּהֶה, ת״ז, כֵּהָה, ת״נ — dim, dull, faint
כֵּהָה, נ׳, ר׳, כֵּהוֹת — alleviation; recovery, healing
כְּהוּנָּה, כְּהֻנָּה, נ׳, ר׳, ־נּוֹת — priesthood; attire of priests
כֵּהוּת, נ׳ — dimness
כֹּהַל, כֹּהֶל, ז׳ — alcohol
כַּהֶלֶת, נ׳ — alcoholism
כֹּהֵן, ז׳, כֹּהֶנֶת, נ׳, ר׳, כֹּהֲנִים, כֹּהֲנוֹת — priest, priestess
כֹּהֵן גָּדוֹל — high priest
כֹּהֵן הֶדְיוֹט — common priest
כִּהֵן, פ״ע — to ordain; to officiate as priest; to become a priest
כְּהֻנָּה, כְּהוּנָּה, נ׳, ר׳, ־נּוֹת — priesthood; attire of priests
כַּו, ז׳, ר׳, ־וִּים — dormer (garret) window
כּוֹאֵב, ז׳, ר׳, כּוֹאֲבִים — ache, pain
כּוֹבֵס, ז׳, ר׳, כּוֹבְסִים — laundryman, launderer
כּוֹבַע, ז׳, ר׳, כּוֹבָעִים — hat, helmet
כּוֹבָעָה, נ׳, ר׳, ־עוֹת — heap of sheaves
כּוֹבָעִי, כּוֹבְעָן, ז׳, ר׳, כּוֹבָעִים, כּוֹבְעָנִים — hatter
כָּוָה, פ״י — to scald, burn
כִּוּוּן, ז׳, ר׳, ־נִים — direction, intention
כִּוּוּץ, ז׳, ר׳, ־צִים — shrinking; cramp
כּוֹזֵב, ת״ז, כּוֹזֶבֶת, ת״נ — deceptive, false
[כוח] כָּח, פ״ע — to spit; to cough
כּוֹחָל, ז׳ — eye make-up, collyrium

כּוֹי, ז׳, ר׳, כּוֹיִים — deer, ibex
כְּוִיָּה, נ׳, ר׳, ־יּוֹת — scalding, burn mark
כְּוִיצָה, נ׳, ר׳, ־צוֹת — cramp
כּוּךְ, ז׳, ר׳, ־כִים — cave, cavity, vault
כּוֹכָב, ז׳, ר׳, ־בִים — star; symbol, sign
כּוֹכַב לֶכֶת — planet
כּוֹכָבוֹן, ז׳, ר׳, ־כְבוֹנִים — asterisk
[כול] כָּל, פ״י — to comprehend; to measure
הֵכִיל, פ״י — to contain, hold; to include
כּוֹלֵל, ז׳, ר׳, כּוֹלְלִים — community
כּוֹלֵל, ת״ז, כּוֹלֶלֶת, ת״נ — general, universal
כּוּמָז, ז׳, ר׳, ־זִים — chastity belt; ornament
[כון] נָכוֹן, פ״ע — to be resolved; to be firm; to be prepared
אֶל נָכוֹן — certainly
כּוֹנֵן, פ״י — to establish; to direct
הֵכִין, פ״י — to make ready, prepare, provide, arrange
כִּוֵּן, פ״י — to straighten; to direct; to intend
כֻּוַּן, פ״ע — to be set; to be directed
הִתְכַּוֵּן, פ״ח — to intend; to mean
כַּוָּן, ז׳, ר׳, ־נִים — sacrificial cake
כֵּוָן, כֵּיוָן, תה״פ — directly, at once; since
כַּוָּנָה נ׳, ר׳, ־נוֹת — intention; purpose; devotion; meaning
בְּכַוָּנָה, תה״פ — intentionally
כּוֹנֵן, פ״י, ע׳ [כון] — to establish; to direct
כִּוְנֵן, פ״י — to adjust
כּוֹנְנוּת, נ׳ — readiness

כּוֹנָנִית, נ׳, ר׳, ־נִיּוֹת bookcase
כּוֹנֶרֶת, נ׳, ר׳, ־נָרוֹת viola
כַּוֶּנֶת, נ׳, ר׳, כַּוָּנוֹת gunsight
כּוֹס, נ׳, ר׳, ־סוֹת cup, goblet; calyx
כּוֹס, ז׳, ר׳, ־סִים owl
כּוֹסֶף, כֹּסֶף, ז׳ longing, yearning
כּוּפַח, ז׳, ר׳, ־חִים brazier, small stove
כּוֹפִי, כּוֹפְיָה, ז׳ mackerel
כּוֹפֵל, ז׳, ר׳, ־פְלִים denominator
כּוֹפֵר, ז׳, ר׳, ־פְרִים unbeliever, atheist
כּוּפְתָּה, כֻּפְתָּה נ׳, ר׳, ־תּוֹת dumpling
כָּוַץ, פ״ע to shrink
הִתְכַּוֵּץ, פ״ח to become shrunken; to contract
כּוּר, ז׳, ר׳, ־רִים smelting furnace
כּוֹר, ז׳, ר׳, ־רִים a measure of capacity
כּוֹרֵךְ, ז׳, ר׳, כּוֹרְכִים bookbinder; sandwich
כּוֹרֵם, כֹּרֵם, ז׳, ר׳, ־רְמִים wine-grower; vine-dresser
כַּוְּרָן, ז׳, ר׳, ־נִים beekeeper
כּוּרְסָה, כֻּרְסָה, נ׳, ר׳, ־סוֹת armchair
כַּוֶּרֶת, נ׳, ר׳, כַּוָּרוֹת beehive
כּוּשׁ, ז׳, ר׳, כּוּשִׁים spindle; stick; spit
כּוּשׁ, נ׳ Ethiopia
כּוּשִׁי, ת״ז, ־שִׁית, ת״נ Ethiopian; Negro
כּוֹשֶׁר, כֹּשֶׁר, ז׳ fitness; opportunity; legitimacy
כּוֹשֶׁרֶת, כּוֹשָׁרָה, נ׳, ר׳, כּוֹשָׁרוֹת vigor; capacity
כּוֹתֵב, ז׳, ר׳, כּוֹתְבִים scribe; copyist; calligrapher
כּוֹתֶבֶת, נ׳, ר׳, ־תָבוֹת dry date

כּוּתִי, ת״ז, ־תִית, ת״נ Samaritan, Cuthean
כּוֹתֶל, כֹּתֶל, ז׳, ר׳, כְּתָלִים wall
כּוּתְנָה, כֻּתְנָה, נ׳, ר׳, ־נוֹת cotton
כּוֹתֶפֶת, נ׳, ר׳, ־תָפוֹת epaulet
כּוֹתֶרֶת, כֹּתֶרֶת, נ׳, ר׳, ־תָרוֹת capital of a column; heading, headline
כָּזָב, ז׳, ר׳, כְּזָבִים lie, falsehood
כָּזַב, פ״י to lie, deceive
כִּזֵּב, פ״י to tell a lie; to disappoint
כַּזְבָן, ז׳, ר׳, ־נִים liar
כַּזְבָנוּת, נ׳ lying
כָּח, פ״ע, ע׳ [כוח] to spit; to cough
כֹּחַ, ז׳, ר׳, כֹּחוֹת strength, power; wealth
כֹּחַ, ז׳, ר׳, כֹּחִים a species of lizard, chameleon
כִּחֵד, פ״י to deny; to conceal
הִכְחִיד, פ״י to deny; to withhold; to annihilate
כָּחָה, פ״ע to cough; to clear the throat
כָּחוֹל, כָּחֹל, ת״ז, כְּחֻלָּה, ת״נ blue
כָּחוּשׁ, ת״ז, כְּחוּשָׁה, ת״נ slim, thin, lean
כְּחִישָׁה, כְּחִישׁוּת, נ׳ leanness; weakness; reduction
כֹּחִית, נ׳ dynamite
כָּחַל, פ״י to paint blue; to use blue make-up
כַּחַל, ז׳, ר׳, כְּחָלִים blue eye make-up
כְּחָל, כָּחָל, ז׳, ר׳, ־לִים udder
כַּחְלִילִי, ת״ז, ־לִית, ת״נ blueish; blue-eyed
כֹּחֲנִי, ת״ז, ־נִית, ת״נ apt; potential
כֹּחֲנִיּוּת, נ׳ aptness; potentiality
כָּחַשׁ, פ״ע to become lean
כִּחֵשׁ, פ״י to deny, lie, deceive

הִכְחִישׁ, פ״י to contradict, deny; to be lean
כַּחַשׁ, ז׳, ר׳, כְּחָשִׁים lie, deceit; leanness
כֶּחָשׁ, ז׳, ר׳, ־שִׁים liar, deceiver
כִּי, מ״ח if, since, because, when, only
כִּי, ז׳, ר׳, כִּיִּים brand mark; burn
כִּיב, ז׳, ר׳, ־בִים ulcer
כִּיד, ז׳, ר׳, ־דִים calamity, misfortune
כִּידוֹד, ז׳, ר׳, ־דִים spark
כִּידוֹן, ז׳, ר׳, ־נִים spear, lance, javelin
כִּידוֹר, ז׳ attack, assault, charge
כִּיּוּן, ז׳ Saturn (planet)
כֵּיוָן, כֵּוָן, תה״פ directly, at once
כֵּיוָן שֶׁ־ as soon as; since
כִּיּוֹר, ז׳, ר׳, ־רִים washbasin; kettle; pan
כִּיחַ, ז׳, ר׳, ־חִים phlegm, spittle
כַּיָּל, ז׳, ר׳־לִים measurer, surveyor
כַּיִל, ז׳ measure
כִּילָה, כִּלָּה, נ׳, ר׳, ־לוֹת mosquito net; canopy
כִּילוּת, כִּילָאוּת, נ׳ stinginess; craftiness
כִּילַי, ז׳, ר׳, כִּילָאִים miser; rogue
כֵּילָף, כֵּלָף, ז׳, כֵּילַפּוֹת ax
כִּימָה, נ׳ Pleiades
כִּימִי, ת״ז, ־מִית, ת״נ chemical
כִּימְיָה, נ׳ chemistry
כִּיס, ז׳, ר׳, ־סִים pocket; purse
כַּיָּס, ז׳, ר׳, ־סִים pickpocket
כִּיסָן, ז׳, ר׳, ־נִים pie
כֵּיצַד, תה״פ how?, what manner?
כִּיֵּר, פ״י to tile; to adorn a wall; to panel

כִּירָה, נ׳, ר׳, ־רוֹת stove, hearth
כִּירַיִם, ז״ר cooking oven
כִּישׁוֹר, ז׳, ר׳, ־רִים distaff
כָּךְ, כָּכָה, תה״פ thus, so
בֵּין כָּךְ וּבֵין כָּךְ anyhow
כָּל כָּךְ so much
מַה בְּכָךְ what of it?
כִּכָּר, זו״נ, ר׳, ־רִים, ־רוֹת, ־רַיִם, כִּכָּרַיִם low ground; loaf; talent (weight); traffic circle
כָּל, פ״י, ע׳ [כול] to comprehend; to measure
כֹּל, כָּל all, every, whole, any
הַכֹּל all, everything
בְּכָל זֹאת nevertheless
כָּל שֶׁהוּא something; whatever
כֶּלֶא, ז׳, ר׳, כְּלָאִים prison, dungeon
כָּלָא, פ״י to imprison, incarcerate
כִּלְאַיִם, ז״ז mixture; hybrid; heterogeneous kinds
כֶּלֶב, ז׳, ר׳, כְּלָבִים dog
כֶּלֶב־יָם, ז׳, ר׳, כַּלְבֵי־יָם seal
כִּלֵּב, פ״ע to baste
כַּלְבִּי, ת״ז, ־בִּית, ת״נ doglike, canine
כְּלַבְלָב, ז׳, ר׳, ־בִים lap dog, puppy
כַּלֶּבֶת, נ׳ rabies; hydrophobia
כָּלָה, פ״ע to be consumed, finished; to perish; to waste away
כִּלָּה, פ״י to accomplish; to annihilate
כָּלָה, תה״פ altogether, wholly, completely
כָּלֶה, ת״ז, כָּלָה, ת״נ failing; pining
כַּלָּה, נ׳, ר׳, כַּלּוֹת bride; daughter-in-law
כִּלָּה, כִּילָה,נ׳, ר׳, ־לוֹת mosquito net; canopy

כְּלוּא, בֵּית כְּלוּא, ז׳ prison
כְּלוּב, ז׳, ר׳, ־בִים cage, basket
כָּלוּל, ת״ז, כְּלוּלָה, ת״נ includes, is comprised, contains
כְּלוּלוֹת, נ״ר betrothal, marriage
כְּלוּם, ז׳ anything, something
לֹא כְלוּם nothing
כְּלוֹמַר, תה״פ that is to say, this means
כְּלוֹנָס, ז׳, ר׳, ־נְסָאוֹת beam, pole
כֶּלַח, ז׳ senility, old age
[כלח] נִכְלַח, פ״ע to become senile
כְּלִי, ז׳, ר׳, כֵּלִים utensil, instrument, tool
כְּלֵי זַיִן weapons
כְּלֵי זֶמֶר musical instruments
כֵּלַי, ז׳, ר׳, ־לָאִים miser; rogue
כַּלִּיא־בָרָק, כַּלִּירַעַם, ז׳ lightning rod
כְּלִיבָה, נ׳, ר׳, ־בוֹת toolbox; vice
כִּלְיָה, נ׳, ר׳, כְּלָיוֹת kidney
כְּלָיָה, נ׳, ר׳, כְּלָיוֹת destruction
כִּלָּיוֹן, ז׳ pining; annihilation
כָּלִיל, ת״ז, כְּלִילָה, ת״נ whole, perfect, complete
כְּלִיל, ז׳, ר׳, ־לִים crown, garland, wreath
כְּלִילוּת, נ׳ versatility
כְּלִימָה, כְּלִמָּה, נ׳, ר׳, כְּלִמּוֹת shame, insult
כֶּלֶךְ, ז׳, ר׳, כְּלָכִים ferula
כַּלֵּךְ, מ״ק go!, be gone!
כִּלְכּוּל, ז׳ support, sustenance
כִּלְכֵּל, פ״י to sustain, nourish
כַּלְכָּלָה, נ׳, ר׳, ־לוֹת support; economy
כַּלְכַּלָּה, נ׳, ר׳, ־לוֹת fruit basket
כַּלְכָּלִי, ת״ז, ־לִית, ת״נ economic
כַּלְכָּלָן, ז׳, ר׳, ־נִים economist

כָּלַל, פ״י to include; to complete; to generalize
כְּלָל, ז׳, ר׳, ־לִים principle; general rule; total, sum
בִּכְלָל in general, generally
כְּלָל וּכְלָל (not) at all
יוֹצֵא מִן הַכְּלָל exceptional
כְּלָלוּת, נ׳, ר׳, ־לֻיּוֹת universality; totality
כְּלָלִי, ת״ז, ־לִית, ת״נ general, common
[כלם] נִכְלַם, פ״ע to be ashamed
הִכְלִים, פ״י to offend; to put to shame
כְּלִמָּה, כְּלִימָה, נ׳, ר׳, ־מּוֹת shame, insult
כַּלָּנִית, נ׳, ר׳, ־יּוֹת anemone
כֵּלָף, כֵּילָף, כֵּלַפּוֹת ax
כֶּלֶף, ז׳, ר׳, כְּלָפִים freckle
כְּלַפֵּי, תה״פ towards, opposite, against
כַּמָּה, תה״פ how much, how many
כָּמַה, פ״ע to desire eagerly, long for
כְּמֵהָה, נ׳, ר׳, ־הִים, ־הוֹת truffle
כְּמוֹ, כְּמוֹת, תה״פ as, like, when
כַּמּוֹן, כַּמֹּן, ז׳ cumin; caraway seed
כָּמוּס, ת״ז, כְּמוּסָה, ת״נ hidden, concealed
כְּמוּרָה, נ׳ priesthood
כָּמוּשׁ, ת״ז, כְּמוּשָׁה, ת״נ withered, wrinkled
כַּמּוּת, נ׳, ר׳, כַּמֻּיּוֹת quantity
כַּמּוּתִי, ת״ז, ־תִית, ת״נ quantitative
כְּמִיהָה, נ׳, ר׳, ־הוֹת yearning
כְּמִירָה, נ׳, ר׳, ־רוֹת pity
כְּמִישָׁה, נ׳, ר׳, ־שׁוֹת withering, shriveling up

כַּמֹּן, כַּמּוֹן, ז' cumin, caraway seed
כָּמַן, פ"י to hide away
כְּמָנָה, נ', ר', ־נוֹת ambush, trap
כָּמַס, פ"י to hide; to store away
כִּמְעַט, תה"פ, ע' מְעַט almost, just
כָּמַר, פ"י to heat, warm up; to ripen
נִכְמַר, פ"ע to shrink; to wrinkle
כֹּמֶר, כָּמָר, ז', ר', כְּמָרִים priest
כְּמָרִיָּה, נ', ר', ־יּוֹת monastery
כְּמְרִיר, ז', ר', ־רִים dark, heavy cloud
כָּמַשׁ, פ"ע to wither, shrivel up
כֵּן, תה"פ yes; thus, so
כֵּן, ת"ז, כֵּנָה, ת"נ honest, upright
כֵּן, ז', כִּנָּה, נ', ר', כִּנִּים louse; worm
כֵּן, כַּן, ז', כַּנָּה, נ', ר', ־כַּנִּים, ־נּוֹת base; post
כִּנָּה, פ"י to name; to give a title
כִּנּוּי, ז', ר', כִּנּוּיִים nickname; surname
כִּנּוּי הַשֵּׁם pronoun
כִּנּוּס, ז', ר', ־סִים gathering, assembly
כְּנוּפְיָה, כְּנֻפְיָה, נ', ר', כְּנֻפְיוֹת band, clique
כִּנּוֹר, ז', ר', ־רִים, ־רוֹת violin
כֵּנוּת, נ' honesty
כְּנִימָה, נ', ר', ־מוֹת vermin, beetle
כְּנִיסָה, נ', ר', ־סוֹת entrance; gathering, assembly
כְּנִיעָה, נ', ר', ־עוֹת surrender
כְּנִיעוּת, נ' subjection
כִּנָּם, כִּנֶּמֶת, כִּנְמָה, נ' scales, vermin, lice
כִּנֵּן, פ"י to wind up; to coil
כָּנַס, כִּנֵּס, פ"י to call together; to gather; to assemble
נִכְנַס, פ"ע to enter
הִכְנִיס, פ"י to bring in; to admit
כֶּנֶס, ז', ר', כְּנָסִים assembly, convention
כְּנֵסִיָּה, נ', ר', ־יּוֹת gathering; church
כְּנֶסֶת, נ', ר', כְּנֵסִיּוֹת gathering, congregation; parliament
בֵּית־כְּנֶסֶת synagogue, temple
[כנע] נִכְנַע, פ"ע to be humbled, subdued
הִכְנִיעַ, פ"י to submit, subdue
כִּנְעָה, נ', ר', ־עוֹת effects, wares; subjection
כְּנַעַן, ז' Canaan; trader
כָּנָף, נ', ר', כְּנָפַיִם, כְּנָפוֹת wing; extremity
[כנף] נִכְנַף, פ"ע to hide oneself
כְּנֻפְיָה, כְּנוּפְיָה, נ', ר', ־יּוֹת band, clique
כַּנָּר, ז', ר', ־רִים violinist
כִּנֵּר, פ"י to play the violin
כְּנָת, ז', ר', כְּנָוֹת colleague, comrade
כֵּס, ז', ר', כִּסִּים seat; throne
כֶּסֶא, כֶּסֶה, ז' new moon; full moon
כִּסֵּא, ז', ר', כִּסְאוֹת chair; seat
כִּסְאוֹן, ז', ר', ־נִים high chair
כֻּסְבָּר, ז' coriander
כָּסָה, פ"י to cover; to conceal
הִתְכַּסָּה, פ"ח to clothe oneself
כִּסּוּחַ, ז', ר', ־חִים trimming
כִּסּוּי, כִּסּוּי, ז', ר', ־יִּים lid; covering
כָּסוּל, ת"ז, כְּסוּלָה, ת"נ deformed(hip)
כִּסּוּף, ז', ר', ־פִים longing, desire
כְּסוּת, נ', ר', כְּסֻיּוֹת covering, garment
כְּסוּת עֵינַיִם pretext
כָּסַח, פ"י to cut off, trim; to clear
כְּסָיָה, נ', ר', ־יּוֹת glove

idiot, fool; Orion כְּסִיל, ז׳, ר׳, ־לִים
foolishness; stupidity כְּסִילוּת, נ׳, ר׳, ־לֻיּוֹת
chewing כְּסִיסָה, נ׳, ר׳, ־סוֹת
rubbing off; washing כִּסְכּוּס, ז׳, ר׳, ־סִים
to rub off; to gnaw כִּסְכֵּס, פ״י
loin, groin; folly כֶּסֶל, ז׳, ר׳, כְּסָלִים
hope; confidence כֵּסֶל, ז׳
to become foolish כָּסַל, פ״ע
stupidity, foolishness כִּסְלָה, נ׳
Kislev, ninth month of Hebrew calendar כִּסְלֵו, ז׳
to shear, clip, cut כָּסַם, פ״י
spelt כֻּסֶּמֶת, נ׳, ר׳, כֻּסְמִים
to chew; to number (amongst) כָּסַס, פעו״י
silver, money כֶּסֶף, ז׳, ר׳, כְּסָפִים
mercury כֶּסֶף חַי
to desire, long for כָּסַף, פ״ע
to silver; to become pale הִכְסִיף
longing, yearning כֹּסֶף, כּוֹסֶף, ז׳
mercury כַּסְפִּית, נ׳
cash register כַּסֶּפֶת, נ׳, ר׳, ־סָפוֹת
pillow, cushion כֶּסֶת, נ׳, כְּסָתוֹת
ugly, nasty כָּעוּר, ת״ז, כְּעוּרָה, ת״נ
angry, mad כָּעוּס, ת״ז, כְּעוּסָה, ת״נ
ugliness, nastiness כִּעוּר, ז׳
ring cake כַּעַךְ, ז׳, ר׳, ־כִים
to cough (lightly) כִּעְכֵּעַ, פ״ע
to be angry, vexed כָּעַס, פ״ע
to anger, vex הִכְעִיס, פ״י
anger, insolence כַּעַס, כַּעַשׂ, ז׳, ר׳, כְּעָסִים
irascible person כַּעֲסָן, ז׳, ר׳, ־נִים
to make ugly, repulsive כִּעֵר, פ״י
palm (of hand); sole (of foot); spoon כַּף, נ׳, ר׳, כַּפּוֹת, כַּפַּיִם

Kaph, khaph, eleventh letter of Hebrew alphabet כַּף, נ׳
hollow rock; cave; vault כֵּף, ז׳, ר׳, כֵּפִים
arch; doorway; sky; skullcap כִּפָּה, נ׳, ר׳, כִּפּוֹת
palm, palm leaf כַּפָּה, נ׳, ר׳, כַּפּוֹת
to force, compel; to subdue; to invert כָּפָה, פ״י
forced כָּפוּי, ת״ז, כְּפוּיָה, ת״נ
ungrateful כְּפוּי טוֹבָה
doubled; folded כָּפוּל, ת״ז, כְּפוּלָה, ת״נ
geminate verbs כְּפוּלִים
bent כָּפוּף, ת״ז, כְּפוּפָה, ת״נ
frost, hoarfrost כְּפוֹר, ז׳, ר׳, ־רִים
atonement, expiation כִּפּוּר, ז׳, ר׳, ־רִים
Day of Atonement יוֹם כִּפּוּר, יוֹם הַכִּפּוּרִים
cover (for holy ark); curtain כַּפּוֹרֶת, כַּפֹּרֶת, נ׳
tall, high כִּפֵּחַ, ת״ז, כִּפַּחַת, ת״נ
compulsion; inverting כְּפִיָּה, נ׳, ר׳, ־יּוֹת
epilepsy כִּפְיוֹן, ז׳
spit and image; double כָּפִיל, ז׳, ר׳, כְּפִילִים
rafter, girder כָּפִיס, ז׳, ר׳, כְּפִיסִים
bending; basket כְּפִיפָה, נ׳, ר׳, ־פוֹת
flexibility; subservience כְּפִיפוּת, נ׳, ר׳, ־פֻיּוֹת
lion, cub כְּפִיר, ז׳, ר׳, ־רִים
cub (*f.*); denial; atheism כְּפִירָה, נ׳, ר׳, ־רוֹת
teaspoon כַּפִּית, נ׳, ר׳, ־יּוֹת
doubling; duplicate; pleat, fold; multiplication כֶּפֶל, ז׳, ר׳, כְּפָלִים

כְּפְלַיִם	twice as much (many)
כִּפְלֵי כִּפְלַיִם	manifold
כָּפַל, פ"י	to double; to multiply; to fold
כָּפָן, ז'	hunger, famine
כָּפַן, פעו"י	to cover; to bend; to be hungry; to pine
כָּפַף, פ"י	to bend; to curve; to compel
כְּפָפָה, נ', ר', ־פוֹת	glove
כֹּפֶר, ז', ר', כְּפָרִים	ransom; asphalt, pitch; village; Lawsonia
כָּפַר, פ"י	to deny; to reconcile; to smear, tar
כְּפָר, כֹּפֶר, ז', ר', כְּפָרִים	village
כִּפֵּר, פ"י	to atone, expiate; to forgive
כַּפָּרָה, נ', ר', ־רוֹת	atonement, expiation
כְּפָרִי, כַּפְרִי, ת"ז, כַּפְרִית, ת"נ; ז'	rustic, rural, village-like; villager, farmer
כַּפְרָן, ז', ר', ־נִים	denier, liar
כַּפֹּרֶת, כַּפּוֹרֶת, נ', ר', ־רוֹת	cover (for holy ark), curtain
[כפש] הִכְפִּישׁ, פ"י	to make to cower; to wallow
כָּפַת, פ"י	to tie, bind
כֹּפֶת, ז', ר', כְּפָתִים	block, lump
כֶּפֶת, ז', ר', כְּפָתִים	knot
כֻּפְתָּה, כּוּפְתָּה, נ', ר', ־תּוֹת	dumpling
כַּפְתּוֹר, ז', ר', ־רִים	button; knob
כִּפְתֵּר, פ"י	to button up
כַּר, ז', ר', כָּרִים	pillow; crossbar; male lamb; battering ram; pasturage
כָּרָאוּי, תה"פ, ע' רָאוּי	fittingly, properly
כַּרְבּוּל, ז', ר', ־לִים	cloak, cape
כִּרְבֵּל, פ"י	to clothe
כַּרְבֹּלֶת, כַּרְבֹּלֶת, נ', ר', כַּרְבּוּלוֹת	crest; cock's comb
כְּרָגִיל, תה"פ, ע' רָגִיל	as usual
כָּרָה, פ"י	to dig; to hire; to buy; to arrange (a feast)
כֵּרָה, נ', ר', כֵּרוֹת	banquet, feast
כְּרוּב, ז', ר', ־בִים	cherub; cabbage
כְּרוּבִית, נ', ר', ־בִיּוֹת	cauliflower
כָּרוֹז, ז', ר', ־זוֹת	herald, public crier
כְּרוּז, ז', ר', ־זִים	proclamation
כָּרוּךְ, ת"ז, כְּרוּכָה, ת"נ	folded, bound
כְּרוּכְיָה, נ', ר', ־יוֹת	crane
כְּרוּכִית, נ', ר', ־כִיּוֹת	roll; fritter
כְּרוּם, ז', ר', ־מִים	humming bird
[כרז] הִכְרִיז, פ"י	to announce, proclaim, herald
כְּרָזִי, ת"ז, ־זִית, ת"נ	amphibious
כֹּרַח, ז'	compulsion, constraint
[כרח] הִכְרִיחַ, פ"י	to force, compel, constrain
כַּרְטוֹן, ז', ר', ־נִים	carton
כַּרְטִיס, ז', ר', ־סִים	ticket, card
כַּרְטִיסִיָּה, נ', ר', ־סִיּוֹת / כַּרְטֶסֶת, נ', ר', ־טָסוֹת	card file
כָּרִי, ז', ר', כָּרִים	courier; bodyguard
כְּרִי, ז', ר', כְּרָיִים	heap of corn; pile
כְּרִיָּה, נ', ר', כְּרִיּוֹת	digging
כָּרִיךְ, ז', ר', כְּרִיכִים	sandwich
כְּרִיכָה, נ', ר', ־כוֹת	sheaf; wrapping, cover, binding
כְּרִיכִיָּה, נ', ר', ־יּוֹת	bookbindery
כְּרִיעָה, נ', ר', ־עוֹת	kneeling
כָּרִישׁ, ז', ר', כְּרֵשִׁים	leek
כְּרִיתָה, נ', ר', ־תוֹת	cutting; divorcing

כְּרִיתוּת, נ' final divorce
כֶּרֶךְ, ז', ר', כְּרָכִים bundle; scroll; volume
כָּרַךְ, פ"י to twine, wind; to roll; to bind
כְּרַךְ, ז', ר', ־כִים large town, city
כַּרְכֹּב, ז', ר', ־כֻּבִּים ledge, rim
כִּרְכֵּב, פ"י to turn on a lathe
כִּרְכּוּר, ז', ר', ־רִים circle, circuit; whirl
כַּרְכֹּם, ז', ר', ־כֻּמִּים saffron; crocus
כִּרְכֵּם, פ"י to paint yellow; to stain
כִּרְכֵּר, פ"ע to jump around; to dance
כִּרְכָּר, ז', ר', ־רִים top; distaff, spindle
כִּרְכָּרָה, נ', ר', ־רוֹת camel, dromedary; carriage
כַּרְכֶּשֶׁת, נ', ר', ־כָּשׁוֹת intestine; sausage
כֶּרֶם, ז', ר', כְּרָמִים vineyard; grove
כֹּרֵם, כּוֹרֵם, ז', ר', כּוֹרְמִים vine-dresser, wine-grower
כָּרַם, פ"י to work in a vineyard
כַּרְמִיל, ז', ר', ־לִים crimson
כַּרְמֶל, ז', ר', כַּרְמִלִּים green wheat, fresh grains; fertile soil
כָּרֵס, כֶּרֶס, כָּרֵשׂ, נ', ר', כְּרֵסוֹת abdomen, belly
כֻּרְסָה, כּוּרְסָה, נ',ר', ־סוֹת armchair
כִּרְסֵם, פ"י to gnaw; to devour
כַּרְסָן, כַּרְסְתָן, ז', ר', ־נִים, ־תָנִים stout, big-bellied person
כֶּרַע, נ', ר', כְּרָעַיִם leg; knee
כָּרַע, פ"ע to kneel, bow
הִכְרִיעַ, פ"י to subject; to bend
כַּרְפַּס, ז', ר', ־סִּים celery, parsley; fine cotton cloth

כֶּרֶץ, ז', ר', כְּרָצִים tapeworm
כָּרָר, ז', ר', כָּרָרִים upholsterer
כָּרַת, פ"י to cut off; to agree to
כָּרֵת, ז', ר', כְּרֵתוֹת extirpation; divine punishment
כְּרֵתִי, ז', ר', ־תִים bodyguard
כֶּשֶׂב, ז', כִּשְׂבָּה, נ', ר', כְּשָׂבִים, כְּשָׂבוֹת male lamb; ewe lamb
כָּשָׂה, פ"ע to be fat, sated; to become coarse
כִּשּׁוּף, ז', ר', ־פִים magic, witchcraft
כְּשׁוּת, נ', ר', כְּשֻׁיּוֹת hops; capillaries
כַּשִּׁיל, ז', ר', ־לִים large ax
כִּשְׁכּוּשׁ, ז', ר', ־שִׁים wagging (of tail)
כִּשְׁכֵּשׁ, פ"י to wag (tail)
כָּשַׁל, פ"ע to stumble, stagger
נִכְשַׁל, פ"ע to fail; to go astray
כִּשָּׁלוֹן, כֶּשֶׁל, ז', ר', כִּשְׁלוֹנוֹת failure; stumbling
כֶּשֶׁף, ז', ר', כְּשָׁפִים sorcery
כַּשָּׁף, כַּשְּׁפָן, ז', ר', ־פִים, ־נִים sorcerer
כִּשֵּׁף, פ"י to bewitch, charm, enchant
כָּשַׁר, כָּשֵׁר, פ"ע to succeed; to be worthy; to be kosher
כָּשֵׁר, ת"ז, כְּשֵׁרָה, ת"נ ritually fit; honest; wholesome
כֹּשֶׁר, כּוֹשֶׁר, ז' fitness; opportunity; legitimacy
שְׁעַת הַכֹּשֶׁר opportune, appropriate
כִּשְׁרוֹן, ז', ר', כִּשְׁרוֹנוֹת talent; utility; skill
כַּשְׁרוּת, נ' fitness; purity; legitimacy
כַּת, נ', ר', כִּתִּים, כִּתּוֹת sect, party
כָּתַב, פ"י to write; to bequeath
הִתְכַּתֵּב, פ"ח to correspond
כְּתָב, ז', ר', ־בִים characters, letters; writing, script

כְּתָב הַחַרְטֻמִּים hieroglyphics
כְּתָב הַיִּתֵדוֹת cuneiform writing
כְּתָב יָד manuscript
כְּתָב סְתָרִים code
כַּתָּב, ז׳, ר׳, ־בִים correspondent
כְּתֻבָּה, נ׳, ר׳, ־בּוֹת marriage contract
כַּתְבָן, ז׳, ר׳, ־נִים writer, scribe
כַּתְבָנִית, נ׳, ר׳, ־נִיּוֹת typist, secretary
כְּתֹבֶת, נ׳, ר׳, כְּתוֹבוֹת inscription; address
כִּתָּה, נ׳, ר׳, כִּתּוֹת class; sect, party
כָּתוּב, ת״ז, כְּתוּבָה, ת״נ written, inscribed
כִּתּוּר, ז׳, ר׳, ־רִים encircling
כָּתוּשׁ, כָּתוּת, ת״ז, כְּתוּשָׁה, כְּתוּתָה, ת״נ crushed, pounded
כְּתִיב, ז׳, ר׳, ־בִים spelling
כְּתִיבָה, נ׳, ר׳, ־בוֹת writing; manuscript
כַּתִּישׁ, ז׳, ר׳, ־שִׁים wooden hammer
כָּתִית, ז׳, ר׳, כְּתִיתִים minced, pounded matter

כְּתִיתָה, כְּתִישָׁה, נ׳, ר׳, ־תוֹת, ־שׁוֹת crushing, pounding; scab
כֹּתֶל, כּוֹתֶל, ז׳, ר׳, כְּתָלִים wall
הַכֹּתֶל הַמַּעֲרָבִי the Wailing Wall
[כתם] נִכְתַּם to be stained, soiled
כֶּתֶם, ז׳, ר׳, כְּתָמִים pure gold; stain
כַּתָּן, ז׳, ר׳, ־נִים flax worker; mill worker
כֻּתְנָה, כּוּתְנָה, נ׳, ר׳, ־נוֹת cotton
כֻּתֹּנֶת, כְּתֹנֶת, נ׳, ר׳, כֻּתֳּנוֹת shirt
כָּתֵף, נ׳, ר׳, כְּתֵפַיִם, כְּתֵפוֹת shoulder; shoulder-piece, joint
כַּתָּף, ז׳, ר׳, כַּתָּפִים porter, carrier
כִּתֵּף, פ״י to carry on the shoulders
כְּתֻפָּה, נ׳, ר׳, ־פּוֹת insignia
כִּתֵּר, פ״י to surround; to crown
כֶּתֶר, ז׳, ר׳, כְּתָרִים crown
כֹּתֶרֶת, כּוֹתֶרֶת, נ׳, ר׳, ־תָרוֹת headline; heading; capital of a column
כָּתַשׁ, פ״י to pound, grind; to mince
כָּתַת, הִכֵּת, פ״י to crush; to smite
הֻכַּת, פ״ע to be crushed, beaten

ל l, L

ל Lamedh, Lamed, twelfth letter of Hebrew alphabet; thirty
לְ־, לַ־, לָ־, לֶ־, לִ־, לֵ־ to, into; for, at
לִי, לְךָ, לָךְ, לוֹ, לָהּ, לָנוּ, לָכֶם, לָכֶן, לָהֶם, לָהֶן to me; to you; to him; etc.
לֹא, לָאו, תה״פ no, not, nay
לָאָה, פ״ע to be weary; to be impatient
לֵאוּט, ז׳ progression

לְאוֹם, לְאֹם, ז׳, ר׳, לְאֻמִּים nation
לְאוּמִי, לְאֻמִּי, ת״ז, ־מִית, ת״נ national
לְאוּמִיּוּת, לְאֻמִּיּוּת, נ׳ nationality
לֵאוּת, ז׳ exhaustion, weariness
לָאַט, פ״ע, פ״י to speak softly; to cover
לְאַט, תה״פ slowly
לְאַלְתַּר, אַלְתַּר, תה״פ immediately, soon
לְאֹם, לְאוֹם, ז׳, ר׳, לְאֻמִּים nation

[לאם] הִלְאִים, פ״י to nationalize

לְאֻמִּי, לְאוּמִי, ת״ז, ־מִּית, ־מִית, ת״נ national

לְאֻמִּיּוּת, לְאוּמִיּוּת, נ׳ nationality

לֵאמֹר, תה״פ that is to say, so

לְאָן, תה״פ where, whither

לֵב, לֵבָב, ז׳, ר׳, לִבּוֹת, לְבָבוֹת heart; mind; understanding; midst, center

לִבֵּב, פ״י to make doughnuts; to fascinate; to encourage

לְבָבִי, ת״ז, ־בִית, ת״נ kind, cordial; hearty

לְבָבִיּוּת, נ׳ heartiness; cordiality

לְבַד, תה״פ apart, alone; only

מִלְּבַד besides

לֶבֶד, ז׳, ר׳, לְבָדִים felt (material)

לַבָּה, נ׳, ר׳, לַבּוֹת flame; lava

לִבָּה, נ׳, ר׳, לִבּוֹת (ע׳ לֵב, לֵבָב) heart

לִבָּה, פ״י to set ablaze, enkindle

לִבּוּב, ז׳ kindness; fascination

לָבוּד, ת״ז, לְבוּדָה, ת״נ attached, connected

לִבּוּי, ז׳, ר׳, ־יִים fanning, blowing

לִבּוּן, ז׳, ר׳, ־נִים whitening; grinding

לְבוֹנָה, לְבֹנָה, נ׳, ר׳, ־נוֹת frankincense

לְבוּשׁ, ז׳, ר׳, ־שִׁים clothing, garment

לָבוּשׁ, ת״ז, לְבוּשָׁה, ת״נ clothed, garbed, dressed

[לבט] נִלְבַּט, פ״ע to fall, fail

הִתְלַבֵּט, פ״ח to be troubled

לֶבֶט, ז׳, ר׳, לְבָטִים affliction, suffering; trouble, misery

לָבִיא, ז׳, לְבִיאָה, נ׳, ר׳, לְבִיאִים, ־אוֹת lion, lioness

לְבִיבָה, נ׳, ר׳, ־בוֹת doughnut; pancake

לְבִישָׁה, נ׳, ר׳, ־שׁוֹת dressing, garbing

לִבְלֵב, פ״ע to sprout, bloom; to shout, be loud

לַבְלַב, ז׳ morning glory (convolvulus); pancreas

לִבְלוּב, ז׳, ר׳ ־בִים sprouting, blossoming

לַבְלָר, ז׳, ר׳, ־רִים scribe, clerk

לָבָן, ת״ז, לְבָנָה, ת״נ white

לָבַן, פ״י to whiten; to make bricks

לִבֵּן, פ״י to whiten; to wash; to brighten

לֹבֶן, לוֹבֶן, ז׳ whiteness; white of the eye

לַבָּן, ז׳, ר׳, ־נִים whitewasher; laundryman

לִבְנֶה, ז׳, ר׳, לִבְנִים birch tree

לְבֵנָה, נ׳, ר׳, לְבֵנִים brick; stone slab

לְבָנָה, נ׳, ר׳, ־נוֹת moon

חֲצִי־לְבָנָה half-moon; bracket

לְבֹנָה, לְבוֹנָה, נ׳, ר׳, ־נוֹת frankincense

לַבְנוּנִי, ת״ז, ־נִית, ת״נ whitish

לַבְנוּנִית, לַבְנוּת, נ׳ whiteness

לַבְקָן, ז׳, ר׳, ־נִים albino

לְבַר, תה״פ outside

לָבַשׁ, פ״י to wear

הִלְבִּישׁ, פ״י to clothe

לֹג, לוֹג, ז׳, ר׳, לֻגִּים log, liquid measure

לִגְיוֹן, ז׳, ר׳, ־נוֹת legion

לְגִימָה, נ׳, ר׳, ־מוֹת gulp, sip

לִגְלֵג, פ״ע to mock, make fun of

לִגְלוּג, ז׳, ר׳, ־גִים ridicule, derision, jeering

לַגְלְגָן, ז׳, ר׳, ־נִים mocker
לָגַם, פ״י to gulp, sip
לְגִמָּה, לוּגְמָה, נ׳, ר׳, ־מוֹת mouthful
לְגַמְרֵי, תה״פ altogether
לֵדָה, נ׳, ר׳, לֵדוֹת birth
לְדִידִי, מ״נ as for me, on my part
לָהּ, מ״ג, ע׳ לְ־ to her
לְהָאָה, נ׳, ר׳, ־אוֹת uvula, soft palate
לַהַב, ז׳, ר׳, לְהָבִים flame; blade
לָהַב, פ״ע to shine, sparkle, glitter
הִלְהִיב, פ״י to inspire
הִתְלַהֵב, פ״ח to be enthusiastic
לְהַבָּא, תה״פ hereafter, from now on
לֶהָבָה, נ׳, ר׳, ־בוֹת flame
לַהַבְיוֹר, ז׳, ר׳, ־רִים flame-thrower
לַהַג, ז׳, ר׳, לְהָגִים prattle, idle talk; dialect
לָהַג, פ״י to prattle
לָהָה, פ״ע to languish, be exhausted
לָהוּט, ת״ז, לְהוּטָה, ת״נ ardent, enthused
לְהוּט, ז׳, ר׳, ־טִים burning, enkindling
לָהַט, פ״ע to burn, blaze
לַהַט, ז׳, ר׳, לְהָטִים heat, flame; blade
לְהָטִים, ז״ר enthusiasm; witchcraft
לְהִיטָה, לְהִיטוּת, נ׳ ardent desire
[להלה] הִתְלַהְלֵהַּ, פ״ח to play the fool; to behave madly
לְהַלָּן, תה״פ there; afterwards, later
[להם] הִתְלַהֵם, פ״ח to strike blow
לָהֶם, לָהֶן, מ״ג, ע׳ לְ־ to them
לַהֲקָה, נ׳, ר׳, לְהָקוֹת band, company
לְהִתְרָאוֹת, מ״ק au revoir, see you soon
לוֹ, מ״ג, ע׳ לְ־ to him
לוּ, לוּא, מ״ח if only!

לְוַאי, לְוַי, הַלְוַאי, מ״ק oh that!, would that!
לְוַאי, ז׳, ר׳, לְוָאִים addition, accompaniment; modifier
לוֹבֶן, לֹבֶן, ז׳ whiteness, white of eye
לוֹג, לֹג, ז׳, ר׳, לֻגִּים log, liquid measure
לוּדָר, ז׳, ר׳, ־רִים gladiator
לָוָה, פ״י to borrow
לִוָּה, פ״י to accompany
הִלְוָה, פ״י to lend
לֹוֶה, לוֹוֶה, ז׳, ר׳, לוֹוִים borrower
לִוּוּי, ז׳, ר׳, ־יִים accompaniment
[לוז] לָז, פ״ע to turn aside; to bend; to twist
הֵלִיז, פעו״י to slander; to turn aside
לוּז, ז׳, ר׳, ־זִים almond tree; gland
לוּחַ, ז׳, ר׳, ־חוֹת tablet, board, blackboard; schedule, calendar
לִוַּח, פ״י to tabulate
לוֹט, לֹט, ז׳, ר׳, ־טִים covering, wrapper; laudanum
לוּט, ת״ז, ־טָה, ת״נ enveloped, enclosed
[לוט] לָט, פ״י to cover, wrap up, enclose
הֵלִיט, פ״י to wrap; to cover (face); to envelop
לֵוִי, ז׳, לְוִיָּה, נ׳ Levi, Levite, of Levi
לְוָיָה, נ׳, ר׳, ־יוֹת escort, company; funeral
לִוְיָה, נ׳, ר׳, לְוָיוֹת frontlet; wreath
לַוְיָן, ז׳, ר׳, נִים satellite
לִוְיָתָן, ז׳, ר׳, ־יְתָנִים dragon, sea serpent, leviathan
לוֹכְסָן, תה״פ crosswise, diagonally
לוּל, ז׳, ר׳, ־לִים chicken coop; spiral staircase; playpen

לוּלֵא, לוּלֵי, מ"ח unless, if not
לוּלָאָה, נ', ר', ־אוֹת loop, buttonhole
לוּלָב, ז', ר', ־בִים lulab, young twig, palm branch
לוֹלָב, ז', ר', ־בִים bolt, screw
לוּלְיָן, ז', ר', ־נִים acrobat
לוּלְיָנִי, ת"ז, ־נִית, ת"נ spiral
[לין] לָן, פ"ע to lodge, sleep overnight
נָלוֹן, פ"ע to complain
הֵלִין, פ"י to lodge
הִתְלוֹנֵן, פ"ח to complain
לוֹעַ, לֹעַ, ז', ר', ־עוֹת throat, jaw; crater
לוֹעֵז, ז', ר', ־עֲזִים foreigner; speaker of a foreign language
לוֹעֲזִי, ת"ז, ־זִית, ת"נ foreign, not speaking Hebrew
לוּף, ז', ר', ־פִים snakeroot (serpentaria), arum, arrowroot
[לוץ] לָץ, פ"ע, ע' [ליץ] to mock
הִתְלוֹצֵץ, פ"ח to joke, banter
הֵלִיץ, פ"י to gibe, scoff
לוֹצֵץ, ז', ר', ־צְצִים mocker
לוֹקֵחַ, ז', ר', ־קְחִים buyer, customer
[לוש] לָשׁ, פ"י to knead
לִזְבֵּז, ז', ר', ־זִים rim, border, frame
לָז, פ"ע, ע' [לוז] to turn aside; to elude (the attention)
לָז, לָזֶה, לֵזוּ, מ"ג, ע' הַלָּז, הַלָּזֶה, הַלֵּזוּ that one
לְזוּת, נ' slander, evil talk
לֵחַ, ז', ר', לֵחִים freshness, vigor; moisture
לַח, ת"ז, לַחָה, ת"נ moist, humid
לֵחָה, נ', ר', ־חוֹת moisture; rheum; pus

לְחוֹד, לְחוּד, תה"פ alone, only, singly, separately
לְחוּם, ז', ר', ־מִים flesh, meat
לַחוּת, נ' moisture, humidity; freshness
לְחִי, לֶחִי, נ', ר', לְחָיַיִם cheek; cheek-piece of a bridle; clamps of a vise
לֶחִי, ז', ר', לְחָיִים narrow plank
לְחַיִּים, מ"ק, ע', חַיִּים to your health!
לְחִיכָה, נ', ר', ־כוֹת licking
לְחִיצָה, נ', ר', ־צוֹת pressing, squeezing
לְחִישָׁה, נ', ר', ־שׁוֹת whispering
לָחַךְ, פ"י to lick
לִחֵךְ, פ"י to lick up, lick
לִחְלוּחַ, ז', ר', ־חִים moistening, dampening
לַחְלוּחִית, לִחְלוּחִית, נ' moisture, dampness, freshness, liveliness
לִחְלַח, פ"י to moisten, dampen
הִתְלַחְלֵחַ, פ"ח to become moist, damp
לֶחֶם, ז', ר', לְחָמִים bread
לָחַם, פ"י, פ"ע to eat; to wage war
[לחם] הִלְחִים, פ"י to solder; to fit, insert
נִלְחַם, פ"ע to wage war
לָחֶם, ז' war, battle
לַחְמָנִיָּה, לַחְמָנִית, נ', ר', ־נִיּוֹת roll
לַחַן, ז', ר', לְחָנִים melody, air, tune
לִחֵן, פ"י to tune
לַחַץ, ז' pressure; oppression
לָחַץ, פ"י to press, squeeze, oppress
לַחַשׁ, ז', ר', לְחָשִׁים whisper, spell, charm amulet
לָחַשׁ, פ"י to whisper; to charm a snake
לַחְשָׁן, ז', ר', ־נִים prompter

[לחת] הִלְחִית, פ"י to pant
לט, לוט, ז׳, ר׳, ־טִים cover, wrapper; laudanum
לָט, פ"י, ע׳ [לוט] to cover, wrap up, enclose
לָט, ז׳, ר׳, לָטִים magic; quiet, stillness
לְטָאָה, נ׳, ר׳, ־אוֹת lizard
לְטִיפָה, נ׳, ר׳, ־פוֹת caress, fondling
לְטִישָׁה, נ׳, ר׳, ־שׁוֹת sharpening; polishing, furbishing
לִטֵּף, פ"י to caress, fondle, pat
לִטְרָה, נ׳, ר׳, ־רוֹת, ־רָאוֹת pound (weight)
לָטַשׁ, פ"י to sharpen; to polish; to furbish
לִי, מ"ג, ע׳ לְ־ to me, for me
לַיִל, לֵיל, לַיְלָה, ז׳, ר׳, לֵילוֹת night
לִילִית, נ׳, ר׳, לִילִיּוֹת night demon; Lilith
לִימוֹן, ז׳, ר׳, ־נִים lemon
[לין] לָן, פ"ע, ע׳ [לון] to sleep; spend the night
לִינָה, נ׳, ר׳, ־נוֹת staying overnight, sleeping
לִיף, ז׳, ר׳, לִיפִים fiber
[ליץ] לָץ, פ"ע, הֵלִיץ, פ"י to mock; to jest, joke
לֵיצָן, לֵצָן, ז׳, ר׳, ־נִים clown, jester, scoffer
לֵיצָנוּת, לֵצָנוּת, נ׳, ר׳, ־נֻיּוֹת buffoonery, irony
לִירָה, נ׳, ר׳, לִירוֹת pound (money)
לַיִשׁ, ז׳, ר׳, לְיָשִׁים lion
לִישָׁה, נ׳, ר׳, ־שׁוֹת kneading
לֵית, תה"פ none; no
לְךָ, לָךְ, מ"ג, ע׳ לְ־ to you (*m.* & *f.*)
לִכְאוֹרָה, תה"פ apparently

לָכַד, פ"י to capture, seize
הִתְלַכֵּד, פ"ח to unite; to integrate
לֶכֶד, ז׳ capture, catching; snare
לְכִידָה, נ׳, ר׳, ־דוֹת capture, seizing
לָכִיס, ז׳, ר׳, לְכִיסִים salmon
לִכְלוּךְ, ז׳, ר׳, ־כִים dirt, filth
לִכְלוּכִית, נ׳, ר׳, ־כִיּוֹת slattern, negligent woman
לִכְלֵךְ, פ"י to soil, make dirty
לָכֶם, לָכֶן, מ"ג, ע׳ לְ־ to you (*pl., m.* & *f.*)
לָכֵן, תה"פ therefore
לֶכֶשׁ, ז׳ fir tree
לְכַתְּחִלָּה, תה"פ from the first, at the start
לָמַד, פ"י to learn, study
לִמֵּד, פ"י to teach, train
לֶמֶד, ז׳ study, learning
לָמֵד, ת"ז, לְמֵדָה, ת"נ studied, deduced, defined
לָמֶד, נ׳, ר׳, לָמְדִין Lamed, twelfth letter of Hebrew alphabet
לְמַדַּי, תה"פ sufficiently, much
לַמְדָן, ז׳, ר׳, ־נִים student, researcher; scholar
לָמָּה, מ"ש why?, wherefore?
לָמוֹ, מ"ג to them, to those persons
לָמוּד, ת"ז, לְמוּדָה, ת"נ trained, accustomed
לִמּוּד, ז׳, ר׳, ־דִים student; study, learning
לִמּוּדִי, ת"ז, ־דִית, ת"נ theoretic, didactic
לְמַטָּה, תה"פ down, downwards
לְמִידָה, נ׳, ר׳, ־דוֹת learning, studying
לְמְלֵם, פ"ע to sneer; to grumble; to stutter

לְמַעֵט, תה״פ, ע׳ מַעֵט to exclude
לְמַעְלָה, תה״פ, ע׳ מַעְלָה up, upwards
לְמַעַן, תה״פ, ע׳ מַעַן so that, for, to; because of
לְמַפְרֵעַ, תה״פ backward, retrospectively
לַמְרוֹת, תה״פ in spite of
לָן, פ״ע, ע׳ [לון, לין] lodge, sleep overnight
לָנוּ, מ״ג, ע׳ לְ־ to us, for us
לִסְטוּת, נ׳, ר׳, לִסְטֻיּוֹת robbery, thievery
לִסְטֵם, פ״י to rob, steal
לַסָּט, ז׳, ר׳, לִסְטִים bandit, robber
לֶסֶת, נ׳, ר׳, לְסָתוֹת cheekbone, jawbone
לֹעַ, לוֹעַ, ז׳, ר׳, לֹעוֹת jaw, throat; crater
לֹעַ־אֲרִי, ז׳ snapdragon
[לעב] הִלְעִיב, פ״י to deride, mock
לָעַג, פ״ע to mock; to jest
לַעַג, ז׳, ר׳, לְעָגִים ridicule, derision, mockery
לָעַד, תה״פ, ע׳ עַד forever
לָעָה, פ״ע to drink much; to stutter
לָעוֹז, ז׳, ר׳, ־זוֹת speaker of a foreign tongue
לְעוֹלָם, תה״פ, ע׳ עוֹלָם forever, always
לְעוּמַת, לְעֻמַּת, תה״פ against, opposite
לָעוּס, ת״ז, לְעוּסָה, ת״נ chewed
לָעַז, פ״ע to slander; to speak a foreign tongue
לַעַז, ז׳, ר׳, לְעָזִים slander; foreign tongue
לָעַט, פ״י to glut; to swallow greedily
הִלְעִיט, פ״י to stuff; to make swallow
לְעִיזָה, נ׳, ר׳, ־זוֹת slander
לְעִיטָה, נ׳, ר׳, ־טוֹת feeding, stuffing, glutting
לְעֵיל, תה״פ above, preceding
מִלְעֵיל penultimate accent
לְעִיסָה, נ׳, ר׳, ־סוֹת chewing; paste
לַעֲלָן, ז׳, ר׳, ־נִים neutral
לְעֻמַּת, לְעוּמַת, תה״פ against, opposite
לַעֲנָה, נ׳, ר׳, לְעָנוֹת wormwood
לָעַס, פ״י to chew, masticate
לָעַע, פ״י to swallow
לְעֵת, תה״פ when
[לפד] הִתְלַפֵּד, פ״ח to glitter, sparkle
לִפּוּף, ז׳, ר׳, ־פִים swaddling; winding
לִפּוּת, ז׳, ר׳, ־תִים spicing, sweets
לְפָחוֹת, תה״פ at least
לְפִי, תה״פ according to, because
לַפִּיד, ז׳, ר׳, ־דִים torch
לְפִיכָךְ, תה״פ therefore
לְפִיפָה, נ׳, ר׳, ־פוֹת winding; wrapping; bandage
לִפְלוּף, ז׳, ר׳, ־פִים pus, rheum
לִפְנוֹת, תה״פ next to, near
לִפְנֵי, תה״פ before, in front of
לִפְעָמִים, תה״פ sometimes
לָפַף, לִפֵּף, פ״י to swaddle; to embrace
לְפָפָה, נ׳, ר׳, ־פוֹת diaper; bandage
לָפַת, פ״י to embrace, clasp
לִפֵּת, פ״י to combine (dishes)
לֶפֶת, נ׳, ר׳, לְפָתוֹת turnip
לִפְתָּן, ז׳, ר׳, ־נִים hors d'oeuvre; relish, condiment

לְפֶתַע, תה"פ — suddenly
לָץ, פ"ע, ע' [לוץ, ליץ] — mock
לֵץ, ז', ר', לֵצִים — buffoon; jester
לָצוֹן, ז' — haughtiness, mockery
לִצְמִיתוּת, תה"פ — forever
לֵצָן, לֵיצָן, ז', ר', ־נִים — clown, jester, scoffer
לֵצָנוּת, לֵיצָנוּת, נ', ר', ־נֻיּוֹת — buffoonery; irony
לָקָה, פ"ע — to flog; to be afflicted with disease
לָקוֹחַ, ז', ר', ־חוֹת — customer, purchaser
לִקּוּחַ, ז', ר', ־חִים — purchase
לָקוּט, ז', ר', לְקוּטוֹת — grain; gleaner
לִקּוּט, ז', ר', ־טִים — gleaning, picking
לִקּוּי, ז', ר', ־יִים — defect, blemish; eclipse
לָקוּי, ת"ז, לְקוּיָה, ת"נ — defective, abnormal
לָקוּת, נ', ר', ־תוֹת — defect, blemish
לְקוּת הַשֵּׂכֶל — abnormality
לָקַח, פ"י — to take, accept; to conquer
לֶקַח, ז', ר', לְקָחִים — knowledge, wisdom; lesson
לָקַט, פ"י — to glean, gather
לֶקֶט, ז', ר', לְקָטִים — gleaning, gathering
לְקִיחָה, נ', ר', ־חוֹת — taking; betrothal
לְקִיטָה, נ', ר', ־טוֹת — picking, gathering

לָקִישׁ, ז', ר', לַקִישׁוֹת — ripening
לְקִיקָה, נ', ר', ־קוֹת — licking
לְקַמָּן, תה"פ — further on; below
לָקַק, פ"י — to lick, lap
לִקְרַאת, תה"פ — towards; to meet
לֶקֶשׁ, ז' — new grain; spring crop
לִקֵּשׁ, פ"י — to gather first fruit
לָרֹב, תה"פ — mostly, mainly
לְרַבּוֹת, תה"פ — including
לְרֶגֶל, תה"פ — according to; on account of
לְרַע, תה"פ — down, downwards, below
מִלְּרַע — ultimate accent
לָשׁ, פ"י, ע' [לוש] — knead
לְשַׁד, ז' — sap; vigor; marrow
לָשׁוֹן, נ', ר', לְשׁוֹנוֹת — tongue; speech; language
לָשׁוֹן נוֹפֵל עַל לָשׁוֹן — alliteration
לְשׁוֹנִי, ת"ז, ־נִית, ת"נ — linguistic,lingual
לִשְׁכָּה, נ', ר', לְשָׁכוֹת — large room; office
לִשְׁלֶשֶׁת, נ', ר', לִשְׁלָשׁוֹת — droppings (bird)
לֶשֶׁם, ז', ר', לְשָׁמִים — opal; turquoise
לְשֵׁם, תה"פ, ע' שֵׁם — for (the sake of), according to
[לשן] הִלְשִׁין, פ"י — to slander; to inform
לְתִיתָה, נ', ר', ־תוֹת — the moistening of grain (before milling)
לֶתֶךְ, ז', ר', לְתָכִים — a dry measure
לָתַת, פ"י — to moisten, dampen (grain)
לֶתֶת, ז', ר', לְתָתִים — malt

מ, ם

מ, ם — Mem, thirteenth letter of Hebrew alphabet; forty (מ); six hundred (ם)

מִ־, מֵ־, מ"י — from, of; since
מַאֲבוּס, ז', ר', ־סִים — granary, feeding stall

מְאַגְרֵף, ז', ר', ־רְפִים boxer, pugilist
מְאֹד, תה"פ; ז' very, exceedingly; force, might, strength
מַאְדִים, ז' Mars
מֵאָה, נ', ר', ־אוֹת hundred; century
מָאתַיִם two hundred
לְמֵאָה per cent
מַאֲהָב, ז', ר', ־בִים flirt; romance
מְאוּבָּן, מְאֻבָּן, ז', ר', ־נִים fossil
מְאוּוְרָר, מְאֻוְרָר, ת"ז, ־רֶרֶת, ת"נ ventilated, air-conditioned
מְאוּזָן, מְאֻזָּן, ת"ז, ־זֶנֶת, ת"נ balanced; horizontal
מְאוּחָד, מְאֻחָד, ת"ז, ־חֶדֶת, ת"נ united, joined
מְאוּחָר, מְאֻחָר, ת"ז, ־חֶרֶת, ת"נ tardy, late
מַאֲוַי, מַאֲוֶה, ז', ר', מַאֲוַיִּים desire
מְאוּיָן, מְאֻיָּן, ת"ז, ־יֶּנֶת, ת"נ negative
מְאוּכְזָב, מְאֻכְזָב, ת"ז, ־זֶבֶת, ת"נ disappointed
מְאוּכְלָס, מְאֻכְלָס, ת"ז, ־לֶסֶת, ת"נ populated
מְאוּם, מְאוּמָה, ז' something; anything; a little
מְאוּמָּץ, מְאֻמָּץ, ת"ז, ־מֶּצֶת, ת"נ adopted (child)
מֵאוּן, ז', ר', ־נִים refusal
מְאוּנָּךְ, מְאֻנָּךְ, ת"ז, ־נֶּכֶת, ת"נ perpendicular, vertical
מְאוּס, מֵאוּס, ז' ugliness, repulsiveness
מָאוּס, ת"ז, מְאוּסָה, ת"נ repugnant
מְאוּצְבָּע, מְאֻצְבָּע, ת"ז, ־בַּעַת, ת"נ digital
מָאוֹר, ז', ר', מְאוֹרוֹת light, luminary
מְאוּרְגָּן, מְאֻרְגָּן, ת"ז, ־גֶּנֶת, ת"נ organized; arranged
מְאוּרָה, נ', ר', ־רוֹת (snake) hole
מְאוֹרָס, מְאֹרָס, ז', ר', ־סִים betrothed
מְאוֹרָע, מְאֹרָע, ז', ר', ־עוֹת, ־עִים event, occasion
מְאַוְרֵר, ז', ר', ־רְרִים fan, air conditioner
מְאֻוְרָר, מְאוּוְרָר, ת"ז, ־רֶרֶת, ת"נ ventilated, air-conditioned
מְאוּשָּׁר, מְאֻשָּׁר, ת"ז, ־שֶּׁרֶת, ת"נ happy; fortunate
מְאֻזָּן, מְאוּזָּן, ת"ז, ־זֶּנֶת, ת"נ balanced, horizontal
מַאֲזָן, ז', ר', ־נִים balance sheet
מֹאזְנַיִם balances, scales; Libra
מְאֻחָד, מְאוּחָד, ת"ז, ־חֶדֶת, ת"נ united, joined
מַאֲחֵז, ז', ר', ־חֲזִים paper clip
מְאֻחָר, מְאוּחָר, ת"ז, ־חֶרֶת, ת"נ late, tardy
מַאי, ז' May
מְאַיֵּד, ז', ר', מְאַיְּדִים carburetor
מֵאֵימָתַי, תה"פ from when; as of what time
מֵאַיִן, תה"פ whence; from lack of
מְאֻיָּן, מְאוּיָּן, ת"ז, ־יֶּנֶת, ת"נ negative
מְאִיסָה, מְאִיסוּת, נ' disgust; repulsiveness; rejection
מֵאִית, נ', ר', ־יוֹת one-hundredth
מְאֻכְזָב, מְאוּכְזָב, ת"ז, ־זֶבֶת, ת"נ disappointed
מַאֲכָל, ז', ר', ־לִים, ־לוֹת food; meal
עֵץ מַאֲכָל fruit tree
מְאֻכְלָס, מְאוּכְלָס, ת"ז, ־לֶסֶת, ת"נ populated
מַאֲכֶלֶת, נ', ר', ־כָלוֹת large knife
מַאֲכֹלֶת, נ', ר', ־כוֹלוֹת food for fire, fuel; louse

מְאַלֵּף, ז׳, ר׳, ־לְּפִים instructor, trainer
מְאַמֵּן, ז׳, ר׳, ־מְּנִים trainer
מַאֲמָץ, ז׳, ר׳, ־מַצִּים effort, endeavor; power
מְאֻמָּץ, מְאוּמָּץ, ת״ז, ־מֶּצֶת, ת״נ adopted (child)
מַאֲמָר, ז׳, ר׳, ־רִים, ־רוֹת command; word; article; sentence
מַאֲמָר רָאשִׁי editorial
מֵאֵן, פ״ע to refuse
מְאֻנָּךְ, מְאוּנָּךְ, ת״ז, ־נֶּכֶת, ת״נ perpendicular, vertical
מָאַס, פ״י to despise
נִמְאַס, פ״ע to be despised; to feel disgusted
הִמְאִיס, פ״י to make despised
מְאַסֵּף, ז׳, ר׳, ־סְּפִים rear guard; literary collection
מַאֲסָר, ז׳, ר׳, ־רִים imprisonment; jail
מַאֲפֶה, ז׳, ר׳, ־פִים pastry; baked goods
מַאֲפִיָּה, נ׳, ר׳, ־פִיּוֹת bakery
מַאֲפֵל, ז׳, ר׳, ־פְלִים darkness
מַאְפֵּלְיָה, נ׳ deep darkness; tomb
מַאֲפֵרָה, נ׳, ר׳, ־רוֹת ash tray
מְאֻצְבָּע, מְאוּצְבָּע, ת״ז, ־בַּעַת, ת״נ digital
[מאר] הִמְאִיר, פ״י to pierce; to infect; to become malignant
מַאֲרָב, ז׳, ר׳, ־בִים ambush
מְאָרֵב, ז׳, ר׳, ־רְבִים lier-in-wait
מְאַרְגֵּן, ז׳, ר׳, ־גְּנִים organizer
מְאֻרְגָּן, מְאוּרְגָּן, ת״ז, ־גֶּנֶת, ת״נ organized, arranged
מְאֵרָה, נ׳, ר׳, ־רוֹת curse

מַאֲרוּפָה, נ׳, ר׳, ־פוֹת rake, mattock
מְאָרֵחַ, ז׳, ר׳, ־חִים host
מָאֳרָךְ, ת״ז, ־רֶכֶת, ת״נ oblong
מְאֹרָס, מְאוֹרָס, ז׳, ר׳, ־סִים betrothed
מְאֹרָע, מְאוֹרָע, ז׳, ר׳, ־עוֹת, ־עִים event, occasion
מְאֻשָּׁר, מְאוּשָּׁר, ת״ז, ־שֶּׁרֶת, ת״נ happy; fortunate
מֵאֵת, מ״י from; by
מָאתַיִם, ש״מ two hundred
מַבְאִישׁ, ת״ז, ־שָׁה, ת״נ smelly
מְבֹאָר, מְבוֹאָר, ת״ז, ־אֶרֶת, ת״נ evident, clear, explained
מְבֻגָּר, מְבוּגָּר, ת״ז, ־גֶּרֶת, ת״נ adult
מִבְדּוֹק, ז׳, ר׳, ־קִים shipyard
מְבַדֵּחַ, ת״ז, ־דַּחַת, ת״נ funny, amusing
מַבְדִּיל, ז׳ differentiator
מֻבְדָּל, מוּבְדָּל, ת״ז, ־דֶּלֶת, ת״נ separated
מַבְהִיל, ת״ז, ־לָה, ת״נ terrifying
מַבְהִיק, ת״ז, ־קָה, ת״נ shining
מֻבְהָק, מוּבְהָק, ת״ז, ־הֶקֶת, ת״נ renowned; expert; distinguished
מָבוֹא, ז׳, ר׳ ־מְבוֹאִים, ־אוֹת entrance; introduction
מְבוֹא הַשֶּׁמֶשׁ sunset, west
מְבוֹא יָם port
מְבוֹאָר, מְבֹאָר, ת״ז, ־אֶרֶת, ת״נ evident, clear, explained
מְבוּגָּר, מְבֻגָּר, ת״ז, ־גֶּרֶת, ת״נ adult
מָבוֹי, ז׳, ר׳, מְבוֹיִים, מְבוֹאוֹת entrance; lane; hall
מְבוּטָּל, מְבֻטָּל, ת״ז, ־טֶּלֶת, ת״נ invalid; insignificant
מָבוֹךְ, ז׳, ר׳, מְבוֹכִים labyrinth
מְבוּכָה, נ׳, ר׳, ־כוֹת consternation; confusion, perplexity

מַבּוּל, ז׳ flood, deluge

מְבוּלְבָּל, מְבֻלְבָּל, ת״ז, ־בֶּלֶת, ת״נ confused

מְבוּסָה, נ׳, ר׳, ־סוֹת trampling, defeat

מְבוּסָּס, מְבֻסָּס, ת״ז, ־סֶּסֶת, ת״נ founded

מַבּוּעַ, ז׳, ר׳, ־עִים fountain, spring of water

מְבוּקָה, נ׳, ר׳, ־קוֹת desolation; emptiness

מְבוּקָּשׁ, מְבֻקָּשׁ, ת״נ, ־קֶּשֶׁת, ת״נ sought, requested

מְבוּקָּשׁ, ז׳, ר׳, ־שִׁים request

מְבוֹרָךְ, מְבֹרָךְ, ת״ז, ־רֶכֶת, ת״נ blessed

מְבוּשִׁים, ז״ר pudenda

מְבוּשָּׁל, מְבֻשָּׁל, ת״ז, ־שֶּׁלֶת, ת״נ cooked

מִבְחוֹר, ז׳, ר׳, ־רִים choice; excellence

מִבְחָן, ז׳, ר׳, ־נִים test, examination

מִבְחָר, ז׳, ר׳, ־רִים choice, best; selection

מֻבְחָר, מוּבְחָר, ת״ז, ־חֶרֶת, ת״נ select, choice

מַבָּט, ז׳, ר׳, ־טִים look; aspect; expectation

נְקֻדַּת מַבָּט point of view

מִבְטָא, ז׳, ר׳, ־אִים pronunciation, accent; expression

מִבְטָח, ז׳, ר׳, ־חִים trust, confidence; fortress

מֻבְטָח, מוּבְטָח, ת״ז, ־טַחַת, ת״נ promised

מְבֻטָּל, מְבוּטָּל, ת״ז, ־טֶּלֶת, ת״נ invalid; insignificant

מֻבְטָל, מוּבְטָל, ז׳, ר׳, ־לִים unemployed person

מְבֻיָּל, מְבוּיָּל, ת״ז, ־יֶּלֶת, ת״נ stamped

מֵבִין, ז׳, ר׳, מְבִינִים teacher, expert

מֵבִישׁ, ת״ז, מְבִישָׁה, ת״נ shameful; disgraceful

מְבֻיָּת, מְבוּיָּת, ת״ז, ־יֶּתֶת, ת״נ domesticated

מַבְכִּירָה, נ׳, ר׳, ־רוֹת female giving birth for first time

מְבֻלְבָּל, מְבוּלְבָּל, ת״ז, ־בֶּלֶת, ת״נ confused

מִבְלָט, ז׳, ר׳, ־טִים protrusion

מִבְּלִי, מ״י, ע׳ בְּלִי without

מַבְלִינִית, נ׳ restraint

מִבַּלְעֲדֵי, מ״י, ע׳ בִּלְעֲדֵי without, except

מִבִּלְתִּי, תה״פ because ... not; for lack of

מִבְנֶה, ז׳, ר׳, ־נִים structure

מְבֻסָּס, מְבוּסָּס, ת״ז, ־סֶּסֶת, ת״נ founded

מַבָּע, ז׳, ר׳, ־עִים expression of thought, utterance

מִבַּעַד לְ־, תה״פ from behind

מְבֹעָר, ת״ז, ־עֶרֶת, ת״נ burned; eliminated

מִבְעָר, ז׳, ר׳, ־רִים incinerator

מִבִּפְנִים, תה״פ from within

מִבְצָע, ז׳, ר׳, ־עִים project

מִבְצָר, ז׳, ר׳, ־רִים fortress; stronghold

מְבַקֵּר, ז׳, ר׳, ־קְּרִים critic; visitor; controller

מְבַקֵּשׁ, ז׳, ר׳, ־קְשִׁים petitioner, applicant

מְבֻקָּשׁ, מְבוּקָּשׁ, ת״ז, ־קֶּשֶׁת, ת״נ sought; requested

מִבְרָאָה, נ׳, ר׳, ־אוֹת sanatorium

מַבְרֵג, ז׳, ר׳, ־רְגִים screw driver

מְבֻרָג, מוּבְרָג, ת"ז, ־רֶגֶת, ת"נ screwed

מִבְרָח, ז', ר', ־חִים refugee, fugitive; refuge

מֻבְרָח, מוּבְרָח, ת"ז, ־רַחַת, ת"נ contraband, smuggled (goods)

מַבְרִיק, ת"ז, ־קָה, ת"נ shining, sparkling

מְבֹרָךְ, מְבוֹרָךְ, ת"ז, ־רֶכֶת, ת"נ blessed

מֻבְרָךְ, מוּבְרָךְ, ת"ז, ־רֶכֶת, ת"נ kneeled; bent

מִבְרָק, ז', ר', ־קִים telegram, wire

מִבְרָק אַלְחוּטִי cablegram

מִבְרָקָה, נ', ר', ־קוֹת telegraph office

מִבְרֶשֶׁת, נ', ר', ־רָשׁוֹת brush

מָבשׁ, ז', ר', מְבֻשִׁים pudendum

מְבֻשָּׁל, מְבוּשָּׁל, ת"ז, ־שֶּׁלֶת, ת"נ cooked

מְבַשֵּׁל, ז', ר', ־שְּׁלִים cook (m.)

מְבַשֶּׁלֶת, נ', ר', ־שְּׁלוֹת cook (f.)

מִבְשָׂמָה, נ', ר', ־מוֹת perfumery

מְבַשֵּׂר, ז', ר', ־שְּׂרִים herald; announcer

מְבַשֵּׂר גֶּשֶׁם plover

מָג, פ"ע, ע' [מוג] to shake; to melt

מָג, ז', ר', ־גִים magician

רַב מָג Babylonian royal dignitary; chief; magician

מַגְבֵּהַ, ז', ר', ־הִים jack

מִגְבָּה, נ', ר', ־בּוֹת goal, target

מַגְבִּיל, ז', ר', ־לִים modifier

מַגְבִּיר־קוֹל, ז' loudspeaker, megaphone

מַגְבִּית, נ', ר', ־יוֹת collection (of money)

מֻגְבָּל, מוּגְבָּל, ת"ז, ־בֶּלֶת, ת"נ limited

מִגְבָּלָה, נ', ר', ־לוֹת chain-making; constitution (of body)

מְגַבֵּן, ז', ר', ־בְּנִים cheese-maker

מִגְבָּע, ז', ר', ־עִים top hat

מִגְבַּעַת, נ', ר', ־בָּעוֹת hat; headgear

מִגְבַּעַת כְּהוּנָה miter

מַגְבֵּר, ז', ר', ־בְּרִים amplifier

מַגֶּבֶת, נ', ר', מַגָּבוֹת towel

מֶגֶד, ז', ר', מְגָדִים excellence; choice thing; something delicious, sweet

מִגֵּד, הִמְגִּיד, פ"י to make delicious

מִגְדָּל, ז', ר', ־לִים, ־לוֹת tower; cupboard; platform

מְגַדֵּל, ז', ר', ־דְּלִים breeder

מִגְדַּלּוֹר, ז', ר', ־רִים lighthouse

מַגְדֶּלֶת, נ', ר', ־דָּלוֹת microscope

מִגְדָּן, ז', ר', ־נִים, ־נוֹת gift; precious thing

מֻגָּה, מוּגָּה, ת"ז, מֻגַּהַת, ת"נ revised; proofread

מַגְהֵץ, ז', ר', ־הֲצִים pressing iron, flatiron

מְגֹהָץ, ת"ז, ־הֶצֶת, ת"נ pressed, ironed

מַגּוֹב, ז', ר', ־בִים rake; winnowing fork

מְגוּוָּן, מְגֻוָּן, ת"ז, ־וֶּנֶת, ת"נ variegated, multicolored

מְגוּחָךְ, מְגֻחָךְ, ת"ז, ־חֶכֶת, ת"נ grotesque; ridiculous

מְגוּלְגָּל, מְגֻלְגָּל, ת"ז, ־גֶּלֶת, ת"נ rounded; reincarnated

מְגוּלֶּה, מְגֻלֶּה, ת"ז, ־לָּה, ת"נ uncovered, revealed

מְגוּלָּח, מְגֻלָּח, ת"ז, ־לַּחַת, ת"נ shaven

מְגֻוָּן, מְגוּוָּן, ת"ז, ־וֶּנֶת, ת"נ variegated, multicolored

dandyish, coquettish מְגוּנְדָּר, מְגֻנְדָּר, ת"ז, ־דֶּרֶת, ת"נ

discreditable; ugly מְגוּנֶּה, מְגֻנֶּה, ת"ז, ־נָּה, ת"נ

stopper, bung מְגוּפָה, נ', ר', ־פוֹת

fear, terror מָגוֹר, ז'

granary; warehouse; fear מְגוּרָה, נ', ר', ־רוֹת

residence מְגוּרִים, ז"ר

coarse; materialistic; rainy מְגוּשָּׁם, מְגֻשָּׁם, ת"ז, ־שֶּׁמֶת, ת"נ

shears מִגְזָזַיִם, ז"ז

exaggerator מַגְזִים, ז', ר', ־מִים

exaggerated מֻגְזָם, מוּגְזָם, ת"ז, ־זֶמֶת, ת"נ

piece מִגְזָר, ז', ר', ־רִים

cutting instrument; saw מַגְזֵרָה, נ', ר', ־רוֹת

wire cutter מִגְזָרַיִם

grotesque; ridiculous מְגֻחָךְ, מְגוּחָךְ, ת"ז, ־חֶכֶת, ת"נ

narrator; preacher מַגִּיד, ז', ר', ־דִים

homilies מַגִּידוּת, נ'

proofreader מַגִּיהַּ, ז', ר', ־הִים

roll, scroll מְגִילָה, מְגִלָּה, נ', ר', ־לוֹת

conscripted מֻגְיָס, ת"ז, ־יֶּסֶת, ת"נ

waiter מַגִּישׁ, ז', ר', ־שִׁים

scythe, sickle מַגָּל, ז', ר', ־לִים, ־לוֹת

to form pus מִגֵּל, פ"י

to become pussy נִתְמַגֵּל, פ"ח

whip, lash מַגְלֵב, ז', ר', ־לְבִים

rolling pin מַגְלְגֵּל, ז', ר', ־גְּלִים

rounded; reincarnated מְגֻלְגָּל, מְגוּלְגָּל, ת"ז, ־גֶּלֶת, ת"נ

soft-boiled egg בֵּיצָה מְגֻלְגֶּלֶת

roll, scroll מְגִלָּה, מְגִילָה, נ', ר', ־וֹת

uncovered, revealed מְגֻלֶּה, מְגוּלֶּה, ת"ז, ־לָּה, ת"נ

pus מֻגְלָה, נ'

shaven מְגֻלָּח, מְגוּלָּח, ת"ז, ־לַּחַת, ת"נ

tape measure מַגְלֵלָה, מִגְלֶלֶת, נ'

skis מִגְלָשַׁיִם, ז"ז

stutterer מְגַמְגֵּם, ז', ר', ־גְּמִים

direction; destination; purpose מְגַמָּה, נ', ר', ־מּוֹת

incense מֻגְמָר, מוּגְמָר, ז', ר', ־רִים, ־רוֹת

finished מֻגְמָר, מוּגְמָר, ת"ז, ־מֶרֶת, ת"נ

shield, escutcheon; defense, protection מָגֵן, ז', ר', מָגִנִּים

star, shield of King David מָגֵן דָּוִד

red shield מָגֵן־דָּוִד אָדֹם

to deliver; to grant; to defend מִגֵּן, פ"י

to shield oneself הִתְמַגֵּן, פ"ח

defender מֵגֵן, ז', ר', מְגִנִּים

dandyish, coquettish מְגֻנְדָּר, מְגוּנְדָּר, ת"ז, ־דֶּרֶת, ת"נ

discreditable; ugly מְגֻנֶּה, מְגוּנֶּה, ת"ז, ־נָּה, ת"נ

trouble מְגִנָּה, נ', ר', ־נּוֹת

perplexity מְגִנַּת־לֵב

lamp shade מָגְנוֹר, ז', ר', ־רִים

contact; touch מַגָּע, ז', ר', ־עִים

relation, intercourse מַגָּע וּמַשָּׂא

rebuke; failure מִגְעֶרֶת, נ', ר', ־עָרוֹת

boots; gaiters מַגָּף, ז', ר', מַגָּפַיִם

plague, pestilence, epidemic; defeat מַגֵּפָה, נ', ר', ־פוֹת

to pull down, cast down מִגֵּר, פ"י

to be precipitated נִתְמַגֵּר, פ"ח

file; grater מַגְרֵד, ז', ר', ־רְדִים

scouring brush; strigil; grater מַגְרֶדֶת, נ', ר', ־רָדוֹת

מְגֵרָה, נ׳, ר׳, ־רוֹת saw; drawer (of chest); plane

מִגְרַעַת, נ׳, ר׳, ־עוֹת fault, defect

מֶגְרָפָה, נ׳, ר׳, ־פוֹת clod of earth

מַגְרֵפָה, נ׳, ר׳, ־פוֹת rake; organ

מִגְרָרָה, נ׳, ר׳, ־רוֹת sleigh

מִגְרֶרֶת, נ׳, ר׳, ־רוֹת grating-iron

מִגְרָשׁ, ז׳, ר׳, ־שִׁים suburb; building lot

מַגָּשׁ, ז׳, ר׳, ־שִׁים tray

מְגֻשָּׁם, מְגוּשָּׁם, ת״ז, ־שֶּׁמֶת, ת״נ coarse; materialistic; rainy

מַד, ז׳, ר׳, מַדִּים uniform; measure

מְדֻבָּק, מוּדְבָּק, ת״ז, ־בֶּקֶת, ת״נ stuck

מַדְבֵּקָה, נ׳, ר׳, ־קוֹת label

מִדְבָּר, ז׳, ר׳, ־רִים, ־רוֹת, ־רִיּוֹת desert; speech

מְדַבֵּר, ז׳, ר׳, ־בְּרִים speaker; first person pronoun

מְדֻבָּר, מְדוּבָּר, ת״ז, ־בֶּרֶת, ת״נ spoken, talked about

מִדְגֶּה, ז׳, ר׳, ־גִּים pisciculture

מִדְגָּם, ז׳, ר׳, ־מִים showpiece

מַדְגֵּרָה, נ׳, ר׳, ־רוֹת incubator

מֻדְגָּשׁ, מוּדְגָּשׁ, ת״ז, ־גֶּשֶׁת, ת״נ emphasized

מָדַד, פ״י to measure

מִדֵּד, פ״י to stretch out; to measure out; to survey

הִתְמוֹדֵד, פ״ח to stretch oneself out

מֶדֶד, ז׳ measuring; measurement

מַדָּד, ז׳ index

מִדָּה, נ׳, ר׳, מִדּוֹת measure; size; characteristic; tribute (tax)

קְנֵה־מִדָּה standard, criterion

מַדְהֵבָה, נ׳, ר׳, ־בוֹת rapacity; oppression

מְדוּבָּר, מְדֻבָּר, ת״ז, ־בֶּרֶת, ת״נ spoken, talked about

מָדוּד, ת״ז, מְדוּדָה, ת״נ measured

מַדְוֶה, ז׳, ר׳, ־וִים disease, sickness

מַדּוּחַ, ז׳, ר׳, ־חִים seduction

מְדוּיָּק, מְדֻיָּק, ת״ז, ־יֶּקֶת, ת״נ exact, precise; punctual

מָדוֹךְ, ז׳, ר׳, מְדוֹכִים pestle

מְדוּכָּא, מְדֻכָּא, ת״ז, ־כֵּאת, ת״נ oppressed; crushed

מְדוֹכָה, נ׳, ר׳, ־כוֹת mortar; saddle

יָשַׁב עַל הַמְּדוֹכָה to ponder

מְדוּכְדָּךְ, מְדֻכְדָּךְ, ת״ז, ־דֶּכֶת, ת״נ oppressed; crushed

מְדוּמֶּה, מְדֻמֶּה, ת״ז, מְדֻמָּה, ת״נ apparent, seeming

מָדוֹן, ז׳, ר׳, מְדוֹנִים quarrel, strife

אִישׁ מְדוֹנִים, אִישׁ מִדְיָן quarrelsome person

מַדּוּעַ, מ״ש wherefore, why

מְדוּקְדָּק, מְדֻקְדָּק, ת״ז, ־דֶּקֶת, ת״נ detailed

מָדוֹר, ז׳, ר׳, מְדוֹרִים, ־רוֹת section; dwelling; room

מְדוּרָה, נ׳, ר׳, ־רוֹת bonfire; pile of fuel

מְדוּשָׁה, נ׳, ר׳, ־שׁוֹת threshed-out grain

מְדוּשָּׁן, מְדֻשָּׁן, ת״ז, ־שֶּׁנֶת, ת״נ fat; oily

מַדְזְמַן, ז׳, ר׳, ־נִּים stop-watch, chronometer

מִדְחֶה, ז׳, ר׳, ־חִים postponement; fallacy; obstacle

מַדְחֹם, ז׳, ר׳, ־חֻמִּים thermometer

מַדְחֵפָה, נ׳, ר׳, ־פוֹת pit; thrust

מִדֵּי, תה״פ, ע׳ דַּי as often as, each time that

מַדַּי, לְמַדַּי, תה״פ sufficiently; much

מְדִידָה, נ׳, ר׳, ־דוֹת measuring

חָכְמַת הַמְּדִידָה geometry

מַדִּיחַ, ז׳, ר׳, ־חִים seducer
מְדָיָן, ז׳, ר׳, ־נִים contention; quarrel
מְדִינַאי, ז׳, ר׳, ־נָאִים statesman, diplomat; politician
מְדִינָה, נ׳, ר׳, ־נוֹת state; city; province; land
מְדִינִי, ת״ז, ־נִית, ת״נ political
מְדִינִיּוּת, נ׳ political science; policy, diplomacy; politics
מְדֻיָּק, מְדוּיָּק, ת״ז, ־יֶּקֶת, ת״נ exact, precise; punctual
מְדֻכָּא, מְדוּכָּא, ת״ז, ־כֵּאת, ת״נ oppressed; crushed
מַדְכֹּבֶד, ז׳, ר׳, מַדְכָּבְדִים barometer
מְדֻכְדָּךְ, מְדוּכְדָּךְ, ת״ז, ־דֶּכֶת, ת״נ oppressed; crushed
מִדְלָעָה, מִדְלַעַת, נ׳, ר׳, מִדְלָעוֹת a field of pumpkins
מַדְלֵק, ז׳, ר׳, ־לְקִים safety match
מְדֻמֶּה, מְדוּמֶּה, ת״ז, ־מָּה, ת״נ apparent, seeming
מַדְמַיִם, ז׳, ר׳, ־מֵימִים water meter
מַדְמֵנָה, נ׳, ר׳, ־נוֹת dunghill
מָדָן, ז׳, ר׳, מְדָנִים quarrel; knot
מַדָּע, ז׳, ר׳, ־עִים science; knowledge
מַדָּעִי, ת״ז, ־עִית, ת״נ scientific
מַדְּעָן, ז׳, ר׳, ־נִים scientist
מַדָּף, ז׳, ר׳, ־פִּים shelf
מַדְפִּיס, ז׳, ר׳, ־סִים printer
מִדְפָּס, ז׳, ר׳, ־סִים printed letter; typewritten letter
מֻדְפָּס, מוּדְפָּס, ת״ז, ־פֶּסֶת, ת״נ printed
מְדַקְדֵּק, ז׳, ר׳, ־דְּקִים grammarian; pedant
מְדֻקְדָּק, מְדוּקְדָּק, ת״ז, ־דֶּקֶת, ת״נ detailed

מַדְקֵרָה, נ׳, ר׳, ־רוֹת piercing
מֻדְרָג, מוּדְרָג, ת״ז, ־רֶגֶת, ת״נ graded; gradual
מִדְרָג, ז׳, ר׳, ־גִים terrace
מַדְרֵגָה, נ׳, ר׳, ־גוֹת step; rung; scale
מִדְרוֹן, ז׳, ר׳, ־נִים slope; declivity
מַדְרִיךְ, ז׳, ר׳, ־כִים guide; guidebook
מִדְרָךְ, ז׳, ר׳, ־כִים footstep; treading
מִדְרָכָה, נ׳, ר׳, ־כוֹת sidewalk
מִדְרָס, ז׳, מִדְרָסָה, נ׳, ר׳, ־סִים, ־סוֹת footstep; foot lift; doormat
מִדְרָשׁ, ז׳, ר׳, ־שִׁים homiletical interpretation, homiletical commentary; exposition
בֵּית־מִדְרָשׁ beth-midrash, institute for learning
מִדְרָשָׁה, נ׳, ר׳, ־שׁוֹת gymnasium; high school
מִדְשָׁאָה, נ׳, ר׳, ־אוֹת lawn
מְדֻשָּׁן, מְדוּשָּׁן, ת״ז, ־שֶּׁנֶת, ת״נ fat; oily
מַה, מָה, מֶה, מ״ש what?, why?
מְהַגֵּר, ז׳, ר׳, ־גְּרִים emigrant
מַהֲדוּרָה, נ׳, ר׳, ־רוֹת edition
מְהַדֵּק, ז׳, ר׳, ־דְּקִים clip
מְהֻדָּר, מְהוּדָּר, ת״ז, ־דֶּרֶת, ת״נ ornate
מָהוּל, ת״ז, מְהוּלָה, ת״נ mixed; circumcised
מְהוּלָּל, מְהֻלָּל, ת״ז, ־לֶּלֶת, ת״נ praised
מְהוּמָה, נ׳, ר׳, ־מוֹת confusion; tumult; disturbance
מְהוּפָּךְ, מְהֻפָּךְ, ת״ז, ־פֶּכֶת, ת״נ opposite, overturned
מְהוּרְהָר, מְהֻרְהָר, ת״ז, ־הֶרֶת, ת״נ pensive

מַהוּת, נ׳, ר׳, מַהֻיּוֹת being; essence; quality
מַהוּתִי, ת״ז, ־תִית, ־ת״נ essential
מֵהֵיכָן, תה״פ from where, whence
מְהֵימָן, ת״ז, ־נָה, ת״נ faithful; reliable
מְהֵימָנוּת, נ׳ reliability
מָהִיר, ת״ז, מְהִירָה, ת״נ quick; skillful
מְהִירוּת, נ׳, ר׳, ־רֻיוֹת speed; quickness
מָהַל, פ״י to mix; to circumcise
מַהֲלָךְ, ז׳, ר׳, ־כִים walk; journey; distance; access; gear
מַהֲלָל, ז׳, ר׳, ־לָלִים applause
מְהֻלָּל, מְהוּלָּל, ת״ז, ־לֶלֶת, ת״נ praised
מַהֲלֻמָּה, נ׳, ר׳, ־מוֹת blow
מֵהֶם, מה״י, ע׳ מִן from them (*m.*)
[מהמה] הִתְמַהְמֵהַּ, פ״ע to linger; to hesitate; to be late
מֶהְמֶה, ז׳ a great crowd
מַהֲמוֹרָה, נ׳, ר׳, ־רוֹת pit; grave pit
מֵהֶן, מה״י, ע׳ מִן from them (*f.*)
מְהַנְדֵּס, ז׳, ר׳, ־דְּסִים engineer
מְהֻפָּךְ, מְהוּפָּךְ, ת״ז, ־פֶּכֶת, ת״נ opposite; overturned
מַהְפֵּכָה, נ׳, ר׳, ־כוֹת destruction; revolution
מַהְפְּכָן, ז׳, ר׳, ־כָנִים revolutionary
מַהְפְּכָנוּת, נ׳ revolutionism
מַהְפְּכָנִי, ת״ז, ־נִית, ת״נ revolutionary
מַהְפֶּכֶת, נ׳, ר׳, ־פָּכוֹת stocks
מֹהַר, ז׳ dowry
מָהַר, פ״י to buy a wife; to give a dowry
נִמְהַר, פ״ע to be hasty; to be overzealous, rash
מִהֵר, פ״ע ופ״י to hasten, hurry
מַהֵר, מְהֵרָה, תה״פ speedily, quickly, in a hurry
בִּמְהֵרָה, עַד מְהֵרָה soon
מְהֻרְהָר, מְהוּרְהָר, ת״ז, ־הֶרֶת, ת״נ pensive
מַהֲתַלָּה, נ׳, ר׳, ־לוֹת jest; comedy; mockery
מוֹבָא, ז׳ entrance
מוּבְדָּל, מֻבְדָּל, ת״ז, ־דֶּלֶת, ת״נ separated
מוּבְהָק, מֻבְהָק, ת״ז, ־הֶקֶת, ת״נ renowned, distinguished; expert
מוּבְחָר, מֻבְחָר, ת״ז, ־חֶרֶת, ת״נ select
מוּבְטָח, מֻבְטָח, ת״ז, ־טַחַת, ת״נ promised
מוּבְטָל, מֻבְטָל, ז׳, ר׳, ־לִים unemployed
מוֹבִיל, ז׳, ר׳, ־לִים carrier
מוּבָן, ז׳, ר׳, ־נִים meaning; significance
מוּבָן, ת״ז, ־בֶנֶת, ת״נ understood
מוּבָס, ת״ז, ־סָה, ת״נ trampled; defeated
מוּבְרָג, מֻבְרָג, ת״ז, ־רֶגֶת, ת״נ screwed
מוּבְרָח, מֻבְרָח, ת״ז, ־רַחַת, ת״נ contraband; smuggled (goods)
מוּבְרָךְ, מֻבְרָךְ, ת״ז, ־רֶכֶת, ת״נ kneeled; bent
[מוג] מָג, פ״ע to melt
נָמוֹג, פ״ע to melt away
מוֹגֵג, פ״י to soften; to dissolve
הִתְמוֹגֵג, פ״ע to melt away; to flow; to become soft
מוּג־לֵב, ת״ז, מוּגַת־לֵב, ת״נ coward
מוּגְבָּל, מֻגְבָּל, ת״ז, ־בֶּלֶת, ת״נ limited

מוּגָּה, מֻגָּה, ת"ז, ־גַּהַת, ת"נ revised, proofread

מוֹגֶה, ז', ר', מוֹגִים tormentor

מוּגְזָם, מֻגְזָם, ת"ז, ־זֶמֶת, ת"נ exaggerated

מוּגְמָר, מֻגְמָר, ז', ר', ־רִים, ־רוֹת incense

מוּגְמָר, מֻגְמָר, ת"ז, ־מֶרֶת, ת"נ finished

מוּגָן, ת"ז, ־נָּה, ת"נ protected

מוּדְבָּק, מֻדְבָּק, ת"ז, ־בֶּקֶת, ת"נ stuck

מוּדְגָּשׁ, מֻדְגָּשׁ, ת"ז, ־גֶּשֶׁת, ת"נ emphasized

מוֹדֵד, ז', ר', ־דְדִים measuring instrument; surveyor; index

מוֹדָע, ז', ר', ־עִים, ־עוֹת relative; kinsman; acquaintance

מוֹדָעָה, נ', ר', ־עוֹת notice; advertisement; poster

מוּדְפָּס, מֻדְפָּס, ת"ז, ־פֶּסֶת, ת"נ printed

מוּדְרָג, מֻדְרָג, ת"ז, ־רֶגֶת, ת"נ graded, gradual

מוֹהֵל, ז', ר', ־הֲלִים circumciser

מוּז, ז', ר', ־זִים banana

מוֹזֵג, ז', ר', ־זְגִים bartender, innkeeper

מוּזְהָר, מֻזְהָר, ת"ז, ־הֶרֶת, ת"נ warned

מוּזְמָן, מֻזְמָן, ת"ז, ־מֶנֶת, ת"נ invited

מוּזְנָח, מֻזְנָח, ת"ז, ־נַחַת, ת"נ neglected

מוּזָר, ת"ז, ־רָה, ת"נ queer, strange

מוּזָרוּת, נ' queerness, strangeness

מוֹחַ, מֹחַ, ז', ר', ־חוֹת, ־חִים brain

מוּחְלָט, מֻחְלָט, ת"ז, ־לֶטֶת, ת"נ decided; definite, absolute

מוֹחֵק, ז', ר', ־חֲקִים eraser

מוּחָשׁ, ז' reality; percept

מוּחָשִׁי, ת"ז, ־שִׁית, ת"נ perceptible; realistic

מוֹט, ז', ר', מוֹטוֹת bar; yoke; obstruction; calamity

[מוט] מָט, פ"ע to slip; to totter

נָמוֹט, פ"ע to tilt and fall

הֵמִיט, פ"י to cause to fall

הִתְמוֹטֵט, פ"ע to disintegrate; to collapse; to depreciate

מוּטָב, תה"פ better

מוּטְבָּע, מֻטְבָּע, ת"ז, ־בַּעַת, ת"נ stamped; drowned

מוֹטָה, נ', ר', ־טוֹת small cart shaft; yoke; tyranny

מוּטָל, ת"ז, ־טֶלֶת, ת"נ imposed, placed upon

מוּטָס, ת"ז, ־טֶסֶת, ת"נ flown

[מוך] מָךְ, פ"ע to become poor; to be depressed

הֵמִיךְ, פ"י to lower; to humiliate

מוֹךְ, ז' soft material

מוֹכָ"ז, ז' bearer

מוֹכִיחַ, ז', ר', ־חִים preacher

מוּכָן, ת"ז, ־כָנָה, ת"נ prepared

מוֹכֵס, ז', ר', ־כְסִים customs official

מוֹכֵר, ז', ר', ־כְרִים seller, vendor

מוֹכֵר סְפָרִים bookseller

מוּכְרָח, מֻכְרָח, ת"ז, ־רַחַת, ת"נ compelled

מוּכְשָׁר, מֻכְשָׁר, ת"ז, ־שֶׁרֶת, ת"נ capable

מוּכָּר, מֻכָּר, ת"ז, ־כֶּרֶת, ת"נ recognized, known

מוּכְתָּר, מֻכְתָּר, ת"נ, ־תֶּרֶת, ת"נ crowned

מוּל, מ"י opposite, towards, vis-à-vis

[מול] מָל, פ"י to circumcise

to be circumcised נִמּוֹל, פ״ע

publisher מו״ל, ז׳, ר׳, ־לִים

birth; new moon מוֹלָד, ז׳, ר׳, ־דִים, ־דוֹת

Christmas חַג הַמּוֹלָד

birth; progeny, offspring; birthplace, homeland מוֹלֶדֶת, נ׳, ר׳, ־לָדוֹת

to wither, dry up [מלל] מוֹלֵל, פ״ע, ע׳

blemish מוּם, ז׳, ר׳, ־מִים

cripple; deformed person בַּעַל מוּם

to become deformed, crippled [מום] הוּמַם, פ״ע

expert מוּמְחֶה, מֻמְחֶה, ת״ז, ־חָה, ת״נ

convert; apostate מוּמָר, ז׳, ר׳, ־רִים

apostasy מוּמָרוּת, נ׳, ר׳, ־רֻיּוֹת

prickly מוּנָּד, מֻנָּד, ת״ז, ־דָה, ת״נ

numerator; time, times; meter מוֹנֶה, ז, ר׳, ־נִים

taxi מוֹנִית, נ׳, ר׳, ־נִיּוֹת

winding, spiral staircase מוּסָב, ז׳, ר׳, ־סַבִּים

surrounded, encompassed מוּסַב, ת״ז, ־בָּה, ת״נ

מוֹסָד, ז׳, ר׳, ־דוֹת, ־דִים
foundation, establishment, institution; component

music מוּסִיקָה, נ׳

garage מוּסָךְ, ז׳, ר׳, ־סַכִּים

מוּסְכָּם, מֻסְכָּם, ת״ז, ־כֶּמֶת, ת״נ
agreed upon

מוּסְמָךְ, מֻסְמָךְ, ת״ז, ־מֶכֶת, ת״נ
qualified

appendage; prefix; suffix מוּסָף, ז׳, ר׳, ־פִים

chastisement, reproof, reprimand; ethics, morality מוּסָר, ז׳, ר׳, ־רִים

repentance מוּסַר כְּלָיוֹת

bond, halter; denunciator מוֹסֵר, ז׳, ר׳, ־סְרִים

ethical, moral מוּסָרִי, ת״ז, ־רִית, ת״נ

ethics, morality מוּסָרִיּוּת, נ׳

fixed time, appointed time; season; holiday מוֹעֵד, ז׳, ר׳, מוֹעֲדִים

tabernacle אֹהֶל מוֹעֵד

tomb, cemetery בֵּית מוֹעֵד (לְכָל חַי)

city of pilgrimage קִרְיַת מוֹעֵד

forewarned מוּעָד, ת״ז, ־עֶדֶת, ת״נ

meeting place מוֹעָדָה, נ׳, ר׳, ־דוֹת

club מוֹעֲדוֹן, ז׳, ר׳, ־נִים

scanty, little; a trifle מוּעָט, מֻעָט ,ת״ז, ־עֶטֶת, ת״נ

useful מוֹעִיל, ת״ז, ־לָה, ת״נ

מוּעֲמָד, מֻעֲמָד, מֻעֳמָד, ז׳, ר׳, ־דִים
candidate

addressee מוּעָן, ז׳, ר׳, ־עָנִים

restraint; darkness מוּעָף, ז׳

council; counsel מוֹעֵצָה, מוֹעָצָה ,נ׳, ר׳, ־צוֹת

U.S.S.R., Soviet Russia בְּרִית הַמּוֹעָצוֹת

torture device; misfortune (*fig.*) מוּעָקָה, נ׳, ר׳, ־קוֹת

gilded מוּפָז, ת״ז, ־זָה, ת״נ

מוּפְלָג, מֻפְלָג, ת״ז, ־לֶגֶת, ת״נ
distinguished; expert; great

marvel, miracle; proof; example, model, pattern מוֹפֵת, ז׳, ר׳, ־פְתִים

classical; exemplary מוֹפְתִי, ת״ז, ־תִית, ת״נ

chaff מוֹץ, מֹץ, ז׳, ר׳, ־צִים

descent, origin; exit; east מוֹצָא, ז׳, ר׳, ־אִים, ־אוֹת

Saturday night מוֹצָאֵי שַׁבָּת
toilet מוֹצָאָה, נ׳, ר׳, ־אוֹת
presented מוּצָג, מֻצָּג, ת״ז, ־צֶגֶת, ת״נ
מוּצְדָּק, מֻצְדָּק, ת״ז, ־דֶּקֶת, ת״נ
justified
blessing over bread מוֹצִיא, הַמּוֹצִיא, ז׳
publisher מוֹצִיא לְאוֹר
מוּצְלָח, מֻצְלָח, ת״ז, ־לַחַת, ת״נ
successful
solid mass מוּצָק, ז׳, ר׳, ־קִים
smelting mold מוּצֶקֶת, נ׳, ר׳, ־צָקוֹת
gaiter מוֹק, ז׳, ר׳, ־קַיִם
conflagration; hearth; bonfire מוֹקֵד, ז׳, ר׳, ־קְדִים
מוּקְדָּם, מֻקְדָּם, ת״ז, ־דֶּמֶת, ת״נ
early
מוּקְדָּשׁ, מֻקְדָּשׁ, ת״ז, ־דֶּשֶׁת, ת״נ
sanctified
recorded מוּקְלָט, מֻקְלָט, ת״ז, ־לֶטֶת
snare; stumbling block; mine מוֹקֵשׁ, ז׳, ר׳, ־קְשִׁים
to exchange; to change (one's religion) [מור] הֵמִיר, פ״י
fear, terror, awe; strange, miraculous event מוֹרָא, ז׳, ר׳, ־אִים
threshing board מוֹרָג, ז׳, ר׳, ־רְגִים
irritated מוּרְגָּז, מֻרְגָּז, ת״ז, ־גֶּזֶת, ת״נ
מוּרְגָּשׁ, מֻרְגָּשׁ, ת״ז, ־גֶּשֶׁת, ת״נ
felt, perceived
descent, slope מוֹרָד, ז׳, ר׳, ־דִים, ־דוֹת
rebel, traitor, renegade מוֹרֵד, ז׳, ר׳, ־רְדִים
מוֹרֶה, ז׳, מוֹרָה, נ׳, ר׳, ־רִים, ־רוֹת
teacher; archer; early rain
guide מוֹרֵה דֶרֶךְ
watch מוֹרֵה שָׁעוֹת
razor מוֹרָה, ז׳
polished מוֹרָט, ת״ז, ־טָה, ת״נ
מוּרְכָּב, מֻרְכָּב, ת״ז, ־כֶּבֶת, ת״נ
composed
מוּרְסָה, מֻרְסָה, נ׳, ר׳, ־סוֹת
abscess
מוֹרָשׁ, מוֹרָשָׁה, ז׳, ר׳, ־שִׁים, ־שׁוֹת
inheritance, heritage; heir
to throw off, remove; to withdraw; to depart; to touch, feel [מוש] מָשׁ, פעו״י
seat; habitation, place of living; co-operative settlement מוֹשָׁב, ז׳, ר׳, ־בִים, ־בוֹת
home for the aged מוֹשַׁב זְקֵנִים
colony; permanent dwelling place מוֹשָׁבָה, נ׳, ר׳, ־בוֹת
concept, idea מוּשָּׂג, מֻשָּׂג, ז׳, ר׳, ־גִים
מוּשְׁחָר, מֻשְׁחָר, ת״ז, ־חֶרֶת, ת״נ
blackened
savior, redeemer מוֹשִׁיעַ, ז׳, ר׳, ־עִים
brace; rein מוֹשְׁכָה, נ׳, ר׳, ־כוֹת
ruler; governor; one who speaks in parables מוֹשֵׁל, ז׳, ר׳, ־שְׁלִים
מוּשְׁלָם, מֻשְׁלָם, ת״ז, ־לֶמֶת, ת״נ
completed; perfect
salvation מוֹשָׁעָה, נ׳, ר׳, ־עוֹת
מוּשְׁפָּע, מֻשְׁפָּע, ת״ז, ־פַּעַת, ת״נ
influenced
death מָוֶת, מָוְתָה, ז׳, ר׳, מוֹתִים
a man condemned to die { אִישׁ מָוֶת / בֶּן מָוֶת
to die [מות] מֵת, פ״ע
to kill מוֹתֵת, הֵמִית, פ״י
to be killed הוּמַת, פ״ע
מוּתָּר, מֻתָּר, ת״ז, ־תֶּרֶת, ת״נ
permitted; loose

מוֹתָר, ז׳, ר׳, ־רִים, ־רוֹת superfluity, abundance; remainder; advantage; luxury
חַי בְּמוֹתָרוֹת to live in luxury
מוֹתֵת, פ״י, ע׳ [מות] to kill
מִזְבֵּחַ, ז׳, ר׳, ־בְּחוֹת altar
מִזְבָּלָה, נ׳ ר׳, ־לוֹת dung heap, dump
מֶזֶג, ז׳, ר׳, מְזָגִים wine (ready to drink); temperament
מֶזֶג הָאֲוִיר weather
מָזַג, פ״י to pour (liquids); to admix water
נִמְזַג, פ״ע to be poured out
הִתְמַזֵּג, פ״ע to become mixed
מָזֶה, ת״נ, ־זָה, ת״נ exhausted
מֻזְהָר, מוּזְהָר, ת״ז, ־הֶרֶת, ת״נ warned
מִזּוּג, ז׳, ר׳, ־גִים joining; harmonizing; synthesis
מִזְוָדָה, נ׳, ר׳, ־דוֹת valise; suitcase
מִזְוֶדֶת, נ׳, ר׳, ־דוֹנוֹת satchel, overnight case
מִזְוֶה, ז׳, ר׳, ־וִים storeroom
מְזוּזָה, נ׳, ר׳, ־זוֹת doorpost; tiny scroll with "Shema Yisrael"
מְזוּיָּן, מְזֻיָּן, ת״ז, ־יֶּנֶת, ת״נ armed
מְזוּיָּף, מְזֻיָּף, ת״ז, ־יֶּפֶת, ת״נ forged; spurious
מְזוּמָּן, מְזֻמָּן, ת״ז, ־מֶּנֶת, ת״נ; ז׳ ready; invited; guest
מָזוֹן, ז׳, ר׳, מְזוֹנוֹת food, sustenance; alimony
בִּרְכַּת הַמָּזוֹן Grace
מָזוֹר, ז׳, ר׳, מְזוֹרִים ache; bandage, compress
מֵזַח, ז׳, ר׳, מְזָחִים breakwater; pier
מִזְחֶלֶת, נ׳, ר׳, ־חָלוֹת sleigh
מַזְחִילָה, נ׳, ר׳, ־לוֹת gutter; drainpipe

מְזִי, ז׳, ר׳, מְזִים weakness; pang
מְזֵי רָעָב hunger pain
מְזִיגָה, נ׳, ר׳, ־גוֹת pouring out; mixing; fusion; synthesis
מֵזִיד, ז׳, ר׳, מְזִידִים intentional sinner
בְּמֵזִיד, תה״פ intentionally; wantonly
מְזִידָה, נ׳, ר׳־דוֹת wanton woman
מֵזִיחַ, ז׳, ר׳, ־חִים belt
מְזֻיָּן, מְזוּיָּן, ת״ז, ־יֶּנֶת, ת״נ armed
מְזֻיָּף, מְזוּיָּף, ת״ז, ־יֶּפֶת, ת״נ forged; spurious, adulterated
מְזַיֵּף, ז׳, ר׳, ־יְּפִים forger
מַזִּיק, ז׳, ר׳, מַזִּיקִים injurer; devil; evil spirit
מַזְכִּיר, ז׳, ־רָה, נ׳, ר׳, ־רִים, ־רוֹת recorder; secretary
מַזְכִּירוּת, נ׳, ר׳, ־רֻיּוֹת secretaryship; secretariat
מַזְכֶּרֶת, נ׳, ר׳, ־כָּרוֹת memorandum; souvenir
מַזָּל, ז׳, ר׳, ־לוֹת constellation, planet; destiny, fate
מַזָּל טוֹב good luck; congratulations
[מזל] הִתְמַזֵּל, פ״ע to become lucky
מַזְלֵג, ז׳, ר׳, ־לְגוֹת, מִזְלָגוֹת fork
מַזְלֵף, ז׳, ר׳, ־לְפִים sprinkler
מְזִמָּה, נ׳, ר׳, ־מּוֹת planning; intelligence; craftiness; sagacity
מִזְמוּז, ז׳, ר׳, ־זִים softening; necking (in love-making)
מִזְמוּט, ז׳, ר׳, ־טִים amusement; entertainment
מִזְמוֹר, ז׳, ר׳, ־רִים song; psalm
מִזְמֵז, פ״י to soften
הִתְמַזְמֵז, פ״ע to be softened; to neck (in love-making)

מְזֻמָּן, מוּזְמָן, ת״ז, ־מֶנֶת, ת״נ invited

מְזֻמָּן, מְזוּמָּן, ת״ז, ־מֶּנֶת, ת״נ; ז׳ ready; invited; guest

מְזֻמָּנִים, ז״ר cash

מְזַמֵּר, ז׳, מְזַמֶּרֶת, נ׳, ר׳, ־מְּרִים, ־מְּרוֹת singer

מַזְמֵרָה, נ׳, ר׳, ־רוֹת pruning (knife) shears

מִזְנוֹן, ז׳, ר׳, ־נִים, ־נוֹת buffet; luncheonette

מְזֻנָּח, מוּזְנָח, ת״ז, ־נַחַת, ת״נ neglected

מְזַעְזֵעַ, ת״ז, ־זַעַת, ת״נ frightful

מְזֻעְזָע, מְזוּעְזָע, ת״ז, ־זַעַת, ת״נ shocked

מִזְעָר, תה״פ a little; a trifle

מְזֻפָּת, ת״ז, ־פֶּתֶת, ת״נ lousy; covered with pitch

מְזֻקָּן, מְזוּקָּן, ת״ז, ־קֶּנֶת, ת״נ bearded; aged

מֶזֶר, ז׳, ר׳, מְזָרִים source of cold (winds)

מַזָּר, ז׳, ר׳, ־רוֹת constellation (Orion)

מַזְרֵבָה, נ׳, ר׳, ־בוֹת spool

מִזְרֶה, ז׳, ר׳, ־רִים winnowing fan

מִזְרָח, ז׳ east

מִזְרָחִי, ת״ז, ־חִית, ת״נ eastern, easterly

מִזְרְחָן, ז׳, ר׳, ־נִים orientalist

מִזְרָן, מִזְרוֹן, ז׳, ר׳, ־נִים mattress

מִזְרָע, ז׳, ר׳, ־עִים seeded field

מַזְרֵעָה, נ׳, ר׳, ־עוֹת sowing machine

מִזְרָק, ז׳, ר׳, ־קִים bowl

מַזְרֵק, ז׳, ר׳, ־רְקִים syringe

מִזְרָקָה, נ׳, ר׳, ־קוֹת fountain

מִזְרָקִית, נ׳, ר׳, ־יוֹת rattlesnake

מֹחַ, ז׳, ר׳, מֹחוֹת brain; marrow

מֹחַ הַלֶּחֶם (bread) crumb

מֵחַ, ז׳, ר׳, ־חִים fatling

מָחָא, פ״י to applaud; to clap hands

מָחָא יַד, מָחָא כַּף to applaud

מְחָאָה, נ׳, ר׳, ־אוֹת protestation; protest

מַחֲבֵא, מַחֲבוֹא, ז׳, ר׳, מַחֲבָאִים, ־אִים hiding place; storeroom

מַחְבֵּט, ז׳, ר׳, ־בְּטִים racket

מְחַבֵּל, ז׳, ר׳, ־בְּלִים devil; saboteur

מַחְבֵּצָה, נ׳, ר׳, ־צוֹת churn

מְחַבֵּר, ז׳, ר׳, ־בְּרִים author; concocter; joiner

מְחֻבָּר, מְחוּבָּר, ת״ז, ־בֶּרֶת, ת״נ joined; written

מַחְבֶּרֶת, נ׳, ר׳, ־בָּרוֹת booklet, notebook, pamphlet

מַחְבֶּרֶת הַנֵּזֶר connection of forehead bone to skull

מַחֲבַת, נ׳, ר׳, ־תּוֹת frying pan

מַחֲגֹרֶת, נ׳, ר׳, ־גוֹרוֹת girdle

מְחַדֵּד, ז׳, ר׳, ־דְּדִים pencil sharpener

מְחֻדָּשׁ, מְחוּדָּשׁ, ת״ז, ־דֶּשֶׁת, ת״נ renewed

מָחָה, פ״י to blot out, wipe out; to excise; to clean; to protest

נִמְחָה, פ״ע to be wiped out, blotted out, exterminated; to be dissolved

מִחָה, פ״י to protest

הִמְחָה, פ״י to draw a check

הִתְמַחָה, פ״ע to specialize

מְחוּבָּר, מְחֻבָּר, ת״ז, ־בֶּרֶת, ת״נ joined; written

מָחוֹג, ז׳, ר׳, מְחוֹגִים hand (of watch, compass), dial

מְחוּגָה, נ׳, ר׳, ־גוֹת compass

מְחוּדָּשׁ, מְחֻדָּשׁ, ת״ז, ־דֶּשֶׁת, ת״נ renewed

מָחוֹז, ז׳, ר׳, מְחוֹזוֹת, מְחוֹזִים district; suburb; bay
מְחוּיָּב, מְחֻיָּב, ת״ז, ־יֶּבֶת, ת״נ obligated; obliged
מָחוֹךְ, ז׳, ר׳, מְחוֹכִים corset
מְחוּכָּם, מְחֻכָּם, ת״ז, ־כֶּמֶת, ת״נ sly
מָחוֹל, ז׳, ר׳, מְחוֹלוֹת dance, dancing; timbrel, tambourine
מְחוֹלֵל, ז׳, ־לֶלֶת, נ׳, ר׳, ־לְלִים, ־לְלוֹת dancer
מְחוּלָּל, מְחֻלָּל, ת״ז, ־לֶּלֶת desecrated
מְחוּלָּק, מְחֻלָּק, ת״ז, ־לֶּקֶת divided
מַחֲוָן, ז׳, ר׳, ־נִים indicator
מְחוּנָּךְ, מְחֻנָּךְ, ת״ז, ־נֶּכֶת, ת״נ educated
מְחוּסְפָּס, מְחֻסְפָּס, ת״ז, ־פֶּסֶת, ת״נ coarse, rough
מְחוּסָּר, מְחֻסָּר, ת״ז, ־סֶּרֶת, ת״נ missing, lacking, absent
מְחוּפָּשׂ, מְחֻפָּשׂ, ת״ז, ־פֶּשֶׂת, ת״נ sought; disguised
מָחוּק, ת״ז, מְחוּקָה, ת״נ erased; empty
מְחוֹקֵק, ז׳, ר׳, ־קְקִים engraver; lawgiver
מְחוּרָז, מְחֻרָז, ת״ז, ־רֶזֶת, ת״נ strung; rhymed
מֵחוֹשׁ, ז׳, ר׳, ־שִׁים ailment; apprehension
מָחוֹשׁ, ז׳, ר׳, מְחוֹשִׁים antenna
מְחוּשָּׁב, מְחֻשָּׁב, ת״ז, ־שֶּׁבֶת, ת״נ accounted; thought-out
מְחוּשְׁמָל, מְחֻשְׁמָל, ת״ז, ־מֶלֶת, ת״נ electrified
מְחוּתָּל, מְחֻתָּל, ת״ז, ־תֶּלֶת, ת״נ bound, swaddled, swathed, strapped
מְחוּתָּן, מְחֻתָּן, ז׳, ר׳, ־נִים relative by marriage
[מחז] הִמְחִיז, פ״י dramatized

מַחֲזַאי, ז׳, ר׳, ־זָאִים dramatist
מַחֲזֶה, ז׳, ר׳, ־זוֹת, ־זִים vision; phenomenon; theatrical performance, drama, play
מֶחֱזָה, נ׳, ר׳, ־זוֹת window; display window
מַחֲזוֹר, ז׳, ר׳, ־רִים turnover; cycle; holiday prayer book
מַחֲזוֹר הַדָּם circulation (blood)
מַחֲזָיָה, נ׳, ר׳, ־יוֹת short play
מַחַט, ז׳, ר׳, מְחָטִים needle; thin wire
עֲצֵי מַחַט coniferous trees
מָחַט, פ״י to wipe, blow nose; to snuff wick, trim candle
מְחִי, ז׳, ר׳, מְחָיִים battering ram
מְחִיאָה, נ׳, ר׳, ־אוֹת blow, strike
מְחִיאַת כַּפַּיִם clapping of hands
מְחֻיָּב, מְחוּיָּב, ת״ז, ־יֶּבֶת, ת״נ obligated; obliged
מִחְיָה, נ׳, ר׳, ־יוֹת sustenance; preservation of life; nourishment
מְחִיָּה, נ׳, ר׳, ־יּוֹת extermination; eradication
מְחִילָה, נ׳, ר׳, ־לוֹת pardon; forgiveness; letting go
מְחִיצָה, מְחִצָּה, נ׳, ר׳, ־צוֹת partition
מְחִיקָה, נ׳, ר׳, ־קוֹת erasing
מְחִיר, ז׳, ר׳, ־רִים price; pay
מְחִירוֹן, ז׳, ר׳, ־נִים tariff, price list
מְחֻכָּם, מְחוּכָּם, ת״ז, ־כֶּמֶת, ת״נ sly, crafty
מָחַל, פ״י to renounce; to pardon
נִמְחַל, פ״ע to be forgiven
מַחַל, ז׳, sickness
מַחְלָבָה, נ׳, ר׳, ־בוֹת dairy
מַחֲלֶה, ז׳, ר׳, ־לִים sickness
מַחֲלָה, נ׳, ר׳, ־לוֹת sickness, disease

מְחִלָּה, נ׳, ר׳, ־לּוֹת, ־לִּים under-ground cavity; hollow in a tree

מַחֲלוֹקֶת, מַחֲלֹקֶת, נ׳, ר׳, ־לָקוֹת, ־לְקוֹת controversy; difference of opinion

מֻחְלָט, מוּחְלָט, ת״ז, ־לֶטֶת decided, definite; absolute

מַחֲלִים, ת״ז, ־מָה, ת״נ recuperative

מַחֲלִיקַיִם runners (of ice skates)

מְחֻלָּל, מְחוּלָּל, ת״ז, ־לֶּלֶת desecrated

מַחְלָפָה, נ׳, ר׳, ־פוֹת lock of hair

מַחְלֵץ, ז׳, ר׳, ־לְצִים corkscrew

מַחֲלָצוֹת, נ״ר resplendent garment

מְחֻלָּק, מְחוּלָּק, ת״ז, ־לֶּקֶת, ת״נ divided

מְחַלֵּק, ז׳, ר׳, ־לְּקִים denominator

מַחְלָקָה, נ׳, ר׳, ־קוֹת compart-ment, division

מַחֲלֹקֶת, מַחֲלוֹקֶת, נ׳, ר׳, ־לָקוֹת, ־לְקוֹת controversy; difference of opinion

מֵחַם, ז׳, ר׳, מְחַמִּים samovar

מַחֲמָאָה, נ׳, ר׳, ־אוֹת flattery, compliment

מַחְמָד, ז׳, ר׳, ־מַדִּים precious one, coveted thing

מַחֲמוּדִים, ז״ר valuables; treasures

מַחְמָל, ז׳ desired object

מַחְמֶצֶת, נ׳, ר׳, מַחְמָצוֹת leavening; acidification

מְחֻמָּשׁ, ז׳, ר׳, ־שִּׁים pentagon

מֵחֲמַת, מ״י because, because of

מַחֲנָאוּת, נ׳ camping

מַחֲנֶה, ז״ונ, ר׳, ־נוֹת, ־נִים camp; army camp; unfortified settlement

מְחַנֵּךְ, ז׳, ר׳, ־נְּכִים educator

מְחֻנָּךְ, מְחוּנָּךְ, ת״ז, ־נֶּכֶת, ת״נ educated

מַחֲנָק, ז׳ strangulation

מַחֲסֶה, ז׳, ר׳, ־סִים refuge, shelter

מַחְסוֹם, ז׳, ר׳, ־מִים muzzle (of animal); roadblock

מַחְסוֹר, ז׳ need, want; deficiency, lack

מַחְסָן, ז׳, ר׳, ־נִים storehouse, warehouse

מַחְסָנִית נ׳, ר׳, ־יּוֹת magazine (gun)

מְחֻסְפָּס, מְחוּסְפָּס, ת״ז, ־פֶּסֶת, ת״נ coarse, rough

מְחֻסָּר, מְחוּסָּר, ת״ז, ־סֶּרֶת, ת״נ missing, lacking; absent

מַחְפִּיר, ת״ז, ־רָה, ת״נ shameful

מַחְפֶּרֶת, נ׳, ר׳, ־פּוֹרוֹת, ־פָּרִיּוֹת excavation; mine

מְחֻפָּשׂ, מְחוּפָּשׂ, ת״ז, ־פֶּשֶׂת, ת״נ sought; disguised

מָחַץ, פ״י to smash; to dip

נִמְחַץ, פ״ע to be smashed

הִמְחִיץ, פ״ע to kick (in spasm of death)

מַחַץ, ז׳, ר׳, מְחָצִים bruise, severe wound

מַחְצֵב, ז׳, ר׳, ־צְבִים hewing

אַבְנֵי מַחְצֵב hewn stones

מַחְצָב, ז׳, ר׳, ־בִים mineral; quarry; mine

מַחְצָבָה, נ׳, ר׳, ־בוֹת quarry

מֶחֱצָה, נ׳ half, middle

מֶחֱצָה לְמֶחֱצָה half and half, equal

מְחִצָּה, מְחִיצָּה, נ׳, ר׳, ־צוֹת partition

מַחֲצִית, נ׳, ר׳, ־צִיּוֹת half

מַחְצֶלֶת, נ׳, ר׳, ־צָלוֹת, ־צְלָאוֹת mat, matting

מַחְצָצָה, נ׳, ר׳, ־צוֹת toothpick

מְחַצְצֵר, ז׳, ר׳, ־צְרִים bugler

[מחק] נִמְחַק, פ״ע to be erased, blotted out

מַחַק, ז׳, ר׳, מְחָקִים eraser

מֶחְקָר, ז׳, ר׳, ־רִים research, study, inquiry; depth

מָחָר, תה״פ later, afterwards; tomorrow

מַחֲרָאָה, נ׳, ר׳, ־אוֹת toilet, privy, w.c.

מָחֳרָב, ת״ז, ־רֶבֶת, ת״נ destroyed

מְחֹרָז, מְחוֹרָז, ת״ז, ־רֶזֶת, ת״נ strung; rhymed

מַחֲרֹזֶת, נ׳, ר׳, ־רוזות verse, strophe; string, row

מַחֲרֵטָה, נ׳, ר׳, ־טוֹת lathe

מַחֲרֵשָׁה, מַחֲרֶשֶׁת, נ׳, ר׳, ־שׁוֹת plow, plowshare

מָחֳרָת, תה״פ the morrow

מָחֳרָתַיִם the day after tomorrow

מְחֻשָּׁב, מְחוּשָּׁב, ת״ז, ־שֶּׁבֶת, ת״נ accounted; thought-out

מַחֲשָׁבָה, נ׳, ר׳, ־בוֹת thought; purpose; intention; apprehension

מַחְשׂוֹף, ז׳, ר׳, ־פִים bareness; laying bare; stripping

מַחְשָׁךְ, ז׳, ר׳, מַחֲשַׁכִּים dark place, darkness

מְחֻשְׁמָל, מְחוּשְׁמָל, ת״ז, ־מֶלֶת, ת״נ electrified

מַחְתָּה, נ׳, ר׳, ־תּוֹת coal shovel; pan

מְחִתָּה, נ׳, ר׳, ־תּוֹת terror; destruction

מַחְתֵּךְ, ז׳, ר׳, ־תְּכִים scalpel

מְחֻתָּל, מְחוּתָּל, ת״ז, ־תֶּלֶת, ת״נ bound, strapped, swaddled, swathed

מְחֻתָּן, מְחוּתָּן, ז׳, ר׳, ־נִים relative by marriage

מַחְתֶּרֶת, נ׳, ר׳, ־תָּרוֹת breaking in; underground (*polit.*, *mil.*)

מָט, פ״ע, ע׳ [מוט] to slip; to totter

מַטְאֲטֵא, ז׳, ר׳, ־אֲטְאִים broom

מַטְבֵּחַ, ז׳ slaughterhouse; massacre

מִטְבָּח, ז׳, ר׳, ־בָּחִים kitchen

מִטְבָּחוֹן, ז׳, ר׳, ־נִים kitchenette

מִטְבָּחַיִם, בֵּית־מִטְבָּחַיִם, ז״ר slaughterhouse

מַטְבֵּעַ, ז׳, ר׳, ־בְּעוֹת coin; mold (for coining)

מִטְבָּעָה, נ׳, ר׳, ־עוֹת mint

מַטְבְּעָן, ז׳, ר׳, ־נִים minter, mintmaster

מַטְבַּעַת, נ׳, ר׳, ־בָּעוֹת die (stamping)

מְטֻגָּן, מְטוּגָּן, ת״ז, ־גֶּנֶת, ת״נ fried

מַטָּה, תה״פ down, below

לְמַטָּה down, down(ward); below

מִלְמַטָּה from below; beneath

מַטָּה מַטָּה very low

מַטֶּה, ז׳, ר׳, ־טּוֹת staff, stick, branch; tribe; support

מֻטֶּה, ז׳, ר׳, ־טִּים injustice

מֻטָּה, נ׳, ר׳, ־טּוֹת wing tip

מִטָּה, נ׳, ר׳, ־טּוֹת bed, couch; bier; litter

תַּשְׁמִישׁ הַמִּטָּה cohabitation

מְטוּגָּן, מְטֻגָּן, ת״ז, ־גֶּנֶת, ת״נ fried

מַטְוֶה, ז׳, ר׳, ־וִים yarn; web

מְטוּטֶלֶת, מְטֻטֶּלֶת, נ׳, ר׳, ־טָּלוֹת pennant; pendulum

מְטוּלְטָל, מְטֻלְטָל, ת״ז, ־טֶלֶת, ת״נ movable

מְטוּמְטָם, מְטֻמְטָם, ת״ז, ־טֶמֶת, ת״ז idiotic

מָטוֹס, ז׳, ר׳, ־סִים airplane

מְטוֹס־סִילוֹן jet plane; rocket

מְטוֹרָף, מְטֹרָף, ת״ז, ־רֶפֶת, ת״נ crazy, insane, demented

מַטָּח, ז׳, ־חִים barrage

מִטְחָוֶה, ז׳, ר׳, ־וִים shot; bowshot
מַטְחֵן, ז׳, ר׳, ־חֲנִים grinding mill
מַטְחֵנָה, נ׳, ר׳, ־נוֹת grinder
מְטֻטֶּלֶת, מְטוּטֶּלֶת, נ׳, ר׳, ־טָּלוֹת pendulum; pennant
מֵטִיב, מֵיטִיב, ת״ז, ־בָה, ת״נ well-doing
מָטִיל, ז׳, ר׳, מְטִילִים iron bar, rail
מַטָּלָה, נ׳, ר׳, ־לוֹת assignment
מְטֻלְטָל, מְטוּלְטָל, ת״ז, ־טֶלֶת, ת״נ movable
מְטַלְטְלִים, ־ן, ז״ר movable goods, chattels
מַטְלִית, מַטְלָנִית, נ׳, ר׳, ־לִיּוֹת rag; patch; strip
מַטְמוֹן, ז׳, ר׳, ־נִים (hidden) treasure
בְּמַטְמוֹנִים, תה״פ secretly
מִטְמֵט, פ״י to crumble; to push over
הִתְמַטְמֵט, פ״ע to be crumbled; to totter, fall down
מְטֻמְטָם, מְטוּמְטָם, ת״ז, ־טֶמֶת, ת״נ idiotic
מִטְמָע, ז׳, ר׳, ־עִים integration
מַטָּע, ז׳, ר׳, ־עִים plantation; planting
מַטְעָם, ז׳, ר׳, ־עַמִּים a dish of venison, game; tasty dish; taste
מִטְעָם, ז׳, ר׳, ־מִים snack
מִסְעֲמִיָּה, נ׳, ר׳, ־מִיּוֹת snack bar
מֻטְעָם, ת״ז, ־עֶמֶת, ת״נ expressed; declaimed; accented
מַטְעֶמֶת, נ׳, ר׳, ־עָמּוֹת delicacy; worldly delights
מִטְעָן, ז׳, ר׳, ־נִים cargo, load; burden
מַטְפֵּה, ז׳, ר׳, ־פִּים fire extinguisher
מִטְפַּחַת, נ׳, ר׳, ־פָּחוֹת kerchief; wrapping cloth
מִטְפַּחַת אַף handkerchief
מִטְפַּחַת הַשֻּׁלְחָן tablecloth
מָטָר, ז׳, ר׳, מְטָרוֹת, מְטָרִים rain
מְטַר הַזְּמַן worries
[מטר] נִמְטַר, פ״ע to be wet with rain
הִמְטִיר, פ״י to rain; to bring down
מֶטֶר, ז׳, ר׳, ־רִים meter
מַטָּרָה, נ׳, ר׳, ־רוֹת aim, objective, target
מִטְרִיָּה, נ׳, ר׳, ־יּוֹת umbrella
מְטֹרָף, מְטוֹרָף, ת״ז, ־רֶפֶת, ת״נ crazy, insane, demented
מִי, מ״ג who; whoever
לְמִי to whom; whose
אֶת מִי whom
מְיֹאָשׁ, מְיוּאָשׁ, ת״ז, ־אֶשֶׁת, ת״נ despairing
מְיֻגָּע, מְיוּגָּע, ת״ז, ־גַּעַת, ת״נ fatigued
מִיָּד, תה״פ at once, immediately
מְיֻדָּע, מְיוּדָּע, ת״ז, ־דַּעַת, ת״נ acquaintance; definite
מִיהוּת, נ׳ identity
מְיוּאָשׁ, מְיֹאָשׁ, ת״ז, ־אֶשֶׁת, ת״נ despairing
מְיוּגָּע, מְיֻגָּע, ת״ז, ־גַּעַת, ת״נ fatigued
מְיוּדָּע, מְיֻדָּע, ת״ז, ־דַּעַת, ת״נ acquaintance; definite
מִיּוּם, ז׳ watering
מִיּוּן, ז׳, ר׳, ־נִים classification
מְיוּסָּד, מְיֻסָּד, ת״ז, ־סֶּדֶת, ת״נ established, founded, based
מְיוּפֶּה, מְיֻפֶּה, ת״ז, ־פָּה, ת״נ decorated; empowered
מְיוּצָּג, מְיֻצָּג, ת״ז, ־צֶּגֶת, ת״נ represented
מְיוּשָּׁב, מְיֻשָּׁב, ת״ז, ־שֶּׁבֶת, ת״נ settled
מְיוּשָּׁן, מְיֻשָּׁן, ת״ז, ־שֶּׁנֶת, ת״נ old; sleepy

מְיוּשָׁר, מְיֻשָּׁר, ת"ז, ־שֶּׁרֶת, ת"נ correct; straight
מְיוּתָּר, מְיֻתָּר, ת"ז, ־תֶּרֶת, ת"נ superfluous
מְיֻזָּן, מְיוּזָּן, ת"ז, ־זֶּנֶת, ת"נ fattened
מֵיזָע, ז', ר', ־עִים sweater
מְיֻחָד, מְיוּחָד, ת"ז, ־חֶדֶת, ת"נ special
מְיֻחָס, מְיוּחָס, ת"ז, ־חֶסֶת, ת"נ noble; relative; attributed
מַיִט, ז' defeat; collapse
מֵיטָב, ז' the best
מֵיטִיב, מֵטִיב, ת"ז, ־בָה, ת"נ well-doing
מִיכַל, ז', ר', ־כָלִים brook, stream
מִיל, ז', ר', ־לִים mile; mill
מֵילָא, מ"ק so be it
מִמֵּילָא, תה"פ automatically
מְיַלֵּד, ז', ר', ־לְּדִים obstetrician
מְיַלֶּדֶת, נ', ר', ־לְּדוֹת midwife
מִילָה, נ', ר', ־לוֹת circumcision; penis; circumcised membrane
מַיִם, ז"ר water
מַיִם רִאשׁוֹנִים, מַיִם אַחֲרוֹנִים washing hands before and after meals
מַיִם מְהַלְּכִים shallow, running water
מַיִם חַיִּים whisky, brandy
מֵי הָאַף, ־ הַחֹטֶם mucous
מֵי בִּרְכַּיִם knee-deep water
מֵי גְשָׁמִים rain water
מֵי דְבַשׁ mead
מֵי רֹאשׁ poisonous water
מֵי רַגְלַיִם urine
בֵּית הַמַּיִם urinal
מֵימִי, ת"ז, ־מִית, ת"נ watery
מֵימִיָּה, נ', ר', ־יּוֹת canteen
מֵימָן, ז' hydrogen

מֵימְרָה, נ', ר', ־רוֹת saying
מִין, ז', ר', ־נִים kind, variety, genus species; sex, gender; sectarian; heretic
כְּמִין like, resembling
מִיֵּן, פ"י to classify
מִינוּת, נ', ר', ־נֻיּוֹת heresy, sectarianism
מִינִי, ת"ז, ־נִית, ת"נ sexual; of the species
מַחֲלָה מִינִית venereal disease
מֵינֶקֶת, מֵינִיקָה, נ', ר', ־נִיקוֹת wet nurse; siphon
מְיֻסָּד, מְיוּסָּד, ת"ז, ־סֶּדֶת, ת"נ established, founded; based
מְיֻפֶּה, מְיוּפֶּה, ת"ז, ־פָּה, ת"נ decorated; empowered
מְיֻפֵּה כֹּחַ authorized, empowered
מֵיפָע, ז', ר', ־עִים recital
מִיץ, ז', ר', ־צִים juice; pressing, squeezing
[מיץ] מָץ, פ"י to churn, beat
הֵמִיץ, פ"י to make slim, weak
מְיֻצָּג, מְיוּצָּג, ת"ז, ־צֶּגֶת, ת"נ represented
מִיצָה, נ', ר', ־צוֹת knot (in stalks)
מַיִשׁ, ז', ר', מֵישִׁים service tree
מְיֻשָּׁב, מְיוּשָּׁב, ת"ז, ־שֶּׁבֶת, ת"נ settled
מִישׁוֹר, ז', ר', ־רִים plain, plateau; righteousness
מְיֻשָּׁן, מְיוּשָּׁן, ת"ז, ־שֶּׁנֶת, ת"נ old; sleepy
מְיֻשָּׁר, מְיוּשָּׁר, ת"ז, ־שֶּׁרֶת, ת"נ correct, straight
מֵישָׁר, ז', ר', ־רִים level; evenness; straightforwardness; equity; carpet
מִיתָה, נ', ר', ־תוֹת death
מִיתָה חֲטוּפָה sudden death

מִיתָה מְשֻׁנָּה unnatural death
מְיֻתָּר, מְיוּתָּר, ת"ז, ־תֶּרֶת, ת"נ superfluous
מֵיתָר, ז', ר', ־רִים tent cord; cord; bow string; sinew; diameter
מָךְ, פ"ע, ע' [מוך] to become poor; to be depressed
מָךְ, ת"ז, מָכָה, ת"נ lowly; poor
מַכְאוֹב, ז', ר', ־בִים pain, suffering
מַכְאִיב, ת"ז, ־בָה, ת"נ painful
מַכְבֵּד, ז', ר', ־בְּדִים broom; twig of the palm tree
מְכֻבָּד, מְכוּבָּד, ת"ז, ־בֶּדֶת, ת"נ honored
מְכַבֶּדֶת, נ', ר', ־בְּדוֹת brush; broom
מְכַבֶּה, ז', ר', ־בִּים fire extinguisher
מְכַבֵּה־אֵשׁ, ז', ר', ־בֵּי אֵשׁ fireman, fire fighter
מַכְבִּיר, ז', ר', ־רִים great nation
לְמַכְבִּיר plentifully
מַכְבֵּנָה, נ', ר', ־נוֹת hairpin
מְכֻבָּס, מְכוּבָּס, ת"ז, ־בֶּסֶת, ת"נ washed
מִכְבָּסָה, נ', ר', ־בָּסוֹת laundry
מִכְבָּר, ז', ר', ־רִים sieve; net, snare
מַכְבֵּר, ז', ר', ־בְּרִים cover, coverlet
מַכְבֵּשׁ, ז', ר', ־בְּשִׁים press; heavy roller
מַכָּה, נ', ר', ־כּוֹת blow, stroke; slaughter; plague; wound
מַכָּה מְהַלֶּכֶת epidemic
מְכוּבָּד, מְכֻבָּד, ת"ז, ־בֶּדֶת, ת"נ honored
מְכוּבָּס, מְכֻבָּס, ת"ז, ־בֶּסֶת, ת"נ washed
מִכְוָה, נ', ר', ־ווֹת burn, scar
מְכוּוָּן, מְכֻוָּן, ת"ז, ־וֶּנֶת, ת"נ directed; intentional; aimed; set (watch)

מָכוֹן, ז', ר', ־נִים site; foundation; institution, institute
מְכֻוָּן, מְכוּוָּן, ת"ז, ־וֶּנֶת, ת"נ directed; intentional; aimed; set (watch)
מַכְוֵן, ז', ר', ־וְנִים regulator
מְכוֹנַאי, ז', ר', ־נָאִים mechanic
מְכוּנֶּה, מְכֻנֶּה, ת"ז, ־נָּה, ת"נ named, called
מְכוֹנָה, נ', ר', ־נוֹת machine, engine; base; stand
מְכוֹנַת יְרִיָּה machine-gun
מְכוֹנַת כְּתִיבָה typewriter
מְכוֹנַת תְּפִירָה sewing machine
מְכוֹנִית, נ', ר', ־נִיּוֹת car, automobile
מְכוֹנֵן, ז', ר', ־נְנִים machinist, engineer, mechanic
מְכוּנָּס, מְכֻנָּס, ת"ז, ־נֶּסֶת, ת"נ collected, gathered
מְכוּנָּף, מְכֻנָּף, ת"ז, ־נֶּפֶת, ת"נ winged
מְכוּסֶּה, מְכֻסֶּה, ת"ז, ־סָּה, ת"נ covered
מְכוֹעָר, מְכֹעָר, ת"ז, ־עֶרֶת, ת"נ ugly
מְכוּפָּל, מְכֻפָּל, ת"ז, ־פֶּלֶת, ת"נ doubled
מְכוּפָּר, מְכֻפָּר, ת"ז, ־פֶּרֶת, ת"נ forgiven, atoned
מְכוּפְתָּר, מְכֻפְתָּר, ת"ז, ־תֶּרֶת, ת"נ buttoned
מְכֻוָּץ, מְכוּוָּץ, ת"ז, ־וֶּצֶת, ת"נ squeezed, cramped
מְכוֹרָה, נ', ר', ־רוֹת origin
מַכּוֹשׁ, ז', ר', ־שִׁים hoe; bell clapper; piano key
מַכּוֹשִׁית, נ', ר', ־שִׁיּוֹת xylophone; castanet
מְכוּשָּׁף, מְכֻשָּׁף, ת"נ, ־שֶּׁפֶת, ת"נ enchanted
מִכְחוֹל, ז', ר', ־לִים eyebrow pencil; kohl brush; paint brush

מְכִילְתָא, נ׳ Mekhilta; collections of Halakhic Midrashim on Exodus
מְכִינָה, נ׳, ר׳, ־נוֹת preparatory class
מַכִּיר, ז׳, ר׳, ־רִים acquaintance
מְכִירָה, נ׳, ר׳, ־רוֹת sale
מָכַךְ, פ״ע to sink, fall (morally); to be humiliated; to be impoverished
נִמַּךְ, פ״ע to become low, degenerate
מְכֻכָּב, מְכוֹכָּב, ת״ז, ־כֶּבֶת, ת״נ starry
מִכְלָאָה, מִכְלָה, נ׳, ר׳, ־לָאוֹת, ־לוֹת corral; detention camp
מִכְלוֹל, ז׳, ר׳, ־לִים magnificence
מַכְלוּלִים, ז״ר magnificent things
מִכְלָל, ז׳, ר׳, ־לִים perfection
מִכְלָלָה, נ׳, ר׳, ־לוֹת college, university
מַכֹּלֶת, נ׳ grocery; provision
מַכָּ״ם, ז׳ radar
מַכְמוֹר, מִכְמָר, ז׳, ר׳, ־רִים net, snare
מִכְמוֹרֶת, מִכְמֶרֶת, נ׳, ר׳, ־מוֹרוֹת, ־מָרוֹת fishing net, trawling net
מִכְמֵךְ, פ״י to crush
הִתְמַכְמֵךְ, פ״ע to be crushed
מִכְמָן, ז׳, ר׳, ־מַנִּים treasure (hidden)
מִכְמָר, מַכְמוֹר, ז׳, ר׳, ־רִים net, snare
מִכְמֶרֶת, מִכְמוֹרֶת, נ׳, ר׳, ־מָרוֹת, ־מוֹרוֹת fishing net, trawling net
מְכַנֶּה, ז׳, ר׳, ־נִים denominator
מְכֻנֶּה, מְכוּנֶּה, ת״ז, ־נָּה, ת״נ named, called
מְכֻנָּס, מְכוּנָּס, ת״ז, ־נֶּסֶת, ת״נ collected, gathered
מִכְנָסַיִם, ז״ר pants, trousers, slacks, drawers, panties

מְכֻנָּף, מְכוּנָּף, ת״ז, ־נֶּפֶת, ת״נ winged
מֶכֶס, ז׳, ר׳, מְכָסִים tax, custom, duty
בֵּית הַמֶּכֶס customhouse
מִכְסָה, נ׳, ר׳, ־סוֹת quota, number, quantity
מִכְסֶה, מְכַסֶּה, ז׳, ר׳, ־סִים, ־סָאוֹת, ־סִּים cover, lid, covering
מְכֻסֶּה, מְכוּסֶּה, ת״ז, ־סָּה, ת״נ covered
מְכֹעָר, מְכוֹעָר, ת״ז, ־עֶרֶת, ת״נ ugly
מַכְפִּיל, ז׳, ר׳, ־לִים multiplier
מְכֻפָּל, מְכוּפָּל, ת״ז, ־פֶּלֶת, ת״נ doubled; duplex
מַכְפֵּלָה, נ׳, ר׳, ־לוֹת stony, unfertile soil; duplex building
מְעָרַת הַמַּכְפֵּלָה cave of Makhpelah
מְכֻפָּר, מְכוּפָּר, ת״ז, ־פֶּרֶת, ת״נ forgiven, atoned
מֶכֶר, ז׳, ר׳, מְכָרִים price, sale
שְׁטַר מֶכֶר bill of sale
מָכַר, פ״י to sell
נִמְכַּר, פ״ע to be sold
הִתְמַכֵּר, פ״ע to sell oneself; to devote oneself to
מַכָּר, ז׳, ר׳, ־רִים acquaintance
מֻכָּר, מוּכָּר, ת״ז, ־כֶּרֶת, ת״נ recognized; known
מִכְרֶה, ז׳, ר׳, ־רוֹת mine
מִכְרֵה מֶלַח salt mine
מְכֵרָה, נ׳, ר׳, ־רוֹת arms, weapon
מִכְרָז, ז׳, ר׳, ־זִים tender
מֻכְרָח, מוּכְרָח, ת״ז, ־רַחַת, ת״נ compelled, forced
מִכְשׁוֹל, ז׳, ר׳, ־לִים stumbling block, obstacle
מַכְשִׁיר, ז׳, ר׳, ־רִים instrument, apparatus

מַכְשֵׁלָה, נ׳, ר׳, ־לוֹת stumbling block; ruin

מְכֻשָּׁף, מְכוּשָּׁף, ת״ז, ־שֶּׁפֶת, ת״נ enchanted

מְכַשֵּׁף, מְכַשְּׁפָן, ז׳, ר׳, ־פִים, ־נִים sorcerer

מְכַשֵּׁפָה, מְכַשְּׁפָנִית, ז׳, ר׳, ־פוֹת, ־נִיוֹת sorceress

מְכֻשָּׁר, מוּכְשָׁר, ת״ז, ־שֶּׁרֶת, ת״נ capable

מִכְתָּב, ז׳, ר׳, ־בִים letter; writing; rescript

מִכְתָּב דָּחוּף special-delivery letter

מִכְתָּב רָשׁוּם registered letter

מַכְתֵּב, ז׳, ר׳, ־תְּבִים stylus, pencil

מַכְתֵּבָה, נ׳, ר׳, ־בוֹת writing desk

מְכִתָּה, נ׳, ר׳, ־תּוֹת fragment

מִכְתָּם, ז׳, ר׳, ־מִים epigram; hymn, psalm

מְכֻתָּר, מוּכְתָּר, ת״ז, ־תֶּרֶת, ת״נ crowned

מַכְתֵּשׁ, ז׳, ר׳, ־תְּשִׁים mortar; pit, fissure

מָל, פ״י, ע׳ [מול] to circumcise; to purify the heart

מָלֵא, ת״ז, מְלֵאָה, ת״נ full, complete

מָלֵא, פעו״י to be full, to fill

נִמְלָא, פ״ע to be filled

מִלֵּא, פ״י to fill; to fulfill

מִלֵּא יָד to authorize, empower

מֻלָּא, פ״ע to be filled; to be set (with jewels)

הִתְמַלֵּא, פ״ע to become filled, gathered

מְלֹא, מְלוֹא, ז׳ multitude; fullness; filling matter

מְלַאי, ז׳, ר׳, מְלָאִים merchandise, stock

מַלְאָךְ, ז׳, ר׳, ־כִים angel, messenger

מְלָאכָה, נ׳, ר׳, ־כוֹת work; workmanship; trade, vocation, occupation

בַּעַל מְלָאכָה artisan

מְלֶאכֶת יָד hand work

מַלְאֲכוּת, נ׳, ר׳, ־כֻיּוֹת delegation; deputation

מְלָאכוּתִי, ת״ז, ־תִית, ת״נ artificial

מִלֵּאת, נ׳, ר׳, מִלְּאוֹת setting; stuffing

מִלְּבַד, תה״פ, ע׳ לְבַד besides

מַלְבּוּשׁ, ז׳, ר׳, ־שִׁים garment; suit, dress

מַלְבֵּן, ז׳, ר׳, ־בְּנִים brick mold; frame; quadrangle; rectangle

מְלֻבָּשׁ, מְלוּבָּשׁ, ת״ז, ־בֶּשֶׁת, ת״נ dressed

מָלַג, פ״י to scald; to pluck a bird

מַלְגֵּז, ז׳, ר׳, ־גְּזִים pitchfork

מִלָּה, נ׳, ר׳, מִלִּים, מִלּוֹת, מִלִּין word, speech; particle (*gram.*)

מִלָּה בְּמִלָּה literally

מִלַּת גּוּף pronoun

מִלַּת חִבּוּר conjunction

מִלַּת יַחַס preposition

מִלַּת קְרִיאָה exclamation

מִלּוֹא, ז׳, ר׳, אִים fortified building

מִלּוּא, ז׳, ר׳, ־אִים filling; fullness

מִלּוּאָה, נ׳, ר׳, ־אוֹת setting (of jewels)

מְלֻבָּשׁ, מְלוּבָּשׁ, ת״ז, ־בֶּשֶׁת, ת״נ dressed

מְלוֹג, ז׳ dowry; usufruct (of woman's property)

מִלְוָה, נ׳, ר׳, ־ווֹת loan; debt

מַלְוֶה, ז׳, ר׳, ־וִים lender; creditor

מְלֻוֶּה, מְלוּוֶּה, ת״ז, ־וָּה, ת״נ accompanied, escorted

מָלוּחַ, ת״ז, מְלוּחָה, ת״נ salty

מְלוּטָשׁ, מְלֻטָּשׁ, ת״ז, ־טֶשֶׁת, ת״נ polished, sharpened

מִלּוּי, ז׳, ר׳, ־יִים filling, stuffing

מְלוּכָּד, מְלֻכָּד, ת״ז, ־כֶּדֶת, ת״נ united, joined; trapped, ensnared

מְלוּכְלָךְ, מְלֻכְלָךְ, ת״ז, ־לֶכֶת, ת״נ dirty

מְלוּכָה, נ׳, ר׳, ־כוֹת kingdom; royalty, kingship

זֶרַע הַמְּלוּכָה royal blood line

בֵּית הַמְּלוּכָה royal house

כִּסֵּא הַמְּלוּכָה royal throne

מְלוּכָנִי, ת״ז, ־נִית, ת״נ royal

מִלּוּלִי, ת״ז, ־לִית, ת״נ verbal

מְלוּמָּד, מְלֻמָּד, ת״ז, ־מֶּדֶת, ת״נ learned

מֶלוֹן, ז׳, ר׳, ־נִים melon

מָלוֹן, ז׳, ר׳, מְלוֹנִים, מְלוֹנוֹת inn, hotel

מִלּוֹן, ז׳, ר׳, ־נִים dictionary, lexicon

מִלּוֹנַאי, ז׳, ר׳, ־נָאִים lexicographer

מִלּוֹנָאוּת, נ׳ lexicography

מְלוּנָה, נ׳, ר׳, ־נוֹת watchman's hut

מְלוּעָז, מְלֹעָז, ת״ז, ־עֶזֶת, ת״נ foreign (esp. words of foreign language)

מֶלַח, ז׳, ר׳, מְלָחִים salt

יָם הַמֶּלַח Dead Sea

מָלַח, פ״י to salt, season, pickle

הִמְלִיחַ, פ״י to salt

הֻמְלַח, פ״ע to be rubbed with salt

מַלָּח, ז׳, ר׳, ־חִים sailor, mariner

מְלָח, ז׳, ר׳, מְלָחִים rag

מְלֵחָה, נ׳, ר׳, ־חוֹת saline earth

מַלָּחוּת, נ׳ seamanship

מִלְחִי, ת״ז, ־חִית, ת״נ salty

מְלֻחָם, מוּלְחָם, ת״ז, ־חֶמֶת, ת״נ soldered

מִלְחָמָה, נ׳, ר׳, ־מוֹת war; battle; controversy, quarrel

אִישׁ מִלְחָמָה soldier

כְּלֵי מִלְחָמָה weapons

מֶלְחָצַיִם, ז״ר vise

מְלַחֵשׁ, ז׳, ר׳, ־חֲשִׁים snake charmer

מְלַחַת, נ׳ saltpeter

מֶלֶט, ז׳ mortar, cement

[מלט] נִמְלַט, פ״ע to save oneself; to escape

מִלֵּט, פ״י to deliver; to cement

הִמְלִיט, הִמְלִיטָה, פ״י to save; to give birth (animal)

הִתְמַלֵּט, פ״ע to escape

מְלֻטָּשׁ, מְלוּטָשׁ, ת״ז, ־טֶשֶׁת, ת״נ polished, sharpened

מַלְטֶשֶׁת, נ׳, ר׳, ־טָשׁוֹת sharpener

מְלִיאָה, נ׳, ר׳, ־אוֹת plenum; plenary session

מְלִיגָה, נ׳, ר׳, ־גוֹת plucking birds; scalding; usufruct

מָלִיחַ, ת״ז, מְלִיחָה, ת״נ pickled, salted, preserved (in salt)

מָלִיחַ, ז׳ salad; relish

מְלִיחָה, נ׳, ר׳, ־חוֹת salting, pickling

מְלִיחוּת, נ׳, ר׳, ־חֻיּוֹת saltiness

מְלִילָה, נ׳, ר׳, ־לוֹת fully ripe corn; wriggling, waggling

מֵלִיץ, ז׳, ר׳, ־צִים interpreter; rhetorician

מְלִיצָה, נ׳, ר׳, ־צוֹת metaphor; flowery speech; satire

מְלִיקָה, נ׳, ר׳, ־קוֹת pinching; wringing bird's head

מֶלֶךְ, ז׳, ר׳, מְלָכִים king; sovereign

מָלַךְ, פ״ע to be king; to reign

נִמְלַךְ, פ״ע to reconsider

נִמְלַךְ בְּדַעְתּוֹ to change one's mind

הִמְלִיךְ, פ״י to make king; to cause to reign

הָמְלַךְ, פ"ע to be crowned a king
מֹלֶךְ, ז' Moloch, Canaanite idol
מְלֻכָּד, מְלוּכָּד, ת"ז, ־כֶּדֶת, ת"נ united, joined; trapped, ensnared
מַלְכֹּדֶת, נ', ר', ־כּוֹדוֹת trap, snare
מַלְכָּה, נ', ר', מְלָכוֹת queen
מַלְכוּת, נ', ר', ־כֻיּוֹת kingdom, reign
מְלֻכְלָךְ, מְלוּכְלָךְ, ת"ז, ־לֶכֶת, ת"נ dirty
מִלְכֹּם, ז' Ammonite idol
מְלֶכֶת, מְלֶכֶת הַשָּׁמַיִם, נ' name for sun or moon goddess
מָלַל, פעו"י to rub; to wither; to fade; to squeeze
מוֹלֵל, פ"ע to dry up; to cut down
מִלֵּל, פ"י to speak, proclaim, talk, utter
מֶלֶל, ז' border, fringe; word, speech
מְלָל, ז' hem
מַלְמָד, ז', ר', ־דִים staff, stick
מַלְמַד הַבָּקָר ox goad
מְלַמֵּד, ז', ר', ־מְּדִים teacher, tutor
מְלֻמָּד, מְלוּמָּד, ת"ז, ־מֶּדֶת, ת"נ learned
מְלַמְּדוּת, נ' tutoring, teaching
מִלְמוּל, ז', ר', ־לִים crumb; jabbering
מִלְמֵל, פ"ע to chatter; to talk (with malicious intent)
מְלֻעָז, מְלוּעָז, ת"ז, ־עֶזֶת, ת"נ foreign (esp. words of foreign language)
מִלְעֵיל, תה"פ penult (*gram.*)
מְלָפְפוֹן, ז', ר', ־פוֹנִים, ־פוֹנוֹת cucumber
[מלץ] נִמְלַץ, פ"ע to be pleasant; to be eloquent
הִמְלִיץ, פ"י to speak flowery language; to recommend

מֶלְצַר, ז', ר', ־צָרִים waiter, steward
מָלַק, פ"י to wring off (head of bird)
מַלְקוֹחַ, ז', ר', ־חִים booty, loot
מַלְקוֹשׁ, ז', ר', ־שִׁים season's last rain
מַלְקוּת, נ', ר', ־קֻיּוֹת, ־קוֹת lash, punishment of lashes
מֶלְקַחַת, נ', ר', ־קָחוֹת pliers, wire cutter
מֶלְקָחַיִם, ז"ז pincers, tongs
מַלְקֵט, ז', ר', ־קְטִים tweezers
מִלְּרַע, תה"פ, ע' לְרַע ultima (*gram.*)
מַלְשִׁין, ז', ר', ־נִים slanderer, informer
מַלְשִׁינוּת, נ', ר', ־נֻיּוֹת informing on; slander
מֶלְתָּחָה, נ', ר', ־חוֹת wardrobe; suitcase; traveling bag
מַלְתָּעָה, נ', ר', ־עוֹת incisor; jaw; maxilla
מַלְתְּעוֹת יָמִים adversity
מֵם, נ' Mem, name of thirteenth letter of Hebrew alphabet
מַמְאִיר, ת"ז, ־אֶרֶת, ת"נ malignant
מַמְגוּרָה, מַמְגֻּרָה, נ', ר', ־רוֹת granary
מֵמַד, ז', ר', מְמַדִּים measure, measurement; dimension
מְמוּזָג, מְמֻזָּג, ת"ז, ־זֶּגֶת, ת"נ mediocre, moderate
מְמוּכָּן, מְמֻכָּן, ת"ז, ־כֶּנֶת, ת"נ mechanized
מִמּוּל, תה"פ opposite
מְמוּלָּא, מְמֻלָּא, ת"ז, ־אָה, ת"נ stuffed, filled
מְמוּלָּח, מְמֻלָּח, ת"ז, ־לַּחַת, ת"נ salted
מְמוּמָּן, מְמֻמָּן, ת"ז, ־מֶּנֶת, ת"נ financed

מָמוֹן, ז׳, ר׳, ־נוֹת money, currency; wealth; property; mammon
מִמּוּן, ז׳ financing
מָמוֹנַאי, ז׳, ר׳, ־נָאִים financier
מְמוּנֶּה, מְמֻנֶּה, ת״ז, ־נָּה, ת״נ appointed
מָמוֹנִי, ת״ז, ־נִית, ת״נ monetary, pecuniary
מְמוּסְפָּר, מְמֻסְפָּר, ת״ז, ־פֶּרֶת, ת״נ numerated
מְמוּצָּע, מְמֻצָּע, ת״ז, ־צַּעַת, ת״נ average; central; middle
מִמּוּשׁ, ז׳, ר׳, ־שִׁים realization
מְמוּשָּׁךְ, מְמֻשָּׁךְ, ת״ז, ־שֶּׁכֶת, ת״נ continued, continual
מָמוֹת, ז׳, ר׳, מְמוֹתִים death
מְמוּתָּק, מְמֻתָּק, ת״ז, ־תֶּקֶת, ת״נ sweetened
מְמֻזָּג, מְמוּזָּג, ת״ז, ־זֶּגֶת, ת״נ poured; mediocre; moderate
מִמְזָגָה, נ׳, ר׳, ־גוֹת bar (liquor)
מַמְזֵר, ז׳, ־זֶרֶת, נ׳, ר׳, ־זְרִים, ־זְרוֹת bastard
מֻמְחֶה, מוּמְחֶה, ת״ז, ־חֵית, ת״נ expert
מִמְחָטָה, נ׳, ר׳, ־טוֹת handkerchief
מַמְטֵרָה, נ׳, ר׳, ־רוֹת sprinkler
מִמְטֶרֶת, נ׳, ר׳, ־רוֹת raincoat
מִמְּךָ, מִמֵּךְ, מ״י, ע׳ מִן from you (*s.*; *m.*, *f.*)
מִמְכָּר, ז׳, ר׳, ־רִים sale
מִמְכֶּרֶת, נ׳, ר׳, ־כָּרוֹת sale
מְמֻלָּא, מְמוּלָּא, ת״ז, ־אָה, ת״נ stuffed, filled
מְמֻלָּח, מְמוּלָּח, ת״ז, ־לַּחַת, ת״נ salted
מִמְלָחָה, מַמְלֵחָה, נ׳, ר׳, ־חוֹת salt container, salt shaker

מַמְלָכָה, מַמְלֶכֶת, נ׳, ר׳, ־כוֹת kingdom; sovereignty
עִיר הַמַּמְלָכָה capital
מַמְלָכוּת, נ׳ kingdom, sovereignty
מְמֻמָּן, מְמוּמָּן, ת״ז, ־מֶּנֶת, ת״נ financed
מִמֵּן, פ״י to finance, capitalize
מְמֻנֶּה, ז׳, ר׳, ־נִּים appointed administrator; trustee
מְמֻנֶּה, מְמוּנֶּה, ת״ז, ־נָּה, ת״נ appointed
מִמֶּנָּה, מִמֶּנּוּ, מִמֶּנִּי, מ״י, ע׳ מִן from her, from him, from me
מְמֻנּוּת, נ׳, ר׳, ־נֻּיּוֹת mandate
מִמְסָךְ, ז׳, ר׳, ־כִים mixed drink, cocktail
מְמַסְפֵּר, ז׳, ר׳, ־פְּרִים numerator
מִמַּעַל, תה״פ from above
מַמְצִיא, ז׳, ר׳, ־אִים inventor
מְמֻצָּע, מְמוּצָּע, ת״ז, ־צַּעַת, ת״נ average; central; middle
מֶמֶר, ז׳ affliction; bitterness
מִמְרָאָה, נ׳ aerodrome
מַמְרוֹר, ז׳, ר׳, ־רִים affliction; bitterness
מִמְרָח, ז׳, ר׳, ־חִים spread (butter, jam)
מַמְרֵט, ז׳, ר׳, ־רְטִים cobbler's smoothing bone
מַמָּשׁ, ז׳, ר׳, ־שׁוֹת solid; substance; reality; concreteness
מִמֵּשׁ, פ״י to realize
הִתְמַמֵּשׁ, פ״ע to become materialized
מַמָּשׁוּת, נ׳, ר׳, ־שֻׁיּוֹת reality, actuality
מִמְשַׁח, ז׳ haughtiness; annointing
מַמָּשִׁי, ת״ז, ־שִׁית, ת״נ real, actual

מְמֻשָּׁךְ, מְמוּשָּׁךְ, ת״ז, ־שֶׁכֶת, ־שָּׁכָה, ת״נ continued, continual
מִמְשָׁל, ז׳, ר׳, ־לִים authority; government; rule, dominion
מֶמְשָׁלָה, נ׳, ר׳, ־לוֹת constitutional government
מִמְשָׁק, ז׳, ר׳, ־קִים arable land; administration
מַמְתָּק, ז׳, ר׳, ־תַּקִּים candy, sweets, sweetmeats
מְמֻתָּק, מְמוּתָּק, ת״ז, ־תֶּקֶת, ת״נ sweetened
מָן, ז׳ manna; portion; food
מֵן, ז׳, ר׳, מִנִּים stringed musical instrument
מִן, מִ־, מֵ־, מ״י from, out of, of
מִנְאוֹרֶת, נ׳, ר׳, ־רוֹת minaret
מִנְאָם, ז׳, ר׳, ־מִים oration; toast (speech)
מְנָאֵף, ז׳, ר׳, ־אֲפִים adulterer
מְנָאֶפֶת, נ׳, ר׳, ־אֲפוֹת adulteress
מְנֻגָּב, מְנוּגָּב, ת״ז, ־גֶּבֶת, ת״נ dried, wiped
מַנְגִּינָה, נ׳, ר׳, ־נוֹת melody, tune
מְנַגֵּן, ז׳, ר׳, ־גְּנִים musician (*m.*)
מַנְגָּנוֹן, ז׳, ר׳, ־נִים, ־נְנָאוֹת apparatus; staff
מְנֻדָּד, מוּנָּד, ת״ז, ־דָה, ת״נ prickly
מְנֻדֶּה, מְנוּדֶּה, ת״ז, ־דָּה, ת״נ ostracized; excommunicated
מָנָה, נ׳, ר׳, ־נוֹת portion, share; dose
מָנָה, פ״י to count; to number
נִמְנָה, פ״ע to be counted; to be assigned
מִנָּה, פ״י to appoint
מֻנָּה, פ״ע to be appointed; to be put in charge of
נִתְמַנָּה, פ״ע to charge, empower; to be appointed to
מָנֶה, ז׳, ר׳, ־נִים coin, weight
מֹנֶה, מוֹנֶה, ז׳, ר׳, ־נִים time, fold
עֲשֶׂרֶת מֹנִים tenfold
מִנְהָג, ז׳, ר׳, ־גִים behavior, conduct; custom
מַנְהִיג, ז׳, ר׳, ־גִים leader
מַנְהִיגוּת, נ׳ leadership
מְנַהֵל, ז׳, ר׳, ־הֲלִים director, manager
מִנְהָל, ז׳, מִנְהָלָה, נ׳, ר׳, ־לִים, ־לוֹת board of directors, administration
מִנְהָרָה, נ׳, ר׳, ־רוֹת tunnel
מְנוּגָּב, מְנֻגָּב, ת״ז, ־גֶּבֶת, ת״נ dried, wiped
מְנוּדֶּה, מְנֻדֶּה, ת״ז, ־דָּה, ת״נ ostracized; excommunicated
מָנוֹד, ז׳, ר׳, מְנוֹדִים shaking (of head); wagging
מְנוֹד לֵב worry
מָנוֹחַ, ז׳, מְנוּחָה, נ׳ quietness; resting place; rest
הַמָּנוֹחַ, ז׳ the deceased
בֵּית מְנוּחָה tomb
לֵיל מְנוּחָה good night
מִנּוּחַ, ז׳ coining (of words)
מִנּוּי, ז׳, ר׳, ־יִּים appointment
מָנוּי, ז׳, ר׳, מְנוּיִים; ת״ז subscriber; counted
מְנֻוָּל, ת״ז, ־וֶּלֶת, ת״נ repulsive; despicable
מְנוּמָּס, מְנֻמָּס, ת״ז, ־מֶּסֶת, ת״נ polite
מְנוּמָּק, מְנֻמָּק, ת״ז, ־מֶּקֶת, ת״נ reasoned
מְנוּמָּר, מְנֻמָּר, ת״ז, ־מֶּרֶת, ת״נ spotted
מָנוֹן, ז׳, ר׳, ־נִים executor, manager; weakling

מִנּוּן, ז׳, ר׳, ־נִים apportionment

מָנוֹס, ז׳, מְנוּסָה, נ׳, ר׳, ־סִים, ־סוֹת flight, refuge

מְנוּסֶּה, מְנֻסֶּה, ת״ז, ־סָּה, ת״נ experienced

מְנוּסָּח, מְנֻסָּח, ת״ז, ־סַּחַת, ת״נ formulated

מָנוֹעַ, ז׳, ר׳, מְנוֹעִים motor

מִנּוּעַ, ז׳ motorization

מָנוֹף, ז׳, ר׳, מְנוֹפִים crowbar; derrick crane

מְנוּפָּח, מְנֻפָּח, ת״ז, ־פַּחַת, ת״נ inflated, exaggerated

מְנוּצָּח, מְנֻצָּח, ת״ז, ־צַּחַת, ת״נ conquered, defeated

מְנוּקָּב, מְנֻקָּב, ת״ז, ־קֶּבֶת, ת״נ perforated, full of holes

מְנוּקָּד, מְנֻקָּד, ת״ז, ־קֶּדֶת, ת״נ dotted; vowelized

מָנוֹר, ז׳, ר׳, מְנוֹרִים weaver's beam; constellation

מְנוֹרָה, נ׳, ר׳, ־רוֹת lamp stand; candelabrum

מְנוּתָּח, מְנֻתָּח, ת״ז, ־תַּחַת, ת״נ cut up; analyzed, operated

מְנוּתָּק, מְנֻתָּק, ת״ז, ־תֶּקֶת, ת״נ cut off

מִנְזָר, ז׳, ר׳, ־רִים prince, dignitary (Babylonian); messiah; convent; monastery

מִנֵּחַ, פ״י to coin words, terms

מֻנָּח, ז׳, ר׳, ־חִים postulate; supposition; term

מִנְחָה, נ׳, ר׳, מְנָחוֹת offering, tribute; present, gift; afternoon prayer

מְנַחֵם, ז׳, ר׳, ־חֲמִים comforter, consoler

מְנַחֵם אָב the fifth Hebrew month, Ab

מְנַחֵשׁ, ז׳, ר׳, ־חֲשִׁים diviner; magician

מִנְחָת, ז׳, ר׳, ־תִים landing strip

מְנִי, ז׳ god; divinity of destiny

מְנָיָה, נ׳, ר׳, ־יוֹת share; stock

מִנְיָן, ז׳, ר׳, ־נִים, ־נוֹת number; counting; quorum (for prayer)

מִנַּיִן, תה״פ wherefrom; whence

מֵנִיעַ, ז׳, ר׳, ־עִים dynamo, motor, engine mover

מְנִיעָה, נ׳, ר׳, ־עוֹת hindrance; prevention

מְנִיפָה, נ׳, ר׳, ־פוֹת hand fan

מְנֻמָּס, מְנוּמָּס, ת״ז, ־מֶּסֶת, ת״נ polite

מְנֻמָּק, מְנוּמָּק, ת״ז, ־מֶּקֶת, ת״נ reasoned

מְנֻמָּר, מְנוּמָּר, ת״ז, ־מֶּרֶת, ת״נ spotted

מְנֻסֶּה, מְנוּסֶּה, ת״ז, ־סָּה, ת״נ experienced

מְנֻסָּח, מְנוּסָּח, ת״ז, ־סַּחַת, ת״נ formulated

מִנְסָרָה, נ׳, ר׳, ־רוֹת prism; wood-sawing shop

מָנַע, פ״י to restrain, prevent; to withhold

נִמְנַע, פ״ע to be restrained

הִמְנִיעַ, פ״י to keep apart

מַנְעוּל, ז׳, ר׳, ־לִים lock, bolt, bar

מִנְעָל, ז׳, ר׳, ־לִים, ־לוֹת hard ground; shoe

מַנְעַמִּים, ז״ר tidbits, delicacies

מְנַעֲנֵעַ, ז׳, ר׳, ־עַנְעִים cymbal; pedal

מְנֻפָּח, מְנוּפָּח, ת״ז, ־פַּחַת, ת״נ inflated; exaggerated

מְנַצֵּחַ, ז׳, ר׳, ־צְּחִים victor, conqueror; overseer; conductor (of orchestra)

מְנֻצָּח, מְנוּצָּח, ת"ז, ־צַּחַת, ת"נ
conquered, defeated

מְנֻקָּב, מְנוּקָּב, ת"ז, ־קֶּבֶת, ת"נ
perforated, full of holes

מְנֻקָּד, מְנוּקָּד, ת"ז, ־קֶּדֶת, ת"נ
dotted, vowelized

מְנַקִּיָּה, נ', ר', ־יּוֹת wine bowl, flask; brush

מָנָת, נ', ר', מְנָאוֹת, מְנָיוֹת share; portion

מְנַת הַמֶּלֶךְ tax

בִּמְנָת, לִמְנָת on condition

עַל מְנָת שֶׁ־ so that, for the sake of

מְנֻתָּח, מְנוּתָּח, ת"ז, ־תַּחַת, ת"נ
cut up; operated; analyzed

מְנֻתָּק, מְנוּתָּק, ת"ז, ־תֶּקֶת, ת"נ cut off

מַס, ז', ר', מִסִּים tax, tribute; compulsory labor; melting; juice

מַס הַכְנָסָה income tax

מַס חָבֵר membership dues

מֵסַב, ז', ר', מְסִבִּים round table; (revolving) armchair; circle; environment; surroundings

מִסְבָּאָה, נ', ר', ־אוֹת tavern, pub, saloon

מְסֻבָּב, מְסוּבָּב, ת"ז, ־בֶּבֶת, ת"נ
surrounded; resultant

מְסִבָּה, מְסִיבָּה, נ', ר', ־בּוֹת social gathering, party, banquet; winding staircase

מְסֻבָּךְ, מְסוּבָּךְ, ת"ז, ־בֶּכֶת, ת"נ
complicated; entangled

מְסֻבָּן, מְסוּבָּן, ת"ז, ־בֶּנֶת, ת"נ soapy

מִסְבָּנָה, נ', ר', ־נוֹת soap factory

מִסְגָּד, ז', ר', ־דִים mosque

מְסֻגָּל, מְסוּגָּל, ת"ז, ־גֶּלֶת, ת"נ
treasured; suited; adjusted

מְסֻגְנָן, מְסוּגְנָן, ת"ז, ־נֶנֶת, ת"נ
formulated; stylized

מַסְגֵּר, ז', ר', ־גְּרִים padlock; prison; enclosure; locksmith

מִסְגֶּרֶת, נ', ר', ־גְּרוֹת frame; border, rim

מַסַּד, מַסָּד, ז', ר', ־דִים foundation

מִסְדָּר, ז', ר', ־רִים order; parade

מְסַדֵּר, ז', ר', ־דְּרִים typesetter

מְסֻדָּר, מְסוּדָּר, ת"ז, ־דֶּרֶת, ת"נ
arranged

מִסְדָּרָה, נ', ר', ־רוֹת tray (for type)

מִסְדְּרוֹן, ז', ר', ־רוֹנִים, ־רוֹנוֹת
corridor; entrance hall; vestibule

[מסה] נִמְסָה, פ"ע to rot; to be melted, dissolved

הִמְסָה, פ"י to melt, dissolve

הִתְמַסָּה, פ"ע to melt, dissolve (itself)

מַסָּה, נ', ר', ־סּוֹת test; essay; destruction

מִסָּה, נ', ר', ־סּוֹת sufficiency; measure; quota

מְסוֹ, ז', ר', ־אוֹת curdling, rennet

מְסוּבָּב, מְסֻבָּב, ת"ז, ־בֶּבֶת, ת"נ
surrounded; resultant

מְסוּבָּךְ, מְסֻבָּךְ, ת"ז, ־בֶּכֶת, ת"נ
complicated, entangled

מְסוּבָּן, מְסֻבָּן, ת"ז, ־בֶּנֶת, ת"נ soapy

מְסוּגָּל, מְסֻגָּל, ת"ז, ־גֶּלֶת, ת"נ
treasured; suited; adjusted

מְסוּגְנָן, מְסֻגְנָן, ת"ז, ־נֶנֶת, ת"נ
formulated, stylized

מְסוּדָּר, מְסֻדָּר, ת"ז, ־דֶּרֶת, ת"נ
arranged

מַסְוֶה, ז', ר', ־וִים veil; mask; hole (for handle)

מְסוּיָּג, מְסֻיָּג, ת"ז, ־יֶּגֶת, ת"נ classified

מְסוּיָּד, מְסֻיָּד, ת"ז, ־יֶּדֶת whitewashed, plastered

מְסוּיָּם, מְסֻיָּם, ת"ז, ־יֶּמֶת, ת"נ definite

מְסוּכָה, מְשׂוּכָה, נ', ר', ־כוֹת thorn hedge

מְסוּכָּן, מְסֻכָּן, ת"ז, ־כֶּנֶת, ת"נ dangerous

מָסוֹל, ז', מְסוֹלַיִם, ז"ר slipper

מְסוּלָּא, מְסֻלָּא, ת"ז, ־לֵּאת, ת"נ weighted, valued

מְסוּלְסָל, מְסֻלְסָל, ת"ז, ־סֶלֶת, ת"נ curly

מְסוּלָּף, מְסֻלָּף, ת"ז, ־לֶּפֶת, ת"נ perverted; crooked

מְסוּמָּן, מְסֻמָּן, ת"ז, ־מֶּנֶת, ת"נ indicated, marked

מְסוּמָּר, מְסֻמָּר, ת"ז, ־מֶּרֶת, ת"נ nailed

מְסוּנָּף, מְסֻנָּף, ת"ז, ־נֶּפֶת, ת"נ branched

מְסוֹס, מְסָס, ז' rottenness

מְסוֹסָה, נ', ר', ־סוֹת third stomach of ruminants

מְסוֹעָר, מְסֹעָר, ת"ז, ־עֶרֶת, ת"נ emotional

מַסּוֹק, ז', ר', ־קִים helicopter

מְסוּפָּק, מְסֻפָּק, ת"ז, ־פֶּקֶת, ת"נ doubtful

מָסוֹר, ז', ר', ־רוֹת slanderer

מָסוּר, ת"ז, מְסוּרָה, ת"נ devoted

מְסוֹרָג, מְסֹרָג, ת"ז, ־רֶגֶת, ת"נ plaited, interlaced

מָסוֹרָה, מָסֹרָה, נ' Massorah, collection of textual readings

מְסוֹרָס, מְסֹרָס, ת"ז, ־רֶסֶת, ת"נ emasculated, perverted

מְסוֹרָק, מְסֹרָק, ת"ז, ־רֶקֶת, ת"נ combed

מָסוֹרֶת, מָסֹרֶת, נ', ר', ־רוֹת tradition

מָסוֹרְתִּי, ת"ז, ־תִית, ת"נ traditional

מִסְחָב, ז', ר', ־בִים train (of robe)

מַסְחֵט, ז', ר', ־חֲטִים squeezing appliance, juicer

מַסְחִיט, ז', ר', ־טִים folding hinge, hinges

מִסְחָר, ז', ר', ־רִים trade, commerce

מִסְחָרִי, ת"ז, ־רִית, ת"נ commercial

מִסְטֶה, ז', ר', ־טִים irregularity

מִסְטוֹרִין, מִסְתּוֹרִין, ז' secret; mystery

מְסִיבָּה, מְסִבָּה, נ', ר', ־בּוֹת social gathering, party, banquet; winding staircase

מְסֻיָּג, מְסוּיָּג, ת"ז, ־יֶּגֶת, ת"נ fenced; classified

מְסֻיָּד, מְסוּיָּד, ת"ז, ־יֶּדֶת, ת"נ whitewashed

מְסִיכָה, נ', ר', ־כוֹת mixing, mixture

מְסֻיָּם, מְסוּיָּם, ת"ז, ־יֶּמֶת, ת"נ definite

מְסִיסוּת, נ', ר', ־סִיּוֹת melting point

מָסִיק, ז', ר', מְסִיקִים olive-gathering time; olive-picking

מְסִירָה, נ', ר', ־רוֹת handing over; delivery; denunciation

מְסִירוּת, נ' devotion

מְסִירוּת־נֶפֶשׁ self-sacrifice

מֵסִית, מַסִּית ז', ר', מְסִיתִים, מַסִּיתִים instigator; missionary; proselytizer

מֶסֶךְ, ז', ר', מְסָכִים mixed drink

מָסַךְ, פ"י to mix; to pour out

נִמְסַךְ, פ"ע to be poured; to have an even temperament

מֻסַּךְ, פ"ע to be temperate; to darken

מָסָךְ, ז', ר', מָסַכִּים curtain, screen; diaphragm

מַסֵּכָה, נ', ר', ־כוֹת mask, covering

מְסֻכָּה, נ׳, ר׳, ־כּוֹת fence, hedge
מְסֻכָּם, מוּסְכָּם, ת״ז, ־כֶּמֶת, ת״נ
agreed upon, accepted
מִסְכֵּן, ת״ז, ־כֶּנֶת, ת״נ poor,
unfortunate, wretched
מִסְכֵּן, פ״י to impoverish
נִתְמַסְכֵּן, פ״ע to become poor
מְסֻכָּן, מְסוּכָּן, ת״ז, ־כֶּנֶת, ת״נ
dangerous
מִסְכֵּנוּת, נ׳ poverty
מִסְכֶּנֶת, נ׳, ר׳, ־כְּנוֹת pantry
מִסְכֵּרָה, נ׳, ר׳, ־רוֹת sugar bowl
מַסְכֵּת, ז׳, ר׳, ־כְּתִים stethoscope
מַסֶּכֶת, נ׳, ר׳, מַסָּכוֹת, מַסֶּכְתּוֹת
warp (in weaving)
מַסֶּכְתָּא, מַסֶּכֶת Talmudic tractate
נֶפֶשׁ הַמַּסֶּכֶת woof
מְסֻלָּא, מְסוּלָּא, ת״ז, ־לֵּאת, ת״נ
valued; weighted
מְסִלָּה, נ׳, ר׳, ־לּוֹת way, road;
orbit; course
מְסִלַּת בַּרְזֶל railroad
מַסְלוּל, ז׳, ר׳, ־לִים way, road,
path; orbit
מְסֻלְסָל, מְסוּלְסָל, ת״ז, ־סֶלֶת, ת״נ
curly
מְסֻלָּף, מְסוּלָּף, ת״ז, ־לֶּפֶת, ת״נ
perverted; incorrect
מִסְמָךְ, ז׳, ר׳, ־כִים document;
support
מֻסְמָךְ, ז׳, ר׳, ־כִים reliable;
university graduate
מֻסְמָךְ, מוּסְמָךְ, ת״ז, ־מֶכֶת, ת״נ
qualified
מְסֻמָּן, מְסוּמָּן, ת״ז, ־מֶּנֶת, ת״נ
indicated, marked
מִסְמֵס, פ״י to feed, sustain;
to be scarce

נִתְמַסְמֵס, פ״ע to stimulate,
encourage; to be bloody;
to become soft, flabby;
to be mashed
מַסְמֵר, ז׳, ר׳, ־מְרִים, ־מְרוֹת nail;
clove; peg
כְּתָב מַסְמְרוֹת cuneiform
שׁוֹשֶׁנֶת הַמַּסְמֵר nailhead
מְסֻמָּר, מְסוּמָּר, ת״ז, ־מֶּרֶת, ת״נ
nailed
מַסְנֵן, ז׳, ר׳, ־נְנִים filter
מְסַנֶּנֶת, נ׳, ר׳, ־נְּנוֹת strainer
מְסֻנָּף, מְסוּנָּף, ת״ז, ־נֶּפֶת, ת״נ
branched
מְסֹס, מְסוֹס, ז׳ rottenness
[מסס] נָמַס, פ״ע to become melted
מִסֵּס to melt, liquefy
הֵמֵס, פ״י to liquefy, make run
הִתְמוֹסֵס, פ״ע to become liquid,
melted
מַסָּע, ז׳, ר׳, ־עִים migration; dart;
voyage
תְּעוּדַת מַסָּע laisser passer
מִסְעָד, ז׳, ר׳, ־דִים support,
backing; special fortifying food
מִסְעָדָה, נ׳, ר׳, ־דוֹת restaurant
מִסְעָף, ז׳, ר׳, ־פִים crossroad
מְסֹעָר, מְסוֹעָר, ת״ז, ־עֶרֶת, ת״נ
emotional
מַסְפֵּג, ז׳, ר׳, ־פְּגִים blotter
מִסְפֵּד, ז׳, ר׳, ־פְּדִים lamentation,
wailing
מִסְפּוֹא, ז׳ fodder
מִסְפָּחָה, נ׳, ר׳, ־חוֹת veil
מִסְפַּחַת, נ׳, ר׳, ־פָּחוֹת scab
מִסְפָּק, ז׳, ר׳, ־קִים dilemma, doubt
מְסֻפָּק, מְסוּפָּק, ת״ז, ־פֶּקֶת, ת״נ
doubtful

number, count; boundary; narration מִסְפָּר, ז׳, ר׳, ־רִים

cardinal number מִסְפָּר יְסוֹדִי

ordinal number מִסְפָּר סִדּוּרִי

innumerable אֵין מִסְפָּר

a few days יָמִים מִסְפָּר

barber shop מִסְפָּרָה, נ׳, ר׳, ־רוֹת

numerical מִסְפָּרִי, ת״ז, ־רִית, ת״נ

scissors, shears מִסְפָּרַיִם, ז״ז

hair clippers מַסְפֶּרֶת, נ׳, ר׳, ־פָּרוֹת

to harvest olives מָסַק, פ״י

conclusion מַסְקָנָה, נ׳, ר׳, ־נוֹת

review; parade; survey מִסְקָר, ז׳, ר׳, ־רִים

to deliver; to transmit; to inform against מָסַר, פ״י

to be handed over; to be transmitted נִמְסַר, פ״ע

plaited; interlaced מְסֹרָג, מְסוֹרָג, ת״ז, ־רֶגֶת, ת״נ

מָסֹרָה, מָסוֹרָה, נ׳, ר׳, ־רוֹת
Massorah, collection of textual readings

filmed מְסֹרָט, מוּסְרָט, ת״ז, ־רֶטֶת, ת״נ

Masoretic scholar מַסְרָן, ז׳, ר׳, ־נִים

מְסֹרָס, מְסוֹרָס, ת״ז, ־רֶסֶת, ת״נ
emasculated; perverted

comb; blossom of pomegranate מַסְרֵק, ז׳, ר׳, ־רְקוֹת, ־קִים

מְסֹרָק, מְסוֹרָק, ת״ז, ־רֶקֶת, ת״נ
combed

מָסֹרֶת, מָסוֹרֶת נ׳, ר׳, ־רוֹת
tradition

hiding place מִסְתּוֹר, ז׳, ר׳, ־רִים

mystery, secret מִסְתּוֹרִין, מִסְטוֹרִין, ז׳

reel, spool, yarn windle מַסְתּוֹרִית, נ׳, ר׳, ־רִיּוֹת

infiltrator מִסְתַּנֵּן, ז׳, ר׳, ־נְנִים

hiding place מִסְתָּר, ז׳, ר׳, ־רִים

hewer, stone-cutter מַסָּתֵת, ז׳, ר׳, ־תְּתִים

act, deed מַעְבָּד, ז׳, ר׳, ־דִים

מְעֻבָּד, מְעוּבָּד, ת״ז, ־בֶּדֶת, ת״נ
prepared, worked on

laboratory מַעְבָּדָה, נ׳, ר׳, ־דוֹת

depth, thickness, density מַעֲבֶה, ז׳, ר׳, ־בִים

ford; ferry; crossing; mountain pass; transition מַעֲבָר, ז׳, ר׳, ־רִים

crossing; camp of refugees מַעְבָּרָה, נ׳, ר׳, ־רוֹת

pregnant מְעֻבֶּרֶת, מְעוּבֶּרֶת, ת״נ

leap year שָׁנָה מְעֻבֶּרֶת

ferryboat; raft מַעְבֹּרֶת, נ׳, ר׳, ־בּוֹרוֹת

rolling machine, cylinder מַעֲגִילָה, נ׳, ר׳, ־לוֹת

circle; way; orbit מַעְגָּל, ז׳, ר׳, ־גָּלִים, ־גָּלוֹת

drama מַעֲגָמָה, נ׳, ר׳, ־מוֹת

to totter; to slip מָעַד, פ״ע

to cause to slip, shake הִמְעִיד, פ״י

up-to-date מְעֻדְכָּן, ת״ז, ־כֶּנֶת, ת״נ

tidbit; dainty food; knot מַעֲדָן, ז׳, ר׳, ־נִים

pick, hoe מַעְדֵּר, ז׳, ר׳, ־דְּרִים

grain, seed; coin, penny מָעָה, נ׳, ר׳, ־עוֹת

change (money) מָעוֹת, נ״ר

מְעוּבָּד, מְעֻבָּד, ת״ז, ־בֶּדֶת, ת״נ
prepared, worked on

pregnant מְעוּבֶּרֶת, מְעֻבֶּרֶת, ת״נ

griddle cake; grimace מָעוֹג, ז׳, ר׳, מְעוֹגִים

מְעוּוָּת, מְעֻוָּת, ת״ז, ־וֶּתֶת, ת״נ
crooked; spoiled

מָעוֹז, ז׳, ר׳, מָעֻזִּים fortress; rock; protection; strength
מִעוּט, ז׳, ר׳, ־טִים minority; limitation; ebb
מְעוּטָף, מְעֻטָּף, ת״ז, ־טֶּפֶת, ת״נ covered; wrapped
מְעוּיָּן, מְעֻיָּן, ת״ז, ־יֶּנֶת, ת״נ balanced
מִעוּךְ, ז׳, ר׳, ־כִים bruising; squeezing
מְעוּכָּל, מְעֻכָּל, ת״ז, ־כֶּלֶת, ת״נ digested, consumed
מְעוּלֶּה, מְעֻלֶּה, ת״ז, ־לָּה, ת״נ first rate, excellent; prominent
מְעוּמָּס, מְעֻמָּס, ת״ז, ־מֶּסֶת, ת״נ loaded, burdened
מְעוּמְעָם, מְעֻמְעָם, ת״ז, ־עֶמֶת, ת״נ hazy
מָעוֹן, ז׳, מְעוֹנָה, נ׳, ר׳, מְעוֹנִים, ־נוֹת dwelling, habitation; lair
מְעוּנֶּה, מְעֻנֶּה, ת״ז, ־נָּה, ת״נ suffering; tortured; fasting
מְעוּנְיָן, מְעֻנְיָן, ת״ז, ־יֶּנֶת, ת״נ interested
מְעוֹנֵן, ז׳, ר׳, ־נְנִים magician; soothsayer
מְעוּנָּן, מְעֻנָּן, ת״ז, ־נֶּנֶת, ת״נ cloudy
מָעוּף, ז׳, ר׳, מְעוּפִים darkness; flight, flying; flight of imagination
מְעוֹפֵף, ז׳, ר׳, ־פְפִים flier, aviator
מְעוֹפְפוּת, נ׳ flight; aviation
מְעוּקָּב, מְעֻקָּב, ת״ז, ־קֶּבֶת, ת״נ cubic
מְעוּקָּף, מְעֻקָּף, ת״ז, ־קֶּפֶת, ת״נ by-passed
מְעוּקָּם, מְעֻקָּם, ת״ז, ־קֶּמֶת, ת״נ crooked
מָעוֹר, ז׳, ר׳, מְעוֹרִים pudenda, genitals
מְעוֹרָב, מְעֹרָב, ת״ז, ־רֶבֶת, ת״נ mixed
מְעוּרְפָּל, מְעֻרְפָּל, ת״, ־פֶּלֶת, ת״נ dark; not clear, vague
מְעוֹרֵר, ז׳, ר׳, ־רְרִים tempter; awakener; alarmer
שָׁעוֹן מְעוֹרֵר alarm clock
מְעוּשָּׁן, מְעֻשָּׁן, ת״ז, ־שֶּׁנֶת, ת״נ smoked, fumigated
מְעוּשָּׂר, מְעֻשָּׂר, ת״ז, ־שֶּׂרֶת, ת״נ decagonal
מָעוֹת, נ״ר, ע׳ מָעָה change (money)
מְעֻוָּת, מְעוּוָּת, ת״ז, ־וֶּתֶת, ת״נ crooked; spoiled
מָעֹז, מָעוֹז, ז׳, ר׳, ־זִּים rock; fortress; protection; strength
מָעֹזֶן, ז׳, ר׳, מָעֻזְנִים stronghold; depot
מְעַט, תה״פ a little; a few
כִּמְעַט, תה״פ almost
מָעַט, פ״ע to diminish, be little
מִעֵט, פ״י to reduce; to exclude
מֻעַט, פ״ע to become less, little
הִמְעִיט, פ״י to do little; to diminish
הִתְמַעֵט, פ״ע to be reduced, diminished
מֻעָט, מוּעָט, ת״ז, ־עֶטֶת, ת״נ scanty, small
מָעֹט, ת״ז, מְעֻטָּה, ת״נ polished, shining
מַעֲטֶה, ז׳, ר׳, ־טִים wrap, mantle
מַעֲטִיר, ת״ז, ־רָה, ת״נ crowned
מְעֻטָּף, מְעוּטָּף, ת״ז, ־טֶּפֶת, ת״נ covered; wrapped
מַעֲטָפָה, נ׳, ר׳, ־פוֹת envelope; cover; pillowcase
מַעֲטֶפֶת, נ׳, ר׳, ־טָפוֹת cape, tippet
מְעִי, ז׳, ר׳, מֵעַיִם intestine; bowels; entrails
מְעִי עִוֵּר appendix
מְעִי הָאֵם womb

הִלּוּךְ מֵעַיִם movement of bowels
מְעִידָה, נ׳, ר׳, ־דוֹת slipping, falling
מְעִיכָה, נ׳, ר׳, ־כוֹת squeezing
מְעִיל, ז׳, ר׳, ־לִים jacket, coat, topcoat, overcoat
מְעִילָה, נ׳, ר׳, ־לוֹת breach of faith; bad faith, perfidy; fraud
מַעְיָן, ז׳, ר׳, ־יָנִים, ־יָנוֹת fountain; source; fontanel
מַעְיָנִים, ז״ר thoughts
מְאֻיָּן, מְעוּיָּן, ־יֶּנֶת, ת״נ balanced
מָעַךְ, פ״י to break up; to squeeze
מִעֵךְ, פ״י to rub
נִמְעַךְ, פ״ע to be squashed
מֹעַךְ, פ״ע to be pressed, squashed
נִתְמָעֵךְ, פ״ע to be squashed, rubbed
מֵעָךְ, ז׳, ר׳, ־כִים damaged spot in vessel
מְאֻכָּל, מְעוּכָּל, ת״ז, ־כֶּלֶת, ת״נ digested; consumed
מַעַל, ז׳ fraud; disloyalty; breach of faith
מָעַל, פ״ע to be treacherous; to defraud
מֹעַל, ז׳ lifting up (of hands)
מַעֲלֶה, ז׳, ר׳, ־לוֹת, ־לִים ascent; platform
מַעֲלָה, נ׳, ר׳, ־לוֹת step, staircase; degree; value; virtue
מַעֲלָה, תה״פ up
לְמַעְלָה upwards, upstairs
מִלְמַעְלָה from above
שִׁיר הַמַּעֲלוֹת song of ascents
הוֹד מַעֲלָתוֹ His Excellency
מְעֻלֶּה, מְעוּלֶּה, ת״ז, ־לָּה, ת״נ first rate, excellent; prominent
מַעֲלִית, נ׳, ר׳, ־לִיּוֹת elevator, lift

מַעֲלָל, ז׳, ר׳, ־לִים action
מַעֲמָד, ז׳, ר׳, ־דוֹת way of standing; post; position; presence; class; situation
בְּמַעֲמַד in the presence of
מָעֳמָד, ז׳, ר׳, ־דִים position
מֻעֲמָד, מוּעֲמָד, ז׳, ר׳, ־דִים candidate
מֻעֲמָדוּת, נ׳ candidacy
מַעֲמָס, ז׳ tonnage; load
מְעֻמָּס, מְעוּמָּס, ת״ז, ־מֶּסֶת, ת״נ loaded, burdened
מַעֲמָסָה, נ׳ ר׳, ־סוֹת burden, load
מְעֻמְעָם, מְעוּמְעָם, ת״ז, ־עֶמֶת, ת״נ hazy
מַעֲמָק, ז׳, ר׳, ־מַקִּים depth, depths
(מַעַן) לְמַעַן, מ״ח for the sake of
לְמַעֲנִי, לְמַעַנְךָ, וכו׳ for my sake, for your sake, etc.
מַעַן, ז׳ address; purpose; answer
מַעֲנֶה, ז׳, ר׳, ־נִים answer
מַעֲנָה, נ׳, ר׳, ־נוֹת furrow
מְעֻנֶּה, מְעוּנֶּה, ת״ז, ־נָּה, ת״נ suffering; tortured; fasting
מְעֻנְיָן, מְעוּנְיָן, ת״ז, ־יֶנֶת, ת״נ interested
מְעַנְיֵן, ת״ז, ־יֶנֶת, ת״נ interesting
מַעֲנִית, נ׳, ר׳, ־נִיּוֹת furrow
מְעֻנָּן, מְעוּנָּן, ת״ז, נֶּנֶת, ת״נ cloudy
מַעֲנָק, ז׳, ר׳, ־קִים bonus; grant-in-aid
מַעְפָּל, ז׳, ר׳, ־לִים daring
מַעֲפֹּרֶת, נ׳, ר׳, ־פּוֹרוֹת overalls, duster, smock
מַעֲצָב, ז׳, מַעֲצֵבָה, נ׳, ר׳, ־בִים, ־בוֹת pain; sorrow
מְעַצְבֵּן, ת״ז, ־בֶּנֶת, ת״נ nerve-racking
מַעֲצָד, ז׳, ר׳, ־דִים adz, ax

מַעְצוֹר, ז׳, ר׳, מַעְצוֹרִים hindrance; restraint; brake
מַעֲצָמָה, נ׳, ר׳, ־מוֹת great power
מַעְצָר, ז׳, ר׳, ־רִים restraint; detainment
מְעֻקָּב, ת״ז, ־קֶבֶת, ת״נ cubic
מַעֲקֶה, ז׳, ר׳, ־קִים parapet; railing; balustrade
מַעֲקוֹף, ז׳, ר׳, ־פִים safety island
מַעֲקָל, ז׳, ר׳, ־לִים serpentine
מְעֻקָּם, מְעוּקָם, ת״ז, ־קֶמֶת, ת״נ crooked
מְעֻקָּף, מְעוּקָף, ת״ז, ־קֶפֶת, ת״נ by-passed
מַעֲקֵר, ז׳, ר׳, ־קְרִים sterilizer
מַעֲקָשׁ ז׳, ר׳, ־קַשִּׁים uneven, rough, hilly land; winding path
מַעַר, ז׳ pudenda; nakedness
מְעֹרָב, מְעוֹרָב, ת״ז, ־רֶבֶת, ת״נ mixed
מַעֲרָב, ז׳ west; merchandise
מַעֲרָבָה westward
מַעֲרָבִי, ת״ז, ־בִית, ת״נ western
מְעַרְבֵּל, ז׳, ר׳, ־לִים cement mixer
מְעַרְבֹּלֶת, נ׳, ר׳, ־בּוֹלוֹת whirlpool
מְעָרָה, נ׳, ר׳, ־רוֹת cave
מַעֲרֶה, ז׳, ר׳, ־רִים bare space
מַעֲרוֹךְ, ז׳, ר׳, ־כִים rolling pin; baker's board
מַעֲרִיב, ז׳ evening prayer
מַעֲרִיךְ, ז׳, ר׳, ־כִים assessor
מַעֲרִיץ, ז׳, ר׳, ־צִים admirer
מַעֲרָךְ, ז׳, ר׳, ־כִים plan, order, arrangement
מַעֲרָכָה, נ׳, ר׳, ־כוֹת order; battlefield; battle; battle line; act (*theat.*)
מַעֲרֶכֶת, נ׳, ר׳, ־רָכוֹת editorial staff; editor's office

מְעַרְעֵר, ז׳, ר׳, ־עֲרִים appellant
מְעֻרְפָּל, מְעוּרְפָּל, ת״ז, ־פֶּלֶת, ת״נ dark; not clear, vague
מַעֲרָצָה, נ׳, ר׳, ־צוֹת big ax
מַעַשׂ, ז׳, ר׳, מַעֲשִׂים action
מַעֲשֵׂבָה, נ׳, ר׳, ־בוֹת herbarium
מַעֲשֶׂה, ז׳, ר׳, ־שִׂים work; action; deed; event; tale
מַעֲשִׂי, ת״ז, ־שִׂית, ת״נ practical
מַעֲשִׂיָּה, נ׳, ר׳, ־יוֹת fable; legend; short story
מְעֻשָּׁן, מְעוּשָּׁן, ת״ז, ־שֶּׁנֶת, ת״נ smoked; fumigated
מַעֲשֵׁנָה, נ׳, ר׳, ־נוֹת chimney; smokestack; ship's funnel
מַעֲשַׁקָּה, נ׳, ר׳, ־קוֹת extortion
מַעֲשֵׂר, ז׳, ר׳, מַעַשְׂרוֹת, מַעַשְׂרוֹת tithe; one-tenth
מְעֻשָּׂר, מְעוּשָּׂר, ת״ז, ־שֶּׂרֶת, ת״נ decagonal
מַעְתִּיק, ז׳, ר׳, ־קִים copyist; translator
מַעְתָּק, ז׳, ר׳, ־קִים duplicator; hectograph
מַפַּאי, ז׳, ר׳, ־פָּאִים cartographer
מַפַּא״י, מִפְלֶגֶת פּוֹעֲלֵי אֶרֶץ יִשְׂרָאֵל Hebrew Workers of Israel Party
מְפֹאָר, מְפוֹאָר, ת״ז, ־אֶרֶת, ת״נ magnificent
מַפְגִּיעַ, ז׳, ר׳, ־עִים one who requests, urges
בְּמַפְגִּיעַ, תה״פ emphatically
מְפֻגָּל, מְפוּגָּל, ת״ז, ־גֶּלֶת, ת״נ denatured
כֹּהַל מְפֻגָּל denatured alcohol
מִפְגָּן, ז׳, ר׳, ־נִים parade
מִפְגָּע, ז׳, ר׳, ־עִים obstacle
מְפֻגָּעָה, נ׳, ר׳, ־עוֹת melodrama

מְפַגֵּר, ת״ז, ־גֶּרֶת, ת״נ — tardy

מִפְגָּשׁ, ז׳, ר׳, ־שִׁים — rendezvous

מַפָּה, נ׳, ר׳, ־פּוֹת — map; tablecloth; flag

מַפִּית, נ׳, ר׳, ־יּוֹת — napkin

מְפוֹאָר, מְפֹאָר, ת״ז, ־אֶרֶת, ת״נ — magnificent

מְפוּגָּל, מְפֻגָּל, ת״ז, ־גֶּלֶת, ת״נ — denatured

מְפוּזָּר, מְפֻזָּר, ת״ז, ־זֶּרֶת, ת״נ — scattered, absent-minded

מַפּוּחַ, ז׳, ר׳, ־חִים — bellows

מַפּוּחוֹן, ז׳, ר׳, ־נִים — accordion

מַפּוּחִית, נ׳, ר׳, ־חִיּוֹת — harmonica

מְפוּחָם, מְפֻחָם, ת״ז, ־חֶמֶת, ת״נ — charred; electrocuted

מְפוּטָּם, מְפֻטָּם, ת״ז, ־טֶּמֶת, ת״נ — fattened; stuffed

מִפּוּי, ז׳ — cartography

מְפוּיָּס, מְפֻיָּס, ת״ז, ־יֶּסֶת, ת״נ — appeased

מְפוּלְפָּל, מְפֻלְפָּל, ת״ז, ־פֶּלֶת, ת״נ — peppered; witty

מְפוּנָּק, מְפֻנָּק, ת״ז, ־נֶּקֶת, ת״נ — spoiled, pampered

מְפוֹרָד, מְפֹרָד, ת״ז, ־רֶדֶת, ת״נ — separated

מְפוֹרָז, מְפֹרָז, ת״ז, ־רֶזֶת, ת״נ — open (city), demilitarized

מְפוֹרָט, מְפֹרָט, ת״ז, ־רֶטֶת, ת״נ — detailed

מְפוּרְכָּס, מְפֻרְכָּס, ת״ז, ־כֶּסֶת, ת״נ — decorated; painted

מְפוּרְסָם, מְפֻרְסָם, ת״ז, ־סֶמֶת, ת״נ — famous

מְפוֹרָשׁ, מְפֹרָשׁ, ת״ז, ־רֶשֶׁת, ת״נ — explained; commented upon

מְפוּתֶּה, מְפֻתֶּה, ת״ז, ־תָּה, ת״נ — seduced, enticed

מְפוּתָּח, מְפֻתָּח, ת״ז, ־תַּחַת, ת״נ — developed

מְפֻזָּר, מְפוּזָּר, ת״ז, ־זֶּרֶת, ת״נ — scattered; absent-minded

מַפָּח, ז׳, ר׳, ־חִים — sigh; deflation; flat tire

מַפַּח נֶפֶשׁ — disappointment

מַפַּח בֶּטֶן — swelling of the belly

מַפָּחָה, נ׳, ר׳, ־חוֹת — smithy

מְפֻחָם, מְפוּחָם, ת״ז, ־חֶמֶת, ת״נ — charred; electrocuted

מַפְטִיר, ז׳, ר׳, ־רִים — one who concludes, esp. the Reading of the Law (Torah); portion of Prophets read after Reading of the Law

מְפֻטָּם, מְפוּטָּם, ת״ז, ־טֶּמֶת, ת״נ — fattened; stuffed

מְפֻיָּס, מְפוּיָּס, ת״ז, ־יֶּסֶת, ת״נ — appeased

מַפִּיק, ז׳, ר׳, ־קִים — point in Heh at end of word

מַפָּל, ז׳, ר׳, ־לִים — waste, refuse

מַפַּל מַיִם — waterfall

מַפְּלֵי בָשָׂר — flabby muscle

מֻפְלָא, מוּפְלָא, ת״ז, ־אָה, ת״נ — wonderful

מִפְלָאָה, נ׳, ר׳, ־אוֹת — miracle

מֻפְלָג, מוּפְלָג, ת״ז, ־לֶגֶת, ת״נ — distinguished; exaggerated; expert; distant; great

מִפְלָגָה, נ׳, ר׳, ־גוֹת — political party; group; division

מַפָּלָה, נ׳, ר׳, ־לוֹת — ruin; downfall; calamity; defeat

מִפְלָט, ז׳, ר׳, ־טִים — refuge

מְפֻלְפָּל, מְפוּלְפָּל, ת״ז, ־פֶּלֶת, ת״נ — peppered; witty

מִפְלֶצֶת, נ׳, ר׳, ־לָצוֹת monster; object of horror

מִפְלָשׂ, ז׳, ר׳, ־שִׂים passage; opening; diffusion

מַפֹּלֶת, נ׳, ר׳, ־פּוֹלוֹת ruin; ruin of building; debris

מִפְנֶה, ז׳, ר׳, ־נִים turning point

מִפְּנֵי, מ״י because of

מְפֻנָּק, מְפוּנָּק, ת״ז, ־נֶּקֶת, ת״נ pampered; spoiled

מַפְסִיק, ז׳, ר׳, ־קִים one who interrupts; distributor (in auto)

מַפְסֶלֶת, נ׳, ר׳, ־סָלוֹת chisel

מִפְעָל, ז׳, מִפְעָלָה, נ׳, ר׳, ־לִים, ־לוֹת deed; project, undertaking

מִפְעָם, ז׳, ר׳, ־מִים tempo

מַפָּץ, ז׳, ר׳, ־צִים breaking; shattering

מַפֵּץ, ז׳, ר׳, מַפְּצִים hammer; club

מַפְצֵחַ, ז׳, ר׳, ־צְחִים nutcracker

מִפְצָר, ז׳, ר׳, ־רִים entreaty; insistence

מִפְקָד, ז׳, ר׳, ־דִים census; counting, order

מְפַקֵּד, ז׳, ר׳, ־קְּדִים commander

מְפַקֵּחַ, ז׳, ר׳, ־קְּחִים supervisor; trustee

מַפְקִיד, ז׳, ר׳, ־דִים depositor

מֻפְקָע, מוּפְקָע, ת״ז, ־קַעַת, ת״נ raised (in price); expropriated for public domain

מְפֻקְפָּק, מְפוּקְפָּק, ת״ז, ־פֶּקֶת, ת״נ doubtful

מְפֹרָד, מְפוֹרָד, ת״ז ,־רֶדֶת, ת״נ separated

מַפְרֵדָה, נ׳, ר׳, ־דוֹת centrifuge

מְפֹרָז, מְפוֹרָז, ת״ז, ־רֶזֶת, ת״נ open (city); demilitarized

מְפֹרָט, מְפוֹרָט, ת״ז, ־רֶטֶת, ת״נ detailed

מַפְרִיס, ת״ז, ־סָה, ת״נ hoofed

מֻפְרָךְ, ת״ז, ־רֶכֶת, ת״נ refuted

מְפֻרְכָּס, מְפוּרְכָּס, ת״ז, ־כֶּסֶת, ת״נ decorated; painted

מְפַרְנֵס, ז׳, ר׳, ־נְסִים provider, breadwinner

מְפֻרְסָם, מְפוּרְסָם, ת״ז, ־סֶמֶת, ת״נ famous

מְפֻרְסָמוֹת, נ״ר axiom(s); self-evident truth(s)

(מַפְרֵעַ) לְמַפְרֵעַ, תה״פ retrospectively; in advance

מִפְרָעָה, נ׳, ר׳, ־עוֹת advance payment; on account

מִפְרָץ, ז׳, ר׳, ־צִים bay

מִפְרָק, ז׳, ר׳, ־קִים joint (*anat.*)

מַפְרֶקֶת, נ׳, ר׳, ־רְקוֹת neck

מְפָרֵשׁ, ז׳, ר׳, ־רְשִׁים commentator, exegete

מִפְרָשׂ, ז׳, ר׳, ־שִׂים sail

מְפֹרָשׁ, מְפוֹרָשׁ, ת״ז, ־רֶשֶׁת, ת״נ commented upon; explained

בִּמְפֹרָשׁ, תה״פ explicitly

מִפְרָשִׂית, נ׳, ר׳, ־שִׂיּוֹת sailboat

מֻפְשָׁט, מֻפְשָׁט, ת״ז, ־שֶׁטֶת, ת״נ abstract

מִפְתּוֹל, ז׳, ר׳, ־לִים perversity

מְפֻתֶּה, מְפוּתֶּה, ת״ז, ־תָּה, ת״נ seduced; enticed

מַפְתֵּחַ, ז׳, ר׳, ־חוֹת key

מַפְתֵּחַ הַלֵּב breastbone, sternum

מַפְתֵּחַ (לְסֵפֶר) index

מְפֻתָּח, מְפוּתָּח, ת״ז, ־תַּחַת, ת״נ developed

מִפְתָּח, ז׳, ר׳, ־חִים opening (of lips); opening

shirt opening מִפְתַּח חָלוּק
carver; engraver; developer מְפַתֵּחַ, ז׳, ר׳, ־תְּחִים
surprising מַפְתִּיעַ, ת״ז, ־עָה, ת״נ
threshold מִפְתָּן, ז׳, ר׳, ־נִים, ־נוֹת
chaff מֹץ, מוֹץ, ז׳
to churn, beat מָץ, פ״י, ע׳ [מיץ]
oppressor מֵץ, ז׳, ר׳, ־צִים
to find; to meet someone מָצָא, פ״י
to find favor; to please מָצָא חֵן
to dare מָצָא לֵב
to be found; to exist; to be present נִמְצָא, פ״ע
to furnish, supply with; to cause to find; to invent הִמְצִיא, פ״י
to be supplied with; to be invented; created הֻמְצָא, פ״ע
condition; position; situation; disposition; מַצָּב, ז׳, ר׳, ־בִים
state of mind מַצַּב רוּחַ
elevation (mil.); entrenchment, post (mil.); monument מֻצָּב, ז׳, ר׳, ־בִים
monument; statue; tombstone מַצֵּבָה, נ׳, ר׳, ־בוֹת
tumor מִצְבֶּה, ז׳, ר׳, ־בִּים
paintbrush מַצְבּוֹעַ, ז׳, ר׳, ־עִים
cobbler's tongs מִצְבָּטַיִם, ז״ז
commander-in-chief מַצְבִּיא, ז׳, ר׳, ־אִים
dyer's shop מִצְבָּעָה, נ׳, ר׳, ־עוֹת
accumulator (*elec.*) מַצְבֵּר, ז׳, ר׳, ־בְּרִים
presented; exhibited מֻצָּג, מוּצָג, ת״ז, ־צֶּגֶת, ת״נ
exhibit, display מֻצָּג, מוּצָג, ז׳, ר׳, ־גִים
railroad siding מֵצַד, ז׳, ר׳, ־דִים
partisan מְצַדֵּד, ז׳, ר׳, ־דְּדִים
mountain fortress מְצָדָה, נ׳, ר׳, ־דוֹת
justified מְצֻדָּק, מוּצְדָּק, ת״ז, ־דֶּקֶת, ת״נ
to wring out; to drink (to last drop) מָצָה, פ״י
to be wrung out נִמְצָה, פ״ע
to drain, wring, squeeze out; to exhaust מִצָּה, פ״י
to drip out הִתְמַצָּה, פ״ע
matzah, unleavened bread; strife, petty quarrel מַצָּה, נ׳, ר׳, ־צּוֹת
raw, untanned hide עוֹר מַצָּה
neighing; snorting; shout of joy מִצְהָלָה, נ׳, ר׳, ־לוֹת
hunting, catching; fish net מָצוֹד, ז׳, ר׳, מְצוֹדִים
fortress; enclosure מְצוּדָה, נ׳, ר׳, ־דוֹת
trap; fish net מְצוֹדָה, נ׳, ר׳, ־דוֹת
command; order; charity; (deed of) merit מִצְוָה, נ׳, ר׳, ־ווֹת
bar mizvah בַּר־מִצְוָה
confirmation בַּת־מִצְוָה
polished מְצוּחְצָח, מְצֻחְצָח, ת״ז, ־צַחַת, ת״נ
squeezing, wringing out מִצּוּי, ז׳, ר׳, ־יִים
available; accessible מָצוּי, ת״ז, מְצוּיָה, ת״נ
provisioned, equipped מְצוּיָד, מְצֻיָּד, ת״ז, ־יֶּדֶת, ת״נ
excellent; distinguished מְצוּיָן, מְצֻיָּן, ת״ז, ־יֶּנֶת, ת״נ
illustrated מְצוּיָר, מְצֻיָּר, ת״ז, ־יֶּרֶת, ת״נ

מְצוּלָה, נ׳, ר׳, ־לוֹת depth, bottom of sea; fish pond
יְוֵן מְצוּלָה mire, muck, mud
מְצוּלָּם, מְצֻלָּם, ת״ז, ־לֶּמֶת, ת״נ photographed
מְצוּמְצָם, מְצֻמְצָם, ת״ז, ־צֶמֶת, ת״נ limited; restricted; curtailed
מְצוּמָּק, מְצֻמָּק, ת״ז, ־מֶּקֶת, ת״נ shriveled up
מְצוּנָּן, מְצֻנָּן, ת״ז, ־נֶּנֶת, ת״נ cooled; having a cold
מְצוּעַ, ז׳, ר׳, ־עִים middle, midst; average; compromise
מְצוֹעָף, מְצֹעָף, ת״ז, ־עֶפֶת, ת״נ veiled
מָצוֹף, ז׳, ר׳, מְצוֹפִים float
מְצוּפִית, נ׳, ר׳, ־פִּיּוֹת mouthpiece (of musical instrument)
מָצוּץ, ת״ז, מְצוּצָה, ת״נ squeezed
מָצוֹק, ז׳ anguish; straits; distress
מָצוּק, ז׳, ר׳, ־קִים pillar; foundation
מָצוּק, ת״ז, ־קָה, ת״נ narrow; erect
מִצּוּק, ז׳ solidification
מְצוּקָה, נ׳, ר׳, ־קוֹת distress; hardship; tightness
מָצוֹר, ז׳ siege, beleaguerment; boundary; distress
מְצוּרָה, נ׳, ר׳, ־רוֹת fortress
מְצוֹרָע, מְצֹרָע, ת״ז, ־רַעַת, ת״נ leprous
מְצוֹרָף, מְצֹרָף, ת״ז, ־רֶפֶת, ת״נ purified; joined
מַצּוּת, נ׳ strife, contention
מֵצַח, ז׳, ר׳, מְצָחִים brow, forehead
מֵצַח עַזּוּת effrontery
מֵצַח נְחוּשָׁה brazen impudence
מִצְחָה, נ׳, ר׳, ־חוֹת greave; visor
מְצֻחְצָח, מְצוּחְצָח, ת״ז, ־צַחַת, ת״נ polished

מְצִיאָה, נ׳, ר׳, ־אוֹת finding; bargain, cheap buy
מְצִיאוּת, נ׳, ר׳, ־אֻיּוֹת existence; essence; universe; reality
מְצִיאוּתִי, ת״ז, ־תִית, ת״נ realistic, actual
מְצֻיָּד, מְצוּיָּד, ת״ז, ־יֶּדֶת, ת״נ provisioned, equipped
מַצִּיל, ז׳, ר׳, ־לִים savior; lifeguard
מְצֻיָּן, מְצוּיָּן, ת״ז, ־יֶּנֶת, ת״נ excellent; distinguished
מְצִיצָה, נ׳, ר׳, ־צוֹת sucking
מֵצִיק, ז׳, ר׳, ־קִים oppressor
מְצֻיָּר, מְצוּיָּר, ת״ז, ־יֶּרֶת, ת״נ illustrated
מַצִּית, ז׳, ר׳, ־תִים lighter
מֶצֶל, ז׳ whey
מֵצַל, ת״ז, מְצִלָּה, ת״נ shady
מֻצְלָח, מוּצְלָח, ת״ז, ־לַחַת, ת״נ fortunate; successful
מַצְלִיחַ, ז׳, ר׳, ־חִים successful person
מַצְלִיף, ז׳, ר׳, ־פִים whipper
מַצְלֵל, ז׳, ר׳, ־לְלִים tuning fork
מְצֻלָּם, מְצוּלָּם, ת״ז, ־לֶּמֶת, ת״נ photographed
מַצְלֵמָה, נ׳, ר׳, ־מוֹת camera
מְצֻלָּע, ז׳, ר׳, ־עִים polygon
מַצְלֵף, ז׳, ר׳, ־לְפִים fly swatter
מְצַלְצְלִים, ז״ר coins, money
מְצִלְתַּיִם, ז״ז cymbals
מַצְמֵד, ז׳, ר׳, ־דִים clutch; coupling
מִצְמוּץ, ז׳, ר׳, ־צִים wink (of eye)
מִצְמֵץ, פ״י to wink (eyes); to rinse, wash (mouth); to purge
מְצֻמְצָם, מְצוּמְצָם, ת״ז, ־צֶמֶת, ת״נ limited; restricted; curtailed
מְצֻמָּק, מְצוּמָּק, ת״ז, ־מֶּקֶת, ת״נ shriveled up

מַצְנֵחַ, ז׳, ר׳, ־נְחִים parachute
מִצְנֶפֶת, נ׳, ר׳, ־נָפוֹת headgear; turban
מְצֻנָּן, מְצוּנָּן, ת״ז, ־נֶּנֶת, ת״נ cooled; having a cold
מֻצְנָע, מוּצְנָע, ת״ז, ־נַעַת, ת״נ hidden; retired
מִצְנֶפֶת, נ׳, ר׳, ־נָפוֹת cap, turban
מַצָּע, ז׳, ר׳, ־עוֹת, ־עִים bedding; couch; substratum
מִצַּע, פ״י to divide in two
מֻצָּע, מוּצָּע, ת״ז, ־צַּעַת, ת״נ proposed; bedded
מִצְעָד, ז׳, ר׳, ־דִים pacing; parade; display
מְצֹעָף, מְצוֹעָף, ת״ז, ־עֶפֶת, ת״נ veiled
מִצְעָר, ז׳ small thing; fewness
לְמִצְעָר at least
מִצְפֶּה, ז׳, ר׳, ־פִּים watchtower; observatory
מְצַפֶּה, ז׳, ר׳, ־פִּים watchman; observer
מַצְפּוּן, ז׳, ר׳, ־נִים hiding place; hidden object; conscience
מַצְפֵּן, ז׳, ר׳, ־פְּנִים compass
מָצַץ, פ״י to suck
מָצַק, פ״י to pour; to distill
נִמְצַק, פ״ע to be, get distilled
מַצֶּקֶת, נ׳, ר׳, מַצָּקוֹת ladle
מֵצַר, ז׳, ר׳, מְצָרִים distress; isthmus
מֶצֶר, ז׳, ר׳, מְצָרִים boundary
מָצַר, פ״י to fix boundaries; to twist
מִצְרִי, ת״ז, ־רִית, ת״נ Egyptian
מִצְרָךְ, ז׳, ר׳, ־כִים necessity
מְצֹרָע, מְצוֹרָע, ת״ז, ־רַעַת, ת״נ leprous
מַצְרֵף, ז׳, ר׳, ־רְפִים melting pot, crucible

מְצֹרָף, מְצוֹרָף, ת״ז, ־רֶפֶת, ת״נ purified; joined
מַק, ז׳ decay, rottenness
מַקָּב, ז׳, ר׳, ־בִים punch; perforator
מְקֻבָּב, מְקוּבָּב, ת״ז, ־בֶּבֶת, ת״נ concave
מַקְבִּיל, ת״ז, ־לָה, ת״נ parallel; opposite
מַקְבִּילוֹן, ז׳, ר׳, ־נִים parallelogram
מַקְבִּילַיִם, ז״ר exercise bars, parallel bars
מְקַבֵּל, ז׳, ר׳, ־בְּלִים container, receptacle, receiver
מְקֻבָּל, מְקוּבָּל, ת״ז, ־בֶּלֶת, ת״נ accepted; mystic, cabalistic
מְקֻבָּל, ז׳, ר׳, ־לִים cabalist, mystic
מְקֻבָּץ, ת״ז, ־בֶּצֶת, ת״נ sum drawn together, collected
מַקֶּבֶת, נ׳, ר׳, ־קָבוֹת sledge hammer, mallet
מַקְדֵּד, ז׳, ר׳, ־דְּדִים borer
מְקֵדָה, נ׳, ר׳, ־דוֹת potsherd; goblet
מַקֵּדָה, נ׳, ר׳, ־דוֹת cobbler's punch tongs
מַקְדֵּחַ, ז׳, מַקְדֵּחָה, נ׳, ר׳, ־דְּחִים, ־דְּחוֹת borer, drill; flint iron
מְקַדֵּם, ז׳, ר׳, ־דְּמִים coefficient
מֻקְדָּם, מוּקְדָּם, ת״ז, ־דֶּמֶת, ת״נ early
בְּמֻקְדָּם, תה״פ earlier, in advance
מִקְדָּמָה, נ׳, ר׳, ־מוֹת deposit
מִקְדָּשׁ, ז׳, ר׳, ־דָּשִׁים, ־דָּשׁוֹת sanctuary, temple
בֵּית הַמִּקְדָּשׁ the Temple
מְקֻדָּשׁ, מְקוּדָּשׁ, ת״ז, ־דֶּשֶׁת, ת״נ sanctified
מֻקְדָּשׁ, מוּקְדָּשׁ, ת״ז, ־דֶּשֶׁת, ת״נ devoted, dedicated
מַקְהֵל, ז׳, ר׳, ־לִים assembly

מַקְהֵלָה, נ׳, ר׳, ־לוֹת choir, chorus

מְקוּבָּב, מְקֻבָּב, ת״ז, ־בֶּבֶת, ת״נ concave

מַקּוֹב, ז׳, ר׳, ־בִים cobbler's awl

מְקוּבָּל, מְקֻבָּל, ת״ז, ־בֶּלֶת, ת״נ accepted; mystic; cabalistic

מְקוּבָּץ, מְקֻבָּץ, ת״ז, ־בֶּצֶת, ת״נ gathered together, collected

מִקּוּד, ז׳ focus

מְקוּדָּשׁ, מְקֻדָּשׁ, ת״ז, ־דֶּשֶׁת, ת״נ sanctified

מִקְוֶה, ז׳, מִקְוָה, ר׳, ־וִים, ־ווֹת, ־וָאוֹת ritual bath; reservoir; hope

מִקְוֵה הַשֶּׁתֶן bladder

מִקּוּחַ, ז׳ haggling, bargaining

מְקוּטָּף, מְקֻטָּף, ת״ז, ־טֶּפֶת, ת״נ plucked

מְקוּטָּר, מְקֻטָּר, ת״ז, ־טֶּרֶת, ת״נ sacrificed; burnt as incense

מְקוֹלִית, נ׳, ר׳, ־לִיּוֹת gramophone

מְקוּלָּל, מְקֻלָּל, ת״ז, ־לֶּלֶת, ת״נ cursed

מְקוּלָּף, מְקֻלָּף, ת״ז, ־לֶּפֶת, ת״נ peeled

מְקוּלְקָל, מְקֻלְקָל, ת״ז, ־קֶלֶת, ת״נ spoiled

מָקוֹם, ז׳, ר׳, מְקוֹמוֹת place, locality; residence

בִּמְקוֹם in place of, instead of

מִכָּל מָקוֹם anyhow; in any case

מְקוּמָּט, מְקֻמָּט, ת״ז, ־מֶּטֶת, ת״נ wrinkled

מְקוֹמִי, ת״ז, ־מִית, ת״נ local

מְקוּמָּר, מְקֻמָּר, ת״ז, ־מֶּרֶת, ת״נ convex; vaulted

מְקוֹנֵן, ז׳, ר׳, ־נְנִים mourner

מְקוּעָר, מְקֹעָר, ת״ז, ־עֶרֶת, ת״נ concave

מְקוּפָּח, מְקֻפָּח, ת״ז, ־פַּחַת, ת״נ impaired, curtailed; discriminated against

מְקוּפָּל, מְקֻפָּל, ת״ז, ־פֶּלֶת, ת״נ folded

מְקוּצָּר, מְקֻצָּר, ת״ז, ־צֶּרֶת, ת״נ shortened, abbreviated

מָקוֹר, ז׳, ר׳, מְקוֹרוֹת source; spring, fountain; infinitive (*gram.*); origin

מַקּוֹר, ז׳, ר׳, ־רִים trigger; bill, bird's beak

מַקּוֹר הַחֲסִידָה, ז׳ geranium

מְקוֹרִי, ת״ז, ־רִית, ת״נ original

מְקוֹרִיּוּת, נ׳ originality

מַקּוֹשׁ, ז׳, ר׳, ־שִׁים gong

מְקוּשְׁקָשׁ, מְקֻשְׁקָשׁ, ת״ז, ־קֶשֶׁת, ת״נ tasteless; confused

מְקוּשָּׁר, מְקֻשָּׁר, ת״ז, ־שֶּׁרֶת, ת״נ connected, attached

מִקָּח, ז׳, ר׳, ־חוֹת, ־חִים purchasing; bought object; receiving, taking

מִקַּח שֹׁחַד bribe

מִקָּח וּמִמְכָּר trade

עָמַד עַל הַמִּקָּח to bargain, haggle

מַקָּחָה, נ׳, ר׳, ־חוֹת merchandise

מְקֻטָּף, מְקוּטָּף, ת״ז, ־טֶּפֶת, ת״נ plucked

מַקְטֵפָה, נ׳, ר׳, ־פוֹת long-handled instrument for picking fruit

מִקְטָר, ז׳, ר׳, ־רִים incense

מְקֻטָּר, מְקוּטָּר, ת״ז, ־טֶּרֶת, ת״נ sacrificed; burnt as incense

מְקַטְרֵג, ז׳, ר׳, ־רְגִים prosecutor

מִקְטֹרֶן, ז׳, ר׳, ־טָרְנִים smoking jacket

מִקְטֶרֶת, נ׳, ר׳, ־טָרוֹת censer; pipe (for smoking)

מֻקְיוֹן, מוּקְיוֹן, ז׳, ר׳, ־נִים clown

מַקִּיף, ז׳, ר׳, ־פִים circle; periphery; circumference

מַקֵּל, ז׳, ר׳, מַקְלוֹת walking stick; rod

מִקְלֶה, ז׳, ר׳, ־לִים roasting place, hearth

מִקְלַחַת, נ׳, ר׳, ־לָחוֹת shower

מִקְלָט, ז׳, ר׳, ־טִים shelter, refuge, asylum; murderer's hiding place

מַקְלֵט, ז׳, ר׳, ־לְטִים receiver (for radio, television)

מֻקְלָט, מוּקְלָט, ת״ז, ־לֶטֶת, ת״נ recorded

מַקְלִיטוֹן, ז׳, ר׳, ־נִים tape recorder

מְקֻלָּל, מְקוּלָל, ת״ז, ־לֶלֶת, ת״נ cursed

מִקְלָע, ז׳, ר׳, ־עִים machine-gun

תַּת־מִקְלָע Tommy gun, submachine gun

מַקְלֵעַ, ז׳, ר׳, ־לְעִים gunner

מִקְלָעָה, נ׳, ר׳, ־עוֹת braid, plait

מִקְלַעַת, נ׳, ר׳, ־לָעוֹת bas-relief; carved work; plait (of hair)

מְקֻלָּף, מְקוּלָף, ת״ז, ־לֶפֶת, ת״נ peeled

מְקֻלְקָל, מְקוּלְקָל, ת״ז, ־קֶלֶת, ת״נ spoiled

מְקֻמָּט, מְקוּמָּט, ת״ז, ־מֶטֶת, ת״נ wrinkled

[מקמק] הִתְמַקְמֵק, פ״ע to dissolve; to get weak, pine away; to rot

מְקֻמָּר, מְקוּמָּר, ת״ז, ־מֶרֶת, ת״נ convex; vaulted

מִקְנֶה, ז׳, ר׳, ־נִים cattle; herd; property

מִקְנָה, נ׳, ר׳, ־נוֹת purchase; purchase price

סֵפֶר הַמִּקְנָה bill of sale

מַקְסִים, ת״ז, ־מָה, ת״נ wonderful, fascinating

מִקְסָם, ז׳, ר׳, ־מִים magic, charm

מְקֻעָר, מְקוּעָר, ת״ז, ־עֶרֶת, ת״נ concave

מַקָּף, מַקֵּף, ז׳, ר׳, מַקָּפִים, מַקְפִים hyphen

מֻקָּף, ת״ז, ־קֶפֶת, ת״נ surrounded; hyphenated

מִקְפָּא, מִקְפָּה, נ׳, ר׳, ־פָּאוֹת, ־פּוֹת porridge; aspic, jellied dish

מְקֻפָּח, מְקוּפָּח, ת״ז, ־פַּחַת ת״נ impaired, curtailed; discriminated against

מִקְפִּית, נ׳ gelatin

מְקֻפָּל, מְקוּפָּל, ת״ז, ־פֶּלֶת, ת״נ folded

מַקְפֵּצָה, נ׳, ר׳, ־צוֹת diving board

מִקְצָב, ז׳, ר׳, ־בִים rhythm, meter

מִקְצוֹעַ, ז׳, ר׳, ־עוֹת, ־עִים corner; angle; profession

מַקְצוּעָה, נ׳, ר׳, ־עוֹת carpenter's plane

מִקְצוֹעִיּוּת, נ׳ professionalization

מִקְצֶפֶת, נ׳, ר׳, ־צְפוֹת frosting (cake)

מְקֻצָּר, מְקוּצָּר, ת״ז, ־צֶּרֶת, ת״נ shortened, abbreviated

מַקְצֵרָה, נ׳, ר׳, ־רוֹת mowing machine, combine

[מקק] נָמַק to fester, rot; to become weak; to molder, pine away

הֵמִיק, פ״י to crumble; to dissolve

הוּמַק, פ״ע to fall apart; to be dissolved

מַקָּק, ז׳, ר׳, ־קִים worm; bookworm

מֶקֶק, ז׳ gangrene

מִקְרָא, ז׳, ר׳, ־אִים, ־אוֹת, ־רָיוֹת reading matter; Bible; recitation; convocation

מִקְרָא, ז׳, ר׳, ־אִים guest (at table)
מִקְרָאָה, נ׳, ר׳, ־אוֹת chrestomathy, reader (book)
מִקְרֶה, ז׳, ר׳, ־רִים chance; accident; event; case
מְקֵרָה, נ׳, ר׳, ־רוֹת cooling chamber, refrigerating room; icebox, refrigerator
מְקָרֶה, ז׳, ר׳, ־רִים ceiling; roof beams
מִקְרִי, ת״ז, ־רִית, ת״נ accidental
מִקְרִיּוּת, נ׳ casualness
מַקְרִין, ז׳, ר׳, ־נִים X-ray unit; horned snake
מַקְרֵן, ז׳, ר׳, ־רְנִים radiator
מִקְרֶצֶת, נ׳, ר׳, ־רָצוֹת a quantity of dough for making loaf
מְקַרְקְעִים, ־ן, ז״ר landed property; real estate
מְקָרֵר, ז׳, ר׳, ־רְרִים icebox; refrigerator
מִקֵּשׁ, פ״י to mine (a field)
מִקְשָׁאָה, נ׳, ר׳, ־אוֹת cucumber or melon field
מִקְשָׁה נ׳, ר׳, ־שׁוֹת metal work
מִקְשֶׁה, ז׳, ר׳, ־שִׁים hair-do
מֻקְשֶׁה, ת״ז, ־שֵׁית, ת״נ hard, difficult
מַקְשֶׁה, ז׳, ר׳, ־שִׁים one who debates, questions, argues, raises difficulties
מַקְשָׁן, ז׳, ר׳, ־נִים arguer, reasoner
מְקֻשְׁקָשׁ, מְקוּשְׁקָשׁ, ת״ז, ־קֶשֶׁת, ת״נ tasteless; confused
מְקֻשָּׁר, מְקוּשָּׁר, ת״ז, ־שֶּׁרֶת, ת״נ connected, attached
מַר, ת״ז, מָרָה, ת״נ bitter, embittered; cruel, violent

מַר, ז׳, ר׳, מָרִים mister; sir; bitterness; drop
מֹר, ז׳ myrrh
[מרא] הִמְרִיא, פ״ע to soar, fly high; to fatten, stuff
מַרְאֶה, ז׳, ר׳, ־אִים, ־אוֹת sight; image; view; appearance; vision
מַרְאֵה מָקוֹם reference
מַרְאָה, נ׳, ר׳, ־אוֹת vision; mirror
מַרְאוֹת הַטֶּבַע phenomenon
חָכְמַת הַמַּרְאוֹת optics
מֻרְאָה נ׳, ר׳, ־אוֹת (bird's) crop
מַרְאִית, נ׳, ר׳, ־אִיּוֹת view; sight (of eyes)
מַרְאִית עַיִן appearance, semblance
מֵרֹאשׁ, תה״פ from the beginning, from the start
מְרַאֲשׁוֹת, נ״ר head board; pillow, bolster
מְרֻבָּב, מְרוּבָּב, ת״ז, ־בֶּבֶת, ת״נ stained; thousand fold, myriad
מַרְבַד, ז׳, ר׳, ־דִּים bedding; carpet; bed-spread
מִרְבָּה, נ׳, ר׳, ־בּוֹת amplitude
מַרְבֶּה, ז׳, ר׳, ־בִּים a lot
מַרְבֵּה רַגְלַיִם milliped
מְרֻבֶּה, מְרוּבֶּה, ת״ז, ־בָּה, ת״נ numerous, frequent
מַרְבִּית, נ׳, ר׳, ־יוֹת interest (on money), usury; the greatest part, largest number, increment
מֻרְבֶּכֶת, מוּרְבֶּכֶת, ת״ז, ־בֶּכֶת, ת״נ well-mixed
מְרֻבָּע, מְרוּבָּע, ז׳, ר׳, ־עִים; ת״ז square, quadrangular
מַרְבֵּץ, מִרְבָּץ, ז׳, ר׳, ־צִים lair
מַרְבֵּק, ז׳, ר׳, ־בְּקִים stable; stall (for calves)

מַרְגּוֹעַ, ז׳ place of rest
מְרֻגָּז, מוּרְגָּז, ת״ז, ־גֶּזֶת, ת״נ excited; nervous, irritated
מְרֻגָּל, מוּרְגָּל, ת״ז, ־גֶּלֶת, ת״נ accustomed
מְרַגֵּל, ז׳, ר׳, ־גְּלִים spy
מַרְגְּלוֹת, ז״ר foot of bedstead; foot of mountain
מַרְגָּלִית, נ׳, ר׳, ־לִיּוֹת pearl
מַרְגֵּמָה, נ׳, ר׳, ־מוֹת catapult; howitzer
מַרְגָּנִית, נ׳, ר׳, ־נִיּוֹת dandelion
מַרְגֵּעָה, נ׳ rest, quiet, repose
מְרֻגָּשׁ, מוּרְגָּשׁ, ת״ז, ־גֶּשֶׁת, ת״נ felt, perceived
מַרְגָּשָׁה, נ׳, ר׳, ־שׁוֹת feeling
מֶרֶד, ז׳, ר׳, מְרָדִים rebellion, revolt
מָרַד, פ״ע to rebel, revolt
הִמְרִיד, פ״י to incite, make rebellious
מְרֻדָּד, מְרוּדָּד, ת״ז, ־דֶּדֶת, ת״נ flattened
מַרְדֶּה, ז׳, ר׳, ־דִים baker's shovel, peel
מַרְדּוּת, נ׳, ר׳, ־דֻיּוֹת punishment; remorse; rebelliousness
מַרְדַּעַת, נ׳, ר׳, ־דָּעוֹת pack-saddle
מְרַדֵּף, ז׳, ־פִים persecutor
מְרֻדָּף, ת״ז, ־דֶּפֶת, ת״נ persecuted
מָרָה, פ״ע to be disobedient, refractory, rebellious
הִמְרָה, פ״י to argue; to rebel; to wager; to stuff
מֹרָה, מָרָּה, נ׳ bitterness
מָרַּת נֶפֶשׁ, נ׳ grief, bitterness; dissatisfaction
מָרָה, נ׳, ר׳, ־רוֹת gall; bile; bitterness
מָרָה שְׁחוֹרָה melancholy
מְרֹהָט, מְרוֹהָט, ת״ז, ־הֶטֶת, ת״נ furnished
מְרוּבָּב, מְרֻבָּב, ת״ז, ־בֶּבֶת, ת״נ stained; thousand fold, myriad
מְרוּבֶּה, מְרֻבֶּה, ת״ז, ־בָּה, ת״נ much, many
מְרוּבָּע, מְרֻבָּע, ז׳, ר׳, ־עִים, ת״ז square, quadrangular
מָרוּד, ז׳, ר׳, מְרוּדִים wretchedness
מָרוּד, ת״ז, מְרוּדָה, ת״נ wretched; miserable; homeless; very poor
מַרְוָה, נ׳, ר׳, ־ווֹת salvia; sage
מְרוֹהָט, מְרֹהָט, ת״ז, ־הֶטֶת, ת״נ furnished
מְרוּוָּח, מְרֻוָּח, ת״ז, ־וַּחַת, ת״נ spacious, roomy
מָרוּחַ, ת״ז, מְרוּחָה, ת״נ spread, smeared
מְרוּחַ, ז׳ annointing, ointment
מֶרְוָח, ז׳, ר׳, ־חִים distance; empty space
מֶרְוָח, ז׳, ר׳, ־חִים respite
מְרֻוָּח, מְרוּוָּח, ת״ז, ־וַּחַת, ת״נ spacious, roomy
מָרוּט, ת״ז, מְרוּטָה, ת״נ plucked; polished
מְרוּכָּךְ, מְרֻכָּךְ, ת״ז, ־כֶּכֶת, ת״נ softened
מְרוּכָּז, מְרֻכָּז, ת״ז, ־כֶּזֶת centralized; concentrated; centered
מָרוֹם, ז׳, ר׳, מְרוֹמִים, ־מוֹת, height; mountain peak; elevation, heaven
מְרוּמֶּה, מְרֻמֶּה, ת״ז, ־מָּה, ת״נ deceived; fooled
מְרוֹמָם, מְרֹמָם, ת״ז, ־מֶמֶת, ת״נ elevated, exalted
מֵרוֹן, מָרוֹן, ז׳, ר׳, בְּנֵי־מֵרוֹן flock; band

מְרוּסָן, מְרֻסָּן, ת"ז, ־סֶּנֶת, ת"נ bridled, curbed

מְרוּסָס, מְרֻסָּס, ת"ז, ־סֶּסֶת, ת"נ broken (to pieces); sprayed

מְרוּסָק, מְרֻסָּק, ת"ז, ־סֶּקֶת, ת"נ crushed

מְרוּפָד, מְרֻפָּד, ת"ז, ־פֶּדֶת, ת"נ upholstered

מְרוּפָט, מְרֻפָּט, ת"ז, ־פֶּטֶת, ת"נ shabby; shaggy

מֵרוֹץ, ז', ר', ־צִים race; running; course (of events); run (of things)

מְרוּצָה, נ', ר', ־צוֹת race; running; double time; fast walk (mil.)

מְרוּצֶה, מְרֻצֶּה, ת"ז, ־צָּה, ת"נ satisfied; agreable

מְרוּצָע, מְרֻצָּע, ת"ז, ־צַּעַת, ת"נ striped

מְרוּצָף, מְרֻצָּף, ת"ז, ־צֶּפֶת, ת"נ floored, tiled

מָרוּק, ת"ז, ־קָה, ת"נ polished, shined

מֵרוּק, ז', ר', ־קִים polishing, rubbing; cleansing

מְרוּקָם, מְרֻקָּם, ת"ז, ־קֶּמֶת, ת"נ embroidered

מָרוֹר, ז', ר', מְרוֹרִים bitter herbs; horse-radish

מְרוֹרָה, מְרֹרָה, נ', ר', ־רוֹת bitterness; bitter; venom

מְרוּשָׁל, מְרֻשָּׁל, ת"ז, ־שֶּׁלֶת, ת"נ careless, negligent

מְרוּתָּךְ, מְרֻתָּךְ, ת"ז, ־תֶּכֶת, ת"נ welded

מָרוּת, נ' authority, rule

מַרְזֵב, ז', ר', ־זְבִים gutter spout

מַרְזֵחַ, ז', ר', ־זְחִים revelry

בֵּית מַרְזֵחַ saloon, pub, bar

מָרַח, פ"י to spread (butter); to besmear; to annoint; to daub; to rub; to smooth

מֶרְחָב, ז', ר', ־בִים wide space; breadth

מִרְחָה, נ', ר', מְרָחוֹת ointment; spread; smear

מֶרְחָץ, ז', ר', ־חֲצָאוֹת bath (bathhouse)

מֶרְחָק, ז', ר', ־חַקִּים, מֶרְחַקִּים distance

מֶרְחַקֵּי הַגּוּף dimension(s)

מַרְחֶשְׁוָן, ז' Marheshvan, eighth month of Hebrew calendar

מַרְחֶשֶׁת, נ', ר', ־חָשׁוֹת covered frying pan

מָרַט, פ"י to pluck hair, feathers; to polish

מִרְטֵט, פ"י to make threadbare, to wear out

מְרִי, ז' rebelliousness; refractoriness

מְרִי שִׂיחַ bitter words

מְרִיא, ז', ר', ־אִים fatling (cattle); devil

מֵרִיב, ז', ר', מְרִיבִים fighter; disputant; adversary

מְרִיבָה, נ', ר', ־בוֹת quarrel, strife

מְרִיבִי, ת"ז, ־בִית, ת"נ quarrelsome

מְרִידָה, נ', ר', ־דוֹת mutiny, rebellion

מְרִיחָה, נ', ר', ־חוֹת unction, smearing, spreading (butter)

מְרִיטָה, נ', ר', ־טוֹת plucking

מְרִיסָה, נ', ר', ־סוֹת stirring, mixing

מֵרִיץ, ז', ר', מְרִיצִים starter (games)

מְרִיצָה, נ', ר', ־צוֹת running; wheelbarrow; handcart

מְרִיצוּת, נ' velocity

מְרִיקָה, נ׳, ר׳, ־קוֹת polishing, scouring

מָרִיר, ת״ז, מְרִירָה, ת״נ bitterish

מְרִירוּת, נ׳ bitterness, embitterment

מְרִירִי, ת״ז, ־רִית, ת״נ bitter; embittered; venomous

מָרִישׁ, ז׳, ר׳, מְרִישִׁים, ־שׁוֹת beam, joist

מֹרֶךְ, ז׳ cowardice; timidity

מֶרְכָּב, ז׳, ר׳, ־בִים riding seat; body (of auto); chariot; carriage

מְרֻכָּב, מוּרְכָּב, ת״ז, ־כֶּבֶת, ת״נ compound; composed; complicated

מֶרְכָּבָה, נ׳, ר׳, ־בוֹת chariot; carriage

מֵרְכָה, מֵרְכָא, נ׳, ר׳, ־כוֹת, ־כָאוֹת Biblical accent

מֵרְכָאוֹת כְּפוּלוֹת quotation marks

מִרְכּוּז, ז׳ centralization

מֶרְכָּז, ז׳, ר׳, ־זִים center

מֶרְכַּז הַכֹּבֶד center of gravity

מְרֻכָּז, מְרוּכָּז, ת״ז, ־כֶּזֶת, ת״נ centered; centralized; concentrated

מִרְכֵּז, פ״י to centralize

מֶרְכָּזִי, ת״ז, ־זִית, ת״נ central

מֶרְכָּזִיָּה, נ׳, ר׳, ־זִיּוֹת switchboard, (telephone) exchange

מְרֻכָּךְ, מְרוּכָּךְ, ת״ז, ־כֶּכֶת, ת״נ softened

מַרְכֹּלֶת, נ׳ merchandise

מִרְמָה, נ׳ deceit; fraud

מְרֻמֶּה, מְרוּמֶּה, ת״ז, ־מָּה, ת״נ deceived; fooled

מְרֹמָם, מְרוּמָם, ת״ז, ־מֶמֶת, ת״נ elevated, exalted

מִרְמָס, ז׳ trampling; thing trampled on

[מרמר] הִתְמַרְמֵר, פ״ע to complain bitterly; to become embittered

מֵרַס, פ״י to stir, mix; to squeeze out (grapes)

נִתְמָרֵס, פ״ע to be mixed, stirred, squeezed

מֻרְסָה, מוּרְסָה, נ׳, ר׳, ־סוֹת abscess

מְרֻסָּן, מְרוּסָּן, ת״ז, ־סֶּנֶת, ת״נ bridled; curbed

מַרְסֵס, ז׳, ר׳, ־סְסִים sprayer

מְרֻסָּס, מְרוּסָּס, ת״ז, ־סֶּסֶת, ת״נ broken (to pieces); sprayed

מַרְסֵק, ז׳, ר׳, ־סְקִים chopper, crusher

מְרֻסָּק, מְרוּסָּק, ת״ז, ־סֶּקֶת, ת״נ crushed

מֵרֵעַ, ז׳, ר׳, ־רֵעִים companion; friend

מֵרַע, ז׳, ר׳, מְרֵעִים evildoer, villain

מְרַע, ז׳ illness

שְׁכִיב מְרַע bedridden

מִרְעֶה, ז׳, ר׳, ־עִים pasture, pasturage

מַרְעִית, נ׳, ר׳, ־עִיּוֹת grazing cattle; grazing flock; pasturing

מְרֻעָל, מוּרְעָל, ת״ז, ־עֶלֶת, ת״נ poisoned

מְרֻעָשׁ, מוּרְעָשׁ, ת״ז, ־עֶשֶׁת, ת״נ shaken; shelled, bombed

מַרְפֵּא, מַרְפֵּה, ז׳ healing; soothing; recovery

מִרְפָּאָה, נ׳, ר׳, ־אוֹת clinic

מְרֻפָּד, מְרוּפָּד, ת״ז, ־פֶּדֶת, ת״נ upholstered

מִרְפָּדָה, מַרְפֵּדִיָּה, נ׳, ר׳, ־דוֹת upholstery shop

מְרֻפָּט, מְרוּפָּט, ת״ז, ־פֶּטֶת, ת״נ shabby; shaggy

מִרְפֶּסֶת, נ׳, ר׳, ־פָּסוֹת balcony; verandah
מַרְפֵּק, ז׳, ר׳, ־פְּקִים elbow
[מרץ] נִמְרַץ, פ״ע to be energetic, strong; to quicken
הִמְרִיץ, פ״י to spur on, urge; to be strong; to energize
מֶרְץ, מַרְס, ז׳ March
מֶרֶץ, ז׳ energy; rapidity
מַרְצֶה, ז׳, ר׳, ־צִים lecturer
מִרְצָה, נ׳, ר׳, ־צוֹת stone crusher
מְרֻצֶּה, מְרוּצֶּה, ת״ז, ־צָּה, ת״נ satisfied; agreeable
מְרֻצָּע, מְרוּצָּע, ת״ז, ־צַּעַת, ת״נ striped
מַרְצֵעַ, ז׳, ר׳, ־צְעִים awl, borer
מְרֻצָּף, מְרוּצָּף, צֶפֶת floored, tiled
מַרְצֶפֶת, נ׳, ר׳, ־צָפוֹת pavement; tiled floor; tile, flagstone
מֶרֶק, ז׳, ר׳, מְרָקִים putty
מָרָק, ז׳, ר׳, מְרָקִים soup, broth
מֵרַק, פ״י to polish, scour, cleanse
מְרֻקָּב, ת״ז, ־קֶּבֶת, ת״נ rotten
מַרְקוֹעַ, ז׳, ר׳, ־עִים patch
מִרְקָח, ז׳, ר׳, ־חִים compound; drug; perfume
מִרְקָחָה, נ׳, ר׳, ־חוֹת drug
בֵּית מִרְקָחִים perfumery
מִרְקַחַת, נ׳, ר׳, ־קָחוֹת aromatic oil; ointment; jam, preserves
בֵּית מִרְקַחַת drugstore, pharmacy
מִרְקָם, ז׳ embroidery
מְרֻקָּם, מְרוּקָּם, ת״ז, ־קֶּמֶת, ת״נ embroidered
מִרְקָקָה, נ׳, ר׳, ־קוֹת spittoon
מָרַר, פ״ע to be bitter; to be in distress

מֵרַר, פ״י to embitter
מְרֹרָה, מְרוֹרָה, נ׳, ר׳, ־רוֹת bitterness; bitter; venom
מְרֵרָה, נ׳, ר׳, ־רוֹת bile; gall
מֻרְשֶׁה, ז׳, ר׳, ־שִׁים deputy; delegate; member of parliament; authorized agent
בֵּית מֻרְשִׁים parliament
מֻרְשׁוֹן, ז׳, ר׳, ־נִים parliament
מְרֻשָּׁל, מְרוּשָּׁל, ת״ז, ־שֶּׁלֶת, ת״נ careless, negligent
מִרְשָׁם ז׳, ר׳, ־מִים census; sketch
מִרְשַׁעַת, נ׳, ר׳, ־שָׁעוֹת wicked, cruel woman
מָרַת, נ׳, ר׳, ־רוֹת madam; Mrs.
מְרֻתָּךְ, מְרוּתָּךְ, ת״ז, ־תֶּכֶת, ת״נ welded
מַרְתֵּף, ז׳, ר׳, ־תְּפִים cellar; storeroom
מָשׁ, פעו״י, ע׳ [מוש] to throw off, remove
מַשָּׁא, ז׳ ר׳, ־אוֹת debt; loan
מַשָּׂא, ז׳, ר׳, ־אוֹת load, burden; oracle, prophecy
מַשָּׂא־וּמַתָּן transaction, business; arbitration
מֻשָּׂא, מוּשָּׂא, ז׳, ר׳, ־אִים object (*gram.*)
מִשֵּׁא, פ״י to tear out
מַשְׁאָב, ז׳, ר׳, ־אַבִּים shepherd's well
מַשְׁאֵבָה, נ׳, ר׳, ־בוֹת pump
מַשָּׁאָה, נ׳, ר׳, ־שָּׁאוֹת debt
מַשָּׂאָה, מַשְׂאֵת, נ׳, ר׳, ־אוֹת, מַשְׂאוֹת uplifting, raising
מַשָּׁאוֹן, ז׳ fraud
מַשָּׂאִי, ת״ז, ־אִית, ת״נ peripatetic
מַשָּׂאִית, נ׳, ר׳, ־אִיּוֹת truck

referendum מִשְׁאָל, ז׳, ר׳, ־לִים

מָשְׁאָל, מֻשְׁאָל, מְשְׁאָל, ת״ז, ־אֶלֶת, ת״נ
figurative; metaphorical

request; wish מִשְׁאָלָה, נ׳, ר׳, ־לוֹת

kneading מִשְׁאֶרֶת, נ׳, ר׳, ־אָרוֹת
trough

gift; מַשְׂאֵת, נ׳, ר׳, ־אוֹת, מַשָּׂאוֹת
portion; pillar (of smoke)

blowing מַשָּׁב, ז׳, ר׳, ־בִים

מְשֻׁבָּח, מְשׁוּבָּח, ת״ז, ־בַּחַת, ת״נ
praiseworthy

sworn מְשֻׁבָּע, מוּשְׁבָּע, ת״ז, ־בַּעַת, ת״נ

מְשֻׁבָּע, מְשׁוּבָּע, ת״ז, ־בַּעַת, ת״נ
septangular; heptagon

מְשֻׁבָּץ, מְשׁוּבָּץ, ת״ז, ־בֶּצֶת, ת״נ
checkered

checkered מִשְׁבֶּצֶת, נ׳, ר׳, ־בְּצוֹת
work; brocade; inlay;
setting (for diamond)

crisis; מַשְׁבֵּר, ז׳, ר׳, ־בְּרִים
birth stool

breakers מִשְׁבָּר, ז׳, ר׳, ־רִים

מְשֻׁבָּשׁ, מְשׁוּבָּשׁ, ת״ז, ־בֶּשֶׁת, ת״נ
faulty; corrupt; full of errors

shattering; מִשְׁבָּת, ז׳, ר׳, ־בַּתִּים
annihilation; destruction

concept, מֻשָּׂג, מוּשָּׂג, ז׳, ר׳, ־גִים
idea, notion

fortress; shelter, מִשְׂגָּב, ז׳, ר׳, ־גַּבִּים
refuge

error, mistake מִשְׁגֶּה, ז׳, ר׳, ־גִים

overseer מַשְׁגִּיחַ, ז׳, ר׳, ־חִים

sexual intercourse מִשְׁגָּל, ז׳, ר׳, ־לִים

crazy, מְשֻׁגָּע, מְשׁוּגָּע, ת״ז, ־גַּעַת, ת״נ
insane

insane asylum בֵּית מְשֻׁגָּעִים

harrow מַשְׂדֵּדָה, נ׳, ר׳, ־דוֹת

broadcast מִשְׁדָּר, ז׳, ר׳, ־דָּרִים

broadcasting מַשְׁדֵּר, ז׳, ר׳, ־דְּרִים
station

to pull out (of water) מָשָׁה, פ״י

debt; loan מַשֶּׁה, ז׳, ר׳, ־שִׁים

minimum; מַשֶּׁהוּ, ז׳, ר׳, מַשְׁהוּיִים
anything; smallest quantity

carrying מַשּׂוֹא, ז׳, ר׳, ־אִים

partiality מַשּׂוֹא פָּנִים

signal torch מַשּׂוּאָה, נ׳, ר׳, ־אוֹת

calamity; desolation מְשׁוֹאָה, נ׳

ruin; wreckage מַשּׁוּאָה, נ׳, ר׳, ־אוֹת

equation מִשְׁוָאָה, נ׳, ר׳, ־אוֹת

wicked deed; מְשׁוּבָה, נ׳, ר׳, ־בוֹת
backsliding; waywardness,
delinquency

מְשׁוּבָּח, מְשֻׁבָּח, ת״ז, ־בַּחַת, ת״נ
praiseworthy

מְשׁוּבָּע, מְשֻׁבָּע, ת״ז, ־בַּעַת, ת״נ
septangular, heptagon

מְשׁוּבָּץ, מְשֻׁבָּץ, ת״ז, ־בֶּצֶת, ת״נ
checkered

מְשׁוּבָּשׁ, מְשֻׁבָּשׁ, ת״ז, ־בֶּשֶׁת, ת״נ
faulty; corrupt; full of errors

error מְשׁוּגָה, נ׳, ר׳, ־גוֹת

crazy, מְשׁוּגָּע, מְשֻׁגָּע, ת״ז, ־גַּעַת, ת״נ
insane

equator מַשְׁוֶה, ז׳, ר׳, ־וִים

anointed מָשׁוּחַ, ת״ז, מְשׁוּחָה, ת״נ

surveyor מָשׁוֹחַ, ז׳, ר׳, ־חוֹת

מְשׁוּחָד, מְשֻׁחָד, ת״ז, ־חֶדֶת, ת״נ
bribed; prejudiced

מְשׁוּחָק, מְשֻׁחָק, ת״ז, ־חֶקֶת, ת״נ
rubbed, worn out

מְשׁוּחְרָר, מְשֻׁחְרָר, ת״ז, ־רֶרֶת, ת״נ
emancipated, freed, liberated

oar מָשׁוֹט, ז׳, ר׳, מְשׁוֹטִים

flat; מְשׁוּטָּח, מְשֻׁטָּח, ת״ז, ־טַּחַת, ת״נ
dull

מְשׁוֹטֵט, ז׳, ר׳, ־טְטִים hiker; tourist

מִשּׁוּי, ז׳, ר׳, ־יִים massage

מַשְׁוִית, נ׳, ר׳, ־וִיּוֹת carpenter's plane

מָשׁוּךְ, ת״ז, מְשׁוּכָה, ת״נ stretched; drawn

מְשׂוּכָה, מְסוּכָה, נ׳, ר׳, ־כוֹת thorn; hedge; hurdle

מְשׁוּכְלָל, מְשֻׁכְלָל, ־לֶלֶת, ת״נ perfected; up-to-date

מְשׁוּכְנָע, מְשֻׁכְנָע, ת״ז, ־נַעַת, ת״נ convinced; persuaded

מָשׁוּל, ת״ז, מְשׁוּלָה, ת״נ compared to

מְשׁוּלָּב, מְשֻׁלָּב, ת״ז, ־לֶּבֶת, ת״נ joined, fitted; mortised

מְשׁוּלְהָב, מְשֻׁלְהָב, ת״ז, ־הֶבֶת, ת״נ flaming

מְשׁוּלָּח, מְשֻׁלָּח, ז׳, ר׳, ־חִים emissary, messenger; delegate

מְשׁוּלָּל, מְשֻׁלָּל, ת ז, ־לֶּלֶת, ת״נ deprived of

מְשׁוּלָּם, מְשֻׁלָּם, ת״ז, ־לֶּמֶת, ת״נ paid, paid for

מְשׁוּלָּשׁ, מְשֻׁלָּשׁ, ת״ז, ־לֶּשֶׁת, ת״נ triangular, threefold, triple

מִשּׁוּם, מ״י because of

מְשׁוּמָּד, מְשֻׁמָּד, ת״ז, ־מֶּדֶת, ת״נ apostate

מְשׁוּמָּן, מְשֻׁמָּן, ת״ז, ־מֶּנֶת, ת״נ, ז׳ greasy, greased; oily, oiled; octagon

מְשׁוּמָּר, מְשֻׁמָּר, ת״ז, ־מֶּרֶת preserved

מְשׁוּנֶּה, מְשֻׁנֶּה, ת״ז, ־נָּה, ת״נ strange, queer

מְשׁוּנָּן, מְשֻׁנָּן, ת״ז, ־נֶּנֶת, ת״נ sharpened; teethed

מְשׁוּנְשָׁן מְשֻׁנְשָׁן, ת״ז, ־שֶׁנֶת, ת״נ lisped

מְשׁוּעְבָּד, מְשֻׁעְבָּד, ת״ז, ־בֶּדֶת, ת״נ enslaved; mortgaged

מְשׁוּפָּע, מְשֻׁפָּע, ת״ז, ־פַּעַת, ת״נ sloping, slanting

מְשׁוּקָּע, מְשֻׁקָּע, ת״ז, ־קַּעַת, ת״נ settled, concave

מַשּׂוֹר, ז׳, ר׳, ־רִים saw

מְשׂוּרָה, נ׳, ר׳, ־רוֹת measure of capacity (liquid)

מְשׁוּרְיָן, מְשֻׁרְיָן, ת״ז, ־יֶנֶת, ת״נ armored

מְשׁוֹרֵר, ז׳, ר׳, ־רְרִים singer; poet

מְשׁוּרָשׁ, מְשֻׁרָשׁ, ת״ז, ־רֶשֶׁת, ת״נ uprooted

מִשְׁוֶרֶת, נ׳, ר׳, ־וָרוֹת, ־וָרִים stirrup

מָשׂוֹשׂ, ז׳ gladness, joy

מָשׁוֹשׁ, ז׳, ר׳, מְשׁוֹשִׁים groper

מִשּׁוּשׁ, ז׳, ר׳, ־שִׁים touching; feeling

חוּשׁ הַמִּשּׁוּשׁ sense of touch

מְשׁוּשֶּׁה, מְשֻׁשֶּׁה, ת״ז, ־שָּׁה, ת״נ hexagonal, sixfold

מְשׁוֹשָׁה, נ׳, ר׳, ־שׁוֹת antenna

מְשׁוּתָּף, מְשֻׁתָּף, ת״ז, ־תֶּפֶת, ת״נ shared, common

מְשׁוּתָּק, מְשֻׁתָּק, ת״ז, ־תֶּקֶת, ת״נ paralyzed

מִשְׁזָר, ז׳ plait, plaiting

מָשַׁח, פ״י to anoint, smear, oil

נִמְשַׁח, פ״ע to be (become) anointed

מְשֻׁחָד, מְשׁוּחָד, ת״ז, ־חֶדֶת, ת״נ bribed; prejudiced

מִשְׁחָה, נ׳, ר׳, מְשָׁחוֹת ointment, unction, salve; grease; portion

הַר הַמִּשְׁחָה (הַר הַזֵּיתִים) Mount of Olives

מַשְׁחֶזֶת, נ׳, ר׳, ־חָזוֹת whetstone

מַשְׁחִית, ז׳, ר׳, ־תִים vanguard (of fighting forces); trap; evildoer

אֳנִיַּת מַשְׁחִית destroyer

מְשֻׁחָל, מוּשְׁחָל, ת״ז, ־חֶלֶת, ת״נ
threaded, strung
מְשֻׁחָק, מְשׁוּחָק, ת״ז, ־חֶקֶת, ת״נ
rubbed; worn out
מִשְׂחָק, ז׳, ר׳, ־קִים game; laughter
מְשַׂחֵק, ז׳, ר׳, ־חֲקִים player; actor
מֻשְׁחָר, מוּשְׁחָר, ת״ז, ־חֶרֶת, ת״נ
blackened
מְשֻׁחְרָר, מְשׁוּחְרָר, ת״ז, ־רֶרֶת, ת״נ
freed, liberated, emancipated
מָשְׁחָת, מֻשְׁחָת, ת״ז, ־חַת, ־חֶתֶת, ת״נ
corrupted; deformed; disfigured
מַשְׁחִית, ז׳ destruction; corruption
מִשְׁטוֹחַ, מִשְׁטָח, ז׳, ר׳, ־חִים
spreading place; plain, field
מֻשְׁטָח, מְשׁוּטָח, ת״ז, ־טַחַת, ת״נ flat, dull
מַשְׂטִין, ז׳, ר׳, ־נִים enemy; accuser, prosecutor
מַשְׂטֵמָה, נ׳, ר׳, ־מוֹת hatred, animosity
מִשְׁטָר, ז׳, ר׳, ־רִים executive power; regime
מִשְׁטֵר, פ״י to rule; to regiment
מִשְׁטָרָה, נ׳, ר׳, ־רוֹת police; police force; police station
מֶשִׁי, ז׳ silk
תּוֹלַעַת מֶשִׁי silkworm
מָשִׁיחַ, ז׳, ר׳, מְשִׁיחִים anointed one; Messiah
מְשִׁיחָה, נ׳, ר׳, ־חוֹת anointing; ointment; thin rope
מְשִׁיחִיּוּת, נ׳ Messianism, Messiahship
מְשִׁיחִי, ת״ז, ־חִית, ת״נ Messianic
מֵשִׁיט, ז׳, ר׳, מְשִׁיטִים oarsman
מְשִׁיכָה, נ׳, ר׳, ־כוֹת pulling; attraction; withdrawal (bank)
מֵשִׂים, פ״י to place, make
מִבְּלִי מֵשִׂים, תה״פ unintentionally
מְשִׂימָה, נ׳, ר׳, ־מוֹת task, assignment
מַשִּׁיק, ז׳, ר׳, ־קִים tangent (*geom.*)
מָשַׁךְ, פ״י to pull, drag; to lengthen; to attract; to withdraw (money)
נִמְשַׁךְ, פ״ע to be stretched; to be withdrawn; to be prolonged
מֻשַּׁךְ, פ״ע to be delayed, deferred
הִמְשִׁיךְ, פ״י to continue, cause to extend, pull; to prolong; to attract
מֶשֶׁךְ, ז׳ pull; duration
בְּמֶשֶׁךְ, תה״פ during
מִשְׁכָּב, ז׳, ר׳, ־בִים, ־בוֹת bed, couch; lying down; grave
חֲדַר הַמִּשְׁכָּב bedroom
מִשְׁכַּב זָכוּר homosexuality, pederasty
מַשְׁכּוֹכִית, נ׳, ר׳, ־כִיּוֹת bellwether
מַשְׁכּוֹן, ז׳, ר׳, ־כוֹנוֹת, ־כוֹנִים pawn, pledge, security
מִשְׁכּוּן, ז׳ pawning
מַשְׂכִּיל, ז׳, ר׳, ־לִים enlightened person, intellectual, Maskil
מַשְׂכִּיר, ז׳, ר׳, ־רִים renter, lessor
מַשְׂכִּית, נ׳, ר׳, ־כִּיּוֹת picture; mosaic
מִשְׂכָּל, ז׳ intelligence
מְנַת מִשְׂכָּל I.Q.
מֻשְׂכָּל, ז׳, ר׳, ־לִים concept, idea
מֻשְׂכָּל רִאשׁוֹן axiom
מְשֻׁכְלָל, מְשׁוּכְלָל, ת״ז, ־לֶלֶת, ת״נ
perfected; up to date
מְשַׁכֶּלֶת, מַשְׁכֶּלֶת, נ׳, ר׳, מְשַׁכְּלוֹת
abortion; miscarriage
מִשְׁכָּן, ז׳, ר׳, ־נִים, ־נוֹת habitation, dwelling
מִשְׁכֵּן, פ״י to take pledge; to pledge; to pawn; mortgage

to be pawned; מֻשְׁכַּן, פ"ע
to be mortgaged
to become pawned; נִתְמַשְׁכֵּן, פ"ע
to be seized for debt
מְשֻׁכְנָע, מְשׁוּכְנָע, ת"ז, ־נַעַת, ת"נ
convinced; persuaded
mortgage מַשְׁכַּנְתָּה, נ', ר', ־תָּאוֹת
salary, מַשְׂכֹּרֶת, נ', ר', ־כּוֹרוֹת
wages
parable, מָשָׁל, ז', ר', מְשָׁלִים, ־לוֹת
proverb, tale, fable, allegory;
example; resemblance
for example, for instance לְמָשָׁל
Book of Proverbs מִשְׁלֵי
to rule; to compare; מָשַׁל, פעו"י
to speak metaphorically;
to use a proverb
to be compared; נִמְשַׁל, פ"ע
to resemble
to speak in parables; מִשֵּׁל, פ"י
to use; to compare
to compare; הִמְשִׁיל, פ"י
to cause to rule
to be likened, הִתְמַשֵּׁל, פ"ע
become like
rule; resemblance מֹשֶׁל, ז'
מְשֻׁלָּב, מְשׁוּלָּב, ת"ז, ־לֶּבֶת, ת"נ
joined, fitted; mortised
monogram מִשְׁלֶבֶת, נ', ר', ־לָבוֹת
מְשֻׁלְהָב, מְשׁוּלְהָב, ת"ז, ־הֶבֶת, ת"נ
flaming
sending; מִשְׁלוֹחַ, ז', ר', ־חִים
dispatch; transport
postage, mailing fees דְּמֵי מִשְׁלוֹחַ
destination מִשְׁלָח, ז', ר', ־חִים
occupation, profession מִשְׁלַח־יָד
מְשֻׁלָּח, מְשׁוּלָּח, ז', ר', ־חִים
emissary, messenger; delegate

delegation; מִשְׁלַחַת, נ', ר', ־לָחוֹת
sending; errand
proverbial, מְשָׁלִי, ת"ז, ־לִית, ת"נ
allegorical, parabolical, figurative
grappling iron, מַשְׁלִית, נ', ר', ־לִיּוֹת
grapnel
מְשֻׁלָּל, מְשׁוּלָּל, ת"ז, ־לֶּלֶת, ת"נ
deprived of
מֻשְׁלָם, מוּשְׁלָם, ת"ז, ־לֶמֶת, ת"נ
complete; perfect
paid, מְשֻׁלָּם, מְשׁוּלָּם, ת"ז, ־לֶּמֶת, ת"נ
paid for
מְשֻׁלָּשׁ, מְשׁוּלָּשׁ, ת"ז, ־לֶּשֶׁת, ת"נ
triple, threefold; triangle
laxative, מְשַׁלְשֵׁל, ת"ז, ־שֶׁלֶת, ת"נ
purgative, cathartic
מַשְׂמְאִיל, מַשְׂמְאל, ת"ז, ־לָה, ת"נ
facing left; left-handed
מְשֻׁמָּד, מְשׁוּמָּד, ת"ז, ־מֶּדֶת, ת"נ
apostate
apostasy מְשֻׁמָּדוּת, נ'
desolation; מְשַׁמָּה, נ', ר', ־מּוֹת
devastation
touch, touching מִשְׁמוּשׁ, ז', ר', ־שִׁים
joyful, מְשַׂמֵּחַ, ת"ז, ־מַּחַת, ת"נ
gladdening
fertile soil מִשְׁמָן, ז', ר', ־מַנִּים
rich; fat; tasty food מַשְׁמָן, ז', ר', ־נִים
מְשֻׁמָּן, מְשׁוּמָּן, ת"ז, ־מֶּנֶת, ת"נ; ז'
greased, greasy; oiled, oily; octagon
octagon מְשֻׁמָּן, מְתֻמָּן, ז', ר', ־נִים
hearing; מִשְׁמָע, ז', ר', ־עִים
obedience; ordinary sense
to discipline מִשְׁמֵעַ, פ"י
intimation; מַשְׁמָע, ז', ר', ־עוֹת
intention; meaning
literally פְּשׁוּטוֹ כְּמַשְׁמָעוֹ
meaning; sense מַשְׁמָעוּת, נ', ר', ־עֻיּוֹת

מִשְׁמַעַת, נ' obedience; discipline
מִשְׁמָר, ז', ר', ־רִים, ־רוֹת guard's watch, post; camp guard
בֵּית הַמִּשְׁמָר guardroom
מְשֻׁמָּר, מְשׁוּמָּר, ת"ז, ־מֶּרֶת, ת"נ preserved
מִשְׁמֶרֶת, נ', ר', ־מָרוֹת observation; guard; preservation; conservation
מְשַׁמֶּרֶת, נ', ר', ־רוֹת strainer; filter; dura mater
מִשְׁמֵשׁ, פ"ע to palpate; to touch, feel; to manipulate
מִשְׁמֵשׁ, מִשְׁמְשׁ, ז', ר', ־מְשִׁים apricot
מַשְׁמְשָׁן, ז', ר', ־נִים one who touches everything
מִשְׁנֶה, ז', ר', ־נִים double (of); second (of)
מִשְׁנֶה לְמֶלֶךְ viceroy, second in command
מִשְׁנָה, נ', ר', ־יוֹת study (by oral repetition); traditional law; Mishnah
מְשֻׁנֶּה, מְשׁוּנֶּה, ת"ז, ־נָּה, ת"נ strange; queer
מִשְׁנִי, ת"ז, ־נִית, ת"נ secondary; Mishnaic
מְשֻׁנָּן, מְשׁוּנָּן, ת"ז, ־נֶּנֶת, ת"נ sharpened; teethed
מַשְׁנֵק, ז', ר', ־נְקִים step down transformer
מְשֻׁנְשָׁן, מְשׁוּנְשָׁן, ת"ז, ־שֶׁנֶת, ת"נ lisped
מְשִׁסָּה, נ', ר', ־סּוֹת booty; plunder
מְשֻׁעְבָּד, מְשׁוּעְבָּד, ת"ז, ־בֶּדֶת, ת"נ enslaved; mortgaged
מִשְׁעוֹל, ז', ר', ־לִים path, narrow lane; isthmus
מִשְׁעָן, מַשְׁעֵן, ז', מַשְׁעֵנָה, נ', ר', ־נִים, ־נוֹת support

מִשְׁעֶנֶת, נ', ר', ־עָנוֹת staff; walking stick; crutch
מְשֹׁעָר, מְשׁוֹעָר, ת"ז, ־עֶרֶת, ת"נ estimated
מְשָׁעֵר, מַשְׁעֵר, ז', ר', מְשַׁעֲרִים controller of prices
מִשְׁעֶרֶת, נ', ר', ־עָרוֹת brush
מִשְׂפָּח, ז' evil; violence; bruise; scab
מִשְׁפָּחָה, נ', ר', ־חוֹת family; clan; species
שֵׁם־מִשְׁפָּחָה surname
מִשְׁפַּחְתִּי, ת"ז, ־תִּית, ת"נ familial
מִשְׁפָּט, ז', ר', ־טִים judgment; law; case, suit; right; sentence
חָכְמַת הַמִּשְׁפָּט jurisprudence
מִשְׁפָּט קָדוּם prejudice
מִשְׁפְּטָן, ז', ר', ־טָנִים jurist
מַשְׁפֵּךְ, ז', ר', ־פְּכִים funnel
מַשְׁפֵּךְ הַשֶּׁתֶן urethra
מַשְׁפֵּךְ הַזֵּעָה amnion
מִשְׁפָּךְ, ז', ר', ־כִים river mouth; downpour
מַשְׁפֶּלֶת, נ', ר', ־פָּלוֹת refuse container; litter basket
מֻשְׁפָּע, מוּשְׁפָּע, ת"ז, ־פַּעַת, ת"נ influenced
מְשֻׁפָּע, מְשׁוּפָּע, ת"ז, ־פַּעַת, ת"נ sloping; slanting
מֶשֶׁק, ז', ר', מְשָׁקִים household; farm; administration
מַשָּׁק, ז' rushing; rustling; fluttering (of wings)
מַשְׁקֶה, ז', ר', ־קִים, ־קָאוֹת beverage; liquid; potion
שַׂר הַמַּשְׁקִים toastmaster
מַשְׁקוֹף, ז', ר', ־פִים lintel
מִשְׁקָל, ז', ר', ־קָלִים, ־קָלוֹת weight, scale

שִׁוּוּי מִשְׁקָל equilibrium

מִשְׁקֹלֶת, נ׳, ר׳, ־קוֹלוֹת plummet; weight, balance

זְמַן הַמִּשְׁקֹלֶת equinox

מִשְׁקָע, ז׳, ר׳, ־עִים sediment, dreg(s); sinking; settling

מִשְׁקַע מַיִם limpid water

מְשֻׁקָּע, מְשׁוּקָע, ת״ז, ־קַעַת, ת״נ settled; concave

מִשְׁקָפַיִם, ז״ז spectacles; eyeglasses

מִשְׁקְפֵי שֶׁמֶשׁ sunglasses

מִשְׁקֶפֶת, נ׳, ר׳, ־קָפוֹת telescope; binoculars; opera glasses

מִשָׁר, מֶשֶׁר, ז׳, ר׳, מְשָׁרִים garden bed

מִשְׂרָד, ז׳, ר׳, ־דִים office, bureau (government), ministry

מִשְׂרָדוּת, נ׳ bureaucracy

מִשְׂרָדִי, ת״ז, ־דִית, ת״נ bureaucratic

מִשְׁרָה, נ׳, ר׳, ־רוֹת punch; fruit drink

מִשְׂרָה, נ׳, ר׳, ־רוֹת office, position; domination

מַשְׁרוֹקִית, נ׳, ר׳, ־יוֹת whistle

מַשְׂרֵט, ז׳, ר׳, ־רְטִים scalpel

מְשֻׁרְיָן, מְשׁוּרְיָן ת״ז, ־יֶנֶת, ת״נ armored

מִשְׂרֶפֶת, נ׳, ר׳, ־רָפוֹת incinerator; crematorium

מְשֹׁרָשׁ, מְשׁוֹרָשׁ, ת״ז, ־רֶשֶׁת, ת״נ uprooted

מְשֻׁרָשׁ, מוּשְׁרָשׁ, ת״ז, ־רֶשֶׁת, ת״נ rooted

מַשְׁרֵת, נ׳, ר׳, ־רְתוֹת saucepan

מְשָׁרֵת, ז׳, ר׳, ־תִים servant

מָשַׁשׁ, פ״י to feel, touch

מִשֵּׁשׁ, פ״י to feel, grope

הֵמִישׁ, פ״י to cause to feel

מְשֻׁשֶּׁה, מְשׁוּשֶּׁה, ת״ז, ־שָּׁה, ת״נ hexagonal; sixfold

מִשְׁתֶּה, ז׳, ר׳, ־תָּאוֹת, ־תִּים banquet, feast, drinking; drink

מַשְׁתִּית, נ׳, ר׳, ־יוֹת foundation, base

מִשְׁתָּלָה, מַשְׁתֵּלָה, נ׳, ר׳, ־לוֹת nursery (for trees, etc.)

מִשְׁתָּנָה, נ׳, ר׳, ־נוֹת urinal

מְשֻׁתָּף, מְשׁוּתָּף, ת״ז, ־תֶּפֶת, ת״נ common

מְשֻׁתָּק, מְשׁוּתָּק, ת״ז, ־תֶּקֶת, ת״נ paralyzed

מֵת, פ״ע, ע׳ [מות] to die

מֵת, ז׳, ר׳, ־תִים; ת״ז corpse; dead

מַת, ז׳, ר׳, מְתִים man; person

מְתֵי מִסְפָּר a few persons

מִתְאַבֵּד, ז׳, ר׳, ־בְּדִים suicide

מְתַאֲבֵן, ז׳, ר׳, ־בְנִים appetizer

מִתְאַגְרֵף, ז׳, ר׳, ־רְפִים boxer

מַתְאִים, ת״ז, ־מָה, ת״נ suitable

מִתְאָם, ז׳ correlation

מְתֹאָם, מְת אָם, ת״ז, ־אֶמֶת, ת״נ symmetrical; parallel

מְתֹאָר, מְתוֹאָר, ת״ז, ־אֶרֶת, ת״נ described

מִתְבּוֹנֵן, ז׳, ר׳, ־נְנִים observer

מַתְבֵּן, ז׳, ר׳, ־בְּנִים shed for chaff, straw; heap of chaff, straw

מִתְבּוֹלֵל, ז׳, ר׳, ־לְלִים assimilator

מֶתֶג, ז׳, ר׳, מְתָגִים nose ring, lip ring; oxgoad; bit; bridle; bacillus

מִתֵּג, פ״י to bridle

מִתְגּוֹשֵׁשׁ, ז׳, ר׳, ־שְׁשִׁים wrestler

מִתְגִּי, ת״ז, ־גִּית, ת״נ bacillary

מְתוֹאָם, מְתֹאָם, ת״ז, ־אֶמֶת, ת״נ symmetrical; parallel

מְתוֹאָר, מְתֹאָר, ת״ז, ־אֶרֶת, ת״נ described

מִתְוֶה, נ׳, ר׳, ־ווֹת sketch

מָתוּחַ, ת"ז, מְתוּחָה, ת"נ stretched; tense
מְתּוּחַ, ז', ר', ־חִים tension; stretching
מְתוּיָּל, מְתֻיָּל, ת"ז, ־יֶּלֶת, ת"נ (barbed) wire
מְתַוֵּךְ, ז', ר', ־וְּכִים middleman; pimp; go-between
מִתּוֹךְ, מ"י from within, from among
מְתוּכְנָן, מְתֻכְנָן, ת"ז, ־נֶנֶת, ת"נ planned
מְתוּלָּע, מְתֻלָּע, ת"ז, ־לַּעַת, ת"נ wormy; red
מְתוּלְתָּל, מְתֻלְתָּל, ת"ז, ־תֶּלֶת, ת"נ curly; wavy
מָתוּן, ת"ז, מְתוּנָה, ת"נ composed; patient; moderate
מִתּוּן, ז', ר', ־נִים patience, composure
מְתוֹפֵף, ז', ר', ־פְפִים drummer
מָתוֹק, ת"ז, מְתוּקָה, ת"נ sweet; easy; soft
מִתּוּק, ז', ר', ־קִים sweetening
מִתּוּק הַדִּין commutation, mitigation (of a sentence)
מְתוּקָּן, מְתֻקָּן, ת"ז, ־קֶּנֶת, ת"נ corrected; fixed; revised
מְתוּרְבָּת, מְתֻרְבָּת, ת"ז, ־בֶּתֶת, ת"נ cultured
מְתוּרְגָּם, מְתֻרְגָּם, ת"ז, ־גֶּמֶת, ת"נ translated
מְתוּרְגְּמָן, מְתֻרְגְּמָן, ז', ר', ־נִים translator; dragoman
מְתוּשָּׁע, מְתֻשָּׁע, ר', ־עִים; ת"ז ninesided figure; multiplied (divided) by nine
מָתַח, פ"י to stretch out
מָתַח בִּקֹּרֶת (עַל) to censure, criticize
מָתַח קַו to underline
נִמְתַּח, פ"ע to be spread, stretched; to be made nervous, curious
מֶתַח, ז' pressure; tension
מֵתַח, ז', ר', מְתָחִים extent; tension; crossbar
מִתְחַמֵּק, ת"ז, ־מֶּקֶת, ת"נ shirking
מִתְחָרֶה, ז', ר', ־רִים contestant
מָתַי, תה"פ when
מִתְיַהֵד, ת"ז, ־הֶדֶת, ת"נ converted (to Judaism)
מִתְיַוֵּן, ת"ז, ־יַוֶּנֶת, ת"נ Hellenized
מְתִיחָה, נ', ר', ־חוֹת stretching; extending
מְתִיחוּת, נ' tension
מְתֻיָּל, מְתוּיָּל, ת"ז, ־יֶּלֶת, ת"נ (barbed) wire
מְתִינָה, נ', ר', ־נוֹת deliberation
מְתִינוּת, נ' composure; prudence; patience
מְתִיקָה, נ', ר', ־קוֹת sweets, sweetmeats; confiture
מְתִיקוּת, נ' sweetness
מַתְכּוֹן, ז', ר', ־נִים recipe; prescription
מַתְכּוֹנֶת, מַתְכֹּנֶת, נ', ר', ־כּוֹנוֹת quantity; composition; proportion
מְתֻכְנָן, מְתוּכְנָן, ת"ז, ־נֶנֶת, ת"נ planned
מַתְכֹּנֶת, מַתְכּוֹנֶת, נ', ר', ־כּוֹנוֹת quantity; composition; proportion
מַתֶּכֶת, נ', ר', מַתָּכוֹת metal
מַתַּכְתִּי, ת"ז, ־תִּית, ת"נ metallic, metal
מַתְלָאָה, נ', ר', ־אוֹת weariness; troublesomeness

מְתֻלָּע, מְתוּלָּע, ת"ז, ־לַּעַת, ת"נ wormy; red

מְתַלְּעָה, נ', ר', ־עוֹת incisor

מְתֻלְתָּל, מְתוּלְתָּל, ת"ז, ־תֶּלֶת, ת"נ curly, wavy

מְתֹם, ז' soundness (of body)

מַתְמִיד, ת"ז, ־דָה, ת"נ diligent

מַתְמִיהַּ, ת"ז, ־מִיהָה, ת"נ wondrous, strange

מְתֻמָּן, מְתֻמָּן, ז', ר', ־נִים octagon

מֹתֶן, ז', ז"ז, מָתְנַיִם hip; haunch; loin; waist

מַתָּן, ז', ר', ־נִים present; giving

אִישׁ מַתָּן generous person

מַשָּׂא וּמַתָּן negotiation

מַתָּן בַּסֵּתֶר alms; charity; anonymous giving

[מתן] הִמְתִּין, פ"ע to wait; to tarry; to postpone

הִתְמַתֵּן, פ"ע to do slowly; to go easy

מִתְנַגֵּד, ז', ר', ־גְּדִים opponent; adversary

מִתְנַדֵּב, ז', ר', ־דְּבִים volunteer

מַתָּנָה, נ', ר', ־נוֹת gift; present

מֻתְנֶה, מוּתְנֶה, ת"ז, ־נָה, ־נֵית, ת"נ conditioned, conditional

מָתְנִיָּה, נ', ר', ־יּוֹת bodice; jacket

מָתְנַיִם, ז"ז, ע' מֹתֶן hips

מִתְנָן, ז', ר', ־נִים wild thyme

מַתְנֵעַ, ז', ר', ־נְעִים starter (in auto)

מַתֶּנֶת, נ' lumbago

מַתְעֶה, ת"ז, ־עָה, ת"נ misleading

מִתְעַמֵּל, ז', ר', ־מְּלִים gymnast

מִתְפָּרָה, נ', ר', ־רוֹת tailor shop

מָתַק, פ"ע to be, become sweet, pleasant, tasty

מִתֵּק, פ"י to sweeten, season; to indulge in; to assuage

הִמְתִּיק, פ"י to sweeten, make pleasant

הִתְמַתֵּק, פ"ע to become sweet, calm

מֶתֶק, ז' sweetness, pleasantness

מֹתֶק, ז' darling, sweetheart

מַתְקִיף, ז', ר', ־פִים attacker

מִתְקִית, נ' glycerin

מְתֻקָּן, מְתוּקָּן, ת"ז, ־קֶּנֶת, ת"נ corrected; repaired; improved

מֻתָּר, מוּתָּר, ת"ז, ־תֶּרֶת, ת"נ permitted; loose

מְתֻרְבָּת, מְתוּרְבָּת, ת"ז, ־בֶּתֶת, ת"נ cultured

מְתַרְגֵּם, ז', ר', ־גְּמִים translator

מְתֻרְגָּם, מְתוּרְגָּם, ת"ז, ־גֶּמֶת, ת"נ translated

מְתֻרְגְּמָן, מְתוּרְגְּמָן, ז', ר', ־נִים interpreter; dragoman

מִתְרָס, ז', ר', ־סִים barricade

מְתֻשָּׁע, מְתוּשָּׁע, ז', ר', ־עִים; ת"ז nine-sided figure; multiplied (divided) by nine

מַתָּת, נ' gift, present

מַתַּת יָד handshake

מַתַּת שֶׁקֶר false promise

נ, ן

נ, ן Nun, fourteenth letter of Hebrew alphabet; fifty

נָא, מ"ק please; pray

נָא, ת"ז, ־אָה, ת"נ raw, half-done, rare

נֶאֱבַד, פ"ע, ע' [אבד] to be lost; to perish

נֶאֱבַק, פ"ע, ע' [אבק] to wrestle

נֹאד, נוֹד, ז', ר', ־דוֹת skin (leather) bottle

נֶאְדָּר, ת"ז, ־רָה, ת"נ glorious, majestic

נָאֶה, ת"ז, ־אָה, ת"נ nice, pretty

נָאֶה, תה"פ comely, becoming

נָאָה, נ', ר', ־אוֹת meadow; dwelling

נְאוֹת דֶּשֶׁא pasture

נְאוֹת מִדְבָּר oasis

נָאָה, פ"ע to be befitting; to be comely

נֵאָה, פ"י to beautify; to decorate

הִתְנָאָה, פ"ח to adorn oneself

נֶאֱהָב, ת"ז, ־הֶבֶת, ת"נ beloved

נָאוָה, נָאֲוָה, פ"ע to be pretty, comely

נָאוֶה, ת"ז, ־וָה, ת"נ nice, pretty, comely

נְאוּם, נְאֻם, ז', ר', ־מִים speech, lecture, discourse

נִאוּף, ז', ר', ־פִים adultery, prostitution

נִאוּץ, ז', ר', ־צִים contempt; blasphemy

נָאוֹר, ת"ז, נְאוֹרָה, ת"נ cultured, enlightened, illumined

נָאוֹת, ת"ז, נְאוֹתָה, ת"נ suitable, becoming, proper

נֵאוֹת, פ"ע to consent; to be suitable; to enjoy

נְאִימָה, נ' rhetoric

נְאִימִי, ת"ז, ־מִית, ת"נ rhetorical

נֶאֱכָל, ת"ז, ־כֶלֶת, ת"נ edible

נֶאֱלַח, פ"ע, ע' [אלח] to be corrupted, tainted; to be infected

נֶאֱלַם, פ"ע, ע' [אלם] to become dumb

נֶאֱלַץ, פ"ע, ע' [אלץ] must, ought, be compelled

נָאַם, פ"י to speak, lecture

נְאֻם, נְאוּם, ז', ר', ־מִים speech, lecture, discourse

נֶאֱמָן, ת"ז, ־מָנָה, ־מֶנֶת, ת"נ faithful, reliable

נֶאֱמַן, פ"ע, ע' [אמן] to be faithful, trusty, true, trustworthy

נֶאֱמָנוּת, נ', ר', ־נֻיּוֹת trustworthiness, reliability

נֶאֱנַח, פ"ע, ע' [אנח] to moan, groan, sigh

נֶאֱנַשׁ, פ"ע, ע', [אנש] to become quite ill

נָאַף, פ"ע to commit adultery

נַאֲפוּף, ז', ר', ־פִים prostitution, adultery

נָאַץ, פ"י to contemn, spurn; to be wrathful

נִאֵץ, פ"י to curse, insult

נְאָצָה, נֶאָצָה, נָאָצָה, נ', ר', ־צוֹת contempt, blasphemy

נֶאֱצַל, פ"ע, ע' [אצל] to be withdrawn, separated; to be emanated from

נָאַק, פ"ע to groan, moan

נַאַק, ז', נְאָקָה, נ', ר', ־קִים, ־קוֹת groaning

נָאקָה, נָקָה, נ', ר', ־קוֹת she-camel

נֵאַר, פ"ע, ע' [ארר] to be cursed

נֵאֵר, פ"י to abhor, reject

נֶאֱרַס, פ"ע, ע' [ארס] to become engaged, be betrothed

נֶאֱשָׁם, ז', ר', ־מִים defendant; accused

נֶאֱשַׁם, פ"ע, ע' [אשם] to be accused, blamed

נִבָּא, פ"ע to prophesy
נִבֵּא, פ"ע to inspire
נָבַב, פ"י to hollow out
נֶבֶג, ז', ר', נְבָגִים fungus
נִבְגִּי, ת"ז, ־גִּית, ת"נ fungal
נִבְדָּל, ת"ז, נִבְדֶּלֶת, ת"נ different, separated
נִבְהַל, פ"ע, ע' [בהל] to be alarmed; to hasten
נִבְהָל, ת"ז, נִבְהֶלֶת, ת"נ frightened, alarmed
נְבוּאָה, נ', ר', ־אוֹת prophecy, prediction
נְבוּאִי, ת"ז, ־אִית, ת"נ prophetic
נָבוּב, ת"ז, נְבוּבָה, ת"נ hollow, emtpy, empty-headed
נָבוֹךְ, ת"ז, נְבוֹכָה, נְבוּכָה, ת"נ perplexed, confused
נָבוֹךְ, פ"ע, ע' [בוך] to be perplexed, confused
נִבּוּל, ז' disfigurement; disgrace
נִבּוּל פֶּה lascivious speech, obscenity
נָבוֹן, ת"ז, נְבוֹנָה, ת"נ understanding, wise
נָבֹז, פ"ע, ע' [בזז] to be plundered, despoiled
נִבְזֶה, ת"ז, ־זָה, ־זֵית, ת"נ despicable
נָבַח, פ"ע to bark
נִבְחָר, ת"ז, נִבְחֶרֶת, ת"נ chosen, elected
בֵּית הַנִּבְחָרִים parliament
[נבט] הִבִּיט, פ"ע to look, look at
נִבַּט, פ"ע to have a vision
נָבַט, פ"ע to sprout, germinate
נֶבֶט, ז', ר', נְבָטִים sprout
נָבִיא, ז', ר', נְבִיאִים prophet
נְבִיאוּת, נ' prophecy

נְבִיאִי, ת"ז, ־אִית, ת"נ prophetic
נְבִיבוּת, נ' hollowness
נְבִיחָה, נ', ר', ־חוֹת barking
נְבִיטָה, נ', ר', ־טוֹת germination
נְבִילָה, נ', ר', ־לוֹת withering
נְבִיעָה, נ', ר', ־עוֹת gushing out; springing forth
נֵבֶךְ, ז', ר', נְבָכִים depths (of the sea)
נֵבֶל, ז', ר', נְבָלִים leather bottle; jug, pitcher
נֶבֶל, נֵבֶל, ז', ר', נְבָלִים lyre
נָבָל, ז', ר', נְבָלִים churl, ignoble (vile) person, villainous man
נָבַל, נָבֵל, פ"ע to fade, shrivel, wither, decay
נִבֵּל, פ"י to disgrace, degrade
נִבֵּל פִּיו to talk obscenely
הִתְנַבֵּל, נִתְנַבֵּל, פ"ח to be disgraced, degraded
נְבָלָה, נ', ר', ־לוֹת wickedness, obscenity, vileness
נְבֵלָה, נ', ר', ־לוֹת corpse, carcass, carrion
נַבְלוּת, נ', ר', נַבְלֻיוֹת immodesty, obscenity
נִבְנָה, פ"ע, ע' [בנה] to be built; to be erected, established
נָבַע, פ"ע to gush out, bubble forth; to deduce
הִבִּיעַ, פ"י to cause to bubble, ferment; to utter, express
נִבְעָה, פ"י, ע' [בעה] to be uncovered, laid bare, revealed
נִבְעָר, ת"ז, ־עָרָה, ת"נ stupid, idiotic
נִבְעַת, פ"ע, ע' [בעת] to be startled, terrified
נִבְצַר, פ"ע, ע' [בצר] to be cut off, inaccessible; to be restrained

נָבָר, ת"ז, נְבָרָה, ת"נ pure-hearted
נָבַר, פ"ע to dig (with snout), burrow
נִבְרֶכֶת, נ', ר', ־רָכוֹת pool, pond
נַבְרָן, ז', ר', ־נִים groundhog, badger
נִבְרֶשֶׁת, נ', ר', נִבְרָשׁוֹת lamp, candelabra, chandelier
נִגְאַל, פ"ע, ע' [גאל] to be redeemed, liberated
נֶגֶב, ז' south, south-country
נָגַב, פ"ע to dry
נִגֵּב, פ"י to wipe, scour, dry
הִתְנַגֵּב, פ"ח to dry oneself; to be parched, dried up
נֶגְבִּי, ת"ז, ־בִּית, ת"נ southern, of the south
נֶגֶד, מ"י in the presence of, before; against
כְּנֶגֶד facing; opposite
מִנֶּגֶד apart, at a distance
הַתְקָפַת־נֶגֶד counterattack
נִגֵּד, פ"י to oppose; to beat, flog
הִגִּיד, פ"י to declare; to tell, announce; to inform
הִתְנַגֵּד, פ"ח to oppose, contend against
נֶגְדִּי, ת"ז, ־דִּית, ת"נ contrary, opposing
נֹגַהּ, נוֹגַהּ, ז' brightness; planet Venus
נָגַהּ, פ"ע to shine, be bright
הִגִּיהַּ, פ"י to cause to shine; to correct, revise, proofread
נְגֹהָה, נ', ר', ־הוֹת brightness, splendor
נָגוּב, ת"ז, נְגוּבָה, ת"נ dry, dried
נִגּוּד, ז' conflict; contrast
נִגּוּדִי, ת"ז, ־דִית, ת"נ contrary
נִגּוּן, ז', ר', ־נִים tune, melody; accent

נָגוּס, ת"ז, נְגוּסָה, ת"נ bitten, chewed
נָגוּעַ, ת"ז, נְגוּעָה, ת"נ afflicted; contaminated
נָגְזָל, ת"ז, נִגְזֶלֶת, ת"נ robbed
נִגְזָר, ת"ז, ־זֶרֶת, ת"נ derived; decided; decreed; cut
נָגַח, פ"י to butt, gore, push
נַגָּח, נַגְחָן, ז', ר', ־חִים, ־נִים a goring bull
נָגִיד, ז', ר', נְגִידִים ruler, prince, wealthy man
נְגִידוּת, נ', ר' nobility; wealth
נְגִיחָה, נ', ר', ־חוֹת goring, butting
נְגִינָה, נ', ר', ־נוֹת music; song; accent
כְּלִי נְגִינָה musical instrument
נְגִיסָה, נ', ר', ־סוֹת chewing, biting
נְגִיעָה, נ', ר', ־עוֹת contact, connection; touch
נְגִיף, ז' virus
נְגִיפָה, נ', ר', ־פוֹת collision; pushing, striking
נְגִירָה, נ' pouring, flowing
נְגִישָׂה, נ', ר', ־שׂוֹת oppression
[נגן] נִגֵּן, פ"י to make music; to play an instrument
הִתְנַגֵּן, פ"י to get played (automatically)
נַגָּן, ז', ר', ־נִים musician
נָגַס, פ"י to bite off; to chew
נָגַע, פ"ע to touch; to reach; to approach; to strike
נִגַּע, פ"י to strike; to afflict; to infect
הִגִּיעַ, פ"ע to reach; to approach; to arrive
נֶגַע, ז', ר', נְגָעִים blow; plague; leprosy
נִגְעַל, פ"ע, ע' [געל] to be loathed
נֶגֶף, ז', ר', נְגָפִים plague; stumbling block

נָגַף, פ״י — to smite, injure, plague

הִתְנַגֵּף, פ״ח — to strike (against), be bruised

נִגַּר, פ״ע — to flow, be poured out

הִגִּיר, פ״י — to spill; to pour out

נֵגֶר, נֶגֶר, ז׳, ר׳, נְגָרִים — bolt, door latch

נַגָּר, ז׳, ר׳, ־רִים — carpenter

נִגֵּר, פ״י — to carpenter

נֶגֶר, ז׳, ר׳, נְגָרִים — dike

נַגָּרוּת, נ׳ — carpentry

נַגָּרִיָּה, נ׳, ר׳, ־יּוֹת — carpenter's workshop

נִגְרַע, פ״ע, ע׳ [גרע] — to be diminished

נִגְרַר, פ״ע, ע׳ [גרר] — to be dragged

נִגְרָר, ת״ז, נִגְרֶרֶת, ת״נ — dragged, pulled, drawn, trailed

נִגְרָשׁ, ת״ז, ־רֶשֶׁת, ת״נ — foamy; stormy

נִגַּשׁ, פ״ע — to come near, approach

הִגִּישׁ, פ״י — to bring near; to bring, offer

הִתְנַגֵּשׁ, פ״ח — to draw near one another; to conflict, collide

נָגַשׂ, פ״י — to urge, drive, impel

נִגַּשׂ, פ״ע — to be harrassed; to be hard pressed

נֵד, ז׳, ר׳, ־דִים — mound; heap

נֹד, נֹאד, נוֹד, ז׳, ר׳, ־דוֹת — leather (skin) bottle

נָדַב, פ״י — to donate; to offer willingly

הִתְנַדֵּב, פ״ח — to volunteer

נְדָבָה, נ׳, ר׳, ־בוֹת — donation, alms; willingness

נִדְבַת לֵב — politeness, courtesy

גֶּשֶׁם נְדָבוֹת — good, plentiful rain

נִדְבָּךְ, ז׳, ר׳, ־כִים, ־כוֹת — tier, row (layer) of stones or bricks

נַדְבָן, ז׳, ר׳, ־נִים — liberal, generous man

נַדְבָנוּת, נ׳ — liberality, generosity

נָדַד, פ״ע — to wander about; to flee; to shake; to move

נָדְדָה שְׁנָתוֹ (מֵעֵינָיו) — to be sleepless

נִדֵּד, פ״י — to chase, drive away

[נדה] נִדָּה, פ״י — to remove; to excommunicate

נִדָּה, נ׳, ר׳, ־דּוֹת — impurity; menses; menstruant woman; period of menstruation

נֵדֶה, ז׳ — gift (to a prostitute), harlot's fee

נְדוּדִים, ז״ר — wandering; sleeplessness

נְדֻנְדָּ, ז׳, ר׳, ־דִים — litter, stretcher

נָדוֹחַ, פ״ע, ע׳ [דוח] — to be rinsed, flushed

נִדּוּי, ז׳, ר׳, ־יִים — ban, excommunication

נִדּוֹן, נָדוֹן, ת״ז, נִדּוֹנָה, נְדוֹנָה, ת״נ — subject under discussion

נְדוּנְיָה, נְדֻנְיָה, נ׳, ר׳, ־יוֹת — dowry, trousseau

נָדַח, פ״י — to expel; to move, slip away

נִדַּח פ״ע — to be banished; to be led astray, be seduced

הִדִּיחַ, פ״י — to banish, expel; to lead astray

נִדָּח, ת״ז, נִדָּחָה, נִדַּחַת, ת״נ — banished, outcast

נִדְחֶה, ת״ז, ־חָה, ־חֵית, ת״נ — rejected; postponed

נִדְחַף, פ״ע, ע׳ [דחף] — to be in hurry, hasten

נָדִיב, ת״ז, נְדִיבָה, ת״נ — voluntary; liberal; generous; noble

נָדִיב, ז׳, ר׳, נְדִיבִים — philanthropist; noble-minded person

נְדִיבָה, נ׳ — nobility, nobleness

נְדִיבוּת, נ׳ liberality, generosity, philanthropy
נְדִידָה, נ׳, ר׳, ־דוֹת wandering
נְדִידַת שֵׁנָה insomnia
נָדִיף, ת״ז, נְדִיפָה, ת״נ evaporable
נָדִיר, ת״ז, נְדִירָה, ת״נ rare, infrequent, scarce
נְדִירוּת, נ׳ rarity, scarcity, infrequency
נִדְכָּא, נִדְכֶּה, ת״ז, נִדְכֵּאת, ת״נ miserable, depressed
נַדָּל, ז׳, ר׳, נַדָּלִים centipede; polyp
נִדְלַק, פ״ע, ע׳ [דלק] to be ignited
נִדְמֶה, תה״פ it seems, apparently
נִדְמָה, פ״ע, ע׳ [דמה] to be like, resemble; to be cut off
נָדָן, נֶדֶן, ז׳, ר׳, נְדָנִים sheath, scabbard; prostitute's fee; gift to a lady
[נדד] נִדְנֵד, פ״י to shake, rock, move, swing
הִתְנַדְנֵד, פ״ח to be moved, be shaken; to swing oneself
נַדְנֵדָה, נ׳, ר׳, ־דוֹת swing, rocking chair
נִדְנוּד, ז׳, ר׳, ־דִים shaking, moving about; swinging
נְדֻנְיָה, נְדוּנְיָה, נ׳, ר׳, ־יוֹת dowry, trousseau
נִדְעַךְ, פ״ע, ע׳ [דעך] to be made extinct
נָדַף, פעו״י to drive about, scatter, blow away
הִתְנַדֵּף פ״ח to evaporate; to be blown away
נִדְפַּס, פ״ע, ע׳ [דפס] to be printed
נֶדֶר, נֵדֶר, ז׳, ר׳, נְדָרִים vow; promise
נָדַר, פ״י to vow
הִדִּיר, פ״י to put under a vow; prohibit by a vow
נֹהַּ, ז׳ merit; lamentation, wailing
נָהַג, פעו״י to drive, conduct, lead; to behave; to be accustomed, practiced
נִהֵג, פיו״ע to lead, drive; to guide; to wail
הִנְהִיג, פ״י to drive; to lead; to make a custom, a practice
הִתְנַהֵג, פ״ח to conduct (behave) oneself
נֶהָג, ז׳, ר׳, ־גִים chauffeur, driver
נֹהַג, ז׳ custom, habit
נֶהְדָּר, ת״ז, נֶהְדֶּרֶת, ת״נ splendid, wonderful
נָהָה, פ״ע to wail, lament; to follow eagerly
נָהוּג, ת״ז, נְהוּגָה, ת״נ customary, usual
נִהוּג, ז׳, ר׳, ־גִים conduct; driving; leading
נִהוּל, ז׳ direction, management; administration
נְהִי, ז׳, נְהִיָּה, נ׳, ר׳, ־יוֹת wailing, lament
נְהִיגָה, נ׳, ר׳, ־גוֹת driving, leading
נְהִימָה, נ׳, ר׳, ־מוֹת roaring; groaning
נְהִיקָה, נ׳, ר׳, ־קוֹת braying
נָהִיר, ת״ז, ־רָה, ת״נ plain, explicit, lucid
נִהֵל פ״י to lead, guide; to manage
הִתְנַהֵל, פ״ח to be conducted, managed; to walk to and fro
נֹהַל, ז׳ procedure
נַהֲלֹל, נַהֲלוֹל, ז׳, ר׳, ־לִים bramble
נָהַם, פ״ע to growl, roar; to groan
נַהַם, ז׳ roaring, growling

נְהָמָה, נ׳, ר׳, ־מוֹת — roaring
נָהַק, פ״ע — to cry out, bray
נְהָקָה, נ׳, ר׳, ־קוֹת — braying
נָהָר, ז׳, ר׳, נְהָרוֹת, נְהָרִים — river, stream
נָהַר, פ״ע — to flow; to shine
הִנְהִיר, פ״י — to illuminate, give light
נְהָרָה, נ׳ — brightness
[נוא] הֵנִיא, פ״י — to frustrate; to restrain, hinder
נוֹאַל, פ״ע, ע׳ [יאל] — to be foolish, faulty
נוֹאָל, ת״ז, נוֹאֶלֶת, ת״נ — foolish
נוֹאֵם, ז׳, ר׳, ־אֲמִים — speaker, orator
נוֹאֵף, ז׳, ר׳, ־אֲפִים — adulterer
נוֹאַשׁ, פ״ע, ע׳ [יאשׁ] — to despair
נוֹאָשׁ, ת״ז, נוֹאֶשֶׁת, ת״נ — hopeless, despairing, despondent
[נוב] נָב, פעו״י — to spring forth; to bear fruit; to speak, utter
נוֹבֵב, פ״י — to cause to sprout, flourish; to be fluent
נוֹבֶלֶת, נ׳, ר׳, נוֹבְלוֹת — unripe fruit falling off tree; falling leaf
נוֹבֶמְבֶּר, ז׳ — November
נוֹבֵעַ, ת״ז, נוֹבַעַת, ת״נ — bursting forth, flowing
נוּגָה, פ״ע, ע׳ [יגה] — to be aggrieved, afflicted
נוּגֶה, ת״ז, נוּגָה, ת״נ — sad, sorrowful
נוֹגַהּ, נֹגַהּ, ז׳ — brightness; planet Venus
נוֹגֵשׂ, ז׳, ר׳, ־גְשִׂים — taskmaster, oppressor
[נוד] נָד, פ״ע — to wander; to shake; to commiserate
נָע וָנָד — wanderer

הֵנִיד, פ״י — to drive out; to move, shake (the head)
הִתְנוֹדֵד, פ״ח — to be moved; to sway, totter
נוֹד, ז׳ — wandering
נַוָּד, ז׳, ר׳, ־דִים — wanderer
נוֹד, ז׳, ר׳, נוֹדוֹת — skin (leather) bottle
נוֹדֵד, ז׳, ר׳, נוֹדְדִים — wanderer
נוֹדָע, ת״ז, נוֹדַעַת, ת״נ — well-known, famous
נָוֶה, ז׳, ר׳, נָווֹת — pasture, meadow; habitation
נְוַת בַּיִת — housewife
נְוֵה קַיִץ — summer resort
נָוָה, פ״ע — to dwell; to be becoming
הִנְוָה, פ״י — to adorn, beautify; to glorify
הִתְנַוָּה, פ״ע — to be ostentatious, adorn oneself
נִוּוּל, ז׳ — ugliness, disgrace
נִוּוּן, ז׳ — degeneration
נוֹזֵל, ז׳, ר׳, ־זְלִים — liquid
נוֹזְלִים — flowing water; liquids
נוֹזֵל, ת״ז, ־זֶלֶת, ת״נ — running, flowing
[נוח] נָח, פ״ע — to rest; to lie; to rest satisfied
הֵנִיחַ, פ״י — to set at rest
הִנִּיחַ, פ״י, ע׳ [ינח] — to place; to leave alone; to permit; to assume
נוֹחַ, נֹחַ, ז׳, ־חִים — quiet, rest
נוֹחַ, ת״ז, ־חָה, ת״נ — easy; pleasing; kind; convenient
נוֹחַ לִכְעֹס — hot-tempered, quick-tempered
נוֹחִיּוּת, נ׳ — ease, comfort, convenience
נוֹחַם, נֹחַם, ז׳ — condolence, sorrow; repentance
[נוט] נָט, פ״ע — to shake, move

נַוָּט, ז׳, ר׳, ־טִים pilot, navigator
נוֹטֶה, ת״ז, ־טָה, ת״נ inclined, tending, bending
נַוָּטוּת, נ׳ navigation
נוֹטֵר, ז׳, ר׳, ־טְרִים watchman
נוֹטַרְיוֹן, ז׳, ר׳, ־נִים notary public
נוֹי, ז׳ ornament, beauty
נוֹכַח, פ״ע, ע׳ [יכח] to be proved; to dispute
נוֹכָח, ת״ז, ־כַחַת, ת״נ opposite; parallel
נוֹכָח, ז׳, ר׳, ־חִים present; second person (*gram.*)
נוֹכְחוּת, נוֹכָחוּת, נ׳ presence
נוֹכֵל, ז׳, ר׳, ־כְלִים imposter, swindler
נִוֵּל, פ״י to disfigure, make ugly
נוֹל, ז׳, ר׳, ־לִים loom
נוֹלַד, פ״ע, ע׳ [ילד] to be born
נוֹלָד, ת״ז, ־לֶדֶת, ת״נ result, outcome, consequence
[נום] נָם, פ״ע to slumber, doze
נוּמָה, נ׳, ר׳, ־מוֹת slumber
נוּן, ז׳, ר׳, ־נִים Nun, name of fourteenth letter of Hebrew alphabet
נִוֵּן, פ״י, [נונה] הִתְנַוְּנָה, פ״ח
to waste away, deteriorate
[נוס] נָס, פ״ע to flee, escape; to depart, disappear
הֵנִיס, פ״י to put to flight
נוֹסַד, פ״ע, ע׳ [יסד] to come together secretly; to be established
נוֹסַח, נֹסַח, ז׳, נוּסְחָה, נֻסְחָה, נ׳,
ר׳, נֻסָּחִים, ־חוֹת, ־חָאוֹת
text; copy; formula; recipe
נוֹסֵס, ז׳ color-bearer
נוֹסֵעַ, ז׳, ר׳, ־סְעִים traveler
נוֹסָף, ת״ז, ־סֶפֶת, ת״נ additional

[נוע] נָע, פ״ע to wander about; to be unstable; to tremble, totter
הֵנִיעַ, פ״י to move to and fro; to shake; to stir up
נוֹעַ, ז׳ motion, movement
נוֹעַד, פ״ע, ע׳ [יעד] to agree upon; to come together
נוֹעָז, ת״ז, ־עֶזֶת, ת״נ daring
נוֹעַם, נֹעַם, ז׳ delightfulness, pleasantness
נוֹעַץ, פ״ע, ע׳ [יעץ] to be advised
נוֹעַר, נֹעַר, ז׳ youth
[נוף] נָף, פ״י to sprinkle
נוֹפֵף, פ״י to shake; to wave
הֵנִיף, פ״י to swing, wave, shake, fan
הִתְנוֹפֵף, פ״ח to soar, swing oneself
נוֹף, ז׳, ר׳, ־פִים height; boughs of a tree; zone; landscape
נוֹפֶךְ, נֹפֶךְ, ז׳, ר׳, ־נְפָכִים precious stone; addition
נוֹפֵף, פ״י, ע׳ [נוף] shake; wave
נוֹפֶשׁ, נֹפֶשׁ, ז׳ recreation; rest
נוֹפֶת, נֹפֶת, נ׳ flowing honey, honeycomb
נוֹצָה, נ׳, ר׳, ־צוֹת quill; plumage, feather
נוֹצָן, ז׳, ר׳, ־נִים feather duster
נוֹצֵץ, ״ז, ־צֶצֶת, ת״נ sparkling, shining
נוֹצֵר, ז׳, ר׳, ־צְרִים watchman, guard
נוֹצְרִי, ז׳, ר׳, ־רִים Christian
[נוק] הֵינִקָה, פ״י, ע׳ [ינק] to nurse, suckle
נוֹקֵד, ז׳, ר׳, ־קְדִים shepherd, shcep-raiser
נוּר, ז׳, ר׳, ־רִים light, fire

נוֹרָא, ת״ז, ־רָאָה, ת״נ awe-inspiring; fearful; revered
נוּרָה, נ׳, ר׳, ־רוֹת light bulb
נוֹרַשׁ, פ״ע, ע׳ [ירש] to be impoverished, dispossessed
נוֹשֵׂא, ז׳, ר׳, ־שְׂאִים topic, subject, theme
נוֹשַׁב, פ״ע, ע׳ [ישב] to be inhabited
נוֹשָׁב, ת״ז, ־שֶׁבֶת, ת״נ inhabited
נוֹשַׁן, פ״ע, ע׳ [ישן] to be old, inveterate
נוֹשָׁן, ת״ז, ־שֶׁנֶת, ־שָׁנָה, ת״נ old, ancient, inveterate
נוֹשַׁע, פ״ע, ע׳ [ישע] to be saved, helped; to be victorious
נוֹתָר, ת״ז, ־תֶרֶת, ת״נ remainder, remnant, residue
נוֹתַר, פ״ע, ע׳ [יתר] to remain, be left over
נָזַד, פ״י to cook (lentils) porridge
נִזְדָּרֵז, פ״ח, ע׳ [זרז] to be alert, zealous, conscientious
נָזָה, פ״ע to spatter, spurt
הִזָּה, פ״י to sprinkle
נִזְהַר, פ״ע, ע׳ [זהר] to be careful, take heed
נִזּוֹחַ, פ״ע, ע׳ [זוח] to be moved, removed
נָזוּף, ת״ז, נְזוּפָה, ת״נ reproved, censured
נָזַח, פ״ע, ע׳ [זחח] to be unsteady; to shift
הִזִּיחַ, פ״י to move, remove
נָזִיד, ז׳, ר׳, נְזִידִים porridge
נְזִילָה, נ׳, ר׳, ־לוֹת flux; running (of water, etc.)
נְזִיפָה, נְזִיפוּת, נ׳, ר׳, ־פוֹת rebuke, censure

נְזִיקִים, נְזִיקִין, ז״ר damages
נָזִיר, ז׳, ר׳, נְזִירִים prince; monk; Nazarite; unpruned vine
נְזִירוּת, נ׳, ר׳, ־רֻיּוֹת Nazariteship; abstinence
נִזְכַּר, פ״ע, ע׳ [זכר] to be remembered; to recollect
נָזַל, פ״ע to flow, distil
נַזֶּלֶת, נ׳, ר׳, ־זָּלוֹת cold in the head
נֶזֶם, ז׳, ר׳, נְזָמִים nose ring, earring
נִזְעַךְ, פ״ע, ע׳ [זעך] to be extinguished
נִזְעַק, פ״ע, ע׳ [זעק] to be called together, assembled
נָזַף, פ״ע to rebuke, censure, chide
נֶזֶק, ז׳, ר׳, נְזָקִים, נְזִיקִים, נְזִיקִין injury, damage; indemnity
נִזַּק, פ״ע to be hurt, injured, suffer damages
הִזִּיק, פ״י to cause damage or injury
נִזְקַף, פ״ע, ע׳ [זקף] to be erect; to be credited
נִזְקַק, פ״ע, ע׳ [זקק] to need; to use; to be tied; to be engaged with
נֵזֶר, ז׳, ר׳, נְזָרִים crown, diadem; consecration
נָזַר, פ״ע to vow to be a Nazirite
נִזְרָה, פ״ע, ע׳ [זרה] to be scattered, dispersed
נָח, פ״ע, ע׳ [נוח] to rest; to lie; to rest satisfied
נַחַ, נוֹחַ, ז׳, ־חִים quiet, rest
נֶחְבָּא, ת״ז, ־בֵּאת, ת״נ hiding
נֶחְבָּא, נֶחְבָּה, פ״ע, ע׳ [חבא] [חבה] to hide oneself, be hidden
נָחָה, פ״י to lead, guide, bring
נִחוּם, ז׳, ר׳, ־מִים comfort, consolation; compassion

נְחוּמִים, ז"ר condolences

נֶחְבַּט, פ"ע, ע' [חבט] to be struck down; to fall down

נָחוּץ, ת"ז, נְחוּצָה, ת"נ pressing, urgent; necessary

נָחוּר, ת"ז, נְחוּרָה, ת"נ pierced

נְחוּשׁ, ז', ר', ־שִׁים divination, enchantment, magic

נָחוּשׁ, ת"ז, נְחוּשָׁה, ת"נ brazen; of bronze

נְחוּשָׁה, נְחֹשֶׁת, נ' copper; brass

נָחוּת, ת"ז, נְחוּתָה, ת"נ low; degenerate; descending

נֶחְטַף, פ"ע, ע' [חטף] to be seized, kidnaped

נְחִיל, ז', ר', נְחִילִים swarm (of bees, of fishes)

נְחִילָה, נ', ר', ־לוֹת name of a humming musical instrument, drone

נְחִיצָה, נ', ר', ־צוֹת pressure; haste

נְחִיצוּת, נ' dire necessity

נְחִיר, ז', ז"ז, נְחִירַיִם nostril

נְחִירָה, נ', ר', ־רוֹת snoring; stabbing

נְחִיתָה, נ', ר', ־תוֹת landing; infiltration

נְחִיתַת אֹנֶס forced landing

נְחִיתוּת, נ' inferiority

נַחַל, ז', ר', נְחָלִים river-bed; stream, ravine, wady

נָחַל, פ"י to inherit; to take possession of; to acquire; to give possession

הִתְנַחֵל, פ"ח to acquire as a possession

נַחֲלָה, נ', ר', נְחָלוֹת, ־לָאוֹת possession, property, estate; inheritance; portion

נַחֲלִיאֵלִי, ז', ר', ־לִים wagtail (bird)

נֶחֱלַץ, פ"ע, ע' [חלץ] to be girded for war; to be rescued

נִחַם, פ"ע to be sorry; to regret; to reconsider; to be comforted; to be consoled; to take vengeance

נֹחַם, נוֹחַם, ז' condolence, sorrow, repentance

נֶחְמָד, ת"ז, ־דָה, ־מֶדֶת, ת"נ nice, lovely

נֶחָמָה, נ', ר', ־מוֹת consolation; comfort; relief

נֶחֱמַם, פ"ע, ע' [חמם] to be inflamed, heated

נֶחְמַס, פ"ע, ע' [חמס] to suffer violence

נַחְנוּ, אֲנַחְנוּ, מ"ג we

נֵחַן, פ"ע, ע' [חנן] to be pardoned, reprieved

נֶחֱנַט, פ"ע, ע' [חנט] to be embalmed; to be ripe

נֶחֱנַךְ, פ"ע, ע' [חנך] to become inaugurated

נֶחְפָּז, ת"ז, ־פֶּזֶת, ת"נ hurried

נֶחְפַּז, פ"ע, ע' [חפז] to act rashly

נֶחְפַּן, פ"ע, ע' [חפן] to measure by a handful

נֶחְפַּר, פ"ע, ע' [חפר] to be put to shame

נָחַץ, פ"י to press, urge

נִחֵץ, פ"י to emphasize

נַחַץ, ז' emphasis, pressure

נֶחְצַב, פ"ע, ע' [חצב] to be engraved, cut

נַחַר, ז', נַחֲרָה, נ', ר', ־נְחָרוֹת snorting

נָחַר, פעו"י to kill by stabbing in the throat; to snore, grunt

נֶחֱרַב, פ"ע, ע' [חרב] to be laid waste
נֶחֱרַז, פ"ע, ע' [חרז] to be arranged
נֶחֱרַט, פ"ע, ע' [חרט] to be printed, inscribed
נַחֲרָן, ז', ר', ־נִים habitual snorer
נֶחֱרַץ, פ"ע, ע' [חרץ] to be cut into, dug, plowed
נֶחֱרַף, פ"ע, ע' [חרף] to be betrothed, designated
נֶחֱרָץ, ת"ז, ־צָה, ת"נ final; sealed
נֶחֱרַשׁ, פ"ע, ע' [חרש] to become deaf
נִחֵשׁ, פעו"י to guess; to divine
נַחַשׁ, ז', ר', נְחָשִׁים sorcery; omen
נָחָשׁ, ז', ר', נְחָשִׁים snake, serpent
נַחְשׁוֹל, ז', ר', ־לִים tempest, gale
נַחְשׁוֹן, ז', ר', ־נִים reckless, daring man
נַחְשׁוֹנוּת, נ' daring, venturesomeness
נֶחְשָׁל, ת"ז, ־שֶׁלֶת, ת"נ backward; failing
נְחֹשֶׁת, נְחוּשָׁה, נ' copper, brass
נְחָשְׁתִּי, ת"ז, ־תִּית, ת"נ coppery, brassy
נְחֻשְׁתַּיִם, ז"ז brass or copper fetters
נְחֻשְׁתָּן, ז', ר', ־נִים brazen serpent
נַחַת, נ' quietness, repose, gentleness; rest, satisfaction, pleasure
נַחַת רוּחַ satisfaction
נַחַת, ז' descent, landing
נָחַת, פ"ע to descend, land
נִחַת, פ"ע to descend into, penetrate
נִחֵת, פ"י to press down, bend; to lower
הִנְחִית, פ"י to bring down
נַחְתּוֹם, ז', ר', ־מִים baker
נִטְבַּע, פ"ע, ע' [טבע] to be impressed, coined
נָט, פ"ע, ע' [נוט] to shake, move

נָטָה, פעו"י to extend; to turn aside; to bend; to conjugate, decline (*gram.*)
נָטָה לָמוּת to be close to death
הִטָּה, פ"י to turn, turn aside; to seduce, entice
הִטָּה מִשְׁפָּט (דִּין) to pervert judgment
נֶטוֹ, ז' net weight
נִטְוָה, פ"ע, ע' [טוה] to be spun
נָטוּי, ת"ז, נְטוּיָה, ת"נ stretched out; bent; inflected (*gram.*)
נָטוּל, ת"ז, ־לָה, ת"נ taken; deprived of
נָטוּעַ, ת"ז, נְטוּעָה, ת"נ planted
נָטוֹר, ז', ר', ־רִים guard, policeman
נָטוּשׁ, ת"ז, נְטוּשָׁה, ת"נ abandoned
נִטַּיֵּב, פ"ח, ע' [טיב] to be well manured
נְטִיָּה, נ', ר', ־יּוֹת inclination; stretching; deflection; inflection (*gram.*)
נְטִיַּת הַפְּעָלִים conjugation of verbs
נְטִיַּת הַשֵּׁמוֹת declension of nouns
נָטִיל, ת"ז, נְטִילָה, ת"נ laden, burdened
נְטִילֵי כֶּסֶף rich people
נְטִילָה, נ', ר', ־לוֹת taking, lifting up, carrying
נְטִילַת יָדַיִם washing the hands
נְטִילַת צִפָּרְנַיִם, ־שֵׂעָר cutting of nails, hair
נְטִילַת רְשׁוּת request for permission
נָטִיעַ, ז', ר', נְטִיעִים plant, sapling
נְטִיעָה, נ', ר', ־עוֹת planting; young tree, shoot
נָטִיף, ז', ר', נְטִיפִים stalactite

נְטִיפָה, נ׳, ר׳, ־פוֹת eardrop; pendant; pearl; dripping
נְטִירָה, נ׳, ר׳, ־רוֹת guarding; bearing a grudge
נְטִישָׁה, נ׳, ר׳, ־שׁוֹת, ־שִׁים renunciation; tendril, sarmentum
נֵטֶל, ז׳ weight, burden
נָטַל פ״י to lift, take, receive; to move, carry off
נָטַל יָדָיו to wash one's hands
הִטִּיל, פ״י to throw, put; to lay
הִטִּיל מַיִם to urinate, pass water
הִטִּיל שָׁלוֹם to make peace
הֵטִיל גּוֹרָל to cast a lot
נַטְלָה, נ׳, ר׳, נְטָלוֹת bowl, small vessel (for washing hands)
נִטְמָא, פ״ע, ע׳ [טמא] to be defiled
נִטְמַן, פ״ע, ע׳ [טמן] to hide oneself
נִטְמַע, פ״ע, ע׳ [טמע] to become assimilated, mixed
נָטַע, פ״י to plant; to fix; to establish
נַטָּע, ז׳, ר׳, ־עִים horticulturist
נֶטַע, ז׳, ר׳, נְטָעִים, נְטִיעִים planting
נָטָף, ז׳ aromatic gum or spice
נֵטֶף, ז׳, ר׳, נְטָפִים drop
נָטַף, פעו״י to drop, drip
הִטִּיף, פ״י to drip; to speak, preach
נָטֵף, ז׳, ר, נְטֵפִים grapes hanging down from cluster
נִטְפַּל, פ״ע, ע׳ [טפל] to be joined to; to busy oneself
נָטַר, פ״י to guard, keep; to bear a grudge
נָטַשׁ, פעו״י to abandon, forsake; to permit; to spread out
נִי, ז׳ lament
נִיב, ז׳, ר׳, ־בִים idiom; speech, dialect; canine tooth
נִיבוֹן, ז׳, ר׳, ־נִים dictionary of idioms
נִיד, ז׳ movement, quivering motion
נַיָּד, ת״ז, נַיֶּדֶת, ת״נ mobile
נַיֶּדֶת, נ׳, ר׳, ־יָדוֹת patrol car
נְיוֹרֶת, נְיֹרֶת, נ׳, ר׳, ־רוֹת carton
נַיָּח, ת״ז, נַיַּחַת, ת״נ still, quiet, stationary
נִיחוֹחַ, ז׳, ר׳, ־חִים pleasing, soothing; sweet odor, aroma
נִיטָל, ז׳ Christmas
נִיל, ז׳, ר׳, ־לִים indigo plant
נִים, ת״ז, ־מָה, ת״נ sleeping, drowsing
נִימָא, נִימָה, נִמָה, נ׳, ר׳, ־מִים, ־מִין, ־מוֹת fringe, cord, string; chord
נִימוּס, נִמּוּס ז׳, ר׳, ־סִים, ־סִין, ־סוֹת right conduct, good manner; law; usage
נִימוּסִי, נִמּוּסִי, ת״ז, ־סִית, ת״נ polite, well-mannered
נִימוּסִיּוּת, נ׳ good manners, politeness
נִימוּק, נִמּוּק, ז׳, ר׳, ־קִים reason, motive, argument
נִימִי, ת״ז, ־מִית, ת״נ capillaceous
נִימִיּוּת, נ׳ capillarity
נִין, ז׳, ר׳, ־נִים descendant, great-grandchild
נִיסָה, נ׳, ר׳, ־סוֹת flight, escape
נִיסָן, ז׳ Nisan, the first month of Hebrew calendar
נִיעַ, ז׳ phlegm, mucus
נִיעָה, נ׳ motion
נִיצוֹץ, ז׳, ר׳, ־צוֹת, ־צִים spark; ray
נִיר, ז׳, ר׳, ־רִים fallow land, clearing; lamp; crossbeam of loom
[ניר] נָר, פ״י to break ground, clear
נְיָר, ז׳, ר׳, ־רוֹת paper

נְיָר־סוֹפֵג blotting paper
נְיָר־עֵרֶךְ security (note)
נְיָר־פֶּחָם, ־הַעְתָּקָה carbon paper
נְיָר־שִׁמּוּשׁ toilet paper
נְיָר־שָׁמִיר, ־זְכוּכִית sandpaper
נִירִיָּה, נ', ר', ־יּוֹת stationery store
נְיֹרֶת, נְיוֹרֶת, נ', ר', ־רוֹת carton
[נכא] נִכָּא, פ"ע to be scourged; to be exiled, driven away
נָכֵא, ת"ז, נְכֵאָה, ת"נ smitten, afflicted
נִכְאָה, פ"ע, ע' [כאה] to be afflicted, cowed
נְכָאִים, ז"ר depression, dejection
נְכֹאת, נ' tragacanth
נִכְבַּד, פ"ע, ע' [כבד] to be copious; to be honored
נִכְבָּד, ת"ז, נִכְבֶּדֶת, ת"נ honored, honorable, notable, distinguished; full, heavy
נֶכֶד, ז', ר', נְכָדִים grandson; posterity
נֶכְדָּה, נ', ר', נְכָדוֹת granddaughter
נֶכְדָּן, ז', ־נִית, נ', ר', ־נִים, ־נִיּוֹת nephew; niece
[נכה] הִכָּה, פ"י to strike, beat; to defeat; to kill
הִכָּה גַּלִּים to storm (at sea); to echo
הִכָּה כַּף to clap hands
הִכָּה שֹׁרֶשׁ to strike root
נִכָּה, פ"י to deduct, reduce
נְכֵה, ת"ז, ־כָה, ת"נ crippled, invalid
נֵכֶה, ז', ר', ־כִים contemptible, vile man
נִכּוּי, ז', ר', ־יִים deduction, reduction; discount
נָכוֹן, ת"ז, נְכוֹנָה, ת"נ firm, fixed, stable; right, proper; ready

אֶל נָכוֹן, תה"פ certainly, assuredly
נָכוֹן, פ"ע, ע' [כון] to be resolved, firm, prepared
נְכוֹנוּת, נ' readiness, preparedness, correctness
נִכּוּשׁ, ז' weeding
(נְכוֹת) בֵּית־נְכוֹת, ז', ר', בָּתֵּי־נְכוֹת museum
נָכוּת, נ' invalidism
נִכְזָב, ת"ז, ־זֶבֶת, ת"נ disappointed
נֹכַח, תה"פ opposite, against, in front of
נָכֹחַ, ת"ז, נְכֹחָה, ת"נ straightforward, honest
נְכֹחָה, נ', ר', ־חוֹת justice, honesty, right
נָכְחוּת, נֹכְחוּת, נ' presence
נָכְחִי, נֹכְחִי, ת"ז, ־חִית, ת"נ present; opposite
נִכָּיוֹן, ז', ר', נִכְיוֹנוֹת reduction, discount
נֵכֶל, ז', ר', נְכָלִים knavery, deceit
נָכַל, פ"י to be deceitful, crafty
נִכֵּל, פ"ע to deceive, beguile
הִתְנַכֵּל, פ"ח to conspire
נִכְלַח, פ"ע, ע' [כלח] to become senile
נִכְלַם, פ"ע, ע' [כלם] to be ashamed
נִכְמַר, פ"ע, ע' [כמר] to grow hot; to shrink
נִכְנַס, פ"ע, ע' [כנס] to enter
נִכְנַע, פ"ע, ע' [כנע] to be humbled, subdued
נִכְנַף, פ"ע, ע' [כנף] to hover; to hide oneself
נֶכֶס, ז', ר', נְכָסִים riches, property
נִכְסָף, ת"ז, ־סֶפֶת, ת"נ longing
נִכְפֶּה, ז', ר', ־פִּים epileptic
נִכְפּוּת, נ' epilepsy

נִכְפָּל, ז׳, ר׳, ־פָּלִים multiplier
נֶכֶר, נֹכֶר, נֵכֶר, ז׳ misfortune, calamity
נֵכָר, ז׳ strangeness; strange land
נִכַּר, פ״ע to be recognized; to be discernible
הִכִּיר, פ״י to recognize, acknowledge; to know; to be acquainted with; to distinguish
נִכֵּר, פ״י to treat as a stranger; to ignore; to discriminate against
הִתְנַכֵּר, פ״ח to act as a stranger; to be known
נָכְרִי, ת״ז, ־רִיָּה, ־רִית, ת״נ strange, foreign
[נכש] נִכֵּשׁ, פ״י to weed
[נכש] הִכִּישׁ, פ״י to strike, wound; to bite, sting
נִכְשַׁל, פ״ע, ע׳ [כשל] to fail; to go astray
נִכְתַּם, פ״ע, ע׳ [כתם] to be stained, soiled
נִלְבַּט, פ״ע, ע׳ [לבט] to vex, annoy; to be guilty
נִלְהָב, ת״ז, ־הֶבֶת, ת״נ enthusiastic
נָלוֹז, ת״ז, נְלוֹזָה, ת״נ crooked, perverted
נָלוֹן, פ״ע, ע׳ [לון] to complain
נְלִיזָה, נ׳, ר׳, ־זוֹת deflection
נִלְעָג, ת״ז, ־עֶגֶת, ת״נ mocking; despicable
נָם, פ״ע, ע׳ [נום] to slumber, be drowsy; to speak
נִמְאַס, פ״ע, ע׳ [מאס] to be despised; to feel disgusted; have enough of
נִמְאָס, ת״ז, ־אֶסֶת, ת״נ hated, scorned
נִמְבְּזֶה, ת״ז, ־זָה, ת״נ unimportant, valueless

נִמְהַר, פ״ע, ע׳ [מהר] to be hasty, overzealous, rash
נִמְהָר, ת״ז, ־הֶרֶת, ת״נ hurried, rash
נִמְהָרוּת, נ׳ precipitancy
נָמוֹג, פ״ע, ע׳ [מוג] to melt away; to be shaken
נָמוֹג, ת״ז, נְמוֹגָה, ת״נ soft-hearted
נָמוֹט, פ״ע, ע׳ [מוט] to tilt and fall
נָמוֹךְ, נָמוּךְ, ת״ז, ־כָה, ת״נ low, lowly, humble
נִמּוֹל, פ״ע, ע׳ [מול] to be circumcised
נִמּוּס, נִימוּס, ז׳, ר׳, ־סִים, ־סִין, ־סוֹת law; usage; good manner, right conduct
נִמּוּק, נִימוּק, ז׳, ר׳, ־קִים reason, motive, argument
נָמוֹר, ז׳ speckled, spotted
נִמְזַג, פ״ע, ע׳ [מזג] to be poured out
נִמְחַץ, פ״ע, ע׳ [מחץ] to be smashed
נִמְחַק, פ״ע, ע׳ [מחק] to be erased, blotted out
נֶמֶט, ז׳, ר׳, נְמָטִים thick carpet
נִמְטַר, פ״ע, ע׳ [מטר] to be wet with rain
נְמִיגָה, נ׳ melting, dissolving; cowardice
נְמִיָּה, נ׳, ר׳, ־יּוֹת marten
נְמִיכוּת, נ׳ lowliness, humility
נְמִיסָה, נ׳ melting; cowardice
[נמך] הִנְמִיךְ, פ״י to lower, depress
נִמְכַּר, פ״ע, ע׳ [מכר] to be sold
נָמָל, נָמֵל, ז׳, ר׳, נְמַלִּים, נְמֵלִים haven, port, harbor
נִמְלָא, פ״ע, ע׳ [מלא] to be filled
נְמָלָה, נ׳, ר׳, ־לִים, ־לוֹת ant
נִמְלַח, פ״ע, ע׳ [מלח] to be salted; to be torn; to be dispersed

נִמְלַךְ, פ"ע, ע' [מלך] to reconsider

נִמְלַל, פ"ע, ע' [מלל] to be soft, compressible

נִמְלָץ, ת"ז, ־לֶצֶת, ת"נ flowery, stylistic

נִמְלַק, פ"ע, ע' [מלק] to be killed by nipping, wringing head

נִמְנָה, פ"ע, ע' [מנה] to be counted, assigned

נִמְנוּם, ז' light sleep, drowsiness

נִמְנֵם, פ"ע to be drowsy, doze

הִתְנַמְנֵם, פ"ח to slumber

נִמְנַע, פ"ע, ע' [מנע] to be restrained

נִמְסַךְ, פ"ע, ע' [מסך] to be poured

נִמְנָע, ת"ז, ־נַעַת, ת"נ impossible; abstained

נָמַס, פ"ע, ע' [מסס] to become melted

נִמְסַק, פ"ע, ע' [מסק] to be picked (olives)

נִמְצָא, פ"ע, ע' [מצא] to be found; to exist; to be present

נִמְצָה, פ"ע, ע' [מצה] to be wrung out

נִמְצַק, פ"ע, ע' [מצק] to be, get distilled

נֶמֶק, ז', ר', נְמָקִים rot; gangrene

נָמַק, פ"ע, ע' [מקק] to fester, rot; to become weak

נִמֵּק, פ"י to explain, clarify

נָמֵר, ז', ר', נְמֵרִים leopard, tiger

נִמֵּר, פ"י to give striped or checkered appearance

נִמְרַח, פ"ע, ע' [מרח] to be spread, smeared; to be crushed

נִמְרַט, פ"ע, ע' [מרט] to be plucked, polished; to be made bald

נְמֵרִי, ת"ז, ־רִית, ת"נ tigerlike

גָּמָל נְמֵרִי giraffe

נִמְרָץ, ת"ז, ־רֶצֶת, ת"נ grievous; heavy; decided

נִמְרַץ, פ"ע, ע' [מרץ] to be energetic, strong, vehement, rapid

נִמְרַק, פ"ע, ע' [מרק] to be cleaned; purged

נֶמֶשׁ, ז', ר', נְמָשִׁים freckle

נִמְשַׁח, פ"ע, ע' [משח] to be anointed

נִמְשָׁךְ, ת"ז, ־שֶׁכֶת, ת"נ prolonged; continuous; following

נִמְשַׁךְ, פ"ע, ע' [משך] to be stretched; to be withdrawn; to be prolonged

נִמְשָׁל, ז', ר', ־לִים moral, maxim

נִמְשַׁל, פ"ע, ע' [משל] to be compared; to resemble

נִמְתַּח, פ"ע, ע' [מתח] to be spread, stretched; to be made nervous; to be curious

נַנָּס, ז', ר', ־סִים dwarf, midget

נַנָּסִי, ת"ז, ־סִית, ת"נ dwarfish

נֵס, ז', ר', נִסִּים miracle; standard; signal, sign

נָס, פ"ע, ע' [נוס] to flee, escape, depart, disappear

נְסִבָּה, נ', ר', ־בּוֹת turn of events; cause

[נסג] הִסִּיג, פ"י to remove, carry away

הִסִּיג גְּבוּל to remove a boundary mark; to encroach upon, trespass

[נסה] נִסָּה, פ"י to test, try, experiment, attempt

נָסוֹג, פ"ע, ע' [סוג] to turn back, retreat

נִסּוּחַ, ז', ר', ־חִים formulation

נִסּוּי, ז', ר', ־יִים trial, experiment, test

נִסּוּיִי, ת"ז, ־יִית, ת"נ — experimental
נִסּוּךְ, ז', ר', ־כִים — pouring out, libation
סַח, פ"י — to pull down; to tear away
נִסַּח, פ"י — to arrange a text; to formulate
הִסִּיחַ, פ"י — to remove, discard
הִסִּיחַ דַּעְתּוֹ — to divert one's mind, distract one's attention
נֹסַח, נוּסַח, ז', נֻסְחָה, נוּסְחָה, נ', ר', נְסָחִים, ־חוֹת, ־חָאוֹת — text; copy; formula; recipe
נְסִיגָה, נ', ר', ־גוֹת — retrogression; retreat
נַסְיוּב, ז', ר', ־בִים — serum; whey
נִסָּיוֹן, ז', ר', נִסְיוֹנוֹת — test, trial; experiment; experience
נִסְיוֹנִי, ת"ז, ־נִית, ת"נ — experimental
נָסִיךְ, ז', ר', ־כִים — prince, viceroy
נְסִיכָה, נ', ר', ־כוֹת — princess
נְסִיעָה, נ', ר', ־עוֹת — traveling; trip, journey
נְסִירָה, נ', ר', ־רוֹת — sawing
נָסַךְ, פ"י — to pour; to cast; to anoint
נִסֵּךְ, פ"י — to offer a libation
נֶסֶךְ, נֵסֶךְ, ז', ר', נְסָכִים — libation; drink-offering; molten image
נִסְכַּל, פ"ע, ע' [סכל] — to act foolishly
נַסֶּל, ז', ר', נַסָּלִים — armchair, easy chair
נִסְמָךְ, ת"ז, ־מֶכֶת, ת"נ — ordained (as Rabbi); in the construct state (*gram.*)
נָסַס, נוֹסֵס, פ"ע — to drive, to be driven (on)
הִתְנוֹסֵס, פ"ח — to be displayed as a banner; to flutter; to glitter
נָסַע, פעו"י — to travel; to journey; to march; to move
הִסִּיעַ, פ"י — to drive; to lead out; to pick up; to remove
נִסְעָר, ת"ז, ־עֶרֶת, ת"נ — stormy; excited
נִסְפָּח, ז', ר', ־חִים — appendix; addition; diplomat, attaché
נָסַק, פ"ע — to go up, ascend
הִסִּיק, פ"י — to heat up; to conclude
נֶסֶר, ז', ר', נְסָרִים — board
נָסַר, פ"י — to saw, plane
נִסְרַךְ, פ"ע, ע' [סרך] — to be joined, attached
נְסֹרֶת, נ' — chips, sawdust
נִסְתַּחֵף, פ"ח, ע' [סחף] — to be swept away, eroded, ruined
נִסְתָּר, ת"ז, ־תֶּרֶת, ת"נ — hidden; mysterious; third person (*gram.*)
נָע, פ"ע, ע' [נוע] — to wander about; to be unstable; to tremble
נָע, ת"ז, ־עָה, ת"נ — wandering, mobile
נֶעֱגַן, פ"ע, ע' [עגן] — to be restrained, tied, anchored
נֶעְדָּר, ת"ז, ־דֶּרֶת, ת"נ — absent, missing, disappeared; dead; lacking
נַעֲוָה, פ"ע, ע' [עוה] — to be twisted, perverted
נַעֲוֶה, ת"ז, ־וָה, ת"נ — perverse, twisted
נָעוּל, ת"ז, נְעוּלָה, ת"נ — locked; shoed
נָעוּץ, ת"ז, נְעוּצָה, ת"נ — inserted
נָעוּר, ת"ז, נְעוּרָה, ת"נ — empty, shaken out
נִעוּר, ז' — shaking
נְעוּרִים, ז"ר, נְעוּרוֹת, נ"ר — youth
נְעִילָה, נ', ר', ־לוֹת — locking, closing, concluding; putting on shoes; Neilah, concluding service on Day of Atonement

נָעִים, ת״ז, נְעִימָה, ת״נ pleasant, pleasing, lovely, delightful

נְעִימָה, נ׳, ר׳, ־מוֹת melody, tune, tone; taste, disposition

נְעִימוּת, נ׳ pleasantness, loveliness

נָעִיץ, ז׳, ר׳, נְעִיצִים channel, ditch

נְעִיצָה, נ׳, ר׳, ־צוֹת insertion

נְעִירָה, נ׳, ר׳, ־רוֹת braying; shaking; waving

נֶעְכָּר, ת״ז, ־כֶּרֶת, ת״נ dejected, depressed

נָעַל, פ״י to bar, bolt, lock; to put on shoes

נַעַל, נ׳, ר, נַעֲלַיִם, נְעָלִים shoe, boot

נַעֲלֵי בַּיִת slippers

נֶעֱלָב, ת״ז, ־לֶבֶת, ת״נ insulted

נַעֲלָה, פ״ע, ע׳ [עלה] to be exalted, be brought up

נַעֲלֶה, ת״ז, ־לָה, ת״נ honored; superior

נֶעְלָם, ת״ז, ־לֶמֶת, ת״נ hidden, concealed

נֶעְלַם, פ״ע, ע׳ [עלם] to be hidden; to disappear

נֹעַם, נוֹעַם, ז׳ delightfulness, pleasantness

נָעַם, פ״ע to be lovely, pleasant

הִנְעִים, פ״י to cause pleasure; to sing, accompany musically; to compose melody

נַעֲמִית, נ׳, ר׳, ־מִיוֹת ostrich

נַעֲמָן, ת״ז, ־נָה, ת״נ delighted; pleasant

נַעֲנֶה, ת״ז, ־נָה, ת״נ humble, afflicted

נִעְנוּעַ, ז׳, ר׳, ־עִים shaking

[נוע] נִעְנַע, פ״י to shake

נַעְנַע, ז׳, ר׳, ־נָעִים mint

נַעַץ, ז׳, ר׳, נְעָצִים clasp; tack

נָעַץ, פ״י to prick, puncture; stick in, insert

נַעֲצוּץ, ז׳, ר׳, ־צִים thornbush, thicket of thorns

נָעַר, פ״י to shake, stir; to growl; to bray

נִעֵר, פ״י to shake out, empty; to loosen up

נַעַר, ז׳, ר׳, נְעָרִים boy, lad, youth; servant

נַעֲרָה, נ׳, ר׳, נְעָרוֹת girl, maiden; maid, maidservant

נֹעַר, נוֹעַר, ז׳ youth

נַעֲרוּת, נ׳ youth; puerility; vitality

נֶעֱרַם, פ״ע, ע׳ [ערם] to be heaped up

נְעֹרֶת, נ׳ tow, chaff

נֶעְתַּק, פ״ע, ע׳ [עתק] to be transcribed, translated

נֶעְתַּר, פ״ע, ע׳ [עתר] to be excessive

נָף, פ״ע, ע׳ [נוף] to sprinkle

נָפָה, נ׳, ר׳, ־פוֹת sieve; fan; height, elevation; district

[נפה] נִפָּה, פ״י to sift, winnow

נִפּוּחַ, ז׳, ר׳, ־חִים fanning, blowing

נָפוּחַ, ת״ז, נְפוּחָה, ת״נ blown up; swollen; boiling; seething

נִפּוּי, ז׳, ר׳, ־יִים sifting; purifying

נִפּוּל, ז׳, ר׳, ־לִים falling; young bird

נָפוּל, ת״ז, נְפוּלָה, ת״נ fallen, low, degenerate

נָפוּץ, ת״ז, נְפוּצָה, ת״נ diffused

נִפּוּץ, ז׳, ר׳, ־צִים shattering

נְפוּצָה, נ׳, ־צוֹת, נ״ר dispersion; Diaspora

נֶפַח, ז׳, ר׳, נְפָחִים swelling; volume, bulk

נָפַח, פ״י to blow, breathe

נָפַח נֶפֶשׁ die

נִפַּח, פ״י to be blown up, swell

הִפִּיחַ, פ״י to blow upon, sniff

הִתְנַפַּח, פ"ח to become swollen; to put on airs
נַפָּח, ז', ר', ־חִים smith, blacksmith
נַפָּחוּת, נ' smithery
נַפָּחִיָּה, נ', ר', ־יּוֹת smithy
נֵפְט, ז' kerosene, oil
נִפְטָר, ז', ר', ־טָרִים dead, deceased
נְפִיחָה, נ', ר', ־חוֹת blowing; belch; flatulence
נְפִיחוּת, נ', ר', ־חֻיּוֹת swelling
נָפִיל, ז', ר', נְפִילִים giant; tortoise, turtle, terrapin
נִפְלָה, פ"ע, ע' [פלה] to be distinct, distinguished
נְפִילָה, נ', ר', ־לוֹת falling; defeat
נְפִישָׁה, נ' vacationing
נֹפֶךְ, ז', ר', נְפָכִים precious stone
נָפַל, פ"ע to fall, fall down; to happen, occur
הִפִּיל, פ"י to throw down; to let drop; to cause to fall; to defeat; to miscarry
הִתְנַפֵּל, פ"ח to attack, fall upon
נֵפֶל, ז', ר', נְפָלִים stillbirth; premature birth
נִפְלָא, ת"ז, ־אָה, ת"נ wonderful, marvelous
נִפְלָאוֹת, נ"ר miracles, wonders
נִפְלָא, פ"ע, ע' [פלא] to be marvelous, wonderful
נִפְנֵף, פ"י to swing, flap
נִפְסָד, ת"ז, ־סֶדֶת, ת"נ spoiled; damaged
נִפְסַד, פ"ע, ע' [פסד] to be spoiled; to lose
[נפע] הִפִּיעַ, פ"י to revive; to blow air into lungs

נִפְעַל, ז' Niph'al, the reflexive and passive of the simple stem (kal) of the Hebrew verb
נֶפֶץ, ז' cloudburst; driving storm; scattering; bursting, explosion
חֹמֶר נֶפֶץ explosive
נַפָּץ, ז', ר', ־צִים detonator
נָפַץ, פעו"י to break, shatter; to disperse, scatter
נִפֵּץ, פ"י to dash to pieces; to explode, blow up
[נפק] הִפִּיק, פ"י to go out; to bring forth; to derive
נַפְקָנִית, נ', ר', ־נִיּוֹת gadabout
נִפְרָד, ת"ז, ־רֶדֶת, ת"נ separate; odd number; in the absolute state (*gram.*)
נִפְרָץ, ת"ז, ־רֶצֶת, ת"נ frequent
נֶפֶשׁ, נ', ר', נְפָשׁוֹת, ־שִׁים breath, spirit, soul; person, character (in a drama); tombstone
בְּנַפְשׁוֹ at the risk of his life
כְּנַפְשׁוֹ as much as he wishes
נָפַשׁ, פ"ע to rest
נֹפֶשׁ, נוֹפֶשׁ, ז' recreation; rest
נַפְשִׁי, ת"ז, ־שִׁית, ת"נ spiritual; hearty
נִפְשָׁע, ת"ז, ־שַׁעַת, ת"נ criminal
נֹפֶת, נוֹפֶת, נ' flowing honey, honeycomb
נַפְתּוּלִים, ז"ר wrestling, struggle
נִפְתָּל, ת"ז, ־תֶּלֶת, ת"נ tortuous; perverse
נֵץ, ז', ר', נִצִּים blossom, flower; falcon
נֵץ־חָלָב, ז' parsley
נָצָא, פ"ע to fly, flee
נִצַּב, פ"ע, ע' [יצב] to set, stand up
נִצָּב, ז', ר', ־בִים hilt, handle; prefect; perpendicular

steadfastness, resoluteness נִצְבָּה, נ'
to be laid waste נִצְדָּה, פ"ע, ע' [צדה]
to be covered with feathers נָצָה, פ"ע
to fly, flee; to be laid waste נָצָה, פ"ע
to strive, quarrel; to be laid waste, be made desolate נָצָה, פ"ע
blossom, flower נִצָּה, נ', ר', ־צּוֹת
direction (of choir or orchestra); argument נִצּוּחַ, ז', ר', ־חִים
exploitation נִצּוּל, ז'
preserved, guarded; secret נָצוּר, ת"ז, נְצוּרָה, ת"נ
hidden things, secrets נְצוּרוֹת, נ"ר
perpetuity; eternity; eminence, glory; strength; blood נֶצַח, נֵצַח, ז'
forever לָנֶצַח
forever and ever לְנֵצַח נְצָחִים
to be victorious; to sparkle, shine נָצַח, פ"י
to superintend; to conduct (orchestra) to be victorious, conquer, win נִצַּח, פ"י
to be defeated, beaten נִצַּח, פ"ע
to make everlasting, perpetuate הִנְצִיחַ, פ"י
lasting, enduring; irrefutable נִצָּח, ת"ז, ־צַּחַת, ת"נ
triumph, victory נִצָּחוֹן, ז', ר', ־צְחוֹנוֹת
eternity נִצְחוּת, נִצְחִיּוּת, נ'
eternal, everlasting נִצְחִי, ת"ז, ־חִית, ת"נ
eternity נִצְחִיּוּת, נִצְחוּת, נ'
dogmatic person נַצְחָן, ז', ר', ־נִים
dogma נַצְחָנוּת, נ'
pillar, column נָצִיב, ז', ר', נְצִיבִים

commissioner, prefect; garrison, military post נְצִיב, ז', ר', ־בִים
office of commissioner; territorial government נְצִיבוּת, נ', ר', ־בֻיּוֹת
representative נָצִיג, ז', ר', נְצִיגִים
representation נְצִיגוּת, נ', ר', ־גֻיּוֹת
mica נָצִיץ, ז'
to be delivered, saved; to deliver oneself, escape נִצַּל, פ"ע
to spoil; to strip; to save; to exploit נִצֵּל, פ"י
to save, rescue, deliver הִצִּיל, פ"י
to strip oneself; to apologize הִתְנַצֵּל, פ"ח
exploiter נַצְלָן, ז', ר', ־נִים
to join, attach oneself נִצְמַד, פ"ע, ע' [צמד]
bud, blossom נִצָּן, ז', ר', ־נִים
to sparkle; to be enkindled; to sprout [נצץ] נִצְנֵץ, פ"ע
to sparkle, shine; to bloom, sprout נָצַץ, פ"ע
to glitter, sparkle הִתְנוֹצֵץ, פ"ח
shoot, sprout, branch; osier, willow; wicker נֵצֶר, ז', ר', נְצָרִים
to guard, watch, keep; to preserve; to lock (safety catch) נָצַר, פ"י
to Christianize נִצֵּר, פ"י
to become a Christian, be converted to Christianity הִתְנַצֵּר, פ"ח
safety latch (on guns) נִצְרָה, נ' ר', נְצָרוֹת
Christianity נַצְרוּת, נ'
to be obliged נִצְרַךְ, פ"ע, ע' [צרך]
needy, poor נִצְרָךְ, ת"ז, ־רֶכֶת, ת"נ
to be hardened; to be put to test נִצְרַף, פ"ע, ע' [צרף]

נִצַּת, פ"ע, ע' [יצת] to ignite, inflame
נֶקֶב, ז', ר', נְקָבִים perforation; hole
נְקָבִים, ז"ר excrements
נָקַב, פ"י to bore, pierce, perforate; to designate; to curse, blaspheme
נִקֵּב, פ"י to pierce, puncture
נְקֵבָה, נ', ר', ־בוֹת female, feminine
נִקְבָּה, נ', ר', נְקָבוֹת tunnel; orifice
נַקְבּוּב, ז', ר', ־בִים perforation
נְקֵבוּת, נַקְבוּת, נ' female sex, feminine gender
נְקֵבִי, ת"ז, ־בִית, ת"נ feminine
נִקְבָּץ, ז' sum total
נָקֹד, ת"ז, נְקֻדָּה, ת"נ spotted, dotted
נָקַד, פ"י to prick; to point, mark with points
נִקֵּד, פ"י to punctuate, vowelize
נְקֻדָּה, נְקוּדָּה, נ', ר', ־דּוֹת point, dot; vowel-point, vowel; stud
נְקֻדָּה וּפְסִיק semicolon
נְקֻדָּתַיִם colon
נְקֻדַּת מַבָּט, ־ רְאוּת point of view
נַקְדָן, ז', ר', ־נִים punctilious person, pedant; punctuator
נָקָה, פ"ע to be innocent, pure
נִקָּה, פ"י to pronounce innocent, acquit; to leave unpunished; to cleanse, clear
נִקָּה, פ"ע to be free from guilt, punishment; to be pure, clean; to be innocent
נָקָה, נָאקָה, נ', ר', ־קוֹת she-camel
נָקוּב, ת"ז, נְקוּבָה, ת"נ perforated, pierced
נִקּוּב, ז', ר', ־בִים perforation, puncturing
נָקוּד, ת"ז, נְקוּדָה, ת"נ pointed, dotted; vowelized
נִקּוּד, ז', ר', ־דִים dot, point; punctuation, vowelization
נְקוּדָה, נְקֻדָּה, נ', ר', ־דּוֹת point, dot; vowel point, vowel; stud
נִקּוּז, ז', ר', ־זִים drainage
נָקוֹט, פ"ע, ע' [קוט] to feel loathing, to repent of
נִקּוּי, ז', ר', ־יִים cleaning, cleansing
נִקּוּף, ז' bruise, knock
נִקּוּר, ז', ר', ־רִים picking, pecking; chiseling; gouging out the eyes
נִקֵּז, פ"י to drain, dry up (swampland)
הִקִּיז, פ"י to puncture; to bleed, let blood
נָקַט, פעו"י to be weary of; to loathe; to hold, take, seize
נָקִי, ת"ז, נְקִיָּה, ת"נ clean, pure; innocent, guiltless, exempt
נְקִיבָה, נ', ר', ־בוֹת puncturing, punching
נִקָּיוֹן, ז' cleanness, cleanliness, purity, innocence
נִקְיוֹן כַּפַּיִם honesty, innocence
נִקְיוֹן שִׁנַּיִם hunger
נְקִיּוּת, נ' cleanliness; movement of bowels
נְקִיטָה, נ', ר', ־טוֹת grasping, holding
נְקִימָה, נ', ר', ־מוֹת revenge, retaliation
נְקִיעָה, נ', ר', ־עוֹת dislocation
נְקִיפָה, נ', ר', ־פוֹת knock, bruise
נָקִיק, ז', ר', נְקִיקִים cleft, crevice
נְקִירָה, נ', ר', ־רוֹת boring, pecking
נְקִישָׁה, נ', ר', ־שׁוֹת knocking
נָקֵל, תה"פ easy
נִקְלֶה, ת"ז, ־לָה, ת"נ despised, lightly esteemed; base

נִקְלָה, פ"ע, ע' [קלה] to be dishonored
נְקָלָה, נ', ר', ־לוֹת trifle, light thing
נַקְלִיט, ז', ר', ־טִים bed pole, curtain frame
נָקָם, ז' revenge, vengeance
נָקַם, פ"י to take revenge, avenge
נְקָמָה, נ', ר', ־מוֹת vindictiveness, revenge
נַקְמָן, ז', ר', ־נִים revengeful person
נַקְנִיק, ז', ר', ־קִים sausage
נַקְנִיקִית, נ', ר', ־קִיּוֹת frankfurter
נָקַע, פ"ע to sprain
נֶקַע, ז', ר', נְקָעִים rift, cleft; sprain
נֹקֶף, ז' beating, shaking of olive tree
נֶקֶף, ז', ר', נְקָפִים beating, bruise; qualm, scruple
נָקַף, פ"ע to go around, move in a circle; to knock, strike, bruise
נִקֵּף, פ"י to strike, strike off; to beat olive tree, glean
הִקִּיף, פ"י to surround, encompass; to give credit; to contain
נִקְפָּה, נ', ר', נְקָפוֹת wound, bruise
נָקַר, פ"י to bore, pierce; to pick; to gnaw at
נִקֵּר, פ"י to bore; to gouge out eyes; to peck, pick; to keep clean
נַקָּר, ז', ר', ־רִים woodpecker
נֶקֶר, ז', ר', נְקָרִים picking; groove
נִקְרָא, פ"ע, ע' [קרא] to chance to be; to meet by chance; to be called, named, invited
נִקְרָה, נְקָרָה, נ', ר', ־רוֹת stone chip, hole, crevice
נִקְרִיָּה, נ', ר', ־יּוֹת woodpecker
נַקְרָן, ז', ר', ־נִים fault-finder
נִקְרָס, ז' gout
נָקַשׁ, פ"י to strike, knock
נִקֵּשׁ, פ"י to lay (mines) snares; to strike at
הִקִּישׁ, פ"י to knock, strike at, beat
נִקְשָׁה, פ"ע, ע' [קשה] to be asked; to be hard pressed
נִקְשֶׁה, ת"ז, ־שָׁה, ת"נ miserable, wretched
נֻקְשֶׁה, נוּקְשֶׁה, ת"ז, ־שָׁה, ת"נ stale, hardened
נָר, פ"י, ע' [ניר] to break up fallow land; to till
נֵר, ז', ר', ־רוֹת light, lamp, candle
נִרְאָה, פ"ע, ע' [ראה] to appear
נִרְאֶה, ת"ז, ־אָה, ת"נ favorable, apparent
כַּנִּרְאֶה, תה"פ apparently
נִרְגָּז, ת"ז, ־גֶּזֶת, ת"נ excited, agitated, angry
נִרְגָּן, ז', ר', ־נִים mischief-maker, backbiter
נִרְגָּשׁ, ת"ז, ־גֶּשֶׁת, ת"נ excited
נֵרְדְּ, ז', ר', נְרָדִים nard, spikenard
נִרְדַּם, פ"ע, ע' [רדם] to fall asleep
נִרְדָּף, ת"ז, ־דֶּפֶת, ת"נ pursued, persecuted
נַרְוָד, ז', ר', ־דִים stretcher, litter
נִרְפֶּה, ת"ז, ־פָּה, ת"נ indolent, negligent
נִרְפָּשׁ, ת"ז, ־פֶּשֶׁת, ת"נ miry, muddy
נַרְקִיס, ז', ר', ־סִים narcissus
נַרְתִּיק, ז', ר', ־קִים, ־קוֹת sheath, case, casket
נִרְתַּע, פ"ע, ע' [רתע] to be startled; to recoil
נִרְתֵּק, פ"י to encase, sheathe
נָשָׂא, פ"י to lift; to bear, sustain, endure; to take away; to receive; to marry; to forgive; to destroy

נָשָׂא אִשָּׁה to marry

נָשָׂא וְנָתַן to deal, transact, do business, negotiate; to argue

נָשָׂא יָדוֹ to swear

נָשָׂא נַפְשׁוֹ to aspire

נָשָׂא פָּנִים to be partial, show favor

נָשָׂא רֹאשׁוֹ to show independence, be bold

נוֹשֵׂא כֵּלִים armor-bearer; orderly

נִשָּׂא, פעו״י to lift up, exalt; to bear, support, aid; to make a gift; to take away

הִשִּׂיא, פ״י to give in marriage

הִתְנַשֵּׂא, פ״ח to lift oneself up, exalt oneself; to rise up; to boast

נָשָׁא, פעו״י to lead astray; to exact (payment)

הִשִּׁיא, פ״י to beguile, deceive

נִשָּׂא, ת״ז, נִשֵּׂאת, ת״נ exalted, elevated, lofty

נִשְׁאַר, פ״ע, ע׳ [שאר] to be left, to remain

נָשַׁב, פ״ע to blow

הִשִּׁיב, פ״י to drive away

נִשְׁבַּע, פ״ע, ע׳ [שבע] to swear, take an oath

[נשג] הִשִּׂיג, פ״י to overtake; to reach, attain; to obtain

נִשְׂגָּב, ת״ז, ־בָּה, ת״נ exalted, lofty, powerful

נַשְׁדּוּר, ז׳ ammonia

נָשֶׁה, ז׳, גִּיד הַנָּשֶׁה ischiadic nerve

נָשָׁה, פ״י to forget; to demand, exact payment

נָשׂוּא, נָשׂוּי, ת״ז, נְשׂוּאָה, נְשׂוּיָה, ת״נ married

נְשׂוּאָה, נ׳, ר׳, ־אוֹת wife

נִשּׂוּאִים, נִשּׂוּאִין, ז״ר taking in marriage, married state, wedlock

נָשׁוֹג, פ״ע, [ע׳ שוג] to turn back, recede

נִשּׁוּל, ז׳ ejection, eviction, ousting

נִשּׁוּם, ז׳ breathing, respiration

נִשּׁוּק, ז׳ kissing

נָשׁוּר, ת״ז, נְשׁוּרָה, ת״נ bald; leafless

נִשְׁחַף, פ״ע, ע׳ [שחף] to become tubercular; to become weak

נִשְׁחָת, ת״ז, ־חֶתֶת, ת״נ corrupt, spoiled

נָשִׁי, ת״ז, ־שִׁית, ת״נ effeminate

נְשִׁי, ז׳, ר׳, נְשָׁיִים debt, loan

נָשִׂיא, ז׳, ר׳, נְשִׂיאִים prince, president, chief

נְשִׂיאִים, ז״ר vaporous clouds

נְשִׂיאָה, נ׳, ר׳, ־אוֹת lifting up, carrying, raising

נְשִׂיאוּת, נ׳ lifting, elevation, raising; presidency; executive (board)

נְשִׁיבָה, נ׳, ר׳, ־בוֹת blowing

נְשִׁיָּה, נ׳ oblivion, forgetfulness

נְשִׁיוֹן, ז׳ amnesia

נָשִׁיּוּת, נ׳ feminism

נְשִׁיכָה, נ׳, ר׳, ־כוֹת bite, biting

נְשִׁילָה, נ׳, ר׳, ־לוֹת falling off; chopping off; dropping

נָשִׁים, נ״ר women; wives

נְשִׁימָה, נ׳, ר׳, ־מוֹת breath, breathing

נְשִׁיפָה, נ׳, ר׳, ־פוֹת exhalation, expiration; blowing

נְשִׁיקָה, נ׳, ר׳, ־קוֹת kiss, kissing

נְשִׁירָה, נ׳, ר׳, ־רוֹת falling off, dropping; withdrawal (students)

נָשִׁית, נ׳ ischemia, local anemia

נָשַׁךְ, פ״י to bite; to take interest (on a loan)

נֶשֶׁךְ, ז׳ usury, interest

נִשְׁכָּה, נ׳, ר׳, נְשָׁכוֹת chamber, room

נָשַׁל, פעו״י to slip, drop off; to draw off (shoe); to drive out

הִשִּׁיל, פ״י to shed, drop

נֶשֶׁל, ז׳ shedding, dropping, falling off (of fruit)

נָשַׁם, פ״ע, ע׳ [שמם] to be destroyed; to be amazed

נָשַׁם, פ״ע to breathe, inhale

נֶשֶׁם, ז׳ soul; breath, inhalation

נְשָׁמָה, נ׳, ר׳, ־מוֹת breath; soul, spirit, life; living creature

נִשְׁמַט, פ״ע, ע׳ [שמט] to be slipped, dropped, dislocated; to be omitted

נִשְׁמַע, פ״ע, ע׳ [שמע] to be heard, understood; to obey

נִשְׁמַר, פ״ע, ע׳ [שמר] to be guarded; to watch out for, be on one's guard against

נִשְׁנָה, פ״ע, ע׳ [שנה] to be repeated, taught

נִשְׁעַן, פ״ע, ע׳ [שען] to lean on, rely upon, be close to

נָשַׁף, פ״י to blow, breathe, exhale

נֶשֶׁף, ז׳, ר׳, נְשָׁפִים evening, night; sunset; evening party; entertainment

נִשְׁפֶּה, ת״ז, ־פָּה, ת״נ high and bare, windswept

נְשֹׁפֶת, נ׳, ר׳, ־שׁוֹפוֹת sawdust

נָשַׁק, פעו״י to kiss; to be armed

הִשִּׁיק, פעו״י to touch; to launch (ship)

נִשַּׂק, פ״ע to be kindled, set afire

הִשִּׂיק, פ״י to raise a fire, burn, kindle

נֶשֶׁק, נֵשֶׁק, ז׳ equipment, arms, weapons

נַשָּׁק, ז׳, ר׳, ־קִים armorer, gunsmith

נִשְׁקָף, ת״ז, ־קֶפֶת, ת״נ overhanging, overlooking

נֶשֶׁר, ז׳, ר׳, נְשָׁרִים eagle; dropping

נָשַׁר, פ״ע to drop, fall off; withdraw

הֵשִׁיר, פ״י to disconnect

נִשְׂרָף, ת״ז, ־רֶפֶת, ת״נ burned

נָשַׁת, פ״ע to dry up, be dry, parched

נִשְׁתְּוָן, ז׳, ר׳, ־נִים letter, epistle

נִשְׁתַּר, פ״ע, ע׳ [שתר] to break out

נִתְבָּע, ז׳, ר׳, ־עִים defendant

נִתּוּחַ, ז׳, ר׳, ־חִים analysis; dissection; surgical operation

חָכְמַת הַנִּתּוּחַ surgery

נָתוּן, ת״ז, נְתוּנָה, ת״נ; ז׳ placed, given; datum

נִתּוּץ, ז׳ breaking down

נִתּוּק, ז׳ disconnection, severance, discontinuance

נָתוּק, ת״ז torn off; castrated

נִתֵּז, פ״ע to squirt, splash; to cause to spring off; to cause to fly off

נִתַּז, פ״ע to fly off; to splash

הִתִּיז, פ״י to chop off; to articulate distinctly

נֶתֶז, ז׳, ר׳, נְתָזִים splash

נֵתַח, ז׳, ר׳, נְתָחִים piece, cut (of meat)

נִתַּח, פ״י to cut in pieces; to operate surgically; to analyze

נִתְחַבֵּב, פ״ח, ע׳ [חבב] to be liked, beloved

נִתְחַבֵּט, פעו״י, ע׳ [חבט] to exert oneself

נִתְחַוֵּר, פ״ח, ע׳ [חור] to become clear, evident
נַתְחָן, ז׳, ר׳, ־נִים analyst
נִתְחַסֵּם, פ״ח, ע׳ [חסם] to be tempered
נִתְחָרֵף, פ״ח, ע׳ [חרף] to be cursed
נִתְחָרֵשׁ, פ״ח, ע׳ [חרש] to whisper; to become deaf
נָתִיב, ז׳, נְתִיבָה, נ׳, ר׳, נְתִיבִים, ־בוֹת path, pathway, road
נְתִיב הֶחָלָב Milky Way
נְתִיזָה, נ׳ splashing
נָתִיךְ, ז׳, ר׳, נְתִיכִים fuse
נָתִין, ז׳, ר׳, נְתִינִים temple slave, subject of a state
נִתְחַשֵּׁל, פ״ח, ע׳ [חשל] to become crystallized, tempered (steel)
נְתִינָה, נ׳, ר׳, ־נוֹת giving, delivery
נְתִינוּת, נ׳ status of the temple slave; citizenship
נְתִיצָה, נ׳, ר׳, ־צוֹת breaking down, smashing
נִתְיַשֵּׁב, פ״ח, ע׳ [ישב] to develop; to settle; to establish oneself
נְתִישָׁה, נ׳, ר׳, ־שׁוֹת uprooting
נֶתֶךְ, ז׳, ר׳, נְתָכִים alloy
נָתַךְ, פ״ע to pour forth, pour down
הִתִּיךְ, פ״י to pour out; to melt, cast (metal)
נִתְמַגֵּל, פ״ח, ע׳ [מגל] to fester
נִתְמַגֵּר, פ״ח, ע׳ [מגר] to be precipitated
נִתְמַנָּה, פ״ע, ע׳ [מנה] to be appointed, put in charge of
נִתְמָעֵךְ, פ״ע, ע׳ [מעך] to be squashed; to be rubbed
נִתְמָרֵט, פ״ע, ע׳ [מרט] to be laid bare; to be plucked out

נִתְמַשְׁכֵּן, פ״ע, ע׳ [משכן] to become pawned; to be seized for debt
נִתְנַבֵּל, פ״ח, ע׳ [נבל] to be disgraced
נִתְקַטֵּעַ, פ״ח, ע׳ [קטע] to be crippled
נִתְקָרֵר, פ״ח, ע׳ [קרר] to catch cold
נִתְרָאָה, פ״ח, ע׳ [ראה] to meet, see one another
נָתַן, פ״י to give; to permit; to regard; to yield (fruit, produce); to deliver up; to put; to appoint
נָתַן נַפְשׁוֹ עַל to sacrifice oneself for
נָתַן קוֹלוֹ to raise one's voice
נָתַס, פ״י to tear up; to break down
נָתַע, פ״ע to be broken, destroyed
נִתְעָב, ת״ז, ־עֶבֶת, ת״נ abominable, contemptible
נִתְפַּעֵל, ז׳ Nithpa'el, a reflexive and passive form of the intensive stem of the Hebrew verb
נָתַץ, פ״י to break down, pull down
נִתֵּץ, פ״י to break down, tear down
נֶתֶק, ז׳ ר׳, נְתָקִים scall, tinea, herpes
נָתַק, פ״י to tear away, draw away, pull off, cut off; to scratch (head)
נִתֵּק, פ״י to tear out, tear up; to burst; to snap
הִתִּיק, פ״י to draw, drag away
נִתְקַל, פ״ע, ע׳ [תקל] to stumble, strike against
נָתַר, פ״ע to spring up, start up, hop
הִתִּיר, פ״י to loosen; to permit
נֶתֶר, ז׳ natron, sodium carbonate; alum
נַתְרָן, ז׳ sodium
נָתַשׁ, פ״י to pluck up, tear up; to root out
הִתִּישׁ, פ״י to uproot; to weaken
הֻתַּשׁ, פ״ע to become uprooted

ס

ס — Samech, fifteenth letter of Hebrew alphabet; sixty

סֵאֵב, פ"י — to defile, soil, make filthy

סֵאָבוֹן, ז' — defilement, filth

סְאָה, נ', ר', ־אִים, ־אוֹת — a measure of volume (13.3 liters)

סֵאוּב, ז' — filth

סְאוֹן, ז' — shoe; noise, tumult

סָאַן, פ"ע — to step, trample; to make noise

סַאסְאָה, נ' — full measure

סָב, סָבָא, סַבָּא, ז', ר', ־בִים, ־בִין — old man; grandfather

סֹב, ז', ר', ־סֻבִּים, ־סֻבִּין — fine bran; sawdust

סֹבֶא, ז' — intoxicating drink

סָבָא, פ"י — to imbibe, drink to excess

סָבַב, פעו"י — to turn around; to walk about; to sit

סוֹבֵב, פעו"י — to go about; to encompass, enclose

סִבֵּב, פ"י — to change, transform; to cause

הֵסֵב, פ"י — to turn; to transfer; to recline (at table)

הִסְתּוֹבֵב, פ"ח — to turn oneself around

סַבֶּבֶת, נ', ר', ־בוֹת — gear

סִבָּה, נ', ר', ־בּוֹת — reason, cause; turn of events

סִבּוּב, ז', ר', ־בִים — turning, going around; round (in boxing); traffic circle; rotation

סִבּוּבִי, ת"ז, ־בִית, ת"נ — rotative

סִבּוּךְ, ז', ר', ־כִים — complication, entanglement

סַבּוֹן, ז', ר', ־נִים — soap

סִבּוּן, ז' — soaping

סַבּוֹנִיָּה, נ', ר', ־נִיּוֹת — soap container

סָבוּר, ת"ז, סְבוּרָה, ת"נ — thinking

סְבוּרְנִי, סְבוּרַנִי — I think, am of the opinion

סָבוֹרָא, ז', ר', ־אִים — reasoner; logician

סְבִיאָה, נ', ר', ־אוֹת — drinking, drunkenness

סָבִיב, תה"פ — round about, around

סְבִיבָה, נ', ר', ־בוֹת — surroundings, neighborhood, environment

סְבִיבוֹן, ז', ר', ־נִים — spinning top

סַבְיוֹן, ז', ר', ־נִים — ragwort

סָבִיל, ת"ז, סְבִילָה, ת"נ — passive; tolerant

סְבַךְ, סְבָךְ, ז', ר', ־כִים — thicket; entanglement; network

סֹבֶךְ, ז', ר', סְבָכִים — entanglement

סָבַךְ, פ"י — to intertwine, interweave

סִבֵּךְ, פ"י — to complicate

הִסְתַּבֵּךְ, פ"ח — to become complicated, ensnared

סְבָכָה, נ', ר', ־כוֹת — hairnet; lattice, network

סֵבֶל, סֹבֶל, ז', ר', סְבָלוֹת — burden, load, drudgery

סַבָּל, ז', ר', ־לִים — porter

סָבַל, פ"י — to carry burden, bear; to suffer; to endure

הִסְתַּבֵּל, פ"ח — to become burdensome

סִבְלָה, נ', ר', ־לוֹת — suffering; burden

סַבְלָן, ת"ז, ־נִית, ת"נ — patient; tolerant

סַבְלָנוּת, נ׳ — patience; forbearance

סְבֹלֶת, נ׳, ר׳, ־בּוֹלוֹת — picnic; sharing a meal; endurance

סַבֵּן, פ״י — to soap

סֵבֶר, ז׳ — hope, conduct, expectation

סֵבֶר פָּנִים — relationship, friendliness

סֵבֶר פָּנִים יָפוֹת — friendship, welcome

סֵבֶר פָּנִים רָעוֹת — harshness, rebuff

סָבַר, פ״ע — to think, be of a certain opinion; to understand

הִסְבִּיר, פ״י — to explain

הִסְבִּיר פָּנִים — to welcome; to be friendly

הִסְתַּבֵּר, פ״ח — to be explained; to be intelligible, understood; to be probable

סַבֶּרֶג, ז׳, ר׳, סַבְּרְגִים — screwdriver

סְבָרָה, נ׳, ר׳, ־רוֹת — reasoning, common sense; opinion

סְבָרַת הַכְּרֵס — supposition without any basis

סָג, פ״ע, ע׳ [סוג] — to move away; to backslide

סָגַד, פ״ע — to bow down; to worship

סִגּוּל, ז׳ — adaptation

סְגוֹל, סֶגוֹל, סֶגֶל, ז׳, ר׳, ־לִים — Hebrew vowel " ֶ " ("e" as in "met")

סְגוּלָּה, סְגֻלָּה, נ׳, ר׳, ־לוֹת — valued object; possession, treasure; nostrum, remedy; characteristic

סִגּוּף, ז׳, ר׳, ־פִים — torture; mortification; chastisement

סְגוֹר, ז׳ — pure gold; lock, encasement

סָגוּר, ת״ז, סְגוּרָה, ת״נ — closed, imprisoned

סַגִּי, תה״פ — enough; much

סַגִּי נְהוֹר — blind man

בִּלְשׁוֹן סַגִּי נְהוֹר — opposite meaning

סַגִּיב, ת״ז, ־בָּה, ת״נ — sublime

סְגִידָה, נ׳, ר׳, ־דוֹת — prostration

סֻגְיָה, סוּגְיָה, נ׳, ר׳, ־יוֹת — study, subject; problem

סְגִירָה, נ׳, ר׳, ־רוֹת — closing, shutting

סִגֵּל, פ״י — to acquire; to save; to adapt

הִסְגִּיל, פ״י — to make fit, accustom

הִסְתַּגֵּל, פ״ח — to adapt oneself; to be capable of

סֶגֶל, ז׳, ר׳, סְגָלִים — treasure; violet (flower); cadre, staff

סֶגֶל, סֶגוֹל, סְגוֹל, ז׳, ר׳, ־לִים — Hebrew vowel " ֶ " ("e" as in "met")

סְגַלְגַּל, ת״ז, ־גֶּלֶת, ת״נ — elliptic, elliptical, oval

סְגֻלָּה, סְגוּלָּה, נ׳, ר׳, ־לוֹת — valued object, possession, treasure; nostrum, remedy; characteristic

סֶגֶן, ז׳, ר׳, סְגָנִים — lieutenant

סֶגֶן מִשְׁנֶה — second lieutenant

סְגָן, ז׳, ר׳, ־נִים — deputy

סִגְנוֹן, ז׳, ר׳, ־נִים, ־נוֹת — expression; style; symbol

סְגָנוּת, נ׳ — office of deputy

סִגְנֵן, פ״י — to formulate; to arrange a text

סִגְסֵג, פ״י — to mix dross with silver

סִגֵּף, פ״י — to afflict; to mortify

הִסְתַּגֵּף — to suffer; to mortify oneself

סַגְּפָן, ז׳, ר׳, ־נִים — ascetic

סַגְּפָנוּת, נ׳ — asceticism

סָגַר, פ״י — to close, shut

סִגֵּר, פ״י — to deliver up

הִסְגִּיר, פ״י — to shut up, deliver up

הִסְתַּגֵּר, פ״ח — to close oneself up, to be secretive

סֶגֶר, ז׳, ר׳, סְגָרִים — bolt, lock

סִגָּרָה, סִיגָרָה, נ׳, ר׳, ־רוֹת — cigar

סִגָּרִיָּה, סִיגָּרִיָּה, נ׳, ר׳, ־יּוֹת cigarette
סַגְרִיר, ז׳ pelting rain
סָד, פ״י, ע׳ [סוד, סיד] to whitewash, lime
סַד, ז׳ stocks
סְדוֹם, נ׳ Sodom
סְדוֹמִיּוּת, נ׳ homosexuality
סָדוּק, ת״ז, סְדוּקָה, ת״נ cloven
סִדּוּר, סִידּוּר, ז׳, ר׳, ־רִים order; arrangement; prayer book
סִדּוּרִי, ת״ז, ־רִית, ת״נ ordinal
סָדִין, ז׳, ר׳, סְדִינִים sheet
סְדִיקָה, נ׳, ר׳, ־קוֹת cracking
סָדִיר, ת״ז, סְדִירָה, ת״נ regular; orderly
סַדָּן, ז׳, ר׳, ־נִים block; trunk; anvil
סַדְנָה, נ׳, ר׳, ־נָאוֹת workshop
סֶדֶק, ז׳, ר׳, סְדָקִים crack, split
סָדַק, פ״י to split; to crack
סִדְקִית, נ׳ paraphernalia, trifles
סֵדֶר, ז׳, ר׳, סְדָרִים order, arrangement; row; Passover eve service
אִי סֵדֶר disorder
בְּסֵדֶר o.k., all right
סֵדֶר הַיּוֹם agenda
סָדַר, פ״י to arrange, put in order
סִדֵּר, פ״י to arrange; to group; to set type
הִסְדִּיר, פ״י to organize
הִסְתַּדֵּר, פ״ח to settle oneself
סַדָּר, ז׳, ר׳, ־רִים typesetter
סִדְרָה, נ׳, ר׳, ־רוֹת section; series
סַדְרָן, ז׳, ר׳, ־נִים usher; punctilious person
סַהַר, ז׳, ר׳, סְהָרִים moon; crescent
סֹהַר, ז׳, בֵּית־סֹהַר prison
סוֹאֵן, ת״ז, ־אֶנֶת, ת״נ turbulant; noisy

סוֹבֵא, ז׳, ר׳, ־בְאִים drunkard
סוֹבֵב, פעו״י, ע׳ [סבב] to go about, encompass, enclose
סוֹבְלָנוּת, נ׳ tolerance
[סוג] סָג, פ״ע to move away; to backslide
נָסוֹג, פ״ע to turn back, retreat
סוּג, ז׳, ר׳, ־גִים kind, type, class
סִוֵּג, פ״י to classify
סוּגְיָה, סֻגְיָה, נ׳, ר׳, ־יוֹת study, subject, problem
סוּגַר, ז׳, ר׳, ־גָרִים cage; muzzle
סוֹגֵר, ז׳, ר׳, ־גְרִים second half of stanza; parenthesis
סוֹגְרַיִם, ז״ז parentheses
סוֹד, ז׳, ר׳, ־דוֹת secret; council
[סוד] סָד, פ״י to lime, whitewash
הִסְתּוֹדֵד, פ״ע to talk, take council secretly
סוֹדִי, ת״ז, ־דִית, ת״נ secret
סוֹדִיּוּת, נ׳ secrecy
סוּדָר, ז׳, ר׳, ־רִים scarf; shawl
סִוּוּג, ז׳, ר׳, ־גִים classification
[סוה] הִסְוָה, פ״י to cover; to hide; to camouflage
סוּחָה, נ׳, ר׳, ־חוֹת refuse, rubbish; mire
סוֹחֵר, ז׳, ר׳, סוֹחֲרִים merchant; businessman
סוֹחֵרָה, נ׳, ר׳, ־רוֹת buckler; shield
[סוט] הֵסִיט, פ״י to move, turn aside
סוֹטָה, נ׳, ר׳, ־טוֹת wife suspected of adultery
[סוך] סָךְ, פ״י to anoint
הֵסִיךְ, פ״י to anoint; to fence in
סוֹךְ, ז׳, ר׳, ־כִים, סוֹכָה, נ׳, ר׳, ־כוֹת bough

סוּכָּה, סֻכָּה, נ׳, ר׳, ־כּוֹת Succah, tabernacle; booth
סוֹכֵךְ, ז׳, ר׳, ־כִים covering; umbrella; shield
סוֹכֵן, ז׳, ר׳, ־כְנִים agent
סוֹכְנוּת, נ׳, ר׳, ־נֻיּוֹת agency
סוּכָּר, סֻכָּר, ז׳ sugar
סוּלְיָה, סֻלְיָה, נ׳, ר׳, ־יוֹת sole of shoe
סוֹלְלָה, נ׳, ר׳, ־לוֹת mound, rampart; batte y
סוּלָּם, סֻלָּם, ז׳, ר׳, ־מוֹת, ־מִים ladder
סוֹלֶת, סֹלֶת, נ׳, ר׳, סְלָסוֹת fine flour
סוּמָא, סוּמֵא, ז׳, ר׳, ־מִים, ־מוֹת blind person
סוּס, ז׳, ר׳, ־סִים horse; figure in chess (knight)
כֹּחַ־סוּס horsepower
סוּס־הַיְאוֹר, ז׳, ר׳, סוּסֵי־ hippopotamus
סוּסוֹן־הַיָּם, ז׳, ר׳, סוּסוֹנֵי־ hippocampus, sea horse
סוּסוֹן, ז׳, ר׳, ־נִים pony
סוֹעֶה, ת״ז, ־עָה, ת״נ stormy; rushing, raging
סוֹעֵר, ת״ז, סוֹעֶרֶת, ת״נ stormy; raging
[סוף] סָף, פ״ע to come to an end, cease
הֵסִיף, פ״י to make an end of; to destroy
סוּף, ז״ר reeds; bulrushes
יַם־סוּף the Red Sea
סוֹף, ז׳ end
אֵין־סוֹף infinity
סוֹף סוֹף finally, at length
סוֹפֵג, ז׳, ר׳, ־פְגִים something that absorbs; blotter

סוּפְגָּן, סֻפְגָּן, ז׳, ר׳, ־נִים spongecake
סוּפְגָּנִיָּה, סֻפְגָּנִיָּה, נ׳, ר׳, ־נִיּוֹת doughnut
סוּפָה, נ׳, ר׳, ־פוֹת storm
סוֹפִי, ת״ז, ־פִית, ת״נ final
אֵין־סוֹפִי infinite
סוֹפִית, נ׳, ר׳, ־פִיּוֹת suffix
סוֹפֵר, ז׳ writer, author; scribe; teacher
[סור] סָר, פ״ע to turn aside; to deport
הֵסִיר, פ״י to remove, put aside
סַוָּר, ז׳, ר׳, ־רִים longshoreman
סוֹרָג, ז׳, ר׳, ־גִים lattice, railing
סוֹרֵר, ת״ז, סוֹרֶרֶת, ת״נ perverted, rebellious
סוּת, נ׳, ר׳, ־תוֹת garment, suit
[סות] הֵסִית, הִסִּית, פ״י to incite, instigate
סָח, פ״ע, ע׳ [סיח] to talk
סָחַב, פ״י to drag
סְחָבָה, נ׳, ר׳, ־בוֹת rag, shabby garment
סַחֶבֶת, נ׳ red tape
[סחה] סָחָה, פ״י to scrape clean; to sweep away
סָחוּט, ת״ז, סְחוּטָה, ת״נ squeezed dry
סְחוּס, ז׳, ר׳, ־סִים cartilage
סְחוֹר, תה״פ, סְחוֹר סְחוֹר round about
סְחוֹרָה, נ׳, ר׳, ־רוֹת merchandise, trade
סַחְטָן, ז׳, ר׳, ־נִים Shylock; extortioner
סְחִי, ז׳ dirt, refuse
סְחִיבָה, נ׳, ר׳, ־בוֹת dragging, stealing, shoplifting
סְחִיטָה, נ׳, ר׳, ־טוֹת squeezing out; blackmailing

סְחִיפָה, נ׳, ר׳, ־פוֹת — dragging, sweeping; erosion
סַחְלָב, ז׳, ר׳, ־בִים — orchid
סָחַף, פ״י — to prostrate; to sweep away
נִסְתַּחֵף, פ״ח — to be swept away, eroded; to be ruined
סַחַר, ז׳ — trade, business, market; ware
סָחַר, פעו״י — to trade, do business; to go around
סְחַרְחַר, ת״ז, ־חֶרֶת, ת״נ — dizzy, palpitating
סְחַרְחֵרָה, נ׳, ר׳, ־רוֹת — carrousel
סְחַרְחֹרֶת, נ׳, ר׳, ־חוֹרוֹת — dizziness
סִחְרֵר, פ״י — to make dizzy
סֵט, ז׳, ר׳, ־טִים — transgressor; revolter
סָטָה, פ״ע — to go astray; to be unfaithful (in marriage)
סְטִיָּה, נ׳, ר׳, ־יּוֹת — deviation, straying, digression
סְטִירָה, נ׳, ר׳, ־רוֹת — slap in face
סָטַן, פ״י — to act as an enemy; to bother
הִסְטִין, פ״י — to accuse
סָטַר, פ״י — to slap face
סִיאָה, נ׳, ר׳, ־אוֹת — moss
סִיב, ז׳, ר׳, ־בִים — fiber, bast
סִיג, ז׳, ר׳, ־גִים — dross; wanton
סְיָג, סְיָיג, ז׳, ר׳, ־גִים — fence; restraint; restriction
סַיֵּג, פ״י — to fence in
הִסְתַּיֵּג, פ״ח — to restrain oneself
סִיגָרָה, סִגָּרָה, נ׳, ר׳, ־רוֹת — cigar
סִיגָרִיָּה, סִגָּרִיָּה, נ׳, ר׳, ־יּוֹת — cigarette
סִיד, ז׳, ר׳, ־דִים — lime, whitewash
סַיָּד, ז׳, ר׳, ־דִים — whitewasher

סִיֵּד, פ״י — to plaster, whitewash
סִידּוּר, סִדּוּר, ז׳, ר׳, ־רִים — order; arrangement; prayer book
סִידָן, ז׳ — calcium
סִיּוּג, ז׳, ר׳, ־גִים — fencing in, restricting; classification
סִיּוּד, ז׳, ר׳, ־דִים — whitewashing
סִיּוּט, ז׳, ר׳, ־טִים — nightmare
סִיּוּם, ז׳, ר׳, ־מִים — conclusion; graduation from school
סִיוָן, ז׳ — Sivan, third month of Hebrew calendar
סִיּוּעַ, ז׳ — help, assistance, support
סִיּוּף, ז׳, ר׳, ־פִים — fencing
סִיּוּר, ז׳, ר׳, ־רִים — touring
[סיח] סָח, פ״י — to talk
סְיָח, ז׳, ר׳, ־חִים, סְיָחָה, נ׳, ר׳, ־חוֹת — foal
סִיט, ז׳, ר׳, ־טִים — ancient measure (distance between tip of thumb and that of index finger when held apart)
סִיטוֹן, ז׳, ר׳, ־נוֹת, ־נִים / סִיטוֹנַאי, ז׳, ר׳, ־אִים — wholesaler
סִיטוֹנוּת, ז׳ — wholesale
סִיכָה, נ׳, ר׳, ־כוֹת — anointing; oiling, greasing
סִילוֹן, ז׳, ר׳, ־נוֹת — pipe, gutter; flow
מְטוֹס סִילוֹן — jet (plane)
סִיֵּם, פ״י — to conclude, finish
הִסְתַּיֵּם, פ״ע — to be concluded, be finished
סִימָן, סִמָּן, ז׳, ר׳, ־נִים — sign, mark; symptom
סִימַן קְרִיאָה — exclamation mark
סִימַן שְׁאֵלָה — question mark
סִימָנִיָּה, נ׳, ר׳, ־נִיּוֹת — bookmark
סִיֹּמֶת, נ׳, ר׳, סִיּוֹמוֹת — suffix

סִין, נ׳	China; Sin, name of twenty-first letter of Hebrew alphabet
סִינִי, ת״ז, ־נִית, ת״נ	Chinese
סִינַי, ז׳	Sinai; learned man
סִינָר, סִנָּר, ז׳, ר׳, ־רִים	apron; panties
סִיס, ז׳, ר׳, ־סִים	swallow; tassel
סַיָּס, ז׳	groom, one who takes care of horses
סִיסִין, ז׳	licorice
סִיסְמָה, נ׳, ר׳, ־מוֹת, ־מָאוֹת	sign; slogan
סִיַּע, פ״י	to aid, support
נִסְתַּיַּע, פ״ע	to find support, be supported
סִיעָה, נ׳, ר׳, ־עוֹת	traveling company; group, party
סַיִף, ז׳, ר׳, סְיָפִים, סְיָפוֹת	sword
סִיֵּף, פ״ע	to fence
סַיָּף, ז׳, ר׳, ־פִים	fencer
סִיפּוּר, סִפּוּר, ז׳, ר׳, ־רִים	story, novel; haircut
סֵיפָן, ז׳, ר׳, ־נִים	gladiolus
סִיר, ז׳, ר׳, ־רוֹת, ־רִים	pot, kettle; thorn
סִיר־לַחַץ	pressure cooker
סִיֵּר, פ״י	to visit; to travel, tour
סַיָּר, ז׳, ר׳, ־רִים	tourist
סִירָה, נ׳, ר׳, ־רוֹת	boat; thornbush
סַיֶּרֶת, נ׳, ר׳, ־יָּרוֹת	cutter, corvette
סָךְ, פ״י, ע׳ [סוך]	to anoint
סַךְ, סָךְ, ז׳	throng, number; visor
סַךְ הַכֹּל	total; final result
סֹךְ, ז׳, ר׳, סֻכִּים	thicket; booth
סִכָּה, נ׳, ר׳ ־כּוֹת	pin, brooch, clip
סִכַּת־בִּטָּחוֹן	safety pin
סֻכָּה, סוּכָּה, נ׳, ר׳, ־כּוֹת	booth
חַג הַסֻּכּוֹת	Feast of Tabernacles
סָכָה, פ״ע	to see, look
סִכּוּי, ז׳, ר׳, ־יִים	prospect, expectation
סָכוּי, ת״ז, סְכוּיָה, ת״נ	lucid
סִכּוּךְ, ז׳, ר׳, ־כִים	covering (with twigs, leaves)
סְכוּם, ז׳, ר׳, ־מִים	amount, number
סִכּוּם, ז׳, ר׳, ־מִים	summary
סִכּוּן, ז׳, ר׳, ־נִים	risk, endangering
סְכִיָּה	prognosis, forecast
סְכִיּוֹן, ז׳	vision; TV
סַכִּין, זו״נ, ר׳, ־נִים	knife
סְכִירָה, נ׳, ־רוֹת	damming
סָכַךְ, פ״י	to screen, cover, entangle
סְכָךְ, ז׳, סְכָכָה, נ׳, ר׳, סְכָכִים, ־כוֹת	covering; matting
[סכל] נִסְכַּל, פ״ע	to act foolishly
סִכֵּל, פ״י	to make foolish
הִסְתַּכֵּל, פ״ח	to look at, observe, contemplate
סָכָל, ת״ז, סְכָלָה, ת״נ	fool
סֶכֶל, ז׳, סִכְלוּת, נ׳	folly, foolishness
סָכַם, פ״י	to count; to compare
סִכֵּם, פ״י	to sum up
הִסְכִּים, פ״ע	to agree, consent
סֶכֶם, ז׳, ר׳, סְכָמִים	total; count, muster
סָכַן, פ״י	to be of use, benefit
הִסְכִּין, פ״ע	to be accustomed
סִכֵּן, פ״י	to endanger
הִסְתַּכֵּן, פ״ח	to expose oneself to danger
סַכָּנָה, נ׳, ר׳, ־נוֹת	danger
סִכְסוּךְ, ז׳, ר׳, ־כִים	quarrel, conflict, dispute
סִכְסֵךְ, פ״י	to cause conflict; to confuse; to entangle
סִכְסָךְ, ז׳, ר׳, ־סַכִּים	zigzag

סָכַף, פ״י — to discourage
סָכַר, פ״י — to dam; to close; to hire
סִכֵּר, פ״י — to deliver up
סֶכֶר, ז׳, ר׳, ־סְכָרִים — dam, weir
סַכָּר, ז׳ — one who makes a dam
סֻכָּר, סוּכָּר, ז׳ — sugar
סֻכָּרִיָּה, נ׳, ר׳, ־יּוֹת — a candy
סֻכֶּרֶת, נ׳ — diabetes
[סכת] הִסְכִּית, פ״ע — to hear; to be silent; to pay attention
סַל, ז׳, ר׳, ־לִּים — basket
סָלָא, פ״י — to weigh, value
סֻלָּא, סֻלָּה, פ״ע — to be weighed, valued
סָלַד, פ״ע — to spring back
סִלֵּד, פ״ע — to rebound, to spring back; to praise
סָלָה, פ״י — to despise; to make light of
סִלָּה, פ״י — to despise; to trample
סֻלָּה, פ״ע — to be weighed, valued; to be trampled upon
סֶלָה, מ״ק — selah, a musical term; forever
סִלּוּד, ז׳, ר׳, ־דִים — fear, dread
סָלוּל, ת״ז, סְלוּלָה, ת״נ — paved
סִלּוֹן, סַלּוֹן, ז׳, ר׳, ־נִים — brier, thorn
סִלּוּף, ז׳, ר׳, ־פִים — distortion; sin
סִלּוּק, ז׳, ר׳, ־קִים — removal, taking away; death
סָלַח, פ״י — to forgive, pardon
סַלָּח, ז׳, ר׳, ־חִים — one who pardons
סַלְחָן, סַלְחָן, ת״ז, סַלְחָנִית, ת״נ — one who pardons
סְלִידָה, נ׳, ר׳, ־דוֹת — heartburn
סֻלְיָה, סוּלְיָה, נ׳, ר׳, ־יוֹת — sole of shoe
סְלִיחָה, נ׳, ר׳, ־חוֹת — forgiveness; penitential prayer
סְלִיל, ז׳, ר׳, ־לִים — shuttle, spool
סְלִילָה, נ׳ — paving
סָלַל, פ״י — to pave (a road); to oppress; to praise
סֻלָּם, סוּלָּם, ז׳, ר׳, ־מוֹת, ־מִים — ladder
סִלְסוּל, ז׳, ר׳, ־לִים — curling (of hair); trill; distinction
סִלְסֵל, פ״י — to curl (the hair); to trill; to honor
סַלְסִלָּה, נ׳, ר׳, ־לוֹת — small basket; tendril
סֶלַע, ז׳, ר׳, סְלָעִים — rock
סַלְעִי, ת״ז, ־עִית, ת״נ — rocky
סָלְעָם, ז׳ — a kind of locust
סֶלֶף, ז׳ — crookedness, perversion
סִלֵּף, פ״י — to pervert
סִלֵּק, פ״י — to lift; to remove; to put away
הִסְתַּלֵּק, פ״ח — to remove oneself; to depart; to die
סֶלֶק, ז׳, ר׳, סְלָקִים — beet
סֹלֶת, סוֹלֶת, נ׳, ר׳, סְלָתוֹת — fine flour
סִלֵּת, פ״י — to make fine flour
סַלְתָּנִית, נ׳, ר׳, ־נִיּוֹת — sardine
סַם, ז׳, ר׳, סַמִּים — spice; drug; poison
סִמֵּא, פ״י — to make blind
סִמָּאוֹן, ז׳ — blindness
סַמָּאֵל, ז׳ — angel of death
סַמְבּוּק, ז׳, ר׳, ־קִים — lilac; Sambucus
סְמָדַר, ז׳ — vine-blossom
סָמוּי, ת״ז, סְמוּיָה, ת״נ — blind; hidden
סָמוּךְ, ת״ז, סְמוּכָה, ת״נ — nearby; firm
סָמוּךְ, ז׳, סָמוֹכָה, נ׳, ר׳, ־כוֹת — support
סָמוּם, ז׳, ר׳, ־מִים — sandstorm
סִמּוּם, ז׳ — poisoning
סִמּוּן, ז׳ — marking
סָמוּק, ת״ז, סְמוּקָה, ת״נ — red, rosy

סָמוּר, ת"ז, סְמוּרָה, ת"נ erect
סִמּוּר, ז' nailing, riveting; horripilation
סִמְטָה, נ', ר', ־טָאוֹת, ־טוֹת lane, alley
סָמִיךְ, ת"ז, סְמִיכָה, ת"נ thick
סְמִיכָה, נ', ר', ־כוֹת leaning; ordination; laying of hands
סְמִיכוּת, נ' ordination; construct state (*gram.*); nearness; association (ideas)
סָמֶךְ, נ' Samech, fifteenth letter of Hebrew alphabet
סֶמֶךְ, סְמָךְ, ז' support
סָמַךְ, פ"י to support, lean; to ordain
הִסְתַּמֵּךְ, פ"ח rely
סַמְכוּת, נ', ר', ־כֻיּוֹת authority; permission
סֵמֶל, סֶמֶל, ז', ר', סְמָלִים image, symbol
סִמֵּל, פ"י to use as a symbol
סַמָּל, ז', סַמֶּלֶת, נ', ר', ־לִים, ־לוֹת sergeant
רַב־סַמָּל sergeant major
סִמְלוֹן, ז', ר', ־נִים wedge; yoke
סִמְלִי, ת"ז, ־לִית, ת"נ symbolic
סִמֵּם, פ"י to poison; to spice
סְמָמִית, נ', ר', ־מִיּוֹת poisonous spider
סִמֵּן, פ"י to mark
סַמָּן, סַמְמָן, ז', ר', ־נִים spice, drug; one who gives a sign
סִמָּן, סִימָן, ז', ר', ־נִים sign, mark
סִמְפּוֹן, ז', ר', ־נוֹת bronchial tube
סֹמֶק, ז' red, redness
סָמַק, פ"ע to be red, blush
סָמַר, פ"ע to bristle up; to feel chilly
סִמֵּר, פ"י to bristle with fear; to stud with nails, to nail

סָמָר, ת"ז, סְמָרָה, ת"נ; ז' rough, having coarse hair; junco, rush
סִמְרוּר, ז' riveting
סְמַרְטוּט, ז', ר', ־טִים rag
סְמַרְטוּטָר, ז', ר', ־רִים rag dealer
סִמְרֵר, פ"י to rivet
סְנָאִי, ז', ר', ־אִים squirrel
סַנֵּגוֹר, סַנֵּיגוֹר, ז', ר', ־רִים advocate, defense counsel
סַנֵּגוֹרְיָה, סַנֵּיגוֹרְיָה, נ', ר', ־יוֹת defense
סַנֵּגֵר, פ"ע to defend
סַנְדָּל, ז', ר', ־לִים sandal; horseshoe; sole (fish)
סִנְדֵּל, פ"י to put on a sandal
סַנְדְּלָר, ז', ר', ־רִים shoemaker
סַנְדָּק, ז', ר', ־קִים godfather
סְנֶה, ז', ר', סְנָאִים, סְנָיִים thornbush
סַנְהֶדְרִיָּה, סַנְהֶדְרִין, נ', ר', ־רִיּוֹת, ־רָאוֹת Sanhedrin, supreme council
סִנְוּוּר, ז' blinding
סִנּוּן, ז', ר', ־נִים filtration
סְנוּנִית, נ', ר', ־יוֹת swallow
סִנּוּק, ז' exhaustion
סִנְוֵר, פ"י to blind
סַנְוֵרִים, ז"ר blindness
סָנַט, פ"ע to make fun of, scoff at
סַנְטֵר, ז', ר', ־רִים chin
סַנֵּיגוֹר, סַנֵּגוֹר, ז', ר', ־רִים advocate, defense counsel
סַנֵּיגוֹרְיָה, סַנֵּגוֹרְיָה, נ', ר', ־יוֹת defense
סְנִיף, ז', ר', ־פִים branch; attachment
סִנֵּן, פ"י to filter
סַנְסַן, ז', ר', סַנְסִנִּים ribbed leaf (palm)
סָנַף, פ"י to attach, insert
סְנַפִּיר, ז', ר', ־רִים fin

סָנַק, פ״י — to press; to heap up

סִנָּר, סִינָּר, ז׳, ר׳, ־רִים — apron; panties

סָס, ז׳, ר׳, ־סִים — moth, larva

סַסְגּוֹנִי, ת״ז, ־נִית, ת״נ — multicolored, variegated

סִסְמָה, נ׳, ר׳, ־מוֹת, סִסְמָאוֹת — sign, slogan

סָעַד, פ״י — to support; to eat

סַעַד, ז׳ — support; proof

סְעֻדָּה, סְעוּדָה, נ׳, ר׳, ־דּוֹת — meal, banquet

סָעִיף, ז׳, ר׳, ־פִים, ־פוֹת — paragraph; branch; crevice

סֵעֵף, פ״י — to lop off boughs; to divide into paragraphs

הִסְתָּעֵף, פ״ח — to branch off

סְעֵף, נ׳, ר׳, סְעִפִּים — branch; division

סְעַפָּה, נ׳, ר׳, ־פּוֹת — a short branch, bough

סָעַר, פ״ע — to storm, rage

סֵעֵר, פ״י — to hurl away

סַעַר, ז׳, סְעָרָה, נ׳, ר׳, סְעָרוֹת — storm, tempest

סָף, פ״ע, ע׳ [סוּף] — to come to an end, cease

סַף, ז׳, ר׳, סִפִּים — sill; threshold; cup, goblet

סַף הַהַכָּרָה — conscience

סָפַג, פ״י — to absorb; to dry

סְפְגָּן, סוּפְגָּן, ז׳, ר׳, ־נִים — sponge cake

סְפְגָּנִיָּה, סוּפְגָּנִיָּה, נ׳,ר׳, ־נִיּוֹת — doughnut

סָפַד, פ״ע — to lament, mourn

סַפְדָּן, ז׳, ר׳, ־נִים — orator at funerals

סַפָּה, נ׳, ר׳, ־פּוֹת — sofa, couch

סָפָה, פ״י — to destroy; to add

סְפוֹג, ז׳, ר׳, ־גִים — sponge

סָפוּג, ת״ז, סְפוּגָה, ת״נ — permeated

סָפוּן, ת״ז, סְפוּנָה, ת״נ — paneled; hidden

סִפּוּן, ז׳, ר׳, ־נִים — ceiling; deck (ship)

סִפּוּק, ז׳, ר׳, ־קִים — sufficiency; supply; satisfaction

סָפוּר, ת״ז, סְפוּרָה, ת״נ — counted

סִפּוּר, סִיפּוּר, ז׳, ר׳, רִים — story, novel; haircutting

סָפַח, פ״י — to join, attach

סַפַּחַת, נ׳, ר׳, סַפָּחוֹת — scab; dandruff

סְפִיגָה, נ׳, ר׳, ־גוֹת — absorption

סְפִינָה, נ׳, ר׳, ־נוֹת — ship

סַפִּיר, ז׳, ר׳, ־רִים — sapphire

סְפִירָה, נ׳, ר׳, ־רוֹת — counting; sphere

סֵפֶל, ז׳, ר׳, סְפָלִים — cup, mug

סָפַן, פ״י — to cover; to hide; to respect

סַפָּן, ז׳, ר׳, ־נִים — sailor

סַפָּנוּת, נ׳ — navigation, seamanship

סַפְסָל, ז׳, ר׳, ־לִים — bench, stool

סִפְסֵף, פ״י — to pull out; to flicker

סַפְסָר, ז׳, ר׳, ־רִים — broker, speculator

סַפְסָרוּת, נ׳, ר׳, ־רְיוֹת — brokerage; speculation

סִפְסֵר, פ״ע — to speculate

[ספף] הִסְתּוֹפֵף, פ״ח — to stand at the threshold

סָפַק, פ״י — to strike; to clap; to be sufficient

סִפֵּק, פ״י — to supply, furnish; to satisfy

הִסְפִּיק, פעו״י — to have, give the opportunity

הִסְתַּפֵּק, פ״ח — to have sufficient, be satisfied; to be doubtful

סָפֵק, ז׳, ר׳, סְפֵקוֹת — doubt

opportunity, sufficiency סָפֵק, ז׳
supplier, provider סַפָּק, ז׳, ר׳, ־קִים
sceptic סַפְקָן, ז׳, ר׳, ־נִים
scepticism סַפְקָנוּת, נ׳
book; letter; scroll סֵפֶר, ז׳, ר׳, סְפָרִים
to count, number סָפַר, פ״י
to count; to tell; to cut hair סִפֵּר, פ״י
to get a haircut הִסְתַּפֵּר, פ״ח
enumeration; number; boundary סְפָר, ז׳
barber סַפָּר, ז׳, ר׳, ־רִים
Spain סְפָרַד, ז׳
Spanish; Sephardic סְפָרַדִּי, ת״ז, ־דִּית, ת״נ
book; figure, number סִפְרָה, נ׳, ר׳, סְפָרוֹת
small book סִפְרוֹן, ז׳, ר׳, ־נִים
literature סִפְרוּת, נ׳, ר׳, ־רֻיּוֹת
literary סִפְרוּתִי, ת״ז, ־תִית, ת״נ
library סִפְרִיָּה, נ׳, ר׳, ־יּוֹת
librarian סַפְרָן, ז׳, ר׳, ־נִים
to numerate סִפְרֵר, פ״י
to slice and eat סָפַת, פ״י
stoning סְקִילָה, נ׳, ר׳, ־לוֹת
glance; sketch סְקִירָה, נ׳, ר׳, ־רוֹת
to stone to death סָקַל, פ״י
to clear of stones; to stone סִקֵּל, פ״י
to look at; to paint red סָקַר, פ״י
look; survey סֶקֶר, ז׳
bright red paint סִקְרָה, נ׳, ר׳, ־רוֹת
curious person סַקְרָן, ז׳, ר׳, ־נִים
curiosity סַקְרָנוּת, נ׳
to turn aside; to depart סָר, פ״ע, ע׳ [סור]
sulky, sullen סַר, ת״ז, סָרָה, ת״נ

recalcitrant person סָרָב, ז׳
to refuse; to urge סֵרֵב, פ״ע
mutiny סֶרֶב, ז׳
cloak; trousers סַרְבָּל, ז׳, ר׳, ־לִים
stubborn סַרְבָן, ת״ז, ־נִית, ת״נ
to knit, interlace סָרַג, פ״י
harness-maker סָרָג, ז׳, ר׳, ־גִים
drawing of lines סִרְגּוּל, ז׳, ר׳, ־לִים
to draw lines, rule סִרְגֵּל, פ״י
ruler סַרְגֵּל, ז׳, ר׳, ־לִים
net-maker סָרָד, ז׳, ר׳, ־דִים
rebelliousness, repugnance סָרָה, נ׳, ר׳, ־רוֹת
to urge סִרְהֵב, פ״י
refusal סֵרוּב, ז׳, ר׳, ־בִים
interlaced סָרוּג, ת״ז, סְרוּגָה, ת״נ
castration סֵרוּס, ז׳, ר׳, ־סִים
carder סָרוֹק, ז׳, ר׳, סְרוֹקִים
carded, combed סָרוּק, ת״ז, סְרוּקָה, ת״נ
overhanging part סֶרַח, ז׳
to smell bad; to sin; to hang over, extend סָרַח, פ״ע
bad smell; sin סִרְחוֹן, ז׳, ר׳, ־נוֹת
to incise, scratch סָרַט, פ״י
ribbon; stripe; film סֶרֶט, ז׳, ר׳, סְרָטִים
film strip סִרְטוֹן, ז׳, ר׳, ־נִים
lobster; crab; cancer; zodiac סַרְטָן, ז׳, ר׳, ־נִים
lattice, grate סָרִיג, ז׳, ר׳, סְרִיגִים
knitting סְרִיגָה, נ׳, ר׳, ־גוֹת
armor סִרְיוֹן, ז׳, ר׳, ־נוֹת
scratch סְרִיטָה, נ׳, ר׳, ־טוֹת
eunuch סָרִיס, ז׳, ר׳, ־סִים
vagabond סָרִיק, ז׳, ר׳, סְרִיקִים
combing סְרִיקָה, ז׳, ר׳, ־קוֹת
to be joined, attached [סרך] נִסְרַךְ, פ״ע

סִרְכָה, נ׳, ר׳, סְרָכוֹת adhesion
סֶרֶן, ז׳, ר׳, סְרָנִים axle; captain (*mil.*)
רַב־סֶרֶן major (*mil.*)
סֵרֵס, פ״י to castrate; to disarrange
סַרְסוּר, ז׳, ר׳, ־רִים middleman
סַרְסוּר לִדְבַר עֲבֵרָה pimp
סַרְעַפָּה, נ׳, ר׳, ־פּוֹת branch
סַרְעֶפֶת, נ׳, ר׳, ־עָפוֹת diaphragm; midriff
סִרְפָּד, ז׳, ר׳, ־דִים poison ivy; nettle
סִרְפֶּדֶת, נ׳ urticaria nettle rash
סָרַק, פ״י to comb
סְרָק, ז׳ emptiness
סָרָק, ז׳ red dye
סָרַר, פ״ע to be stubborn
סְתָו, סְתָיו, ז׳ autumn
סְתָוִי, ת״ז, ־וִית, ת״נ autumnal

סָתוּם, ת״ז, סְתוּמָה, ת״נ cloggged, closed; vague, indefinite
סְתִימָה, נ׳, ר׳, ־מוֹת stopping up, closing; filling (tooth)
סְתִירָה, נ׳, ר׳, ־רוֹת destruction; contradiction
סָתַם, פ״י to stop up, shut; to fill (cavity); to leave vague
סְתָמִי, ת״ז, ־מִית, ת״נ undefined, indefinite, vague
סְתָמִיּוּת, נ׳ Indefiniteness; generality
סָתַר, פ״י to destroy, upset; to refute, contradict
נִסְתַּר, פ״ע to be hidden
סֵתֶר, ז׳, ר׳, סְתָרִים hiding place; secret
כְּתָב סְתָרִים code, cipher
סִתְרָה, נ׳ shelter, protection
סַתָּת, ז׳, ר׳, ־תִים stonecutter
סִתֵּת, פ״י to hew

ס ע

ע ‘Ayin, sixteenth letter of Hebrew alphabet; seventy
עָב, זו״נ, ר׳, ־בִים, ־בוֹת cloud; thicket; forest
עָבַד, פ״י to work, serve
עִבֵּד, פ״י to fix; to prepare; to work out; to revise, adapt
הֶעֱבִיד, פ״י to enslave; to employ
עֶבֶד, ז׳, ר׳, ־עֲבָדִים slave, servant
עֲבָד, ז׳ work
עֻבְדָּה, עוּבְדָּה, נ׳, ר׳, ־דוֹת deed, fact
עֲבָדָה, נ׳ service, household
עַבְדוּת, נ׳ slavery; drudgery
עַבְדָן, ז׳, ר׳, ־נִים hide-dresser

עַבְדְּקָן, ת״ז one whose beard is thick
עָבָה, פ״ע to be thick, fat
עִבָּה, פ״ע to condense
עָבֶה, ת״ז, עָבָה, ת״נ thick
עִבּוּד, ז׳, ר׳, ־דִים fixing, working out; revision, adaption
עֲבוֹדָה, נ׳, ר׳, ־דוֹת work, service; worship
עֲבוֹט, ז׳, ר׳, ־טִים, ־טוֹת pledge
עֲבוּר, ז׳ produce
(עֲבוּר) בַּעֲבוּר, מ״י for, for the sake of, in order that
עִבּוּר, ז׳, ר׳, ־רִים pregnancy
שְׁנַת עִבּוּר leap year

עֲבוֹת, זו"נ, ר', ־תִים, ־תוֹת rope
עָבוֹת, עָבֹת, ת"ז, עֲבֻתָּה, ת"נ leafy, complicated, entangled
עָבַט, פ"י to give or take a pledge
עַבְטִיט, ז' pledge; debt; mud
עֳבִי, ז' thickness
עָבִיט, ז', ר', עֲבִיטִים earthenware, vessel; sumpter saddle
עָבִיר, ת"ז, עֲבִירָה, ת"נ passable
עֲבֵירָה, עֲבֵרָה, נ', ר', ־רוֹת sin
עֵבֶר, ז', ר', עֲבָרִים side
עֵבֶר הַיַּרְדֵּן Transjordania
עָבַר, פעו"י to pass; to pass away
הֶעֱבִיר, פ"י to cause to pass over; to bring over; to remove
עִבֵּר, פ"י to make pregnant
הִתְעַבֵּר, פ"ח to be enraged
עָבָר, ז' past; past tense
עֻבָּר, עוּבָּר, ז', ר', ־רִים embryo, fetus
עֲבָרָה, נ', ר', ־רוֹת ford; transition
עֲבֵרָה, נ', ר', ־רוֹת sin
עֶבְרָה, נ', ר', עֲבָרוֹת anger, rage
עִבְרִי, ז', ר', ־יִּים Hebrew, Jew
עִבְרִי, ת"ז, ־רִית, ת"נ Hebrew
עֲבַרְיָן, ז', ר', ־נִים transgressor
עֲבַרְיָנוּת, נ' transgression
עִבְרִית, נ' Hebrew language
עִבְרֵת, פ"י to Hebraize
עָבַשׁ, פ"ע to grow moldy
עָבֵשׁ, ת"ז, עֲבֵשָׁה, ת"נ moldy
עֹבֶשׁ, עוֹבֶשׁ, ז', ר', עֳבָשִׁים mold
עָבֹת, עָבוֹת, ת"ז, עֲבֻתָּה, ת"נ leafy, complicated, entangled
עִבֵּת, פ"י to twist; to pervert
עָג, פ"י, ע' [עוג] to bake a cake; to make a circle
(עֶגֶב) עֲגָבִים, ז"ר love-making

עָגַב, פ"ע to lust
עֻגָב, עוּגָב, ז', ר', ־בִים organ; harp
עֲגָבָה, נ', ר', ־בוֹת lustfulness
עַגְבָנִיָּה, נ', ר', ־יּוֹת tomato
עַגֶּבֶת, נ' syphilis
עָגָה, נ' jargon, slang, lingo
עֻגָה, עוּגָה, נ', ר', ־גוֹת cake
עִגּוּל, ז', ר', ־לִים circle
עָגוֹל, עָגֹל, ת"ז, עֲגֻלָּה, ת"נ round
עִגּוּלִי, ת"ז, ־לִית, ת"נ round
עָגוּם, ת"ז, עֲגוּמָה, ת"נ sad; depressed
עָגוּן, ז', ר', ־נִים forsaken man
עֲגוּנָה, נ', ר', ־נוֹת deserted wife
עָגוּר, ז', ר', עֲגוּרִים crane (bird)
עֲגוּרָן, ז', ר', ־נִים crane (machine)
עָגִיל, ז', ר', עֲגִילִים earring
עָגֹל, עָגוֹל, ת"ז, עֲגֻלָּה, ת"נ round
עִגֵּל, פ"י to make round
עֵגֶל, ז', עֶגְלָה, נ', ר', עֲגָלִים, ־לוֹת calf
עֲגָלָה, נ', ר', ־לוֹת cart, wagon
עֶגְלוֹן, ז', ר', ־נִים coachman
עֲגַלְגֶּלֶת, ת"נ elliptic
עַגְלָן, ז', ר', ־נִים maker of carts
עָגַם, פ"ע to be grieved
עָגְמָה, נ' grief
עָגַן, פ"ע to cast anchor
נֶעֱגַן, פ"ע to be restrained, tied, anchored
עִגֵּן, פ"י to desert (a wife)
עֹגֶן, עוֹגֶן, ז', ר', עֳגָנִים anchor
עַד, ז' eternity; booty
עַד, מ"י until; as far as
עֵד, ז', ר', ־דִים witness
עֵדָה, נ', ר', ־דוֹת assembly; community; testimony
עָדָה, פעו"י to adorn oneself; to pass by

עִדּוּד, ז׳ encouragement; arousal
עִדּוּן, ז׳, ר׳, ־נִים pleasantness, delicateness, enjoyment
עִדּוּר, ז׳, ר׳, ־רִים hoeing
עֵדוּת, נ׳, ר׳, עֵדְיוֹת testimony, law
עֲדִי, ז׳, ר׳, עֲדָיִים ornament, jewel
עֲדֵי, מ״י until
עֲדַיִן, תה״פ still, yet
עָדִין, ת״ז, עֲדִינָה, ת״נ delicate, refined
עֲדִינוּת, נ׳ refinement, delicacy
עָדִיף, ת״ז, עֲדִיפָה, ת״נ preferable
עֲדִיפוּת, נ׳ preference
עֲדִירָה, נ׳, ר׳, ־רוֹת hoeing
עִדִּית, נ׳, ר׳, ־יּוֹת choice land
עִדְכֵּן, פ״י to bring up to date
עַדְכָּנִי, ת״ז, ־נִית, ת״נ up-to-date
עַדְלְיָדַע, ז׳ (Purim) carnival
עֵדֶן, ז׳, ר׳, עֲדָנִים delight, enjoyment; garden of Eden, paradise
עִדֵּן, פ״י to pamper, coddle; improve
עִדָּן, ז׳, ר׳, ־נִים time, period
עֲדֶן, עֲדֶנָּה, תה״פ hitherto
עֶדְנָה, נ׳ enjoyment, delight
עַדְעָד, ז׳, ר׳, ־דִים immortelle; everlasting (flower)
עָדַף, פ״ע to be in excess
הֶעְדִּיף, פ״י to prefer
עֹדֶף, עוֹדֶף, ז׳, ר׳, עֲדָפִים surplus, excess; change (money)
עֵדֶר, ז׳, ר׳, עֲדָרִים flock, herd
עָדַר, פ״י to hoe
נֶעְדַּר, פ״ע to be missing; to be dead
עֲדָשָׁה, נ׳, ר׳, ־שִׁים, ־שׁוֹת lentil; lens
[עוב] הֵעִיב, פ״י to become cloudy, darken

עוֹבֵד, ז׳, ר׳, ־בְדִים worker, employee
עוֹבֵד אֱלִילִים idolator
עוּבְדָּה, עֻבְדָּה, נ׳, ר׳, ־דוֹת fact, deed
עוֹבֵר, ת״ז, עוֹבֶרֶת, ת״נ passing, transient
עוּבָּר, עֻבָּר, ז׳, ר׳, ־רִים embryo, fetus
[עוג] עָג, פ״י to bake a cake; to make a circle
עוֹבֶשׁ, עֹבֶשׁ, ז׳, ר׳, עֲבָשִׁים mold
עוֹגֵב, ז׳, ־גֶבֶת, נ׳, ר׳, ־גְבִים, ־גְבוֹת lover
עוֹגֶן, עֹגֶן, ז׳, ר׳, עֲגָנִים anchor
עוּגָב, עֻגָב, ז׳, ר׳, ־בִים organ
עוּגָה, עֻגָה, נ׳, ר׳, ־גוֹת cake
עוֹד, תה״פ still, yet, more, again
[עוד] הֵעִיד, פ״י to testify; to warn, admonish
עוֹדֵד, פ״י to strengthen, encourage
עוֹדֶף, עֹדֶף, ז׳, ר׳, עֲדָפִים excess, surplus; change (money)
עָוָה, פ״ע to sin, do wrong
נַעֲוָה, פ״ע to be twisted, perverted
עַוָּה, נ׳, ר׳, עַוּוֹת ruin
עָווֹן, עָוֹן, ז׳, ר׳, עֲווֹנוֹת iniquity, sin
עִוּוּת, ז׳ perversion
[עוז] עָז, פ״ע to take refuge
הֵעִיז, פ״י to bring into safety
עוֹזֵר, ז׳, עוֹזֶרֶת, נ׳, ר׳, עוֹזְרִים, ־רוֹת helper
עוֹזֶרֶת־בַּיִת maid
עֲוָיָה, נ׳, ר׳, ־יוֹת grimace, twitch
עֲוִיל, ז׳, ר׳, ־לִים young boy, urchin
עוֹיֵן, פ״י to hate
עֲוִית, נ׳ convulsion
עוֹל, עֹל, ז׳, ר׳, עֻלִּים yoke
עוּל, ז׳, ר׳, ־לִים child, suckling

עָוֶל, ז' — injustice, wrong
עִוֵּל, פ"ע — to do injustice
עַוָּל, ז', ר', ־לִים — wrongdoer
עַוְלָה, עַוְלָתָה, עוֹלָתָה, נ', ר', ־לוֹת — injustice, wrong
עוֹלֶה, ז', עוֹלָה, נ', ר', ־לִים, ־לוֹת — immigrant returning to Israel, pilgrim
עוֹלָה, נ', ר', ־לוֹת — burnt offering
עוֹלֵל, פ"י, ע' [עלל] — to do; to glean
עוֹלֵל, עוֹלָל, ז', ר', ־לִים — child, baby
עוֹלֵלָה, נ', ר', ־לוֹת — remaining fruit, grapes (after harvest)
עוֹלָם, ז', ר', ־מוֹת, ־מִים — world; eternity
עוֹלָמִית, תה"פ — forever
עוֹלֶשׁ, עֹלֶשׁ, ז', ר', עֲלָשִׁים — endive, chicory
עוֹמֶס, עֹמֶס, ז' — burden, load
עוֹמֶק, עֹמֶק, ז', ר', עֲמָקִים — depth
עוֹמֶר, עֹמֶר, ז', ר', עֳמָרִים — sheaf; name of a measure
עָוֹן, עָווֹן, ז', ר', עֲווֹנוֹת — iniquity, sin
עוֹנֶג, עֹנֶג, ז' — enjoyment, delight, pleasure
עוֹנָה, נ', ר', ־נוֹת — season; conjugal right
עוֹנִי, עֹנִי ז' — poverty, affliction
עוֹנֵן, פ"ע, ע' [ענן] — to practice soothsaying
עוֹנֶשׁ, עֹנֶשׁ, ז', ר', עֳנָשִׁים — punishment
עוֹנָתִי, ת"ז, ־תִית, ת"נ — seasonal
עִוְעִים, ז"ר — confusion
עוֹף, ז', ר', ־פוֹת — bird, fowl
[עוף] עָף, פ"ע — to fly
הֵעִיף, פ"י — to make fly; throw, cast
עוֹפֶל, עֹפֶל, ז', ר', עֳפָלִים — fortified mound, hill
עוֹפֶר, עֹפֶר, ז', ר', עֳפָרִים — fawn
עוֹפֶרֶת, נ' — lead
[עוץ] עָץ, פ"י — to counsel; to plan
עוֹצֶב, עֹצֶב, ז' — pain
עוֹצֶם, עֹצֶם, ז' — might
עוֹצֵר, ז', ר', ־רִים — ruler; regent
עוֹצֶר, עֹצֶר, ז' — oppression; curfew
[עוק] הֵעִיק, פ"י — to press
עוֹקֶץ, עֹקֶץ, ז', ר', עֳקָצִים — sting, prick, point
[עור] עָר, פ"ע — to awake, rouse oneself
הֵעִיר, פ"י — to awaken, rouse, stir up; to remark
עוֹר, ז', ר', ־רוֹת — skin, hide
עִוֵּר, ז', ר', עִוְרִים — blind person
מְעִי עִוֵּר — appendix
עִוֵּר, פ"י — to blind
עוֹרֵב, ז', ר', עוֹרְבִים — raven, crow
עִוָּרוֹן, ז', עַוֶּרֶת, נ' — blindness
עוֹרֵךְ, ז', ר', עוֹרְכִים — editor
עוֹרֵךְ דִּין — lawyer, attorney
עוֹרֶף, עֹרֶף, ז', ר', עֳרָפִים — neck; base (*mil.*)
עוֹרֵק, ז', ר', עוֹרְקִים — vein
[עוש] עָשׁ, פ"ע — to hurry
עוֹשֶׁק, עֹשֶׁק, ז' — oppression; extortion
עוֹשֶׁר, עֹשֶׁר, ז' — wealth
עִוֵּת, פ"י — to pervert
עַוָּתָה, נ', ר', ־תוֹת — perversion
עָז, פ"ע, ע' [עוז] — to take refuge
עֵז, נ', ר', עִזִּים — she-goat
עֹז, ז' — strength
עַז, ת"ז, עַזָּה, ת"נ — strong, mighty
עֲזָאזֵל, ז' — Azazel; demon; hell
עָזַב, פ"י — to leave, abandon; to help
עִזָּבוֹן, ז', ר', עִזְבוֹנִים — inheritance; wares
עָזוּב, ת"ז, עֲזוּבָה, ת"נ — forsaken
עֲזוּבָה, נ', ר', ־בוֹת — desolation

forsaken child עֲזוּבִי, ז׳, ר׳, ־בִּים
strength; fierceness עֱזוּז, ז׳
strong עִזּוּז, ת״ז, ־זָה, ת״נ
helped עָזוּר, ת״ז, עֲזוּרָה, ת״נ
impudence עַזּוּת, נ׳, עַזּוּת פָּנִים, ־ מֵצַח
to be strong; to prevail עָזַז, פ״ע
to dare הֵעֵז, פ״ע
to be insolent הֵעֵז פָּנִים
abandonment עֲזִיבָה, נ׳, ר׳, ־בוֹת
resoluteness עַזְמָה, נ׳
osprey, hawk עָזְנִיָּה, נ׳, ר׳, נִיּוֹת
impudent person עַזְפָּן, ז׳, ר׳, ־נִים
impudence עַזְפָּנוּת, נ׳
to break ground, dig עָזַק, פ״י
signet ring עִזְקָה, נ׳, ר׳, עֲזָקוֹת
help, helper עֵזֶר, ז׳
wife עֵזֶר כְּנֶגְדּוֹ
to help עָזַר, פ״י
yard; temple court עֲזָרָה, נ׳, ר׳, ־רוֹת
help עֶזְרָה, נ׳
pen עֵט, ז׳, ר׳, ־טִים
fountain pen עֵט נוֹבֵעַ
to wrap oneself עָטָה, פעו״י
wrapped; feeble עָטוּף, ת״ז, עֲטוּפָה, ת״נ
wrapping עִטּוּף, ז׳
crowning, wreathing; decoration עִטּוּר, ז׳, ר׳, ־רִים
sneeze עִטּוּשׁ, ז׳, ר׳, ־שִׁים
instigation עֲטִי, ז׳
snoring עֲטִיט, ז׳
udder עֲטִין, ז׳
wrapping עֲטִיפָה, נ׳, ר׳, ־פוֹת
sneezing עֲטִישָׁה, נ׳, ר׳, ־שׁוֹת
bat עֲטַלֵּף, ז׳, ר׳, ־פִים
to wrap oneself; to be feeble עָטַף, פ״י

to surround; to crown עָטַר, פ״י
crown, wreath; medallion עֲטָרָה, עֲטֶרֶת, נ׳, ר׳, ־רוֹת
to sneeze עָטַשׁ, עִטֵּשׁ, פ״ע
heap of ruins עִי, ז׳, ר׳, עִיִּים
pregnancy עִיבּוּר, עִבּוּר, ז׳, ר׳, ־רִים
circle עִיגּוּל, עִגּוּל, ז׳, ר׳, ־לִים
hoeing עִידּוּר, עִדּוּר ז׳, ר׳, ־רִים
perversion עִיוּוּת, עִוּוּת, ז׳
choice land עִידִית, עִדִית, נ׳, ר׳, עִדִיּוֹת
contemplation עִיּוּן, ז׳, ר׳, ־נִים
bird of prey, vulture עַיִט, ז׳, ר׳, עֵיטִים
hindrance, delay עִיכּוּב, עִכּוּב, ז׳, ר׳, ־בִים
cause, reason; excuse עִילָּה, עִלָּה, נ׳, ר׳, ־לוֹת
digestion עִיכּוּל, עִכּוּל, ז׳
height עֵיל, ז׳
supra, above לְעֵיל, תה״פ
penultimate accent (*gram.*) מִלְעֵיל
brilliant intellect; prodigy עִילּוּי, עִלּוּי, ז׳, ר׳, ־יִים
strength עֲיָם, ז׳
source, spring עַיִן, ז׳, ר׳, עֲיָנוֹת
eye; ring, hole; sight עַיִן, נ׳, ר׳, עֵינַיִם
Ayin, name of sixteenth letter of Hebrew alphabet
discernibly; in natural form בְּעַיִן, תה״פ
like, similar to; sort of כְּעֵין
a reflection of; of the nature of מֵעֵין
to look at (with anger, hate) עָיַן, פ״י
to ponder, weigh עִיֵּן, פ״י
affliction, torture עִינּוּי, עִנּוּי, ז׳, ר׳, ־יִים
dough עִיסָּה, עִסָּה, נ׳, ר׳, ־סוֹת

עָיֵף, פ"ע — to be tired
עֵיפָה, עֵיפָתָה, נ' — darkness
עֲיֵפוּת, נ' — weariness
עִיקָר, ז', ר', ־רִים — root; principle
עִיר, נ', ר', עָרִים — city
עִיר הַבִּירָה — capital
עַיִר, ז', ר', עֲיָרִים — young ass
עֵירוּב, עֵרוּב, ז', ר', ־בִים — mixture; confusion
עִירוֹנִי, ת"ז, ־נִית, ת"נ — inhabitant of a town; urban
עֲיָרָה, נ', ר', ־רוֹת — town
עִירִיָּה, נ', ר', ־יוֹת — municipality
עִירִית, נ', ר', ־יוֹת — asphodel
עֵירֹם, ת"ז, עֵירֻמָּה, ת"נ — naked
עֵירָנוּת, נ' — wakefulness
עַיִשׁ, נ' — Ursa Major, Great Bear
בֶּן עַיִשׁ — Ursa Minor, Little Bear
עִכֵּב, פ"י — to detain, prevent
הִתְעַכֵּב, פ"ע — to tarry, linger
עַכָּבָה, נ', ר', ־בוֹת — hindrance, delay
עַכָּבִישׁ, ז', ר', עַכְבִישִׁים — spider
קוּרֵי עַכָּבִישׁ — spider web
עַכְבָּר, ז', ר', ־רִים — mouse
עַכְבְּרוּשׁ, ז', ר', ־שִׁים — rat
עִכּוּב, ז', ר', ־בִים — hindrance, delay
עַכּוּז, ז', ר', ־זִים — buttocks; animal's genitals
עִכּוּל, ז' — digestion
עָכוּר, ת"ז, עֲכוּרָה, ת"נ — filthy, gloomy
עִכֵּל, פ"י — to consume; to digest
עַכְנַאי, ז', ר', ־נָאִים — rattlesnake
עֶכֶס, ז', ר', עֲכָסִים — anklet; bangle
עִכֵּס, פ"י — to rattle, tinkle
עָכַר, פ"י — to disturb; to become gloomy
עַכְשָׁו, עַכְשָׁיו, תה"פ — now, at present
עַכְשׁוּב, ז', ר', ־בִים — viper

עַכְשָׁוִי, ת"ז, ־וִית, ת"נ — present
עַל, ז' — height
אֶל עַל — upwards
עַל, מ"י — on, upon, concerning, toward, against, to
עַל יַד — beside, near
עַל כֵּן — therefore
עַל מְנָת — in order to
עַל פֶּה, בְּעַל פֶּה — by heart
עַל פִּי — according to
עַל־פִּי־רֹב — generally
עֹל, עוֹל, ז', ר', עֻלִּים — yoke
עִלָּאִי, ת"ז, ־אִית, ת"נ — advanced; superior
עָלַב, פ"י — to insult
עֶלְבּוֹן, ז', ר', ־נוֹת — insult
עִלֵּג, ת"ז, עִלֶּגֶת, ת"נ — stuttering; incoherent
עִלְּגוּת, נ' — stuttering; incoherence
עָלֶה, ז', ר', ־לִים — leaf, sheet of paper
עָלָה, פ"ע — to go up, ascend; to immigrate; to grow; to succeed
נַעֲלָה, פ"ע — to be exalted, be brought up
הֶעֱלָה, פ"י — to bring up; to cause to ascend; to bring sacrifice
עִלָּה, עִילָּה, נ', ר', ־לוֹת — cause, reason, excuse
עָלוּב, ת"ז, עֲלוּבָה, ת"נ — miserable, lowly
עַלְוָה, נ' — foliage
עִלּוּי, עִילּוּי, ז', ר', ־יִים — brilliant intellect; prodigy
עָלוּל, ת"ז, עֲלוּלָה — liable, susceptible; weak
עִלּוּם, ז' — concealment
בְּעִלּוּם־שֵׁם — incognito

עָלוּם, ז׳, ר׳, עֲלוּמִים youth
עָלוֹן, ז׳, ר׳, עֲלוֹנִים leaflet
עֲלוּקָה, נ׳, ר׳, ־קוֹת leech, vampire
עָלֵז, ת״ז, עֲלֵזָה, ת״נ happy, joyful
עָלַז, פ״ע to be happy, rejoice
עֲלָטָה, נ׳, ר׳, ־טוֹת thick darkness
עֱלִי, ז׳, ר׳, עֱלָיִים pestle; pistil
עִלִּי, ת״ז, ־לִּית, ת״נ upper, top
עֲלִיָּה, נ׳, ר׳, ־יּוֹת going up, ascent; immigration, pilgrimage; attic
עֶלְיוֹן, ת״ז, ־נָה, ת״נ top, highest
עֶלְיוֹן, ז׳ The Most High, God
עֶלְיוֹנוּת, נ׳ height, sublimity; superiority
עַלִּיז, ת״ז, ־זָה, ת״נ happy, joyful
עַלִּיזוּת, נ׳ happiness, joyfulness
עֲלִיל, ז׳ reality; crucible
בַּעֲלִיל, תה״פ really; clearly
עֲלִילָה, נ׳, ר׳, ־לוֹת deed; action; plot, false charge, accusation
עֲלִילִיָּה, נ׳, ר׳, ־יּוֹת action, deed
עֲלִיצוּת, נ׳ happiness, rejoicing
[עלל] עוֹלֵל, פ״י to do; to glean
הִתְעַלֵּל, פ״ח to act ruthlessly
הֶעֱלִיל, פ״י to bring a false charge; to accuse
[עלם] נֶעְלַם, פ״ע to be hidden; to disappear
הִתְעַלֵּם, פ״ח to shut one's eyes to
עֶלֶם, ז׳, ר׳, עֲלָמִים young man
עָלַם, עָלְמָא, ז׳, ר׳, עָלְמִין world
עַלְמָה, נ׳, ר׳, עֲלָמוֹת young woman
עַלְמוּת, נ׳ youth, vigor
עָלַס, פ״ע to rejoice
הִתְעַלֵּס, פ״ח to enjoy oneself
עָלַע, פ״י to lap, swallow
עַלְעוֹל, עַלְעָל, נ׳, ר׳, ־לִים small leaf, sepal

עִלְעֵל, פ״י to turn pages; to skim, scan
עִלֵּף, פ״י to cover, wrap; to be frightened
הִתְעַלֵּף, פ״ח to faint; to cover, wrap oneself
עֻלְפֶּה, ת״ז, ־פָּה, ת״נ weak, faint
עָלַץ, פ״ע to rejoice
עֹלֶשׁ, עוֹלֶשׁ, ז׳, ר׳, עֲלָשִׁים endive, chicory
עַם, ז׳, ר׳, עַמִּים nation; people
עַם הָאָרֶץ illiterate, ignoramus
עַם הָאַרְצוּת, נ׳ illiteracy
עַמְּךָ common people
עִם, מ״י with; while; close to
עָמַד, פ״ע to stand; to arise; to delay, tarry; to stop
עָמַד בַּבְּחִינָה to pass an examination
עָמַד בְּדִבּוּר to keep one's word
עָמַד בַּדִּין to stand trial
עָמַד בְּנִסָּיוֹן to withstand temptation
עָמַד עַל דַּעְתּוֹ to insist
הֶעֱמִיד, פ״י to place, set; to appoint
עֹמֶד, ז׳ standing place
עֶמְדָּה, נ׳, ר׳, עֲמָדוֹת standing ground; position; attitude
עִמָּדִי, מ״ג with me
עַמּוּד, ז׳, ר׳, ־דִים stand; pillar; page
עַמּוּד־הַקָּלוֹן pillory
עַמּוּד־הַשִּׁדְרָה spinal column
עַמּוּדָה, נ׳, ר׳, ־דוֹת column (in book, page)
עָמוּם, ת״ז, עֲמוּמָה, ת״נ dim
עַמּוֹן, ז׳, ר׳, ־נִים democrat

עֲמוּנוּת, נ׳	democracy
עַמּוֹנִי, ת״ז, ־נִית, ת״נ	Ammonite; democratic
עָמוּס, ת״ז, עֲמוּסָה, ת״נ	laden; full
עָמוֹק, עָמֹק, ת״ז, עֲמֻקָּה, ת״נ	deep, profound
עִמּוּר, ז׳, ר׳, ־רִים	binding sheaves
עֲמִידָה, נ׳, ר׳, ־דוֹת	standing; prayer
עַמִּיּוּת, נ׳	ignorance
עָמִיל, ז׳, ר׳, עֲמִילִים	agent
עֲמִילָן, ז׳	starch
עֲמִימוּת, נ׳	bluntness
עָמִיר, ז׳	sheaf
עָמִית, ז׳, ר׳, עֲמִיתִים	friend, associate
עָמָל, ז׳	work, labor; trouble; mischief
עָמֵל, ז׳, ר׳, ־לִים	laborer; sufferer
עָמַל, פ״ע	to work, labor
עִמֵּל, פ״ע	to massage; to exercise
הִתְעַמֵּל, פ״ח	to perform physical exercise
עִמְלֵן, פ״י	to starch
עַמְלֵץ, ז׳, ר׳, ־צִים	shark
עָמַם, פ״י	to darken, dim
עֲמָמִי, ת״ז, ־מִית, ת״נ	popular
עֲמָמִיּוּת, נ׳	popularity
עָמַס, פ״י	to load; to carry a load
עֹמֶס, עוֹמֶס, ז׳	load, burden
עִמְעֵם, פ״י	to darken, dim
עִמֵּץ, פ״י	to close, shut (eyes)
עָמֹק, עָמוֹק, ת״ז, עֲמֻקָּה, ת״נ	deep, profound
עֵמֶק, ז׳, ר׳, עֲמָקִים	valley, lowland
עֹמֶק, עוֹמֶק, ז׳, ר׳, עֳמָקִים	depth
עָמַק, פ״ע	to be deep
הִתְעַמֵּק, פ״ח	to think deeply
עַמְקוּת, נ׳	depth, profundity
עַמְקָן, ז׳	profound thinker
עֹמֶר, עוֹמֶר, ז׳, ר׳, עֳמָרִים	sheaf; name of a measure
עִמֵּר, פ״י	to bind sheaves
הִתְעַמֵּר, פ״ח	to deal tyranically
עָמַשׂ, פ״י	to load; to carry a load
עֻמַּת, לְעֻמַּת, תה״פ	opposite, toward
עֵנָב, ז׳, ר׳, עֲנָבִים	grape; berry
עָנַב, פ״י	to fasten, tie
עֲנָבָה, נ׳, ר׳, ־בוֹת	grape; berry; eye-sore; (grain of) lentil, barley
עִנְבָּל, ז׳, ר׳, ־לִים	clapper (of bell)
עַנְבָּר, ז׳	amber
עֹנֶג, עוֹנֶג, ז׳	delight, pleasure, enjoyment
עָנֹג, ת״ז, עֲנֻגָּה, ת״נ	dainty, delicate
עִנֵּג, פ״י	to give pleasure to; to make delicate
עָנַד, פ״י	to bind around
עָנָה, פעו״י	to answer, testify; to sing; to abase oneself
עָנָו, ת״ז, עֲנָוָה, ת״נ	humble, afflicted
[ענו] הִתְעַנֵּו, פ״ע	to be humble; to feign being humble
עִנּוּג, ז׳, ר׳, ־גִים	pleasantness
עֲנָוָה, נ׳	humility, lowliness
עִנּוּי, ז׳, ר׳, ־יִים	affliction, torture
עָנוּשׁ, ת״ז, עֲנוּשָׁה, ת״נ	punished
עֱנוּת, נ׳	affliction
עַנְוְתָן, ת״ז, ־נִית, ת״נ	humble, patient
עַנְוְתָנוּת, נ׳	humility, patience
עָנִי, ת״ז, עֲנִיָּה, ת״נ; ז׳	poor, afflicted, lowly; pauper
עֳנִי, עֹנִי, עוֹנִי, ז׳	poverty, affliction
[עני] הֶעֱנִי, פ״ע	to become poor, impoverished

עֲנִיבָה, נ׳, ר׳, ־בוֹת tie, necktie; noose
עֲנִיָּה, נ׳ answering, replying; pauper
עֲנִיּוּת, נ׳ poverty
עִנְיָן, ז׳, ר׳, ־נִים, ־נוֹת occupation; affair; subject, interest
עִנְיֵן, פ״י to interest, make interesting
עִנְיָנִי, ת״ז, ־נִית, ת״נ subjective
עִנְיָנִיּוּת, נ׳ subjectivity
עָנָן, ז׳, ר׳, עֲנָנִים cloud
עִנֵּן, פ״י to make cloudy
עוֹנֵן, פ״ע to practice soothsaying
עֲנָנָה, נ׳, ר׳, ־נוֹת cloudlet
עָנָף, ז׳, ר׳, עֲנָפִים branch, bough
עָנֵף, ת״ז, עֲנֵפָה, ת״נ branched
עֲנָק, ז׳, ר׳, ־קִים giant; necklace
עָנַק, פ״י to put on as a necklace
הֶעֱנִיק, פ״י to load with gifts
עֲנָקִי, ת״ז, ־קִית, ת״נ gigantic
עֹנֶשׁ, עוֹנֶשׁ, ז׳, ר׳, עֳנָשִׁים punishment
עָנַשׁ, פ״י to punish
עַסַּאי, ז׳, ר׳, ־סָּאִים masseur
עִסָּה, עִיסָּה, נ׳, ר׳, ־סּוֹת dough
עִסָּה, פ״י to squeeze, press; to massage
עִסּוּי, ז׳, ר׳, ־יִים pressure; massage
עִסּוּק, ז׳, ר׳, ־קִים occupation
עָסוּק, ת״ז, עֲסוּקָה, ת״נ busy
עַסְיָן, ז׳, ר׳, ־נִים masseur
עָסִיס, ז׳ fruit juice
עֲסִיסִי, ת״ז, ־סִית, ת״נ juicy
עֲסִיסִיּוּת, נ׳ juiciness
עַסִּיק, ז׳, ר׳, עַסִּיקִים busybody
עָסַס, פ״י to press, crush
עֵסֶק, ז׳, ר׳, עֲסָקִים business, occupation, concern
עָסַק, פ״ע to be busy; to trade
הֶעֱסִיק, פ״י to employ
עַסְקָן, ז׳, ר׳, ־נִים social worker
עַסְקָנוּת, נ׳ social activity
עָף, פ״ע, ע׳ [עוף] to fly; to rotate
עִפּוּי, ז׳ lassitude, languor
עָפוּר, עָפֹר, ת״ז, עֲפֻרָה, ת״נ earthen
עִפּוּשׁ, ז׳ moldering; bad odor
עֳפִי, ז׳, ר׳, עֳפָאִים bough; leafage, foliage
עֲפִיפוֹן, ז׳, ר׳, ־נִים kite
עֹפֶל, עוֹפֶל, ז׳, ר׳, עֳפָלִים fortified mound, hill; hemorrhoid
[עפל] הֶעְפִּיל, פ״ע to presume; to be arrogant
עִפְעוּף, ז׳, ר׳, ־פִים winking
עַפְעַף, ז׳, ר׳, ־פַּיִם eyelid
עִפְעֵף, פ״י to wink
עָפָץ, ז׳, ר׳, עֲפָצִים gallnut
עִפֵּץ, פ״י to tan (leather)
עֹפֶר, עוֹפֶר, ז׳, ר׳, עֳפָרִים fawn
עָפָר, ז׳, ר׳, עֲפָרִים loose earth, dust
עָפֹר, עָפוּר, ת״ז, עֲפֻרָה, ת״נ earthen
שָׁלוֹם לַעֲפָרוֹ R.I.P., rest in peace
עִפֵּר, פ״י to throw dust
עַפְרָה, נ׳, ר׳, עֲפָרוֹת ore
עִפָּרוֹן, ז׳, ר׳, עֶפְרוֹנוֹת pencil
עֶפְרוֹנִי, ז׳, ר׳, ־נִים lark
עַפְרוּרִי, ת״ז, ־רִית, ת״נ earthy, dustlike
עֹפֶרֶת, עוֹפֶרֶת, נ׳ lead
עִפֵּשׁ, פ״ע to become moldy, rot
עֹפֶשׁ, ז׳, ר׳, עֳפָשִׁים mold, fungus
עָץ, פ״י, ע׳ [עוץ] to counsel, plan
עֵץ, ז׳, ר׳, ־צִים tree, wood, timber
עֶצֶב, ז׳, ר׳, עֲצָבִים pain, hurt; sorrow
עָצַב, פ״י to hurt, grieve
עִצֵּב, פ״י to shape, fashion; to straighten (limb)
עָצֵב, ת״ז, עֲצֵבָה, ת״נ sad; needy

עָצָב, ז׳, ר׳, עֲצַבִּים nerve; idol
עֹצֶב, עוֹצֶב, ז׳ pain; sorrow; idol
עִצָּבוֹן, ז׳, ר׳, עִצְּבוֹנוֹת pain, sadness
עֶצְבּוֹנִית, נ׳, ר׳, ־נִיּוֹת wild rosebush
עַצֶּבֶת, נ׳ pain, sadness
עַצְבָּנוּת, נ׳ nervousness
עִצְבֵּן, פ״י to enervate, irritate
עַצְבָּנִי, ת״ז, ־נִית, ת״נ nervous
עַצֶּבֶת, נ׳ pain, sadness
עָצֶה, ז׳, ר׳, ־צִים sacrum
עֵצָה, נ׳, ר׳, ־צוֹת counsel, advice, plan; wood; woodiness
עָצָה, פ״י to wood; to cover with wood
עָצוּב, ת״ז, עֲצוּבָה, ת״נ sad, depressed
עָצוּם, ת״ז, עֲצוּמָה, ת״נ mighty, numerous; terrific
עִצּוּם, ז׳, ר׳, ־מִים essence; strengthening
עֲצוּמָה, עֲצֻמָּה, נ׳, ר׳, ־מוֹת complaint; petition; defense, argument
עִצּוּר, ז׳, ר׳, ־רִים consonant
עָצוּר, ת״ז, עֲצוּרָה, ת״נ detained; closed up
עָצִיץ, ז׳, ר׳, עֲצִיצִים flowerpot
עָצִיר, ז׳, ר׳, ־רִים detainee
עֲצִירָה, נ׳, ר׳, ־רוֹת closing up, obstruction, detention
עֲצִירוּת, ר׳, ־רִיּוֹת constipation
עָצֵל, ת״ז, עֲצֵלָה, ת״נ sluggish, lazy
[עצל] נֶעֱצַל, פ״ע to be sluggish, lazy
עַצְלָה, עַצְלוּת, נ׳ laziness
עַצְלָן, ז׳, ר׳, ־נִים a lazy person, laggard
עֲצַלְתַּיִם, נ״ר laziness
עֹצֶם, עוֹצֶם, ז׳ might
עָצַם, פעו״י to be mighty, numerous; to shut (eyes)

עֶצֶם, נו״ז, ר׳, עֲצָמוֹת, עֲצָמִים bone; body, substance; object
עַצְמָאוּת, נ׳ independence
עַצְמָאִי, ת״ז, ־אִית, ת״נ independent
עָצְמָה, נ׳ might, power
עֲצֻמָּה, עֲצוּמָה, נ׳, ר׳, ־מוֹת complaint; petition; defense, argument
עַצְמִי, ת״ז, ־מִית, ת״נ essential; of the body, self
עַצְמִיּוּת, נ׳ essence; substance
עַצְפּוֹר, ז׳, ר׳, ־רִים safflower
עָצַר, פ״י to restrain, shut up; to squeeze
עֶצֶר, ז׳ authority; rule; restraint, withholding
יוֹרֵשׁ עֶצֶר heir to the throne
עֹצֶר, עוֹצֶר, ז׳ oppression; curfew
עֲצָרָה, נ׳, ר׳, ־רוֹת solemn assembly
עִצָּרוֹן, ז׳ restraint
עַצְרָן, ז׳, ר׳, ־נִים miser
עֲצֶרֶת, נ׳, ר׳, עֲצָרוֹת solemn assembly; Pentecost
עֵקֶב, ז׳ result, reward
עֵקֶב, תה״פ because of
עָקֵב, ז׳, ר׳, עֲקֵבוֹת, עֲקֵבִים heel; footprint; trace; rear
עָקַב, פעו״י to follow at the heel; to deceive
עִקֵּב, פ״י to hold back, restrain; to follow
עָקֹב, ת״ז, עֲקֻבָּה, ת״נ deceitful; steep
עָקְבָּה, נ׳, ר׳, ־בוֹת deceit; provocation
עִקְבִי, ת״ז, ־בִית, ת״נ consistent, logical
עָקֹד, ת״ז, עֲקֻדָּה, ת״נ striped, streaked

עָקַד, פ"י — to bind
עֵקֶד, ז' — gathering, collection
עֲקֵדָה, נ', ר', ־דוֹת — binding
עָקָה, נ', ר', ־קוֹת — pressure
עִקּוּב, ז' — cube
עִקּוּבִי, ת"ז, ־בִית, ת"נ — cubic
עָקוּד, ת"ז, עֲקוּדָה, ת"נ — bound
עִקּוּל, ז', ר', ־לִים — crookedness; foreclosure
עָקוֹם, עָקֹם, ת"ז, עֲקֻמָּה, ת"נ — curved, crooked
עִקּוּר, ז', ר', ־רִים — uprooting; castration; sterilization
עָקוּר, ת"ז, עֲקוּרָה, ת"נ — torn out, uprooted; sterile, impotent
עִקּוּשׁ, ז', ר', ־שִׁים — turning, making crooked
עָקוּשׁ, ת"ז, עֲקוּשָׁה, ת"נ — distorted, bent
עָקִיב, ת"ז, עֲקִיבָה, ת"נ — consequent
עֲקִיבוּת, נ' — consequence
עֲקִידָה, נ', ר', ־דוֹת — binding
עֲקִימָה, נ', ר', ־מוֹת — making crooked
עָקִיף, ת"ז, עֲקִיפָה, ת"נ — indirect, roundabout
עֲקִיפָה, נ', ר', ־פוֹת — going around
עֲקִיצָה, נ', ר', ־צוֹת — bite, sting; stinging remark
עֲקִירָה, נ', ר', ־רוֹת — uprooting; removal
עִקֵּל, פ"י — to bend, twist; to pervert; to foreclose
עֶקֶל, ז', ר', עֲקָלִים — wicker basket; ballast
עֲקַלְקַל, ת"ז, ־קֶלֶת, ת"נ — crooked
עֲקַלְקַלָּה, נ', ר', ־לּוֹת — crooked ways
עֲקַלָּתוֹן, ת"ז, ־נָה, ת"נ — crooked
עָקַם, פ"י — to curve, make crooked

עָקֹם, ת"ז, עֲקֻמָּה, ת"נ — crooked
עַקְמוּמִית, נ' — crookedness, deceit
עַקְמָנִי, ת"ז, ־נִית, ת"נ — inclined to deceit
עָקְמָנוּת, נ' — insincerity
עָקַף, פ"י — to surround, go roundabout
עָקַץ, פ"י — to sting; to cut fruit
עֹקֶץ, עוֹקֶץ, ז', ר', עֳקָצִים — sting; point; prick; stalk (fruit)
עֹקֶץ־הָעַקְרָב, ז', ר', עָקְצֵי־הָעַקְרַבִּים — heliotrope
עָקָר, ז', ר', עֲקָרִים — barren
עָקַר, פ"י, עִקֵּר, פ"י — to uproot; to make barren
עֵקֶר, ז', ר', עֲקָרִים — offshoot
עִקָּר, ז', ר', ־רִים — root; principle
עַקְרָב, ז', ר', ־בִּים — scorpion
עִקָּרוֹן, ז', ר', עֶקְרוֹנוֹת — principle, fundamental law
עֶקְרוֹנִי, ת"ז, ־נִית, ת"נ — fundamental
עִקָּרִי, ת"ז, ־רִית, ת"נ — principal, chief
עָקַשׁ, פ"י — to make crooked
הִתְעַקֵּשׁ, פ"ח — to be obstinate
עִקְּשׁוּת, נ' — crookedness
עַקְשָׁן, ת"ז, ־נִית, ת"נ — stubborn
עַקְשָׁנוּת, נ' — obstinacy
עָר, ז', ר', ־רִים — enemy; laurel
עָר, פ"ע, ע' [עור] — to awake, rouse oneself
עֵר, ת"ז, עֵרָה, ת"נ — awake
עֲרַאי, ז' — chance
עַרְאִי, ת"ז, ־אִית, ־ת"נ — casual, incidental
עֶרֶב, ז', ר', עֲרָבִים — evening, eve
הָעֶרֶב — this evening
בֵּין־הָעַרְבַּיִם — twilight, dusk

עָרַב, פעו״י to become evening, become dark; to give in pledge; to be surety
עֵרַב, פ״י to mix up
הִתְעָרֵב, פ״ח to make a bargain; to interfere; to bet
עָרֹב, ז׳ swarms of flies
עֵרֶב, ז׳ mixture, mixed company; woof
שְׁתִי וָעֵרֶב warp and woof
עָרֵב, ת״ז, עֲרֵבָה, ת״נ sweet; responsible
עֲרָב, ז׳ Arabia
עִרְבֵּב, פ״י to mix up
עֲרָבָה, נ׳, ר׳, ־בִים, ־בוֹת steppe, desert; salix, willow
עֲרֻבָּה, נ׳, ר׳, ־בּוֹת pledge, surety
עֲרֵבָה, נ׳, ר׳, ־בוֹת tub; kneading trough
עִרְבּוּב, ז׳, ר׳, ־בִים mix-up, confusion
עִרְבּוּבְיָה, נ׳, ר׳, ־יוֹת disorder, confusion
עֵרָבוֹן, ז׳, ר׳, עֵרְבוֹנוֹת pawn; pledge
עֲרֵבוּת, נ׳, ר׳, ־בֻיוֹת pleasantness; pledge
עַרְבִי, עֲרָבִי, ת״ז, ־בִיָּה, ־בִית, ת״נ Arab, Arabic
עַרְבִית, נ׳ evening; evening prayer
עִרְבֵּל, פ״י to mix (cement, concrete); to confound
עַרְבָּל, ז׳, ר׳, ־לִים concrete mixer; whirlpool, whirlwind
עָרַג, פעו״י to long for, crave; to prepare garden beds
עֶרְגָה, נ׳, עֶרְגוֹן, ז׳ longing, craving
עִרְגּוּל, ז׳, ר׳, ־לִים rolling of metal
עִרְגֵּל, פ״י to roll metal

עַרְדָּל, ז׳, ר׳, ־לַיִם overshoe; rubber
עֵרָה, פעו״י to pour out, make empty; to lay bare; to transfuse (blood)
עֹרָה, פ״ע to be intertwined
הִתְעָרָה, פ״ע to make naked; to spread oneself; to attach oneself; to take root
עֵרוּב, ז׳, ר׳, ־בִים mixture; confusion
עָרוּג, ת״ז, עֲרוּגָה, ת״נ arranged as a garden bed
עֲרוּגָה, נ׳, ר׳, ־גוֹת garden bed
עָרוֹד, ז׳, ר׳, עֲרוֹדִים wild ass
עֶרְוָה, נ׳, ר׳, עֲרָיוֹת pudenda, genitals; nakedness
עֵרוּי, ז׳, ר׳, ־יִים pouring out
עֵרוּי דָּם blood transfusion
עָרוּךְ, ת״ז, עֲרוּכָה, ת״נ prepared, ready, put in order; edited
עָרוּם, ת״ז, עֲרוּמָּה, ת״נ crafty, sly
עָרוֹם, עָרֹם, ת״ז, עֲרֻמָּה, ת״נ naked
עֲרוֹעֵר, ז׳ juniper
עָרוּף, ת״ז, עֲרוּפָה, ת״נ decapitated
עָרוּץ, ז׳, ר׳, עֲרוּצִים deep ravine
עֵרוּת, נ׳ vigilance
עַרְטִילַאי, ת״ז, ־לָאִית, ת״נ naked; abstract
עִרְטֵל, פ״י to make naked, strip
עֲרִיבָה, נ׳ sunset
עֲרִיגָה, נ׳, ר׳, ־גוֹת longing, craving
עֶרְיָה, נ׳ nakedness
עֲרִיכָה, נ׳, ר׳, ־כוֹת arranging, editing
עָרִיס, ז׳, ר׳, עֲרִיסִים arbor, espalier
עֲרִיסָה, נ׳, ר׳, ־סוֹת cradle; kneading trough
עָרִיף, ז׳, ר׳, עֲרִיפִים sky, clouds

עֲרִיפָה, נ׳, ר׳, ־פוֹת breaking the neck; decapitation
עָרִיץ, ז׳, ר׳, ־צִים, ־צוֹת violent person; tyrant
עֲרִיצִי, ת״ז, ־צִית, ת״נ epic
עָרִיצוּת, נ׳ ruthlessness, tyranny
עָרִיק, ז׳, ר׳, עֲרִיקִים deserter
עֲרִיקָה, נ׳ desertion
עֲרִירוּת, נ׳ childlessness; loneliness
עֲרִירִי, ת״ז, ־רִית, ת״נ childless; lonely
עֵרֶךְ, ז׳, ר׳, עֲרָכִים value, evaluation; order, arrangement; entry (in dictionary)
בְּעֵרֶךְ, תה״פ approximately, about
עֵרֶךְ בְּגָדִים a suit of clothes
עֲרֹךְ, ז׳, ר׳, ־כִים comparison
עָרַךְ, פ״י to arrange, set in order; to compare
עָרַךְ שֻׁלְחָן to set a table
הֶעֱרִיךְ, פ״י to value, estimate, assess
עָרֵל, ת״ז, עֲרֵלָה, ת״נ uncircumcised; gentile
עֲרַל לֵב dull-head
עֲרַל שְׂפָתַיִם stutterer
אֹזֶן עֲרֵלָה hard of hearing
עָרַל, פ״י to count (leave) uncircumcised, forbidden
עָרְלָה, נ׳, ר׳, עֲרָלוֹת foreskin; fruit of trees for the first three years
עָרַם, פ״י to make piles
נֶעֱרַם, פ״ע to be heaped up
הֶעֱרִים, פ״ע to be crafty, sly
עָרֹם, עָרוֹם, ת״ז, עֲרֻמָּה, ת״נ naked
עֲרֵמָה, נ׳, ר׳, ־מוֹת pile, heap
עָרְמָה, נ׳, ר׳, ־מוֹת slyness, craftiness

עַרְמוּמִי, ת״ז, ־מִית, ת״נ crafty
עַרְמוּמִיּוּת, נ׳ craftiness
עַרְמוֹן, ז׳, ר׳, ־נִים chestnut; chestnut tree
עַרְמוֹנִיּוֹת, נ״ר castanets
עֵרָנוּת, נ׳ wakefulness, alertness
עֵרָנִי, ת״ז, ־נִית, ת״נ wide awake, alert
עַרְסָל, ז׳, ר׳, ־לִים hammock
עִרְעוּר, ז׳, ר׳, ־רִים objection, appeal
עִרְעֵר, פ״י to destroy; to object; to appeal
עַרְעָר, ז׳, ר׳, ־רִים juniper; appeal; destitute
עֹרֶף, עוֹרֶף, ז׳, ר׳, עֳרָפִים neck; base (*mil.*)
עָרַף, פ״י to decapitate, break the neck; to drip
עַרְפָּד, ז׳, ר׳, ־דִים vampire, species of bat
עֲרָפֶל, ז׳, ר׳, עַרְפִלִּים fog, mist
עִרְפֵּל, פ״י to make foggy
עַרְפִלִּי, ת״ז, ־לִית, ת״נ foggy, misty
עָרַץ, פער״י to frighten; to fear, dread
הֶעֱרִיץ, פ״י to venerate, admire deeply
עָרַק, פ״ע to flee, desert
עֶרֶק, ז׳, ר׳, עֲרָקִים sieve
עַרְקוּב, ז׳, ר׳, ־בִים knee joint
עָרַר, פ״ע to object, to contest
עֶרֶשׂ, ז׳, ר׳, עֲרָשׂוֹת bed, crib, divan
עֶרֶשׂ דְּוַי sickbed
עָשׁ, פ״ע, ע׳ [עוש] to hurry
עָשׁ, ז׳, ר׳, ־שִׁים moth; the Great Bear
עֵשֶׂב, ז׳, ר׳, עֲשָׂבִים grass
עִשֵּׂב, פ״י to weed
עִשְׂבִּיָּה, נ׳, ר׳, ־יּוֹת herbarium

עָשָׂה, פ״י — to make; to do, produce
עָשׂוּי, ת״ז, עֲשׂוּיָה, ת״נ — made; accustomed
עִשּׂוּי, ז׳, ר׳, ־יִים — constraint, compulsion
עִשּׂוּב, ז׳ — weeding
עִשּׁוּן, ז׳, ר׳, ־נִים — smoking
עָשׁוּק, ת״ז, עֲשׁוּקָה, ת״נ — oppressed
עָשׁוֹק, ז׳, ר׳, ־קִים — extortioner
עָשׂוֹר, ש״מ, ר׳, ־רִים — ten, decade
עִשּׂוּר, ז׳ ר׳, ־רִים — tithing
עֲשׂוֹרִי, ת״ז, ־רִית, ת״נ — with tens
עָשׁוֹת, ת״ז, עֲשׁוֹתָה, ת״נ — forged
עֲשִׂיָּה, נ׳, ר׳, ־יּוֹת — doing, action
עָשִׁיר, ת״ז, עֲשִׁירָה, ת״נ — rich
עֲשִׁירוּת, נ׳ — wealth, richness
עֲשִׂירִיָּה, נ׳, ר׳, ־יּוֹת
עֲשִׂירִית, נ׳, ר׳, ־יּוֹת } a tenth
עָשָׁן, ז׳, ר׳, עֲשָׁנִים — smoke
עָשֵׁן, ת״ז, עֲשֵׁנָה, ת״נ — smoking, smoky
עָשַׁן, פ״ע — to smoke
עִשֵּׁן, פ״ע — to smoke, raise smoke, fumigate
עֶשֶׁף, ז׳, ר׳, עֲשָׁפִים — sharp edge of ax
עֹשֶׁק, עוֹשֶׁק ז׳ — oppression, extortion
עֵשֶׂק, ז׳ — quarrel, fight
עָשַׁק, פ״י — to oppress, extort
עֹשֶׁר, עוֹשֶׁר ז׳ — wealth
עָשַׁר, פ״ע — to become rich
עִשֵּׂר, פ״י — to tithe; to multiply by ten
עֶשֶׂר, ש״מ — ten (*f.*)
עֲשָׂרָה, ש״מ — ten (*m.*)
עִשָּׂרוֹן, ז׳, ר׳, עֶשְׂרוֹנוֹת — a tenth
עֶשְׂרוֹנִי, ת״ז, ־נִית, ת״נ — base ten
עֶשְׂרִים, ש״מ — twenty
עֲשֶׂרֶת, נ׳, ר׳, עֲשָׂרוֹת — group of ten
עָשַׁשׁ, עָשֵׁשׁ, פ״ע — to waste away; to dim (eyes)

עֲשָׁשִׁית, נ׳, ר׳, ־שִׁיּוֹת — lantern; iron bar
עֶשֶׁת, ז׳, ר׳, עֲשָׁתוֹת — plate; metal bar; steel
עָשַׁת, פ״ע — to become sleek; strong
הִתְעַשֵּׁת, פ״ע — to think, bethink oneself
עֶשְׁתּוֹנוֹת, ז״ר — thoughts
עַשְׁתֹּרֶת, נ׳, ר׳ ־תָּרוֹת — Ashtoreth, Canaanite goddess of fecundity
עֵת, נ׳, ר׳, עִתִּים, עִתּוֹת — time; occurrence
לְעֵת עַתָּה — for the meantime, for now
לְעִתִּים — sometimes
עִתֵּד, פ״י — to make ready
עַתָּה, תה״פ — now
עַתּוּד, ז׳, ר׳, ־דִים — he-goat, bell-wether; leader
עֲתוּדָה, נ׳, ר׳, ־דוֹת — provision; reserves (*mil.*)
עִתּוֹן, ז׳, ר׳, ־נִים — newspaper, journal
עִתּוֹנָאוּת, נ׳ — journalism
עִתּוֹנַאי, ז׳, ר׳, ־נָאִים — journalist
עִתִּי, ת״ז, עִתִּית, ת״נ — ready; periodic
עָתִיד, ת״ז, עֲתִידָה, ת״נ — ready; future
עַתִּיק, ת״ז, ־קָה, ת״נ — ancient
עַתִּיקוּת, נ׳ — antiquity
עַתִּיקוֹת, נ״ר — antiques, antiquities
עָתִיר, ת״ז, ־רָה, ת״נ — rich
עֲתִירָה, נ׳, ר׳, ־רוֹת — entreaty
[עתם] נֶעְתַּם, פ״ע — to be dark
עָתָק, ז׳ — arrogance
עָתַק, פ״ע — to move, advance; to succeed
נֶעְתַּק, פ״ע — to be transcribed, translated
הֶעְתִּיק, פ״י — to copy; to translate; to remove

עָתֵק, ת"ז, עֲתֵקָה, ת"נ enduring, durable

עָתַר, פ"ע to pray, supplicate

נֶעְתַּר, פ"ע to be excessive

עֶתֶר, ז', ר', עֲתָרִים pitchfork; prayer

עֲתֶרֶת, נ' abundance; wealth

ף ,פ ,פּ

פּ, פ, ף Pé, Fé, seventeenth letter of Hebrew alphabet; eighty

פֵּא, נ', ר', פֵּאִים, פֵּיפִין Pé, name of seventeenth letter of Hebrew alphabet

פֵּאָה, נ', ר', ־אוֹת corner, side, section; curl, lock of hair

פֵּאָה נָכְרִית wig

פֵּאֵר, פ"י to glorify, crown; to praise; to glean

הִתְפָּאֵר, פ"ח to boast, be proud

פְּאֵר, ז', ר', ־רִים beauty; glory; head piece; turban

פֹּארָה, פֻּארָה, נ', ר', ־רוֹת bough

פֶּבְּרוּאָר, ז' February

פָּג, פ"ע, ע' [פוג] to become faint; to evaporate

פַּג, ז', ר', ־גִּים unripe fig; premature baby

פָּגַג, פ"ע to coagulate

פַּגָּה, נ', ר', ־גִּים unripe fruit; undeveloped puberty

פִּגּוּל, פִּיגּוּל, ז', ר', ־לִים abomination

פִּגּוּם, פִּיגּוּם, ז', ר', ־מִים scaffold

פָּגוּם, ת"ז, פְּגוּמָה, ת"נ impaired, defective

פְּגוּת, נ' coagulation

פָּגָז, ז', ר', פְּגָזִים shell, battering projectile

[פגז] הִפְגִּיז, פ"י to batter, bombard

פִּגְיוֹן, ז', ר', ־נוֹת dagger

פְּגִימָה, נ', ר', ־מוֹת defect; impairment

פָּגִיעַ, ת"ז, פְּגִיעָה, ת"נ touchy (person)

פְּגִיעָה, נ', ר', ־עוֹת meeting, contact; hit; insult

פְּגִיעָה בַּמַּטָּרָה dull's-eye

פְּגִירָה, נ', ר', ־רוֹת beath, dying

פְּגִישָׁה, נ', ר', ־שׁוֹת meeting

פִּגֵּל, פ"י to make unfit, rejectable

פָּגַם, פ"י to damage; to make unfit

[פגן] הִפְגִּין, פ"י to demonstrate (publicly), make a demonstration; to cry out

פָּגַע, פ"י to meet; to attack, strike

הִפְגִּיעַ, פ"י to beseech, entreat

פֶּגַע, ז', ר', פְּגָעִים contact, accident, occurrence

פָּגַר, פ"ע to perish; to decay

פִּגֵּר, פער"י to be exhausted, faint; to be slow; to destroy, break up

פֶּגֶר, ז', פְּגָרִים carcass, corpse

פַּגְרָה, נ', ר', ־רוֹת vacation

פַּגְרָן, ז', ר', ־נִים dullard, slow person

פָּגַשׁ, פ"י to meet, encounter

פֵּדָגוֹג, פֶּדָגוֹג, ז', ר', ־גִים pedagogue

פֵּדָגוֹגְיָה, נ' pedagogy

פָּדָה, פ"י to ransom, redeem; to deliver

פָּדוּי, ת"ז, פְּדוּיָה, ת"נ ransomed, redeemed

פְּדוּת, נ' redemption, delivery; distinction

פַּדַּחַת, נ', ר', ־דָּחוֹת forehead
פִּדְיוֹם, פִּדְיוֹן, ז' delivery; ransom, redemption
פָּדָע, פ"י to deliver
פִּדֵּר, פ"י to powder
פֶּדֶר, ז', ר', פְּדָרִים suet, fat
פֶּה, ז', ר', פִּיּוֹת, פֵּיוֹת mouth; opening, orifice
פֶּה אֶחָד unanimously
עַל פֶּה, בְּעַל פֶּה by heart, orally
כְּפִי, לְפִי, עַל פִּי according to
אַף עַל פִּי שֶׁ־ although
פֹּה, תה"פ here, hither
פִּהוּק, ז', ר', ־קִים yawn
פְּהִיקָה, נ', ר', ־קוֹת yawning
פָּהַק, פִּהֵק, פ"ע to yawn
פַּהֲקָן, ז',' ר', ־נִים yawner
פּוּאָה, נ', ר', ־אוֹת madder (*bot.*)
[פוג] פָּג, פ"ע to evaporate; to become faint
הֵפִיג, פ"י to cool; to weaken
פּוּגָה, נ', ר', ־גוֹת relaxation, pause
פּוֹזֵל, ת"ז, ־זֶלֶת, ת"נ cross-eyed
פּוּזְמָק, פֻּזְמָק, ז', ר', ־מְקָאוֹת stocking
[פוח] פָּח, פעו"י to breathe, blow
הֵפִיחַ, פ"י to breathe out, utter
פּוֹחֵז, ת"ז, ־חֶזֶת, ת"נ reckless, rash
פּוֹחֵחַ, ת"ז, ־חַחַת, ת"נ tattered, poorly dressed
פּוֹחֵת, ת"ז, ־חֶתֶת, ת"נ decreasing
פּוּךְ, ז', ר', ־כִים eye-paint; stibium, antimony; precious stone
פּוֹל, ז', ר', ־לִים bean; gland
פּוּלְחָן, פֻּלְחָן, ז' temple service, worship
פּוּלְמוּס, פֻּלְמוּס, ז', ר', ־סִים polemic; argument, dispute

פּוּמְבִּי פֻּמְבִּי, ת"ז, ־בִּית, ת"נ open, public
פּוּמִית, נ', ר', ־יּוֹת mouthpiece
[פון] פָּן, פ"ע to doubt, hesitate
פּוּנְדָּק, פֻּנְדָּק, ז', ר', ־דְּקָאוֹת inn
פּוּנְדְּקִי, פּוּנְדְּקָאי, פֻּנְדְּקִי, פֻּנְדְּקָאי, ז', ר', ־קִים, ־קָאִים innkeeper
פּוֹסֵק, ז', ר', ־סְקִים legal interpreter
פּוֹעֵל, ז', ר', ־עֲלִים worker
פּוֹעַל, פֹּעַל, ז', ר', פְּעָלִים deed, act; verb
[פוץ] פָּץ, פ"ע to be scattered, dispersed
הֵפִיץ, פ"י to scatter; to distribute
פּוֹצֵץ, פ"י, ע' [פצץ] to split, break into pieces, explode; to detonate
[פוק] פָּק, פ"ע to reel, totter
הֵפִיק, פ"י to bring forth, produce, obtain
פּוּקָה, נ', ר', ־קוֹת stumbling block
[פור] הֵפִיר, פ"י to nullify
פּוּר, ז', ר', ־רִים lot
פּוּרִים Purim, feast of lots
פּוּרָה, נ', ר', ־רוֹת wine press
פּוֹרֶה, ת"ז, ־רִיָּה, ת"נ fruitful, fertile
פּוֹרֵחַ, ת"ז, ־רַחַת, ת"נ blossoming, blooming, flourishing; soaring, hovering
פּוֹרֵעַ, ז', ר', ־רְעִים rioter, troublemaker
פּוּרְעָנוּת, פֻּרְעָנוּת, נ', ר', ־נֻיּוֹת punishment, retribution
פּוּרְקָן, פֻּרְקָן, ז' redemption money, redemption; outlet
פּוֹרֶקֶת, נ', ר', ־רְקוֹת barge
[פוש] פָּשׁ, פ"ע to jump, skip; to rest
פּוֹשֵׁעַ, ז', ר', ־שְׁעִים transgressor, offender

פּוֹשֵׁר, ת"ז, ־שֶׁרֶת, ת"נ	lukewarm
פּוֹשְׁרִים, ז"ר	lukewarm water
פּוֹתָה, נ', ר', ־תוֹת	staple
פּוֹתֶה, ת"ז, ־תָה, ת"נ	gullible
פּוֹתְחָן, ז', ר', ־נִים	opener
פּוֹתַחַת, נ', ר', ־תְּחוֹת	master key
פָּז, ז'	fine gold
פָּזָה, פ"ע	to be gold-plated
פָּזוּי, ת"ז, פְּזוּיָה, ת"נ	gold-plated
פִּזּוּל, ז', פְּזִילָה, נ'	squinting
פִּזּוּם, ז'	humming
פָּזוּר, ת"ז, פְּזוּרָה, ת"נ	scattered, dispersed
פִּזּוּר, ז'	dispersion, scattering
פִּזּוּר־נֶפֶשׁ	distraction
פָּזַז, פ"ע	to be agile, quick
פִּזֵּז, פ"ע	to leap, jump, dance
הֵפֵז, פ"י	to gild
הוּפַז, פ"ע	to be refined, gold-plated
פָּזִיז, ת"ז, פְּזִיזָה, ת"נ	rash, hasty
פְּזִיזוּת, נ'	impetuousness, rashness
פְּזִילָה, נ', פִּזּוּל, ז', ר', ־לוֹת	squinting
פָּזַל, פ"ע	to squint
פַּזְלָן, ז', ר', ־נִים	squinter
פִּזֵּם, פ"י	to sing a refrain; to hum
פִּזְמוֹן, ז', ר', ־נִים, ־נוֹת	song, psalm; refrain
פֻּזְמָק, פּוּזְמָק, ז', ר', ־מְקָאוֹת	stocking
פִּזֵּר, פ"י	to disperse, scatter; to squander
פַּזְרָן, ז', ר', ־נִים	spendthrift, liberal
פַּזְרָנוּת, נ'	extravagance, liberality, squandering
פַּח, ז', ר', ־חִים	trap, snare; plate of metal, tinware
(פַּח) פְּחִי־נֶפֶשׁ, ז'	disappointment
פָּחַד, פ"ע	to fear, be frightened
פַּחַד, ז', פַּחְדָּה, נ', ר', פְּחָדִים, ־דוֹת	fear, awe, dread
פַּחְדָן, ת"ז, ־נִית, ת"נ	afraid, timorous
פַּחְדָנִי, ת"ז, ־נִית, ת"נ	fearful, scared
פֶּחָה, ז', ר', פַּחוֹת, פַּחֲווֹת	governor, pasha
פָּחוּס, ת"ז, פְּחוּסָה, ת"נ	flat, level
פָּחוֹת, תה"פ	less
פָּחוּת, פָּחוֹת, ת"ז, פְּחוּתָה, ־חוֹתָה, ת"נ	less, minus; inferior
פִּחוּת, ז'	reduction, lessening; devaluation; wear and tear
פָּחַז, פ"ע	to be reckless, wanton
פַּחַז, ז', פַּחֲזוּת, נ'	recklessness, wantonness
[פחח] הֵפַח, פ"י	to ensnare
פֶּחָח, ז', ר', ־חִים	tinsmith
פְּחִיסָה, נ', ר', ־סוֹת	crushing; flattening
פַּחִית, נ', ר', ־יּוֹת	tin can
פְּחִיתָה, נ', ר', ־תוֹת	lessening, loss
פְּחִיתוּת, נ'	diminution; disparagement
פִּחְלוּץ, ז'	taxidermy
פִּחֵם, פ"י	to blacken (with charcoal); to produce coal
הִתְפַּחֵם, פ"ע	to be electrocuted
פֶּחָם, ז', ר', ־מִים	coal, charcoal
פִּחְמוּן, ז'	carbonization
פֶּחָמִי, ז', ר', ־מִים	charcoal-burner; blacksmith
פַּחְמֵימָה, נ', ר', ־מוֹת	carbohydrate
פַּחְמִימָן, ז', ר', ־נִים	carburetant
פַּחְמָן, ז'	carbon
פִּחֵס, פ"י	to batter, beat out of shape
פִּחַת, פעו"י	to lessen, diminish

פַּחַת, זו"נ, ר', פְּחָתִים — pit, cavity
פְּחָת, ז', ר', ־תִים — diminution, depreciation
פְּחֶתֶת, נ' — diminution; decay; trap
פִּטְדָה, נ', ר', פִּטְדוֹת — topaz, precious stone
פְּטוֹטֶרֶת, נ', ר', ־טָרוֹת — stalk, stem
פָּטוּם, ת"ז, פְּטוּמָה, ת"נ — fattened, stuffed, stout
פִּטּוּם, ז', ר', ־מִים — compounding; stuffing
פָּטוּר, ת"ז, פְּטוּרָה, ת"נ — free, acquitted, guiltless
פְּטוּר, ז' — discharge, exemption, acquittal
פִּטֵּט, פ"י — to chatter
פְּטִירָה, נ', ר', ־רוֹת — departure; decease
פַּטִּישׁ, ז', ר', ־שִׁים — hammer
פֶּטֶל, ז', ר', פְּטָלִים — raspberry
פִּטֵּם, פ"י — to fatten, stuff; to compound spices
פִּטְמָה, נ', ר', פְּטָמוֹת — protuberance (on fruit); nipple
פִּטְפּוּט, ז', ר', ־טִים — chattering, idle talk
פִּטְפֵּט, פ"ע, ע' [פטט] — to chatter, babble
פַּטְפְּטָן, ז', ר', ־נִים — driveler, chatterer
פַּטְפְּטָנוּת, נ' — babble, chatter; garrulity
פָּטַר, פעו"י — to send off, dismiss; to set free
פִּטֵּר, פ"י — to dismiss
הִפְטִיר, פ"י — to conclude
הִתְפַּטֵּר, פ"ח — to resign, quit
פֶּטֶר, ז', פִּטְרָה, נ', ר', פְּטָרִים — first-born

פִּטְרִיָּה, נ', ר', ־יּוֹת — mushroom
פָּטַשׁ, פ"י — to hammer out
פִּיד, ז', ר', ־דִים — misfortune, disaster
פִּיָּה, נ', ר', ־יּוֹת — mouthpiece
פִּיּוּט, פַּיְט, ז', ר', ־טִים — poetry, religious poem
פִּיּוּטִי, ת"ז, ־טִית, ת"נ — poetical
פִּיּוּס, ז', ר', ־סִים — conciliation, appeasement
פִּיחַ, ז' — soot, dust
פִּיַּח, פ"י — to paint black
פִּיֵּט, פ"י — to write poetry
פַּיְטָן, ז', ר', ־נִים — poet, religious poet
פִּיל, ז', ר', ־לִים — elephant
פִּילֶגֶשׁ, נ', ר', ־לַגְשִׁים — concubine
פִּילוֹסוֹף, פִּילוֹסוֹפוֹס, ז', ר', ־פִים — philosopher
פִּילוֹסוֹפְיָה, נ', ר', ־יּוֹת — philosophy
פִּימָה, נ', ר', ־מוֹת — fat; double chin
פִּין, ז', ר', ־נִים — key bit
פִּיֵּס, פ"י — to pacify, appease
פַּיִס, ז', ר', פְּיָסוֹת, ־סִים — lot
פַּיְסָן, ז', ר', ־נִים — appeaser
פַּיְסָנוּת, נ' — appeasement
פִּיף, ז', ר', ־פִים — fringe
פִּיפִיָּה, נ', ר', ־יּוֹת — edge of sword; tooth, prong (harrow)
פִּיק, ז' — tottering
פִּיקָה, פִּקָּה, נ', ר', ־קוֹת — stopper, cork; cap (of shell)
פִּיר, ז', ר', ־רִים — ditch
פֵּירוּד, פֵּרוּד, ז', ר', ־דִים — separation, farewell
פֵּירוּט, פֵּרוּט, ז', ר', ־טִים — changing money; detailing
פֵּירוּק, פֵּרוּק, ז', ר', ־קִים — taking apart, breaking up; unloading

פֵּירוּר, פֵּרוּר, ז׳, ר׳, ־רִים crumb, fragment

פִּירְכָה, פִּרְכָה, נ׳, ר׳, ־כוֹת refutation, objection

פִּיתוֹם, ז׳, ר׳, ־מִים ventriloquist

פַּךְ, ז׳, ר׳, ־כִּים flask, vial

פִּכָּה, פעו״י to trickle; to make flow

פִּכַּח, פ״י to make sober

פִּכֵּחַ, ת״ז, ־כַּחַת, ת״נ sober

פִּכְּחוּת, נ׳ sobriety

פַּכְסָם, ז׳, ר׳, ־מִים cracker

פִּכְפּוּךְ, ז׳, ר׳, ־כִים dripping

פִּכְפֵּךְ, פ״ע to drip, ooze

פָּכַר, פ״י to break, split

[פלא] נִפְלָא, פ״ע to be wonderful, marvelous; to be difficult

פִּלֵּא, פ״י to fulfill, pay

הִתְפַּלֵּא, פ״ח to be surprised; to wonder

פֶּלֶא, ז׳, ר׳, פְּלָאִים, ־אוֹת marvel, wonder

פְּלָאִי, פֶּלִי, פְּלִי, ת״ז, פִּלְאִית, פֵּלִית, ת״נ wonderful; mysterious, incomprehensible

פִּלֵּג, פ״י to divide

הִפְלִיג, פ״י to depart, embark, sail; to exaggerate

פֶּלֶג, פְּלָג, ז׳, ר׳, פְּלָגִים stream, channel; part; faction

פְּלַגָּה, נ׳, ר׳, ־גּוֹת division; group; stream

פְּלֻגָּה, פְּלוּגָה, נ׳, ר׳, ־גּוֹת group; division

פַּלְגָן, ז׳, ר׳, ־נִיִּם disputer, controversialist

פֶּלֶד, ז׳, פְּלָדָה, נ׳, ר׳, ־דוֹת steel

פָּלָה, פ״י to search for vermin

נִפְלָה, פ״ע to be distinct, different

פִּלּוּג, ז׳, ר׳, ־גִים division, separation

פְּלוּגָה, פְּלֻגָּה, נ׳, ר׳, ־גוֹת division; group

פְּלוּגְתָּא, פְּלֻגְתָּא, נ׳, ר׳, ־תּוֹת controversy, discussion

פִּלּוּחַ, ז׳, ר׳, ־חִים split, splitting

פְּלוֹנִי, ת״ז, ־נִית, ת״נ a certain so and so

פָּלַח, פ״י to split; to till; to worship

פֶּלַח, ז׳, ר׳, פְּלָחִים millstone; cleavage, slice

פֶּלַח רֶכֶב upper millstone

פֶּלַח תַּחְתִּית, פֶּלַח שֶׁכֶב lower millstone

פַּלָּח, ז׳, ר׳, ־חִים farmer, fellah

פֻּלְחָן, פּוּלְחָן, פָּלְחָן, ז׳ temple service, worship

פָּלַט, פעו״י to escape; to be saved; to vomit, discharge

הִפְלִיט, פ״י to save; to give out

פָּלֵט, ז׳, פָּלִיט, ר׳, פְּלֵטִים, ־לִיטִים fugitive, refugee

פְּלֵטָה, פְּלֵיטָה, נ׳, ר׳, ־טוֹת deliverance, escape

פֶּלִי, פִּלְאִי, פְּלִי, ת״ז, פֶּלִית, פִּלְאִית, ת״נ wonderful; incomprehensible

פְּלִיאָה, נ׳, ר׳, ־אוֹת wonderment; miracle

פְּלִיגָה, נ׳, ר׳, ־גוֹת argument, discussion, debate, controversy

פְּלִיחָה, נ׳, ר׳, ־חוֹת plowing

פָּלִיט, פָּלֵט, ז׳, ר׳, פְּלִיטִים, ־לֵטִים fugitive, refugee

פָּלִיל, ז׳, ר׳, פְּלִילִים judge

פְּלִילָה, פְּלִילִיָּה, נ׳, ר׳, ־לוֹת, ־יּוֹת verdict, sentence

פְּלִילִי, ת״ז, ־לִית, ת״נ criminal

פְּלִישָׁה, נ׳, ר׳, ־שׁוֹת — occupation, invasion
פֶּלֶךְ, ז׳, ר׳, פְּלָכִים — district; spindle, distaff
פִּלֵּל, פ״י — to think, judge; to intercede
הִתְפַּלֵּל, פ״ח — to pray
פְּלוֹנִי, ז׳, ר׳, ־נִים — a certain one, so and so
פֻּלְמוּס, פּוּלְמוּס, ז׳, ר׳, ־סִים — polemic argument, dispute
[פלמס] הִתְפַּלְמֵס, פ״ח — to dispute
פִּלֵּס, פ״י — to balance; to make level, straight
פֶּלֶס, ז׳, ר׳, פְּלָסִים — scale, balance
[פלסף] הִתְפַּלְסֵף, פ״ח — to philosophize
פַּלְסְתֵּר, פְּלַסְטֵר, ז׳ — fraud, forgery
פִּלְפּוּל, ז׳, ר׳, ־לִים — debate, argumentation
פִּלְפֵּל, ז׳, ר׳, ־פְּלִים — pepper
פִּלְפֵּל, פעו״י — to search; to argue, debate; to pepper
פַּלְפְּלָן, פִּלְפְּלָן, ז׳, ר׳, ־נִים — debater
פִּלְפֶּלֶת, נ׳, ר׳, ־פָּלוֹת — grain of pepper; pepper
[פלץ] הִתְפַּלֵּץ, פ״ח — to shake, shudder
פְּלָצוּר, ז׳, ר׳, ־רִים — lasso
פַּלָּצוּת, נ׳ — shuddering
פָּלַשׁ, פ״ע — to trespass; to penetrate; to invade
הִתְפַּלֵּשׁ, פ״ח — to roll in
פְּלִשְׁתִּי, ת״ז, ־תִּית, ת״נ — Philistine
פֻּמְבִּי, פּוּמְבִּי, ת״ז, ־בִּית, ת״נ — open, public
בְּפֻמְבִּי, תה״פ — publicly, openly
פָּמוֹט, ז׳, ר׳, ־טוֹת — candlestick
פֻּמְפִּיָּה, נ׳, ר׳, ־יוֹת — grater

פָּן, פ״ע, ע׳ [פון] — to doubt, hesitate
פֶּן, מ״י — lest
פְּנַאי, פְּנַי, ז׳ — leisure
פַּנַּג, ז׳ — pastry, honey cake
פֻּנְדָּק, פּוּנְדָּק, ז׳, ר׳, ־קִים, ־דְּקָאוֹת — inn
פֻּנְדְּקַאי, פֻּנְדְּקִי, פּוּנְדְּקַאי, פּוּנְדְּקִי, ז׳, ר׳, ־קָאִים, ־קִים — innkeeper
פָּנָה, פ״ע — to turn, turn from
פִּנָּה, פ״י — to remove; to empty
פִּנָּה, נ׳, ר׳, ־נּוֹת — corner
פָּנוּי, ת״ז, פְּנוּיָה, ת״נ — empty, disengaged; unoccupied; unmarried
פִּנּוּי, ז׳, ר׳, ־יִים — emptying, clearing
פִּנּוּק, ז׳, ר׳, ־קִים — spoiling, pampering
פְּנַי, פְּנַאי, ז׳ — leisure time
פְּנִיָּה, נ׳, ר׳, ־יוֹת — inclination; design, motive
פָּנִים, זו״ר — face, countenance; front; surface
לְפָנִים, תה״פ — formerly
מִפְּנֵי — because of
עַז פָּנִים — arrogant
פְּנֵי הַיָּם — sea level
פְּנֵי הָעִיר — notables
פְּנִים, ז׳ — interior; inside; text
פְּנִימָה, תה״פ — within
פְּנִימִי, ת״ז, ־מִית, ת״נ — interior, inner
פְּנִימִיָּה, נ׳, ר׳, ־יוֹת — dormitory
פְּנִינָה, נ׳, ר׳, ־נִים — pearl
פְּנִינִיָּה, נ׳, ר׳, ־יוֹת — guinea fowl
פָּנָס, ז׳, ר׳, פָּנָסִים — lantern, lamp
פָּנַס־כִּיס — flashlight
פָּנַס־קֶסֶם — projector (filmstrips)
פִּנֵּק, פ״י — to indulge, pamper

פִּנְקָס, ז׳, ר׳, ־סִים, ־קְסָאוֹת — notebook; ledger

פִּנְקְסָן, ז׳, ר׳, ־נִים — bookkeeper

פִּנְקְסָנוּת, נ׳ — bookkeeping

פַּס, ז׳, ר׳, ־סִּים — strip, stripe; board, track

פַּסֵּי הָרַכֶּבֶת — railroad track

פִּסֵּג, פ״י — to divide, branch off

פִּסְגָּה, נ׳, ר׳, פְּסָגוֹת — peak; summit

[פסד] נִפְסַד, פ״ע — to be spoiled; to lose

הִפְסִיד, פ״ע — to lose, suffer loss

פְּסֵדָה, נ׳, ר׳, ־דוֹת — loss, disadvantage

פָּסָה, פ״ע — to spread, be extended

פִּסָּה, נ׳, ר׳, ־סּוֹת — piece, slice; abundance

פִּסַּת (רֶגֶל) יָד — sole (foot); palm (hand)

פָּסוּל, ת״ז, פְּסוּלָה, ת״נ — disqualified, unfit, defective

פִּסּוּל, ז׳, ר׳, ־לִים — sculpturing; chiseling; cutting

פְּסוּל, ז׳, ר׳, ־לִים — disqualification; blemish, defect

פְּסוֹלֶת, פְּסֹלֶת, נ׳ — worthless matter, refuse

פָּסוּק, ז׳, ר׳, פְּסוּקִים — Biblical verse; sentence

פִּסּוּק, ז׳, ר׳, ־קִים — cessation, interruption, pause

פָּסַח, פ״ע — to pass over, leap over; to limp; to vacillate

פֶּסַח, ז׳ — Passover

פִּסֵּחַ, ז׳, ר׳, ־סְחִים — lame person, limper

פִּסְחוּת, נ׳ — lameness, limp

פְּסִיג, ז׳, פְּסִיגָה, נ׳, ר׳, ־גִים ־גוֹת — branch, sprig

פַּסְיוֹן, ז׳, ר׳, ־נִים — pheasant

פְּסִיחָה, נ׳, ר׳, ־חוֹת — stepping over, skipping

פָּסִיל, פֶּסֶל, ז׳, ר׳, פְּסִילִים — idol, graven image; statue, bust

פְּסִיעָה, נ׳, ר׳, ־עוֹת — step, walk

פְּסִיק, ז׳, ר׳, ־קִים — comma

נְקוּדָה וּפְסִיק — semicolon

פָּסַל, פ״י — to sculpture, hew; to disqualify, reject

פִּסֵּל, פ״י — to trim; to carve

פַּסָּל, ז׳, ר׳, ־לִים — sculptor

פֶּסֶל, ז׳, ר׳, פְּסָלִים, פְּסִילִים — idol, graven image; statue, bust

פַּסָּלוּת, נ׳ — sculpturing

פְּסֹלֶת, פְּסוֹלֶת, נ׳ — refuse, worthless matter

פְּסַנְתֵּר, ז׳, ר׳, ־רִים — piano

פְּסַנְתְּרָן, ז׳, ר׳, ־נִים — pianist

פָּסַס, פ״ע — to fail; to be gone

פָּסַע, פ״ע — to step, walk

פְּסְפֵּס, פ״ע — to be striped

פָּסַק, פעו״י — to cease, stop; to divide; to decide

הִפְסִיק, פ״י — to stop, interrupt; to separate

פֶּסֶק, ז׳, ר׳, פְּסָקִים — separation, detached piece, remainder

פְּסָק, ז׳, ר׳, ־קִים — decision

פְּסַק דִּין — judgment

פִּסְקָה, נ׳, ר׳, ־קָאוֹת, פְּסָקוֹת — paragraph, section

פִּסֹּקֶת, נ׳, ר׳, ־סוֹקוֹת — part (hair)

פָּעָה, פ״ע — to groan, cry; to bleat

פָּעוּט, ת״ז, פְּעוּטָה, ת״נ — insignificant, small, young

פָּעוּט, ז׳, ר׳, ־טוֹת — minor, child

פָּעוּל, ת״ז, פְּעוּלָה, ת״נ — made, created

פְּעוּלָּה, פְּעֻלָּה, נ׳, ר׳, ־לּוֹת — deed, action; effect
פָּעוּר, ת״ז, פְּעוּרָה, ת״נ — wide open
פְּעִיָּה, נ׳, ר׳, ־יּוֹת — bleating; cry
פָּעִיל, ת״ז, פְּעִילָה, ת״נ — active
פְּעִילוּת, נ׳, ר׳, ־לֻיּוֹת — activity
פָּעַל, פ״י — to do, make, act
הִתְפַּעֵל, פ״ח — to be impressed, affected
פֹּעַל, פּוֹעַל, ז׳, ר׳, פְּעָלִים — deed; act; verb
פֹּעַל יוֹצֵא, פ״י — transitive verb
פֹּעַל עוֹמֵד, פ״ע — intransitive verb
שֵׁם־הַפֹּעַל — infinitive
פִּעֵל, ז׳ — Pi'el, the active of the intensive stem of the Hebrew verb
פֻּעַל, ז׳ — Pu'al, the passive of the intensive stem of the Hebrew verb
פְּעֻלָּה, פְּעוּלָּה, נ׳, ר׳, ־לּוֹת — deed, action; effect
פְּעַלְתָּן, ז׳, ר׳, ־נִים — active person
פְּעַלְתָּנוּת, נ׳ — activity
פָּעַם, פ״ע — to beat; to impel
הִתְפָּעֵם, פ״ח — to be troubled
פַּעַם, נ׳, ר׳, פְּעָמִים, ־מוֹת — time, times; once; beat; step; foot
פַּעֲמַיִם — twice
הַפַּעַם — this once, this time
לִפְעָמִים — sometimes
פַּעֲמוֹנִית, נ׳, ר׳, ־יּוֹת — bluebell, campanula
פַּעֲמוֹן, ז׳, ר׳, ־נִים — bell
פִּעְנַח, פִּעֲנֵחַ, פ״י — to decipher
פִּעְפּוּעַ, ז׳, ר׳, ־עִים — bubbling
פִּעְפַּע, פ״ע — to crush; to pierce, penetrate; to bubble

פָּעַר, פ״י — to open wide
פַּעַר, ז׳ — space, gap
פָּץ, פ״ע, ע׳ [פוץ] — to be dispersed, scattered
פָּצָה, פ״י — to open mouth; to deliver, set free
פִּצָּה, פ״י — to compensate, indemnify
פִּצּוּי, ז׳, ר׳, ־יִּים — compensation, appeasement
פִּצּוּל, ז׳, ר׳, ־לִים — peeling; dividing, splitting
פָּצוּעַ, ת״ז, פְּצוּעָה, ת״נ — wounded
פִּצּוּץ, ז׳ — blowing up, exploding
פָּצַח, פִּצַּח, פ״י — to burst, open; to shout; to crack (nuts)
פְּצִיעָה, נ׳, ר׳, ־עוֹת — cracking, splitting
פְּצִירָה, נ׳, ר׳, ־רוֹת — file, filing
פִּצֵּל, פ״י — to divide; to peel
הִפְצִיל, פ״י — to branch off; to split
פְּצָלָה, פִּצְלָה, נ׳, ר׳, ־לוֹת — peeled spot; stripe
פֶּצֶלֶת, נ׳, ר׳, ־צָלוֹת — silica, silicate
פָּצַם, פ״י — to split open
פָּצַע, פ״י — to wound, bruise; to crack, split
פֶּצַע, ז׳, ר׳, פְּצָעִים — bruise, wound
פִּצְפֵּץ, פ״י — to shatter, dash to pieces
[פצץ] פּוֹצֵץ, פ״י — to split, break into pieces, explode, detonate
הִתְפּוֹצֵץ, פ״ע — to be shattered, burst, exploded
פְּצָצָה, נ׳, ר׳, ־צוֹת — bomb
פָּצַר, פ״ע — to press, urge
הִפְצִיר, פ״ע — to be stubborn; to urge

פָּק, פ"ע, ע' [פוק] to reel, totter

פָּקַד, פ"י to command; to muster, number; to appoint, assign; to remember; to visit

פִּקֵּד, פ"י to muster

הִתְפַּקֵּד, פ"ח to be mustered

פְּקָדָה, פְּקוּדָה, נ', ר', ־דּוֹת order, command; duty, function

פִּקָּדוֹן, ז', ר', ־קְדוֹנוֹת deposit

פְּקָה, פִּיקָה, נ', ר', ־קוֹת stopper, cork; cap (of shell)

פִּקָּה שֶׁל גַּרְגֶּרֶת Adam's apple

פִּקּוּד, ז' command

פְּקוּדָּה, פְּקֻדָּה, נ', ר', ־דּוֹת order, command; duty, function

פִּקּוּחַ, ז' supervision; control

פִּקּוּחַ־נֶפֶשׁ saving of life

פָּקוּחַ, ת"ז, פְּקוּחָה, ת"נ open

פָּקוּעַ, ת"ז, פְּקוּעָה, ת"נ split

פַּקּוּעָה, נ', ר', ־עוֹת gourd

פָּקוּק, ת"ז, פְּקוּקָה, ת"נ corked, stopped

פָּקַח, פ"י to open (eyes, ears)

פִּקַּח, פ"י to watch, guard

פִּקֵּחַ, ז', ר', פִּקְחִים clever, smart; seeing; hearing

פִּקְחוּת, נ' prudence, shrewdness, cleverness

פִּקְחִי, ת"ז, ־חִית, ת"נ shrewd, clever

פְּקַח־קוֹחַ, ז' redemption, deliverance

פָּקִיד, ז', ר', פְּקִידִים officer, official; white-collar worker

פְּקִידָה, נ', ר', ־דוֹת examination; remembrance

פְּקִידוּת, נ', ר', ־דֻיּוֹת officialdom; superintendence

פְּקִיעַ, ז', ר', ־עִים bundle, bunch (of sheaves)

פִּקֵּל, פ"י to peel onions

פָּקַם, פ"י to perforate, split; to bridle, govern

פָּקַע, פ"ע to burst, split; to be canceled

הִפְקִיעַ, פ"י to split; to unravel, to break open; to cancel; to release; to expropriate

הִפְקִיעַ אֶת הַמְּחִיר, הַשַּׁעַר to raise prices arbitrarily, unsettle the market

פֶּקַע, ז', ר', פְּקָעִים crack, splinter, piece

פְּקַעַת, נ', ר', ־קָעוֹת, ־קָעִיּוֹת coil, ball of thread; bulb, tuber

פִּקְפּוּק, ז', ר', ־קִים doubt, hesitation

פִּקְפֵּק, פ"י to doubt, hesitate

פַּקְפְּקָנוּת, נ' scepticism; vacillation

פָּקַק, פ"י to cork, stop up

הִתְפַּקֵּק, פ"ע to be loosened, shaken

פְּקָק, פֶּקֶק, ז', ר', פְּקָקִים cork, stopper

פַּקֶּקֶת, נ' clot (blood), thrombosis

פָּקַר, פ"ע to be irreverent; to be sceptical; to be licentious

הִפְקִיר, פ"י to renounce ownership, declare free

פַּר, ז', ר', פָּרִים bull

[פרא] הִפְרִיא, פ"י to be fruitful

פֶּרֶא, ז', ר', פְּרָאִים wild ass; savage

פֶּרֶא אָדָם wild man, savage

פִּרְאוּת, נ' wildness

פִּרְאִי, ת"ז, ־אִית, ת"נ wild, barbaric

פַּרְבָּר, פַּרְוָר, ז', ר', ־רִים suburb

פָּרַג, הִפְרִיג, פ"י to sprout, germinate

פָּרָג, פֶּרֶג, ז', ר', פְּרָגִים poppy

פַּרְגּוֹד, ז', ר', ־דִים curtain

פַּרְגּוֹל, ז׳, ר׳, ־לִים whip
פִּרְגּוּל, ז׳, ר׳, ־לִים whipping
פַּרְגִּית, נ׳, ר׳, ־יּוֹת chick
פִּרְגֵּל, פ״י to whip
פָּרַד, פ״י to separate, divide, divorce
הִתְפָּרֵד, פ״ח to be separated from each other, scattered
פֶּרֶד, ז׳, פִּרְדָּה, נ׳, ר׳, פְּרָדִים ־דוֹת mule
פְּרָדָה, פְּרוּדָה, נ׳, ר׳, ־דוֹת molecule, particle; atom
פְּרָדִי, ת״ז, ־דִית, ת״נ atomic
פְּרֵדָה, נ׳, ר׳, ־דוֹת farewell
פַּרְדֵּס, ז׳, ר׳, ־סִים orchard; orange grove
פַּרְדְּסָן, ז׳, ר׳, ־נִים orange-grower
פַּרְדְּסָנוּת, נ׳ citriculture
פָּרָה, פ״ע to be fruitful, fertile; to bear fruit
הִפְרָה, פ״י to bear fruit, fertilize
פָּרָה, נ׳, ר׳, ־רוֹת cow
פַּרְהֶסְיָה, פַּרְהֶסְיָא, נ׳ public
בְּפַרְהֶסְיָה, תה״פ publicly
פֵּרוּד, פֵּירוּד, ז׳, ר׳, ־דִים separation, farewell
פָּרוּד, ת״ז, פְּרוּדָה, ת״נ separate, apart
פְּרוּדָה, פְּרָדָה, נ׳, ר׳, ־דוֹת molecule, particle
פַּרְוָה, נ׳, ר׳, ־ווֹת skin, fur
פָּרוּז, ת״ז, פְּרוּזָה, ת״נ unfortified, open
פֵּרוּז, ז׳ demilitarization
פְּרוֹזְדוֹר, ז׳, ר׳, ־רִים vestibule, corridor
פֵּרוּט, פֵּירוּט, ז׳, ר׳, ־טִים changing (money); detailing

פְּרוּטָה, נ׳, ר׳, ־טוֹת small coin; change
פְּרוֹטְרוֹט, ז׳, ר׳, ־טִים small change; fraction
בִּפְרוֹטְרוֹט, תה״פ in detail
פָּרוּךְ, ת״ז, פְּרוּכָה, ת״נ broken
פַּרְוָן, ז׳, ר׳, ־נִים furrier
פָּרוּס, ת״ז, פְּרוּסָה, ת״נ spread
פְּרוּסָה, נ׳, ר׳, ־סוֹת piece of bread, slice
פָּרוּעַ, ת״ז, פְּרוּעָה, ת״נ wild; unrestrained, disorderly; bareheaded; paid
פָּרוּף, ת״ז, פְּרוּפָה, ת״נ buttoned; clasped
פָּרוּץ, ת״ז, פְּרוּצָה, ת״נ broken; dissolute; immodest
פֵּרוּק, פֵּירוּק, ז׳, ר׳, ־קִים taking apart, breaking up; dissolution; unloading
פָּרוּר, ז׳, ר׳, ־רִים pot
פַּרְוָר, פַּרְבָּר, ז׳, ר׳, ־רִים suburb
פֵּרוּר, פֵּירוּר, ז׳, ר׳, ־רים crumb, fragment
פָּרוּשׁ, ת״ז, פְּרוּשָׁה, ת״נ; ז׳ abstinent; ascetic; celibate; Pharisee; finch
פָּרוּשׂ, ת״ז, פְּרוּשָׂה, ת״נ spread
פֵּרוּשׁ, פֵּירוּשׁ, ז׳, ר׳, ־שִׁים explanation, commentary; exegesis
בְּפֵרוּשׁ, תה״פ explicitly
פֵּרַז, פ״י to declare neutral, open, demilitarize
הִפְרִיז, פ״י to exaggerate
פָּרָז, פֶּרֶז, ז׳, ר׳, פְּרָזִים lay, undisciplined ruler
פִּרְזָה, נ׳, ר׳, פְּרָזוֹת unwalled village, town
פְּרָזוֹן, ז׳ unfortified region

פְּרָזוֹת, תה"פ open; unfortified
פְּרָזִי, ת"ז, ־זִית, ת"נ unwalled, unfortified
פִּרְזֵל, פ"י to shoe horses
פָּרַח, פ"ע to bud, blossom, flower; to fly; to break out; to spread (sore)
פֶּרַח, ז', ר', פְּרָחִים flower, bud, blossom; flower-shaped ornament; youth; cadet; trainee
פִּרְחֵי כְּהֻנָּה young priests
פִּרְחָח, ז', ר', ־חִים youth, whippersnapper
פָּרַט, פ"י to play a stringed instrument; to change money; to specify
פֶּרֶט, ז' single grapes; change (money)
פְּרָט, ז', ר', ־טִים detail, specification
בִּפְרָט, תה"פ especially, particularly
פְּרָטוּת, נ' detailing
בִּפְרָטוּת, תה"פ details; in detail
פְּרָטִי, ת"ז, ־טִית, ת"נ private; single, separate
שֵׁם פְּרָטִי first name
שֵׁם עֶצֶם פְּרָטִי proper noun
פְּרִי, פֶּרִי, ז', ר', פֵּרוֹת produce, fruit; profit
פְּרִי בֶטֶן progeny
פְּרִי עֵט literary productivity
פְּרִיד, ז', ר', פְּרָדִים atom
פְּרִידָה, נ', ר', ־דוֹת farewell; particle; dove, pigeon
פִּרְיָה, פְּרִיָּה, נ', ר', ־יוֹת, ־יּוֹת fertility, fruitfulness
פִּרְיוֹן, ז' productivity
פְּרִיחָה, נ', ר', ־חוֹת fruition; blossoming; eruption; flight

פְּרִיטָה, נ', ר', ־טוֹת changing money; small change
פָּרִיךְ, ת"ז, פְּרִיכָה, ת"נ fragile, brittle
פְּרִיכָה, נ', ר', ־כוֹת cracking, crushing, breaking
פְּרִימָה, נ', ר', ־מוֹת tearing, rending of garments
פְּרִיסָה, נ', ר', ־סוֹת slicing; spreading
פְּרִיסַת שָׁלוֹם regards
פְּרִיעָה, נ', ר', ־עוֹת letting the hair grow in neglect; paying a debt; disturbance
פְּרִיעוּת, נ' roguery
פְּרִיפָה, נ', ר', ־פוֹת clasp, fastening, pin
פָּרִיץ, ז', ר', פָּרִיצִים, פְּרִיצִים vicious, violent man; nobleman, prince
פְּרִיץ, ז', ר', ־צִים wild, vicious man
פְּרִיץ־חַיּוֹת beast of prey
פְּרִיצָה, נ', ר', ־צוֹת breach; breaking in
פְּרִיצוּת, נ' obscenity, licentiousness
פָּרִיק, ת"ז, פְּרִיקָה, ת"נ detachable, removable
פְּרִיקָה, נ', ר', ־קוֹת unloading; breaking up
פָּרִישׁ, ת"ז, פְּרִישָׁה, ת"נ spread, stretched
פְּרִישָׂה, נ', ר', ־שׂוֹת spreading, stretching
פְּרִישָׁה, נ', ר', ־שׁוֹת separation,
פְּרִישׁוּת, נ' abstinence; celibacy; piety; restriction
פָּרַךְ, פ"י to split; to crush, grind, demolish
פֶּרֶךְ, ז' rigor, harshness; tyranny

עֲבוֹדַת־פֶּרֶךְ hard labor, drudgery

פִּרְכָה, פִּרְכָא, נ׳, ר׳, ־כוֹת refutation, objection

פִּרְכּוּס, ז׳, ר׳, ־סִים painting, beautifying; jerking, struggling

פִּרְכֵּס, פ״י to beautify, apply make-up; to jerk, struggle

פָּרֹכֶת, נ׳, ר׳, פָּרוֹכוֹת, פָּרוֹכִיּוֹת curtain

פָּרַם, פ״י to tear, rend (garment)

פִּרְנוּק, ז׳ pampering, spoiling

פַּרְנָס, ז׳, ר׳, ־סִים provider; manager; leader (of a community)

פַּרְנֵס, פ״י to provide, support, maintain

הִתְפַּרְנֵס, פ״ח to support oneself

פַּרְנָסָה, נ׳, ר׳, ־סוֹת livelihood; maintenance, sustenance

פָּרַס, פ״י to break in two, split; to slice; to spread

הִפְרִיס, פ״י to part the hoof; to have parted hoofs

פֶּרֶס, ז׳, ר׳, פְּרָסִים osprey

פְּרָס, ז׳, ר׳, ־סִים prize; gift; coin; half a loaf

פַּרְסָה, נ׳, ר׳, ־סוֹת hoof; horseshoe

פַּרְסָה, נ׳, ר׳, ־סָאוֹת Persian mile

פִּרְסוּם, ז׳, ר׳, ־מִים publicity; publication

פַּרְסִי, ת״ז, ־סִית, ת״נ Persian

פִּרְסֵם, פ״י to publicize, publish

פִּרְסֹמֶת, נ׳, ־סוֹמוֹת publicity

פָּרַע, פ״י to neglect, disarrange; to uncover; to punish; to plunder; to pay a debt

הִפְרִיעַ, פ״י to cause disorder; to disturb

פֶּרַע, ז׳, ר׳, פְּרָעוֹת hair, unruly hair; thicket

פְּרָעָה, נ׳, ר׳, ־עוֹת riot, pogrom

פֵּרָעוֹן, ז׳, ר׳, פִּרְעוֹנוֹת payment of debt

פַּרְעוֹשׁ, ז׳, ר׳, ־שִׁים flea

פֻּרְעָנוּת, פּוּרְעָנוּת, נ׳, ר׳, ־נִיּוֹת punishment, retribution

פָּרַף, פ״י to button, clasp

פִּרְפּוּר, ז׳, ר׳, ־רִים struggling, twitching, jerking

פִּרְפֵּר, פעו״י to move convulsively, struggle

פַּרְפַּר, ז׳, ר׳, ־פָּרִים butterfly

פַּרְפֶּרֶת, נ׳, ר׳, ־פְּרָאוֹת hors d'oeuvre

פָּרַץ, פעו״י to burst, break through; to press, urge

פֶּרֶץ, ז׳, פִּרְצָה, נ׳, ר׳, פְּרָצִים, ־צוֹת break; breach; opening

פַּרְצוּף, ז׳, ר׳, ־פִים face, features; parvenu

דּוּ־פַּרְצוּפִי, ת״ז two-faced, hypocritical

פָּרַק, פ״י to unload; to untie, loosen; to free, save

פֵּרַק, פ״י to sever, break; to unload; to remove

הִתְפָּרֵק, פ״ח to be dismembered; disassembled

פֶּרֶק, ז׳, ר׳, פְּרָקִים chapter; joint; period; crossroad; adolescence, puberty

לִפְרָקִים, תה״פ sometimes

רָאשֵׁי פְּרָקִים synopsis, résumé

הִגִּיעַ לְפִרְקוֹ to attain puberty

פִּרְקָה, נ׳, ר׳, פְּרָקוֹת division (*mil.*)

פִּרְקֵד, פ״י to turn on back

פַּרְקְדָן, ת״ז, תה״פ, ־נִית, ת״נ supine

פְּרַקְלִיט, ז׳, ר׳, ־טִים — defense attorney
פְּרַקְמַטְיָה, נ׳ — business; goods
פְּרָקָן, פּוּרְקָן, ז׳ — redemption money; redemption; outlet
פֵּרֵר, פ״י — to break into crumbs
הֵפֵר, פ״י — to destroy; to violate; to make void
הֵפֵר שְׁבִיתָה — to break a strike
פָּרַשׂ, פ״י — to spread, spread out
פֵּרֵשׂ, פ״י — to scatter
פָּרַשׁ, פעו״י — to separate; to depart; to make clear; to specify
פֵּרֵשׁ, פ״י — to clarify; to explain, interpret
הִפְרִישׁ, פ״י — to dedicate; to separate, set aside
פָּרָשׁ, ז׳, ר׳, ־שִׁים — horseman, knight (chess)
פֶּרֶשׁ, ז׳ — excrement, dung
פַּרְשֶׁגֶן, פַּתְשֶׁגֶן, ז׳ — copy, text; abstract
פַּרְשְׁדוֹן, ז׳ — emergency exit; passage
פָּרָשָׁה, נ׳, ר׳, ־שׁוֹת, שִׁיּוֹת — section; division; chapter (book)
פָּרָשַׁת־דְּרָכִים — crossroad
פַּרְשָׁן, ז׳, ר׳, ־נִים — commentator, exegete
פַּרְשָׁנוּת, נ׳ — exegesis
פָּרַת, פ״י — to belittle; to have no respect for
פָּרַת־מֹשֶׁה־רַבֵּנוּ, נ׳, ר׳, פָּרוֹת־מֹשֶׁה־רַבֵּנוּ — beetle, lady bug
פַּרְתֵּם, ז׳, ר׳, ־מִים — elder, leader
פָּשׁ, פ״ע, ע׳ [פושׁ] — to spring about; to rest
פֶּשׁ, ז׳ — haughtiness; deficiency
פָּשָׂה, פ״ע — to spread out
פָּשׁוּט, ת״ז, פְּשׁוּטָה, ת״נ — simple, plain, straight

פִּשּׁוּט, פֶּשֶׁט, ז׳ — simplification; straightening
פִּשּׁוּר, ז׳, ר׳, ־רִים — coming to terms, solution, compromise
פָּשַׁח, פ״י — to split, tear off, strip
פִּשַּׁח, פ״י — to tear in pieces
פָּשַׁט, פעו״י — to take off, remove; to stretch, spread; to straighten
פָּשַׁט רֶגֶל — to go bankrupt
פִּשֵּׁט, פ״י — to simplify; to strip; to stretch
הִפְשִׁיט, פ״י — to strip, flay
הִתְפַּשֵּׁט, פ״ח — to undress; to be spread
פֶּשֶׁט, פִּשּׁוּט, ז׳ — simplification
פְּשָׁט, ז׳, ר׳, ־טוֹת, ־טִים — plain, simple meaning
פַּשְׁטוּת, נ׳ — simplicity
פַּשְׁטִידָה, נ׳, ר׳, ־דוֹת — pudding
פַּשְׁטָן, ז׳, ר׳, ־נִים — straightforward speaker
פְּשִׁיטָה, נ׳ — undressing; stretching forth
פְּשִׁיטַת רֶגֶל — bankruptcy
פְּשִׁיעָה, נ׳, ר׳, ־עוֹת — trespass; offense; crime, negligence
פְּשִׁירָה, נ׳, ר׳, ־רוֹת — cooling
[פשל] הִפְשִׁיל, פ״י — to knot and fasten; to roll up
פָּשַׁע, פ״ע — to transgress, revolt, rebel; to neglect
פֶּשַׁע, ז׳, ר׳, פְּשָׁעִים — guilt, transgression
פָּשַׂע, פ״ע — to step, march
פֶּשַׂע, ז׳, ר׳, פְּשָׂעִים — step
פִּשְׁפּוּשׁ, ז׳ — search; investigation
פִּשְׁפֵּשׁ, ז׳, ר׳, ־פְּשִׁים — bug
פִּשְׁפֵּשׁ־הַמִּטָּה — bed bug

פִּשְׁפָּשׁ, ז׳, ר׳, ־שִׁים wicket, small gate, door

פִּשְׁפֵּשׁ, פ״י to examine, investigate, search

פָּשַׂק, פ״י to open wide

פָּשַׁר, פ״ע to melt; to be lukewarm

פִּשֵּׁר, פ״י to compromise, arbitrate

הִתְפַּשֵּׁר, פ״ח to be settled

פֵּשֶׁר, ז׳ interpretation, solution

פְּשָׁרָה, נ׳, ר׳, ־רוֹת compromise, settlement

פַּשְׁרָן, ז׳, ר׳, ־נִים compromiser, conciliator

פִּשְׁתָּה, נ׳, פִּשְׁתָּן, ז׳, ר׳, ־נִים flax, linen

פִּשְׁתָּנִי, ז׳, ר׳, ־נִים flax worker, dealer in flax

פַּת, נ׳, ר׳, פִּתִּים piece of bread, bread

פַּת שַׁחֲרִית breakfast

פִּתְאֹם, תה״פ suddenly

פִּתְאֹמִי, ת״ז, ־מִית, ת״נ sudden

פַּתְבַּג, פַּת־בַּג, ז׳ hors d'oeuvre, tidbits

פִּתְגָּם, ז׳ ר׳, ־מִים saying; edict, decree

פָּתָה, פעו״י to be foolish; to open wide

פִּתָּה, פ״י to persuade, seduce

פָּתוּחַ, ת״ז, פְּתוּחָה, ת״נ open

פִּתּוּחַ, ז׳ engraving; development

פִּתּוּי, ז׳, ר׳, ־יִים seduction, persuasion

פִּתּוּךְ, ז׳ mixture, blend

פָּתוּךְ, ת״ז, פְּתוּכָה, ת״נ mixed, blended

פִּתּוּל, ז׳, ר׳, ־לִים twisting, winding

פָּתוֹת, ז׳, ר׳, פְּתוֹתִים fragment(s), crumb(s)

פָּתַח, פ״י to open; to begin

פִּתַּח, פ״י to develop; to loose, loosen

פֶּתַח, ז׳, ר׳, פְּתָחִים opening, entrance, doorway

פֹּתַח, ז׳ opening

פֶּתַח־דָּבָר prologue

פַּתָּח, פַּתַח, ז׳, ר׳, פַּתָּחִין Patach, name of Hebrew vowel: "ַ" ("a" as in "father")

פִּתְחוֹן, ז׳ opening

פִּתְחוֹן פֶּה pretext, excuse

פֶּתִי, ז׳, פְּתַיָּה, נ׳, ר׳, פְּתָאִים, פְּתָיִים, פְּתַיּוֹת fool; simple-minded person

פְּתִיגִיל, ז׳ beautiful dress

פִּתָּיוֹן, ז׳, ר׳, ־תְיוֹנִים decoy

פְּתַיּוּת, נ׳ foolishness

פְּתִיחָה, נ׳, ר׳, ־חוֹת opening; beginning, introduction

פְּתִיכָה, נ׳ mixing colors

פָּתִיל, ת״ז, פְּתִילָה, ת״נ twisted, tied up

פְּתִיל, ז׳, ר׳, ־לִים cord, thread

פְּתִילָה, נ׳, ר׳, ־לוֹת wick, twisted cord; suppository

פְּתִירָה, נ׳ solution, unraveling

פָּתִית, ז׳, ר׳, פְּתִיתִים piece, bit, crumb

פָּתַךְ, פ״י to mix colors; to stir; to knead

פָּתַל, פ״י to twist

הִתְפַּתֵּל, פ״ח to deal tortuously

פְּתַלְתֹּל, ת״ז, ־תֻּלָּה, ת״נ tortuous, crooked

פֶּתֶן, ז׳, ר׳, פְּתָנִים poisonous snake, cobra

רֹאשׁ פְּתָנִים venom

פֶּתַע, תה״פ suddenly

[פתע] הִפְתִּיעַ, פ"י to surprise

פֶּתֶק, פִּתָק, ז', פִּתְקָה, נ', ר', פְּתָקִים, ־קוֹת, פִּתְקָאוֹת note, slip (paper)

פָּתַר, פ"י to interpret, solve

פִּתְרוֹן, ז', ר', ־נִים, ־נוֹת interpretation, solution (to problem)

פַּתְשֶׁגֶן, פַּרְשֶׁגֶן ז' copy, text; abstract

פָּתַת, פ"י to crumble

צ, ץ

צ, ץ Sadhe, Tsadhe, eighteenth letter of Hebrew alphabet; ninety

צֹאָה, נ', ר', ־אוֹת excrement, filth

צֵאָה, פ"י to soil

צְאֵל, צֶאֱל, ז', ר', צֶאֱלִים jujube; lotus; shade (of color)

צֹאן, נ"ר small cattle; sheep and goats

גֵּז צֹאן shorn wool

צֹאן אָדָם multitude of people

צֹאן בַּרְזֶל, נִכְסֵי צֹאן בַּרְזֶל wife's estate (held by husband)

צֶאֱצָא, ז', ר', ־אִים creature; produce; children, offspring

צָב, ז', ר', צַבִּים turtle; lizard

עֶגְלַת צָב covered wagon

צָבָא, ז', ר', צְבָאוֹת army, fighting forces, military service; warfare

אִישׁ צָבָא soldier

שַׂר צָבָא commander-in-chief

צְבָא ה' Israel; God's people; creatures

צְבָא הַשָּׁמַיִם host of heaven: planets, sun, moon, stars, etc.

צָבָא, פ"ע to come together; to attack in military formation; to conscript

הִצְבִּיא, פ"י to mobilize; to command

צְבָאִי, ת"ז, ־אִית, ת"נ military

צְבָאִיּוּת, נ' militarism

צָבֶה, ת"ז, צָבָה, ת"נ twollen, inflated

צָבָה, פ"ע so swell, become swollen; to desire

צָבוּעַ, ז', ר', צְבוּעִים hyena; hypocrite

צָבוּעַ, ת"ז, צְבוּעָה, ת"נ colored; hypocritical

צִבּוּר, ז', ר', ־רִים pile; community; public

צָבוּר, ת"ז, צְבוּרָה, ת"נ piled, collected

צִבּוּרִי, ת"ז, ־רִית, ת"נ common, public

צִבּוּרִיּוּת, נ' public affairs

צָבַט, פ"י to seize; to pinch (skin)

צְבִי, ז', ר', צְבָיִים, צְבָאִים gazelle; glory; beautiful color

צְבִיָּה, נ', ר', צְבִיּוֹת, צְבָאוֹת female gazelle; beautiful girl

צִבְיוֹן, ז' caprice

צְבִיטָה, נ', ר', ־טוֹת handle; pinch

צְבִיעָה, נ', ר', ־עוֹת dyeing

צְבִיעוּת, נ' hypocrisy

צְבִירָה, נ', ר', ־רוֹת heap, pile

צָבַע, פ"י to dye, dip

הִצְבִּיעַ, פ"י to raise the finger; to point; to vote

צַבָּע, ז', ר', ־עִים dyer; house painter

צֶבַע, ז', ר', צְבָעִים color; paint

צִבְעָן, ז', ר', ־נִים pigment

צִבְעוֹן, ז', ר', ־נִים color, hue, shade
צִבְעוֹנִי, ז', ר', ־נִים tulip
צִבְעוֹנִי, ת"ז, ־נִית, ת"נ multicolored, variegated
צִבְעִי, ת"ז, ־עִית, ת"נ sneaky
צָבַר, פ"י to heap up
צַבָּר, ז', ר', צַבָּרִים cactus; aloe; native Israeli, Sabra
צֶבֶר, ז', ר', צְבָרִים pile, heap
צֶבֶת, נ', ר', צְבָתִים sheaf
צְבָת, צֶבֶת, נ', ר', צְבָתוֹת, צְבָתִים pair of tongs, pliers; tweezers
צָד, פ"י, ע' [צוד] to hunt, shoot
צַד, ז', ר', צִדִּים, צְדָדִים, ־ן side; party
צִדֵּד, פ"י to turn sideways; to support the side of, advocate
הִצְטַדֵּד, פ"ח to step aside
צְדָדִי, ת"ז, ־דִית, ת"נ sidewise; subordinate
צְדָדִיּוּת, נ' subordination
צָדָה, פ"ע to intend; to lie in wait
נִצְדָּה, פ"ע to be laid waste
צְדוּדִית, נ', ר', ־דִיּוֹת profile
צִדּוּק, ז' justification
צְדוֹקִי, ז', ר', ־קִים Sadducee
צַדִּי, צָדִי, נ' Sadhe, eighteenth letter of Hebrew alphabet
צְדִיָּה, נ' lying-in-wait, malice
צַדִּיק, ת"ז, ־קָה, צַדֶּקֶת, ת"נ just, pious, virtuous
[צדע] הִצְדִּיעַ, פ"י to salute
צֶדַע, ז', ר', צְדָעַיִם temple
צֶדֶף, ז', ר', צְדָפִים mother-of-pearl
צִדְפָּה, נ', ר', ־דָפּוֹת oyster, mussel
צִדְפַּת, ז' porcelain
צָדַק, פ"ע to be just, right
צִדֵּק, פ"י to justify
הִצְטַדֵּק, פ"ח to apologize
צֶדֶק, ז' righteousness, justice; Jupiter
צְדָקָה, נ' justice; prosperity; charity
צַדְקָן, ז', צַדְקָנִית, נ', ר', ־נִים, ־נִיּוֹת righteous, pious person
צַדְרָה, נ' finch, linnet; tarpaulin
צָהַב, פ"ע to be bright, yellow; to gladden; to be angry
צָהֹב, ת"ז, צְהֻבָּה, ת"נ yellow
צְהַבְהַב, ת"ז, ־הֶבֶת, ת"נ yellowish
צַהֶבֶת, נ' jaundice
צָהָה, פ"ע to be parched with thirst
צָהוּב, ת"ז, צְהוּבָה, ת"נ angry
צְהִיבָה, נ', ר', ־בוֹת brawl
צָהִיר, ת"ז, צְהִירָה, ת"נ clear
צָהַל, פ"ע to neigh; to cry for joy
צַהַל, ז' happiness; rejoicing
צַהַ"ל Israeli army
צָהֳלָה, נ' jubilation
צַהֲלָה, נ' neighing
[צהר] הִצְהִיר, פ"י to brighten; to make public, publish; to declare, proclaim; to make oil
צֹהַר, ז', ר', צְהָרִים window; zenith
צָהֳרַיִם, ז"ז noon, midday
קַו הַצָּהֳרַיִם meridian
צַו, צָו, ז', ר', ־וִּים, ־וִים command
צַוָּאָה, נ', ר', ־אוֹת command; will, testament
צוֹאָה, צֹאָה, נ', ר', ־אוֹת excrement
צוֹאִי, ת"ז, ־אִית, ת"נ filthy
צַוָּאר, ז', ר', ־רַיִם, ־רִים neck
צַוָּארוֹן, צַוָּרוֹן ז', ר', צַוְּארוֹנִים collar; necklace
[צוד] צָד, פ"י to hunt, shoot
צוֹדֵק, ת"ז, צוֹדֶקֶת, ת"נ right
צִוָּה, פ"י to command; to bequeath; to appoint

צוֹהֵל, ת״ז, צוֹהֶלֶת, ת״נ happy, gay, rejoicing

צִוּוּי, ז׳, ר׳, ־יִים command; imperative (*gram.*)

צָוַח, פ״ע to shout; to herald

צְוָחָה, נ׳, ר׳, ־חוֹת cry, shriek

צַוְחָן, ז׳, ר׳, ־נִים one who shouts

צַוְחָנִי, ת״ז, ־נִית, ת״נ shouting; deafening

צְוִיחָה, נ׳, ר׳, ־חוֹת shrieking

צְוִיץ, ז׳, צְוִיצָה, נ׳, ר׳, ־צוֹת chirp, chirping

צוֹלֵב, ת״ז, ־לֶבֶת, ת״נ crossed

אֵשׁ צוֹלֶבֶת cross fire

צוּלָה, נ׳, ר׳, ־לוֹת depth

צוֹלֵל, ת״ז, צוֹלֶלֶת, ת״נ; ז׳ diving; diver

צוֹלֶלֶת, נ׳, ר׳, ־לְלוֹת submarine

צוֹלֵעַ, ת״ז, צוֹלַעַת, ת״נ lame

צוֹם, ז׳, ר׳, ־מוֹת fast, fasting

[צום] צָם, פ״ע to fast

הַמְּעִי הַצָּם jejunum

צוֹמֵחַ, ת״ז, צוֹמַחַת, ת״נ; ז׳, ר׳, ־מְחִים growing; flora, vegetation

צוֹמֶת, צֹמֶת, ז׳, ר׳, צְמָתִים focus; juncture

צוּנָם, ז׳ granite; flint; rock

צוֹנֵן, ת״ז, צוֹנֶנֶת, ת״נ cold, cool

צוֹנְנִים, ז״ר cold water

צוֹעֵן, ז׳, ר׳, ־עֲנִים wanderer, nomad

צוֹעֲנִי, ז׳, ר׳, ־נִים gypsy

צוֹעֵר, ז׳, ר׳, ־עֲרִים shepherd boy

צוּף, ז׳, ר׳, ־פִים honeycomb

[צוף] צָף, פ״ע to float; to flood

צוֹפֶה, ז׳, ר׳, ־פִים watchman, scout

צוֹפִים Boy Scouts

צוֹפָר, ז׳, ר׳, ־רִים siren

צוּצָל, ז׳, צוּצֶלֶת, נ׳, ר׳, ־צָלִים, ־צָלוֹת dove, turtledove

צוֹק, ז׳ distress

צוּק, ז׳, ר׳, ־קִים mountain cliff

[צוק] הֵצִיק, פ״י to torment, afflict

צוּקָה, נ׳, ר׳, ־קוֹת affliction

[צור] צָר, פעו״י to besiege; to bind, wrap; to form; to persecute

צוֹר, צֹר, ז׳, ר׳, ־רִים, צְרִים flint, silex

צוּר, ז׳, ר׳, ־רִים God; rock; refuge

צוֹרְבָנִי, ת״ז, ־נִית, ת״נ heartburning

צוּרָה, נ׳, ר׳, ־רוֹת form, shape, figure

צַוָּרוֹן, צַוָּארוֹן ז׳, ר׳, ־וְרוֹנִים necklace, collar

צוּרִי, ת״ז, ־רִית, ת״נ formal; ideal

צוֹרֶךְ, צֹרֶךְ, ז׳, ר׳, צְרָכִים need, necessity

צוֹרֵף, ז׳, ר׳, ־רְפִים alchemist; goldsmith; silversmith

צוֹרְפוּת, נ׳ alchemy

צֶוֶת, צַוְתָּא, ז׳, ר׳, צְוָתִים staff, company, crew

בְּצַוְתָּא, תה״פ together

צַח, ת״ז, ־חָה, צֶחָה, ת״נ pure, clear, bright

דִּבֵּר צָחוֹת to articulate

צָחֶה, ת״ז, ־חָה, ת״נ thirsty, parched

צְחוֹק, ז׳ laughter, play, game

צְחוֹר, ז׳ whiteness, clarity

צָחוֹת, תה״פ lucidly, clearly

צַחוּת, נ׳, ר׳, ־חֻיוֹת purity, elegance

צָחַח, פ״ע to be white, pure; to flow

צְחִיחַ, ת״ז, צְחִיחָה, ת״נ dry, arid

צְחִיחַ, ז׳, ר׳, ־חִים dry, parched place, desert

צַחֲנָה, נ׳ smell, stench; small fried fish

צִחְצוּחַ, ז׳, ר׳, ־חִים droplet, drop

צִחְצוּחַ, ז׳, ר׳, ־חִים glistening, flashing

צִחְצַח, פ״י to clean, make shiny

צַחְצָחָה, נ׳, ר׳, ־חוֹת arid region; splendor

צָחַק, פ״ע to laugh

הִצְחִיק, פ״י to make, cause to laugh

הִצְטַחֵק, פ״ח to break out laughing; to smile

צַחְקָן, ז׳, ר׳, ־נִים one who laughs; jester

צִחְקֵק, פ״ע to giggle

צַחַר, ז׳ whiteness

צָחַר, פ״ע to become white

צָחֹר, ת״ז, צְחֹרָה, ת״נ white

צְחַרְחַר, ת״ז, ־חֶרֶת, ת״נ whitish

צִטֵּט, פ״י to cite, quote

צִי, ז׳, ר׳, ־יִּים, צִים navy, fleet; wildebeest

צִיבִית, נ׳ celluloid

צַיִד, ז׳ hunting; game; provision, food

רוֹבֵה צַיִד shotgun

צִיֵּד, פ״י to supply, equip

צַיָּד, ז׳, ר׳, ־דִים hunter, sportsman

צֵידָה, נ׳ provision

צִיָּה, נ׳, ר׳, ־יּוֹת dryness, drought

צִיּוּד, ז׳ preparation, supply, supplies

צָיוֹן, ז׳ dryness, parched ground

צִיּוּן, ז׳, ר׳, ־נִים signpost; monument; mark

צִיּוֹן, נ׳ Zion

צִיּוֹנוּת, ז׳ Zionism

צִיּוֹנִי, ז׳, ר׳, ־יִּים Zionist

צִיּוּץ, ז׳, ר׳, ־צִים chirp, twitter

צִיּוּר, ז׳, ר׳, ־רִים drawing; image; sketch

צִיּוּרִי, ת״ז, ־רִית, ת״נ imaginary; illustrative; intuitive

צִיּוּרִיּוּת, נ׳ descriptiveness

צִיּוּת, ז׳ obedience, obeying

צִיחַ, ז׳, ר׳, ־חִים thirst

צַיְלָן, צַלְיָן, ז׳, ר׳, ־נִים pilgrim

צִיֵּן, פ״י to mark, note, distinguish

הִצְטַיֵּן, פ״ח to distinguish oneself

צִינוֹק, ז׳ jail, cell, gaol

צִיץ, ז׳, ר׳, ־צִים blossom, bud; diadem

[ציץ] צָץ, פ״ע to flower, blossom

צִיֵּץ, פ״ע to chirp

הֵצִיץ, פ״י to peep, glance

צִיצָה, נ׳, ר׳, ־צוֹת flower; fringe

צִיצִית, נ׳, ר׳, ־יּוֹת tassel; forelock; fringe

צַיְקָן, ז׳, ר׳, ־נִים parsimonious person

צַיְקָנוּת, נ׳ stinginess

צִיר, ז׳, ר׳, ־רִים consul; member of Parliament; representative; hinge; pivot, axis; birth pang; brine

צִיֵּר, פ״י to draw, paint; to describe

הִצְטַיֵּר, פ״ח to be imagined, painted

צַיָּר, ז׳, ר׳, ־רִים painter, artist; draftsman

צִירָה, נ׳, ר׳, ־רִים squeak

צֵירֶה, ז׳ Tsere, name of Hebrew vowel: ".." ("e" as in "they")

צִירוּת, נ׳ legation, consulate

צִירָן, ז׳, ר׳, ־נִים blear-eyed person

צִיֵּת, פ״ע to obey

צַיְתָן, ז׳ ר׳, ־נִים obedient person; curious person, eavesdropper

צַיְתָנוּת, נ׳ obedience

צֵל, ז', ר', צְלָלִים	shadow, shade; shelter
חָכְמַת הַצְּלָלִים	trigonometry
צְלָב, צֶלֶב, ז', ר', צְלָבִים	cross
הַצְּלָב הָאָדֹם	Red Cross
מַסַּע־הַצְּלָב	crusade
נוֹסְעֵי הַצְּלָב	Crusaders
צְלָב הַקֶּרֶס	swastika
צָלַב, פ"י	to impale; to crucify
הִצְטַלֵּב, פ"ח	to cross oneself
צַלְבָּן, ז', ר', ־נִים	Crusader
צָלָה, פ"י	to grill, broil
צִלָּה, פ"ע	to pray for
צִלָּה, נ'	shady place
צְלוֹב, ז', ר', ־בִים	gallows, cross
צָלוּב, ת"ז, צְלוּבָה, ת"נ	crucified
צְלוֹחִית, נ' ר', ־חִיּוֹת	jar, flask
צָלוּי, ת"ז, צְלוּיָה, ת"נ	grilled, broiled
צָלוּל, ת"ז, צְלוּלָה, ת"נ	clear, clarified
צִלּוּל, ז'	sediment
צִלּוּם, ז', ר', ־מִים	photograph, photographing
צְלוֹפָח, ז', ר', ־חִים	eel
צָלַח, פ"ע	to be fit for; to succeed; to be possessed
הִצְלִיחַ, פ"י	to succeed; to prosper
צָלֵחַ, ת"ז, צְלֵחָה, ת"נ	prosperous
צַלַּחַת, נ', ר', ־לָּחוֹת	plate, dish
צְלִי, ז', ר', צְלָיִים	grill, roast
צְלִיבָה, נ', ר', ־בוֹת	hanging, crucifixion
צְלִיָּה, נ'	roasting
צְלִיחָה, נ', ר', ־חוֹת	crossing (water)
צְלִיל, ז', ר', ־לִים	ring; sound, tone
צְלִילָה, נ'	diving; sinking; setting
צְלִילוּת, נ'	clarity, clearness
צַלְיָן, צַיְלָן, ז', ר', ־נִים	pilgrim
צְלִיעָה, נ', ר', ־עוֹת	limping
צְלִיפָה, נ', ר', ־פוֹת	beating, lashing; sharpshooting; sniping
צָלַל, פעו"י	to sink; to dive; to grow dark; to tingle; to settle
הֵצֵל, פ"י	to clarify; to cast shadow
צְלָלִית, נ', ר', ־יוֹת	silhouette
[צלם] צִלֵּם, הִצְלִים, פ"י	to photograph
הִצְטַלֵּם, פ"ח	to be photographed
צֶלֶם, ז', ר', צְלָמִים	image, idol, likeness, crucifix
צַלָּם, ז', ר', ־מִים	photographer
צַלְמָוֶת, נ'	great darkness; distress
צַלְמָנִיָּה, נ', ר', ־יּוֹת	photographer's studio, dark room; camera
צַלְמָנוֹעַ, ז', ר', ־עִים	movie camera
צָלַע, פ"ע	to limp, be lame
צֵלָע, נ', ר', צְלָעוֹת, צְלָעִים	rib; side; leg (*geom.*); hemistich (*poet.*)
צֶלַע, ז'	misfortune; limping
צָלָף, ז', ר', צְלָפִים	caper bush
צָלַף, פ"י	to snipe
הִצְלִיף, פ"י	to whip
צַלָּף, ז', ר', ־פִים	sharpshooter; sniper
צִלְצוּל, ז', ר', ־לִים	ringing, sound
נְחַשׁ הַצִּלְצוּל	rattlesnake
צְלָצַל, ז', ר', ־לִים	cricket
צֶלְצָל, ז', ר', ־צְלִים	cymbals
צִלְצֵל, פעו"י	to ring; to telephone
צִלְצָל, ז', ר', ־לִים	buzzing; spear, harpoon
צִלְצַל דָּגִים	bait
צִלֵּק, פ"י	to make a scar
הִצְטַלֵּק, פ"ח	to form a scar
צַלֶּקֶת, נ', ר', ־לָּקוֹת	scar, cicatrix
צָם, פ"ע, ע' [צום]	to fast
צָמָא, ז', צִמְאָה, נ'	thirst

צָמֵא, פ"ע to thirst, be thirsty

צָמֵא, ת"ז, צְמֵאָה, ת"נ thirsty

צִמָּאוֹן, ז' thirst; arid place

צֶמֶג, ז' gum, rubber

צָמֹג, ת"ז, צְמֻגָּה, ת"נ adhesive

צָמַד, פ"י to attach, join, couple, harness; to adhere

נִצְמַד, פ"ע to join, attach oneself

צֻמַּד, פ"ע to be bound

הִצְמִיד, פ"י to combine

צֶמֶד, ז', ר', צְמָדִים couple; yoke

צֶמֶד חֶמֶד charming couple

צִמְדָּה, נ' duet

צַמָּה, נ', ר', ־מּוֹת braid; veil

צִמּוּד, ז', ר', ־דִים homonym; pun

צָמוּד, ת"ז, צְמוּדָה, ת"נ joined

צִמּוּק, ז', ר', ־קִים raisin

צָמוּק, ת"ז, צְמוּקָה, ת"נ shrunken, shriveled

צָמַח, פ"ע to sprout, spring up

צִמֵּחַ, פ"ע to grow again, grow abundantly

צֶמַח, ז', ר', צְמָחִים plant; growth, sprouting; vegetation

צִמְחוֹנוּת, נ' vegetarianism

צִמְחוֹנִי, ת"ז, ־נִית, ת"נ vegetarian

צִמְחִי, ת"ז, ־חִית, ת"נ vegetative

צִמְחִיָּה, נ' flora, vegetation

צָמִיג, ז', ר', צְמִיגִים rubber tire

צָמִיג, ת"ז, צְמִיגָה, ת"נ adhesive

צָמִיד, ז', ר', צְמִידִים bracelet; cover, lid

צְמִיחָה, נ', ר', ־חוֹת growth, vegetation

צַמִּים, ז' virtuous person; snare, trap

צְמִיקָה, נ' shrinkage

צָמִיר, ת"ז, צְמִירָה, ת"נ wooly

צָמִית, ת"ז, צְמִיתָה, ת"נ perpetual; final

צְמִיתוּת, נ' perpetuity, eternity

לִצְמִיתוּת, תה"פ perpetually, eternally, forever

צִמְצוּם, ז', ר', ־מִים condensing, confining, contraction

בְּצִמְצוּם, תה"פ barely, just enough

צִמְצֵם, פעו"י to limit; to compress, confine; to reduce (math.)

צָמַק, פ"ע to shrink, wither, shrivel

צֶמֶר, ז' wool

צֶמֶר גֶּפֶן (absorbent) cotton

צַמָּר, ז', ר', ־רִים wool dresser, wool merchant

צַמְרִי, ת"ז, ־רִית, ת"נ wooly

צִמְרִיוֹן, ז', ר', ־נִים heliotrope

צְמַרְמֹרֶת, נ', ר', ־מוֹרוֹת shiver

צַמֶּרֶת, נ', ר', ־מָּרוֹת summit

צָמַת, פ"י to destroy, smash; to contract

צֹמֶת, צוֹמֶת, ז', ר', צְמָתִים focus; juncture

צֹמֶת דְּרָכִים crossroads

צֵן, ז', ר', צִנִּים thorn, brier

צִנָּה, נ', ר', ־נּוֹת cold; buckler; shield

צֹנֶה, צֹאנֶה, צֹאן, ז' sheep, flocks

צָנוּם, ת"ז, צְנוּמָה, ת"נ shrunken, meager

צִנּוּן, ז' refrigeration, cooling

צְנוֹן, ז', צְנוֹנִית, נ', ר', ־נִים, ־נִיּוֹת radish

צָנוּעַ, ת"ז, צְנוּעָה, ת"נ modest, chaste

צָנוּף, ת"ז, צְנוּפָה, ת"נ wrapped

צִנּוֹר, ז', ר', ־רִים, ־רוֹת pipe, drain; socket

צִנּוֹרָה, נ', ר', ־רוֹת spittle; hook, needle

צָנַח, פ"ע to descend; to parachute
צַנְחָן, ז', ר', ־נִים parachutist
צְנִים, ז', ר', צְנִימִים rusk, biscuits
צְנִין, ז', ר', צְנִינִים thorn, prick
צְנִינוּת, נ' chill
צְנִיעוּת, נ' decency, modesty; discretion
צָנִיף, ז', ר', צְנִיפִים, ־פוֹת turban
צְנִיפָה, נ' wrapping; neighing
צָנִית, נ', ר', ־נִיּוֹת knapsack, haversack
צִנִּית, נ' podagra, gout (feet)
צָנַן, פ"ע to be chilly, feel cold
הִצְטַנֵּן, פ"ח to catch cold
[צנע] הִצְנִיעַ, פ"י to be modest, humble; to hide
צֶנַע, ז' austerity; modesty, humility
צִנְעָה, נ' privacy, secrecy
צָנַף, פעו"י to wrap turban; to neigh; to shriek
צֶנֶף, ז', צְנֵפָה, נ', ר', צְנָפִים, ־פוֹת neighing
צְנֵפָה, נ' winding, enveloping
צִנְצֶנֶת, נ', ר', ־צָנוֹת jar
צִנְתָּר, ז', ר', ־רוֹת tube
צַעַד, ז', ר', צְעָדִים step
צָעַד, פ"ע to step, advance, march
צְעָדָה, נ', ר', ־דוֹת marching; step; anklet, bracelet
צָעָה, פעו"י to stoop, bend; to empty
צְעִידָה, נ' marching, pacing
צָעִיף, ז', ר', ־פִים veil
צָעִיר, ת"ז, צְעִירָה, ת"נ; ז', ר', צְעִירִים, ־רוֹת young, little; lad, girl
צָעַן, פ"ע to wander, migrate; to remove (tent)
צִעֵף, פ"י to veil

צַעֲצַע, צַעֲצוּעַ, ז', ר', ־עִים toy, plaything
צָעַק, פ"ע to shout, talk loudly
נִצְעַק, פ"ע to be summoned, called together
צְעָקָה, נ', ר', ־קוֹת outcry, shout
צַעֲקָן, ז', ר', ־נִים one who shouts
צַעֲקָנוּת, נ' shouting
צַעַר, ז', ר', צְעָרִים pain; sorrow; trouble
צָעַר, פ"ע to be small, insignificant
צִעֵר, פ"י to cause pain
הִצְטַעֵר, פ"ח to be sorry
צָף, פ"ע, ע' [צוף] to float; to flood
צָף, ת"ז, צָפָה, ת"נ; ז' floating; float
צָפַד, פ"ע to cling; to contract, shrivel
צֶפֶד, ז' mucilage
צַפְדִּינָה, נ' scurvy
צַפֶּדֶת, נ' tetanus
צָפָה, פ"י to keep watch; to observe; to waylay
צִפָּה, פ"י to look; to expect
צֻפָּה, פ"ע to be laid over; to be covered
צִפָּה, נ', ר', ־פּוֹת covering
צָפוּד, ת"ז, צְפוּדָה, ת"נ shriveled
צִפּוּי, ז', ר', ־יִים plating
צָפוּי, ת"ז, צְפוּיָה, ת"נ foreseen
צָפוֹן, ז' north
צָפוּן, ת"ז, צְפוּנָה, ת"נ hidden
צְפוֹנִי, ת"ז, ־נִית, ת"נ northern
צְפוֹנִית־מִזְרָחִית northeastern
צְפוֹנִית־מַעֲרָבִית northwestern
צָפוּף, ת"ז, צְפוּפָה, ת"נ crowded, close
צִפּוּף, ז' crowding
צִפּוֹר, נ', ר', ־פֳּרִים bird

צִפּוֹרֶן, צִפֹּרֶן, נ׳, ־פָּרְנַיִם, ־נִים
fingernail, talon; nib, pen point, stylus; clove; dianthus

צִפְחָה, נ׳, ר׳, צְפָחוֹת — slate

צַפַּחַת, נ׳, ר׳, צַפָּחוֹת — pitcher, mug

צִפִּיָּה, נ׳ — hope, expectation; pillowcase

צְפִיָּה, נ׳, ר׳, ־יּוֹת — view, observation; expectation

צַפִּיחִית, נ׳, ר׳, ־יּוֹת — wafer, flat cake

צְפִינָה, נ׳, ר׳, ־נוֹת — ambush

צָפִיעַ, ז׳, ר׳, צְפִיעִים — dung

צְפִיעָה, נ׳, ר׳, ־עוֹת — offspring

צְפִיפוּת, נ׳ — overcrowding; density

צָפִיר, ז׳, ר׳, צְפִירִים — he-goat

צְפִירָה, נ׳, ר׳, ־רוֹת — she-goat; whistling; wreath; turn; dawn

צְפִית, נ׳, ר׳, ־יּוֹת — cover, case

צָפַן, פ״י — to hide; to ambush

הִצְפִּין, פעו״י — to face north; to hide

צֶפַע, ז׳, ר׳, צְפָעִים / צִפְעוֹנִי, ז׳, ר׳, ־נִים — viper, poisonous serpent

צָפַף, צוֹפֵף, פ״י — to press, crowd

צִפְצוּף, ז׳, ר׳, ־פִים — twitter, whistling

צִפְצֵף, פ״ע — to chirp, whistle

צַפְצָפָה, נ׳, ר׳, ־פוֹת — poplar

צַפְצֵפָה, נ׳, ר׳, ־פוֹת — whistle

צֶפֶק, ז׳ — peritoneum

צַפֶּקֶת, נ׳ — peritonitis

צָפַר, פ״ע — to rise; to depart early; to whistle; to sound alarm (siren)

צַפָּר, ז׳, ר׳, ־רִים — ornithologist

צְפַר, צַפְרָא, ז׳ — morning

צְפַרְדֵּעַ, נ׳, ר׳, ־דְּעִים — frog

צַפְרִיר, ז׳, ר׳, ־רִים — morning breeze

צִפֹּרֶן, צִפּוֹרֶן, זו״נ, ר׳, ־נִים, ־נַיִם
fingernail, talon; nib, pen point, stylus; clove; dianthus

צִפָּרְנֵי הֶחָתוּל, ז׳ — calendula

צֶפֶת, נ׳, ר׳, צְפָתוֹת — capital (of pillar)

צָץ, פ״ע, ע׳ [ציץ] — to bud, blossom, come forth

צִקְלוֹן, ז׳, ר׳, ־נוֹת — wallet, bag

צָר, פעו״י, ע׳ [צור] — to besiege; to bind, wrap; to form; to persecute

צַר, ת״ז, צָרָה, ת״נ — narrow, tight

צַר, ז׳, ר׳, צָרִים — adversary; distress

צֹר, צוֹר, ז׳, ר׳, ־רִים, צֻרִים — flint, silex

צָרַב, פ״י — to burn, scorch

צָרֵב, ת״ז, צָרֶבֶת, ת״נ — burning

צֹרֵב, ז׳, ר׳, צְרָבִים — apprentice

צָרֶבֶת, נ׳, ר׳, צָרָבוֹת — scab, scar; inflammation; heartburn

צְרֵדָה, נ׳, ר׳, ־דוֹת — middle finger

[צרד] הִצְטָרֵד, פ״ח — to be hoarse

צָרֶדֶת, נ׳ — hoarseness

צָרָה, נ׳, ר׳, ־רוֹת — distress, anguish; rival wife

צָרוּד, ת״ז, צְרוּדָה, ת״נ — hoarse

צֵרוּד, ז׳ — hoarseness

צָרוּעַ, ת״ז, צְרוּעָה, ת״נ; ז׳ — leprous; leper

צֵרוּף, ז׳, ר׳, ־פִים — joining, fusion; money changing

צָרוּף, ת״ז, צְרוּפָה, ת״נ — refined, purified

צֵרוּפָה, נ׳, ר׳, ־פוֹת — acrostic

צְרוֹר, ז׳, ר׳, ־רוֹת — bundle; pebble; knot

צָרוּר, ת״ז, צְרוּרָה, ת״נ — bound, tied up; preserved

צְרוֹר, ז׳ — enmity
צָרוּת, נ׳ — narrowness
צָרוּת עַיִן — jealousy, envy
צָרַח, פ״ע — to cry, shout
הִצְרִיחַ, פ״י — to castle (chess)
צֶרַח, ז׳, ר׳, צְרָחִים — shout, cry
צֳרִי, צְרִי, ז׳, ר׳, צְרָיִים — balsam
צְרִיבָה, נ׳, ר׳, ־בוֹת — cauterization
צְרִיבוּת, נ׳ — causticity
צְרִידוּת, נ׳ — hoarseness
צְרִיחַ, ז׳, ר׳, ־חִים — tower; castle (in chess)
צְרִיחָה, נ׳, ר׳, ־חוֹת — shout, scream
צָרִיךְ, ת״ז, צְרִיכָה, ת״נ — needing; must; necessary
צָרִיךְ לְ־ — has to
אֵין צָרִיךְ לוֹמַר — it is apparent
צְרִיכָה, נ׳ — consumption; requirement, necessity
צָרִיף, ז׳ — alum
צְרִיף, ז׳, ר׳, ־פִים — shed, hut; barrack
צְרִיפָה, נ׳, ר׳, ־פוֹת — smelting
צְרִירוּת, נ׳ — hoarseness
צָרַךְ, פ״ע — to need, want; to consume
נִצְרַךְ, פ״ע — to be obliged
הִצְטָרֵךְ, נִצְ־, פ״ח — to be necessary
צֹרֶךְ, ז׳, ר׳, צְרָכִים — need, necessity

צְרָכִים — victuals, provisions
צַרְכָן, ז׳, ר׳, ־נִים — consumer
צַרְכָנִיָּה, נ׳, ר׳, ־יּוֹת — co-operative store
צָרַם, פ״י — to split; to incise; to jar (ear)
צָרַע, פ״י — to be leprous
צִרְעָה, נ׳, ר׳, צְרָעוֹת, ־עִים, צִרְעִיּוֹת — wasp, hornet
צָרַעַת, נ׳ — leprosy
צָרַף, פ״י — to refine, smelt; to join
נִצְרַף, פ״ע — to be hardened, tested
צֵרֵף, פ״י — to change for large coin
הִצְטָרֵף, פ״ח — to be joined, become attached
צָרְפַת, נ׳ — France
צָרְפָתִי, ת״ז, ־תִית, ־תִיָּה, ת״נ — French
צָרְפָתִית, נ׳ — French language
צַרְצוּר, צְרָצַר, ז׳, ר׳, צְרָצָרִים — cricket
צִרְצוּר, ז׳, ר׳, ־רִים — chirping
צִרְצֵר, פ״ע — to chirp
צָרַר, פעו״י — to bind, tie; to oppress; to annoy; to be distressed; to be grieved
צָרָתָה, נ׳ — misfortune, disaster
צָתָר, ז׳ — thyme

ק

ק — Koph, nineteenth letter of Hebrew alphabet; hundred
קָא, פ״י, ע׳ [קיא] — to vomit
קָא, ז׳ — vomit
קָאק, קָק, קָאקִי, ז׳, ר׳, קָאקִים — swan; goose

קָאָת, קָאַת, נ׳, ר׳, קָאָתוֹת, קָאוֹת — pelican; owl
קַב, ז׳, ר׳, קַבִּים, קַבַּיִם — crutch; artificial leg; stilt; measure
קָבַב, פ״י — to curse
קֵבָה, נ׳ — belly; womb

קֵבָה, קֵיבָה, נ׳, ר׳, ־בוֹת stomach
קֻבָּה, נ׳, ר׳, ־בּוֹת brothel; compartment, hut, tent
קִבּוּל, ז׳ receiving, accepting
כְּלִי קִבּוּל receptacle
קִבּוּלִי, ת״ז, ־לִית, ת״נ receptive
קָבוּעַ, ת״ז, קְבוּעָה, ת״נ fixed, permanent; regular
קִבּוּעַ, ז׳ fixation
קִבּוּץ, ז׳, ר׳, ־צִים gathering, co-operative settlement
קֻבּוּץ, ז׳ Kubutz, name of Hebrew vowel "ֻ" ("oo" as in "too")
קְבוּצָה, נ׳, ר׳, ־צוֹת gathering, group; co-operative (farm)
קִבּוּצִי, ת״ז, ־צִית, ת״נ collective
קָבוּר, ת״ז, קְבוּרָה, ת״נ interred
קְבוּרָה, נ׳, ר׳, ־רוֹת grave, burial
קֻבִּיָּה, קוּבִּיָּה נ׳, ר׳, ־יּוֹת cube, dice
קְבִיעָה, נ׳ fixing; regularity
קְבִיעוּת, נ׳ regularity; permanence
בִּקְבִיעוּת, תה״פ regularly
קֵבִית, נ׳ greed; ventricle
קָבַל, פ״ע to complain, cry out
קִבֵּל, פ״י to receive, accept
הִקְבִּיל, פעו״י to be opposite, parallel; to meet
הִתְקַבֵּל, פ״ח to be accepted, received
קַבָּל, קַבְּלָן, ז׳, ר׳, ־לִים, ־נִים contractor; receiver
קֹבֶל, ז׳ battering ram; complaint
קַבָּלָה, נ׳, ר׳, ־לוֹת receipt; receiving, reception; tradition; cabala, mysticism
קַבְּלָן, ז׳, ר׳, ־נִים contractor, receiver
קְבָלָנָה, קוּבְלָנָה, נ׳, ר׳, ־נוֹת complaint

קַבְּלָנוּת, קַבֹּלֶת, נ׳, ־יּוֹת, ־לוֹת contract, work on contract
קֶבֶס, ז׳ disgust; nausea
קִבֵּס, פ״י to disgust; to nauseate
קָבַע, פ״י to drive in; to fix; to rob, despoil
קֶבַע, ז׳ appointment; permanence
קֻבַּעַת נ׳, ר׳, ־בָּעוֹת cup, goblet; sediment
קָבַץ, פ״י to assemble, gather; to add
קִבֵּץ, פ״י to beg; to collect
קֹבֶץ, ז׳, ר׳, קְבָצִים compilation, collection
קַבְּצָן, ז׳, ר׳, ־נִים beggar
קַבְּצָנוּת, נ׳ beggary
קַבְּצָנִי, ת״ז, ־נִית, ת״נ begging
קַבְקַב, ז׳, ר׳, ־בִּים, ־בַּיִם sabot, wooden shoe
קִבְקוּב, ז׳ sabotage
קִבְקֵב, פ״י to sabotage
קָבַר, פ״י to bury
קֶבֶר, ז׳, ר׳, קְבָרִים, קְבָרוֹת grave, tomb
בֵּית־הַקְּבָרוֹת cemetery
קַבָּר, קַבְּרָן, ז׳, ר׳, ־רִים, ־נִים gravedigger
קִבָּר, ז׳ coarse flour
פַּת קִבָּר black bread
קַבַּרְנִיט, ז׳, ר׳, ־טִים captain; ship's leader
קִבֹּרֶת, נ׳, ר׳, ־בּוֹרוֹת biceps
קָדַד, פעו״י to bow down; to cut off
קִדָּה, נ׳, ר׳, ־דּוֹת bowing down; cassia
קָדוּד, ת״ז, קְדוּדָה, ת״נ cut, severed
קָדוֹחַ, ז׳, ר׳, ־חִים driller
קִדּוּחַ, ז׳, ר׳, ־חִים drilling
קָדוּם, ת״ז, קְדוּמָה, ת״נ ancient; primordial

prejudice דֵּעָה קְדוּמָה
advancement; safeguarding קִדּוּם, ז׳
in mourning, sorrowfully קְדוֹרַנִּית, תה״פ
sacred, holy קָדוֹשׁ, ת״ז, קְדוֹשָׁה, ת״נ
Holy God הַקָּדוֹשׁ בָּרוּךְ הוּא
saint, martyr קָדוֹשׁ, ז׳, ר׳, קְדוֹשִׁים
sanctification קִדּוּשׁ, קִידּוּשׁ, ז׳, ר׳, ־שִׁים
martyrdom קִדּוּשׁ הַשֵּׁם
prayer of benedictions; sacredness קְדוּשָּׁה, קְדֻשָּׁה, נ׳, ר׳, ־שּׁוֹת
betrothal קִדּוּשִׁים, ־ן, ז״ר
to kindle; to be in fever; to bore; to perforate קָדַח, פעו״י
to cause burning; to have fever הִקְדִּיחַ, פ״י
blister, pustule; inflammation קַדַּח, ז׳, ר׳, קַדָּחִים
fever, malaria קַדַּחַת, נ׳
east wind קָדִים, ז׳
eastward; forward קָדִימָה, תה״פ
priority, precedence קְדִימָה, נ׳
deposit דְּמֵי קְדִימָה
antiquity קְדִימוּת, נ׳
prayer for the dead; holy קַדִּישׁ, ז׳
society of undertakers חֶבְרָא קַדִּישָׁא
ham, bacon קָדָל, ז׳, ר׳, ־לִים
to precede; to go forward; to meet; to welcome קָדַם, פ״ע
to anticipate; to precede קִדֵּם, פ״י
to welcome, greet קִדֵּם פְּנֵי פְלוֹנִי
to anticipate; to be early; to pay in advance הִקְדִּים, פ״י
to progress הִתְקַדֵּם, פ״ח
east; front; past קֶדֶם, ז׳
ancient times יְמֵי קֶדֶם
before קֹדֶם, תה״פ
earlier מִקֹּדֶם
first of all קֹדֶם כֹּל
origin; previous condition קַדְמָה, נ׳
front; east; progress קִדְמָה, נ׳
eastward קַדְמָה, תה״פ
eastern; ancient; primitive קַדְמוֹן, ת״ז, ־נָה, ת״נ
primeval קַדְמוֹנִי, ת״ז, ־נִית, ת״נ
former condition; antiquity קַדְמוּת, נ׳
front קִדְמִי, ת״ז, ־מִית, ת״נ
crown of head, skull; vertex (*math.*) קָדְקֹד, ז׳, ר׳, ־קֳדִים
to be dark; to be sad קָדַר, פעו״י
potter קַדָּר, ז׳, ר׳, ־רִים
pot קְדֵרָה, נ׳, ר׳, ־רוֹת
pottery, ceramics קַדָּרוּת, נ׳
darkness, blackness; eclipse קַדְרוּת, נ׳
sadly, gloomily קְדֹרַנִּית, קְדוֹרַנִּית, תה״פ
to be sacred, hallowed קָדַשׁ, פ״ע
to sanctify, consecrate; to betroth קִדֵּשׁ, פ״י
to dedicate; to purify הִקְדִּישׁ, פ״י
to purify (sanctify) oneself; to become sanctified; to become betrothed הִתְקַדֵּשׁ, פ״ח
קָדֵשׁ, ז׳, קְדֵשָׁה, נ׳, ר׳, ־שִׁים, ־שׁוֹת temple prostitute, sodomite
holiness, sanctity; holy place קֹדֶשׁ, קוֹדֶשׁ, ז׳, ר׳, קֳדָשִׁים
the Holy Ark אֲרוֹן הַקֹּדֶשׁ
the Holy Sciptures כִּתְבֵי הַקֹּדֶשׁ
the Holy Tongue לְשׁוֹן הַקֹּדֶשׁ
קְדֻשָּׁה, קְדוּשָּׁה, נ׳, ר׳, ־שּׁוֹת sacredness; prayer of benedictions
to be blunt, dull, obtuse קָהָה, פ״ע

קְהֵוָה, ז׳, ע׳ קָפֶה coffee
קֵהֶה, ת״ז, קֵהָה, ת״נ dull, blunt, obtuse
קַהֲוָאָה, נ׳, ר׳, ־אוֹת coffee shop
קֵהוּת, נ׳ bluntness, dullness
קֵהָיוֹן, ז׳ nausea
קָהַל, פ״י to assemble, convoke
הִקְהִיל, פ״י to summon an assembly
קָהָל, ז׳, ר׳, קְהָלִים multitude; public; assembly
קְהִלָּה, נ׳, ר׳, ־לּוֹת congregation
קְהִלִיָּה, נ׳, ר׳, ־יּוֹת republic
קֹהֶלֶת, ז׳ Ecclesiastes; counselor
קָו, קַו, ז׳, ר׳, ־וִים line, cord, measuring line
קַו הָאֹרֶךְ longitude
קַו הָרֹחַב latitude
קַו אֲנָכִי perpendicular
קַו הַמַּשְׁוֶה equator
קוּבִּיָּה, קֻבִּיָּה, נ׳, ר׳, ־יּוֹת cube, dice
קוּבְלָנָה, קֻבְלָנָה, נ׳, ר׳, ־נוֹת complaint
קוֹבַע, ז׳, ר׳, ־בָעִים helmet
קוֹדֵר, ת״ז, קוֹדֶרֶת, ת״נ dark, mournful
קוֹדֶשׁ, קֹדֶשׁ, ז׳, ר׳, קֳדָשִׁים holy place; holiness, sanctity
קָוָה, קִוָּה, פ״י to hope, wait for
הִקְוָה, פ״י to gather
קוֶֹה, ז׳, ר׳, ־וִים hoping, anticipating
קִוּוּי, ז׳ hope, faith
קִוּוּץ, ז׳ shrinkage
קְוֻצָּה, קְוֻצָּה, נ׳, ר׳, ־צּוֹת curl, lock
[קוח] קָח, לָקַח, פ״י to take
[קוט] קָט, נָקוֹט, פ״ע to feel loathing
הִתְקוֹטֵט, פ״ח to loathe; to quarrel

קוֹטֶב, קֹטֶב, ז׳, ר׳, קְטָבִים pole, axis
קוֹטֶן, קֹטֶן, ז׳ little finger; smallness
קְוִיצָה, נ׳ cramp, spasm
קְוִיצוּת, נ׳ kink, kinky hair
קוֹל, ז׳, ר׳, ־לוֹת voice; sound; gossip
קוֹל אֶחָד unanimously
קוֹל קוֹרֵא appeal
בַּת קוֹל echo
הֵרִים קוֹל to raise one's voice
שָׁמַע בְּקוֹל to listen, obey
קוֹלָח, ז׳, ר׳, ־חִים watering hose
קוֹלִי, ת״ז, ־לִית, ת״נ acoustic
קוֹלִית, נ׳, ר׳־לִיּוֹת thighbone
קוּלְמוּס, קֻלְמוּס, ז׳, ר׳, ־סִים quill
קוֹלָן, ז׳, ר׳, ־נִים tuning fork; amplifier
קוֹלְנוֹעַ, ז׳ motion picture
קוֹלֵעַ, ת״ז, קוֹלַעַת, ת״נ point-blank, pointed
[קום] קָם, פ״ע to rise; to stand up; to arise
קוֹמֵם, פ״י to raise
הֵקִים, פ״י to set up, erect
הִתְקוֹמֵם, פ״ח to rise against, revolt
קוֹם, ז׳ curd
קוֹמָה, נ׳, ר׳, ־מוֹת height, stature; story (of building), floor
גְּבַהּ קוֹמָה tall
קוֹמְמִיּוּת, נ׳ upright, erect
קוֹמֶץ, קֹמֶץ, ז׳, ר׳, קְמָצִים closed hand, fist
קוּמְקוּם, קֻמְקוּם, ז׳, ר׳, ־מִים kettle, teapot
קַוָּן, ז׳, ר׳, ־נִים lineman
קוֹנֶה, ז׳, ר׳, ־נִים customer, buyer; possessor

קוּנְטְרֵס, קֻנְטְרֵס, ז׳, ר׳, ־סִים pamphlet; commentary of Rashi
קוֹנְכִית, נ׳, ר׳, ־יוֹת mussel, shell
קוֹנָם, ז׳, ר׳, ־מוֹת vow, oath; curse
קוֹנֵן, פ״ע, ע׳ [קין] to lament, chant a dirge
קוֹס, כּוֹס, ז׳, ר׳, ־סוֹת chalice, cup
קוֹסֵם, ז׳, ר׳, ־מִים magician, sorcerer
קוֹסֵס, פ״י [קסס] to destroy
קוֹף, ז׳, ר׳, ־פִים, ־פוֹת monkey, ape; Koph, name of nineteenth letter of Hebrew alphabet
קוּף, ז׳, ר׳, ־פִים eye (of needle); hole (for ax handle)
[קוף] הִקִּיף, פ״י to sell on credit, buy on credit
קוּפָּד, ז׳, ר׳, ־דִים hedgehog
קוּפָּה, קֻפָּה, נ׳, ר׳, ־פּוֹת box office, cash box; basket
קוּפְסָה, קֻפְסָה, נ׳, ־סוֹת, ־סָאוֹת box
קוֹץ, ז׳, ר׳, ־צִים thorn
[קוץ] קָץ, פ״ע to loathe; to fear
הֵקִיץ, פעו״י to arise, wake; to cause to wake
קְוֻצָּה, קְוּוּצָּה, נ׳, ר׳, ־צּוֹת curl, lock
קוֹצָה, נ׳, ר׳, ־צוֹת safflower
קוֹצִית, נ׳ spinach
קוֹצֵר, ז׳, ר׳, ־צְרִים harvester
קוֹצֶר, קֹצֶר, ז׳ shortness
קִוְקֵו, פ״י to line
קוּקִיָּה, נ׳, ר׳, ־יוֹת cuckoo
[קור] קָר, פ״י to dig; to spring forth
קוּר, ז׳, ר׳, ־רִים spider's thread
קוּרֵי עַכָּבִישׁ spider's web
קוֹר, קֹר, ז׳ cold, coldness
קוֹרֵא, ז׳, ר׳, ־רְאִים partridge; reader

קוּרְבָה, קִרְבָה, נ׳ nearness, contact; relationship (family)
קוֹרָה, נ׳, ר׳, ־רוֹת board, plank
קוֹרוֹת, נ״ר history
[קוש] קָשׁ, פ״י, ע׳ יָקֹשׁ to lay snares
קוֹשִׁי קֹשִׁי, ז׳, ר׳, קְשָׁיִים difficulty, hardness
קוּשְׁיָה, קֻשְׁיָה, נ׳, ר׳, ־יוֹת problem; objection
קָח, פ״י, ע׳ [קוח] to take
קַחְוָן, ז׳, ר׳, ־נִים camellia, daisy
קָט, פ״ע, ע׳ [קוט] to feel loathing
קָט, ת״ז; תה״פ, כִּמְעַט־ small; a bit more
קָטַב, פיו״ע to annihilate; to frown
קֶטֶב, קֹטֶב, ז׳ destruction, pestilence
קֹטֶב, קוֹטֶב, ז׳, ר׳, קְטָבִים pole, axis
קָטְבִּי, ת״ז, ־בִּית ת״נ polar
קָטֵגוֹר, קָטֵיגוֹר, ז׳, ר׳, ־רִים accuser, prosecutor
קָטֵיגוֹרְיָה קָטֵגוֹרְיָה, נ׳, ר׳, ־יוֹת accusation, prosecution
קִטּוּב, ז׳ polarization
קָטוּם, ת״ז, קְטוּמָה, ת״נ chopped, lopped
קְטוּמָה, נ׳, ר׳, ־מוֹת trapezoid
קִטּוּעַ, ז׳, ר׳, ־עִים section; cutting
קָטוּעַ, ת״ז, קְטוּעָה, ת״נ mutilated; fragmentary
קָטוּף, ת״ז, קְטוּפָה, ת״נ picked, plucked
קִטּוּר, ז׳ burning incense; vaporization; smoking pipe
קְטוֹרָה, נ׳, ר׳, ־רוֹת smoke of sacrifices
קְטוֹרֶת, קְטֹרֶת, נ׳, ר׳, ־רוֹת incense
קָטַט, קָט, הִתְקוֹטֵט, פ״ע to quarrel
קְטָטָה, נ׳, ר׳, ־טוֹת quarrel
קָטֵיגוֹר, קָטֵגוֹר, ז׳, ר׳, ־רִים accuser, prosecutor

קָטֵיגוֹרְיָה, קָטֵגוֹרְיָה, נ׳, ר׳, ־יוֹת accusation, prosecution
קְטִימָה, נ׳, ר׳, ־מוֹת breaking off
קְטִיעָה, נ׳, ר׳, ־עוֹת cutting off, amputation
קָטִיף, ז׳, קְטִיפָה, נ׳ fruit picking
קְטִיפָה, נ׳, ר׳, ־פוֹת cutting; plucking; velvet
קָטַל, פ״י to slay, kill
קֶטֶל, ז׳ killing
שְׂדֵה קֶטֶל battlefield
קַטְלָנִי, ת״ז, ־נִית, ת״נ killing, murderous
קָטַם, פ״י to break off; to lop, chop off
קָטֹן, קָטָן, ת״ז, קְטַנָּה, ת״נ small, little
קָטֹן, פ״ע to be small
הִקְטִין, פ״י to reduce
קֹטֶן, קוֹטֶן, ז׳ little finger; smallness
קַטְנוּת, נ׳ smallness; paltriness
קְטַנְטַן, קְטַנְטֹן, ת״ז, ־טַנָּה, ־טֹנֶת, ת״נ very small, tiny
קִטְנִית, נ׳, ר׳, ־יּוֹת legume
קָטַע, פ״י to cut off; to mutilate; to amputate
הִתְקַטֵּעַ, נִתְ־, פ״ח to be crippled
קִטֵּעַ, ז׳, ר׳, קִטְעִים cripple, amputated person
קֶטַע, ז׳, ר׳, קְטָעִים piece, fragment, segment
קָטַף, פ״י to pluck
קַטָּף, ז׳, ר׳, ־פִים humorist, jester
קַטָּפוּת, נ׳ humor, wit
קָטַר, קִטֵּר, פעו״י to burn incense; to smoke
קַטָּר, ז׳, ר׳, ־רִים locomotive, steam engine
קֹטֶר, ז׳, ר׳, קְטָרִים diameter
קְטֹר, ז׳ incense
קַטָּרַאי, ז׳, ר׳, ־רָאִים locomotive engineer
קִטְרֵג, פ״י to accuse
קִטְרוּג, ז׳, ר׳, ־גִים accusation; arraignment
קְטֹרֶת, קְטוֹרֶת, נ׳, ר׳, ־רוֹת incense
[קיא] קָא, הֵקִיא, פ״י to vomit
קִיא, ז׳ vomit
קִיאָה, נ׳ vomiting
קֵיבָה, קֵבָה, נ׳, ר׳, ־בוֹת stomach
קִידּוּשׁ, קִדּוּשׁ, ז׳, ר׳, ־שִׁים sanctification
קִיוִית, נ׳, ר׳, ־יּוֹת lapwing
קִיּוּם, ז׳, ר׳, ־מִים existence, preservation; confirmation
קִיּוּמִי, ת״ז, ־מִית, ת״נ affirmative
קַיִט, ז׳ summer vacation
קִיטוֹר, ז׳ steam; fume; smoke
אֳנִיַּת־קִיטוֹר steamship
קַיְטָן, ז׳, ר׳, ־נִים summer vacationist
קַיְטָנָה, נ׳, ר׳, ־נוֹת summer resort
קַיָּם, ת״ז, קַיֶּמֶת, ת״נ existing; lasting; valid
קִיֵּם, פ״י to satisfy; to confirm; to fulfill; to endure
קִימָה, נ׳, ר׳, ־מוֹת rising up
קַיָּמָה, קַיָּמָא, נ׳ existence
קַיָּמוּת, נ׳ durability
[קין] קוֹנֵן, פ״ע to lament, chant a dirge
קַיִן, ז׳, ר׳, קֵינִים spear; dagger's blade
קִינָה, נ׳, ר׳, ־נוֹת dirge
קִינוֹף, ז׳, ר׳, ־פִין mosquito netting
קִיסוֹס, ז׳, ר׳, ־סִים ivy
קִיסָם, קֵסָם, ז׳, ר׳, ־מִים splinter, chip; toothpick

emperor קֵיסָר, ז׳, ר׳, ־רִים
empire קֵיסָרוּת, נ׳
mullet קִיפוֹן, ז׳, ר׳, ־נִים, ־נוֹת
to spend summer [קיץ] קָץ, פ״ע
summer, summer fruit, figs קַיִץ, ז׳, ר׳, קְיָצִים
uttermost, extreme קִיצוֹן, ת״ז, ־נָה, ת״נ
radical קִיצוֹנִי, ת״ז, ־נִית, ת״נ
radicalism; extremism קִיצוֹנִיּוּת, נ׳
summery קֵיצִי, ת״ז, ־צִית, ת״נ
קִיק, קִיקָיוֹן, ז׳, ר׳, ־קִים, ־נִים
castor-oil plant, seed
castor oil שֶׁמֶן־קִיק
disgrace קִיקָלוֹן, ז׳
wall קִיר, ז׳, ר׳, ־רוֹת
to compare [קיש] הֵקִישׁ, פ״י
adorning, ornament קִישּׁוּט, קִשּׁוּט, ז׳, ר׳, ־טִים
binding; sash, ribbon קִישּׁוּר, קִשּׁוּר, ז׳, ר׳, ־רִים
קִישׁוּת, קִשּׁוּת, ז׳, ר׳, ־שׁוּאִים
pumpkin
jug, pitcher קִיתוֹן, ז׳, ר׳, ־נוֹת, ־יוֹת
light; easy; swift קַל, ת״ז, קַלָּה, ת״נ
frivolous קַל־דַּעַת
a conclusion a minori ad majus קַל־וָחֹמֶר
clothes hanger קֹלֶב, ז׳, ר׳, קְלָבִים
soldier קַלְגַּס, ז׳, ר׳, ־סִים
to be swift; to be easy; to be light; to be unimportant קַל, פ״ע, ע׳ [קלל]
to toast; to parch קָלָה, פ״י
to be dishonored נִקְלָה, פ״ע
to treat with contempt הִקְלָה, פ״י
misdemeanor קַלָּה, נ׳, ר׳, ־לוֹת
flow; jet; enema קִלּוּחַ, ז׳, ר׳, ־חִים

diarrhea קִלּוּחַ מֵעַיִם
closed; uncloven קָלוּט, ת״ז, קְלוּטָה, ת״נ
toasted קָלוּי, ת״ז, קְלוּיָה, ת״נ
shame, dishonor קָלוֹן, ז׳, ר׳, ־נִים
brothel בֵּית־קָלוֹן
praise קִלּוּס, ז׳, ר׳, ־סִים
plaited קָלוּעַ, ת״ז, קְלוּעָה, ת״נ
peeling קִלּוּף, ז׳, ר׳, ־פִים
spicy tree bark קְלוּפָה, נ׳, ר׳, ־פוֹת
קְלוֹקֵל, קְלֹקֵל, ת״ז, ־קֶלֶת, ת״נ
worthless
thin, weak קָלוּשׁ, ת״ז, קְלוּשָׁה, ת״נ
lightness, swiftness קַלּוּת, נ׳
light-mindedness; frivolity קַלּוּת רֹאשׁ
to stream, pour out קָלַח, פ״ע
to take a shower הִתְקַלֵּחַ, פ״ח
stem, stalk; jet of water קֶלַח, ז׳, ר׳, קְלָחִים
kettle, caldron; casserole קַלַּחַת, נ׳, ר׳, ־לָּחוֹת
to absorb, retain קָלַט, פ״י
to record הִקְלִיט, פ״י
toast קָלִי, ז׳, ר׳, קְלִיּוֹת, קְלָיוֹת
absorption; retention קְלִיטָה, נ׳, ר׳, ־טוֹת
very light, little קַלִּיל, ת״ז, ־לָה, ת״נ
lightness, slightness קַלִּילוּת, נ׳
missile קָלִיעַ, ז׳, ר׳, קְלִיעִים
twisting; network; target shooting קְלִיעָה, נ׳, ר׳, ־עוֹת
peeling קְלִיפָה, נ׳, ר׳, ־פוֹת
diluting קְלִישָׁה, נ׳, ר׳, ־שׁוֹת
to be swift; to be easy; to be light; to be unimportant [קלל] קַל, פ״ע
to curse קִלֵּל, פ״י

to lighten; to be lenient; הֵקַל, פ״י
to belittle
polished, glittering metal קָלָל, ז׳
curse קְלָלָה, נ׳, ר׳, ־לוֹת
quill קֻלְמוּס, קוּלְמוּס, ז׳, ר׳, ־סִים
pen (pencil) case קַלְמָר, ז׳, ר׳, ־רִים
to mock; to praise קִלֵּס, פ״י
קֶלֶס, ז׳, קַלָּסָה, נ׳, ר׳, ־סוֹת
mockery; praise
to sling, aim at, hurl; קָלַע, פ״י
to plait; to adorn
marksman קַלָּע, ז׳, ר׳, ־עִים
sling; curtain; קֶלַע, ז׳, ר׳, קְלָעִים
sail
secretly, behind מֵאֲחוֹרֵי הַקְּלָעִים
the scenes
to peel off קִלֵּף, פ״י
parchment; קְלָף, קֶלֶף, ז׳, ר׳, קְלָפִים
playing card
skin, peel, קְלִפָּה, נ׳, ר׳, ־פּוֹת, ־פִּים
rind; husk, shell; shrew
ballot box קַלְפֵּי, נ׳, ר׳, ־פִּיּוֹת
deterioration, קִלְקוּל, ז׳, ר׳, ־לִים
damage
to spoil; to damage; קִלְקֵל, פ״י
to corrupt; to shake
קְלֹקֵל, קְלוֹקֵל, ת״ז, ־קֶלֶת, ת״נ
worthless
corruption, קַלְקָלָה, נ׳, ר׳, ־לוֹת
sin; mischief
to thin out, space קָלַשׁ, פ״י
pitchfork קִלְשׁוֹן, ז׳, ר׳, ־נוֹת
basket קֶלֶת, נ׳, ר׳, קְלָתוֹת
little basket קַלְתּוּת, נ׳, ר׳, ־תִים
enemy קָם, ז׳, ר׳, ־מִים
standing corn קָמָה, נ׳, ר׳, ־מוֹת
creasing, folding קִמּוּט, ז׳, ר׳, ־טִים
creased קָמוּט, ת״ז, קְמוּטָה, ת״נ

stinginess, thrift קִמּוּץ, ז׳, ר׳, ־צִים
vaulted, קָמוּר, ת״ז, קְמוּרָה, ת״נ
convex
convexity קִמּוּר, ז׳, ר׳, ־רִים
thistle, קִמּוֹשׁ, ז׳, ר׳, ־שִׁים, ־מְּשׁוֹנִים
nettle
flour, mealimold קֶמַח, ז׳, ר׳, קְמָחִים
to grind קָמַח, פ״י
floury קִמְחִי, ת״ז, ־חִית, ת״נ
to bow down; קָמַט, פ״י
to compress, contract
to wrinkle קִמֵּט, פ״י
fold; wrinkle, קֶמֶט, ז׳, ר׳, קְמָטִים
crease
elastic, flexible קָמִיז, ת״ז, קְמִיזָה, ת״נ
hearth, fireplace קָמִין, ז׳, ר׳, ־נִים
charm, קָמִיעַ, ז׳, ר׳, קְמִיעִים, ־עוֹת
amulet
handful; קְמִיצָה, נ׳, ר׳, ־צוֹת
ring finger
to wither, become decayed קָמַל, פ״ע
small; in small קִמְעָה, קִמְעָא, תה״פ
quantity
retailing קִמְעוֹנוּת, נ׳
retailer קִמְעוֹנִי, ז׳, ר׳, ־נִיִּים
to take handful; קָמַץ, פ״י
to compress hand
to scrape together; קִמֵּץ, פ״י
to save; to be sparing
Kamats, name of קָמַץ, קָמֵץ, ז׳
Hebrew vowel (ָ) ("a" as in
"father")
closed קֹמֶץ, קוֹמֶץ, ז׳, ר׳, קְמָצִים
hand, fist
pinch קַמְצוּץ, ז׳, ר׳, ־צִים
miser, קַמְצָן, ז׳, ר׳, ־נִים
stingy person
stinginess קַמְצָנוּת, נ׳

קֻמְקוּם, קוּמְקוּם, ז׳, ר׳, ־מִים kettle, teapot
קִמֵּר, פ״י to vault, arch
קִמְרוֹן, ז׳, ר׳, ־נוֹת arch
קִמְּשׁוֹן, ז׳, ר׳, ־נִים thistle
קֵן, ז׳, ר׳, קִנִּים nest; cell; board
קִנֵּא, פעו״י to be jealous, envious; to excite to jealousy
קַנָּא, ת״ז zealous; jealous
קִנְאָה, נ׳, ר׳, קְנָאוֹת jealousy, envy; passion
קַנָּאוּת, נ׳ fanaticism
קַנַּאי, ז׳, ר׳, ־נָּאִים zealot
קַנָּאִי, ת״ז, ־אִית, ת״נ fanatical; zealous
קָנַב, פ״י, קִנֵּב, פ״ע to trim, prune
קָנָה, פ״י to purchase, buy, acquire; to possess; to create
הִקְנָה, פ״י to transfer ownership
קָנֶה, ז׳, ר׳, ־נִים stem, stalk, reed; shaft; windpipe
קְנֵה־מִדָּה measuring rod; criterion
קַנּוֹא, ת״ז jealous
קִנּוּחַ, ז׳, ר׳, ־חִים cleaning, wiping
קִנּוּחַ־סְעֻדָּה dessert
קָנוּי, ת״ז, קְנוּיָה, ת״נ bought, purchased
קְנוּנְיָה, נ׳, ר׳, ־יוֹת partnership; conspiracy to defraud
קִנַּח, פ״י to wipe, clean
[קנט] הִקְנִיט, פ״י to taunt; to vex, anger
קִנְטוּר, ז׳, ר׳, ־רִים remonstrance, teasing
קִנְטֵר, פ״י to chide; to provoke, rouse to anger
קַנְטְרָן, ז׳, ר׳, ־נִים quarrelsome person
קַנְטְרָנוּת, נ׳ quarrelsomeness
קֻנְטְרֵס, קוּנְטְרֵס, ז׳, ר׳, ־סִים pamphlet; commentary of Rashi
קְנִיָּה, נ׳, ר׳, ־יוֹת purchase; possession; habit
קִנְיָן, ז׳, ר׳, ־נִים property, possession; faculty
קְנִיסָה, נ׳, ר׳, ־סוֹת fining
קִנָּמוֹן, ז׳, ר׳, ־נְמוֹנִים cinnamon
קִנֵּן, פ״י to make a nest; to nestle
קָנַס, פ״י to fine
קְנָס, ז׳, ר׳, ־סוֹת fine
קֵנֶץ, ז׳ finish, end; argument
קַנְקַן, ז׳, ר׳, ־נִּים pitcher, flask
קִנָּר, ז׳ artichoke
קַסְדָּה, נ׳, ר׳, קְסָדוֹת steel helmet
קָסוּם, ת״ז, קְסוּמָה, ת״נ enchanted
קָסַם, פ״י to practice divination; to charm
הִקְסִים, פ״י to fascinate, infatuate
קֶסֶם, ז׳, ר׳, קְסָמִים magic; oracle; charm
פָּנַס־קֶסֶם projector (filmstrip)
קֵסָם, קֵיסָם, ז׳, ר׳, ־מִים splinter, chip; toothpick
קַסָּם, ז׳, ר׳, ־מִים fortuneteller
קָסַס, פ״ע to spoil; to sour
קוֹסֵס, פ״י to destroy
קֶסֶת, נ׳, ר׳, קְסָתוֹת inkwell
קָעוּר, ת״ז, קְעוּרָה, ת״נ concave
קִעְקוּעַ, ז׳, ר׳, ־עִים cackling; uproar
קַעֲקַע, ז׳ incision; tattoo
קִעֲקַע, פעו״י to tattoo
קִעֵר, פ״י to curve, make concave
קְעָרָה, נ׳, ר׳, ־רוֹת bowl, plate
קַעֲרִית, נ׳, ר׳, ־רִיּוֹת saucer
קָפָא, פ״ע to freeze; to congeal; to stiffen; to condense

stiffness, congelation קִפָּאוֹן, ז'
to cut off קִפֵּד, פ"י
to be strict; הִקְפִּיד, פ"י
to be angry
porcupine קִפֹּד, קִפּוֹד, ז', ר', ־דִים
annihilation; קְפָדָה, נ', ר', ־דוֹת
shuddering
exacting, pedantic קַפְּדָן, ת"ז, ־נִית, ת"נ
exactness, pedantry קַפְּדָנוּת, נ'
to skim off קִפָּה, פ"י
jelly קֶפֶה, ז'
coffee קָפֶה, ז', ע' קַהֲוָה
cashbox; קֻפָּה, קוּפָּה, נ', ר', ־פּוֹת
box office; basket
frozen קָפוּא, ת"ז, קְפוּאָה, ת"נ
porcupine קִפּוֹד, קִפֹּד, ז', ר', ־דִים
arrow snake קִפּוֹז, ז', ר', ־זִים
deprivation; קִפּוּחַ, ז', ר', ־חִים
curtailing
folding קִפּוּל, ז', ר', ־לִים
clenched, קָפוּץ, ת"ז, קְפוּצָה, ת"נ
closed
to beat, strike קָפַח, פ"י
to beat up; to rob; קִפַּח, פ"י
to oppress; to lose
congelation, קְפִיאָה, נ', ר', ־אוֹת
freezing
sunstroke קְפִיחָה, נ', ר', ־חוֹת
spring קְפִיץ, ז', ר', קְפִיצִים
jumping; קְפִיצָה, נ', ר', ־צוֹת
leaping, springing; closing
elastic קְפִיצִי, ת"ז, ־צִית ת"נ
elasticity קְפִיצִיּוּת, נ'
to fold; to double; קָפַל, פ"י
to roll up
fold; multiplication קֶפֶל, ז'
box קֻפְסָה, קוּפְסָה, נ', ר', ־סוֹת, ־סָאוֹת

to close; to spring; קָפַץ, פעו"י
to bounce (ball);
to draw together; to chop
jumper; קַפְּצָן, ז', ר', ־נִים
impetuous person
to loathe, fear קָץ, פ"ע, ע' [קוץ]
to spend קָץ, פ"ע, ע' [קיץ]
the summer
end קֵץ, ז', ר', קִצִּים
to cut off; to stipulate; קָצַב, פ"י
to determine
butcher קַצָּב, ז', ר', ־בִים
rhythm; cut, קֶצֶב, ז', ר', קְצָבִים
shape
fixed limit; קִצְבָה, נ', ר', קְצָבוֹת
income, pension
extremity; קָצֶה, קֵצֶה, ז', ר', קְצָווֹת
edge
to peel, cut off; to scrape; קִצָּה, פ"י
to level; to destroy
definite; קָצוּב, ת"ז, קְצוּבָה, ת"נ
limited; rhythmic
apportionment קִצּוּב, ז'
chopped קָצוּץ, ת"ז, קְצוּצָה, ת"נ
chopping; cutting קִצּוּץ, ז', ר', ־צִים
scrap metal קְצוּצָה, נ'
shortening, קִצּוּר, ז', ר', ־רִים
abbreviation; excerpt; brevity
in short בְּקִצּוּר, תה"פ
spice, black קֶצַח, ז', ר', קְצָחִים
cumin
ruler, officer קָצִין, ז', ר', קְצִינִים
rank, position קְצִינוּת, נ'
cassia; dried fig קְצִיעָה, נ', ר', ־עוֹת
foaming, קְצִיפָה, נ', ר', ־פוֹת
frothing; whipping
chopping off; קְצִיצָה, נ', ר', ־צוֹת
felling; hamburger steak

קָצִיר, ז׳, קְצִירָה, נ׳, ר׳, קְצִירִים, ־רוֹת — mowing; harvest, harvesting

קָצַע, פ״י — to scrape

קִצֵּעַ, פ״י — to trim

הִקְצִיעַ, פ״י — to plane

קָצַף, פ״ע — to be angry

הִקְצִיף, פ״י — to boil, froth, foam; to whip

הִתְקַצֵּף, פ״ח — to become angry

קֶצֶף, ז׳, קְצָפָה, נ׳ — anger; foam

קְצֶפֶת, נ׳, ר׳, ־צָפוֹת — whipped cream

קָצַץ, פ״י — to sever, fell; to chop, hash, mince; to stipulate; agree upon

קָצַר, פיו״ע — to cut, reap; to be short, insufficient

קָצְרָה יָדוֹ — to be powerless

קָצְרָה נַפְשׁוֹ — to be impatient

קָצָר, קָצֵר, ת״ז, קְצָרָה, קְצֵרָה, ת״נ — short, brief

קְצַר אַפַּיִם — impatient

קְצַר־רְאוּת — nearsighted

קֹצֶר, קוֹצֶר, ז׳ — shortness

קֶצֶר, ז׳, ר׳, קְצָרִים — short circuit

קַצְרָן, ז׳, ־נִית, נ׳, ר׳, ־נִים, ־נִיּוֹת — stenographer

קַצְרָנוּת, נ׳ — stenography, shorthand

קַצֶּרֶת, נ׳ — asthma

קְצָת, תה״פ — a little, few

קָק, קָאק, ז׳, ר׳, קָאקִים — swan, goose

קַר, ת״ז, קָרָה, ת״נ — cold, cool

קַר־רוּחַ — cold-blooded

קָר, פ״י, ע׳ [קור] — to dig; to spring forth

קֹר, קוֹר, ז׳ — cold, coldness

קָרָא, פיו״ע — to shout, call; to proclaim; to read; to befall

נִקְרָא, פ״ע — to chance to be; to meet by chance; to be called, named, invited

הִקְרִיא, פ״י — to recite

קָרָאִי, ז׳, ר׳, ־אִים — Karaite

קְרַאת, לִקְרַאת, תה״פ — toward, vis-à-vis

קָרַב, פ״ע — to come near, approach

קֵרֵב, פ״י — to befriend

הִקְרִיב, פ״י — to bring near; to sacrifice

קֶרֶב, ז׳, ר׳, קְרָבִים, קְרָבַיִם — inner part; intestine, gut, entrails

בְּקֶרֶב, מ״י — within, among

קְרָב, ז׳, ר׳, קְרָבוֹת — battle

קִרְבָה, קְרָבָה, קוּרְבָה, נ׳ — proximity, nearness; contact; relationship (family)

בְּקִרְבַת ־ — in the vicinity (neighborhood) of

קָרְבָּן, ז׳, ר׳, ־נוֹת — sacrifice, offering

קֵרֵד, פ״י — to scrape; to curry

קַרְדֹּם, ז׳, ר׳, ־דֻּמִּים, ־דֻּמּוֹת — ax, hatchet

קַרְדֹּם לַחְפֹּר בּוֹ — source of livelihood

קִרְדֵּם, פ״י — to hew; to dig

קָרָה, פעו״י — to meet; to befall

קֵרָה, פ״י — to board up; to seal

קָרָה, נ׳ — bitter coldness

קֹרָה, קֹרַת רוּחַ, נ׳ — satisfaction

קָרוֹב, ת״ז, קְרוֹבָה, ת״נ; ז׳, ר׳, קְרוֹבִים — near relation; fellow man

בְּקָרוֹב — soon

מִקָּרוֹב — recently

קֵרוּב, ז׳ — nearness, contact

בְּקֵרוּב, תה״פ — approximately

קְרוּם, ז׳, ר׳, ־מִים — skin, membrane; crust

קְרוּמִי, ת״ז, ־מִית, ת״נ — crusty, dry

קָרוֹן זו״נ, ר׳, קְרוֹנוֹת — wagon, streetcar; railroad car

קָרוּעַ, ת״ז, קְרוּעָה, ת״נ torn, tattered
קָרוּץ, ת״ז, קְרוּצָה, ת״נ fashioned, formed, made
קֵרוּר, ז׳ refrigeration, cooling
קָרוּשׁ, ת״ז, קְרוּשָׁה, ת״נ coagulated, jellied; clotted, congealed, curdled
קַרְזוּל, ז׳ conglomeration
קָרַח, פ״י to shear closely; to be bald
קֵרֵחַ, ת״ז, קֵרַחַת, ת״נ bald
קֶרַח, ז׳ ice, frost; baldness
קָרְחָה, נ׳ baldness; tonsure
קַרְחוֹן, ז׳, ר׳, ־נִים iceberg; glacier
קַרְחָן, ז׳, ר׳, ־נִים iceman
קָרַחַת, נ׳, ר׳, ־רָחוֹת baldness; bare patch
קֹרֶט, ז׳, ר׳, קְרָטִים drop, particle
קָרָט, ז׳, ר׳, ־טִים carat
קִרְטוֹן, ז׳, ר׳, ־נִים chalk
קַרְטוֹן, ז׳, ר׳, ־נִים carton
קִרְטַע, פ״ע to jerk, struggle, jump
קְרִי, קֶרִי, ז׳, ר׳, קְרָיִים opposition; contrariness; nocturnal pollution
קְרֵי, ז׳, ר׳, קְרֵיִין text of Scriptures as read
קָרִיא, ת״ז, קְרִיאָה, ת״נ called, invited; legible
קְרִיאָה, נ׳, ר׳, ־אוֹת proclamation; reading; call
סִימַן קְרִיאָה exclamation point (!)
קִרְיָה, נ׳, ר׳, קְרִיּוֹת, ־רָיוֹת town; center
קַרְיָן, ז׳, ר׳, ־נִים reader; announcer
קְרִינָה, נ׳, ר׳, ־נוֹת radiation
קְרִיעָה, נ׳, ר׳, ־עוֹת rending
קְרִיצָה, נ׳, ר׳, ־צוֹת gesticulation
קָרִיר, ת״ז, קְרִירָה, ת״נ cool
קְרִירוּת, נ׳ coolness
קָרִישׁ, ז׳, ר׳, קְרִישִׁים jellied food, jello

קְרִישָׁה, נ׳ freezing; coagulation, clot
קָרַם, פ״ע to cover with skin, form crust
קָרַן, פ״ע to radiate, beam; to have horns
קֶרֶן, נ׳, ר׳, קַרְנַיִם, קְרָנַיִם, קְרָנוֹת horn; corner; capital; fund; ray
קֶרֶן זָוִית corner
קֶרֶן קַיֶּמֶת לְיִשְׂרָאֵל Jewish National Fund
קַרְנְזוֹל, ז׳ intermittent line
קַרְנִי, ת״ז, ־נִית, ת״נ horny
קַרְנִית, נ׳, ר׳, ־יּוֹת cornea
קַרְנַף, ז׳, ר׳, ־פִּים rhinoceros
קָרַס, פ״ע to bow, bend
קֶרֶס, ז׳, ר׳, קְרָסִים hook, clasp
צְלַב הַקֶּרֶס swastika
קַרְסֹל, ז׳, ר׳, ־סֻלַּיִם, ־סֻלּוֹת ankle; joint
קִרְסֵם, פ״י to nibble; to tear off
קָרַע, פ״י to rend, tear
קֶרַע, ז׳, ר׳, קְרָעִים tear; rag, tatter
קַרְפִּיוֹן, ז׳, ר׳, ־נִים carp
קָרַץ, פ״י to wink; to gesticulate; to slice, cut
קֶרֶץ, ז׳ destruction; sharp wind
קִרְצוּף, ז׳ currying
קַרְצִית, נ׳, ר׳, ־יּוֹת tick
קִרְצֵף, פ״י to curry
קַרַק, ז׳ raven's call
קַרְקְבָן, קָרְקְבָן, ז׳, ר׳, ־נִים gizzard, stomach (of birds, men)
קִרְקוּר, ז׳, ר׳, ־רִים croaking, cackling
קַרְקַע, ז׳, ר׳, ־קָעוֹת ground, soil; bottom
קַרְקָעִית, נ׳, ר׳, ־יּוֹת bottom
קִרְקֵף, פ״י to scalp

קַרְקֶפֶת, נ׳, ר׳, ־קָפוֹת head, skull
קִרְקֵר, פעו״י to quack; to cackle; to croak; to destroy
קַרְקֶרֶת, נ׳, ר׳, ־קָרוֹת bottom (of vessel)
קַרְקָשׁ, ז׳, ר׳, ־שִׁים bell, rattle, clapper
קִרְקֵשׁ, פעו״י to ring, rattle
קֵרֵר, פ״י to cool
הִתְקָרֵר, פ״ח to catch cold
נִתְקָרְרָה דַּעְתּוֹ to be calm, at ease, quiet
קָרַשׁ, פ״ע to coagulate, congeal, clot
קֶרֶשׁ, ז׳, ר׳, קְרָשִׁים plank, board
קֶרֶת, נ׳, ר׳, קְרָתוֹת (small) town
קַרְתָּנוּת, נ׳ provincialism
קַרְתָּנִי, ת״ז, ־נִית, ת״נ provincial
קַשׁ, ז׳, ר׳, ־שִׁים straw
קַשׁ, פ״י, ע׳ [יקש, קוש] to lay snares
קָשַׁב, פ״ע to hearken, listen
הִקְשִׁיב, פ״ע to pay attention
קַשָּׁב, ת״ז, קַשֶּׁבֶת, ת״נ attentive
קֶשֶׁב, ז׳ attentiveness, attention; hearing
קָשָׁה, פ״ע to be hard, stiff; to be difficult
הִקְשָׁה, פעו״י to harden, make difficult; to ask difficult question
הִתְקַשָּׁה, פ״ע to become hard; to be perplexed
קָשֶׁה, ת״ז, קָשָׁה, ת״נ hard; difficult; severe
קִשּׁוּא, ז׳, ר׳, ־אִים cucumber
קַשּׁוּב, ת״ז, ־בָה, ת״נ attentive
קַשְׂוָה, נ׳, ר׳, קְשָׂוֹת vessel, cup
קָשׁוּחַ, ת״ז, קְשׁוּחָה, ת״נ hard, severe, cruel

קִשּׁוּט, קִישּׁוּט, ז׳, ר׳, ־טִים ornament, adornment
קִשּׁוּר, קִישּׁוּר, ז׳, ר׳, ־רִים binding; ribbon, sash
קָשׁוּר, ת״ז, קְשׁוּרָה, ת״נ bound; vigorous
קִשּׁוּת, נ׳, ר׳, ־שׁוּאִים pumpkin
קְשׁוּת, נ׳ obduracy; severity
[קשח] הִקְשִׁיחַ, פ״י to harden; to treat harshly
קִשֵּׁט, פ״י to adorn, decorate
קַשָּׁט, ז׳, ר׳, ־טִים decorator
קֹשֶׁט, קֹשְׁטְ, ז׳ truth; straightforwardness; pineapple
קֹשִׁי, קוֹשִׁי, ז׳, ר׳, קְשָׁיִים difficulty, hardness
בְּקשִׁי, תה״פ with difficulty
קְשִׁי־עֹרֶף obstinacy, cruelty
קֻשְׁיָה, קוּשְׁיָה, נ׳, ר׳, ־יוֹת problem; objection
קְשִׁירָה, נ׳, ר׳, ־רוֹת binding, dressing
קָשִׁישׁ, ת״ז, קְשִׁישָׁה, ת״נ old, senior
קַשִּׁית, נ׳, ר׳, ־יוֹת straw (soda)
קִשְׁקוּשׁ, ז׳, ר׳, ־שִׁים rattling; ringing; chattering
קִשְׁקֵשׁ, פ״ע to rattle; to ring; to chatter
קַשְׁקָשׁ, ז׳, ר׳, ־שִׁים stubble
קַשְׂקַשׂ, ז׳, קַשְׂקֶשֶׂת, נ׳, ר׳, ־שִׂים, ־קָשׂוֹת scale (fish)
קַשְׁקְשָׁן, ־נִית, ת״נ prattler
קָשַׁר, פ״י to bind, tie; to conspire
הִתְקַשֵּׁר, פ״ח to become attached; to get in touch with
קֶשֶׁר, ז׳, ר׳, קְשָׁרִים knot; contact; plot, mutiny; connection, tie
קִשֵּׁשׁ, פעו״י to gather straw, twigs

קַשָּׁת, ז׳, ר׳, ־תִים archer
קֶשֶׁת, נ׳, ר׳, קְשָׁתוֹת bow; rainbow
קַשְׁתִּי, ת״ז, ־תִּית, ת״נ bow-shaped
קַשְׁתִּית, נ׳, ר׳, ־יוֹת iris (of eye)
קַת, נ׳, ר׳, ־תּוֹת handle of ax; butt of gun
קָתֶדְרָה, נ׳, ר׳, ־רוֹת, ־אוֹת professor's chair
קֹתֶל, ז׳, ר׳, קְתָלִים bacon
קָתוֹלִי, ת״ז, ־לִית, ת״נ Catholic
קָתוֹלִיּוּת, נ׳ Catholicism
קַתְרוֹס, ז׳, ר׳, ־סִים guitar

ר

ר Resh, twentieth letter of Hebrew alphabet; two hundred
רָאָה, פ״י to see, observe, perceive, consider
נִרְאָה, פ״ע to appear
הֶרְאָה, פ״י to show
הִתְרָאָה, פ״ח to meet; to show oneself; to see one another
כְּנִרְאֶה apparently
לְהִתְרָאוֹת, מ״ק au revoir
רָאָה, נ׳, ר׳, ־אוֹת vulture
רֵאָה, רֵיאָה, נ׳, ר׳, ־אוֹת lung
רַאֲוָה, נ׳ sight
חַלּוֹן רַאֲוָה show window
רָאוּי, ת״ז, רְאוּיָה, ת״נ worthy, apt, suitable
כָּרָאוּי, תה״פ fittingly, properly
רְאוּת, נ׳ look
נְקֻדַּת רְאוּת viewpoint
קְצַר רְאוּת shortsighted, nearsighted
רְאוּתִי, ת״ז, ־תִית, ת״נ visual
רֳאִי, ז׳ look, sight; countenance, complexion; excrement
רְאִי, ז׳, ר׳, רְאָיִים mirror, aspect; appearance
רְאָיָה, רַאֲיָה, נ׳, ר׳, ־יוֹת proof, evidence
רְאִיָּה, נ׳, ר׳, ־יוֹת seeing, glance
רֵאָיוֹן, ז׳, ר׳, רַאֲיוֹנוֹת appointment, interview
רְאִינוֹעַ, ז׳, ר׳, ־עִים motion picture, film
רְאֵם, ז׳, ר׳, ־מִים bison; wild ox; reindeer
רָאמָה, נ׳, ר׳, ־מוֹת coral
רֹאשׁ, ז׳, ר׳, רָאשִׁים head, summit; cape; beginning; leader; poison
רֹאשׁ חֹדֶשׁ new moon, first of the month
רֹאשׁ הַשָּׁנָה New Year
מֵרֹאשׁ to start with
רָאשֵׁי תֵבוֹת initials, abbreviation
רֹאשׁ, ת״ז, ־שָׁה, ת״נ principal, main
רִאשׁוֹן, ת״ז, ־נָה, ת״נ first, superior; previous, former
בָּרִאשׁוֹנָה, לָרִאשׁוֹנָה at first
רִאשׁוֹנוּת, נ׳ primitiveness
רִאשׁוֹנִי, ת״ז, ־נִית, ת״נ first; previous, former; primitive
מִסְפָּר רִאשׁוֹנִי prime number
רָאשׁוּת, נ׳ authority
רָאשִׁי, ת״ז, ־שִׁית, ת״נ principal, main, cardinal
מַאֲמָר רָאשִׁי editorial
רֵאשִׁית, נ׳ beginning
בְּרֵאשִׁית Genesis
רֹאשָׁן, ז׳, ר׳, ־נִים tadpole

רָב, פ״ע, ע׳ [ריב] to quarrel; to plead; to strive

רַב, רָב, ת״ז, רַבָּה, ת״נ much, many; great

בְּרַבִּים publicly

רַבִּים plural; majority; many

רַב, ז׳, ר׳, ־בָּנִים, ־בִּים master, lord, chief; rabbi; archer

רַב־אַלּוּף general

רַב־חוֹבֵל ship's captain

רַב־טוּרַאי corporal

רַב־מֶכֶר best seller

רַב־סַמָּל sergeant major

רַב־סֶרֶן major

רַבּוֹתַי gentlemen

רֹב, רוֹב, ז׳, ר׳, רֻבִּים multitude, majority

לָרֹב, תה״פ often

עַל פִּי רֹב generally

רָבַב, פעו״י to be numerous; to multiply, increase; to be large; to shoot

רְבָב, ז׳ grease, fat (stain)

רְבָבָה, נ׳, ר׳, ־בוֹת myriad, ten thousand

רְבָבִית, נ׳, ר׳, ־יּוֹת one ten-thousandth

רַבְגּוֹנִי, ת״ז, ־נִית, ת״נ variegated

רַבְגּוֹנִיּוּת, נ׳ variegation

רָבַד, פ״י to spread; to make bed

רֶבֶד, ז׳, ר׳, רְבָדִים layer; stratum

רָבָה, פ״ע to increase

רִבָּה, פ״י to rear children; to multiply

רִבָּה, נ׳, ר׳, ־בּוֹת jam, preserves

רִבּוֹ, רִבּוֹא, נ׳, ר׳, ־בּוֹת, ־אוֹת ten thousand

רִבּוּי, ז׳, ר׳, ־יִּים increase; extension; plural (*gram.*)

רִבּוֹן, ז׳ lord, master; God

רִבּוֹנוֹ שֶׁל עוֹלָם God; oh, God

רִבּוֹנוּת, נ׳ sovereignty

רִבּוֹנִי, ת״ז, ־נִית, ת״נ sovereign

רָבוּעַ, ת״ז, רְבוּעָה, ת״נ square, four-sided

רִבּוּעַ, ז׳, ר׳, ־עִים square

רְבוּתָה, נ׳, ר׳, ־תוֹת feat, great thing, extraordinary achievement

רַבִּי, ז׳, ר׳, ־יִּים rabbi, teacher

רְבִיב, ז׳, ר׳, רְבִיבִים shower, showers

רְבִינָה, נ׳ promiscuity

רָבִיד, ז׳, ר׳, רְבִידִים chain, necklace

רְבִיָּה, נ׳, ר׳, ־יּוֹת increase

פְּרִיָּה וּרְבִיָּה propagation

רְבִיעַ, ז׳, ר׳, ־עִים one-fourth, quarter

רְבִיעָה, נ׳, ר׳, ־עוֹת coupling; rainy season

רְבִיעִי, ת״ז ־עִית, ת״נ fourth

יוֹם רְבִיעִי Wednesday

רְבִיעִיָּה, נ׳, ר׳, ־יּוֹת quartet

רְבִיעִית, נ׳, ר׳, ־עִיּוֹת fourth, quarter; quart

רְבִיצָה, נ׳ lying down (animals)

רִבִּית, נ׳, ר׳, ־בִּיּוֹת interest on money

רִבִּית דְּרִבִּית compound interest

[רבך] הֻרְבַּךְ, פ״ע to be well mixed

רַבָּן, ז׳, ר׳, ־נִים great rabbi, teacher; sports champion

רַבָּנָאוּת, נ׳ championship

רַבָּנוּת, נ׳ authority; office of rabbi

רַבָּנִי, ת״ז, ־נִית, ת״נ rabbinical, theological

רַבָּנִית, נ׳, ר׳, ־נִיּוֹת rabbi's wife

רַבָּנָן, ז״ר sages

רָבַע, פ״ע to couple; to lie with; to copulate

רִבַּע, פ״י to square; to quarter

רֶבַע, ז׳, ר׳, רְבָעִים fourth, quarter

רֹבַע, ז׳, ר׳, רְבָעִים quarter (city)

רִבֵּעַ, ז׳, ר׳, ־עִים fourth generation

רִבְעוֹן, ז׳, ר׳, ־נִים a quarterly (publication)

רָבַץ, פ״ע to lie down; to brood

רִבֵּץ, פ״י to sprinkle; to spread knowledge

הִרְבִּיץ, פ״י to flay, strike; to spread knowledge; to sprinkle

רֵבֶץ, ז׳ resting place

רַבְצְדָדִי, ת״ז, ־דִית, ת״נ many-sided

רִבְצָל, ז׳, ר׳, ־לִים phial, vial

רִבְרֵב, פ״י to ordain as rabbi

הִתְרַבְרֵב, פ״ח to swagger, assume superiority

רַבְרְבָן, ז׳, ר׳, ־נִים braggart

רַבְרְבָנוּת, נ׳ boasting, bullying

רַבַּת, תה״פ much, too much

רַבָּתִי, ת״ז, ־תִית, ת״נ great, greater; metropolitan

רֶגֶב, ז׳, ר׳, רְגָבִים clod, lump

רָגוּז, ת״ז, רְגוּזָה, ת״נ angry, mad, enraged

רָגוּל, ת״ז, רְגוּלָה, ת״נ tied by hind legs

רִגּוּל, ז׳ spying, espionage; habit

רָגוּשׁ, ת״ז, רְגוּשָׁה, ת״נ moved; sensitive

רָגַז, פ״ע to be agitated; to tremble

הִרְגִּיז, פ״י to alarm; to enrage

רַגָּז, ת״ז, רַגֶּזֶת, ת״נ quivering, quaking

רֹגֶז, ז׳ excitement; raging

רָגְזָה, נ׳ trembling, agitation

רַגְזָן, ז׳, ר׳, ־נִים irritated, quarrelsome person

רַגְזָנוּת, נ׳ irritability

רָגִיל, ת״ז, רְגִילָה, ת״נ usual, normal, habitual

כְּרָגִיל, תה״פ as usual

רְגִילָה, נ׳ purslane

רְגִילוּת, נ׳ wont, habit

רְגִימָה, נ׳, ר׳, ־מוֹת stoning

רְגִיעָה, נ׳, ר׳, ־עוֹת repose, rest

רָגִישׁ, ת״ז, רְגִישָׁה, ת״נ sensitive

רָגַל, פ״ע to slander, defame

רִגֵּל, פ״י to explore; to spy

הִרְגִּיל, פ״י to accustom; to lead

תִּרְגֵּל, פ״י to teach to walk; to drill, exercise

הִתְרַגֵּל, פ״ח to become accustomed

רֶגֶל, נ׳, ר׳, רַגְלַיִם, רְגָלִים foot, leg; foot (*metrical*); time; festival

לְרֶגֶל, תה״פ for the sake of

רַגְלִי, ז׳, ר׳, ־לִים; תה״פ infantry-man; on foot

חֵיל רַגְלִים infantry

רָגַם, פ״י to stone

רִגֵּם, פ״י to shell

רָגַן, פ״ע to grumble; to rebel; to quarrel

רָגַע, פעו״י to set in motion, disturb; to be at rest

רָגֵעַ, ת״ז, רְגֵעָה, ת״נ quiet

רֶגַע, ז׳, ר׳, רְגָעִים (a) moment, (a) minute

בִּן־רֶגַע, תה״פ at once

רִגְעִי, ת״ז, ־עִית, ת״נ momentary

רָגַשׁ, פ״ע to be excited, agitated

הִרְגִּישׁ, פ״י to notice, feel

הִתְרַגֵּשׁ, פ"ח — to flock together; to become excited
רֶגֶשׁ, ז', ר', רְגָשִׁים, רְגָשׁוֹת — feeling, sense; throng
רִגְשָׁה, נ', ר', רְגָשׁוֹת — throng, tumult
רִגְשִׁי, ת"ז, ־שִׁית, ת"נ — emotional
רַגְשָׁן, ת"ז, ־נִית, ת"נ — excitable
רַגְשָׁנוּת, נ' — excitability, sentimentality
רָד, פ"ע, ע' [רוד] — to roam
רָד, פ"ע, ע' [ריד] — to scream, wail; to sigh
רָדַד, פ"י — to flatten, stamp, beat
רָדָה, פיו"ע — to rule, oppress, enslave; to take out, draw out (honey, bread)
רָדוּד, ת"ז, רְדוּדָה, ת"נ — overlaid
רִדּוּי, ז', ר', ־יִים — conquest, suppression
רָדוּם, ת"ז, רְדוּמָה, ת"נ — slumbering
רָדוּף, ת"ז, רְדוּפָה, ת"נ — oppressed; given to, enthused
רְדִיד, ז', ר', ־דִים — shawl; veil
רְדִיפָה, נ', ר', ־פוֹת — persecution; pursuit
[רדם] נִרְדַּם, פ"ע — to fall asleep
הִרְדִּים, פ"י — to anesthetize
רַדֶּמֶת, נ' — lethargy; sleeping sickness
רָדַף, פ"י — to pursue, hunt; to persecute
רַהַב, ז', ר', רְהָבִים — pride, arrogance
רָהַב, פ"ע — to boast; to be haughty
הִרְהִיב, פ"י — to exalt; to dare; to confuse
רֹהַב, ז' — pride, greatness; defiance
רָהָה, פ"ע — to tremble, fear
רָהוּט, ת"ז, רְהוּטָה, ת"נ — fluent, quick
רִהוּט, ז', ר', ־טִים — furnishing; fluency
רַהַט, ז', ר', רְהָטִים — trough

רִהֵט, פ"י — to furnish
רָהִיט, ז', ר', ־טִים, רְהִיטִים — furniture
רְהִיטוּת, נ' — haste; fluency (speech)
[רהן] הִרְהִין, פ"י — to pawn, pledge
רוֹאֶה, ז', ר', ־אִים — seer, prophet
רוֹאֶה חֶשְׁבּוֹן — accountant
רוֹב, רֹב, ז', ר', רֻבִּים — multitude, majority
רוֹבֶה, ז', ר', ־בִים — rifle
רוֹבֶה־צַיִד — shotgun
רוֹגֵז, ת"ז, ־גֶזֶת, ת"נ — angry
[רוד] רָד, רַד, פ"ע — to roam
רוֹדָן, ז', ר', ־נִים — tyrant, dictator
רוֹדָנִי, ת"ז, ־נִית, ת"נ — tyrannical
רָוָה, פ"ע — to drink one's fill; to quench thirst
רִוָּה, פ"י — to saturate
רָוֶה, ת"ז, רָוָה, ת"נ — well-watered; sated
רָווּחַ, ת"ז, רְווּחָה, ת"נ — wide, spacious
רָווּי, ת"ז, רְווּיָה, ת"נ — saturated
רוֹזֵן, ז', ר', ־זְנִים — ruler, lord
רָוַח, פ"ע — to become wide; to spread
רֻוַּח, פ"ע — to be spacious
הִרְוִיחַ, פ"י — to gain, earn, profit; to give relief
רֶוַח, ז', ר', רְוָחִים — space, interval; gain, profit
רוּחַ, זו"נ, ר', רוּחוֹת — wind; spirit, ghost; disposition
אֶרֶךְ־רוּחַ — patience
רוּחַ הַחַיָּה — moving spirit
רוּחַ־הַקֹּדֶשׁ — Holy Spirit
רוּחַ פְּרָצִים — draft
רוּחַ קָדִים — east wind
אִישׁ־רוּחַ — intellectual
מַדָּעֵי־הָרוּחַ — humanities
מַחֲלַת־רוּחַ — insanity
מַצַּב־רוּחַ — mood

נַחַת־רוּחַ	pleasure
קֹצֶר־רוּחַ	impatience
קַר־רוּחַ	cold-blooded
רְוָחָה, נ׳	width; relief, ease
רְוָחִים, ז״ר	interest rates; income; gains
רוּחָנִי, ת״ז, ־נִית, ת״נ	spiritual
רוּחָנִיּוּת, נ׳	spirituality
רְוָיָה, נ׳	plenty, satiety
רוֹכֵב, ז׳, ר׳, ־כְבִים	horseman
רוֹכֵל, ז׳, ר׳, ־כְלִים	peddler, hawker
רוֹכְלוּת, נ׳	peddling
רוֹכְסָן, ז׳, ר׳, ־נִים	zipper
[רום] רָם, פ״ע	to rise, be high
רוֹמֵם, פ״י	to raise, lift; to exalt
הֵרִים, פ״י	to raise, erect
רוּם, ז׳	loftiness; pride; apex
רוֹם, ז׳	height
רוֹמָה, תה״פ	haughtily
רוֹמִי, ת״ז, ־מִית, ת״נ	Roman
רוֹמֵם, פ״י, ע׳ [רום]	to raise, lift, exalt
רוֹמֵם, ת״ז, ־מָה ת״נ	raised, uplifted
רוֹמֵמוּת, נ׳, ר׳, ־מוֹת	prominence; high spirit
[רוע] הֵרִיעַ, פ״ע	to shout, cry out, sound a signal
הִתְרוֹעֵעַ, פ״ח	to shout in triumph
רוֹעֶה, ז׳, ר׳, ־עִים	shepherd
רוֹעַץ, ז׳	impediment; calamity
רוֹעֵשׁ, ת״ז, ־עֶשֶׁת, ת״נ	noisy
רוֹפֵא, ז׳, ר׳, ־פְאִים	physician, surgeon
רוֹפֵף, ת״ז, ־פֶפֶת, ת״נ	soft; loose; vacillating
[רוץ] רָץ, פ״ע	to run, race
רוֹצֵץ, פ״ע	to run back and forth
הֵרִיץ, פ״י	to bring quickly; to make run

רוֹצֵחַ, ז׳, ר׳, ־חִים	murderer
רוֹצֵץ, פ״ע, ע׳ [רוץ]	to run back and forth
רַוָּק, ז׳, ר׳, ־קִים	bachelor
רַוָּקָה, נ׳, ר׳, ־קוֹת	spinster
רוֹקֵחַ, ז׳, ר׳, ־קְחִים	druggist, apothecary
רוֹקֵם, ז׳, ר׳, ־קְמִים	embroiderer
רוֹקֵן, פ״י	to empty
רוֹשׁ, רֹאשׁ, ז׳	poison, venom
רוֹשֶׁם, רֹשֶׁם, ז׳, ר׳, רְשָׁמִים	mark, impression
רוֹשֵׁשׁ, פ״י	to impoverish
רוֹתֵחַ, ת״ז, רוֹתַחַת, ת״נ	boiling; enraged
רָז, ז׳, ר׳, ־זִים	secret
רָזָה, פ״ע	to grow thin, become lean
רָזֶה, ת״ז, רָזָה, ת״נ	thin, lean
רָזוֹן, ז׳, ר׳, רוֹזְנִים	leanness, thinness; ruler, prince
רָזִי, ת״ז, ־זִית, ת״נ; מ״ק	secret; woe! alas!
רָזִי לִי	woe is me!
רְזִיָּה, נ׳	leanness
רָזַם, פ״ע	to wink; to indicate; to hint
רָחַב, פ״ע	to be wide, large
הִרְחִיב, פ״י	to widen, extend, enlarge
רָחָב, ת״ז, רְחָבָה, ת״נ	wide, spacious
רְחַב יָדַיִם	generous; spacious
רְחַב נֶפֶשׁ	greedy
רֹחַב, ז׳	width, breadth; latitude
רֹחַב לֵב	generosity, kindness; broad-mindedness
רַחַב, ז׳, ר׳, רְחָבִים	breadth, width
רְחָבָה, נ׳, ר׳, ־בוֹת	open place; square
רְחוֹב, ז׳, ר׳, ־בוֹת	street

רַחוּם, ת״ז	merciful
רִחוּף, ז׳	soaring, hovering
רָחוּץ, ת״ז, רְחוּצָה, ת״נ	washing, washed
רָחוֹק, ת״ז, רְחוֹקָה, ת״נ	far, distant; unlikely
מֵרָחוֹק	from afar
רִחוּק, ז׳	remoteness, distance; separation
בְּרִחוּק מָקוֹם	at a distance
רִחוּשׁ, ז׳, ר׳, ־שִׁים	lip movement
רֵחַיִם, רֵיחַיִם, ז״ז	hand mill; millstone; pair of grinding stones
רְחִיצָה, נ׳, ר׳, ־צוֹת	washing, bathing
רְחִישָׁה, נ׳, ר׳, ־שׁוֹת	movement, stirring; crawling
רָחֵל, רְחֵלָה, נ׳, ר׳, רְחֵלִים, ־לוֹת	ewe
רָחַם, פ״י	to love
רִחֵם, פ״י	to have pity
רֶחֶם, רַחַם, ז׳, רַחֲמָה, נ׳ ר׳, רְחָמִים, רַחֲמָתַיִם	womb
מֵרֶחֶם אִמּוֹ	from childhood
בֵּית הָרֶחֶם	vagina
פֶּטֶר רֶחֶם	first-born
רָחָם, ז׳, ר׳, רְחָמִים	vulture
רַחֲמִים, ז״ר	pity, compassion
רַחֲמָן, ת״ז, ־נִית, ־נִיָּה, ת״נ	merciful
רַחֲמָנוּת, נ׳	mercifulness
רָחַף, פ״ע	to shake, tremble
רִחֵף, פ״ע	to hover; to soar
רַחַף, ז׳	soaring; trembling
רָחַץ, פעו״י	to wash, bathe
רַחַץ, ז׳	washing
רַחְצָה, נ׳	washroom
רָחַק, פ״ע	to be distant
רִחֵק, הִרְחִיק, פ״י	to remove
הִתְרַחֵק, פ״ח	to withdraw
רֹחַק, ז׳, ר׳, רְחָקִים	distance, dimension
רָחֵק, ת״ז, רְחֵקָה, ת״נ	dimensional
רָחַשׁ, פעו״י	to whisper; to feel; to investigate
הִתְרַחֵשׁ, פ״ח	to happen, occur
רַחַשׁ, ז׳, ר׳, רְחָשִׁים	thought; emotion
רַחֲשׁוּשׁ, ז׳, ר׳, ־שִׁים	emotion (of heart)
רַחַת, נ׳, ר׳, רָחָתוֹת	winnowing fork; tennis racket
רָטַב, פעו״י	to moisten, be moist
רָטֹב, ת״ז, רְטֻבָּה, ת״נ	moist, wet, juicy
רֹטֶב, ז׳, ר׳, רְטָבִים	sauce, gravy
רָטָה, פ״י	to surrender; to extradite
רָטוֹב, ז׳ ר׳, ־בִים	decoy, trap
רָטוּשׁ, ת״ז, רְטוּשָׁה, ת״נ	disem- boweled, gutted, eviscerated
רְטוּת, נ׳	vibration
רַטָּט, ז׳, ר׳, ־טִים	vibrator
רֶטֶט, ז׳	vibrating; thrill
רִטֵּט, פ״ע	to vibrate
הִרְטִיט, פ״י	to terrorize
רְטִיבוּת, נ׳	moisture
רְטִיָּה, נ׳, ר׳, ־יּוֹת	plaster, emollient
רָטַן, פ״ע	to grumble, murmur
רֶטֶן, ז׳, ר׳, רְטָנִים	grumble
רַטְנָן, ז׳, ר׳, ־נִים	grumbler
רֻטְפַשׁ, פ״ע	to be fat; to be strong; to be fresh
רִטֵּשׁ, פ״י	to shatter; to eviscerate, disembowel; to burst open
רֵיאָה, רֵאָה, נ׳, ר׳, ־אוֹת	lung
[ריב] רָב, פ״ע	to quarrel; to plead; to strive

quarrel, dispute רִיב, ז׳, ר׳, ־בוֹת, ־בִים
maiden רִיבָה, נ׳, ר׳, ־בוֹת
increase; extension; plural (*gram.*) רִיבּוּי, רִבּוּי, ז׳, ר׳, ־יִים
to scream, wail; to sigh [ריד] רָד, פ״ע
smell, scent רֵיחַ, ז׳, ר׳, ־חוֹת
to smell, scent [ריח] הֵרִיחַ, פ״י
sense of smell רִיחָה, נ׳
hand mill; millstone, pair of grinding stones רֵיחַיִם, רֵחַיִם, ז״ז
fragrant, odorous רֵיחָנִי, ת״ז, ־נִית, ת״נ
eyelash; arena, stadium רִיס, ז׳, ר׳, ־סִים
friend, comrade, acquaintance; purpose רֵיעַ, רֵעַ, ז׳, ר׳, ־עִים
crushed corn רִיפָה, נ׳, ר׳, ־פוֹת
running רִיצָה, נ׳
to empty, pour out [ריק] הֵרִיק, פ״י
emptiness רִיק, ז׳
in vain לָרִיק, לְרִיק
empty רֵיק, ת״ז, ־קָה, ת״נ
good for nothing! רֵיקָה, רֵיקָא
empty handed; in vain רֵיקָם, תה״פ
empty רֵיקָן, ת״ז, ־נִית, ת״נ
emptiness; stupidity רֵיקָנוּת, נ׳
saliva; mucus רִיר, ז׳
to run (nose) [ריר] רָר, פ״י
to be impoverished [ריש] רָשׁ, פ״ע
poverty; Resh, name of twentieth letter of Hebrew alphabet רִישׁ, רֵישׁ, ז׳
first part רֵישָׁה, נ׳, ר׳, ־שׁוֹת
soft; timid; tender רַךְ, ת״ז, רַכָּה, ת״נ
coward רַךְ לֵב, רַךְ לֵבָב
to be soft, delicate רַךְ, פ״ע, ע׳ [רכך]
tenderness, softness רֹךְ, ז׳
to ride רָכַב, פ״ע

to compose, compound; to combine; to graft; to inoculate הִרְכִּיב, פ״י
driver, coachman; rider רַכָּב, ז׳, ר׳, ־בִים
chariot; wagon; upper millstone; branch for grafting רֶכֶב, ז׳, ר׳, רְכָבִים
riding רִכְבָּה, רְכִיבָה, נ׳
stirrup רְכֻבָּה, נ׳, ר׳, ־בּוֹת
train, railway רַכֶּבֶת, נ׳, ר׳, ־כָּבוֹת
vehicle רְכוּב, ז׳
riding רָכוּב, ת״ז, רְכוּבָה, ת״נ
concentration רִכּוּז, ז׳, ר׳, ־זִים
softening רִכּוּךְ, ז׳, ר׳, ־כִים
merchandise, goods רְכוּלָה, רְכֻלָּה, נ׳
bowed רָכוּן, ת״ז, רְכוּנָה, ת״נ
buttoned; tied רָכוּס, ת״ז, רְכוּסָה, ת״נ
property; capital רְכוּשׁ, ז׳
capitalist רְכוּשָׁן, ז׳, ר׳, ־נִים
capitalistic רְכוּשָׁנִי, ת״ז, ־נִית, ת״נ
softness, tenderness רַכּוּת, נ׳
to concentrate, co-ordinate רִכֵּז, פ״י
co-ordinator רַכָּז, ז׳, ר׳, ־זִים
switchboard רַכֶּזֶת, נ׳, ר׳, ־כָּזוֹת
component רְכִיב, ז׳, ר׳, ־בִים
riding רְכִיבָה, נ׳, ר׳, ־בוֹת
רָכִיל, רְכִילַאי, ז׳, ר׳, ־לִים, ־לָאִים gossiper, slanderer
gossip, slander רְכִילוּת, נ׳, ר׳, ־לֻיּוֹת
acquisition רְכִישָׁה, נ׳
rickets רַכִּית, נ׳
to be soft, delicate [רכך] רַךְ, פ״ע
to be afraid רַךְ לִבּוֹ
to spy; to denounce [רכל] הִרְכִּיל, פ״י

רְכֻלָּה, רְכוּלָּה, נ׳ merchandise, goods
[רכן] הִרְכִּין, פ״י to bow down; to nod; to love
רָכַס, פ״י to tie; to button up; to stamp
רֹכֶס, רֶכֶס, ז׳, ר׳, רְכָסִים chain of mountains; intrigue, conspiracy
רִכְפָּה, נ׳, ר׳, רְכָפוֹת dyer's weed; reseda
רָכַשׁ, פ״י to acquire
רֶכֶשׁ, ז׳, ר׳, רְכָשִׁים fast mount, steed
רָם, פ״ע, ע׳ [רום] to rise, be high
רָם, ת״ז, ־מָה, ת״נ high, exalted
רַם, פ״י, ע׳ [רמם] to be worm-eaten; to decay
רַמָּאוּת, נ׳ fraud, deceit
רַמַּאי, רַמָּאִי, ז׳, ר׳, ־אִים swindler
רָמָה, פ״י to throw; to shoot
רִמָּה, פ״י to cheat, deceive
רָמָה, נ׳, ר׳, ־מוֹת hill, height
רִמָּה, נ׳ worms; vermin
רָמוּז, ת״ז, רְמוּזָה, ת״נ hinted
רִמּוֹן, ז׳, ר׳, ־נִים pomegranate; hand grenade
רָמוּס, ת״ז, רְמוּסָה, ת״נ trampled
רָמוּת, נ׳ pride, haughtiness; height, tallness
רָמַז, פ״ע to wink, indicate; to allude
רֶמֶז, ז׳, ר׳, רְמָזִים hint, indication
רַמְזוֹר, ז׳, ר׳, ־רִים traffic light
רֹמַח, ז׳, ר׳, רְמָחִים lance, spear
רְמִיָּה, נ׳ deceit
רְמִיזָה, נ׳ hinting; winking
רְמִיסָה, נ׳ trampling
רַמָּךְ, ז׳, ר׳, ־כִים race horse
[רמם] רַם, פ״י to be wormy
רַמָּן, ז׳, ר׳, ־נִים grenadier, grenade-thrower

רָמַס, פ״י to tread
רֶמֶץ, ז׳ embers, hot ashes
רַמְקוֹל, ז׳, ר׳, ־לִים loud-speaker
רָמַשׂ, פ״ע to creep, crawl; to teem with vermin
רֶמֶשׂ, ז׳, ר׳, רְמָשִׂים reptile
רַמְשִׁית, נ׳, ר׳, ־שִׁיּוֹת serenade
רָן, פ״ע, ע׳ [רנן] to jubilate; to sing
רֹן, ז׳, ר׳, רָנִּים singing; jubilation
רִנָּה, נ׳, ר׳, ־נּוֹת singing; rumor
רִנּוּן, ז׳, ר׳, ־נִים song; gossip, slander
[רנן] רָן, פ״ע to jubilate; to sing
רִנֵּן, פ״ע to gossip, slander
רְנָנָה, נ׳, ר׳, ־נוֹת exultation
רִסּוּן, ז׳ bridling
רִסּוּס, ז׳, ר׳, ־סִים spraying; grinding; atomization
רָסוּק, ת״ז, רְסוּקָה, ת״נ broken, crushed
רְסִיס, ז׳, ר׳, רְסִיסִים fragment; shrapnel
רֶסֶן, ז׳, ר׳, רְסָנִים bridle, halter
רִסֵּן, פ״י to restrain
רֶסֶס, ז׳, ר׳, רְסָסִים shot, pellet
רִסֵּס, פ״י to spray, sprinkle
רִסֵּק, פ״י to crush; to chop
רֶסֶק, ז׳ mash, hash; sauce
רַע, רָע, ת״ז, רָעָה, ת״נ; ז׳ bad, evil; wickedness; calamity
יֵצֶר הָרָע evil inclination, impulse
לְשׁוֹן הָרָע slander, calumny
רַע־עַיִן envious
רַע, פעו״י, ע׳ [רעע] to be bad; to break
רֵעַ, רֵיעַ, ז׳, ר׳, ־עִים friend, comrade, acquaintance; purpose
רֹעַ, ז׳ vice, wickedness
רָעָב, ז׳ hunger, famine, scarcity

רָעֵב, פ"ע to be hungry
רָעֵב, ת"ז, רְעֵבָה, ת"נ starved
רְעָבוֹן, ז' starvation, hunger
רַעַבְתָּן, ת"ז, ־נִית, ת"נ voracious
רַעַבְתָּנוּת, נ' voracity, greed
רָעַד, פ"ע to tremble, quake
רַעַד, ז', רְעָדָה, נ', ר', ־דוֹת trembling, tremor
רָעָה, פעו"י to pasture, graze; to join; to befriend
רָעָה, נ', ר', ־עוֹת misfortune
רֵעֶה, ז', רֵעָה, נ', ר', ־עִים, ־עוֹת friend
רָעוּל, ת"ז, רְעוּלָה, ת"נ masked, veiled
רָעוּעַ, ת"ז, רְעוּעָה, ת"נ dilapidated, tottering
רִעוּף, ז' shingling; tiling
רֵעוּת, נ' friendship
רְעוּת, נ', ר', רֵעוֹת friend, neighbor
רְעוּת־רוּחַ, נ' vanity
רְעִי, ז', ר', רְעָיִים pasture; excrement
רְעִידָה, נ' trembling
רְעִידַת־אֲדָמָה earthquake
רַעְיָה, רַעְיָה, נ', ר', רְעָיוֹת beloved; wife; friend
רְעִיָּה, נ' pasturing, grazing
רַעְיוֹן, ז', ר', ־נוֹת idea
רַעְיוֹנִי, ת"ז, ־נִית, ת"נ ideal
רְעִימָה, נ', ר', ־מוֹת thundering, roar
[רעל] הִרְעִיל, פ"י to poison
רַעַל, ז', ר', רְעָלוֹת poison
רְעָלָה, נ', ר', ־לוֹת veil
רָעַם, פ"ע to rave, rage; to roar
הִרְעִים, פ"י to thunder
הִתְרַעֵם, פ"ח to complain
רַעַם, ז', ר', רְעָמִים thunder
רַעְמָה, נ', ר', רְעָמוֹת mane

רַעֲנָן, ת"ז, ־נָה, ת"נ fresh; juicy
רִעֲנֵן, פ"י to be fresh
רַעֲנַנּוּת, נ' freshness
[רעע] רַע, פעו"י to be, become bad; to break
הִתְרוֹעֵעַ, פ"ח to become friendly
רָעַף, פ"ע to drop, drip
רַעַף, ז', ר', רְעָפִים shingle, slate, tile
רָעַץ, פעו"י to shatter; to fear
רָעַשׁ, פ"ע to tremble
הִרְעִישׁ, פ"י to bombard, shell; to make noise
רַעַשׁ, ז', ר', רְעָשִׁים noise; commotion; earthquake
רַעֲשָׁן, ז', ר', ־נִים rattle
רַף, ז', ר', ־פִּים shelf
רָפָא, פעו"י to heal, cure
רְפָאוּת, נ' healing
רְפָאִים, ז"ר giants; ghosts
רָפַד, פ"י to unfold
רִפֵּד, פ"י to spread, make bed; to upholster
רַפָּד, ז', ר', ־דִים upholsterer
רֶפֶד, ז' fabric; spread
רָפָה, פ"ע to be weak; to be loose; to sink
רִפָּה, פ"י to weaken, lessen
רָפֶה, ת"ז, רָפָה, ת"נ slack, loose; weak
רְפוּאָה, נ', ר', ־אוֹת medicine, remedy
רִפּוּד, ז', ר', ־דִים upholstering
רִפּוּי, ז' curing, healing
רָפוּי, ת"ז, רְפוּיָה, ת"נ loose, unsteady
רִפֵּט, פ"י to wear out
רְפִידָה, נ', ר', ־דוֹת spreading, spread
רִפְיוֹן, ז' laxity; weakness

to trample; to be weak רָפַס, פ״י
to humiliate oneself הִתְרַפֵּס, פ״ח
raft, float רַפְסוֹדָה, רַפְסֹדֶת, נ׳, ר׳, ־דוֹת
to tremble; to vacillate רָפַף, פ״ע
laxative רַפָּף, ז׳, ר׳, ־פִים
blind; shutter רְפָפָה, נ׳, ר׳, ־פוֹת
to lean upon; to long for [רפק] הִתְרַפֵּק, פ״ח
fluttering; hovering רִפְרוּף, ז׳
to blink; to move, flutter רִפְרֵף, פעו״י, ע׳ [רפף]
pudding רַפְרֶפֶת, נ׳, ר׳, ־רָפוֹת
mud, dirt, mire רֶפֶשׁ, ז׳
to make filthy, dirty רִפֵּשׁ, פ״י
to trample; to foul, pollute רָפַשׂ, פ״י
cowshed, stable רֶפֶת, נ׳, ר׳, רְפָתִים, ־תוֹת
dairyman רַפְתָּן, ז׳, ר׳, ־נִים
dairying רַפְתָּנוּת, נ׳
runner; bishop (chess) רָץ, ז׳, ר׳, ־צִים
bar (metal) רַץ, ז׳, ר׳, ־צִים
to run רָצָא, פ״ע
to lurk; to leap רָצַד, פ״ע
to wish, desire, like; to accept רָצָה, פ״י
to appease רִצָּה, פ״י
to lecture; to count; to satisfy; to pay הִרְצָה, פ״י
worthwhile; desirable רָצוּי, ת״ז, רְצוּיָה, ת״נ
appeasement; satisfaction רִצּוּי, ז׳
will, wish, desire; favor רָצוֹן, ז׳, ר׳, ־נוֹת
as you like כִּרְצוֹנְךָ
voluntary רְצוֹנִי, ת״ז, ־נִית, ת״נ
strap, strip רְצוּעָה, נ׳, ר׳, ־עוֹת

successive; attached, joined; tiled רָצוּף, ת״ז, רְצוּפָה, ת״נ
tiling רִצּוּף, ז׳
crushed, dejected רָצוּץ, ת״ז, רְצוּצָה, ת״נ
to murder, assassinate רָצַח, פ״י
murder רֶצַח, ז׳
murdering רְצִיחָה, נ׳, ר׳, ־חוֹת
seriousness רְצִינוּת, נ׳
serious רְצִינִי, ת״ז, ־נִית, ת״נ
platform; quay, dock רָצִיף, ז׳, ר׳, רְצִיפִים
consecutiveness רְצִיפוּת, נ׳
crushing רְצִיצָה, נ׳, ר׳, ־צוֹת
to become serious [רצן] הִרְצִין, פ״ע
to lash, flog; pierce, perforate רָצַע, פ״י
saddler, shoemaker רַצְעָן, ז׳, ר׳, ־נִים
to join closely; to arrange in order; to pave רָצַף, פ״י
tiler רַצָּף, ז׳, ר׳, ־פִים
burning coal רֶצֶף, ז׳, ר׳, רְצָפִים
floor; pavement; burning coal רִצְפָּה, נ׳, ר׳, רְצָפוֹת
to shatter; to oppress רָצַץ, פ״י
to struggle together, push one another הִתְרוֹצֵץ, פ״ח
only, except; thin, lean רַק, תה״פ; רַק, ת״ז, רַקָּה, ת״נ
saliva רֹק, ז׳, ר׳, רְקִים
to rot, decay רָקַב, פ״ע
humus; rot (*med.*), decay רֶקֶב, ז׳
rottenness, decay רָקָב, ז׳
decayed part רַקְבּוּבִית, נ׳
putrefaction, rottenness רִקָּבוֹן, ז׳
to dance רָקַד, פ״ע
to dance; to winnow, sift רִקֵּד, פ״י
dancer רַקְדָן, ז׳, ־נִית, ז׳, ר׳, ־נִים, ־נִיּוֹת

רַקָּה, נ׳, ר׳, ־קּוֹת — temple (forehead)
רָקוּב, ת״ז, רְקוּבָה, ת״נ — rotten, decayed
רִקּוּד, ז׳, ר׳, ־דִים — dance
רִקּוּחַ, ז׳, ר׳, ־חִים — salve, ointment
רִקּוּם, ז׳, ר׳, ־מִים — embroidering; embryo
רִקּוּעַ, ז׳, ר׳, ־עִים — beaten plate (metal); foil
רָקַח, פ״י — to mix; to distill perfume
רַקָּח, ז׳, ר׳, ־חִים — perfumer
רֶקַח, רֹקַח, ז׳, ר׳, רְקָחִים — spice
רְקִידָה, נ׳, ר׳, ־דוֹת — dancing
רְקִימָה, נ׳, ר׳, ־מוֹת — embroidery
רָקִיעַ, ז׳, ר׳, רְקִיעִים — firmament, heaven
רְקִיעִי, ת״ז, ־עִית, ת״נ — heavenly; spherical
רָקִיק, ז׳, ר׳, רְקִיקִים — biscuit
רְקִיקָה, נ׳, ר׳, ־קוֹת — spitting
רָקַם, פ״י — to embroider; to variegate
רִקֵּם, פ״י — to shape, form
רִקְמָה, נ׳, ר׳, ־קָמוֹת — embroidery
רָקַע, פעו״י — to stamp, beat; to spread, stretch
רִקַּע, פ״י — to overlay
רֶקַע, ז׳ — background
רַקֶּפֶת, נ׳, ר׳, ־קָּפוֹת — cyclamen
רָקַק, פ״י — to spit
רְקָק, ז׳ — swamp, mire
רְקָקִית, נ׳, ר׳, ־יוֹת — spittoon
רָר, פ״ע, ע׳ [ריר] — to run (nose)
רָשׁ, פ״ע, ע׳ [רישׁ] — to be impoverished
רָשׁ, ז׳, ר׳, ־שִׁים — poor man
רַשַּׁאי, ת״ז, רַשָּׁאִית, רַשָּׁאָה, ת״נ — authorized, permitted
[רשה] הִרְשָׁה, פ״י — to authorize, permit

רִשּׁוּל, ז׳ — indolence; neglect
רִשּׁוּם, ז׳, ר׳, ־מִים — registration; mark, sign, trace, impression
רָשׁוּם, ת״ז, רְשׁוּמָה, ת״נ — noted; inscribed; registered
מִכְתָּב רָשׁוּם — registered letter
רָשׁוּת, נ׳, ר׳, ־שֻׁיּוֹת — authority, control, power
רְשׁוּת, נ׳, ר׳, ־שֻׁיּוֹת — permission; option; possession
רִשּׁוּת, ז׳ — screening
רִשָּׁיוֹן, רִשְׁיוֹן, ז׳, ר׳, ־נוֹת — permit, license
רְשִׁימָה, נ׳, ר׳, ־מוֹת — list, register; note; article
רִשֵּׁל, פ״י — to weaken; to loosen
הִתְרַשֵּׁל, פ״ח — to be lax
רַשְׁלָן, ז׳, ר׳, ־נִים — sluggard
רַשְׁלָנוּת, נ׳ — carelessness
רַשְׁלָנִי, ת״ז, ־נִית, ת״נ — careless
רָשַׁם, פ״י — to note; to draw, mark
הִתְרַשֵּׁם, פ״ח — to be impressed
רַשָּׁם, ז׳, ר׳, ־מִים — draftsman; registrar
רֹשֶׁם, ז׳, ר׳, רְשָׁמִים — impression
רִשְׁמִי, ת״ז, ־מִית, ת״נ — official
רִשְׁמִיּוּת, נ׳ — officialism
רָשַׁע, פ״ע — to do wrong; to commit crimes
הִרְשִׁיעַ, פ״י — to condemn; to convict
רָשָׁע, ת״ז, רְשָׁעָה, ־עִית, ת״נ — wicked; guilty
רֶשַׁע, ז׳ — wickedness, injustice
רִשְׁעָה, נ׳ — sin
רִשְׁעוּת, נ׳, ר׳, ־עֻיּוֹת — cruelty
רָשַׁף, פ״י — to burn, spark

רֶשֶׁף, ז׳, ר׳, רְשָׁפִים	flame; spark; fever
רִשְׁרוּשׁ, ז׳, ר׳, ־שִׁים	rustling
רִשְׁרֵשׁ, פ״י	to rustle
רֻשַּׁשׁ, פ״י	to be beaten down; to be destroyed
רִשֵּׁת, פ״י	to make (lay) net(s); to screen
רֶשֶׁת, נ׳, ר׳, רְשָׁתוֹת	net, snare; bait
רִשְׁתִּית, נ׳, ר׳, ־יּוֹת	retina
רָתוּחַ, ת״ז, רְתוּחָה, ת״נ	boiling
רִתּוּךְ, ז׳	welding
רָתוּם, ת״ז, רְתוּמָה, ת״נ	harnessed; hitched
רְתוּקָה, רַתּוּקָה, נ׳, ר׳, ־קוֹת	chain
רָתַח, פ״ע	to boil; to be angry, irate
רֶתַח, ז׳, ר׳, רְתָחִים	boiling
רַתְחָן, ת״ז, ־נִית, ת״נ	irascible
רַתְחָנוּת, נ׳	irascibility
רְתִיחָה, נ׳, ר׳, ־חוֹת	boiling; anger; foaming; effervescence
רְתִימָה, נ׳, ר׳, ־מוֹת	harnessing
רִתֵּךְ, פ״י	to smelt, weld
רַתָּךְ, ז׳, ר׳, ־כִים	welder
רָתַם, פ״י	to harness
רֹתֶם, ז׳, ר׳, רְתָמִים	broombush
רִתְמָה, נ׳, ר׳, רְתָמוֹת	harness
[רתע] נִרְתַּע, פ״ע	to be startled; to recoil
רֶתַע, ז׳, רְתִיעָה, נ׳, ־עוֹת	retreat
רִתֵּף, פ״י	to store (in cellar)
רִתֵּק, פ״י	to join, link; to spellbind
רָתַת, פ״ע	to tremble, shake
רֶתֶת, ז׳	trembling
רְתָתָה, נ׳	awe, terror

ש W

שׁ, שׂ	Shin, Sin, twenty-first letter of Hebrew alphabet; three hundred
שֶׁ־	who, which, that; because
שָׁאַב, פ״י	to draw, pump (water); to absorb
שַׁאֲבָק, ז׳	vacuum cleaner
שָׁאַג, פ״ע	to roar (lion)
שְׁאָגָה, נ׳, ר׳, ־גוֹת	roar; cry
שָׁאָה, פ״ע	to lay waste, devastate
הִשְׁתָּאָה, פ״ח	to be astonished; to gaze
שָׁאָה, שׁוֹאָה, נ׳, ר׳, ־אוֹת	calamity, devastation, ruin
שָׁאוּב, ז׳, ר׳, ־בִים	trough, bucket
שְׁאוֹל, זו״נ	hell, hades; grave
שָׁאוּל, ת״ז, שְׁאוּלָה, ת״נ	borrowed
שָׁאוֹן, ז׳, ר׳, שְׁאוֹנִים	noise, uproar
שְׂאוֹר, ז׳	leaven, yeast; fermentation
שְׁאָט, ז׳ שְׁאָט נֶפֶשׁ	contempt
שָׁאַט, פ״י	to despise
שְׁאִיבָה, נ׳, ר׳, ־בוֹת	drawing (water), pumping; absorption
שְׁאִיָּה, נ׳	ruin, desolation
שְׁאִילָה, נ׳, ר׳, ־לוֹת	borrowing; asking
שְׁאִילְתָּה, שְׁאֵלְתָּה, נ׳, ר׳, ־תּוֹת	official query
שְׁאִיפָה, נ׳, ר׳, ־פוֹת	inhalation, breathing; aspiration, ambition
שְׁאִיר, ז׳, ר׳, שְׁאִירִים	survivor
שָׁאַל, פ״י	to ask; to borrow
שָׁאַל לְשָׁלוֹם	to greet
שִׁאֵל, פ״י	to beg, go begging
הִשְׁאִיל, פ״י	to lend

שְׁאֵלָה, נ', ר', ־לוֹת question; problem; loan; inquiry

שְׁאֵלוֹן, ז', ר', ־נִים questionnaire

שְׁאֶלְתָּה, שְׁאִילְתָּה, נ', ר', ־תּוֹת official query

שָׁאַן, פ"ע to make noise

שַׁאֲנַן, פ"ע to be at ease; to be secure

שַׁאֲנָן, ת"ז, ־נַנָּה, ת"נ tranquil; secure

שַׁאֲנַנּוּת, נ' tranquillity; security

שָׁאַף, פ"י to gasp, pant; to long for, aspire, strive; to trample upon

שְׁאַפְתָּן, ת"ז, ־נִית, ת"נ ambitious

שְׁאַפְתָּנוּת, נ' ambition

שָׁאַר, פ"ע to remain, be remaining

נִשְׁאַר, פ"ע to be left, remaining

הִשְׁאִיר, פ"י to leave (remaining), spare

שְׁאָר, ז' remainder, rest, remnant

בֵּין הַשְּׁאָר among other things

שְׁאָר־רוּחַ inspiration

שְׁאֵר, ז', ר', ־רִים meat, flesh; food

שְׁאֵר־בָּשָׂר relative

שַׁאֲרָה, נ', ר', שְׁאָרוֹת blood relation

שְׁאֵרִית, נ', ר', ־רִיּוֹת remnant, remainder, remains

שֵׁאת, נ' calamity

שְׂאֵת, נ' exaltation; dignity; swelling; eruption (skin), sore

שַׁב, ז' vitriol; alum

שָׂב, ת"ז, בָה, ת"נ gray, old

שָׂב, ז', ר', ־בִים old man

שָׁב, פ"ע, ע' [שוב] to return, come back, go back; to do again; to repent; to turn away

שָׂב, פ"ע, ע' [שיב] to grow old, turn gray

שַׁבַּאי, ז', ר', ־בָּאִים captor

שָׁבָב, ז', ר', שְׁבָבִים splinter, fragment (wood)

שָׁבָה, פ"י to take captive, capture

שְׁבוֹ, ז' agate, precious stone

שִׁבּוּט, ז', ר', ־טִים flounder, plaice, sole

שָׁבוּי, ת"ז, שְׁבוּיָה, ת"נ captive

שִׁבּוֹלֶת, שִׁבֹּלֶת, נ', ר', שִׁבֳּלִים, ־בּוֹלוֹת ear of corn; current of river; shibboleth, watchword, password

שָׁבוּעַ, ז', ר', ־עוֹת, שְׁבוּעַיִם week; heptad (weeks or years)

שְׁבוּעָה, נ', ר', ־עוֹת curse; oath

שְׁבוּעַת שָׁוְא false oath

שְׁבוּעוֹן, ז', ר', ־נִים weekly journal

דּוּ־שְׁבוּעוֹן biweekly publication

שָׁבוּעוֹת, חַג הַשָּׁבוּעוֹת, ז' Pentecost, Feast of Weeks

שְׁבוּעִי, ת"ז, ־עִית, ת"נ weekly

דּוּ־שְׁבוּעִי biweekly

שָׁבוּר, ת"ז, שְׁבוּרָה, ת"נ broken, split

שִׁבּוּשׁ, ז', ר', ־שִׁים error, blunder

שְׁבוּת, נ' rest, abstention from work (on Sabbath and festivals); captivity; return, repatriation

חֹק הַשְּׁבוּת law of repatriation (to Israel)

שָׁבַח, פ"ע to grow in value; to improve

שִׁבַּח, פ"י to calm; to praise, glorify

הִשְׁתַּבַּח, פ"ח to praise oneself, boast

שֶׁבַח, ז', ר', שְׁבָחִים; שִׁבְחָה, נ', ר', ־חוֹת praise; improvement; gain

שֵׁבֶט, ז', ר', שְׁבָטִים staff, rod; birch, whip; scepter; tribe

שְׁבָט, ז' Shebat, eleventh month of Hebrew calendar

חֲמִשָּׁה עָשָׂר (ט"ו) בִּשְׁבָט Arbor Day, New Year of the Trees
שְׁבִי, שֶׁבִי, ז', שִׁבְיָה, נ' captivity
שָׁבִיב, ז', ר', שְׁבִיבִים flame, spark
שָׁבִיט, ז', ר', שְׁבִיטִים comet
שְׁבִיל, ז', ר', ־לִים lane, path
שְׁבִיל הַזָּהָב golden path, middle course
שְׁבִיל הֶחָלָב Milky Way
בִּשְׁבִיל, מ"י for, for the sake of
בִּשְׁבִיל שֶׁ־ in order that
שָׁבִיס, ז', ר', שְׁבִיסִים front band; hairnet
שְׂבִיעָה, נ' having one's fill, satiety
שְׂבִיעַת רָצוֹן satisfaction
שְׁבִיעִי, ת"ז, ־עִית, ת"נ seventh
שְׁבִיעִיָּה, נ' septet(te)
שְׁבִיעִית, נ', ר', ־עִיּוֹת one-seventh; sabbatical year
שָׁבִיר, ת"ז, שְׁבִירָה, ת"נ fragile, breakable
שְׁבִירָה, נ', ר', ־רוֹת breaking
שְׁבִיתָה, נ', ר', ־תוֹת resting (on Sabbath); strike
שְׁבִיתַת־רָעָב hunger strike
שְׁבִיתַת נֶשֶׁק armistice, truce
שְׁבִיתַת שֶׁבֶת sit-down strike
שֹׁבֶךְ, שׁוֹבָךְ, ז', ר', שׁוֹבָכִים dovecot
שְׂבָכָה, נ', ר', ־כוֹת latticework, woven net; trellis
שֹׁבֶל, ז' train, edge of skirt; ship's trail
שַׁבְּלוּל, ז', ר', ־לִים snail, shrimp; oyster
שִׁבֹּלֶת, שִׁבּוֹלֶת, נ', ר', שִׁבֳּלִים, ־בּוֹלוֹת ear of corn; current of river; shibboleth, watchword, password
שִׁבֹּלֶת־שׁוּעָל oats

[שבע] נִשְׁבַּע, פ"ע to swear, take an oath
שָׂבַע, פ"ע to be satisfied, sated
שָׂבֵעַ, ת"ז, שְׂבֵעָה, ת"נ satisfied, satiated
שָׂבָע, שֹׂבַע, ז', שָׂבְעָה, נ' plenty, abundance
שִׁבְעָה, ש"מ, ז', שֶׁבַע, נ' seven
יָשַׁב שִׁבְעָה to mourn
שִׁבְעָה עָשָׂר, ש"מ, ז' seventeen
שְׁבַע עֶשְׂרֵה, ש"מ, נ' seventeen
שִׁבְעִים, ש"מ, זו"נ seventy
שִׁבְעָתַיִם, ש"מ seven times
שִׁבֵּץ, פ"י to set (precious stone); to weave in checkerwork
שָׁבָץ, ז' cramp; stroke
שָׁבַק, פ"י to leave
שָׁבַק חַיִּים (לְכָל חַי) to die
שָׁבַר, פ"י to break; to buy grain
שִׁבֵּר, פ"י to break in pieces
הִשְׁבִּיר, פ"י to cause to break; to sell grain
שֶׁבֶר, ז', ר', שְׁבָרִים breaking, break; calamity; interpretation (of dream); grain, provisions; fraction
שֵׂבֶר, סֵבֶר, ז' hope
שָׂבַר, פ"ע to inspect, examine
שִׂבֵּר, פ"ע to wait; to hope
שִׁבָּרוֹן, ז' breaking; trade in grain
שַׁבְרִיר, ז', ר', ־רִים splinter; ray
שִׁבֵּשׁ, פ"י to do a thing faultily; to make mistakes
שַׁבְשֶׁבֶת, נ', ר', ־שָׁבוֹת weather vane
שָׁבַת, פ"ע to desist, rest, stop work, keep Sabbath
הִשְׁבִּית, פ"י to fire, lay off from work

day of rest; שַׁבָּת, נ׳, ר׳, ־תוֹת
Sabbath; week
seat; rest; cessation; שֶׁבֶת, נ׳
idleness; dill
Saturn שַׁבְּתַאי, ז׳
meningitis שִׁבְתָּה, נ׳
complete rest; general strike שַׁבָּתוֹן, ז׳
to grow, prosper שָׂגָא, פ״ע
loftiness שֶׂגֶא, ז׳
to be strong; to be exalted; שָׂגַב, פ״ע
to be unattainable
sublimity, loftiness שֶׂגֶב, ז׳
to err, sin unintentionally שָׁגַג, פ״ע
error, mistake; שְׁגָגָה, נ׳, ר׳, ־גוֹת
inadvertence
inadvertently בִּשְׁגָגָה, תה״פ
to stray; to err; שָׁגָה, פ״ע
to be enticed; to be attracted
to grow great, increase שָׂגָה, פ״ע
fluent; familiar שָׁגוּר, ת״ז, שְׁגוּרָה, ת״נ
to observe; [שגח] הִשְׁגִּיחַ, פ״ע
to care for; to supervise
great, exalted שַׂגִּיא, ת״ז, ־אָה, ת״נ
error, mistake שְׁגִיאָה, נ׳, ר׳, ־אוֹת
king's concubine, consort שֵׁגָל, נ׳
craze, caprice; שִׁגָּיוֹן, ז׳, ר׳, שִׁגְיוֹנוֹת
hobby; idée fixe
fluency; שְׁגִירוּת, נ׳, ר׳, ־רֻיוֹת
familiarity
to join with hinge שִׁגֵּם, פ״י
hinge; tongue; שֶׁגֶם, ז׳, ר׳, שְׁגָמִים
striker
to make mad; to bewilder שִׁגַּע, פ״י
madness; שִׁגָּעוֹן, ז׳, ר׳, שִׁגְעוֹנוֹת
nonsense
maddening שִׁגְעוֹנִי, ת״ז, ־נִית, ת״נ
to send; to flow; שִׁגֵּר, פ״י
to speak fluently

offspring of animals שֶׁגֶר, ז׳, ר׳, שְׁגָרִים
habit, routine; fluency שִׁגְרָה, נ׳
rheumatism שִׁגָּרוֹן, ז׳
delegate, שַׁגְרִיר, ז׳, ר׳, ־רִים
ambassador
embassy שַׁגְרִירוּת, נ׳
to grow, blossom שִׂגְשֵׂג, פ״ע
to whitewash שָׂד, פ״י, ע׳ [שיד]
breast שָׁד, שַׁד, ז׳, ר׳, שָׁדַיִם
to ravage, despoil שָׁד, פ״י, ע׳ [שוד]
devil שֵׁד, ז׳, ר׳, שֵׁדִים
violence; ruin; robbery, שֹׁד, שׁוֹד, ז׳
plunder
to plunder, despoil; to assault שָׁדַד, פ״י
to harrow שִׂדֵּד, פ״י
chest of drawers שִׁדָּה, נ׳, ר׳, ־דּוֹת
field, land שָׂדֶה, שָׂדַי, זו״נ, ר׳, שָׂדוֹת
plantation שְׂדֵה אִילָן
fallow land שְׂדֵה בּוּר
minefield שְׂדֵה מוֹקְשִׁים
battlefield שְׂדֵה (קֶטֶל) קְרָב
field of vision שְׂדֵה רְאִיָּה
airfield שְׂדֵה תְּעוּפָה
plundered; שָׁדוּד, ת״ז, שְׁדוּדָה, ת״נ
assaulted
harrowing שִׂדּוּד, ז׳, ר׳, ־דִים
proposal of שִׁדּוּךְ, ז׳, ר׳, ־כִים
marriage; mutual agreement
persuasion שִׁדּוּל, ז׳, ר׳, ־לִים
rascal שִׁדּוֹן, ז׳, ר׳, ־נִים
wind-blasted, שָׁדוּף, ת״ז, שְׁדוּפָה, ת״נ
blighted
broadcasting שִׁדּוּר, ז׳, ר׳, ־רִים
the Almighty שַׁדַּי, ז׳
to negotiate a marriage שִׁדֵּךְ, פ״י
(an agreement)
to negotiate (for הִשְׁתַּדֵּךְ, פ״ע
marriage), arrange a marriage

שַׁדְּכָן, ז׳, ר׳, ־נִים marriage broker
שַׁדְּכָנוּת, נ׳ marriage agency
שִׁדֵּל, פ״י to persuade
הִשְׁתַּדֵּל, פ״ח to be persuaded; to strive; to endeavor
שְׁדֵמָה, נ׳, ר׳, ־מוֹת vineyard; field
שָׁדַף, פ״י to blight, blast
שְׁדֵפָה, נ׳ blighted crops
שִׁדָּפוֹן, ז׳, ר׳, שִׁדְּפוֹנוֹת blight of crops
שִׁדֵּר, פ״י to broadcast
שֶׁדֶר, ז׳, ר׳, שְׁדָרִים spine, backbone
שְׁדֵרָה, נ׳, ר׳, ־רוֹת row (of men, soldiers); avenue, boulevard
שִׁדְרָה, נ׳, ר׳, ־רָאוֹת, שְׁדָרוֹת,
עַמּוּד־הַשִּׁדְרָה spinal column
חוּט־הַשִּׁדְרָה spinal cord
שֶׂה, זו״נ, ר׳, שֵׂיִים, שֵׂיוֹת lamb; kid
שָׂהֵד, ז׳, ר׳, שָׂהֲדִים witness
שָׁהָה, פ״ע to tarry, delay; to remain, dwell
שִׁהוּק, ז׳, ר׳, ־קִים hiccup
שָׁהוּת, נ׳ spare time; delay
שְׁהִיָּה, נ׳, ר׳, ־יּוֹת delaying, delay; stay
שֹׁהַם, שׁוֹהַם, ז׳, ר׳, שְׁהָמִים onyx
שִׁהֵק, פ״ע to hiccup
שַׂהֲרוֹן, סַהֲרוֹן, ז׳, ר׳, ־נִים crescent-shaped ornament
שָׁוְא, ז׳ vanity; nothingness; falsehood
לַשָּׁוְא, תה״פ in vain
שְׁוָא, ז׳, ר׳, ־אִים, (ְ) sheva, vowel sign
(שׁוֹאֵבָה), בֵּית־הַשּׁוֹאֵבָה, ז׳ well; pump house
שׁוֹאָה, שֹׁאָה, נ׳, ר׳, ־אוֹת calamity; devastation, ruin

[שׁוב] שָׁב, פ״ע to return, come back, go back; to do again; to repent; to turn away
שׁוֹבֵב, פ״י to bring back, restore; to lead away; to apostatize
הִשְׁתּוֹבֵב, פ״ח to be naughty; to be wild; to be playful
שׁוּב, תה״פ again
שׁוֹבָב, ת״ז, ־בֵבָה, ־בִית, ת״נ naughty; wild
שׁוֹבְבוּת, נ׳ wildness, unruliness
שׁוּבָה, נ׳ rest, peacefulness; retirement
שׁוֹבָךְ, שֹׁבֶךְ, ז׳, ר׳, ־בָכִים dovecot
שׁוֹבֵר, ז׳, ר׳, ־רִים, ־רוֹת receipt
שׁוֹבֵר־גַּלִּים, ז׳, ר׳, שׁוֹבְרֵי גַּלִּים breakwater
[שׁוג] נָשׂוֹג, פ״ע to turn back, recede
שׁוֹגֵג, ת״ז, ־גֶגֶת, ת״נ inadvertent, unintentional
בְּשׁוֹגֵג, תה״פ unintentionally
[שׁוד] שָׁד, פ״י to ravage, despoil
שׁוֹד, שֹׁד, ז׳ violence; ruin; robbery, plunder
שׁוֹדֵד, ז׳, ר׳, ־דְדִים robber
שָׁוָה, פ״ע to be equivalent to, resemble; to be worthwhile
הִשְׁוָה, פ״י to compare; to smooth, level
שָׁוֶה, ת״ז, שָׁוָה, ת״נ equal; worth
שָׁוֶה, ז׳ plain
שִׁוּוּי, ז׳, ר׳, ־יִים equality
שִׁוּוּי־זְכֻיּוֹת equal rights
שִׁוּוּי־מִשְׁקָל equilibrium
שׁוֹהַם, שֹׁהַם, ז׳, ר׳, שְׁהָמִים onyx
[שׁוח] שָׁח, פ״ע to sink, bow down
[שׁוח] שָׁח, פ״ע to stroll, take a walk
שׁוֹחַד, שֹׁחַד, ז׳ bribe
שׁוּחָה, נ׳, ר׳, ־חוֹת pit

שׁוֹחֵט, ז׳, ר׳, שׁוֹחֲטִים — ritual slaughterer

שׁוֹחֵק, ת״ז, ־חֶקֶת, ת״נ — happy, radiant, joyful

שׁוֹחֵר, ז׳, ר׳, ־חֲרִים — loyal friend; seeker

שׁוֹט, ז׳, ר׳, ־טִים — whip

[שוט] שָׁט, פ״ע — to swerve, turn aside

[שוט] שָׁט, פ״ע — to go about, roam, hike; to float; to row

שׁוֹטֶה, ז׳, ר׳, ־טִים — idiot, fool, madman

שׁוֹטֶה, ת״ז, ־טָה, ת״נ — mad, crazy

כַּדּוּר שׁוֹטֶה — stray bullet

כֶּלֶב שׁוֹטֶה — hydrophobic (mad) dog

שׁוֹטֵט, ז׳, ר׳, ־טְטִים — scourge; hiker

שׁוֹטְטוּת, נ׳ — hiking

שׁוֹטֵף, ת״ז, ־טֶפֶת, ת״נ — bursting forth, flooding

שׁוֹטֵר, ז׳, ר׳, ־רִים — policeman

שׁוֹטֵר חֶרֶשׁ — detective

שָׁוִי, שְׁוִי, ז׳ — equivalent; price, worth

שִׁוְיוֹן, ז׳, ר׳, ־נוֹת — equality

שִׁוְיוֹן־נֶפֶשׁ — apathy

[שוך] שָׂךְ, פ״י — to hedge about, fence up

שׂוֹךְ, ז׳, ר׳, ־כִים; שׂוֹכָה, נ׳, ר׳, ־כוֹת — branch

שׁוּלְחָן, שֻׁלְחָן, ז׳, ר׳, ־נוֹת — table

שׁוּלְיָה, ז׳, ר׳, ־יוֹת — apprentice

שׁוּלַיִם, ז״ז — rim, margin; hem

שׁוֹלָל, ת״ז — stripped, naked; barefoot

שׁוּם, ז׳, ר׳, ־מִים — garlic; name, title; valuation, estimate

שׁוּם דָּבָר — nothing, anything

בְּשׁוּם אֹפֶן — not at all

[שום] שָׂם, פ״י — to value, estimate

שׁוּמָה, נ׳, ר׳, ־מוֹת — assessment, estimate; birthmark, wart, mole

שׁוֹמֵם, פעו״ל, ע׳ [שמם] — to terrify, cause horror; to be terrified

שׁוֹמֵם, ת״ז, ־מָה, ת״נ — desolate, alone

שׁוֹמְמָה, נ׳, ר׳, ־מוֹת — desolate place

שׁוּמָן, שֻׁמָּן, ז׳, ר׳, ־נִים — fat

שׁוֹמֵר, ז׳, ר׳, ־רִים — watchman

שׁוֹמֵרָה, נ׳, ר׳, ־רוֹת — watchman's hut

שׁוֹמְרוֹנִי, ת״ז, ־נִית, ת״נ — Samaritan

שׂוֹנֵא, ז׳, ר׳, ־נְאִים — foe, enemy

שׁוֹנֶה, ת״ז, ־נָה, ת״נ — different

שׁוּנִית, נ׳, ר׳, ־יוֹת — cliff

שׁוֹעַ, ז׳, ר׳, ־עִים — nobleman; wealthy person

שֶׁוַע, ז׳, שַׁוְעָה, נ׳, ר׳, שְׁוָעוֹת — hue and cry

שִׁוַּע, פ״ע — to cry for help

שׁוּעָל, ז׳, ר׳, ־לִים — fox

שׁוֹעֵר, ז׳, ר׳, ־עֲרִים — gatekeeper; goalie

[שוף] שָׁף, פ״י — to bruise; to crush, grind (grain); to rub, polish

שׁוֹפֵט, ז׳, ר׳, ־פְטִים — judge; referee

שׁוּפִי, שְׁפִי, ז׳ — ease

שׁוֹפִין, ז׳, ר׳, ־נִים — file

שׁוֹפְכִים, שׁוֹפְכִין, ז״ר — waste water

שׁוֹפָר, ז׳, ר׳, ־רוֹת, ־רִים — shophar, ram's horn

שׁוּפְרָא, שֻׁפְרָא, ז׳ — beauty; goodliness

שׁוֹק, נ׳, ר׳, ־קַיִם — leg, foreleg; leg (of triangle)

שׁוּק, ז׳, ר׳, שְׁוָקִים — market

[שוק] שׁוֹקֵק, פ״י — to water; to make abundant

הִשְׁתּוֹקֵק, פ״ח — to long for, desire

שִׁוֵּק, פ״י — to market

שׁוֹקֵק, ת״ז, ־קָה, ת״נ — longing (for water), thirsty

שׁוֹקֵק, פ״י, ע׳ [שוק] to water; to make abundant

שׁוֹקֶת, שֹׁקֶת, נ׳, ר׳, שְׁקָתוֹת watering trough

שׁוֹר, ז׳, ר׳, שְׁוָרִים ox, bullock

שׁוּר, ז׳, ר׳, ־רִים wall; enemy

[שור] שָׁר, פ״ע to behold, see, observe

[שור] שָׂר, פ״ע to turn aside; to depart; to wrestle; to tumble

שַׁוָּר, ז׳, ר׳, ־רִים acrobat, tumbler

שׁוּרָה, נ׳, ר׳, ־רוֹת line, row

שׂוֹרֵק, ז׳, ר׳, ־רְקִים, שׂוֹרֵקָה, נ׳, ר׳, ־רְקוֹת choice vine

שׁוּרֻק, ז׳, ר׳, ־קִים shooruk, name of Hebrew vowel ("וּ")

שׁוֹרֵר, פ״י, ע׳ [שיר] to sing, chant; to poetize

שׁוֹרֵר, ז׳, ר׳, ־רְרִים enemy, adversary

שׁוֹרֶשׁ, שֹׁרֶשׁ, ז׳, ר׳, שָׁרָשִׁים root

שׁוּשׁ, ז׳, ר׳, ־שִׁים licorice

[שוש] שָׂשׂ, פ״ע to be happy, rejoice

שׁוֹשְׁבִין, ז׳, ־נָה, נ׳ ר׳, ־נִים, ־נוֹת best man; bridesmaid

שׁוֹשֶׁלֶת, נ׳, ר׳, ־שָׁלוֹת chain; dynasty

שׁוֹשָׁן, שׁוּשַׁן, ז׳, ר׳, ־נִּים lily; rose

שׁוֹשַׁנָּה, נ׳, ר׳, ־נוֹת, ־נִים lily; rose; head of nail; erysipelas; roseola

שׁוֹשֶׁנֶת, נ׳, ר׳, ־שָׁנוֹת rosette

שׁוּתָּף, שֻׁתָּף, ז׳, ר׳, ־פִים associate, partner

שׁוּתָּפוּת, שֻׁתָּפוּת, נ׳, ר׳, ־פֻיּוֹת partnership, association

שָׁזוּף, ת״ז, שְׁזוּפָה, ת״נ sunburned

שִׁזּוּף, ז׳ sunburn, sun tan

שָׁזִיף, ז׳, ר׳, שְׁזִיפִים plum; prune

שְׁזִיפָה, נ׳, ר׳, ־פוֹת sun tanning

שְׁזִירָה, נ׳, ר׳, ־רוֹת interweaving

שָׁזַף, פ״י to behold; to burn, sunburn

שָׁזַר, פ״י to twist; to interweave

שִׁזְרָה, נ׳, ר׳, שְׁזָרוֹת spine, backbone

שַׁח, ת״ז, שָׁחָה, ת״נ bowed, bent down

[שוח] שָׁח, פ״ע, ע׳ to sink, bow down

שִׂחַ, ז׳ conversation; thought

[שוח] שָׂח, פ״ע, ע׳ to stroll, take a walk

[שיח] שָׂח, פ״ע, ע׳ to talk, relate

שָׂח־רָחוֹק, ז׳ telephone

שִׁחֵד, פ״י to bribe

שֹׁחַד, שׁוֹחַד, ז׳ bribe

שָׁחָה, פ״ע to bow down

הִשְׁתַּחֲוָה, פ״ח to prostrate oneself

שָׂחָה, פ״ע to swim

שָׂחוּ, ז׳ deep waters; swimming

שָׁחוּז, ת״ז, שְׁחוּזָה, ת״נ sharpened

שְׁחוֹחַ, תה״פ bent down

שָׁחוּחַ, ת״ז, שְׁחוּחָה, ת״נ bent down, bent over

שָׁחוּט, ת״ז, שְׁחוּטָה slaughtered; sharpened; hammered, beaten

שָׁחוּם, שָׁחֹם, ת״ז, שְׁחֻמָּה, ת״נ dark brown

שָׁחוּן, ת״ז, שְׁחוּנָה, ת״נ hot, dry

שָׁחוּף, ת״ז, שְׁחוּפָה, ת״נ tubercular

שָׁחוּק, ת״ז, שְׁחוּקָה ת״נ crushed, pulverized; ragged, worn out (clothes)

שְׂחוֹק, ז׳ laughter; jest; derision

שְׁחוֹר, ז׳ blackness

שָׁחוֹר, ת״ז, שְׁחוֹרָה, ת״נ black

שְׁחוּת, נ׳, ר׳, ־תוֹת pit

[שחז] הִשְׁחִיז, פ״י to sharpen

שִׁחְזֵר, פ״י to charge (battery); to restore

שָׁחַח, פ״ע to stoop, bend; to be bowed down, humbled

שָׁחַט, פ״י to slaughter
שֶׁחִי, שֶׁחִי, ז׳, בֵּית הַשֶּׁחִי, ר׳, שְׁחָיִים armpit
שְׂחִיָּה, נ׳, ר׳, ־יּוֹת swimming
שְׁחִיטָה, נ׳, ר׳, ־טוֹת slaughtering
שְׁחִין, ז׳, ר׳, ־נִים boil, sore
שַׂחְיָן, ז׳, ר׳, ־נִים swimmer
שָׁחִיס, ז׳, ר׳, ־סִים natural after-growth from fallen seeds
שָׁחִיף, ז׳, ר׳, שְׁחִיפִים thin branch, twig; toothpick
שְׁחִיקָה, נ׳, ר׳, ־קוֹת pounding
שְׁחִית, נ׳, ר׳, ־תוֹת ditch, pit
שַׁחַל, ז׳, ר׳, שְׁחָלִים lion
[שחל] הִשְׁחִיל, פ״י to thread needle
שַׁחְלָב, סַחְלָב, ז׳, ר׳, ־בִים orchid
שַׁחֲלָה, נ׳, ר׳, שְׁחָלוֹת ovary; clip, magazine (gun)
שַׁחַם, ז׳ granite
שָׁחֹם, שָׁחוֹם, ת״ז, שְׁחֻמָּה, ת״נ dark brown
[שחם] הִשְׁחִים, פ״י to paint brown, make brown
שַׁחְמָט, ז׳, ר׳, ־טִים chess
שַׁחְמָטַאי, ז׳, ר׳, ־טָאִים chess player
שַׁחַף, ז׳, ר׳, שְׁחָפִים seagull
[שחף] נִשְׁחַף, פ״ע to become tubercular; to become weak
שַׁחֲפָן, ז׳, ר׳, ־נִים tubercular person
שַׁחֶפֶת, נ׳ tuberculosis
שַׁחַץ, ז׳ pride, arrogance; disgrace
[שחץ] הִשְׁתַּחֵץ, פ״ע to be proud, arrogant
שַׁחֲצָן, ת״ז, ־נִית, ת״נ proud, conceited
שַׁחֲצָנוּת, שַׁחֲצוּת, נ׳ vanity, pride
שָׁחַק, פ״ע to rub away; to grind; to beat fine

שַׁחַק, ז׳, ר׳, שְׁחָקִים fine dust; cloud; heaven
שָׂחַק, פ״ע to laugh; to sport, play
שַׂחֲקָן, ז׳, ר׳, ־נִים actor, player
שָׁחַר, פעו״י to search for; to seek; to rise early; to become black
שָׁחֹר, שָׁחוֹר, ת״ז, שְׁחֹרָה, ת״נ black, dark
שַׁחַר, ז׳, ר׳, שְׁחָרִים early morning, dawn; light
שִׁחְרוּר, ז׳, ר׳, ־רִים liberation; independence
שַׁחֲרוּר, ז׳, ר׳, שַׁחֲרוּרִים blackbird
שַׁחֲרוּת, נ׳ prime of life; youth
שְׁחַרְחֹר, ת״ז, ־חֹרֶת, ת״נ sunburned, tanned; brunette
שַׁחֲרִית, נ׳, ר׳, ־רִיּוֹת early morning; morning prayer
פַּת־שַׁחֲרִית breakfast
שִׁחְרֵר, פ״י to set free, emancipate
שִׁחֵת, פ״י to ruin; to do harm, pervert, corrupt; to destroy
שַׁחַת, נ׳, ר׳, שְׁחָתוֹת pit, grave; corn grass, green fodder
שָׂט, פ״ע, ע׳ [שוט] to swerve, turn aside
שָׁט, פ״ע, ע׳ [שוט] to go about, roam, hike; to float; to row
שֵׂט, ז׳, ר׳, ־טִים rebel
[שטה] הִשְׁתַּטָּה, פ״ח to become mad
שָׂטָה, פ״ע to turn aside; to be unfaithful
שִׁטָּה, ז׳, ר׳, ־טִּים acacia tree, acacia wood
שִׁטָּה, שִׁיטָה, נ׳, ר׳, ־טּוֹת row, line; theory, system
שָׁטוּחַ, ת״ז, שְׁטוּחָה, ת״נ flat; stretched out; shallow

שָׁטוּף, ת״ז, שְׁטוּפָה, ת״נ carried away; dissolute; washed
שְׁטוּת, נ׳, ר׳, שְׁטֻיוֹת madness; foolishness, silliness, nonsense
שְׁטוּתִי, ת״ז, ־תִית, ת״נ foolish, stupid
שָׁטַח, פ״י to spread, stretch out
שֶׁטַח, ז׳, ר׳, שְׁטָחִים extent, surface, area
שִׁטְחִי, ת״ז, ־חִית, ת״נ superficial
שִׁטְחִיּוּת, נ׳ superficiality
שַׁטְיָה, נ׳, ר׳, ־יוֹת foolish woman, silly woman
שָׁטִיחַ, ז׳, ר׳, שְׁטִיחִים rug, carpet
שְׁטִיפָה, נ׳, ר׳, ־פוֹת flooding; mopping; rinsing
שָׂטַם, פ״י to hate, bear a grudge
שָׂטָן, ז׳, ר׳, שְׂטָנִים adversary; accuser; Satan
שָׂטַן, פ״י to act as an adversary; to accuse; to persecute
שִׂטְנָה, נ׳ accusation
שָׁטַף, פ״י to rinse, wash off; to overflow, flood, flow, run; to burst forth
שֶׁטֶף, ז׳ stream; washing, rinsing; speed; fluency
שִׁטָּפוֹן, ז׳, ר׳, ־נוֹת flood, deluge, inundation
שְׁטָר, ז׳ ,ר׳, ־רוֹת writ, document, deed; bond, bill
שַׁי, ז׳, ר׳, שַׁיִּים gift, tribute, present
שִׂיא, ז׳, ר׳, ־אִים loftiness; summit; climax
[שיב] שָׂב, פ״ע to grow old, turn gray
שֵׂיב, ז׳ old age
שִׁיבָה, נ׳, ר׳, ־בוֹת returning, restoration
שֵׂיבָה, נ׳, ר׳, ־בוֹת gray hair, old age

שִׂיג, ז׳ dealing, business
שִׂיד, ז׳, ר׳, ־דִים lime, whitewash
[שיד] שָׂד, פ״י to whitewash
שִׁיּוּר, ז׳, ר׳, ־רִים remainder, rest
[שיח] שָׂח, פ״ע to talk, relate
שִׂיחַ, ז׳, ר׳, ־חִים bush, shrub; musing; anxiety; talk
דּוּ־שִׂיחַ dialogue
שִׂיחָה, נ׳, ר׳, ־חוֹת conversation, talk, discussion
שִׁיחָה, נ׳, ר׳, ־חוֹת pit
שִׂיחוֹן, ז׳, ר׳, ־נִים conversational guidebook
שַׁיָּט, ז׳, ר׳, ־טִים boatsman, rower
שַׁיִט, ז׳ boating, rowing
שִׁיטָה, שִׁטָּה, נ׳, ר׳, ־טוֹת row, line; system, theory
שַׁיֶּטֶת, נ׳, ר׳, שַׁיָּטוֹת fleet (ships)
שִׁיטָתִי, ת״ז, ־תִית, ת״נ systematic
שִׁיֵּךְ, פ״י to relate to, associate with
הִשְׁתַּיֵּךְ, פ״ח to belong to; to be related to
שַׁיָּךְ, ת״ז, שַׁיֶּכֶת, ת״נ belonging to, appertaining to
שֵׁיךְ, ז׳, ר׳, ־כִים Sheik, Arab chief
שַׁיָּכוּת, נ׳ relation; belonging, connection; nearness; pertinence
[שים] שָׂם to put, lay, set; to appoint; to establish; to make, form, fashion
שָׂם לְאַל to annul, make void
שָׂם לֵב to pay attention
שָׂם עַיִן to supervise
שָׂם קֵץ to end, stop
שִׂימָה, נ׳, ר׳, ־מוֹת placing, resting, laying; making, appointing
שִׁין, שִׂין, נ׳, ר׳, ־נִין Shin, Sin, name of twenty-first letter of the Hebrew alphabet

שִׁיפָה, נ׳, ר׳, ־פוֹת — inner bark
שִׁיפוֹן, שִׁפּוֹן, ז׳ — rye
[שיר] שָׁר, שׁוֹרֵר, פעו״י — to sing, chant; to poetize
שִׁיר, ז׳, ר׳, ־רִים — song; singing; chant; poem
שִׁיר־זָהָב — sonnet
שִׁיר־לֶכֶת — march
שִׁיר־עֶרֶשׂ — lullaby
שִׁיֵּר, פ״י — to leave over, reserve
הִשְׁתַּיֵּר, פ״ע — to be left over
(שְׁיָר), שְׁיָרִים, ז״ר — remainder, remains, leftovers
שִׁירָה, נ׳, ר׳, ־רוֹת — poem, song; poetry
שִׁירַת־הַבַּרְבּוּר — swan song
שְׁיָרָה, נ׳, ר׳, ־רוֹת — caravan
שִׁירוֹן, ז׳ — songbook
שִׁירִי, ת״ז, ־רִית, ת״נ — poetic
שַׁיִשׁ, ז׳ — marble; alabaster
[שיש] שָׂשׂ, פ״ע — to be happy, to exult, rejoice
[שית] שָׁת, פ״י — to put, place, set, station; to constitute, make
שִׁית, ז׳ — garment; veil; foundation
שַׁיִת, ז׳ — thorny bush
שָׂךְ, פ״י, ע׳ [שוך] — to hedge about, fence up
שֵׂךְ, ז׳, ר׳, שִׂכִּים — thorn
שֹׂךְ, ז׳, ר׳, שֻׂכִּים — booth; pavilion
שָׁכַב, פ״ע — to lie, lie down; to sleep
שָׁכַב עִם אֲבוֹתָיו — to die
שֶׁכֶב, ז׳, ר׳, שְׁכָבִים — lower millstone
שְׁכָבָה, שִׁכְבָה, נ׳, ר׳, ־בוֹת — layer; social class; stratum
שִׁכְבַת־זֶרַע — semen
שְׁכֹבֶת, נ׳ — copulation
שֻׂכָּה, נ׳, ר׳, ־כּוֹת — barb, thorn; spear

שָׁכוּחַ, ת״ז, שְׁכוּחָה, ת״נ — forgotten
שֶׂכְוִי, ז׳, ר׳, ־וִים — cock, rooster
שְׁכוֹל, שְׁכֹל, שִׁכּוּל, ז׳ — bereavement; loss of children
שַׁכּוּל, ת״ז, ־לָה, ת״נ, שָׁכוּל, ת״ז, שְׁכוּלָה, ת״נ — bereaved of children, childless
שִׁכּוּל, ז׳ — reversing; crossing (legs), folding (arms)
שִׁכּוּן, ז׳, ר׳, ־נִים — housing; housing development
שָׁכוּן, ת״ז, שְׁכוּנָה, ת״נ — dwelling, living
שְׁכוּנָה, נ׳, ר׳, ־נוֹת — settlement, colony, neighborhood, quarter (of town)
שָׁכוּר, ת״ז, שְׁכוּרָה, ת״נ — intoxicated, drunk
שִׁכּוֹר, ז׳, ר׳, ־רִים — drunkard
שָׂכוּר, ת״ז, שְׂכוּרָה, ת״נ — hired
שָׁכַח, פ״י — to forget
הִשְׁתַּכַּח, פ״ח — to be forgotten
שָׁכֵחַ, ת״ז, שְׁכֵחָה, ת״נ — forgetful, forgetting
שִׁכְחָה, נ׳ — forgetfulness; forgotten sheaf
שִׁכָּחוֹן, ז׳ — amnesia
שַׁכְחָן, ז׳, ר׳, ־נִים — forgetful person
שְׁכִיבָה, נ׳, ר׳, ־בוֹת — lying down
שְׂכִיָּה, נ׳ — imagery
שָׁכִיחַ, ת״ז, שְׁכִיחָה, ת״נ — frequent
שְׁכִיחוּת, נ׳, ר׳, ־חֻיּוֹת — frequency
שַׂכִּין, זו״נ, ר׳, ־נִים — knife
שְׁכִינָה, נ׳ — Divine Presence
שָׂכִיר, ז׳, ר׳, שְׂכִירִים — hired laborer
שְׂכִירָה, נ׳, ר׳, ־רוֹת — hiring
שְׂכִירוּת, נ׳ — wages, salary; rent
שָׁכַךְ, פ״ע — to abate, become calm
שָׂכַל, פ״ע — to be successful; to be wise
שִׂכֵּל, פ״י — to lay crosswise

intoxicating drink; beer שֵׁכָר, ז׳
hire; reward; profit שָׂכָר, ז׳
intoxication, drunkenness שִׁכָּרוֹן, ז׳, שִׁכְרוּת, נ׳
shaking, moving about; dabbling שִׁכְשׁוּךְ, ז׳
to move about; to dabble שִׁכְשֵׁךְ, פ״י
of, belonging to; made out of; designated for שֶׁל, מ״י
error; offense שַׁל, ז׳
at ease, secure שַׁלְאֲנָן, ת״ז, ־נַנָּה, ת״נ
to join; to insert, fit together שִׁלֵּב, פ״י
joining, joint; rundle, rung of a ladder שָׁלָב, ז׳, ר׳, שְׁלַבִּים
to snow; to cover with snow [שלג] הִשְׁלִיג, פ״י
snow שֶׁלֶג, ז׳, ר׳, שְׁלָגִים
snowfall, avalanche שִׁלְגּוֹן, ז׳, ר׳, ־נִים
snowdrop (flower) שַׁלְגִּיָּה, נ׳, ר׳, ־יּוֹת
sleigh, toboggan שַׁלְגִּית, נ׳, ר׳, ־גִּיּוֹת
שֶׁלֶד, זו״נ, ר׳, שְׁלָדִים, שְׁלָדוֹת
skeleton; core
pelican שַׁלְדָּג, ז׳, ר׳, ־גִים
to be at ease; to draw out, pull out שָׁלָה, פ״ע
to be at ease; to be drawn out (of water) נִשְׁלָה, פ״ע
to mislead הִשְׁלָה, פ״י
to inflame, kindle; to enthuse שִׁלְהֵב, פ״י
timothy grass שִׁלְהָבִית, נ׳, ר׳, ־יּוֹת
flame שַׁלְהֶבֶת, נ׳, ר׳, ־הָבוֹת
terrific flame שַׁלְהֶבֶתְיָה, נ׳
ease; peace, quiet שֶׁלֶו, ז׳
to be at ease שָׁלַו, פ״ע
at ease; quiet, peaceful שָׁלֵו, ת״ז, שְׁלֵוָה, ת״נ

to be wise, acquire sense; to succeed; to cause to understand; to cause to prosper הִשְׂכִּיל, פעו״י
prudence, good sense; understanding שֵׂכֶל, שֶׂכֶל, ז׳, ר׳, שְׂכָלִים
to be bereaved of שָׁכֹל, שָׁכַל, פ״י
bereavement; loss of children שְׁכֹל, שְׁכוֹל, שִׁכּוּל, ז׳
completion, perfection שִׁכְלוּל, ז׳, ר׳, ־לִים
folly, foolishness שִׂכְלוּת, נ׳, ר׳, ־לֻיּוֹת
intellectual, intelligent שִׂכְלִי, ת״ז, ־לִית, ת״נ
to complete, perfect; to equip; to decorate שִׁכְלֵל, פ״י
rationalist שִׂכְלְתָן, ז׳, ר׳, ־נִים
rationalism שִׂכְלְתָנוּת, נ׳
to rise early, start early [שכם] הִשְׁכִּים, פ״ע
shoulder; back שֶׁכֶם, שְׁכֶם, ז׳, ר׳, שְׁכָמִים
cape, wrap שִׁכְמִיָּה, נ׳, ר׳, ־מִיּוֹת
to abide, dwell; to settle down שָׁכַן, פ״ע
dwelling שֶׁכֶן, ז׳, ר׳, שְׁכָנִים
neighbor; tenant שָׁכֵן, ז׳, ר׳, שְׁכֵנִים, שְׁכֵנָה, נ׳, ר׳, ־נוֹת
conviction שִׁכְנוּעַ, ז׳, ר׳, ־עִים
neighborliness שְׁכֵנוּת, נ׳
to convince שִׁכְנַע, פ״י
to be drunk שָׁכַר, פ״ע
to become intoxicated הִשְׁתַּכֵּר, פ״ח
to hire שָׂכַר, פ״י
to be hired; to profit נִשְׂכַּר, פ״ע
to hire out, rent הִשְׂכִּיר, פ״י
to earn wages; to make profit הִשְׂתַּכֵּר, פ״ח

שְׂלָו, ז׳, ר׳, שַׂלְוִים quail
שָׁלוּב, ת״ז, שְׁלוּבָה, ת״נ joined; inserted
שַׁלְוָה, נ׳ ease; peace, quiet
שָׁלוּחַ, ת״ז, שְׁלוּחָה, ת״נ sent; extended
שָׁלוּחַ, ז׳, ר׳, שְׁלוּחִים messenger; delegate
שִׁלּוּחַ, ז׳, ר׳, ־חִים sending; dismissal
שְׁלוּחָה, נ׳, ר׳, ־חוֹת shoot, branch
שִׁלּוּחִים, ז״ר dowry
שְׁלוּלִית, נ׳, ר׳, ־יּוֹת pool, pond
שָׁלוֹם, ז׳, ר׳, שְׁלוֹמִים, ־מוֹת peace, tranquillity; welfare; greeting, hello, good-by
שָׁלוּם, ת״ז, שְׁלוּמָה, ת״נ complete, finished
שִׁלּוּם, ז׳, שִׁלּוּמָה, נ׳, ר׳, ־מִים, ־מוֹת retribution, reparation; reward; bribe
שָׁלוּף, ת״ז, שְׁלוּפָה, ת״נ taken out, drawn
שָׁלוּק, ת״ז, שְׁלוּקָה, ת״נ boiled
שִׁלּוּשׁ, ז׳ triangularity; Trinity
שָׁלוֹשׁ, שָׁלֹשׁ, ש״מ, נ׳ three
שְׁלוֹשָׁה, שְׁלֹשָׁה, ש״מ, ז׳ three
שְׁלוֹשִׁים, שְׁלֹשִׁים, ש״מ, זו״נ thirty
שָׁלַח, פ״י to send; to extend
שִׁלַּח, פ״י to send away, send forth, send off; to set free; to extend
הִשְׁלִיחַ, פ״י to send (plague, famine)
שֶׁלַח, ז׳, ר׳, שְׁלָחִים weapon (sword, bayonet), untanned skin, hide; shoot
שְׂדֵה־שְׁלָחִין irrigated field
שַׁלְחוּפִית, שַׁלְפּוּחִית נ׳, ר׳, ־יּוֹת balloon; womb; bladder
שֻׁלְחָן, שׁוּלְחָן, ז׳, ר׳, ־נוֹת table
שֻׁלְחָנוּת, נ׳ money changing; banking

שֻׁלְחָנִי, ז׳, ר׳, ־נִים money-changer; banker
שָׁלַט, פ״ע to rule, domineer; to have power
הִשְׁלִיט, פ״י to cause to rule; to cause to have power; to put into effect
הִשְׁתַּלֵּט, פ״ח to have control over, rule, be master of
שֶׁלֶט, ז׳, ר׳, שְׁלָטִים shield; arms; sign
שִׁלְטוֹן, ז׳, ר׳, ־נוֹת rule, authority; power; government
שַׁלֶּטֶת, נ׳, ר׳, שַׁלִּיטוֹת domineering woman
שְׁלִי, שֶׁלִי, ז׳ quietness, unconcern
שְׁלִיבָה, נ׳, ר׳, ־בוֹת bow, knot; rung, rundle
שִׁלְיָה, נ׳, ר׳, שְׁלָיוֹת afterbirth, placenta
שָׁלִיחַ, ז׳, ר׳, שְׁלִיחִים messenger; envoy; deputy
שְׁלִיחוּת, נ׳, ר׳, ־חֻיּוֹת mission, errand
שַׁלִּיט, ז׳, ר׳, ־טִים ruler
שְׁלִיטָה, נ׳, ר׳, ־טוֹת dominion, power, control
שָׁלִיל, שְׁלִיל, ז׳, ר׳, ־לִים embryo
שְׁלִילָה, נ׳, ר׳, ־לוֹת negation
שְׁלִילִי, ת״ז, ־לִית, ת״נ negative
שְׁלִילִיּוּת, נ׳ negativity, negativeness
שָׁלִיף, ז׳, ר׳, שְׁלִיפִים knapsack; feedbag; saddle
שְׁלִיפָה, נ׳ slipping off; taking off
שְׁלִיקָה, נ׳, ר׳, ־קוֹת boiling, scalding
שָׁלִישׁ, ז׳, ר׳, ־שִׁים officer; adjutant; third of measure; triangle (musical instrument); depositary; third party

שְׁלִישׁ, ז׳, ר׳, ־שִׁים third part, one-third
שְׁלִישִׁי, ת״ז, ־שִׁית, ־שִׁיָּה, ת״נ third
גּוּף שְׁלִישִׁי third person (*gram.*)
שְׁלִישִׁיָּה, נ׳, ר׳, ־שִׁיּוֹת set of three, triplets; Trinity; trio
שְׁלִישִׁית, נ׳, ר׳, ־שִׁיּוֹת one third, third part
[שלך] הִשְׁלִיךְ, פ״י to throw, cast; to cast down; to cast away
שָׁלָךְ, ז׳, ר׳, שְׁלָכִים cormorant
שַׁלֶּכֶת, נ׳ Indian summer; fallen leaves
שָׁלַל, פ״י to negate; to take away, remove; to plunder; to baste
הִשְׁתּוֹלֵל, פ״ח to run wild; to act senselessly
שְׁלָל, ז׳ loose stitch, baste
שָׁלָל, ז׳ spoil, booty; gain
שְׁלַל צְבָעִים diversity of colors, variegation
שָׁלֵם, ת״ז, שְׁלֵמָה, ת״נ whole, full; complete, sound, safe; healthy
שָׁלַם, פ״ע to be complete; finished; to be safe; to be at peace
שִׁלֵּם, פ״י to finish, complete; to pay
הִשְׁלִים, פ״י to complete; to make peace
הִשְׁתַּלֵּם, פ״ח to be completed; to complete an education; to be profitable
שֶׁלֶם, ז׳, ר׳, שְׁלָמִים peace offering
שִׁלֵּם, ז׳ recompense, retribution
שַׁלָּם, ז׳, ר׳, ־מִים paymaster
שַׂלְמָה, נ׳, ר׳, שְׂלָמוֹת outer garment
שַׁלְמוֹן, ז׳, ר׳, ־נִים payment; bribe, payola
שְׁלֵמוּת, נ׳, ר׳, ־מֻיּוֹת completeness, perfection

שָׁלַף, פ״י to draw out (sword); to draw off (shoe)
שֶׁלֶף, ז׳, ר׳, שְׁלָפִים stubble field
שַׁלְפּוּחִית, שַׁלְחוּפִית, נ׳, ר׳, ־חִיּוֹת balloon; womb; bladder
שָׁלַק, פ״י to boil, scald
שִׁלֵּשׁ, פ״י to divide into three parts; to do a third time; to multiply by three
הִשְׁלִישׁ, פ״י to deposit with a third party
שִׁלֵּשׁ, ז׳, ר׳, ־שִׁים one of third generation, great-grandchild
שְׁלֹשָׁה, שְׁלוֹשָׁה, ש״מ, ז׳, שָׁלֹשׁ, שָׁלוֹשׁ, נ׳ three
שְׁלֹשׁ עֶשְׂרֵה, ש״מ, נ׳ thirteen
שְׁלֹשָׁה עָשָׂר, ש״מ, ז׳ thirteen
שִׁלְשׁוּל, ז׳, ר׳, ־לִים snail; worm; lowering; diarrhea
שִׁלְשׁוֹם, שִׁלְשֹׁם, תה״פ the day before yesterday
שִׁלְשׁוֹן ,ז׳, ר׳, שִׁלְשׁוֹנִים trisetum (*bot.*)
שְׁלָשִׁי, ת״ז, ־שִׁית, ת״נ three year old; tripartite
שְׁלֹשִׁים, שְׁלוֹשִׁים, ש״מ, זו״נ thirty
שְׁלָשִׁית, נ׳, ר׳, ־שִׁיּוֹת trio
שִׁלְשֵׁל, פ״י to let down, lower; to loosen (bowels); to drop (letter in mailbox)
הִשְׁתַּלְשֵׁל, פ״ח to be let down, be lowered; to be evolved, developed
שַׁלְשֶׁלֶת, נ׳, ר׳, ־שְׁלָאוֹת, ־שָׁלוֹת chain; chain of development
שַׁלְשֶׁלֶת־יֻחֲסִין genealogy
שִׁלְשֹׁם, שִׁלְשׁוֹם, תה״פ the day before yesterday
שָׁם, פ״י, ע׳ [שום] to value, estimate [שום]

שֵׁם, ז׳, ר׳, שֵׁמוֹת — name, title; noun; fame, reputation; category
בְּשֵׁם — in the name of
לְשֵׁם — for the sake of
עַל שֵׁם — because
יָד וָשֵׁם — memorial
שֵׁם הַגּוּף — pronoun
שֵׁם הַפֹּעַל — infinitive
שֵׁם מִסְפָּר — numeral
שֵׁם מְשֻׁתָּף — homonym
שֵׁם נִרְדָּף — synonym
שֵׁם עֶצֶם — noun
שֵׁם תֹּאַר — adjective
הַשֵּׁם — God
שֵׁם הַמְפֹרָשׁ — Tetragrammaton
שֵׁמוֹת — torn, separated papers from Holy Writ
שְׁמוֹת — (Book of) Exodus
שָׂם, פ״י, ע׳ [שים] — to put, lay, set; to appoint; to establish; to make, form, fashion
שָׁם, שָׁמָּה, תה״פ — there, thither
שֶׁמָּא, תה״פ — if, lest; perhaps
שַׁמַּאי, ז׳, ר׳, שַׁמָּאִים — valuer, assessor
[שמאל] הִשְׂמְאִיל, הִשְׂמִיל, פ״ע — to go (turn) to the left; to use the left hand
שְׂמֹאל, ז׳ — left, left hand; left wing
שְׂמָאלִי, ת״ז, ־לִית, ת״נ — left, left-handed
[שמד] נִשְׁמַד, פ״ע — to be destroyed
שִׁמֵּד, פ״י — to force to convert
הִשְׁמִיד, פ״י — to destroy, exterminate
הִשְׁתַּמֵּד, פ״ח — to convert, apostatize
שְׁמָד, ז׳, ר׳, ־דוֹת — religious persecution; apostacy
שַׁמָּה, נ׳, ר׳, שַׁמּוֹת — waste, desolation, destruction

שָׁמָּה, שָׁם, תה״פ — there, thither
שָׁמוּט, ת״ז, שְׁמוּטָה, ת״נ — moved, slipped, dislocated
שִׁמּוּן, ז׳ — lubrication
שְׁמוֹנָה, ש״מ, ז׳ שְׁמוֹנֶה, נ׳ — eight
שְׁמוֹנָה עָשָׂר, ש״מ, ז׳ — eighteen
שְׁמוֹנֶה עֶשְׂרֵה, ש״מ, נ׳ — eighteen
שְׁמוֹנִים, ש״מ, זו״נ — eighty
שְׁמוּעָה, נ׳, ר׳, ־עוֹת — report, tidings, rumor; tradition
שָׁמוּר, ת״ז, שְׁמוּרָה, ת״נ — watched, preserved, guarded
שִׁמּוּר, ז׳, ר׳, ־רִים — watching, preserving
לֵיל־שִׁמּוּרִים — sleepless night
שְׁמוּרָה, נ׳, ר׳, ־רוֹת — eyelid; trigger guard
שִׁמּוּשׁ, ז׳, ר׳, ־שִׁים — service; use, usage
בֵּית־שִׁמּוּשׁ — toilet, w.c.
נְיָר־שִׁמּוּשׁ — toilet paper
שִׁמּוּשִׁי, ת״ז, ־שִׁית, ת״נ — practical, useful, applied
שָׂמַח, פ״ע — to rejoice, be glad
שִׂמַּח, פ״י — to gladden, cause to rejoice
שָׂמֵחַ, ת״ז, שְׂמֵחָה, ת״נ — happy, glad
שִׂמְחָה, נ׳, ר׳, שְׂמָחוֹת — joy, gladness; festive occasion
שָׁמַט, פעו״י — to let drop, let fall; to leave
נִשְׁמַט, פ״ע — to be dropped; to be detached; to be omitted
שִׁמֵּט, פ״י — to release, remit
הִשְׁתַּמֵּט, פ״ח — to evade, shun
שְׁמִטָּה, שְׁמִיטָה, נ׳, ר׳, ־טּוֹת, ־טִּין — remitting; sabbatical year
שֵׁמִי, ת״ז, ־מִית, ת״נ — nominal; Semitic
שֵׁמִיּוּת, נ׳ — Semitism

שְׂמִיכָה, נ׳, ר׳, ־כוֹת — blanket
שָׁמַיִם, ז״ר — sky, heaven
שְׁמֵימִי, שְׁמַיְמִי, ת״ז, ־מִית, ת״נ — ethereal, heavenly
שְׁמִינִי, ת״ז, ־נִית, ת״נ — eighth
שְׁמִינִיָּה, נ׳, ר׳, ־נִיּוֹת — octave, group of eight
שְׁמִינִית, נ׳, ר׳, ־נִיּוֹת — one-eighth, eighth part
שְׁמִיעָה, נ׳, ר׳, ־עוֹת — hearing, sense of hearing
שְׁמִיעָתִי, ת״ז, ־תִית, ת״נ — aural
שָׁמִיר, ז׳, ר׳, שְׁמִירִים — thistle; diamond, shamir; flint; emery
נְיַר־שָׁמִיר — emery paper
שְׁמִירָה, נ׳, ר׳, ־רוֹת — watching, guarding
שִׂמְלָה, נ׳, ר׳, שְׂמָלוֹת — dress
שִׂמְלָנִית, נ׳, ר׳, ־נִיּוֹת — skirt
שָׁמֵם, פ״ע — to be desolate; to be appalled
נָשַׁם, פ״ע — to be destroyed; to be appalled
שׁוֹמֵם, פעו״י — to terrify, cause horror; to be terrified
הֵשֵׁם, הֵשִׁים, הִשְׁמִים, פ״י — to ravage; to terrify
הִשְׁתּוֹמֵם, פ״ח — to be astounded
שְׁמָמָה, שִׁמְמָה, נ׳, ר׳, ־מוֹת — waste, desolation; horror
שִׁמָּמוֹן, ז׳ — horror, appallment
שְׂמָמִית, נ׳, ר׳, ־מִיּוֹת — lizard; spider
שָׁמַן, פ״ע — to grow fat
שִׁמֵּן, פ״י — to oil, grease
הִשְׁמִין, פ״י — to fatten, grow fat
שָׁמֵן, ת״ז, שְׁמֵנָה, ת״נ — fat, robust
שֶׁמֶן, ז׳, ר׳, שְׁמָנִים — oil, olive oil; fat
שֶׁמֶן־אֲדָמָה — petroleum
שֶׁמֶן־קִיק — castor oil
שֹׁמֶן, ז׳ — fatness
שֻׁמָּן, שׁוּמָן, ז׳, ר׳, ־נִים — fat
שַׁמְנוּנִי, ת״ז, ־נִית, ת״נ — containing a little fat
שַׁמְנוּנִית, נ׳ — fat substance, fatness
שַׁמְנִי, ת״ז, ־נִית, ת״נ — oily, fatty
שְׁמַנְמַן, ת״ז, ־מֶנֶת, ת״נ — fattish
שַׁמֶּנֶת, נ׳ — cream
שָׁמַע, פ״י — to hear, understand; to obey
נִשְׁמַע, פ״ע — to be heard, understood; to obey
שִׁמַּע, פ״י — to announce; to assemble
הִשְׁמִיעַ, פ״י — to proclaim; to summon
שֵׁמַע, שֶׁמַע, ז׳ — hearing, report; fame; sound
שְׁמַע, ז׳ — Shema, confession of God's unity
שֶׁמֶץ, ז׳ — particle, little; derision
[שמץ] הִשְׁמִיץ, פ״י — to revile, deride
שִׁמְצָה, נ׳ — derision
שָׁמַר, פ״י — to keep, guard, watch; to preserve; to observe; to wait for
נִשְׁמַר, פ״ע — to be guarded; to be on one's guard
הִשְׁתַּמֵּר, פ״ח — to be on one's guard; to be guarded
שֶׁמֶר, ז׳, ר׳, שְׁמָרִים — yeast; dregs
שֶׁמֶר, ז׳, ר׳, ־רִים — fennel
שְׁמַרְחֹם, ז׳, ר׳, ־חֻמִּים — Thermos (trademark)
שַׁמְרָן, ז׳, ר׳, ־נִים — conservative person
שַׁמְרָנוּת, נ׳ — conservatism
שֶׁמֶשׁ, זו״נ, ר׳, שְׁמָשׁוֹת — sun
בֵּין הַשְּׁמָשׁוֹת — twilight
שִׁמֵּשׁ, פ״י — to serve, minister, officiate; to function

to use, make use of הִשְׁתַּמֵּשׁ, פ"ח
attendant, sexton; foremost Hanukkah candle שַׁמָּשׁ, ז', ר', ־שִׁים
windowpane שִׁמְשָׁה, נ', ר', שְׁמָשׁוֹת
sesame, sesame seed שֻׁמְשׁוּם, שֻׁמְשֹׁם, ז', ר', שֻׁמְשְׁמִין
sunflower, helianthus שִׁמְשׁוֹן, ז', ר', ־נִים
umbrella, parasol שִׁמְשִׁיָּה, נ', ר', ־שִׁיּוֹת
tooth; ivory שֵׁן, נ', ר', שִׁנַּיִם
cliff שֵׁן סֶלַע
artificial tooth שֵׁן תּוֹתֶבֶת
incisors שִׁנַּיִם חוֹתְכוֹת
molars שִׁנַּיִם טוֹחֲנוֹת
to hate שָׂנֵא, פ"י
transformer שַׁנַּאי, ז', ר', ־נָּאִים
hatred, hate שִׂנְאָה, נ'
angel שִׁנְאָן, ז', ר', ־נִים
year שָׁנָה, נ', ר', שָׁנִים
sleep שֵׁנָה, נ', ר', שֵׁנוֹת
to repeat; to teach; to study; to change, be different שָׁנָה, פיו"ע
to be repeated; to be taught נִשְׁנָה, פ"ע
to change שִׁנָּה, פ"י
to change oneself; to be changed, be different הִשְׁתַּנָּה, פ"ח
ivory שֶׁנְהָב, ז', ר', ־הַבִּים
elephantiasis שַׁנְהֶבֶת, נ'
hated שָׂנוּא, שָׂנוּי, ת"ז, שְׂנוּאָה, ת"נ
change שִׁנּוּי, ז', ר', ־יִּים
learned; repeated שָׁנוּי, ת"ז, שְׁנוּיָה, ת"נ
sharp, acute; keen שָׁנוּן, ת"ז, שְׁנוּנָה, ת"נ
repetition; continuous study; sharpening שִׁנּוּן, ז'
bluff, cliff שְׁנוּנִית, נ', ר', ־נִיּוֹת

scarlet, crimson שָׁנִי, ז'
second שֵׁנִי, ת"ז, שְׁנִיָּה, שֵׁנִית, ת"נ
two (in construct state) . . . . שְׁנֵי
a second שְׁנִיָּה, נ', ר', ־יּוֹת
dualism שְׁנִיּוּת, נ'
two שְׁנַיִם, ש"מ, ז'
twelve שְׁנֵים־עָשָׂר, ש"מ, ז'
sharp word, taunt שְׁנִינָה, נ', ר', ־נוֹת
sharpness, wit שְׁנִינוּת, נ'
scarlet fever שָׁנִית, נ'
second time, secondly שֵׁנִית, תה"פ
to sharpen שָׁנַן, פ"י
to sharpen; to teach diligently שִׁנֵּן, פ"י
to be pierced הִשְׁתּוֹנֵן, פ"ח
dental technician שַׁנָּן, ז', ר', ־נִים
to gird up שִׁנֵּס, פ"י
vanilla שֶׁנֶף, ז', ר', שְׁנָפִים
strap שֶׁנֶץ, ז', ר', שְׁנָצוֹת, ־צִים
to gird up, wrap tightly שָׁנַץ, פ"י
to strangle שָׁנַק, פ"י
to strangle oneself הִשְׁתַּנֵּק, פ"ח
notch, mark שֶׁנֶת, נ', ר', שְׁנָתוֹת
sleep שְׁנָת, נ'
yearbook, annual publication שְׁנָתוֹן, ז', ר', ־נִים, שְׁנָתוֹנִים
yearly, annual שְׁנָתִי, ת"ז, ־תִית, ת"נ
instigator שַׁסַּאי, ז', ר', שַׁסָּאִים
to spoil, plunder שָׁסָה, פ"י
to incite, set on שִׁסָּה, פ"י
plundered שָׁסוּי, ת"ז, שְׁסוּיָה, ת"נ
incitement, instigation שִׁסּוּי, ז', ר', ־יִּים
split, cleft שָׁסוּעַ, ת"ז, שְׁסוּעָה, ת"נ
splitting, cleaving; interpellation שִׁסּוּעַ, ז'
harelip שְׁסִיעָה, נ', ר', ־עוֹת
to spoil, plunder שָׁסַס, פ"י

step	שַׁעַל, ז׳, ר׳, שְׁעָלִים
whooping cough	שַׁעֶלֶת, נ׳
cork, cork tree	שַׁעַם, ז׳
dullness; boredom; melancholy	שִׁעֲמוּם, ז׳
to bore	שִׁעֲמֵם, פ״י
to become bored; to become melancholic	הִשְׁתַּעֲמֵם, פ״ח
linoleum	שַׁעֲמָנִית, נ׳, ר׳, ־נִיּוֹת
to support	שָׁעַן, פ״י
to lean; to be close to; to rely upon	נִשְׁעַן, פ״ע
watchmaker	שָׁעָן, ז׳, ר׳, שֶׁעָנִים
to shut, blind (eyes); to look away, ignore	[שעע] הֵשַׁע, פ״י
thought	שְׂעִף, ז׳, ר׳, שְׂעִפִּים
gate; market price, value; measure; title page	שַׁעַר, ז׳, ר׳, שְׁעָרִים
to calculate, measure, reckon, estimate; to suppose, imagine	שִׁעֵר, פ״י
unedible, rotten	שֹׁעָר, ת״ז, שֹׁעֶרֶת, ת״נ
to storm; to sweep away; to shudder	שָׂעַר, פעו״י
to take by storm, attack violently	הִשְׂתָּעֵר, פ״ח
storm, tempest	שַׂעַר, ז׳
hair	שֵׂעָר, ז׳
single hair, hair	שַׂעֲרָה, נ׳, ר׳, שְׂעָרוֹת
barley;sty	שְׂעֹרָה, שְׂעוֹרָה, נ׳, ר׳, ־רִים
	שַׁעֲרוּרָה, שַׁעֲרוּרִיָּה, נ׳, ר׳, ־רִיּוֹת
scandal, outrage	
scandalmonger	שַׁעֲרוּרָן, ז׳, ר׳, ־נִים
to cause a scandal	שִׁעֲרֵר, פ״י
delight, pleasure; toy	שַׁעֲשׁוּעַ, ז׳, ר׳, ־עִים
to delight, give pleasure; to have pleasure	שִׁעֲשַׁע, פעו״י
to be plundered	נָשַׁס, פ״ע
to divide, cleave (the hoof)	שָׁסַע, פ״י
to interpellate	שִׁסַּע, פ״י
cleft	שֶׁסַע, ז׳, ר׳, שְׁסָעִים
schizophrenia	שַׁסַּעַת, נ׳
to hew in pieces	שִׁסֵּף, פ״י
medlar; Erioblotrya	שֶׁסֶק, ז׳, ר׳, שְׁסָקִים
valve	שַׁסְתּוֹם, ז׳, ר׳, ־מִים
to subject; to enslave; to mortgage	שִׁעְבֵּד, פ״י
to be enslaved	הִשְׁתַּעְבֵּד, פ״ח
servitude, subjection; mortgage	שִׁעְבּוּד, ז׳, ר׳, ־דִים
to gaze, regard; to turn	שָׁעָה, פ״ע
to gaze about	הִשְׁתָּעָה, פ״ח
hour; time	שָׁעָה, נ׳, ר׳, שָׁעוֹת
moment	שָׁעָה קַלָּה
wax	שַׁעֲוָה, נ׳
cough	שִׁעוּל, ז׳
clock, watch	שָׁעוֹן, ז׳, ר׳, שְׁעוֹנִים
stencil	שַׁעֲוָנִיָּה, נ׳, ר׳, ־נִיּוֹת
passionflower	שְׁעוֹנִית, נ׳, ר׳, ־נִיּוֹת
kidney bean; string bean	שְׁעוּעִית, נ׳, ר׳, ־עִים
lesson; measure, proportion; installment; estimate	שִׁעוּר, ז׳, ר׳, ־רִים
barley;sty	שְׂעוֹרָה, שְׂעֹרָה, נ׳, ר׳, ־רִים
to stamp; to trot	שָׁעַט, פ״י
stamping (of hoofs); trot	שְׁעָטָה, נ׳, ר׳, ־טוֹת
mixed fabric (wool and flax)	שַׁעַטְנֵז, ז׳
hairy	שָׂעִיר, ת״ז, שְׂעִירָה, ת״נ
he-goat; demon	שָׂעִיר, ז׳, ר׳, שְׂעִירִים
she-goat	שְׂעִירָה, נ׳, ר׳, ־רוֹת
light rain	שְׂעִירִים, ז״ר
to cough	[שעל] הִשְׁתַּעֵל, פ״ח
handful	שֹׁעַל, ז׳, ר׳, שְׁעָלִים

הִשְׁתַּעֲשַׁע, פ"ע to play, take delight, enjoy pleasure

שָׁף, פ"י, ע' [שוף] to bruise; crush, grind (grain); rub, polish, plaster

שִׁפֵּד, פ"י to put on spit, skewer

שָׁפָה, פ"י to incline, tilt; to be at ease

שִׁפָּה, פ"י to rub, smooth, plane

נִשְׁתַּפָּה, פ"ח to become sane, conscious

שָׂפָה, נ', ר', שְׂפָתַיִם, שָׂפוֹת, שְׂפָתוֹת lip; language; rim, edge; shore

שַׁפּוּד, שְׁפוּד, ז', ר', ־דִים spit, skewer

שִׁפּוּט, ז', ר', ־טִים judging; power of judgment

שָׁפוּי, ת"ז, שְׁפוּיָה, ת"נ clear, sane, quiet

שָׁפוּךְ, ת"ז, שְׁפוּכָה, ת"נ poured

שִׁפּוּלִים, ז"ר lower parts; bottom

שָׂפוּן, ת"ז, שְׂפוּנָה, ת"נ; ז' hidden; secret

שִׁפּוֹן, שִׁיפוֹן, ז' rye

שִׁפּוּעַ, ז', ר', ־עִים slant, slope

שְׁפוֹפֶרֶת, נ', ר', ־פָרוֹת tube; mouthpiece

שִׁפּוּר, ז', ר', ־רִים improvement

שִׂפַּח, פ"י to smite with scab; to cause severe suffering

שִׁפְחָה, נ', ר', שְׁפָחוֹת maidservant

שָׁפַט, פ"י to judge; to execute punishment

שֶׁפֶט, ז', ר', שְׁפָטִים judgment, punishment

שְׁפִי, שׁוּפִי, ז' ease

שְׁפִי, שֶׁפִי, ז', ר', שְׁפָיִים hill, height

שֶׁפִי, תה"פ peacefully

שְׁפִיכָה, נ', ר', ־כוֹת; שְׁפִיכוּת, נ' pouring

שְׁפִיפוֹן, ז', ר', ־נִים horned snake

שָׁפִיר, ז', ר', שְׁפִירִים amnion, fetus's sac

שַׁפִּיר, ת"ז handsome; elegant, fine; good

שָׁפַךְ, פ"י to pour; to empty

שֶׁפֶךְ, ז', ר', שְׁפָכִים pouring out, place of pouring

שָׁפְכָה, נ', ר', שָׁפְכוֹת penis

שָׁפֵל, פ"ע to become low, be humiliated

שָׁפָל, ת"ז, שְׁפָלָה, ת"נ low, lowly

שֵׁפֶל, ז' lowliness; ebb tide; depression

שְׁפֵלָה, נ', ר', ־לוֹת lowland

שִׁפְלוּת, נ' baseness, lowliness

שָׂפָם, ז' mustache

שָׁפָן, ז', ר', שְׁפַנִּים rock badger; rabbit

שָׁפַע, פיו"ע to flow; to be abundant; to slope

הִשְׁפִּיעַ, פ"י to make slant; to make abundant; to influence

שֶׁפַע, ז', שִׁפְעָה, נ', ר', שְׁפָעִים abundance, overflow

שַׁפַּעַת, נ' influenza, grippe

שִׁפֵּץ, פ"י to repair, renovate

שָׂפַק, פעו"י to clap hands; to suffice

שֶׂפֶק, ז' sufficiency

שָׁפַר, פ"ע to be good, pleasing

שִׁפֵּר, פ"י to improve; to beautify

הִשְׁתַּפֵּר, פ"ח to improve, become better

שֶׁפֶר, שֻׁפְרָא, שׁוּפְרָא, ז' beauty; goodliness

שַׁפְרִיר, ז', ר', ־רִים canopy

שִׁפְשׁוּף, ז', ר', ־פִים rubbing, polishing

to rub, polish שִׁפְשֵׁף, פ״י

weather vane; door mat שַׁפְשֶׁפֶת, נ׳, ר׳, ־שָׁפוֹת

to set pot on fire place שָׁפַת, פ״י

lipstick שְׂפָתוֹן, ז׳, ר׳, שְׂפָתוֹנִים

pegs, hooks; sheep folds שְׁפַתַּיִם, ז״ז

to be angry, mad שָׁצַף, פ״ע

flow, flood שֶׁצֶף, ז׳

sack, sackcloth שַׂק, ז׳, ר׳, שַׂקִּים

to be awake; to be diligent שָׁקַד, פ״ע

to be almond-shaped שֻׁקַּד, פ״ע

almond, almond tree; tonsil שָׁקֵד, ז׳, ר׳, שְׁקֵדִים

diligence שֶׁקֶד, ז׳, שְׁקִידָה, שַׁקְדָנוּת, נ׳

almond tree שְׁקֵדִיָּה, נ׳, ר׳, ־יוֹת

diligent שַׁקְדָן, ת״ז, ־נִית, ת״נ

to water, irrigate; to give to drink [שקה] הִשְׁקָה, פ״י

diligent שָׁקוּד, ת״ז, שְׁקוּדָה, ת״נ

drink שִׁקּוּי, ז׳, ר׳, ־יִּים

evenly balanced; weighed, measured; undecided שָׁקוּל, ת״ז, שְׁקוּלָה, ת״נ

weighing; balancing שִׁקּוּל, ז׳, ר׳, ־לִים

rehabilitation שִׁקּוּם, ז׳

submersion, sinking; depression שִׁקּוּעַ, ז׳, ר׳, ־עִים

submerged; set into; settled; deep in thought שָׁקוּעַ, ת״ז, שְׁקוּעָה, ת״נ

translucent, transparent, clear שָׁקוּף, ת״ז, שְׁקוּפָה, ת״נ

clarification; X-raying שִׁקּוּף, ז׳, ר׳, ־פִים

abomination שִׁקּוּץ, ז׳, ר׳, ־צִים

bear's growling שִׁקּוּק, ז׳

perjury, lying; false dealing שִׁקּוּר, ז׳

ogling שִׁקּוּר, ז׳

to be calm; to be inactive שָׁקַט, פ״ע

quiet, calm שָׁקֵט, ת״ז, שְׁקֵטָה, ת״נ

quietness, quiet שֶׁקֶט, ז׳

diligence שְׁקִידָה, שַׁקְדָנוּת, נ׳

flamingo שְׁקִיטָן, ז׳, ר׳, ־נִים

submersion, sinking; setting (of sun) שְׁקִיעָה, נ׳, ר׳, ־עוֹת

transparence, clearness שְׁקִיפוּת, נ׳

שַׂקִּיק, ז׳, שַׂקִּית, נ׳, ר׳, ־קִים, ־יוֹת small bag, sack

greed, lust שְׁקִיקוּת, נ׳

to weigh; to balance; to ponder שָׁקַל, פ״י

weight; coin; shekel; Zionist tax שֶׁקֶל, ז׳, ר׳, שְׁקָלִים

to rehabilitate שִׁקֵּם, פ״י

sycamore tree שִׁקְמָה, נ׳, ־מִים, ־מוֹת

pelican שַׁקְנַאי, ז׳, ר׳, ־נָאִים

to sink, decline; to set (sun) שָׁקַע, פ״י

to set in, insert שִׁקַּע, פ״י

to cause to sink; to lower; to insert; to invest הִשְׁקִיעַ, פ״י

to be settled; to be forgotten; to settle down הִשְׁתַּקַּע, פ״ח

dent, depression, sunken place; socket שֶׁקַע, ז׳, ר׳, שְׁקָעִים

dent, sunken place, concavity שְׁקַעֲרוּרָה, נ׳, ר׳, ־רוֹת

concave שְׁקַעֲרוּרִי, ת״ז, ־רִית, ת״נ

to look out, to face; to be seen; to be imminent [שקף] נִשְׁקַף, פ״ע

to cause to be seen; to depict; to portray; to X-ray שִׁקֵּף, פ״י

to observe, contemplate הִשְׁקִיף, פ״י

to be seen through, X-rayed; to be reflected הִשְׁתַּקֵּף, פ״ע

casing, framework שֶׁקֶף, ז׳, ר׳, שְׁקָפִים

שִׁקֵּץ, פ"י to detest
שֶׁקֶץ, ז׳, ר׳, שְׁקָצִים detestable thing; unclean animal
שָׁקַק, פ"ע to rush about; to long for
הִשְׁתּוֹקֵק, פ"ח to long for, desire
שִׁקֵּר, פ"י to ogle
שִׁקֵּר, פ"ע to deal falsely; to lie
שֶׁקֶר, ז׳, ר׳, שְׁקָרִים lie, deceit
שַׁקְרָן, ז׳, ר׳, ־נִים liar
שַׁקְרָנוּת, נ׳ lying
שִׁקְשֵׁק, פ"י to make much noise
הִשְׁתַּקְשֵׁק, פ"ח to rush to and fro
שֶׁקֶת, שׁוֹקֶת, נ׳, ר׳, שְׁקָתוֹת watering trough
שֹׁר, שֹׁרֶר, ז׳ navel, umbilical cord
שָׁר, פ"ע, ע׳ [שור] to behold, see, observe
שָׁר, פעו"י, ע׳ [שיר] to sing, chant; to poetize
שַׂר, ז׳, ר׳, שָׂרִים chief, leader; captain; minister; ruler
שָׂר, פ"ע, ע׳ [שור] to turn aside, depart; to wrestle; to tumble
[שרב] הִשְׁתָּרֵב, פ"ח to be overcome by heat
שָׁרָב, ז׳, ר׳, שְׁרָבִים burning heat; parched ground; mirage
שִׁרְבֵּב, פ"י to prolong; to let hang; to insert in wrong place
שַׁרְבִיט, ז׳, ר׳, ־טִים scepter; baton; shoot, twig
שַׁרְבִיטַאי, ז׳, ־טָאִים drum major
שְׁרַבְרַב, ז׳, ר׳, ־רָבִים plumber
שְׁרַבְרָבוּת, נ׳ plumbing, installation
שֵׂרַג, פ"י to intertwine
שָׂרַד, פ"ע to escape; to leave over
שְׂרָד, ז׳, בִּגְדֵי־שְׂרָד ceremonial wear, uniforms

שֶׂרֶד, ז׳, ר׳, שְׂרָדִים marking tool, stylus
שָׁרָה, פעו"י to soak; to dwell
שָׂרָה, פ"ע to struggle; to persist, persevere
שָׂרָה, נ׳, ר׳, שָׂרוֹת princess; noble lady; ambassadress, lady minister
שֵׁרָה, נ׳, ר׳, שֵׁרוֹת necklace; bracelet
שַׁרְווּל, שַׁרְוָל, ז׳, ר׳, ־לִים, ז"ז, ־לַיִם sleeve
שַׁרְוּלִית, נ׳, ר׳, ־לִיּוֹת cuff
שָׁרוּי, ת"ז, שְׁרוּיָה, ת"נ soaked; steeped
שְׂרוֹךְ, ז׳, ר׳, ־כִים lace; thong
שָׂרוּעַ, ת"ז, שְׂרוּעָה, ת"נ stretched out; extended; long-limbed
שָׂרוּף, ת"ז, שְׂרוּפָה, ת"נ burnt
שֵׁרוּת, ז׳, ר׳, ־תִים service, function
שָׂרַט, פ"י to scratch
שֶׂרֶט, ז׳, ר׳, שְׂרָטִים, שָׂרֶטֶת, נ׳, ר׳, שָׂרְטוֹת scratch, incision
שִׂרְטוּט, ז׳, ר׳, ־טִים drawing lines, ruling
שִׂרְטוֹן, ז׳, ר׳, ־נוֹת sandbank
שִׂרְטֵט, פ"י to rule, draw lines
שָׂרִיג, ז׳, ר׳, ־גִים tendril; twig
שָׂרִיד, ז׳, ר׳, שְׂרִידִים survivor; remnant
שְׁרִיָּה, נ׳ soaking; resting
שִׁרְיוֹן, שִׁרְיָן, ז׳, ר׳, ־נִים, ־נוֹת armor; armored unit
שָׂרִיק, ת"ז, שְׂרִיקָה, ת"נ combed, carded
שְׁרִיקָה, נ׳, ר׳, ־קוֹת hissing; whistling
שָׁרִיר, ז׳, ר׳, שְׁרִירִים muscle
שָׁרִיר, ת"ז, שְׁרִירָה, ת"נ strong; reliable, valid
שְׁרִירוּת, שְׁרִירוּת לֵב נ׳ stubbornness, obstinacy

שֵׂרַךְ, פ״י to entangle; to pervert
שָׂרָךְ, ז׳, ר׳, ־כִים fern; brake
[שרע] הִשְׂתָּרַע, פ״ח to stretch oneself out
שַׂרְעַף, ז׳, ר׳, ־עַפִּים thought; troublesome thought
שָׂרַף, פ״י to burn
שָׂרָף, ז׳, ר׳, שְׂרָפִים fiery serpent; angel, seraph
שְׂרָף, ז׳, ר׳, ־פִים gum, resin
שְׂרֵפָה, נ׳, ר׳, ־פוֹת burning; fire, conflagration
שְׁרַפְרַף, ז׳, ר׳, ־רַפִּים footstool
שָׁרַץ, פיו״ע to swarm, swarm with
שֶׁרֶץ, ז׳, ר׳, שְׁרָצִים reptile
שָׂרֹק, ת״ז, שְׂרֻקָּה, ת״נ reddish
שָׁרַק, פ״ע to hiss; to whistle
שְׁרֵקָה, נ׳, ר׳, ־קוֹת hissing, derision
שַׁרְקָן, ז׳, ר׳, ־נִים whistler
שְׁרַקְרַק, ז׳, ר׳, ־רַקִּים bee eater; woodpecker
שָׂרַר, פ״ע to rule; to prevail
הִשְׂתָּרֵר, פ״ח to dominate, have control over; to prevail
שֹׁרֶר, שֹׁר, ז׳ navel, umbilical cord
שְׂרָרָה, נ׳, ר׳, ־רוֹת dominion, rulership
שֵׁרֵשׁ, פ״י to uproot
הִשְׁרִישׁ, פ״י to strike root; to implant
הִשְׁתָּרֵשׁ, פ״ח to strike root, to be implanted
שֹׁרֶשׁ, שׁוֹרֶשׁ, ז׳, ר׳, שָׁרָשִׁים root; stem (*gram.*)
שָׁרְשִׁי, ת״ז, ־שִׁית, ת״נ basic, fundamental, radical
שַׁרְשֶׁרֶת, שַׁרְשְׁרָה, נ׳, ר׳, ־שְׁרוֹת chain
שֵׁרֵת, פ״י to serve, minister

שָׁרֵת, ז׳ service, ministry
[שיש] שָׂשׂ, פ״ע, ע׳ to be happy; to exult, rejoice
שֵׁשׁ, ז׳ marble; fine linen
שִׁשָּׁא, פ״י to lead on
שִׁשָּׁה, ש״מ, ז׳, שֵׁשׁ, נ׳ six
שִׁשָּׁה עָשָׂר, ש״מ, ז׳ sixteen
שֵׁשׁ עֶשְׂרֵה, ש״מ, נ׳ sixteen
שָׂשׂוֹן, ז׳, ר׳, שְׂשׂוֹנִים rejoicing
שִׁשִּׁי, ת״ז, שִׁשִּׁית, ת״נ sixth
שִׁשִּׁיָּה, נ׳ sextet
שִׁשִּׁים, ש״מ, זו״נ sixty
שִׁשִּׁית, נ׳, ר׳, ־שִּׁיּוֹת one-sixth, sixth part
שָׁשַׁר, ז׳ red color, vermillion
[שית] שָׁת, פ״י, ע׳ to put, place, set, station; to constitute, make
שָׁת, ז׳, ר׳, שָׁתוֹת foundation, basis
שֵׁת, ז׳, ר׳, שֵׁתוֹת buttock, bottom
שְׁתַדְּלָן, ז׳, ר׳, ־נִים interceder
שְׁתַדְּלָנוּת, נ׳ intercession
שָׁתָה, פ״י to drink
שָׁתוּי, ת״ז, שְׁתוּיָה, ת״נ drunk, intoxicated
שָׁתוּל, ת״ז, שְׁתוּלָה, ת״נ planted
שָׁתוּם, ת״ז, שְׁתוּמָה, ת״נ open; penetrating (eye)
שִׁתּוּף, ז׳, ר׳, ־פִים participation, partnership
שִׁתּוּפִי, ת״ז, ־פִית, ת״נ co-operative, collective
שִׁתּוּק, ז׳ paralysis; silence
שָׁתוּק, ת״ז, שְׁתוּקָה, ת״נ silent
שְׁתִי, ז׳ warp
שְׁתִי־וָעֵרֶב warp and woof, crosswise, cross
חֲקִירַת שְׁתִי־וָעֵרֶב cross-examination

שְׁתִיָּה, נ׳, ר׳, ־יּוֹת drinking; drunkenness; foundation

אֶבֶן־שְׁתִיָּה foundation stone

שְׁתִיל, ז׳, ר׳, שְׁתִילִים shoot; sapling

שְׁתִילָה, נ׳, ר׳, ־לוֹת planting; transplanting

שְׁתַּיִם, ש״מ, נ׳ two

שְׁתֵּים עֶשְׂרֵה, ש״מ, נ׳ twelve

שְׁתִימָה, נ׳ opening, uncorking

שַׁתְיָן, ז׳, ר׳, ־נִים heavy drinker; drunkard

שְׁתִיקָה, נ׳, ר׳, ־קוֹת silence

שִׁתֵּךְ, פעו״י to make (get) rusty

שָׁתַל, פ״י to plant; to transplant

שַׁתְלָן, ז׳, ר׳, ־נִים planter

שָׁתַם, פ״י to unseal, open, uncork

[שתן] הִשְׁתִּין, פ״ע to urinate

שֶׁתֶן, ז׳ urine

שִׁתֵּף, פ״י to join; to join in partnership

הִשְׁתַּתֵּף, פ״ח to participate

שֻׁתָּף, שׁוּתָּף, ז׳, ר׳, ־פִים associate, partner

שֻׁתָּפוּת, שׁוּתָּפוּת, נ׳, ר׳, ־פֻיּוֹת partnership, association

שָׁתַק, פ״ע to be silent, quiet

הִשְׁתַּתֵּק, פ״ח to become silent, dumb; to be paralyzed

שַׁתְקָן, ז׳, ר׳, ־נִים silent, taciturn person

שַׁתְקָנוּת, נ׳ taciturnity

[שתר] נִשְׁתַּר, פ״ע to break out, burst open

שָׁתַת, פעו״י to flow; to drip; to place

הִשְׁתִּית, פ״י to base; to found

ת X, t

תּ, ת Tav, twenty-second letter of Hebrew alphabet; 400

תָּא, ז׳, ר׳, תָּאִים, תָּאוֹת chamber, cell; cabin

תָּאַב, פ״ע to desire, long for, have an appetite

תֵּאֵב, פ״י to loathe, abhor

תָּאֵב, ת״ז, תְּאֵבָה, ת״נ desirous, longing for

תֵּאָבוֹן, ז׳ desire, appetite

תֵּאָה, פ״י to mark out (boundary)

תְּאוֹ, ז׳, ר׳, תְּאוֹים, תְּאוֹיִים antelope

תַּאֲוָה, נ׳, ר׳, ־ווֹת lust; boundary

תֵּאוּם, ז׳ agreement, conformity, harmony

תְּאוֹם, ז׳, תְּאוֹמָה, נ׳, ר׳, ־מִים, ־מוֹת twin

תְּאוֹמִים, ז״ר twins; Gemini

תָּאוֹן, ז׳ cellulose

תְּאוּנָה, נ׳, ר׳, ־נוֹת accident

תְּאוּנִים, ז״ר complaint, grumble; toil, trouble, pains

תְּאוּצָה, נ׳, ר׳, ־צוֹת acceleration

תֵּאוּר, ז׳, ר׳, ־רִים description

תְּאוּרָה, נ׳ illumination, lighting

תֵּאוּרִי, ת״ז, ־רִית, ת״נ descriptive, figurative

תַּאַוְתָן, ז׳, ר׳, ־נִים lascivious person

תַּאַוְתָנוּת, נ׳ lasciviousness

תַּאֲזוּנָה, נ׳ equilibrium

תַּאֲחִיזָה, נ׳ cohesion

תֵּאַטְרוֹן, ז׳, ר׳, ־רוֹנִים, ־רָאוֹת theater

תְּאִימוּת, נ׳ symmetry

תָּאִית, נ׳ cellulose

תַּאֲלָה, נ'	curse
תָּאַם, פ"ע	to join; to combine
הִתְאִים, פיו"ע	to be similar; to be like twins; to co-ordinate
תֹּאַם, ז'	symmetry, co-ordination
תַּאֲנָה, נ'	rut, heat
תְּאֵנָה, נ', ר', ־נוֹת	fig tree
תְּאֵנַת־חַוָּה	banana
תְּאֵנָה, נ', ר', ־נִים	fig
תֹּאֲנָה, תּוֹאֲנָה, נ', ר', ־נוֹת	pretext; occasion
תַּאֲנִיָּה, נ', ר', ־יּוֹת	mourning, lamentation
תֹּאַר, ז', ר', תְּאָרִים	form, appearance; attribute; quality; title; degree (college)
תֹּאַר הַפֹּעַל	adverb
שֵׁם הַתֹּאַר, תֹּאַר הַשֵּׁם	adjective
תָּאַר, פ"י	to mark out (boundary); to shape
תֵּאֵר, פ"י	to draw, trace out; to describe
תַּאֲרִיךְ, ז', ר', ־רִים	date (in time)
תְּאַשּׁוּר, ז', ר', ־רִים	larch
תֵּבָה, תֵּיבָה, נ', ר', ־בוֹת	ark, chest, box; word (written, printed)
תֵּבַת־דֹּאַר	post-office box
תֵּבַת־מִכְתָּבִים	mail box
רָאשֵׁי־תֵבוֹת	initials
תְּבוּאָה, נ', ר', ־אוֹת	grain produce; yield, income
תִּבּוּל, ז'	spicing, flavoring, seasoning
תְּבוּנָה, נ', ר', ־נוֹת	understanding, intelligence
תְּבוּסָה, נ', ר', ־סוֹת	defeat, ruin; treading down
תְּבוּסָן, ז', ר', ־נִים	defeatist
תְּבוּסָנוּת, נ'	defeatism
תַּבְחִין, ז'	test, experiment; criterion
תְּבִיעָה, נ', ר', ־עוֹת	demand, claim
תֵּבֵל, נ'	world
תֶּבֶל, ז', ר', תְּבָלִים, תַּבְלִין	spice, seasoning; confusion; lewdness
תִּבֵּל, פ"י	to spice, season, flavor
תַּבְלוּל, ז', ר', ־לִים	mixture, blending; cataract
תַּבְלִיט, ז', ר', ־טִים	bas-relief
תֶּבֶן, ז'	straw, chaff
תַּבְנִית, נ', ר', ־נִיּוֹת	construction; shape, model, pattern, image
תָּבַע, פ"י	to demand, claim, summon
תַּבְעֵרָה, נ', ר', ־רוֹת	burning, conflagration
תַּבְקִישׁ, ז', ר', ־שִׁים	application blank, entry form
תַּבְרֹגֶת, נ', תַּבְרִיג, ז', ר', ־רוּגוֹת, ־גִים	screw thread
תַּבְרוּאָה, נ'	sanitation, hygiene
תַּבְרוּאִי, ת"ז, ־אִית, ת"נ	sanitary, hygienic
תַּבְשִׁיל, ז', ־לִים	cooked food, dish
תָּג, ז', ר', תָּגִים	crownlet on letters
תִּגְבֹּרֶת, נ', ר', ־בּוֹרוֹת	increase; reinforcement(s)
תְּגוּבָה, נ', ר', ־בוֹת	reaction
תִּגְלַחַת, נ', ר', ־לָחוֹת	shaving
תַּגְלִית, נ', ־יּוֹת	discovery
תַּגְמוּל, ז', ר', ־לִים	benefit, recompense
תִּגֵּר, פ"י	to trade, bargain, haggle
תַּגָּר, ז', ר', ־רִים	merchant, dealer
תִּגָּר, ז'	complaint
תִּגְרָה, נ', ר', ־רוֹת	strife, contention, conflict
תַּגְרָן, ז', ר', ־נִים	haggler, trafficker

תַּגְּרָנוּת, נ' haggling, trafficking, bargaining

תַּדְגִּים, ז', ר', ־מִים exemplification, demonstration

תַּדְגֹּרֶת, נ' incubation

תִּדְהָר, ז', ר', ־רִים ash tree

תַּדְחִית, נ', ר', ־חִיּוֹת moratorium

תָּדִיר, ת"ז, תְּדִירָה, ת"נ frequent, constant

תְּדִירוּת, נ', ר', ־רֻיּוֹת frequency

תַּדְפִּיס, ז', ר', ־סִים reprint

תַּדְרִיךְ, ז', ר', ־כִים briefing (*mil.*)

תֵּה, ז' tea

תָּהָה, פ"ע to be astonished; to regret

תֹּהוּ, ז' emptiness, nothingness, waste

תֹּהוּ וָבֹהוּ chaos

תְּהוּדָה, נ', ר', ־דוֹת resonance

תְּהוֹם, זו"נ, ר', תְּהוֹמוֹת abyss; deep, primeval ocean

תְּהוֹמִי, ת"ז, ־מִית, ת"נ abysmal, infinite, endless

תְּהִיָּה, נ', ר', ־יּוֹת regret, astonishment

תְּהִלָּה, נ', ר', ־לּוֹת, ־לִּים praise, song of praise, psalm

תְּהִלִּים, תִּלִּים, ז"ר Book of Psalms, Psalms

תָּהֳלָה, נ', ר', ־לוֹת error, folly

תַּהֲלוּכָה, נ', ר', ־כוֹת procession, parade

תַּהֲלִיךְ, ז', ר', ־כִים process; progress

תַּהְפּוּכָה, נ', ר', ־כוֹת perversity

תָּו, ז', ר', תָּוִים mark, sign; musical note; postage stamp; Tav, name of twenty-second letter of Hebrew alphabet

תּוֹאֲנָה, תֹּאֲנָה, נ', ר', ־נוֹת pretext; occasion

תּוֹבָלָה, נ' transport, transportation

תּוֹבֵעַ, ז', ר', ־בְעִים claimant, plaintiff, prosecutor

תּוֹבֵעַ כְּלָלִי public prosecutor

תּוּגָה, נ' grief, sorrow

מַחֲזֵה־תּוּגָה tragedy

תּוֹדָה נ', ר', ־דוֹת thanksgiving, thanks offering, thanks; confession, avowal

תּוֹדָה רַבָּה many thanks

תּוֹדָעָה, נ' consciousness, recognition

תִּוָּה, פ"י to mark, make marks

הִתְוָה, פ"י to set a mark; to outline

תִּוּוּךְ, ז', ר', ־כִים mediation, intervention

תּוֹחֶלֶת, נ' hope, expectation

תָּוִית, נ', ר', ־יּוֹת tag, label

תָּוֶךְ, תּוֹךְ, ז' midst, middle; inside, interior

בְּתוֹךְ־ within, in the midst of, among

מִתּוֹךְ־ from within, from the midst of, through

תִּוֵּךְ, פ"י to mediate, act as intermediary; to intervene; to halve

תּוֹכֵחָה, נ', ר', ־חוֹת punishment, retribution

תּוֹכָחָה, תּוֹכַחַת, נ', ר', ־כָחוֹת rebuke, reproof, chastisement

תּוֹכִי, ת"ז, ־כִית, ת"נ intrinsic

תּוּכִּי, תֻּכִּי, ז', ר', ־כִּיִּים parrot

תּוֹכֵן, ז', ר', ־כְנִים astronomer

תּוֹכֶן, תֹּכֶן, ז', ר', תְּכָנִים measurement; content

תּוֹלָדָה, תּוֹלֶדֶת נ', ר', ־דוֹת offspring; subsidiary, secondary nature

תּוֹלְדוֹת, נ"ר generations, descent, history

tormentor תּוֹלָל, ז׳, ר׳, ־לִים

תּוֹלָע, ז׳, תּוֹלֵעָה, תּוֹלַעַת, נ׳, ר׳, ־לָעִים worm; scarlet-dyed cloth, yarn

silkworm תּוֹלַעַת־מֶשִׁי

mahogany תּוֹלַעְנָה, נ׳

תּוּמִים, תֻּמִּים, ז״ר, ע׳ אוּרִים Thummim, oracles

supporter תּוֹמֵךְ, ז׳, ר׳, ־כִים

תּוֹסָפָה, תּוֹסֶפֶת, נ׳, ר׳, ־סָפוֹת addition, increase, supplement

Tosaphot, annotations to the Talmud תּוֹסָפוֹת, נ״ר

Tosephta, a supplement to the Mishnah תּוֹסֶפְתָּא, נ׳

appendix תּוֹסֶפְתָּן, ז׳

abomination; outrage תּוֹעֵבָה, נ׳, ר׳, ־בוֹת

error; confusion תּוֹעָה, נ׳

erring, straying תּוֹעֶה, ת״ז, ־עָה, ת״נ

תּוֹעֶלֶת, תּוֹעָלָה, נ׳, ר׳, ־עָלוֹת, ־עֲלִיּוֹת profit, benefit; use

beneficial, profitable; practical תּוֹעַלְתִּי, ת״ז, ־תִּית, ת״נ

תּוֹעָפָה, תּוֹעֶפֶת, נ׳, ר׳, ־עָפוֹת eminence; heights; strength

drum תּוֹף, תֹּף, ז׳, ר׳, תֻּפִּים

to beat drum תּוֹפֵף, פ״י, ע׳ [תפף]

pastry, cake, biscuit תּוּפִין, ז׳, ר׳, ־נִים

phenomenon, appearance, apparition תּוֹפָעָה, נ׳, ר׳, ־עוֹת

תּוֹפֵר, ז׳, תּוֹפֶרֶת, נ׳, ר׳, ־פְרִים, ־פְרוֹת tailor; seamstress

result, consequence, conclusion; extremity תּוֹצָאָה, נ׳, ר׳, ־אוֹת

product תּוֹצָר, ז׳, ר׳, ־רִים

production תּוֹצֶרֶת, נ׳

violent person; powerful person; aggressor תּוֹקְפָן, ז׳, ר׳, ־נִים

aggression תּוֹקְפָנוּת, נ׳

turtledove; circlet; line, row; turn תּוֹר, ז׳, ר׳, ־רִים

to tour, explore; to spy out; to seek out [תור] תָּר, פ״י

תּוּרְגְּמָן, תֻּרְגְּמָן, ז׳, ר׳, ־נִים interpreter, translator

the Mosaic law, Pentateuch; teaching; law; science; theory תּוֹרָה, נ׳, ר׳, ־רוֹת

written law (Scriptures) תּוֹרָה שֶׁבִּכְתָב

oral law (Talmud) תּוֹרָה שֶׁבְּעַל־פֶּה

mast, pole תּוֹרֶן, תֹּרֶן, ז׳, ר׳, תְּרָנִים

monitor, person on duty תּוֹרָן, ז׳, ר׳, ־נִים

monitorship, being on duty תּוֹרָנוּת, נ׳, ר׳, ־נֻיּוֹת

shame; obscenity; weakness; pudenda תּוֹרְפָּה, תֻּרְפָּה, נ׳, ר׳, ־פּוֹת

heredity תּוֹרָשָׁה, נ׳

hereditary תּוֹרַשְׁתִּי, ת״ז, ־תִּית, ת״נ

inhabitant, settler תּוֹשָׁב, ז׳, ר׳, ־בִים

basis, foundation, pedestal תּוֹשֶׁבֶת, נ׳, ר׳, ־שָׁבוֹת

wisdom; counsel תּוּשִׁיָּה, נ׳

berry; mulberry; mulberry tree תּוּת, ז׳, ר׳, ־תִים

strawberry תּוּת־שָׂדֶה

inserted; artificial (tooth, eye) תּוֹתָב, ת״ז, ־תֶבֶת, ת״נ

cannon תּוֹתָח, ז׳, ר׳, ־חִים

gunner, artilleryman תּוֹתְחָן, ז׳, ר׳, ־נִים

תַּזְגִּיג, ז' enamel

תְּזוּזָה, נ', ר', ־זוֹת motion, vibration

תְּזוּנָה, נ', ר', ־נוֹת nourishment, nutrition

[תזז] הֵתֵז, פ"י to cut, strike off

תְּזָזִית, רוּחַ תְּזָזִית, נ' perturbation; restlessness; madness

תַּזְכִּיר, ז', ר', ־רִים, תִּזְכֹּרֶת, נ', ר', ־רוֹת memorandum

תִּזְמוּר, ז' orchestration

תִּזְמֹנֶת, נ' synchronization

תִּזְמֹרֶת, נ', ר', ־רוֹת orchestra

תַּזְנוּת, נ' whoredom

תַּזְרִיק, ז', ר', ־קִים serum

תָּחַב, פ"י to insert, stick in; to tuck in

תַּחְבּוּלָה, נ', ר', ־לוֹת device, contrivance, trick

תַּחְבּוּרָה, נ' communication

תַּחְבִּיב, ז', ר', ־בִים hobby

תַּחְבִּיר, ז' syntax

תַּחְבְּלָן, ז', ר', ־נִים trickster

תַּחְבֹּשֶׁת, נ', ר', ־בּוֹשׁוֹת bandage

תִּחְגָּה, נ', ר', ־גּוֹת festival

תָּחוּחַ, ת"ז, תְּחוּחָה, ת"נ loose (soil)

תְּחוּם, ז', ר', ־מִים boundary, limit; area, district

תְּחוּקָה, נ', ר', ־קוֹת, תְּחִקָּה, נ', ר', ־קוֹת legislation

תְּחוּשָׁה, נ', ר', ־שׁוֹת perception, feeling

תַּחֲזִית, נ', ר', ־זִיּוֹת spectrum; prediction

תִּחֵחַ, פ"י to loosen soil (by plowing); to harrow

תְּחִיָּה, נ' revival, resurrection

[תחל] הִתְחִיל, פיו"ע to begin, commence

תְּחִלָּה, נ', ר', ־לּוֹת beginning, commencement

תְּחִלָּה, תה"פ at first, in the first place

לְכַתְּחִלָּה at the start, at first, a priori

תַּחֲלוּא, ז', ר', ־אִים disease, sickness

תַּחֲלוּאָה, נ' epidemic

תַּחֲלוּם, ז', ר', ־מִים daydream, hallucination

תַּחֲלִיב, ז', ר', ־בִים emulsion

תַּחֲלִיף, ז', ר', ־פִים substitute; successor

תְּחִלִּית, נ', ר', ־לִּיּוֹת prefix

תָּחַם, פ"י to mark limits, limit; to set landmarks

תַּחְמִיץ, ז', ר', ־צִים silage

תַּחְמָס, ז', ר', ־סִים bird of prey, falcon; nighthawk

תַּחְמֹשֶׁת, נ' armament, ammunition

תְּחִנָּה, נ', ר', ־נּוֹת supplication, mercy, favor

תַּחֲנָה, נ', ר', ־נוֹת station, place of encampment; stopping place

תַּחֲנוּן, ז', ר', ־נִים supplication; mercy, favor; prayer

תַּחֲנִית, נ', ר', ־נִיּוֹת garage

תִּחְפֵּשׂ, פ"י to disguise, mask

תַּחְפֹּשֶׂת, נ', ר', ־פּוֹשׂוֹת mask, masquerade costume

תְּחִקָּה, נ', ר', ־קוֹת legislation

תִּחֵר, תִּחֲרָה, פ"ע to rival, compete with

תַּחְרָא, נ', ר', ־רוֹת corselet; habergeon

תַּחֲרוּת, נ', ר', ־רֻיּוֹת rivalry, competition

תַּחְרִיט, ז', ר', ־טִים etching

תַּחְרִים, ז', ר', ־מִים lace

badger; dolphin תַּחַשׁ, ז׳, ר׳, תְּחָשִׁים
calculation, computation תַּחְשִׁיב, ז׳, ר׳, ־בִים
under, below; in place of, instead of; in return for תַּחַת, מ״י
instead of; because תַּחַת אֲשֶׁר
beneath מִתַּחַת לְ־
lower; lowest תַּחְתּוֹן, ת״ז, ־נָה, ת״נ
underpants, underwear תַּחְתּוֹנִים
petticoat, slip (garment) תַּחְתּוֹנָה, נ׳, ר׳, ־נוֹת
piles תַּחְתּוֹנִיּוֹת, נ״ר
lower, lowest תַּחְתִּי, ת״ז, ־תִּית, ת״נ
subway; bottom; foot; saucer תַּחְתִּית, נ׳, ר׳, ־תִּיּוֹת
crowfoot תִּיאָה, נ׳, ר׳, ־אוֹת
ark, chest, box; word (written, printed) תֵּיבָה, תֵּבָה, נ׳, ר׳, ־בוֹת
to make crownlets, ornamentations; to tag תִּיֵּג, פ״י
teapot תֵּיוֹן, ז׳, ר׳, ־נִים
filing (documents) תִּיּוּק, ז׳
touring, tour תִּיּוּר, ז׳, ר׳, ־רִים
inner, central תִּיכוֹן, ת״ז, ־נָה, ת״נ
high school, secondary school בֵּית־סֵפֶר תִּיכוֹן
Mediterranean הַיָּם הַתִּיכוֹן
secondary תִּיכוֹנִי, ת״ז, ־נִית, ת״נ
immediately, soon תֵּיכֶף, תֵּכֶף, תה״פ
wire תַּיִל, ז׳, ר׳, תְּיָלִים
wonder, astonishment תִּימַהּ, תְּמַהּ, ז׳, ר׳, תְּמָהִים
south; south wind; Yemen תֵּימָן, ז׳
Yemenite, person from the South תֵּימָנִי, ת״ז, ־נִיָּה, ת״נ
column (of smoke) תִּימָרָה, נ׳, ר׳, ־רוֹת

baby, child תִּינוֹק, ז׳, תִּינֹקֶת, נ׳, ר׳, ־קוֹת
babyish, childish תִּינוֹקִי, ת״ז, ־קִית, ת״נ
brief case, case, portfolio, satchel תִּיק, ז׳, ר׳, ־קִים
to file (documents) תִּיֵּק, פ״י
undecided argument, stalemate תֵּיקוּ, ז׳
file תִּיקִיָּה, נ׳, ר׳, ־קִיּוֹת
roach תִּיקָן, ז׳, ר׳, ־נִים
tourist תַּיָּר, ז׳, ר׳, ־רִים
to tour תִּיֵּר, פ״ע
new wine, grape juice תִּירוֹשׁ, ז׳
tourism תַּיָּרוּת, נ׳
corn תִּירָס, ז׳
he-goat תַּיִשׁ, ז׳, ר׳, תְּיָשִׁים
intrigue; extortion תֹּךְ, ז׳, ר׳, תְּכָכִים
washing (of clothes) תִּכְבֹּסֶת, נ׳, ר׳, ־בּוֹסוֹת
barbecue תַּכְבָּר, ז׳
violet blue תְּכוֹל, ז׳
characteristic, attribute, quality; astronomy; preparation תְּכוּנָה, נ׳, ר׳, ־נוֹת
immediate, urgent תָּכוּף, ת״ז, תְּכוּפָה, ת״נ
often תְּכוּפוֹת, תה״פ
parrot; תֻּכִּי, תּוּכִּי, ז׳, ר׳, ־כִּיִּים
immediacy, urgency תְּכִיפוּת, נ׳, ר׳, ־פֻיּוֹת
sky-blue תְּכֵלֶת, ז׳, ר׳, תְּכֵלִים
purpose, end תִּכְלָה, נ׳
end, purpose, aim, object; completeness, perfection תַּכְלִית, נ׳, ר׳, ־לִיּוֹת
purposeful תַּכְלִיתִי, ת״ז, ־תִית, ת״נ

תִּכְלְכַל, ת"ז, ־כֶּלֶת, ת"נ pale blue, bluish
תְּכֵלֶת, נ' violet-blue, sky-blue (thread, wool)
תָּכַן, פ"י to regulate, measure; to formulate program, estimate
יִתָּכֵן, פ"ע to be likely, probable
תִּכֵּן, פ"י to regulate, measure out
תֹּכֶן, תּוֹכֶן, ז', ר', תְּכָנִים measurement; content
תֹּכֶן הָעִנְיָנִים table of contents
תִּכְנוּן, ז' formulation of program
תָּכְנִית, נ', ר', ־נִיּוֹת measurement; plan, program
תִּכְנֵן, פ"י to formulate program; to plan
תַּכְסִיס, ז', ר', ־סִים strategy, tactics; tact
תַּכְסִיסִי, ת"ז, ־סִית, ת"נ strategic, tactical; tactful
תַּכְסִיסָן, ז', ר', ־נִים strategist, tactician
תִּכְסֵס, פ"י to use strategy
תֵּכֶף, תֵּיכֶף, תה"פ immediately, soon
תֵּכֶף וּמִיָּד at once
תָּכַף, פעו"י to follow immediately; to follow in close order
תַּכְרִיךְ, ז', ר', ־כִים bundle, roll; wrap
תַּכְרִיכִים, ז"ר shrouds
תַּכְשִׁיט, ז', ר', ־טִים jewel, ornament; rascal, scoundrel
תַּכְשִׁיר, ז', ר', ־רִים specimen; preparation
תַּכְתִּיב, ז', ר', ־בִים dictation
תֵּל, ז', ר', תִּלִּים mound, hill, heap
תְּלָאָה, נ', ר', ־אוֹת weariness; hardship, trouble

תַּלְאוּבָה, נ', ר', ־בוֹת drought
תִּלְבּוֹשֶׁת, תִּלְבֹּשֶׁת, נ', ר', ־בּוֹשׁוֹת dress, clothing, costume
תָּלָה, פ"י to hang, hang up, attach, affix; to leave in suspense, leave in doubt
תָּלוּא, ת"ז doubtful, insecure
תָּלוּי, ת"ז, תְּלוּיָה, ת"נ dependent; suspended; doubtful; hung, hanged
תְּלוּי, ז', ר', ־יִים hanger, handle
תָּלוּל, ת"ז, תְּלוּלָה, ת"נ sloping; steep; lofty
תְּלוּלִית, נ', ר', ־לִיּוֹת little mound, hillock
תְּלוּם, ז' furrowing
תְּלוּנָה, תְּלֻנָּה, נ', ר', ־נוֹת complaint, murmuring
תָּלוּשׁ, ת"ז, תְּלוּשָׁה, ת"נ detached, plucked, loose
תְּלוּשׁ, ז', ר', ־שִׁים coupon, check
תְּלוּת, ז' dependence
תְּלִי, ז', ר', תְּלָיִים quiver; clothes hanger
תְּלִיָּה, נ', ר', ־לִיּוֹת hanging; gallows
תַּלְיָן, ז', ר', ־נִים hangman, executioner
תְּלִישָׁה, נ', ר', ־שׁוֹת tearing up, plucking
תְּלִישָׁה, תְּלִישָׁא, נ' musical note
תְּלִישׁוּת, נ' detachment
תִּלֵּל, פ"י to pile, heap up
הֵתֵל, פ"י to mock, trifle with, deceive
תַּלֶּלֶת, נ' tuberculosis
תֶּלֶם, ז', ר', תְּלָמִים furrow, ridge; garden bed
תִּלֵּם, פ"י to plow up furrows

תַּלְמוּד, ז׳, ר׳, ־דִים, ־דוֹת teaching; learning; Talmud

תַּלְמוּדִי, ת״ז, ־דִית, ת״נ Talmudic; expert in the Talmud

תַּלְמִיד, ז׳, ר׳, ־דִים student, disciple

תַּלְמִיד חָכָם scholar

תְּלֻנָּה, תְּלוּנָה, נ׳, ר׳, ־נּוֹת complaint, murmuring

תִּלַּע, פ״י to remove worms; to make red

תֻּלַּע, פ״ע to be filled with worms; to be freed from worms; to be dressed in scarlet

הִתְלִיעַ, פ״ע to be worm-eaten

תַּלְפִּיָּה, נ׳, ר׳, ־יּוֹת stronghold; turret

תָּלַשׁ, פ״י to pluck up, tear out

תְּלָת, ש״מ three

תְּלַת־אוֹפַן tricycle

תִּלְתּוּל, ז׳, ר׳, ־לִים curling; wart

תַּלְתַּל, ז׳, ר׳, ־תַּלִּים lock, curl (of hair)

תִּלְתֵּל, פ״י to curl

תִּלְתָּן, ז׳ clover, fenugreek

תַּם, פ״ע, ע׳ [תמם] to be finished, perfect; to be destroyed; to be spent; to cease

תָּם, ת״ז, תַּמָּה, ת״נ complete, perfect, whole; innocent, simple, artless

כְּתִיבָה תַּמָּה calligraphy

תֹּם, ז׳ innocence, simplicity; completeness, perfection

תֶּמֶד, תְּמָד, תָּמָד, ז׳ inferior wine

תִּמֵּד, פ״י to make inferior wine

הִתְמִיד, פעו״י to be diligent; to cause to be constant

תָּמַהּ, פ״ע to be astounded, amazed; to be in doubt, wonder

הִתְמִיהַּ, פיו״ע to cause amazement; to be amazed

תְּמַה, תֵּימַה, ז׳, , ר׳, תְּמָהִים wonder, astonishment

תֻּמָּה, נ׳ innocence, integrity

תִּמָּהוֹן, ז׳ amazement, bewilderment

תָּמוּהַּ, ת״ז, תְּמוּהָה, ת״נ amazing

תַּמּוּז, ז׳ Tammuz, fourth month of Hebrew calendar; Babylonian god

תְּמוּטָה, נ׳ collapse

תְּמוֹל, תה״פ, ז׳ yesterday; formerly

כִּתְמוֹל שִׁלְשׁוֹם as heretofore

מִתְּמוֹל שִׁלְשׁוֹם thence, thereafter

תְּמוּנָה, נ׳, ר׳, ־נוֹת image, picture

תִּמּוּר, ז׳ rising (column of smoke)

תְּמוּרָה, נ׳, ר׳, ־רוֹת exchange, substitution; apposition (*gram.*)

תְּמוּתָה, נ , ר׳, ־תוֹת death, dying; mortality; death rate

בֶּן־תְּמוּתָה mortal

תַּמְחוּי, ז׳, ר׳, ־יִים charity food

בֵּית־תַּמְחוּי soup kitchen

תָּמִיד, תה״פ, ז׳ always; continuity; daily burnt offering

תְּמִידוּת, נ׳ continuity

תְּמִידִי, ת״ז, ־דִית, ת״נ continuous

תְּמִיהָה, נ׳, ר׳, ־הוֹת astonishment

תְּמִיכָה, נ׳, ר׳, ־כוֹת support

תָּמִים, ת״ז, תְּמִימָה, ת״נ complete; innocent; faultless

תֻּמִּים, תוּמִּים, ז״ר, ע׳ אוּרִים Thummim, oracles

תְּמִימוּת, נ׳ integrity; innocence

תְּמִיסָה, תְּמִסָּה, ר׳, ־סוֹת dissolving, solution

תָּמִיר, ת״ז, תְּמִירָה, ת״נ upright, tall

תָּמַךְ, פ״י to support, hold up, maintain; to rely upon; to rest upon

תַּמְלוּג, ז׳, ר׳, ־גִים royalties

[תמם] תַּם, פ״ע to be finished, perfect; to cease; to be spent; to be destroyed

הֵתַם, פ״י to finish, make perfect; to cease doing

הִתַּמֵּם, פ״ח to be innocent; to feign simplicity

תֶּמֶס, ז׳ liquefaction

תְּמִסָּה, תְּמִיסָה, נ׳, ר׳, ־סּוֹת dissolving, solution

תְּמָנוּן, ז׳, ר׳, ־נִים octopus

תְּמְנוּעַ, ז׳ prophylaxis

תִּמְסָח, ז׳, ר׳, ־חִים crocodile

תַּמְצִית, נ׳, ר׳, ־צִיּוֹת essence, summary; extract, juice

תָּמָר, ז׳, ר׳, תְּמָרִים palm tree; date

תֹּמֶר, ז׳, ר׳, תְּמָרִים palm tree

תִּמֵּר, פ״ע to rise straight up (smoke)

תְּמָרָה, נ׳, ר׳, ־רוֹת palm tree; date; berry

תִּמְרוֹן, ז׳, ר׳, ־נִים maneuver, stratagem

תַּמְרוּק, ז׳, ר׳, ־קִים cosmetic; perfume

תַּמְרוּקִיָּה, נ׳, ר׳, ־קִיּוֹת perfumery, cosmetic shop

תַּמְרוּר, ז׳, ר׳, ־רִים signpost; bitterness

תַּן, ז׳, ר׳, תַּנִּים jackal

תַּנָּא, ז׳, ר׳, ־אִים Tanna, teacher of the Mishnah

תְּנַאי, ז׳, ר׳, תְּנָאִים, תְּנָיִים condition, stipulation

תְּנָאִים, ז״ר betrothal

תִּנָּה, פ״י to recount; to mourn

הִתְנָה, פ״י to stipulate, make a condition

תְּנוּאָה, נ׳, ר׳, ־אוֹת oppositon; reluctance; occasion; pretext

תְּנוּבָה, נ׳, ר׳, ־בוֹת fruit, produce

תְּנוּדָה, נ׳, ר׳, ־דוֹת motion, vibration, fluctuation; migration

תְּנוּחָה, נ׳, ר׳, ־חוֹת repose; resting place

תְּנוּךְ, ז׳, תְּנוּךְ אֹזֶן lobe (of ear)

תְּנוּמָה, נ׳, ר׳, ־מוֹת slumber

תְּנוּעָה, נ׳, ר׳, ־עוֹת motion, movement; vowel

תְּנוּפָה, נ׳, ר׳, ־פוֹת swinging, waving, shaking

תַּנּוּר, ז׳, ר׳, ־רִים stove, oven

תַּנְחוּם, ז׳, ר׳, ־מִים, ־מוֹת consolation, comfort

תַּנִּים, תַּנִּין, ז׳, ר׳, ־נִים serpent, sea monster; crocodile

תַּנַ"ךְ, ז׳ Bible: Pentateuch, Prophets, Writings (Hagiographa)

[תנע] הִתְנִיעַ, פ״י to set in motion, to start (engine)

תִּנְשֶׁמֶת, נ׳, ר׳, ־שָׁמוֹת owl; chameleon

תַּסְבִּיךְ, ז׳, ר׳, ־כִים complex

תִּסְבֹּכֶת, תִּסְבּוֹכֶת, נ׳, ר׳, ־כוֹת complexity, complication

תְּסוּגָה, נ׳, ר׳, ־גוֹת retreat

תָּסִיל, ז׳, ר׳, ־תְּסָלִים squab

תְּסִיסָה, נ׳, ר׳, ־סוֹת fermentation, bubbling, effervescence

תַּסְכִּית, ז׳, ר׳, ־תִים prospectus

תֹּסֶס, ז׳, ר׳, תְּסָסִים ferment; enzyme

תָּסַס, פ״ע to ferment, bubble, effervesce

תִּסְפֹּרֶת, נ׳, ר׳, ־פּוֹרוֹת haircut

תִּסְקֹרֶת, נ׳, ר׳, ־רוֹת review, vaudeville

תִּסְרֹקֶת, נ׳, ר׳, ־רוֹקוֹת — combing of hair, hair dressing, coiffure, hair-do
תִּעֵב, פ״י — to loathe; to make loathsome
תַּעֲבוּרָה, נ׳ — transportation
תִּעֵד, פ״י — to classify documents
תָּעָה, פ״ע — to err, go astray
תְּעוּדָה, נ׳, ר׳, ־דוֹת — testimony; document, certificate; mission
תְּעוּדַת־בַּגְרוּת — high-school diploma
תְּעוּדַת־זֶהוּת — identity card
תִּעוּל, ז׳ — canalization; sewerage
תְּעוּפָה, נ׳, ר׳, ־פוֹת — flight, aviation
שְׂדֵה־תְּעוּפָה — airport, airfield
תְּעוּרָה, נ׳ — wakefulness, arousement
תִּעוּשׁ, ז׳ — industrialization
תְּעִיָּה, נ׳, ר׳, ־יוֹת — wandering, erring
תִּעֵל, פ״י — to canalize; to drain
תְּעָלָה, נ׳, ר׳, ־לוֹת — trench, canal; healing, cure
תַּעֲלוּל, ז׳, ר׳, ־לִים — mischievousness; wantonness; naughty boy
תַּעֲלוּמָה, נ׳, ר׳, ־מוֹת — secret, hidden thing
תַּעֲמוּלָה, נ׳ — propaganda
תַּעַמְלָן, ז׳, ר׳, ־נִים — propagandist
תַּעֲנוּג, ז׳, ר׳, ־גִים, ־גוֹת — enjoyment, pleasure, delight
תַּעֲנִית, נ׳, ר׳, ־נִיּוֹת — fast, fasting
תַּעֲסוּקָה, נ׳ — employment
תַּעֲצוּמָה, נ׳, ר׳, ־מוֹת — might
תַּעַר, ז׳ ר׳, תְּעָרִים — razor; sheath, scabbard
תַּעֲרֹבֶת, נ׳, ר׳, ־רוֹבוֹת — mixture, alloy
תַּעֲרוּבָה, נ׳, ר׳, ־בוֹת — pledge
בֶּן תַּעֲרוּבוֹת — hostage

תַּעֲרוּכָה, נ׳, ר׳, ־כוֹת — exhibition, exposition
תַּעֲרִיף, ז׳, ר׳, ־פִים — price list; tariff
תִּעֵשׁ, פ״י — to industrialize
תַּעֲשִׂיָּה, נ׳, ר׳, ־שִׂיּוֹת — industry, manufacture
תַּעֲשְׂיָן, ז׳, ר׳, ־נִים — manufacturer, industrialist
תַּעְתּוּעַ, ז׳, ר׳, ־עִים — mockery
תַּעְתִּיק, ז׳, ר׳, ־קִים — transliteration
תִּעְתַּע, פ״י — to mock, trifle
תִּעְתֵּק, פ״י — to transliterate
תֹּף, תּוֹף, ז׳, ר׳, תֻּפִּים — drum
תֹּף־מִרְיָם — tambourine
תַּפְאוּרָה, נ׳, ר׳, ־רוֹת — decoration; theatrical setting
תִּפְאָרָה, תִּפְאֶרֶת, נ׳ — beauty, glory
תַּפּוּז, ז׳, ר׳, ־זִים — orange
תַּפּוּחַ, ז׳, ר׳, ־חִים — apple; apple tree; pile
תַּפּוּחַ־אֲדָמָה — potato
תַּפּוּחַ־זָהָב, ע׳ תַּפּוּז — orange
תָּפוּחַ, ת״ז, תְּפוּחָה, ת״נ — swollen
תְּפוּנָה, נ׳ — doubt
תְּפוּס, ז׳, ר׳, ־סִים — pommel
תָּפוּס, ת״ז, תְּפוּסָה, ת״נ — taken, occupied
תְּפוּסָה, נ׳, ר׳, ־סוֹת — violated woman
תְּפוּצָה, נ׳, ר׳, ־צוֹת — dispersion, diaspora; distribution, sale
תְּפוּקָה, נ׳ — production
תְּפוּר, ז׳ — sewing
תָּפוּשׂ, ת״ז, תְּפוּשָׂה, ת״נ — taken, occupied
תָּפֹז, ת״ז, תְּפֻזָּה, ת״נ — orange (color)
תָּפַח, פ״ע — to swell
תֶּפַח, ז׳ — swelling
תְּפִילָה, תְּפִלָּה, נ׳, ר׳, ־לּוֹת — prayer; phylactery

תְּפִילִין, תְּפִלִּין, נ״ר phylacteries
תְּפִיסָה, תְּפִישָׂה, נ׳, ר׳, ־סוֹת seizing, taking hold; grasp, comprehension; prison
תְּפִירָה, נ׳, ר׳, ־רוֹת sewing
תָּפֵל, ת״ז, תְּפֵלָה, ת״נ unsalted, tasteless, insipid
תָּפַל, פ״י to be silly, talk nonsense
תִּפְלָה, נ׳, תִּפְלוּת, נ׳ unsavoriness; impropriety, obscenity
תְּפִלָּה, תְּפִילָה, נ׳, ר׳, ־לּוֹת prayer; phylactery
תְּפִלִּין, תְּפִילִין, נ״ר phylacteries
תְּפֵלוּת, נ׳, ר׳, ־לֻיּוֹת tastelessness, insipidity
תַּפְלִיט, ז׳ transpiration
תִּפְלֶצֶת, נ׳, ר׳, ־לָצוֹת shuddering, horror
תַּפְנוּק, ז׳, ר׳, ־קִים delicacy; enjoyment; comfort
תַּפְנִית, נ׳, ר׳, ־נִיּוֹת turning, direction, tendency
תָּפַס, פ״י to seize, grasp, take hold
תָּפַף, פ״י to beat the drum
תּוֹפֵף, פ״י to beat, drum
תִּפְקֵד, פ״י to execute, command
תַּפְקִיד, ז׳, ר׳, ־דִים role, function; command, charge
תָּפַר, פ״י to sew; to sew together
תֶּפֶר, ז׳, ר׳, תְּפָרִים stitch, seam
תִּפְרַחַת, נ׳, ר׳, ־רָחוֹת blossoming; skin rash
תַּפְרִיט, ז׳, ר׳, ־טִים menu
תָּפַשׂ, פ״י to seize, grasp, take hold
תִּפֵּשׂ, פ״י to take hold of; to climb
תֹּפֶת, נ׳ תָּפְתֶּה, ז׳ place of burning; inferno, hell

מְכוֹנַת־תֹּפֶת time bomb
תְּצוּגָה, נ׳, ר׳, ־גוֹת display
תְּצוּרָה, נ׳, ר׳, ־רוֹת formation
תַּצְלוּם, ז׳, ר׳, ־מִים photograph
תַּצְפִּית, נ׳, ר׳, ־פִּיּוֹת observation
תִּצְרֹכֶת, נ׳ consumption of necessities
תַּקְבּוּל, ז׳, ר׳, ־לִים receipt (money)
תִּקְבֹּלֶת, נ׳, ר׳, ־בּוֹלוֹת parallelism
תַּקְדִּים, ז׳, ר׳, ־מִים precedent
תִּקְוָה, נ׳, ר׳, ־ווֹת hope; cord, strap
תְּקוּמָה, נ׳, ר׳, ־מוֹת standing up, rising; restoration
תִּקּוּן, ז׳, ר׳, ־נִים repair, improvement; reform; emendation
תָּקוֹעַ, ז׳, ר׳, ־עוֹת trumpet, blast instrument
תָּקוּעַ, ת״ז, תְּקוּעָה, ת״נ stuck in
תְּקוּפָה, נ׳, ר׳, ־פוֹת circuit, cycle; period, era
תְּקוּפוֹן, ז׳, ר׳, ־נִים periodical
תָּקִין, ת״ז, תְּקִינָה, ת״נ regular, normal
תְּקִינוּת, נ׳ regularity, normality
תְּקִיעָה, נ׳, ר׳, ־עוֹת blast, blowing of horn; driving in, sticking in
תְּקִיעַת־כַּף handshake
תַּקִּיף, ת״ז, ־פָה, ת״נ mighty, strong; hard, severe
תְּקִיפָה, נ׳, ר׳, ־פוֹת attack
תַּקִּיפוּת, נ׳ might; strength; severity
[תקל] נִתְקַל, פ״ע to stumble; to strike against
תַּקָּלָה, תְּקָלָה, נ׳, ר׳, ־לוֹת stumbling; stumbling block
תַּקְלִיט, ז׳, ר׳, ־טִים phonograph record
תָּקַן, פ״ע to be straight
תִּקֵּן, פ״י to make straight; to repair; to reform

הִתְקִין, פ"י to prepare; to ordain, establish
תֶּקֶן, ז', ר', תְּקָנִים normality; norm, standard
תַּקָּנָה, נ', ר', ־נוֹת repair; reform; amendment
תַּקְנוֹן, ז', ר', תַּקְנוֹנִים bylaws, constitution
תָּקַע, פ"י to blow (horn); to thrust; to stick in, drive in; to strike, slap
תֵּקַע, ז' blast (of horn)
תֶּקַע, ז', ר', תְּקָעִים plug
תָּקַף, פ"י to attack, assail
תֹּקֶף, ז' strength, power; validity
תַּקְצִיב, ז', ר', ־בִים budget
תַּקְצִיבִי, ת"ז, ־בִית, ת"נ budgetary
תַּקְצִיר, ז', ר', ־רִים synopsis, résumé
תִּקְרֹבֶת, נ', ר', ־רוֹבוֹת refreshments
תִּקְרָה, נ', ר', ־רוֹת ceiling; roofing
תִּקְתּוּק, ז', ר', ־קִים clicking, ticking; typewriting
תִּקְתֵּק, פעו"י to tick, click; to typewrite
תָּר, פ"י, ע' [תור] to tour, explore; to spy out, seek out
תַּרְבּוּת, נ', ר', ־בֻּיּוֹת culture; education, rearing, manners; increase, growth
תַּרְבּוּתִי, ת"ז, ־תִית, ת"נ cultured
תַּרְבִּיךְ, ז' stew
תַּרְבֵּץ, ז', ר', ־צִים garden; academy
תַּרְבִּית, נ', ר', ־בִּיוֹת interest, usury; growth
תָּרֹג, ת"ז, תְּרֻגָּה, ת"נ greenish-yellow
תִּרְגּוּל, ז', ר', ־לִים drilling, exercising
תַּרְגּוּם, ז', ר', ־מִים translation
תִּרְגּוּם, ז', ר', ־מִים translating
תַּרְגִּיל, ז', ר', ־לִים exercise, drill
תִּרְגֵּל, פעו"י to teach to walk; to drill
תִּרְגֵּם, פ"י to translate, interpret
תֻּרְגְּמָן, ז', תּוּרְגְּמָן, ר', ־נִים translator, interpreter
תֶּרֶד, ז', ר', תְּרָדִים beetroot; spinach
תַּרְדֵּמָה, נ', ר', ־מוֹת deep sleep, trance
[תרה] הִתְרָה, פ"י to warn, forewarn
תַּרְוָד, ז', ר', ־וָדוֹת, ־וָדִים ladle
תָּרוּט, ת"ז, תְּרוּטָה, ת"נ straight-lined
תְּרוּמָה, נ', ר', ־מוֹת contribution; offering; choice
תְּרוּעָה, נ', ר', ־עוֹת shout of joy; war cry; alarm; blast (of trumpet)
תְּרוּפָה, נ', ר', ־פוֹת healing; remedy, cure; medicine
תֵּרוּץ, ז', ר', ־צִים answer, solution (to problem); excuse
[תרז] הִתְרִיז, פ"ע to excrete
תִּרְזָה, נ', ר', תְּרָזוֹת lime tree, linden tree
תְּרֵי, ש"מ two
תַּרְיַ"ג (מִצְווֹת) 613; 613 commandments listed in the Bible
תְּרִיס, ז', ר', ־סִים shutter, blind; shield
תְּרֵיסַר, ש"מ twelve, dozen
תְּרֵיסַרְיוֹן, ז' duodenum
תִּרְכֹּבֶת, נ', ר', ־כּוֹבוֹת compound
תַּרְכִּיב, ז', ר', ־בִים serum, vaccine
תָּרַם, פ"י to contribute; to remove (ashes from altar)
תָּרְמָה, נ' deceit, treachery
תֻּרְמוֹס, ז', ר', ־סִים lupine

knapsack, bag; תַּרְמִיל, ז׳, ר׳, ־לִים
seed bag, pod; capsule
deceitfulness תַּרְמִית, נ׳
to form pods; to put into capsules; to carry a knapsack תִּרְמֵל, פ״ע
mast, pole תֹּרֶן, ז׳, ר׳, תְּרָנִים
cock, rooster; hen תַּרְנְגוֹל, ז׳, תַּרְנְגֹלֶת, נ׳, ר׳, ־לִים, ־לוֹת
turkey תַּרְנְגוֹל־הֹדּוּ, תַּרְנְהוֹד
to shield; to resist, defy, challenge [תרס] הִתְרִיס, פ״ע
to blow trumpet, sound alarm [תרע] הִתְרִיעַ, פ״ע
grudging person תַּרְעוּמָן, ז׳, ר׳, ־נִים
poison תַּרְעֵלָה, נ׳, ר׳, ־לוֹת
murmur, complaint; grudge תַּרְעֹמֶת, נ׳, ר׳, ־עוֹמוֹת
shame; obscenity; weakness; pudenda תֻּרְפָּה, תּוּרְפָּה, נ׳, ר׳, ־פּוֹת
household gods, idols, teraphim תְּרָפִים, ז״ר
laxative תְּרַפְיוֹן, ז׳, ר׳, ־נִים
to answer, solve (difficulty) תֵּרֵץ, פ״י
sketch, plan תַּרְשִׁים, ז׳, ר׳, ־מִים
chrysolite, precious stone תַּרְשִׁישׁ, ז׳, ר׳, ־שִׁים
two תַּרְתֵּי, ש״מ, נ׳
praise תִּשְׁבָּחָה, נ׳, ר׳, ־חוֹת
checkered work; crossword puzzle תַּשְׁבֵּץ, ז׳, ר׳, ־בְּצִים
fractions; geometry תִּשְׁבֹּרֶת, נ׳
urgent dispatch (radio) תִּשְׁדֹּרֶת, נ׳, ר׳, ־דּוֹרוֹת
noise, shout, roar; applause תְּשׁוּאָה, נ׳, ר׳, ־אוֹת
answer, reply; return; repentance תְּשׁוּבָה, נ׳, ר׳, ־בוֹת

repenter בַּעַל־תְּשׁוּבָה
putting, placing תְּשׂוּמָה, נ׳
deposit, pledge, security תְּשׂוּמֶת יָד
attention תְּשׂוּמֶת לֵב
deliverance, salvation; victory תְּשׁוּעָה, נ׳, ר׳, ־עוֹת
longing, desire תְּשׁוּקָה, נ׳, ר׳, ־קוֹת
present, gift תְּשׁוּרָה, נ׳, ר׳, ־רוֹת
weak תָּשׁוּשׁ, ת״ז, תְּשׁוּשָׁה, ת״נ
youth, early manhood תִּשְׁחֹרֶת, נ׳
ninth תְּשִׁיעִי, ת״ז, ־עִית, ת״נ
one-ninth, ninth part תְּשִׁיעִית, נ׳, ר׳, ־עִיּוֹת
weakness, feebleness תְּשִׁישׁוּת, נ׳
gearing, meshing תִּשְׁלֹבֶת, נ׳
payment, indemnity תַּשְׁלוּם, ז׳, ר׳, ־מִים, ־מוֹת
use; utensil, article; sexual intercourse תַּשְׁמִישׁ, ז׳, ר׳, ־שִׁים
religious articles תַּשְׁמִישֵׁי־קְדֻשָּׁה
strangulation תַּשְׁנוּק, תַּשְׁנִיק, ז׳
nine תֵּשַׁע, ש״מ, נ׳
nineteen תְּשַׁע־עֶשְׂרֵה, ש״מ, נ׳
to divide, multiply by nine תִּשַּׁע, פ״י
nine תִּשְׁעָה, ש״מ, ז׳
nineteen תִּשְׁעָה־עָשָׂר, ש״מ, ז׳
ninety תִּשְׁעִים, ש״מ, זו״נ
present, gift תֶּשֶׁר, ז׳
to give a gift; to present תִּשַּׁר, פ״י
Tishri, seventh month of Hebrew calendar תִּשְׁרִי, ז׳
to be weak, feeble תָּשַׁשׁ, פ״ע
subsoil; substructure תַּשְׁתִּית, נ׳, ר׳, ־תִּיּוֹת

תַּת, תה"פ	under, sub-
תַּת־יֶדַע, תַּת־הַכָּרָה	subconscience
תַּת־יַמִּי	subaqueous, submarine
תַּת־מֵימִי	underwater
תַּת־מִקְלָע	submachine gun
תַּת־שַׂר	deputy minister
תִּתּוֹרָה, נ׳, ר׳, ־רוֹת	brim (hat)
תַּתְרָן, ת"ז, ־נִית, ת"נ	having no sense of smell
תַּתְרָנוּת, נ׳	lack of sense of smell

I. CONSONANTS א׳ הָעִצּוּרִים

אות גְּדוֹלָה או רַבָּתִי*	אות קְטַנָּה	הַשֵּׁם	הַבִּטּוּי	
B	b	בִּי	as in *bib*	כמו בַּיִת
C	c	סִי	as in *city*	כמו סֶדֶק
C	c	סִי	as in *can*	כמו קַנְקַן
Ch	ch	סִי־אֵטְשְׁ	as in *chess*	אין בעברית
D	d	דִּי	as in *dead*	כמו דַּד
F	f	אֶף	as in *fiddle*	כמו הֶפְצֵר
G	g	גִ׳י	as in *gag*	כמו גַּג
G	g	גִ׳י	as in *gem*	אין בעברית
H	h	אֵטְשְׁ	as in *Hebrew*	כמו הֶבֶל
J	j	גֵ׳י	as in *jet*	אין בעברית
K	k	קֵי	as in *kettle*	כמו קֶטֶל
L	l	אֶל	as in *lilt*	כמו לֵיל
M	m	אֶם	as in *male*	כמו מֶלֶךְ
N	n	אֶן	as in *nail*	כמו נֶדֶן
P	p	פִּי	as in *pet*	כמו פֶּתִי
Q(u)	q(u)	קְיוּ	as in *quick*	אין בעברית
R	r	אַר	as in *rim*	כמו רָם
S	s	אֶס	as in *sun*	כמו סַנְסַן
S	s	אֶס	as in *his*	כמו הִזְדַּמְּנוּת
S	s	אֶס	as in *vision*	אין בעברית
Sh	sh	אֶס־אֵטְשְׁ	as in *shed*	כמו שֵׁד
T	t	טִי	as in *tip*	כמו טִפָּה
Th	th	טִי־אֵטְשְׁ	as in *thin*	אין בעברית
V	v	וִי	as in *villain*	כמו וִילוֹן
W	w	דָּבֶּל־יוּ	as in *wish*	אין בעברית
X	x	אֶקְס	as in *index*	אין בעברית
X	x	אֶקְס	as in *exactly*	אין בעברית
Y	y	אוּאַי	as in *yet*	כמו יֶתֶר
Z	z	זִי	as in *Zoo*	כמו זה (זוּ)
	ng	אֶן־גִ׳י	as in *sung*	אין בעברית

* בשם (עצם) פרטי ובתחילת משפט

II. VOWELS ב׳ הַתְּנוּעוֹת

אוֹת גְּדוֹלָה אוֹ רַבָּתִי	אוֹת קְטַנָּה	הַשֵּׁם	הַבִּטּוּי	הַתְּנוּעָה הַמַּקְבִּילָה בְּעִבְרִית
A	a	אֵי	as in *hard* כמו הַרְדָּמָה	ָ
A	a	אֵי	as in *hat* כמו הֶגְיוֹנִי	ֶ
A	a	אֵי	as in *hall* כמו הוֹד	וֹ
E	e	אִי	as in *bet* כמו גֶּט	ֶ
Ea	ea	אִי־אֵי	as in *heat* כמו הִתּוּל	ִ
Ea	ea	אִי־אֵי	as in *head* כמו הֶרֶף	ֶ
Ee	ee	אִי־אִי, דָּבֶל־אִי	as in *see* כמו רְאִי	ִ
I	i	אַי	as in *like* כמו אַיָּל	
I	i	אַי	as in *Israel* כמו אִיזֶבֶל	אִי
I	i	אַי	as in *bird* אין בעברית	
O	o	אוֹ	as in *hot* כמו אוֹ	אָ
Oo	oo	דָּבֶל־אוֹ	as in *shoot* כמו חוּט	וּ, ֻ
U	u	יוּ	as in *bullet* כמו אֻמְצָה	וּ, ֻ
U	u	יוּ	as in *hurt* אין בעברית	

III. DIPHTHONGS ג׳ דּוּ־תְּנוּעוֹת

TRIPHTHONGS תְּלַת־תְּנוּעוֹת

הָאוֹת	הַשֵּׁם	הַבִּטּוּי	הַתְּנוּעָה הַמַּקְבִּילָה בְּעִבְרִית
a(ay)	אֵי	as in *hay* כמו הֵיאַךְ	ֵ
au	אֵי־יוּ	as in *sauce* כמו מָשׁוֹשׁ	וֹ
e(ey)	אִי	as in *they* כמו הֵידָד	ֵ
eau	אִי־אֵי־יוּ	as in *beauty* כמו טִיוּטָה	יוּ
i(ai)	אַי	as in *mine* כמו שַׁדַּי	ַ
oy	אוֹ־אוּאַי	as in *boy* כמו גּוֹי	אוֹי
y(ai)	אוּאַי	as in *my* כמו דַּי	אַי

א. תָּוִית מְיַדַּעַת אוֹ הֵא הַיְדִיעָה DEFINITE ARTICLES

ה — definite article, כמו הֵא הידיעה בעברית, אינו משתנה.
למשל: הילד—the boy, הילדה—the girl, המלכים—the kings.
בטוי ה־ the "דְ" ـ רק בבואו לפני תנועה או לפני h דוממת, או כשהוא בפני עצמו, או מודגש במיוחד. ביתר המקרים מבטאים אותו "דַ".
אין משתמשים בתוית the במובן הכללי, לפני:
א. שמות ברבוי
ב. שמות מופשטים (סתמיים)
ג. שמות צבעים
ד. שמות עצמים (לחם, אדמה, עץ, יין וכו')
ה. שמות לשון
ו. השמות: man, woman
למשל: כלבים—dogs, כעס—anger; אדם—red, לחם—bread, עברית—Hebrew.
אך צריך תמיד להשתמש בו, כשהמובן אינו כללי.
למשל: האיש שהנני רואה— the man that I see

ב. תָּוִית מְסֻתֶּמֶת (כִּנּוּי סְתָמִי) INDEFINITE ARTICLES

ה—indefinite article הנו בעל שתי צורות: a, an
1. לפני עיצורים (ובכללם: w, h, y), ולפני כל תנועה או קבוצת תנועות שקולן: ye, you—משתמשים בצורה: a,
למשל: איש אחד—a man; אישה אחת—a lady; בית אחד—a house; שמוש אחד—a use.
2. לפני תנועה או לפני h אלמת, משתמשים בצורה: an,
למשל: תנור אחד—an oven; כבוד אחד—an honor
לתוית המסתמת הזו אין רבוי.

ג. הַשֵּׁם (שֵׁם הָעֶצֶם) THE NOUN

הרבוי נוצר על ידי תוספת האות s-בסוף היחיד, והיא מתבטאת,
למשל: book, books
היוצאים מן הכלל:

לשמות המסתיימים ב: o, s, x, z, sh מוסיפים: es-,

למשל: box, boxes; potato, potatoes

למלים המסתיימות ב: ch- מוסיפים: es-,

למשל: church, churches, אך אם ה: ch מתבטאת: k — מוסיפים: s- בלבד

למשל: monarch, monarchs.

למלים המסתיימות ב: y-, ואם קודמת לה תנועה, מוסיפים: s-,

למשל: boy, boys, אך אם קודם לה עיצור, מוסיפים: ies-,

למשל: fly, flies

מלים המסתיימות ב: fe- משתנות בסופן ל: ives-

למשל: knife, knives

ולכשהן מסתיימות ב: f- (והן 10 במספר): calf, elf, half, leaf, loaf, self, sheaf, shelf, thief, wolf—משתנה ה f- שבסוף המלים הנ"ל, ברבוי, ל: ves-,

כדלקמן: calves, elves, sheaves, wolves, etc.

במלים הבאות שונים הרבים: man, men; woman, women; child, children; ox, oxen; foot, feet; tooth, teeth; goose, geese; mouse, mice; louse, lice.

והרי מלים שאינן משתנות ברבים: deer, salmon, sheep, trout, swine, grouse.

הַמִּין GENDER

רֹב השמות באנגלית הם מין זכר, לכשהם מכנים אדם או יצור גברי; כשהם נקביים—נקבה; ובכל יתר המקרים, כשאין הם לא זכר ולא נקבה — מין סתמי.

parent מתכוֵן לאב או לאם וברבים לשניהם גם יחד.

cousin יכול להיות דודן, גם דודנית.

מלים המסתיימות ב: er-, כמו: reader, כשמובן מלה זו: קַרְיָן—מין זכר; כשמובנה: קַרְיָנִית—מין נקבה; ולכשמובנה: קְרָאוֹן (ספר קריאה)—מין סתמי.

היוצאים מן הכלל העקריים, הם:

baby, child, שהנם, בדרך כלל, מין סתמי, אם כי יש באלה זכר או נקבה

ship, engine, הנם, בדרך כלל, מין נקבה.

ניקוב השם נעשה בשלש דרכים:

1. במלה שונה: father, mother; brother, sister; boy, girl; son, daughter.

2. על ידי שם מרכב: milkman, milkmaid

3. על ידי שנוי הסיום ל: ess- או ל: ress-,

למשל: lion, lioness; prince, princess; actor, actress

ומנקבה לזכר: widow, widower

THE ADJECTIVE ד. שֵׁם הַתֹּאַר

ה—adjective אינו משתנה ביחס לזכר או לנקבה, ליחיד או לרבים, ובא לפני השם שהוא מתאר,

למשל: ילד(ה) טוב(ה) — a good boy, a good girl; אשה (נשים) יפה (יפות) a beautiful woman, beautiful women

ערך (ההשוואה) היתרון *comparison* וערך ההפלגה — *superlative* מתהוים בדרכים הבאות:

כשהתאר בן הברה אחת—על ידי תוספת הסיומת: ‎-er או: ‎-est,

למשל: small, smaller, (the) smallest

כשהתאר בעל שתי הברות או יותר — על ידי הקדמת תאר הפועל: more או: most,

למשל: beautiful, more (most) beautiful

רוב שמות התאר, בשעת השוואה או האדרה, מסתייעים בסופיות: ‎-er או: ‎-est,

למשל: broad, broader, broadest

אם ישנו בסופם של שמות התאר: y, מסתיימים הם בסופיות: ‎-ier, -iest,

למשל: tidy, tidier, tidiest

התארים היוצאים מן הכלל וערכי הפלגתם ויתרונם, המה:

good (well), better, best; little, less, lesser, the least; far, farther (further), farthest (furthest); old, older (elder), oldest (eldest) much, more, most; bad (ill), worse, worst.

DEMONSTRATIVE AND POSSESSIVE ADJECTIVES
תֹּאַר הַשֵּׁם הַמְּרַמֵּז וְהַקִּנְיָנִי

(*SEE ALSO* PRONOUNS)
(ע׳ שֵׁם הַגּוּף, כִּנּוּי)

איזה, כמה — נתרגם: some או any

למשל: I have some books

מובנו האמתי של any יהיה: איזשהו

למשל: I (he does not) read any book

אבל, במשפטים: will you have some wine (any grapes) — משמשים תארי שם אלה כתוית החלקית partitive article — במובן — קצת, אחדים.

מישהו יהיה: somebody; מישהם — some;

(אין) איש (אדם), הנם: anybody, nobody;

כלום, דבר מה — הם: something;
לא כלום, מובנו: nothing
הרבה, נתרגם: ביחיד — much וברבים — many
מצער (אחדים, מעט), הם, באנגלית: ביחיד — (a) little וברבים — (a) few

THE PRONOUN ה. שֵׁם הַגּוּף, כִּנּוּי

1. כִּנּוּי הַגּוּף, PERSONAL PRONOUNS
נוֹשֵׂא (SUBJECT)

(סתמי) it ,(נקבה) she ,(זכר) I, you, he ;וברבים: we, you, they
בכנוי: thou אין משתמשים אלא בתפלה, בפניה לאלהים.

2. כִּנּוּי אִישִׁי PERSONAL PRONOUNS
מוּשָׂא (OBJECT)

(סתמי) it ;(נקבה) her ;(זכר) me, you, him ;וברבים: us, you, them
ובפניה לקדוש ברוך הוא, יאמר: thee

3. כִּנּוּי הַקִּנְיָן POSSESSIVE PRONOUNS

(סתמי) its ,(נקבה) hers ,(זכר) mine, yours, his ;וברבים: ours, yours, theirs
וכתאר — adjective:
(סתמי) its ,(נקבה) her ,(זכר) my, your, his ;וברבים: our, your, their

4. כִּנּוּי הַיַּחַס RELATIVE PRONOUNS

(סתמי) itself ,(נקבה) herself ,(זכר) myself, yourself, himself
ולרבים: ourselves, yourselves, themselves,
למשל: speak for yourself; she flatters herself

5. כִּנּוּי הָרוֹמֵז DEMONSTRATIVE PRONOUNS

this, that ;וברבים: these, those ואינם משתנים לזכר, לנקבה ולסתמי ולא ביחיד וברבים.

למשל: האיש (האשה) המדבר (ת) the man (woman) that speaks;
הבית (הבתים) אשר אני רואה the house (houses) that I see
לכנוי הרומז הנוסף, ארבע צורות:
who, whom (לזכר, נקבה, יחיד ורבים);
whose (של קנין);
which (סתמי, יחיד ורבים).
למשל: האיש (האשה, הילדים) אשר בא (באה, באים) ואשר אני רואה באים
the man (the woman, the children) who is (are) coming, and whom I see coming.
של מי העפרון (העפרונות) הזה (האלה) הנמצא (הנמצאים) על השלחן?
Whose is (are) this (these) pencil(s), which is (are) on the table?

THE ADVERB ו. תֹּאַר הַפֹּעַל

רוב תארי הפעל באנגלית נוצרים על ידי תוספת הסופית ly- לשם התאר
למשל: great, greatly; nice, nicely
היוצאים מן הכלל:
התארים המסתיימים ב: ble- מחליפים ה־ e-ל y-,
למשל: possible, possibly
ולמסתיימים ב: ic- מוסיפים הסיומת ally-
למשל: intrinsic, intrinsically
והמסתיימים ב: ue-, מפסידים ה e-,
למשל: true, truly.
והמסתיימים ב: y-, מתחלפת זו ב i-,
למשל: happy, happily
בתארי השם המסתיימים ב: ly-, משתמשים גם כתארי הפעל.

THE VERB ז. הַפֹּעַל

לפעלים האנגליים רק 3 סיומים:
s- לגוף שלישי, ליחיד של המחליט—indicative;
ed- לעבר ולבינוני—past tense and intermediate past—תמיד ללא שנוי;
ing- לבינוני הוה (נוכח)—present participle

למשל: (I) walk, (he) walks, (he) walked; walking

במלים בנות הברה אחת הנהפכות לפעל—עִצורן האחרון נכפל,

למשל: red, redder, (to) redden; stop, stopped, stopping

פעל המסתיים ב: y-, משתנה ל ied-,

למשל: study—studied

והרי לוח הפעלים האנגליים ה"בלתי רגילים" (החריגים)

ותמונות היסוד שלהם — בסדורם האלפביתי:

ENGLISH IRREGULAR VERBS הַפְּעָלִים הַחֲרִיגִים בְּאַנְגְּלִית

PRESENT—הֹוֶה	PAST—עָבָר	PAST PARTICIPLE—בֵּינוֹנִי עָבָר
abide	abode	abode
am, is, are	was, were	been
arise	arose	arisen
awake	awoke, awaked	awaked, awoke
bear	bore	born, borne
beat	beat	beaten, beat
become	became	become
beget	begot	begotten
begin	began	begun
bend	bent	bent
bereave	bereaved, bereft	bereaved, bereft
beseech	besought, beseeched	besought
beset	beset	beset
bet	bet, betted	bet, betted
bid	bade, bid	bidden, bid
bind	bound	bound
bite	bit	bitten
bleed	bled	bled
blow	blew	blown
break	broke	broken
breed	bred	bred
bring	brought	brought
build	built	built
burn	burned, burnt	burned, burnt
burst	burst	burst
buy	bought	bought

PRESENT—הֹוֶה	PAST—עָבָר	PAST PARTICIPLE—בֵּינוֹנִי עָבָר
can	could	—
cast	cast	cast
catch	caught	caught
chide	chid, chided	chid, chidden, chided
choose	chose	chosen
cleave	cleaved	cleaved
cling	clung	clung
clothe	clothed, clad	clothed, clad
come	came	come
cost	cost	cost
creep	crept	crept
crow	crew, crowed	crowed
cut	cut	cut
deal	dealt	dealt
dig	dug	dug
dip	dipped	dipped
do	did	done
draw	drew	drawn
dream	dreamed, dreamt	dreamed, dreamt
drink	drank	drunk
drive	drove	driven
dwell	dwelt	dwelt
eat	ate	eaten
fall	fell	fallen
feed	fed	fed
feel	felt	felt
fight	fought	fought
find	found	found
flee	fled	fled
fling	flung	flung
fly	flew	flown
forbear	forbore	forborne
forbid	forbade, forbad	forbidden
forget	forgot	forgotten
forgive	forgave	forgiven
forsake	forsook	forsaken
freeze	froze	frozen

PRESENT—הֹוֶה	PAST—עָבָר	PAST PARTICIPLE—בֵּינוֹנִי עָבָר
get	got	got, gotten
gild	gilded, gilt	gilded, gilt
gird	girt, girded	girt, girded
give	gave	given
go	went	gone
grind	ground	ground
grow	grew	grown
hang	hung	hung
have	had	had
hear	heard	heard
heave	heaved, hove	heaved, hove
help	helped	helped
hew	hewed	hewed, hewn
hide	hid	hidden, hid
hit	hit	hit
hold	held	held
hurt	hurt	hurt
keep	kept	kept
kneel	knelt, kneeled	knelt, kneeled
knit	knit, knitted	knit, knitted
know	knew	known
lade	laded	laded, laden
lay	laid	laid
lead	led	led
lean	leaned, leant	leaned, leant
leap	leaped, leapt	leaped, leapt
learn	learned, learnt	learned, learnt
leave	left	left
lend	lent	lent
let	let	let
lie	lay	lain
light	lighted, lit	lighted, lit
load	loaded	loaded, laden
lose	lost	lost
make	made	made
may	might	—
mean	meant	meant

PRESENT—הֹוֶה	PAST—עָבָר	PAST PARTICIPLE—בֵּינוֹנִי עָבָר
meet	met	met
mow	mowed	mowed, mown
ought	—	—
pay	paid	paid
pen	penned, pent	penned, pent
put	put	put
rap	rapped, rapt	rapped, rapt
read	read	read
rend	rent	rent
rid	rid	rid
ride	rode	ridden
ring	rang	rung
rise	rose	risen
rot	rotted	rotted
run	ran	run
saw	sawed	sawed, sawn
say	said	said
see	saw	seen
seek	sought	sought
sell	sold	sold
send	sent	sent
set	set	set
sew	sewed	sewed, sewn
shake	shook	shaken
shall	should	—
shave	shaved	shaved, shaven
shear	sheared	shorn
shed	shed	shed
shine	shone	shone
shoe	shod	shod
shoot	shot	shot
show	showed	shown
shred	shredded	shredded, shred
shrink	shrank, shrunk	shrunk
shut	shut	shut
sing	sang	sung
sink	sank	sunk

PRESENT—הֹוֶה	PAST—עָבָר	PAST PARTICIPLE—בֵּינוֹנִי עָבָר
sit	sat	sat
slay	slew	slain
sleep	slept	slept
slide	slid	slid
sling	slung	slung
slink	slunk	slunk
slit	slit, slitted	slit, slitted
smell	smelled, smelt	smelled, smelt
smite	smote	smitten
sow	sowed	sown, sowed
speak	spoke	spoken
speed	sped, speeded	sped, speeded
spell	spelled, spelt	spelled, spelt
spend	spent	spent
spill	spilled, spilt	spilled, spilt
spin	spun	spun
spit	spat, spit	spat, spit
split	split	split
spoil	spoiled, spoilt	spoiled, spoilt
spread	spread	spread
spring	sprang	sprung
stand	stood	stood
stave	staved, stove	staved, stove
stay	stayed	stayed
steal	stole	stolen
stick	stuck	stuck
sting	stung	stung
stink	stank, stunk	stunk
strew	strewed	(have) strewed, (be) strewn
stride	strode	stridden
strike	struck	struck
string	strung	strung
strive	strove, strived	striven, strived
swear	swore	sworn
sweat	sweat, sweated	sweat, sweated
sweep	swept	swept
swell	swelled	swelled, swollen

PRESENT—הֹוֶה	PAST—עָבָר	PAST PARTICIPLE—בֵּינוֹנִי עָבָר
swim	swam	swum
swing	swung	swung
take	took	taken
teach	taught	taught
tear	tore	torn
tell	told	told
think	thought	thought
thrive	throve, thrived	thrived, thriven
throw	threw	thrown
thrust	thrust	thrust
tread	trod	trodden, trod
wake	waked, woke	waked, woken
wax	waxed	waxed
wear	wore	worn
weave	wove	woven
weep	wept	wept
wet	wet, wetted	wet, wetted
will	would	—
win	won	won
wind	wound	wound
work	worked, wrought	worked, wrought
wreathe	wreathed	wreathed, wreathen
wring	wrung	wrung
write	wrote	written

CARDINAL NUMBERS הַמִּסְפָּר הַיְסוֹדִי

		FEMININE נְקֵבָה		MASCULINE זָכָר			
		נִסְמָךְ Construct	נִפְרָד Absolute	נִסְמָךְ Construct	נִפְרָד Absolute		
1	one	אַחַת־	אַחַת	אַחַד־	אֶחָד	1	א
2	two	שְׁתֵּי־	שְׁתַּיִם	שְׁנֵי־	שְׁנַיִם	2	ב
3	three	שְׁלשׁ־	שָׁלשׁ	שְׁלשֶׁת־	שְׁלשָׁה	3	ג
4	four	אַרְבַּע־	אַרְבַּע	אַרְבַּעַת	אַרְבָּעָה	4	ד
5	five	חֲמֵשׁ־	חָמֵשׁ	חֲמֵשֶׁת־	חֲמִשָּׁה	5	ה
6	six	שֵׁשׁ־	שֵׁשׁ	שֵׁשֶׁת־	שִׁשָּׁה	6	ו
7	seven	שְׁבַע־	שֶׁבַע	שִׁבְעַת־	שִׁבְעָה	7	ז
8	eight	שְׁמוֹנֶה־	שְׁמוֹנֶה	שְׁמוֹנַת־	שְׁמוֹנָה	8	ח
9	nine	תְּשַׁע־	תֵּשַׁע	תִּשְׁעַת־	תִּשְׁעָה	9	ט
10	ten	עֶשֶׂר־	עֶשֶׂר	עֲשֶׂרֶת־	עֲשָׂרָה	10	י
11	eleven		אַחַת־עֶשְׂרֵה		אַחַד־עָשָׂר	11	יא
12	twelve		שְׁתֵּים־עֶשְׂרֵה		שְׁנֵים־עָשָׂר	12	יב
13	thirteen		שְׁלשׁ־עֶשְׂרֵה		שְׁלשָׁה־עָשָׂר	13	יג
14	fourteen		אַרְבַּע־עֶשְׂרֵה		אַרְבָּעָה־עָשָׂר	14	יד
15	fifteen		חֲמֵשׁ־עֶשְׂרֵה		חֲמִשָּׁה־עָשָׂר	15	טו
16	sixteen		שֵׁשׁ־עֶשְׂרֵה		שִׁשָּׁה־עָשָׂר	16	טז
17	seventeen		שְׁבַע־עֶשְׂרֵה		שִׁבְעָה־עָשָׂר	17	יז

		FEMININE נְקֵבָה		MASCULINE זָכָר			
		נִסְמָךְ Construct	נִפְרָד Absolute	נִסְמָךְ Construct	נִפְרָד Absolute		
18	eighteen		שְׁמוֹנֶה־עֶשְׂרֵה		שְׁמוֹנָה־עָשָׂר	18	יח
19	nineteen		תְּשַׁע־עֶשְׂרֵה		תִּשְׁעָה־עָשָׂר	19	יט
20	twenty		עֶשְׂרִים		עֶשְׂרִים	20	כ
21	twenty-one		עֶשְׂרִים וְאַחַת		עֶשְׂרִים וְאֶחָד	21	כא
30	thirty				שְׁלֹשִׁים	30	ל
40	forty				אַרְבָּעִים	40	מ
50	fifty				חֲמִשִּׁים	50	נ
60	sixty				שִׁשִּׁים	60	ס
70	seventy				שִׁבְעִים	70	ע
80	eighty				שְׁמוֹנִים	80	פ
90	ninety				תִּשְׁעִים	90	צ
100	one hundred				מֵאָה	100	ק
101	one hundred and one				מֵאָה וְאֶחָד	101	קא
200	two hundred				מָאתַיִם	200	ר
1.000	one thousand				אֶלֶף	1.000	א׳....
2.000	two thousand				אַלְפַּיִם	2.000	ב׳....
1.000.000	one million				מִילְיוֹן	1.000.000	

ORDINAL NUMBERS הַמִּסְפָּר הַסִּדּוּרִי

		FEMININE נְקֵבָה	MASCULINE זָכָר
1st	first	רִאשׁוֹנָה	רִאשׁוֹן
2nd	second	שְׁנִיָּה, שֵׁנִית	שֵׁנִי
3rd	third	שְׁלִישִׁית	שְׁלִישִׁי
4th	fourth	רְבִיעִית	רְבִיעִי
5th	fifth	חֲמִישִׁית	חֲמִישִׁי
6th	sixth	שִׁשִּׁית	שִׁשִּׁי
7th	seventh	שְׁבִיעִית	שְׁבִיעִי
8th	eighth	שְׁמִינִית	שְׁמִינִי
9th	ninth	תְּשִׁיעִית	תְּשִׁיעִי
10th	tenth	עֲשִׂירִית	עֲשִׂירִי
11th	eleventh	הָאַחַת־עֶשְׂרֵה	הָאַחַד־עָשָׂר
12th	twelfth	הַשְּׁתֵּים־עֶשְׂרֵה	הַשְּׁנֵים־עָשָׂר
13th	thirteenth	הַשְּׁלֹשׁ־עֶשְׂרֵה	הַשְּׁלֹשָׁה־עָשָׂר
14th	fourteenth	הָאַרְבַּע־עֶשְׂרֵה	הָאַרְבָּעָה־עָשָׂר
15th	fifteenth	הַחֲמֵשׁ־עֶשְׂרֵה	הַחֲמִשָּׁה־עָשָׂר
16th	sixteenth	הַשֵּׁשׁ־עֶשְׂרֵה	הַשִּׁשָּׁה־עָשָׂר
17th	seventeenth	הַשְּׁבַע־עֶשְׂרֵה	הַשִּׁבְעָה־עָשָׂר
18th	eighteenth	הַשְּׁמוֹנֶה־עֶשְׂרֵה	הַשְּׁמוֹנָה־עָשָׂר
19th	nineteenth	הַתְּשַׁע־עֶשְׂרֵה	הַתִּשְׁעָה־עָשָׂר
20th	twentieth	הָעֶשְׂרִים	הָעֶשְׂרִים
21st	twenty-first	הָעֶשְׂרִים וְאַחַת	הָעֶשְׂרִים וְאֶחָד
30th	thirtieth	הַשְּׁלֹשִׁים	הַשְּׁלֹשִׁים
40th	fortieth	הָאַרְבָּעִים	הָאַרְבָּעִים
50th	fiftieth	הַחֲמִשִּׁים	הַחֲמִשִּׁים
60th	sixtieth	הַשִּׁשִּׁים	הַשִּׁשִּׁים
70th	seventieth	הַשִּׁבְעִים	הַשִּׁבְעִים
80th	eightieth	הַשְּׁמוֹנִים	הַשְּׁמוֹנִים
90th	ninetieth	הַתִּשְׁעִים	הַתִּשְׁעִים
100th	hundredth	הַמֵּאָה	הַמֵּאָה
1000th	thousandth	הָאֶלֶף	הָאֶלֶף
1000000th	millionth	הַמִּלְיוֹנִית	הַמִּלְיוֹנִי

INITIALS, ABBREVIATIONS AND PHRASES

רָאשֵׁי תֵּבוֹת וְקִצּוּרִים

א

aleph (letter); one; (one) thousand	א׳, אָלֶף; אֶחָד (אַחַת), 1; אֶלֶף, 1000
impossible; our ancestor Abraham; a married woman	א״א, אִי אֶפְשָׁר; אַבְרָהָם אָבִינוּ; אֵשֶׁת אִישׁ
alphabet	א״ב, אָלֶפְבֵּית
president of a court of justice	אב״ד, אַב בֵּית דִּין
our master and teacher	אַדְמוּ״ר, אֲדוֹנֵנוּ מוֹרֵנוּ וְרַבֵּנוּ
the second Adar, the thirteenth month of Jewish leap year	אד״ש, אֲדָר שֵׁנִי
nations of the world	א״ה, אה״ע, אֻמּוֹת הָעוֹלָם
UN, United Nations	או״ם, אֻמּוֹת מְאֻחָדוֹת
(our brethren) the children of Israel	אחב״י, אַחֵינוּ בְּנֵי יִשְׂרָאֵל
P.M. in the afternoon	אחה״צ, אַחַר הַצָּהֳרַיִם
later (on), afterwards, subsequently	אח״כ, אַחַר כָּךְ, אַחֲרֵי כֵן
Eretz Israel, the land of Israel, Palestine	א״י, אֶרֶץ יִשְׂרָאֵל
God willing	אי״ה, אִם יִרְצֶה הַשֵּׁם
dear (honorable) sir	א.נ., אָדוֹן נִכְבָּד
associates, comrades	אנ״ש, אַנְשֵׁי שְׁלוֹמֵנוּ
infinity; no doubt	א״ס, אֵין סוֹף, אֵין סָפֵק
though, nevertheless, in spite of, after all	אע״פ, אעפ״כ, אַף עַל פִּי (כֵן)
there's no need	א״צ, אֵין צָרִיךְ
U.S.(A.), United States (of America)	ארה״ב, אַרְצוֹת הַבְּרִית
traveling expenses; the three necessities of hospitality	אֵשֶׁ״ל, אֲכִילָה שְׁתִיָּה וְלִינָה

ב

beth (letter); two	ב׳, בֵּית; שְׁנַיִם (שְׁתַּיִם), 2
ally, confederate	ב״ב, בֶּן בְּרִית
contemporary	ב״ג, בֶּן (בַּת) גִּיל
rational	ב״ד, בַּר דַּעַת, בֵּית דִּין
thank God	ב״ה, בְּעֶזְרַת (בָּרוּךְ) הַשֵּׁם

children of Israel	ב״י, בְּנֵי יִשְׂרָאֵל
synagogue, temple	ביהכ״נ, בֵּית (הַ)כְּנֶסֶת
the Temple	ביהמ״ק, בֵּית הַמִּקְדָּשׁ
factory	ביח״ר, בֵּית חֲרֹשֶׁת
bookshop	בימ״ס, בֵּית מִסְחַר סְפָרִים
Bilu, first pioneers of Israel (1882), who followed Eliezer Ben-Yehuda's appeal (1879)	בִּיל״וּ, בֵּית יַעֲקֹב לְכוּ וְנֵלְכָה
school	בי״ס (ביה״ס), בֵּית (הַ)סֵּפֶר
representative, proxy; w.c., toilet	ב״כ, בָּא כֹּחַ; בֵּית כִּסֵּא
total, sum, aggregate	בס״ה, בְּסַךְ הַכֹּל
(house) proprietor	בע״ב, בַּעַל בַּיִת
creditor; animals	בע״ח, בַּעַל חוֹב; בַּעֲלֵי חַיִּים
by heart; oral (-ly)	בע״פ, בְּעַל פֶּה
echo	ב״ק, בַּת קוֹל
U.S.S.R., Union of Soviet Socialist Republics	ברה״מ, בְּרִית הַמּוֹעָצוֹת

ג

gimel (letter); three	ג׳, גִּימֶל; שְׁלֹשָׁה (שָׁלֹשׁ), 3
madam(e), lady, Mrs.	גב׳, גְּבֶרֶת
also, as well	ג״כ, גַּם כֵּן
dear Madam(e) (lady, Mrs.)	ג.נ., גְּבֶרֶת נִכְבָּדָה
Eden; incest	ג״ע, גַּן עֵדֶן; גִּלּוּי עֲרָיוֹת
proselyte	ג״צ, גֵּר צֶדֶק

ד

daleth (letter); God; gentlemen; page, folio; four	ד׳, דָּלֶת; אֲדֹנָי; דַּף; אַרְבָּעָה; (אַרְבַּע), 4
another thing; good manners	ד״א, דָּבָר אַחֵר; דֶּרֶךְ אֶרֶץ
(the Book of) Chronicles; history	דבה״י, (סֵפֶר) דִּבְרֵי הַיָּמִים
controversy, litigation	דו״ד, דִּין וּדְבָרִים
report, account	דו״ח, דִּין וְחֶשְׁבּוֹן
verbum sap. (verbum sat.), verbum sat sapienti est, a word to the wise is sufficient	ד״ל, דַּי לְמֵבִין
e.g., for example	ד״מ, דֶּרֶךְ מָשָׁל

criminal law	ד"נ, דִּינֵי נְפָשׁוֹת
Dr., doctor	דר', ד"ר, רוֹפֵא, מְלוּמָּד (דּוֹקְטוֹר)
greeting(s), regards	ד"ש, דְּרִישַׁת שָׁלוֹם

ה

he (letter); God; sir (Mr.), gentleman; five	ה', הֵא; אֱלֹהִים, אֲדֹנָי; (הָ)אָדוֹן (הא'); חֲמִשָּׁה (חָמֵשׁ), 5
Mrs., lady, madam(e)	הגב', הַגְּבֶרֶת
Messrs., messieurs; Mmes., mesdames	ה"ה, הָאֲדוֹנִים, הַגְּבָרוֹת; הָאֲדוֹנִים וְהַגְּבָרוֹת
the undersigned	הח"מ, הֶחָתוּם מַטָּה
the sacred	הי"ד, אֲדֹנָי יִקֹּם דָּמוֹ
his Excellency	ה"מ, הוֹד מַעְלָתוֹ, הוֹד מַלְכוּתוֹ
the Zionist executive	הנה"צ, הַהַנְהָלָה הַצִּיּוֹנִית
the above-mentioned	הנ"ל, הַנִּזְכָּר (לְעֵיל) לְמַעְלָה
God, blessed be He	הקב"ה, הַקָּדוֹשׁ בָּרוּךְ הוּא

ו

vau (letter); six	ו', וָו; שִׁשָּׁה (שֵׁשׁ), 6
etc., and so forth	וגו', וְגוֹמֵר
etc., and the like	וכד', וְכַדּוֹמֶה
etc., and so forth	וכו', וְכֻלֵּהּ
v., vide; s., see	וע', וְעַיֵּן
executive committee	ועה"פ, וַעַד הַפּוֹעֵל
& Co., and Company	ושות', וְשֻׁתָּפָיו

ז

zayin (letter); m., masculine, male; seven	ז', זַיִן; זָכָר; שִׁבְעָה (שֶׁבַע), 7
that is to say, it means, namely, viz., videlicet	ז"א, זאת אוֹמֶרֶת
m. & f., masculine and feminine (male and female)	זו"נ, זָכָר וּנְקֵבָה
m. du., masculine dual	ז"ז, זָכָר זוּגִי
of blessed memory	ז"ל, זִכְרוֹנוֹ (זִכְרוֹנָהּ) לִבְרָכָה
payment due (bill)	ז"פ, זְמַן פֵּרָעוֹן
m. pl., masculine plural	ז"ר, (זְכָרִים) זָכָר (רִבּוּי) רַבִּים

ח

cheth (letter); part, volume (vol.); eight	ח׳, חֵית; חֵלֶק; שְׁמוֹנָה (שְׁמוֹנֶה), 8
Vol. I, Vol. II, etc.; first volume, second volume, etc.	ח״א, ח״ב (וכו׳); חֵלֶק רִאשׁוֹן, חֵלֶק שֵׁנִי (וכו׳)
God forbid (forfend)!	ח״ו, חַס וְשָׁלוֹם, חַס וְחָלִילָה (חָלִילָה וְחַס)
investigation	חו״ד, חֲקִירָה וּדְרִישָׁה
intermediate days	חוה״מ, חֹל הַמּוֹעֵד
intermediate days of Tabernacles	חוהמ״ס, חֹל הַמּוֹעֵד סֻכּוֹת
intermediate days of Passover	חוהמ״פ, חֹל הַמּוֹעֵד פֶּסַח
abroad (outside the land of Israel)	חו״ל, חוּץ (חוּצָה) לָאָרֶץ
God forbid (forfend)!	חו״ש, חַס וְשָׁלוֹם
our sages of blessed memory	חֲזַ״ל, חֲכָמֵינוּ זִכְרוֹנָם לִבְרָכָה
signature	ח״י, חֲתִימַת יָד
occupation force	חי״ם, חֵיל מִשְׁמָר
infantry	חי״ר, חֵיל רַגְלִים
undersigned	ח״מ, חָתוּם מַטָּה
WAC (Women's Army Corps)	ח״ן, חֵיל נָשִׁים

ט

teth (letter); nine	ט׳, טֵית; תִּשְׁעָה (תֵּשַׁע), 9
(fast of) Ninth of Ab (commemorating the destruction of first and second Temples)	ט״ב, ט׳ בְּאָב, תִּשְׁעָה בְּאָב
fifteen	ט״ו, 15
e. & o.e., errors and omissions excepted	טל״ח, טָעוּת לְעוֹלָם חוֹזֶרֶת

י

yodh (letter); ten	י׳, יוֹד; עֲשָׂרָה (עֶשֶׂר), 10
(the) Day of Atonement	יוה״כ (יו״כ), יוֹם הַכִּפּוּרִים, יוֹם כִּפּוּר
feast (holy) day, festival	יו״ט, יוֹם טוֹב
published, appears	יו״ל, יוֹצֵא לְאוֹר

chairman	יו"ר, יוֹשֵׁב רֹאשׁ
brandy, whisky, (potable) alcohol	יי"ש, יֵין שָׂרָף
may his name (and memory) be blotted out (Ex. 17 : 14)	ימ"ש, יִמַּח שְׁמוֹ (וְזִכְרוֹ)
righteousness, good impulse	יצה"ט, יֵצֶר הַטּוֹב
iniquity, evil impulse, wickedness	יצה"ר, יֵצֶר הָרָע

כ

caph (letter); twenty	כ', כַּף, עֶשְׂרִים, 20
but; each one	כ"א, כִּי אִם; כָּל אֶחָד
each and every one, one by one, one and all	כאו"א, כָּל אֶחָד וְאֶחָד
the honorable, his Honor	כב', כְּבוֹד־, כְּבוֹדוֹ
Holy Scriptures	כה"ק, כִּתְבֵי הַקֹּדֶשׁ
happy New Year!	כוח"ט, כְּתִיבָה וַחֲתִימָה טוֹבָה
Ms., manuscript	כ"י, כְּתַב יָד
as, like, similarly	כיו"ב, כַּיּוֹצֵא בָּזֶה
Alliance Israélite Universelle	כי"ח, (חֶבְרַת) כָּל יִשְׂרָאֵל חֲבֵרִים
so much (so); thus, so, likewise	כ"כ, כָּל כָּךְ, כְּמוֹ כֵן
that is to say	כלו', כְּלוֹמַר
(as) above mentioned	כַּנַּ"ל, כַּנִּזְכָּר לְעֵיל

ל

lamedh (letter); thirty	ל', לָמֶד; שְׁלֹשִׁים, 30
A.M., anno mundi	לבה"ע, לִבְרִיאַת הָעוֹלָם
Lag Ba-Omer, thirty-third day of the Omer	לַ"ג (לַג) בָּעֹמֶר
it is absolutely untrue, it never happened	לַהֲדַ"ם, לֹא הָיוּ דְבָרִים מֵעוֹלָם
the third radical of the Hebrew verb	לה"פ, לָמֶד הַפֹּעַל (דִּקְדּוּק)
the Holy Tongue, the Hebrew language	לה"ק, לְשׁוֹן הַקֹּדֶשׁ (עִבְרִית)
gossip, calumny, evil talk, slander	לה"ר, לְשׁוֹן הָרָע
m., masculine gender	ל"ז, לְשׁוֹן זָכָר
inst., of this month	לח"ז, לְחֹדֶשׁ זֶה

sing., singular number; I.L., Israel pound	ל״י, לְשׁוֹן יָחִיד; לִירָה יִשְׂרְאֵלִית
at least	לכה״פ, לְכָל הַפָּחוֹת
all the more so	לכ״ש, לֹא כָּל שֶׁכֵּן
(to) bearer	לַמּוֹכַ״ז, לַמּוֹסֵר כְּתָב זֶה
f., feminine gender	ל״נ, לְשׁוֹן נְקֵבָה
A.D., Anno Domini, C.E., Christian Era	לסה״נ, לִסְפִירַת הַנּוֹצְרִים (תַּאֲרִיךְ אֶזְרָחִי)
A.M., in the forenoon	לפה״צ, לִפְנֵי הַצָּהֳרַיִם
B.C.E., Before Christian Era	לפסה״נ, לִפְנֵי סְפִירַת הַנּוֹצְרִים
pl., plural number	ל״ר, לְשׁוֹן רַבִּים

מ

mem (letter); meter; forty,	מ׳, מֵם, מַיִם; מֶטֶר; אַרְבָּעִים, 40
First Book of Kings	מ״א, מְלָכִים א׳
Second Book of Kings	מ״ב, מְלָכִים ב׳
pron., pronoun	מ״ג, מִלַּת גּוּף
C.O., commanding officer	מַגָּ״ד, מְפַקֵּד גְּדוּד
sexagon, Shield of David	מג״ד, מָגֵן דָּוִד
publisher	מו״ל, מוֹצִיא לָאוֹר
parley, negotiation, transaction, communication, intercourse	מו״מ, מַשָּׂא וּמַתָּן
bookseller	מו״ס, מוֹכֵר סְפָרִים
Saturday night, conclusion of the Sabbath	מוצ״ש, מוֹצָאֵי שַׁבָּת
du., dual number	מ״ז, מִסְפָּר זוּגִי
good luck!, congratulations!	מז״ט, מַזָּל טוֹב
conj., conjunction	מ״ח, מִלַּת חִבּוּר
G.H.Q., General Headquarters	מַטְכַּ״ל, מַטֶּה כְּלָלִי
sing., singular; prep., preposition	מ״י, מִסְפָּר יָחִיד; מִלַּת יַחַס
section commander; his Eminence	מ״כ, מְפַקֵּד כִּתָּה; מַעֲלַת כְּבוֹדוֹ
deputy, substitute; commander of military section; reference, quotation; square meter; millimeter	מ״מ, מְמַלֵּא מָקוֹם; מְפַקֵּד מַחְלָקָה; מַרְאֵה מָקוֹם; מֶטֶר מְרֻבָּע, מִילִימֶטֶר
cubic millimeter	ממ״מ, מִילִימֶטֶר מְעֻקָּב
square millimeter	ממ״ר, מִילִימֶטֶר מְרֻבָּע
MP, military police	מ״צ, מִשְׁטָרָה צְבָאִית

interj., interjection	מ"ק, מִלַּת קְרִיאָה
pl., plural number	מ"ר, מִסְפָּר רַבִּים
interrog., interrogation	מ"ש, מִלַּת שְׁאֵלָה

נ

nun (letter); f., feminine, female; fifty	נ', נוּן; נְקֵבָה; חֲמִשִּׁים, 50
the Latter Prophets	נ"א, נְבִיאִים אַחֲרוֹנִים
debt, something owed	נ"ח, נִשְׁאַר חַיָּב
vanguard, Pioneer Youth Organization (Israel)	נַחַ"ל, נֹעַר חֲלוּצִי לוֹחֵם
Prophets and Hagiographa	נַ"ךְ, נְבִיאִים כְּתוּבִים
lamed-aleph verbs	נל"א, נָחֵי לָמֶד אָלֶף (דִּקְדּוּק)
lamed-he (lamed-yod) verbs	נל"ה (ל"י), נָחֵי לָמֶד הֵא (לָמֶד יוֹד) (דִּקְדּוּק)
R.I.P., requiescat in pace, may he rest in peace	נ"ע, נִשְׁמָתוֹ עֵדֶן
ayin-vav verbs	נע"ו, נָחֵי עַיִן וָו (דִּקְדּוּק)
ayin-yod verbs	נע"י, נָחֵי עַיִן יוֹד (דִּקְדּוּק)
pe-yod verbs	נפ"י, נָחֵי פֵּא יוֹד (דִּקְדּוּק)
f. pl., feminine plural; First (Former) Prophets	נ"ר, נְקֵבָה רִבּוּי, נְקֵבוֹת רַבּוֹת; נְבִיאִים רִאשׁוֹנִים

ס

samekh (letter); book; paragraph (¶); sixty	ס', סָמֶךְ; סֵפֶר; סָעִיף; שִׁשִּׁים, 60
agenda	סה"י, סֵדֶר הַיּוֹם
aggregate, total, sum	סה"כ, סַךְ הַכֹּל
finally, after all, at last	סו"ס, סוֹף סוֹף
good omen	ס"ט, סִימָן טוֹב
knife, fork, spoon	סַכּוּ"ם, סַכִּין כַּף וּמַזְלֵג
centimeter	ס"מ, סֶנְטִימֶטֶר
cubic centimeter	סמ"מ, סֶנְטִימֶטֶר מְעֻקָּב
square centimeter	ס"מר, סֶנְטִימֶטֶר מְרֻבָּע
religious articles: holy books, phylacteries, mezuzoth	סְתָ"ם: סְפָרִים, תְּפִלִּין, מְזוּזוֹת

ע

ayin (letter); s, see; v., vide; p., page; seventy	ע׳, עַיִן; עַיֵּן; עַמּוּד; שִׁבְעִים, 70
a fortiori, how much more so (in an argument from minor to major)	עאכו״כ, עַל אַחַת כַּמָּה וְכַמָּה
may he rest in peace; ignoramus; the Decalogue (the Ten Commandments)	ע״ה, עָלָיו הַשָּׁלוֹם; עַם הָאָרֶץ; עֲשֶׂרֶת הַדְּבָרִים (הַדִּבְּרוֹת)
the Holy City, Jerusalem	ע״הק, עִיר הַקֹּדֶשׁ, יְרוּשָׁלַיִם
advocate, attorney, lawyer	עו״ד, עוֹרֵךְ דִּין
current account	עו״ש, עוֹבֵר וָשָׁב
v., vide; s., see	עי׳, עַיֵּן
through, according to, by means of; near (by), at	ע״י, עַל יְדֵי; עַל יַד
idolator, idolatry	עכו״ם, עוֹבֵד (עֲבוֹדַת) כּוֹכָבִים וּמַזָּלוֹת
at least, in any case, at any rate	עכ״פ, עַל כָּל פָּנִים
p., page	עמ׳, עַמּוּד
Friday, Sabbath eve	ע״ש, עֶרֶב שַׁבָּת

פ

pé (letter); chapter; eighty	פ׳, פֵּא; פֶּרֶק; שְׁמוֹנִים, 80
once; unanimously	פ״א, פַּעַם אַחַת; פֶּה אֶחָד
refl. v., reflective verb	פ״ח, פֹּעַל חוֹזֵר
v.t., verb transitive	פ״י, פֹּעַל יוֹצֵא
here rests in peace, here buried	פ״נ, פֹּה נָח (נִקְבַּר, נִטְמַן)
v.i., verb intransitive	פ״ע, פֹּעַל עוֹמֵד
v.t. & i., verb transitive and intransitive	פעו״י, פֹּעַל עוֹמֵד וְיוֹצֵא
sentence, judgment	פס״ד, פְּסַק דִּין

צ

sadhe (letter); page; ninety	צ׳, צָדִי; צַד; תִּשְׁעִים, 90
S.P.C.A., Society for Prevention of Cruelty to Animals	צבע״ח, (חֶבְרַת) צַעַר בַּעֲלֵי חַיִּים
I.A., I.D.F., Israel Army, Israel Defense Force	צה״ל, צַהַל, צְבָא הֲגַנָּה לְיִשְׂרָאֵל
say instead	צ״ל, צָרִיךְ לוֹמַר
further examination necessary, requires reconsideration	צ״ע, צָרִיךְ עִיּוּן

ק

kof (letter); kilogram; one hundred	ק׳, קוֹף; קִילוֹ ; מֵאָה, 100
kilogram	ק״ג, קִילוֹגְרַם
martyrdom	קד״ה, קִדּוּשׁ הַשֵּׁם
kilometer	ק״מ, קִילוֹמֶטֶר
square kilometer	קמ״מ, קִילוֹמֶטֶר מְרֻבָּע
K.K., J.N.F., Jewish National Fund	קק״ל, קֶרֶן קַיֶּמֶת לְיִשְׂרָאֵל

ר

resh (letter); pl., plural; rabbi; two hundred	ר׳, רֵישׁ; רַבִּים; רַבִּי; מָאתַיִם, 200
here (to) with attached (enclosed), enclosure	ר״ב, רָצוּף בָּזֶה
Lord of the Universe, God, O God!	רבש״ע, רִבּוֹנוֹ שֶׁל עוֹלָם
(the) New Year	ר״ה, רֹאשׁ הַשָּׁנָה
our sages, may their memory be blessed	רז״ל, רַבּוֹתֵינוּ זִכְרוֹנָם לִבְרָכָה
the new moon, the first of the month	ר״ח, רֹאשׁ חֹדֶשׁ
st., street; rd., road	רח׳, רְחוֹב
that is to say; God forbid (forfend)!	ר״ל, רוֹצֶה לוֹמַר; רַחֲמָנָא לִצְלַן
CO, Commanding Officer, General of the Army (Israel)	רַמַטְכַּ״ל, רֹאשׁ הַמַּטֶּה הַכְּלָלִי
NCO, noncommissioned officer, sergeant	רַסַ״ל, רַב סַמָּל
sergeant major	רַסַ״ג, רַב סַמָּל גְּדוּדִי
petty officer (navy); corporal	רַסַ״פ, רַב סַמָּל פְּלֻגָּתִי
lance corporal	רַסַ״ר, רַב סַמָּל רִאשׁוֹן
abbr., abbreviations; initials	ר״ת, רָאשֵׁי תֵבוֹת

ש

shin (letter); year, the year of; hour; three hundred	ש׳, שִׁין; שָׁנָה; שְׁנַת־; שָׁעָה; שְׁלֹשׁ מֵאוֹת, 300
First Book of Samuel	ש״א, שְׁמוּאֵל א׳

Second Book of Samuel	ש"ב, שְׁמוּאֵל ב'
pron., pronoun	ש"ג, שֵׁם גּוּף
Canticles, Song of Songs, The Song of Solomon	שה"ש, שִׁיר הַשִּׁירִים
(the) Responsa (the literature of)	שו"ת, שְׁאֵלוֹת וּתְשׁוּבוֹת
FBI (Israel), Intelligence, news service	ש"י, שֵׁרוּת יְדִיעוֹת
rent	שכ"ד, שְׂכַר דִּירָה
numeral	ש"מ, שֵׁם מִסְפָּר
n. fem., feminine noun	ש"נ, שֵׁם נְקֵבָה
the six orders of Mishnah; writer's honorarium	ש"ס, שִׁשָּׁה סְדָרִים (מִשְׁנָה וְתַלְמוּד); שְׂכַר סוֹפְרִים
n., noun	ש"ע, שֵׁם עֶצֶם
cantor; MP, military police(man)	ש"ץ, ש"צ, שְׁלִיחַ צִבּוּר; שׁוֹטֵר צְבָאִי
adj., adjective	ש"ת, שֵׁם תֹּאַר

ת

tav (letter); translation; Targum (aramaic version of Scriptures); degree (academic); adjective; four hundred	ת', תָּו; תַּרְגּוּם; תֹּאַר; אַרְבַּע מֵאוֹת, 400
Tel Aviv; potatoes; P.S., postscript, N.B., nota bene	ת"א, תֵּל אָבִיב; תַּפּוּחֵי אֲדָמָה; תּוֹסֶפֶת אַחֲרוֹנָה
P.O.B., post-office box	ת"ד, תֵּבַת דֹּאַר
adv., adverb	תה"פ, תֹּאַר הַפֹּעַל
adj., adjective	תה"ש, תֹּאַר הַשֵּׁם
finis, finished, completed	ת"ו, תַּם וְנִשְׁלַם
scholar, learned man	ת"ח, תַּלְמִיד חָכָם
the (Hebrew) Bible: 1. Torah, 2. Prophets, 3. Hagiographia	תַּנַ"ךְ: א. תּוֹרָה, ב. נְבִיאִים, ג. כְּתוּבִים
may his soul be bound up in the bond of everlasting life	תנצב"ה, תְּהִי נַפְשׁוֹ צְרוּרָה בִּצְרוֹר הַחַיִּים
potato	תַּפּוּ"ד, תַּפּוּד, תַּפּוּחַ אֲדָמָה
orange	תַּפּוּ"ז, תַּפּוּז, תַּפּוּחַ זָהָב
A.M. (5)721, A.D. 1960/61	תשכ"א, התשכ"א
Talmud Torah (school), the study of the Law	ת"ת, תַּלְמוּד תּוֹרָה

A, a

A, a, *n.* אֵי, הָאוֹת הָרִאשׁוֹנָה בָּאָלֶף בֵּית הָאַנְגְּלִי; רִאשׁוֹן, א׳

a, an, *indef. art. & adj.* אֶחָד, אַחַת

A 1, A one מֻבְחָר, סוּג א, מִמַּדְרֵגָה רִאשׁוֹנָה

Aaron, *n.* אַהֲרֹן

Ab, *n.* אָב, מְנַחֵם אָב

aback, *adv.* אֲחוֹרַנִּית, לְאָחוֹר

abaft, *adv. & prep.* מֵאָחוֹר, לְאָחוֹר

abandon, *n.* הֶפְקֵרוּת, פְּרִיצוּת

abandon, *v.t.* עָזַב, נָטַשׁ, זָנַח, הִזְנִיחַ [זנח]

abandonment, *n.* נְטִישָׁה, עֲזִיבָה, הַפְקָרָה

abase, *v.t.* הִשְׁפִּיל [שפל], בִּזָּה

abasement, *n.* הַשְׁפָּלָה, בִּזּוּי

abash, *v.t.* בִּיֵּשׁ, הִכְלִים [כלם]

abashment, *n.* הַכְלָמָה, כְּלִמָּה

abate, *v.t. & i.* מִעֵט, הִפְחִית [פחת], גָּרַע, חִסֵּר

abatement, *n.* מִעוּט, הַפְחָתָה, גֵּרָעוֹן, חִסּוּר

abattoir, *n.* בֵּית מִטְבָּחַיִם

abbey, *n.* מִנְזָר

abbot, *n.* רֹאשׁ מִנְזָר

abbreviate, *v.t.* קִצֵּר, כָּתַב בְּרָאשֵׁי תֵבוֹת

abbreviation, *n.* קִצּוּר, רָאשֵׁי תֵבוֹת

ABC, *n.* אָלֶף בֵּית, אַלְפָבֵּיתָא

abdicate, *v.t. & i.* הִתְפַּטֵּר [פטר], הִסְתַּלֵּק [סלק]

abdication, *n.* הִתְפַּטְּרוּת, הִסְתַּלְּקוּת

abdomen, *n.* בֶּטֶן, כֶּרֶס, כָּרֵס, כָּרֵשׂ, גָּחוֹן, מֵעַיִם

abdominal, *adj.* בִּטְנִי, כְּרֵשִׂי כְּרֵסִי, גְּחוֹנִי, שֶׁל מֵעַיִם

abduct, *v.t.* גָּנַב נֶפֶשׁ, חָטַף אָדָם

abduction, *n.* גְּנֵבַת נֶפֶשׁ, חֲטִיפַת אִישׁ

abductor, *n.* גּוֹנֵב נֶפֶשׁ, חַטְפָן

abed, *adv.* בְּמִטָּה, לְמִשְׁכָּב

Abel, *n.* הֶבֶל

aberration, *n.* סְטִיָּה, תְּעִיָּה, שְׁגִיאָה; חֵטְא, טֵרוּף הַדַּעַת

abet, *v.t.* הֵסִית [סות], שִׁסָּה

abetment, *n.* הֲסָתָה, שִׁסּוּי

abettor, *n.* מֵסִית

abeyance, *n.* צִפִּיָּה, דְּחִיָּה, אֵינוּת

abhor, *v.t.* תִּעֵב, שִׁקֵּץ, בָּחַל, מָאַס

abhorrence, *n.* בְּחִילָה, תּוֹעֵבָה, גֹּעַל, שִׁקּוּץ, מִאוּס

abhorrent, *adj.* נִתְעָב, מָאוּס, בָּזוּי

abide, *v.i.* נִשְׁאַר [שאר], גָּר [גור], שָׁכַן

abiding, *adj.* מַתְמִיד, קַיָּם, תָּדִיר

ability, *n.* יְכֹלֶת, כֹּשֶׁר, כִּשְׁרוֹן; כֹּחַ

abject, *adj. & n.* נִבְזֶה, שָׁפָל

abjection, *n.* בִּזָּיוֹן, שִׁפְלוּת, נִוּוּל

abjure, *v.t.* כָּפַר, כִּחֵשׁ, הִכְחִישׁ [כחש] בִּשְׁבוּעָה

ablaze, *adj. & adv.* בּוֹעֵר, דּוֹלֵק, לוֹהֵט, לָהוּט

able, *adj.* מֻכְשָׁר, מְסֻגָּל, בַּעַל יְכֹלֶת, חָרוּץ

abluent, *adj. & n.* מְטַהֵר, מְנַקֶּה

abnegate, *v.t.* כִּחֵשׁ, כָּפַר, וִתֵּר עַל, חִסֵּר נַפְשׁוֹ מִ־

abnegation, *n.* הַכְחָשָׁה, כְּפִירָה, וִתּוּר עַל, שְׁלִילָה

abnormal, *adj.* בִּלְתִּי רָגִיל, יוֹצֵא מִן הַכְּלָל, מְשֻׁנֶּה, לָקוּי

abnormality, *n.* אִי־רְגִילוּת, זָרוּת, לִקּוּי

aboard, *adv.* עַל, בְּ־, לְתוֹךְ

abode, *n.* מָעוֹן, דִּירָה, מְגוּרִים, מִשְׁכָּן
abolish, *v.t.* הִשְׁבִּית [שבת], בִּטֵּל, הֵפֵר [פור]
abolishment, *n.* בִּטּוּל, הֲפָרָה, הַשְׁבָּתָה
A-bomb. *n.* פְּצָצָה אָטוֹמִית
abominable, *adj.* נִתְעָב, נִמְאָס, מָאוּס, מְגֻנֶּה
abominate, *v.t.* שִׁקֵּץ, תִּעֵב, מָאַס
abomination, *n.* תּוֹעֵבָה, שִׁקּוּץ, פִּגּוּל
aboriginal, *adj.* קַדְמוֹן, קָדוּם, עַתִּיק
abort, *v.t.* הִפִּיל [נפל]
abortion, *n.* הַפָּלָה, נֵפֶל, הִתְפַּתְּחוּת שֶׁנֶּעֶצְרָה
abortive, *adj.* & *n.* שֶׁלֹּא הִצְלִיחַ, בִּלְתִּי מְפֻתָּח, נִפְלִי; סַם הַפָּלָה
abound, *v.i.* מָלֵא עַל גְּדוֹתָיו, שָׁפַע
about, *adv.* & *prep.* מִסָּבִיב, אֵצֶל; עַל דְּבַר, בְּנוֹגֵעַ לְ־; בְּעֵרֶךְ, כִּמְעַט
above, *adv.* & *prep.* לְמַעְלָה, מִמַּעַל; מֵעַל לְ־
above-mentioned הַנִּזְכָּר לְעֵיל
abreast, *adv.* בְּשׁוּרָה אַחַת, שְׁכֶם אֶחָד
abridge, *v.t.* קִצֵּר, הִמְעִיט [מעט] הִקְטִין [קטן], סִכֵּם
abridgment, *n.* קִצּוּר, תַּמְצִית, הַקְטָנָה, סִכּוּם
abroad, *adv.* בְּ(מִ)חוּץ לָאָרֶץ; בַּחוּץ
abrogate, *v.t.* הֵפֵר [פור], בִּטֵּל
abrogation, *n.* הֲפָרָה, בִּטּוּל
abrupt, *adj.* פִּתְאֹמִי, חָטוּף
abruptly, *adv.* בְּפֶתַע פִּתְאוֹם, בְּחִפָּזוֹן; לְלֹא קֶשֶׁר
abruptness, *n.* פִּתְאוֹמִיּוּת, חִפָּזוֹן
abscess, *n.* מֻרְסָה, כִּיב
abscond, *v.t.* בָּרַח, הִתְחַמֵּק [חמק], נֶעְלַם [עלם]
absence, *n.* הֶעְדֵּר, חִסָּרוֹן, חֹסֶר, הִפָּקְדוּת
absent, *v.t.* נֶעְדַּר [עדר], נִפְקַד [פקד]
absent, *adj.* נֶעְדָּר, נִפְקָד, חָסֵר
absentee, *n.* נֶעְדָּר, נִפְקָד
absent-minded, *adj.* מְפֻזָּר
absolute, *adj.* מֻשְׁלָם, גָּמוּר, בִּלְתִּי מֻגְבָּל, מֻחְלָט, וַדַּאי
absolutely, *adv.* לַחֲלוּטִין, בְּהֶחְלֵט, בְּוַדַּאי, בְּלִי סָפֵק
absolution, *n.* כַּפָּרָה, מְחִילָה, סְלִיחָה
absolutism, *n.* הֶחְלֵטִיּוּת
absolve, *v.t.* נִקָּה, טִהֵר, מָחַל, סָלַח, צִדֵּק, זִכָּה
absorb, *v.t.* סָפַג, קָלַט
absorbent, *adj.* בּוֹלֵעַ, סוֹפֵג, קוֹלֵט מוֹצֵץ
absorbing, *adj.* מְעַנְיֵן, מְלַבֵּב, מוֹשֵׁךְ
absorption, *n.* סְפִיגָה, קְלִיטָה; הִתְבּוֹלְלוּת, טְמִיעָה; הִתְרַכְּזוּת
absorptive, *adj.* סָפִיג
abstain, *v.i.* חָדַל, נִמְנַע [מנע], נִזַּר
abstemious, *adj.* מְצַמְצֵם בְּמַאֲכָל וּבְמִשְׁתֶּה, מִסְתַּפֵּק
abstention, *n.* פְּרִישׁוּת, נְזִירוּת
abstinence, abstinency, *n.* פְּרִישׁוּת, נְזִירוּת, הִנָּזְרוּת
abstract, *adj.* מֻפְשָׁט, רוּחָנִי, עִיּוּנִי
abstract, *v.t.* הֵסִיר [סור], סִכֵּם, הִפְרִישׁ [פרש]
abstract, *n.* תַּמְצִית, קִצּוּר, סִכּוּם, מֻפְשָׁט
abstraction, *n.* פִּזּוּר נֶפֶשׁ; נְטִילָה; מֻשָּׂג מֻפְשָׁט, הַפְשָׁטָה
abstruse, *adj.* עָמֹק, סָתוּם, קָשֶׁה לְהָבִין
absurd, *adj.* טִפְּשִׁי, שְׁטוּתִי, אֱוִילִי מְגֻחָךְ, נֶגֶד הַשֵּׂכֶל
absurdity, *n.* שְׁטוּת, דִּבְרֵי הֶבֶל, הֶבֶל, טִפְּשׁוּת
abundance, *n.* שֶׁפַע, רֹב, שֹׂבַע

abundant, *adj.* רַב, מָלֵא, עָשִׁיר, שׁוֹפֵעַ

abundantly, *adv.* הַרְבֵּה, בְּשֶׁפַע, לְמַכְבִּיר

abuse, *v.t.* הִשְׁתַּמֵּשׁ [שמש] לְרָעָה, הִתְעוֹלֵל [עלל], חָרַף

abuse, *n.* שִׁמּוּשׁ לְרָעָה, הִתְעַלְּלוּת, חֵרוּף, גִּדּוּף

abusive, *adj.* מְחָרֵף, מְגַדֵּף, שֶׁל חֵרוּף וְגִדּוּף

abut, *v.i.* גָּבַל, הָיָה סָמוּךְ לְ־

abutment, *n.* מַשְׁעֵן, אֹמְנָה, מִשְׁעָן, סָמוּךְ, סַעַד

abysm, *n.* תְּהוֹם

abysmal, *adj.* תְּהוֹמִי, עָמֹק כַּתְּהוֹם

abyss, *n.* אֲבַדּוֹן, תְּהוֹם, תֹּהוּ וָבֹהוּ

acacia, *n.* שִׁטָּה

academic, academical, *adj.* & *n.* מְלֻמָּד; אֲקָדֵמִי, עִיּוּנִי

academy, *n.* אֲקָדֵמְיָה, (בֵּית) מִדְרָשׁ, תַּרְבֵּץ

accede, *v.i.* עָלָה לִמְלוּכָה, הִסְכִּים [סכם], נִכְנַס [כנס] לְמִשְׂרָה

accelerate, *v.t.* הֵחִישׁ [חוש], מִהֵר, נִחֵץ, הֵאִיץ [אוץ]

acceleration, *n.* הֶאָצָה, תְּאוּצָה, מְהִירוּת, הֶחָשָׁה, נְחִיצָה, נַחַץ

accelerator, *n.* גּוֹרֵם מְהִירוּת, מֵחִישׁ, מְנַחֵץ; דַּוְשָׁה

accent, *n.* טַעַם, נְגִינָה, הַדְגָּשָׁה; מִבְטָא, הֲבָרָה

accent, *v.t.* הִטְעִים [טעם], הִדְגִּישׁ [דגש] הִתְוָה [תוה], נָתַן נְגִינָה

accentuate, *v.t.* הִטְעִים [טעם], הִדְגִּישׁ [דגש]

accentuation, *n.* הַטְעָמָה, הַדְגָּשָׁה

accept, *v.t.* קִבֵּל, נָטַל, לָקַח; הִסְכִּים [סכם]

acceptability, acceptableness, *n.* רְצוּת, רְצִיּוּת, הַסְכָּמָה

acceptable, *adj.* רָצוּי, מְקֻבָּל, מִתְקַבֵּל עַל הַדַּעַת

acceptance, *n.* קַבָּלָה בְּרָצוֹן; הַסְכָּמָה

access, *n.* כְּנִיסָה, גִּישָׁה, מָבוֹא, פֶּתַח

accessible, *adj.* נָגִישׁ

accession, *n.* גִּישָׁה, עֲלִיָּה; הַסְכָּמָה; רְכִישָׁה

accessories, *n. pl.* מַכְשִׁירִים, אַבְזָרִים

accessory, *adj.* & *n.* עוֹזֵר, מְסַיֵּעַ, נוֹסָף, צְדָדִי; שֻׁתָּף

accident, *n.* תְּאוּנָה, מִקְרֶה, אָסוֹן, שְׁגָגָה, פֶּגַע

accidental, *adj.* מִקְרִי, שֶׁבְּמִקְרֶה, אֲרָעִי; טָפֵל

accidentally, *adv.* בְּמִקְרֶה, בִּשְׁגָגָה, לֹא בְּכַוָּנָה

acclaim, *n.* מְחִיאַת כַּפַּיִם, קְרִיאַת הֵידָד, תְּרוּעָה

acclaim, *v.t.* הִלֵּל, מָחָא כַּף, קִבֵּל בִּתְשׁוּאוֹת

acclamation, *n.* תְּשׁוּאוֹת חֵן, מְחִיאַת כַּפַּיִם

acclimatize, *v.t.* & *i.* אִקְלֵם, הִרְגִּיל [רגל], סִגֵּל; הִתְאַקְלֵם, הִתְרַגֵּל [רגל], הִסְתַּגֵּל [סגל]

accolade, *n.* נְשִׁיקַת קִדּוּשִׁים, חִבּוּק אַבִּירִים, כִּתּוּף בְּחֶרֶב

accommodate, *v.t.* אִכְסֵן, סִגֵּל, הִתְאִים [תאם]; סִפֵּק צְרָכִים, גָּמַל חֶסֶד

accommodating, *adj.* נוֹחַ, מֵיטִיב, גּוֹמֵל חֶסֶד

accommodation, *n.* סִגּוּל, הַתְאָמָה; נוֹחוּת, רְוָחָה; מָעוֹן, דִּירָה

accompaniment, *n.* לִוּוּי, פִּזּוּם

accompanist, *n.* לַוַּאי

accompany, *v.t.* לִוָּה, פִּזֵּם

accomplice, *n.* שֻׁתָּף לַעֲבֵרָה
accomplish, *v.t.* מִלֵּא, קִיֵּם, בִּצֵּעַ, הִשְׁלִים, [שלם], גָּמַר
accomplishment, *n.* מִלּוּא, קִיּוּם, בִּצּוּעַ, הַשְׁלָמָה, גְּמִירָה
accord, *n.* הַסְכָּמָה, הַתְאָמָה; שָׁלוֹם
accord, *v.t.* נָתַן; הִסְכִּים [סכם], הִתְאִים [תאם]
accordant, *adj.* מַתְאִים, מַסְכִּים
accordingly, *adv.* לָכֵן, לְפִיכָךְ, בְּהַתְאָמָה לָזֶה
accordion, *n.* מַפּוּחוֹן
accordionist, *n.* מַפּוּחוֹנַאי
accost, *v.t.* פָּנָה בִּדְבָרִים אֶל, נִכְנַס [כנס] בְּשִׂיחָה עִם
account, *n.* חֶשְׁבּוֹן, דִּין וְחֶשְׁבּוֹן, דּוּ"חַ; חִשּׁוּב, סְפִירָה; תֵּאוּר, סִפּוּר
account, *v.t.* & *i.* חָשַׁב, נֶחְשַׁב [חשב], נָתַן דִּין וְחֶשְׁבּוֹן, דִּוַּח
accountant, *n.* חַשָּׁב, רוֹאֵה חֶשְׁבּוֹן, חֶשְׁבּוֹנַאי
accredit, *v.t.* יִחֵס לְ־, יִפָּה כֹּחַ, נָתַן אֵמוּן בְּ־, מִלֵּא יָד
accrue, *v.i.* הוֹסִיף [יסף] רִבִּית, צָמַח, הִצְטַבֵּר [צבר]
accumulate, *v.t.* & *i.* אָצַר, צָבַר, הִצְטַבֵּר [צבר], אָגַר, הֶעֱרִים [ערם], אָסַף
accumulation, *n.* צְבִירָה, אֲסִיפָה, אֲגִירָה, הִצְטַבְּרוּת
accumulator, *n.* מַצְבֵּר (לְחַשְׁמַל), סוֹלְלָה
accuracy, *n.* דִּיּוּק, דַּיְקָנוּת
accurate, *adj.* מְדֻיָּק, נָכוֹן
accurately, *adv.* בְּדִיּוּק
accursed, accurst, *adj.* אָרוּר, מְקֻלָּל
accusation, *n.* אִשּׁוּם, הַאֲשָׁמָה, קִטְרוּג, שִׂטְנָה, עֲלִילַת דְּבָרִים
accusative, *adj.* & *n.* פָּעוּל, יַחַס הַפָּעוּל
accuse, *v.t.* הֶאֱשִׁים [אשם], קִטְרֵג
accuser, *n.* מַאֲשִׁים, מְקַטְרֵג, קָטֵגוֹר
accustom, *v.t.* הִרְגִּיל [רגל]
accustomed, *adj.* רָגִיל, לָמוּד
ace, *n.* & *adj.* קְלָף (מִשְׂחָק); אַלּוּף טַיָּסִים; יְחִידָה; מִצְטַיֵּן; רִאשׁוֹן בְּמַעֲלָה, מֻפְלָא
acerbate, *v.t.* הֶחְמִיץ [חמץ]; הָפַךְ לְמַר, מֵרַר
acerbity, *n.* חֲמִיצוּת; מְרִירוּת; חֲרִיפוּת
acetic, *adj.* חָמְצִי
acetify, *v.t.* & *i.* הֶחְמִיץ [חמץ], הָפַךְ לְחֹמֶץ
acetous, *adj.* חָמִיץ
acetylene, *n.* (C_2H_2) פַּחְמִימָן
ache, *n.* כְּאֵב, מַכְאוֹב, מֵחוּשׁ
ache, *v.i.* כָּאַב, דָּאַב
achieve, *v.t.* הוֹצִיא [יצא] לְפֹעַל, קָנָה, רָכַשׁ, הִשִּׂיג [נשג]
achievement, *n.* הֶשֵּׂג, הַשְׁלָמָה, סִיּוּם; מִפְעָל; הוֹצָאָה אֶל הַפֹּעַל
achromatic, *adj.* חֲסַר צֶבַע
acid, *n.* חֻמְצָה
acidify, *v.t.* & *i.* הֶחְמִיץ [חמץ], חִמֵּץ, הָפַךְ לְחֻמְצָה
acidity, *n.* חֲמִיצוּת
acidulous, *adj.* חֲמַצְמַץ, חָמִיץ קְצָת
acknowledge, *v.t.* הוֹדָה [ידה], הִכִּיר [נכר]
acknowledgment, *n.* הוֹדָאָה, הוֹדָיָה, הַכָּרָה, הַכָּרַת טוֹבָה
acme, *n.* פִּסְגָּה, שִׂיא, תַּכְלִית הַשְּׁלֵמוּת
acne, *n.* חֲזָזִית
acorn, *n.* בַּלּוּט, פְּרִי הָאַלּוֹן
acoustic, *adj.* שְׁמִיעוּתִי, קוֹלִי, אֲקוּסְטִי

acoustics, *n.* חָכְמַת הַשֵּׁמַע, תּוֹרַת הַקּוֹל, שְׁמִיעוּת
acquaint, *v.t.* הוֹדִיעַ [ידע], הִקְנָה יְדִיעָה [קנה]; הִכִּיר [נכר] הִתְוַדֵּעַ
acquaintance, *n.* יְדִיעָה, הַכָּרָה; מַכִּיר, מַכָּר, יְדִיד
acquiesce, *v.i.* הוֹדָה [ידה] (בִּשְׁתִיקָה), הִסְכִּים [סכם]
acquiescence, *n.* הוֹדָאָה (בִּשְׁתִיקָה), הַסְכָּמָה, הַכְנָעָה
acquire, *v.t.* רָכַשׁ, קָנָה, נָחַל, הִשִּׂיג [נשג]
acquisition, *n.* רְכִישָׁה, הַשָּׂגָה, רְכוּשׁ, קִנְיָן
acquit, *v.t.* פָּטַר, זִכָּה, נִקָּה, סִלֵּק
acquittal, *n.* זִכּוּי, נִקּוּי, יְצִיאַת יְדֵי חוֹבָה
acre, *n.* אַקְר, מִדַּת שֶׁטַח לְמְדִידַת קַרְקָעוֹת: 4047 מ"מ, 4 דוּנָמִים
acrid, *adj.* חָרִיף, עַז, מַר
acridity, *n.* חֲרִיפוּת, עַזּוּת, מְרִירוּת
acrimonious, *adj.* מַר, מַר נֶפֶשׁ, עוֹקֵץ, מָלֵא מְרִירוּת
acrimony, *n.* חֲרִיפוּת, מְרִירוּת
acrobat, *n.* לוּלְיָן
acropolis, *n.* מְצוּדָה, עֹפֶל
across, *adv.* & *prep.* בְּעַד, דֶּרֶךְ, מֵעֵבֶר לְ־, לְעֵבֶר
acrostic, *n.* & *adj.* צֵרוּפָה; צֵרוּפִי
act, *n.* מַעֲשֶׂה, מִפְעָל, פְּעֻלָּה; חֹק, חֻקָּה, מִשְׁפָּט; מַעֲרָכָה (בְּמַחֲזֶה)
act, *v.t.* & *i.* עָשָׂה, פָּעַל, מִלֵּא תַּפְקִיד, הִתְנַהֵג, שִׂחֵק (בְּמַחֲזֶה)
acting, *adj.* עוֹשֶׂה, פּוֹעֵל, מְמַלֵּא תַּפְקִיד, מְשַׂחֵק, מִתְנַהֵג, זְמַנִּי
action, *n.* פְּעֻלָּה, מַעֲשֶׂה, תְּנוּעָה; תּוֹבְעָנָה, מִשְׁפָּט; מִלְחָמָה, קְרָב
active, *adj.* פָּעִיל, עֵר
active participle בֵּינוֹנִי פּוֹעֵל
activity, *n.* פְּעִילוּת
actor, *n.* מְשַׂחֵק, שַׂחֲקָן
actress, *n.* מְשַׂחֶקֶת, שַׂחֲקָנִית
actual, *adj.* מַמָּשִׁי, אֲמִתִּי, מָצוּי, הֹוֶה
actuality, *n.* מַמָּשׁוּת, מְצִיאוּת, אֲמִתִּיּוּת
actually, *adv.* מַמָּשׁ, בֶּאֱמֶת, בְּעֶצֶם, לְמַעֲשֶׂה
actuate, *v.t.* הֵנִיעַ [נוע], הִפְעִיל [פעל], הִמְרִיץ [מרץ]
acuity, *n.* חַדּוּת, שְׁנִינוּת
acumen, *n.* חֲרִיפוּת, דַּקּוּת, שְׁנִינוּת
acute, *adj.* חַד, מְחֻדָּד; (זָוִית) חַדָּה; חָרִיף, שָׁנוּן; חוֹדֵר, (חֹלִי) עַז
acuteness, *n.* חַדּוּת, שְׁנִינוּת, עַזּוּת
A. D. לִסְפִירַת הַנּוֹצְרִים
adage, *n.* מָשָׁל, אִמְרָה
adagio, *n.* & *adj.* לְאָט; אִטִּיּוּת, מְתִינוּת
Adam, *n.* אָדָם
adamant, *adj.* & *n.* שָׁמִיר, קָשֶׁה (כְּצוּר)
adapt, *v.t.* הִתְאִים [תאם], סִגֵּל, חָפַת
adaptability, *n.* אֶפְשָׁרוּת הַהַתְאָמָה, כֹּשֶׁר הַהִסְתַּגְּלוּת, סְגִילוּת
adaptable, *adj.* סָגִיל, מִסְתַּגֵּל
adaptation, *n.* סִגּוּל, הִסְתַּגְּלוּת, הַתְאָמָה
add, *v.t.* חִבֵּר, הִתְחַבֵּר [חבר], סִכֵּם, הוֹסִיף [יסף], צֵרַף
adder, *n.* אֶפְעֶה, שְׁפִיפוֹן
addict, *v.t.* & *i.* הָיָה לָהוּט, הִתְמַסֵּר [מסר], הִתְמַכֵּר [מכר]; הִרְגִּיל [רגל]
addiction, *n.* מְסִירוּת, הִתְמַכְּרוּת
adding machine, *n.* מְכוֹנַת חִשּׁוּב
addition, *n.* חִבּוּר, צֵרוּף, הוֹסָפָה; הַשְׁלָמָה
additional, *adj.* נוֹסָף, מַשְׁלִים

additionally, *adv.* נוֹסָף עַל, וְעוֹד

addle, *adj.* רָקוּב, פָּגוּם, מְטֹרָף; רֵיק, טִפֵּשׁ, שׁוֹטֶה

addle, *v.t. & i.* בִּלְבֵּל, רָקַב, הִבְאִישׁ [באש] הִסְרִיחַ [סרח]

address, *n.* מַעַן, כְּתֹבֶת; נְאוּם, הַרְצָאָה; הִתְנַהֲגוּת, נִמּוּס

address, *v.t.* פָּנָה אֶל, נָאַם, מִעֵן

addressee, *n.* מוּעָן

adduce, *v.t.* הֵבִיא [בוא] רְאָיָה, הֵבִיא עֵדוּת

adenoids, *n. pl.* שְׁקֵדִים (פְּקִיעִים, בַּלוּטוֹת)

adept, *adj. & n.* מֻמְחֶה, חָרוּץ

adeptness, *n.* מֻמְחִיּוּת, חֲרִיצוּת

adequacy, *n.* סִפּוּק; הַתְאָמָה, הֲלִימוּת

adequate, *adj.* מַסְפִּיק; מַתְאִים, הוֹלֵם

adequately, *adv.* בְּמִדָּה מַסְפֶּקֶת

adhere, *v.i.* דָּבַק, נִדְבַּק [דבק], נִצְמַד [צמד], הִתְדַּבֵּק [דבק]

adherence, *n.* אֲחִיזָה, דְּבֵקוּת, הִתְחַבְּרוּת, מְסִירוּת

adherent, *adj. & n.* דָּבֵק, מְחֻבָּר, מְקֻשָּׁר; חָסִיד, אָדוּק

adhesion, *n.* דְּבֵקוּת; צְמִיגוּת, תַּאֲחִיזָה; אֲדִיקוּת, חֲסִידוּת

adhesive, *adj. & n.* מְדַבֵּק, דָּבֵק; צָמִיג; דֶּבֶק

adhesiveness, *n.* דְּבֵקוּת, צְמִיגוּת

adiantum, *n.* יוֹעֶזֶר, יוֹעֶזֶר שָׁחוֹר, שַׂעֲרוֹת שׁוּלַמִּית

adjacency, *n.* שְׁכֵנוּת, קִרְבָה, סְמִיכוּת

adjacent, *adj.* סָמוּךְ לְ־, קָרוֹב לְ־

adjective, *adj. & n.* נוֹסָף, נִסְפָּח; שֵׁם תֹּאַר, תֹּאַר הַשֵּׁם

adjoin, *v.t. & i.* הָיָה סָמוּךְ, הָיָה קָרוֹב; חִבֵּר, אִחֵד, הִתְחַבֵּר [חבר], הִצְטָרֵף [צרף]

adjourn, *v.t. & i.* סָגַר (יְשִׁיבָה), דָּחָה, נָעַל

adjournment, *n.* דְּחִיָּה, דִּחוּי, נְעִילָה

adjudge, *v.i.* חָרַץ מִשְׁפָּט, גָּזַר, פָּסַק דִּין, הִרְשִׁיעַ [רשע], חִיֵּב

adjudgment, *n.* פְּסַק דִּין, הַרְשָׁעָה, חִיּוּב

adjudication, *n.* שְׁפִיטָה, הַכְרָעָה

adjunct, *adj. & n.* טָפֵל; הוֹסָפָה, אַבְזָר; תֹּאַר

adjuration, *n.* הַשְׁבָּעָה, הַעְתָּרָה, הַפְצָרָה, הִתְחַנְּנוּת

adjure, *v.t.* הִשְׁבִּיעַ [שבע]; הִתְחַנֵּן [חנן], הֶעְתִּיר [עתר], הִפְצִיר [פצר]

adjust, *v.t.* סִדֵּר, תִּקֵּן, הִתְאִים [תאם], כִּוֵּן

adjustable, *adj.* תּוֹאֵם, שֶׁאֶפְשָׁר לְהַתְאִים, שֶׁאֶפְשָׁר לְכַוְּנוֹ, מִתְכַּוְנֵן

adjustment, *n.* תִּקּוּן, כִּוּוּן, כִּוְנוּן הֶתְאֵם

adjutant, *n.* שָׁלִישׁ, סֶגֶן

administer, *v.t.* נִהֵל, עָשָׂה (מִשְׁפָּט), נָתַן, סִפֵּק

administration, *n.* מִנְהָל, מִנְהָלָה, הַנְהָלָה, מֶמְשָׁלָה, פְּקִידוּת, אֲמַרְכָּלוּת

administrative, *adj.* מִנְהָלִי, הַנְהָלָתִי, מֶמְשַׁלְתִּי, אֲמַרְכָּלִי

administrator, *n.* מְנַהֵל, מִנְהָלַאי, פָּקִיד, סוֹכֵן, אֲמַרְכַּל

admirable, *adj.* נִפְלָא, מְצֻיָּן, נַעֲרָץ

admiral, *n.* מְפַקֵּד צִי, אַדְמִירָל

admiralty, *n.* פִּקּוּד הַצִּי, סְפִינוּת, אַדְמִירָלִיּוּת

admiration, *n.* הַעֲרָצָה

admire, *v.t.* הֶעֱרִיץ [ערץ], הוֹקִיר [יקר]

admirer, *n.* מַעֲרִיץ, מוֹקִיר
admissible, *adj.* רָאוּי, מִתְקַבֵּל עַל הַדַּעַת, מֻתָּר
admission, *n.* הַכְנָסָה, כְּנִיסָה; הוֹדָאָה
admit, *v.t.* הִכְנִיס, נָתַן לְהִכָּנֵס [כנס]; הוֹדָה [ידה]
admittance, *n.* הַכְנָסָה, כְּנִיסָה
admixture, *n.* תַּעֲרֹבֶת, מֶזֶג, מְזִיגָה, מְהִילָה
admonish, *v.t.* יִסֵּר, הוֹכִיחַ [יכח], הִזְהִיר [זהר], הִתְרָה [תרה]
admonition, *n.* יִסּוּר, תּוֹכָחָה, הַזְהָרָה, הַתְרָאָה
ado, *n.* עֵסֶק, טֹרַח, טִרְדָּה
adolescence, *n.* נֹעַר, נְעוּרִים, עֲלוּמִים
adolescent, *n.* נַעַר, בָּחוּר, עֶלֶם
Adonis, *n.* יְפֵהפֶה; דְּמוּמִית (פֶּרַח)
adopt, *v.t.* אִמֵּץ; סִגֵּל
adoptable, *adj.* בַּר אִמּוּץ, סְתַגְלָנִי
adoption, *n.* אִמּוּץ, הִסְתַּגְּלוּת
adoptive, *adj.* מְאַמֵּץ, מְאֻמָּץ
adorable, *adj.* נַעֲרָץ, יָקָר, חָבִיב
adoration, *n.* אַהֲבָה, חִבָּה, הוֹקָרָה, הַעֲרָצָה; פֻּלְחָן
adore, *v.t.* הֶעֱרִיץ [ערץ], חִבֵּב, אִלֵּל
adorn, *v.t.* יִפָּה, קִשֵּׁט, עָדָה
adornment, *n.* יִפּוּי, קִשּׁוּט, הִדּוּר; עֲדִי
adrift, *adj.* & *adv.* צָף וְנִשָּׂא עַל גַּלֵּי הַיָּם, שׁוֹטֵט; בְּאֵין מַטָּרָה
adroit, *adj.* זָרִיז, מָהִיר, חָרוּץ
adroitly, *adv.* בִּזְרִיזוּת, בִּמְהִירוּת, בַּחֲרִיצוּת
adroitness, *n.* זְרִיזוּת, מְהִירוּת, חֲרִיצוּת
adulate, *v.t.* חָנַף, הֶחֱנִיף [חנף]
adulation, *n.* חֲנֻפָּה, חֲלַקְלַקּוֹת (לָשׁוֹן), הִתְרַפְּסוּת
adult, *adj.* & *n.* גָּדוֹל, שֶׁהִגִּיעַ לְפִרְקוֹ, אִישׁ, בּוֹגֵר, מְבֻגָּר
adulterate, *adj.* מְזֻיָּף, בָּלוּל, מְקֻלְקָל; זוֹנֶה
adulterate, *v.t.* זִיֵּף, קִלְקֵל, הִשְׁחִית [שחת] בָּלַל, פִּגֵּל
adulteration, *n.* זִיּוּף, בְּלִילָה, קִלְקוּל, פִּגּוּל
adulterer, adulteress, *n.* נוֹאֵף, נוֹאֶפֶת
adulterous, *adj.* נַאֲפוּפִי, שֶׁל זְנוּת
adultery, *n.* נִאוּף, זְנוּת, זְנוּנִים
advance, *n.* קִדְמָה, קִדּוּם, הִתְקַדְּמוּת; הַפְקָעַת שַׁעַר; הַלְוָאָה; עֲלִיָּה בְּדַרְגָּה; שִׁפּוּר
advance, *v.t.* & *i.* קִדֵּם, הִתְקַדֵּם [קדם]; שִׁלֵּם לְמַפְרֵעַ, הֶעֱלָה (בְּדַרְגָּה, בִּמְחִיר), הִלְוָה [לוה]; עָשָׂה חַיִל
advancement, *n.* קִדּוּם, קִדְמָה, הִתְקַדְּמוּת, הַעֲלָאָה
advantage, *n.* יִתְרוֹן, מַעֲלָה, תּוֹעֶלֶת
advantage, *v.t.* הָיָה יִתְרוֹן לְ, הֵפִיק [פוק] תּוֹעֶלֶת מִן
advantageous, *adj.* יִתְרוֹנִי, מוֹעִיל, נוֹחַ
adventure, *n.* הַעְפָּלָה, הַרְפַּתְקָה, מַעֲשֶׂה נוֹעָז
adventure, *v.t.* & *i.* עָמַד בְּסַכָּנָה הִסְתַּכֵּן [סכן], הֶעְפִּיל [עפל], הֵהִין [הין]
adventurer, *n.* מַעְפִּיל, הַרְפַּתְקָן, נוֹכֵל
adverb, *n.* תֹּאַר הַפֹּעַל
adversary, *n.* יָרִיב, שׂוֹנֵא, מִתְנַגֵּד; שָׂטָן
adverse, *adj.* מִתְנַגֵּד לְ־, שְׁלִילִי, נוֹגֵד רָע, מַזִּיק
adversity, *n.* צָרָה, אָסוֹן, אֵיד, רָעָה
advert, *v.i.* הֶרְאָה [ראה] עַל, רָמַז עַל
advertise, *v.t.* פִּרְסֵם, הִכְרִיז [כרז]

advertisement, *n.* מוֹדָעָה, פִּרְסוּם, כְּרָזָה, הַכְרָזָה

advice, *n.* עֵצָה, הוֹדָעָה

advisability, *n.* רְצִיּוּת, כְּדָאִיּוּת, יָאוּת

advisable, *adj.* רָצוּי, כְּדַאי

advise, *v.t. & i.* יָעַץ, הִתְיָעֵץ [יעץ], נָתַן עֵצָה, הוֹדִיעַ [ידע], הִזְהִיר [זהר]

adviser, *n.* יוֹעֵץ

advocacy, *n.* הַמְלָצָה, סַנֵּגוֹרְיָה

advocate, *n.* עוֹרֵךְ דִּין, סַנֵּגוֹר; מַמְלִיץ

advocate, *v.t.* הֵגֵן [גנן] עַל, הִמְלִיץ [מלץ] עַל, לִמֵּד זְכוּת, סִנֵּגֵר

aerate, *v.t.* אִוֵּר, אִוְרֵר

aeration, *n.* אִוּוּר, אִוְרוּר

aerial, *adj. & n.* אֲוִירִי, גָּבוֹהַּ; מְשׁוֹשָׁה

aerodrome, *n.* שְׂדֵה תְּעוּפָה, מִמְרָאָה

aeronaut, *n.* נַוָּט

aeronautics, *n.* טַיִס, תּוֹרַת הַתְּעוּפָה

aeroplane, *n.* אֲוִירוֹן, מָטוֹס

aesthete, aesthetic, *n.* יָפֶה, נָעִים

aesthetics, *n.* תּוֹרַת הַיֹּפִי

afar, *adv.* מֵרָחוֹק, הַרְחֵק

affable, *adj.* נִמּוּסִי, אָדִיב

affair, *n.* עֵסֶק, עִנְיָן, מִקְרֶה; הִתְאַהֲבוּת

affect, *v.t.* עָשָׂה רֹשֶׁם עַל; הֶעֱמִיד [עמד] פָּנִים; עוֹרֵר חֶמְלָה, אָהַב

affectation, *n.* הִתְגַּנְדְּרוּת, נִמּוּס מְלָאכוּתִי, הַעֲמָדַת פָּנִים

affection, *n.* חִבָּה, אַהֲבָה; הַרְגָּשָׁה, רֶגֶשׁ; מַחֲלָה, מֵחוֹשׁ

affectionate, *adj.* אוֹהֵב, מְחַבֵּב

affectionately, *adv.* בְּחִבָּה, בְּאַהֲבָה

affiance, *v.t.* אֵרֵס, אֵרֵשׂ

affidavit, *n.* עֵדוּת, תְּעוּדָה בִּשְׁבוּעָה

affiliate, *v.t. & i.* חִבֵּר, אִמֵּץ בֵּן, אִחֵד, הִתְאַחֵד [אחד], הִתְחַבֵּר [חבר]

affiliation, *n.* חִבּוּר, קִשּׁוּר, קְבִיעַת אַבְהוּת, הִתְחַבְּרוּת

affinity, *n.* קִרְבָה, אַהֲבָה, חִבָּה

affirm, *v.t.* הֵעִיד [עוד], קִיֵּם, אִשֵּׁר

affirmation, *n.* קִיּוּם, אִשּׁוּר, חִיּוּב

affirmative, *adj. & n.* חִיּוּבִי, מְחַיֵּב

affix, *v.t.* צֵרַף, קָבַע, הִדְבִּיק [דבק], הִטְבִּיעַ [טבע], הוֹסִיף [יסף]

affixture, *n.* קְבִיעָה (חוֹתֶמֶת), צֵרוּף, הַדְבָּקָה (בּוּל)

afflict, *v.t.* הִדְאִיב [דאב], צִעֵר, הֶעֱצִיב [עצב]

affliction, *n.* אֵיד, מְצוּקָה, צַעַר, צָרָה, דְּאָבָה, יָגוֹן

affluence, *n.* שֶׁפַע, עֹשֶׁר, נְהִירָה

affluent, *adj.* שׁוֹפֵעַ, עָשִׁיר, נוֹהֵר אֶל

affluent, *n.* נַחַל, יוּבַל

afford, *v.t.* יָכֹל, הִשִּׂיג [נשג], הִסְפִּיק [ספק], הִרְשָׁה [רשה] לְעַצְמוֹ

affray, *n.* מְהוּמָה, קְטָטָה

affront, *n.* הַעֲלָבָה, הַכְלָמָה

affront, *v.t.* עָלַב, הֶעֱלִיב [עלב], הִכְלִים [כלם], בִּיֵּשׁ, פָּגַע בְּכָבוֹד

afield, *adv.* בַּשָּׂדֶה, עַל פְּנֵי הַשָּׂדֶה

afire, *adj. & adv.* בּוֹעֵר

aflame, *adj. & adv.* לוֹהֵט

afloat, *adj. & adv.* צָף, שָׁט

afoot, *adj. & adv.* בָּרֶגֶל, רַגְלִי; בִּפְעֻלָּה

afore, *adv. & prep.* בָּרֹאשׁ, מִלְּפָנִים, מִקֹּדֶם

aforenamed, aforesaid, *adj.* הַקּוֹדֵם, הַנֶּאֱמָר לְמַעְלָה, הַנִּזְכָּר לְעֵיל, הנ״ל

afraid, *adj.* מְפַחֵד, יָרֵא, חוֹשֵׁשׁ

afresh, *adv.* שׁוּב, שֵׁנִית, מֵחָדָשׁ

African, *adj. & n.* אַפְרִיקָנִי

aft, *adv.* אֲחוֹרֵי הָאֳנִיָּה

after, *adj., adv., prep. & conj.* אַחַר, אַחֲרֵי כֵן, לְאַחַר מִכֵּן, עַל פִּי, בְּעִקְבוֹת, מֵאָחוֹר

after all סוֹף סוֹף, בְּכָל זֹאת, אַחֲרֵי כִּכְלוֹת הַכֹּל
aftermath, *n.* תּוֹצָאָה
afternoon, *n.* אַחַר הַצָּהֳרַיִם, מִנְחָה
afterward(s), *adv.* אַחַר כָּךְ, אַחֲרֵי כֵן
afterworld, *n.* הָעוֹלָם הַבָּא
again, *adv.* שׁוּב, שֵׁנִית, עוֹד פַּעַם יָתֵר עַל כֵּן, מִצַּד שֵׁנִי
against, *prep.* נֶגֶד, לְעֻמַּת, נֹכַח
age, *n.* גִּיל; זִקְנָה, שֵׂיבָה; דּוֹר, תְּקוּפָה
age, *v.i.* & *t.* יָשַׁשׁ, הִזְדַּקֵּן, הִזְקִין [זקן]
aged, *adj.* זָקֵן, קָשִׁישׁ, בָּא בַּיָּמִים
agency, *n.* סוֹכְנוּת
agenda, *n. pl.* סֵדֶר הַיּוֹם
agent, *n.* סוֹכֵן, בָּא כֹחַ, עָמִיל, גּוֹרֵם
agglomerate, *v.t.* & *i.* צָבַר, גָּבַב
aggrandize, *v.t.* הִגְדִּיל [גדל], הִפְרִיז [פרז]
aggravate, *v.t.* הֵרַע [רעע]; הִכְעִיס [כעס]; הִגְדִּיל [גדל], הִכְבִּיד [כבד]
aggravation, *n.* הַכְבָּדָה; הַכְעָסָה, הַחֲרָמָה, הֲרָעָה, עָגְמַת נֶפֶשׁ
aggregate, *v.t.* & *i.* אָסַף, צֵרַף, הִצְטַבֵּר [צבר]
aggregate, *adj.* & *n.* מְחֻבָּר, מְקֻבָּץ; קָהָל, חֶבְרָה, מִצְרָף, סַךְ הַכֹּל
aggression, *n.* תְּקִיפָה, תּוֹקְפָנוּת, הַתְקָפָה, הִתְנַפְּלוּת, הִשְׂתָּעֲרוּת, הִתְגָּרוּת
aggressive, *adj.* תַּקִּיף, תּוֹקְפָנִי, תּוֹקֵף, מַתְקִיף, מִתְגָּרֶה, מִשְׂתָּעֵר
aggressor, *n.* תּוֹקְפָן, מַתְקִיף, מִתְגָּרֶה, מִשְׂתָּעֵר, פּוֹלֵשׁ
aggrieve, *v.t.* הֶעֱצִיב [עצב], הִדְאִיב [דאב], צִעֵר
aghast, *adj.* תּוֹהֶה, תָּמֵהַּ, מֻכֵּה תִּמָּהוֹן
agile, *adj.* מָהִיר, זָרִיז
agility, *n.* מְהִירוּת, זְרִיזוּת
agitate, *v.t.* הֵנִיעַ [נוע], נִעְנַע, הֵעִיר, עוֹרֵר [עור], זִעְזַע, רָגַע (הַיָּם)
agitation, *n.* נִיעָה, זִיעָה, זִעְזוּעַ, הִתְרַגְּשׁוּת, מְבוּכָה
agitator, *n.* תַּעַמְלָן, סַכְסְכָן, מֵסִית; מַבְחֵשׁ
aglow, *adj.* & *adv.* לוֹהֵט, יוֹקֵד
agnail, *n.* יַבֶּלֶת, דַּחַס
agnostic, *n.* כּוֹפֵר
ago, *adj.* & *adv.* לִפְנֵי ..., לְפָנִים
agonize, *v.t.* & *i.* סָבַל יִסּוּרִים, הִצְטַעֵר [צער] הִתְעַנָּה [ענה]; הֵצַר [צרר] עִנָּה, לָחַץ
agony, *n.* יִסּוּרִים, גְּסִיסָה
agrarian, *adj.* & *n.* חַקְלָאִי, קַרְקָעִי; חַקְלַאי, אִכָּר
agree, *v.t.* & *i.* הִסְכִּים [סכם]; הִתְאִים [תאם]
agreeable, *adj.* נָעִים, נֶחְמָד, מַתְאִים
agreeably, *adv.* בְּנֹעַם, בְּהַתְאָמָה
agreement, *n.* הֶסְכֵּם; בְּרִית, חוֹזֶה; הַתְאָמָה
agricultural, *adj.* חַקְלָאִי, שֶׁל עֲבוֹדַת הָאֲדָמָה
agriculture, *n.* חַקְלָאוּת, עֲבוֹדַת אֲדָמָה
agriculturist, *n.* חַקְלַאי, עוֹבֵד אֲדָמָה, אִכָּר
agrimony, *n.* אַבְגָּר
aground, *adj.* & *adv.* עַל שִׂרְטוֹן, גּוֹשֵׁשׁ
ague, *n.* קַדַּחַת הָאֲגַמִּים, רְעִידָה, צְמַרְמֹרֶת
ah, *interj.* אֲהָהּ
ahead, *adj.* & *adv.* קָדִימָה, בָּרֹאשׁ, הָלְאָה, לְפָנִים
aid, *n.* עֶזְרָה, סִיּוּעַ, סַעַד; עוֹזֵר, תּוֹמֵךְ
aid, *v.t.* עָזַר, סִיֵּעַ

aide-de-camp, *n.* שָׁלִישׁ (לְנָשִׂיא), סֶגֶן (לְשַׂר צָבָא)
ail, *v.t.* & *i.* כָּאַב; חָלָה; הָיָה חוֹלָנִי
ailment, *n.* חֳלִי, מֵחוּשׁ, מַכְאוֹב
aim, *n.* מַטָּרָה, תַּכְלִית; שְׁאִיפָה, מִכְוָן
aim, *v.i.* & *t.* כִּוֵּן אֶל, הִתְכַּוֵּן [כון]; שָׁאַף
aimless, *adj.* חֲסַר מַטָּרָה
air, *n.* אֲוִיר, אֲוִירָה, מַרְאֶה; לַחַן,
air, *v.t.* & *i.* אִוְרֵר; הִתְנָאָה [נאה]
air bladder שַׁלְפּוּחִית (אֲוִיר)
air brake בֶּלֶם, מַעֲצוֹר (אֲוִיר)
air force אֲוִירִיָּה
air gun רוֹבֶה אֲוִיר
airing, *n.* אִוּוּר, אִוְרוּר; טִיּוּל
air mail, *n.* דֹּאַר אֲוִיר
airplane, *n.* אֲוִירוֹן, מָטוֹס
airport, *n.* נְמַל תְּעוּפָה
air raid הַתְקָפָה אֲוִירִית
airtight, *adj.* אָטִים
airy, *adj.* אֲוִירִי, שֶׁל הָאֲוִיר, פָּתוּחַ לָאֲוִיר, מָלֵא אֲוִיר; שִׁטְחִי, קַל דַּעַת
aisle, *n.* שׁוּרָה, שְׁדֵרָה, מַעֲבָר
ajar, *adj.* פָּתוּחַ לְמֶחֱצָה
akin, *adj.* דּוֹמֶה, קָרוֹב
alabaster, *adj.* & *n.* בַּהַטִי; בַּהַט
alacrity, *n.* זְרִיזוּת, מְהִירוּת, עֵרוּת, שִׂמְחָה
alarm, *n.* חֲרָדָה, מוֹרָא, פַּחַד, אֵימָה, בֶּהָלָה; אַזְעָקָה
alarm, *v.t.* הִבְהִיל [בהל], הִפְחִיד [פחד]; הִזְעִיק [זעק]
alarm clock, *n.* שְׁעוֹן מְעוֹרֵר
alas, *interj.* אֲהָהּ, אֲבוֹי
alated, *adj.* מְכֻנָּף
albatross, *n.* קְלָנִית
albeit, *conj.* אָמְנָם, אַף כִּי
albino, *n.* לַוְקָן

album, *n.* תְּמוּנוֹן, אַגְרוֹן, מְאַסֵּף
albumin, -en *n.* חֶלְבּוֹן
albuminous, *adj.* חֶלְבּוֹנִי
alcohol, *n.* כֹּהַל, כֹּהֶל, אַלְכֹּהֶל, יַיִן שָׂרָף, יי״ש
alcoholic, *adj.* כָּהֳלִי
alcoholism, *n.* כַּהֶלֶת, כָּהֳלוּת
alcove, *n.* מִשְׁקַע (בַּקִּיר); קִיטוֹנֶת
alderman, *n.* חֲבֵר הָעִירִיָּה, זָקֵן
ale, *n.* שֵׁכָר
alert, *adj.* עֵר, זָרִיז, זָהִיר
alert, *v.t.* הִזְהִיר [זהר], הִזְעִיק [זעק]
alertness, *n.* עֵרָנוּת, זְרִיזוּת
alfalfa, *n.* אַסְפֶּסֶת
algebra, *n.* חָכְמַת הַשִּׁעוּר
alias, *n.* & *adv.* שֵׁם נוֹסָף; בְּכִנּוּי, הַמְכֻנֶּה
alibi, *n.* אֲמַתְלָה, הִתְנַצְּלוּת
alien, *adj.* & *n.* נָכְרִי, זָר, שׁוֹנֶה
alienate, *v.t.* הִרְחִיק [רחק], הֵסֵב [סבב] לֵב
alienation, *n.* הַרְחָקָה, עִתּוּק, הֲסָבָה; טֵרוּף דַּעַת; שִׁגָּעוֹן
alight, *adj.* בּוֹעֵר, דּוֹלֵק
alignment, *n.* הֵעָרְכוּת, עֲרִיכָה, סִדּוּר בְּשׁוּרָה, תְּוָי
alike, *adj.* & *adv.* דּוֹמֶה, שָׁוֶה, כְּאֶחָד
aliment, *n.* מָזוֹן, אֹכֶל; צָרְכֵי אֹכֶל נֶפֶשׁ
alimony, *n.* פַּרְנָסָה, מְזוֹנוֹת, פִּרְנוּס אִשָּׁה גְּרוּשָׁה
alive, *adj.* & *adv.* חַי, בַּחַיִּים, פָּעִיל
alkali, *n.* אַשְׁלָג
all, *adj.* & *adv.* כֹּל, כָּל, הַכֹּל
allay, *v.t.* הִרְגִּיעַ [רגע], הִשְׁקִיט [שקט], הֵקֵל [קלל]
allege, *v.t.* & *i.* טָעַן
allegiance, *n.* אֱמוּנָה, אֵמוּן, אֱמוּנִים

allegoric, allegorical, *adj.* מְשָׁלִי
allegory, *n.* מָשָׁל, מְשָׁלָה
allergy, *n.* גְּרִיּוּת
alleviate, *v.t.* הֵקֵל [קלל]
alleviation, *n.* הֲקַלָּה, הַרְוָחָה
alley, *n.* סִמְטָה, מִשְׁעוֹל
alliance, *n.* הִתְחַבְּרוּת, הִתְאַחֲדוּת, בְּרִית
alligator, *n.* תִּמְסָח
allocate, *v.t.* הִפְרִישׁ [פרש], הִגְבִּיל [גבל] מָקוֹם, חִלֵּק, הִקְצִיב [קצב]
allocation, *n.* חִלּוּק, קְבִיעַת מָקוֹם, הַקְצָבָה, קִצְבָּה
allot, *v.t.* קָצַב, הִפְרִישׁ [פרש] לְ־, חִלֵּק בְּגוֹרָל, הִקְצָה [קצה]
allotment, *n.* חִלּוּק; חֵלֶק
allow, *v.t.* הִרְשָׁה [רשה], נָתַן רְשׁוּת, הִנִּיחַ [נוח]
allowance, *n.* קִצְבָּה; הַרְשָׁאָה, הֲנָחָה
alloy, *v.t.* עִרְבֵּב, מָהַל, זִיֵּף, מִתֵּן, סִגְסֵג
alloy, *n.* תַּעֲרֹבֶת מַתָּכוֹת, מֶסֶג, נֶתֶךְ
all right, *adv.* טוֹב, בְּסֵדֶר
all-round, *adj.* כּוֹלֵל, מַקִּיף
allude, *v.i.* רָמַז, הִתְכַּוֵּן [כון] אֶל
allure, *v.t.* מָשַׁךְ לֵב, פִּתָּה, הִשִּׁיא [נשא]
allurement, *n.* מְשִׁיכָה, מְשִׁיכַת לֵב, פִּתּוּי
allusion, *n.* רֶמֶז, רְמִיזָה
allusive, *adj.* רוֹמֵז, שֶׁל רֶמֶז
ally, *v.t. & i.* חִבֵּר, אִחֵד, בָּא [בוא] בִּבְרִית, הִתְחַבֵּר, הִתְאַחֵד
ally, *n.* בֶּן בְּרִית, בַּעַל בְּרִית, תּוֹמֵךְ
almanac, *n.* יוֹדְעָן, לוּחַ שָׁנָה, סֵפֶר שָׁנָה
almighty, *adj. & n.* כֹּל יָכֹל, כַּבִּיר
The Almighty שַׁדַּי
almond, *n.* שָׁקֵד, לוּז
almoner, *n.* נָדִיב, נַדְבָן, נוֹתֵן צְדָקָה
almost, *adv.* כִּמְעַט
alms, *n.* נְדָבָה, צְדָקָה, חֲלוּקָה
aloft, *adv.* לְמַעְלָה, בַּמָּרוֹם
alone, *adj. & adv.* בּוֹדֵד, יָחִיד, לְבַד
along, *adv. & prep.* דֶּרֶךְ־, אֵצֶל־, נֹכַח־; יַחַד עִם־
alongside, *prep.* בְּצַד־, עַל יַד־, אֵצֶל־
aloof, *adj. & adv.* מֵרָחוֹק, מֻבְדָּל, מִתְבַּדֵּל, מֻפְרָשׁ, אָדִישׁ
aloud, *adv.* בְּקוֹל, בְּקוֹל רָם
alp, *n.* כֵּף, צוּק, שֵׁן סֶלַע
alphabet, *n.* אָלֶפְבֵּית, א"ב
already, *adv.* כְּבָר, מִכְּבָר, מוּכָן
also, *adv.* גַּם, אַף, מִלְּבַד זֹאת, חוּץ לָזֶה, כְּמוֹ כֵן
altar, *n.* מִזְבֵּחַ, בָּמָה
alter, *v.t. & i.* שִׁנָּה, הֵמִיר [מור], תִּקֵּן; הִשְׁתַּנָּה [שנה]
alteration, *n.* שִׁנּוּי, תִּקּוּן
alternate, *v.t. & i., n.* בָּא בָּזֶה אַחַר זֶה, בָּא בְּסֵרוּגִים; סִדֵּר בְּסֵרוּגִים; תַּחֲלִיף, מְמַלֵּא מָקוֹם
alternative, *adj. & n.* בְּרֵירָה, בְּחִירָה, אֶפְשָׁרוּת
although, *conj.* אַף עַל פִּי, אַף (אִם) כִּי
altitude, *n.* גֹּבַהּ, רוּם
altogether, *adv.* לִגְמָרֵי, בִּכְלָל
altruism, *n.* זוּלָתָנוּת
altruist, *n.* זוּלָתָן, זָלִית
aluminum, *n.* חַמְרָן
alumnus, *n.* מְסַיֵּם, חָנִיךְ
always, *adv.* תָּמִיד, לְעוֹלָם
A.M., a.m. לִפְנֵי הַצָּהֳרַיִם
amalgam, *n.* תִּרְכֹּבֶת כַּסְפִּית, סַגְסֹגֶת
amalgamate, *v.t. & i.* עֵרַב, עִרְבֵּב, הִרְכִּיב [רכב], בָּלַל; הִתְבּוֹלֵל [בלל], הִתְמַזֵּג [מזג]

amalgamation, *n.* עֵרוּב, הַרְכָּבָה, בְּלִילָה; צֵרוּף, הִתְאַחֲדוּת

amass, *v.t.* צָבַר, אָסַף

amateur, *n.* חוֹבֵב, חוֹבְבָן, מַתְחִיל

amaze, *v.t.* הִפְלִיא [פלא], הִתְמִיהַּ [תמה]

amazement, *n.* הִשְׁתּוֹמְמוּת, תִּמָּהוֹן, תְּמִיהָה

Amazon, *n.* אֵשֶׁת מִלְחָמָה, גִּבּוֹרְתָנִית

ambassador, *n.* שַׁגְרִיר, בָּא כֹּחַ

amber, *n.* עַנְבָּר

ambient, *adj.* מַקִּיף, סוֹבֵב

ambiguity, *n.* מַשְׁמָעוּת כְּפוּלָה

ambiguous, *adj.* כְּפוּל מַשְׁמָעוּת, סָתוּם, מְסֻפָּק

ambition, *n.* שְׁאִיפָה, שְׁאַפְתָּנוּת, יָמְרָנוּת

ambitious, *adj.* שְׁאַפְתָּן, יָמְרָן, חָרוּץ, בַּעַל שְׁאִיפוֹת, שׁוֹאֵף

amble, *v.i.* & *n.* טָפַף, הָלַךְ וְטָפַף; טְפִיפָה

ambulance, *n.* בֵּית חוֹלִים נַיָּד, מְכוֹנִית מָגֵן דָּוִד

ambulant, adj. נַיָּד

ambulatory, *adj.* & *n.* שֶׁל הֲלִיכָה, בִּזְמַן הֲלִיכָה; נוֹדֵד, עוֹבֵר; נַיָּד

ambuscade, *n.* מַאֲרָב

ambush, *n.* מַאֲרָב

ambush, *v.t.* & *i.* אָרַב, יָשַׁב בְּמַאֲרָב, צָדָה

ameliorate, *v.t.* & *i.* הִשְׁבִּיחַ [שבח], הֵיטִיב [טוב], שִׁפֵּר

amelioration, *n.* הַשְׁבָּחָה, הֲטָבָה, שִׁפּוּר

ameliorator, *n.* מַשְׁבִּיחַ, מֵטִיב

amen, *n.*, *adv.* & *interj.* אָמֵן, בֶּאֱמֶת

amenable, *adj.* נִשְׁמַע, מְצַיֵּת, אַחֲרַאי

amend, *v.t.* תִּקֵּן, שִׁפֵּר, הֵיטִיב [טוב], הִשְׁבִּיחַ [שבח]

amendment, *n.* תַּקָּנָה, תִּקּוּן, שִׁנּוּי חֹק, תּוֹסֶפֶת חֹק

amenity, *n.* נוֹחוּת, נְעִימוּת, עֲדִינוּת, אֲדִיבוּת

America, U.S.A., *n.* אֲמֵרִיקָה, אַרְצוֹת הַבְּרִית

Americanization, *n.* אִמְרוּק, הִתְאַמְרְקוּת

Americanize, *v.t.* אִמְרֵק, עָשָׂה לַאֲמֵרִיקָנִי

amethyst, *n.* אַחְלָמָה

amiability, *n.* חֲבִיבוּת, נְעִימוּת, סֵבֶר פָּנִים יָפוֹת

amiable, *adj.* נֶחְמָד, חָבִיב, אָהוּב

amicable, *adj.* יְדִידוּתִי

amidships, *adv.* בְּאֶמְצַע הָאֳנִיָּה

amidst, amid, *prep.* בְּאֶמְצַע־, בְּתוֹךְ־, בְּקֶרֶב־; מִתּוֹךְ־, בֵּין־

amiss, *adj.* & *adv.* בִּלְתִּי רָאוּי, לֹא כַּהֹגֶן

amity, *n.* יְדִידוּת, רֵעוּת

ammonia, *n.* נַשְׁדּוּר

ammoniac, *n.* & *adj.* אֶשֶׁק, מֶלַח נִשְׁדּוּר; נִשְׁדּוּרִי, מְנֻשְׁדָּר

ammunition, *n.* תַּחְמֹשֶׁת

amnesia, *n.* שִׁכָּחוֹן, שִׁכְחָה, נִשָּׁיוֹן

amnesty, *n.* חֲנִינָה, סְלִיחָה כְּלָלִית

amoeba, ameba, *n.* חִלּוּפִית

among, amongst, *prep.* בֵּין־, בְּתוֹךְ־, בְּקֶרֶב־

amorous, *adj.* מִתְאַהֵב

amorphism, *n.* חֹסֶר צוּרָה

amortization, *n.* בְּלַאי, פְּחַת הַשִּׁמּוּשׁ, סִלּוּק חוֹב; שְׁמִיטָה

amount, *n.* סְכוּם, עֵרֶךְ, מְחִיר, מִכְסָה

amount, *v.i.* עָלָה לְ־, הָיָה שָׁוֶה לְ־

amour, *n.* אַהֲבָה, אֲהָבִים, דּוֹדִים

amour-propre, *n.* אָנֹכִיּוּת, אַהֲבָה עַצְמִית

Amphibia, *n. pl.* דּוּחַיִּים

amphibian, amphibious, *adj.* כְּרָזִי, דּוּחִי, יַמִּי וְיַבַּשְׁתִּי

amphitheater, amphitheatre, *n.* זִירָה, חֲצִי גֹּרֶן עֲגֻלָּה, אַמְפִיתֵאַטְרוֹן

ample, *adj.* דַּי, מַסְפִּיק; רָחָב; גָּדוֹל

amplification, *n.* הַגְבָּרָה, הַגְבָּרַת קוֹל, הֶגְבֵּר

amplifier, *n.* מַגְבֵּר

amplify, *v.t. & i.* הִגְדִּיל [גדל], הִגְבִּיר [גבר] קוֹל; הִרְחִיב [רחב], הֶאֱרִיךְ [ארך]

amply, *adv.* בְּהַרְחָבָה, בְּרֶוַח, לְמַדַּי

amputate, *v.t.* קָטַע, גָּדַע, כָּרַת, גִּדֵּם (אֵבֶר)

amputation, *n.* קְטוּעַ, גְּדוּעַ, כְּרִיתַת (אֵבֶר)

amulet, *n.* קָמֵעַ

amuse, *v.t.* בִּדַּח, בִּדֵּר, שִׁעֲשַׁע

amusement, *n.* תַּעֲנוּג, שַׁעֲשׁוּעִים, בִּדּוּר

an, *indef. art. & adj.* אֶחָד, אַחַת

anal, *adj.* שֶׁל פִּי הַטַּבַּעַת

analogical, *adj.* הֶקֵּשִׁי, דּוֹמֶה, שֶׁל גְּזֵרָה שָׁוָה

analogous, *adj.* מַקְבִּיל, דּוֹמֶה

analogy, *n.* הֶקֵּשׁ, גְּזֵרָה שָׁוָה; הַתְאָמָה, הַקְבָּלָה, דִּמּוּי

analysis, *n.* נִתּוּחַ, בְּחִינָה

analyze, *v.t.* נִתַּח, בָּחַן

analyst, *n.* נַתְּחָן, בּוֹדֵק

anarch, *n.* רֹאשׁ הַמּוֹרְדִים, רֹאשׁ בִּרְיוֹנִים

anarchic, anarchical, *adj.* פָּרוּעַ, חֲסַר סֵדֶר, פּוֹרֵק עֹל

anarchism, *n.* תּוֹרַת הַחֹפֶשׁ הָאִישִׁי

anarchy, *n.* פְּרִיעַת חֹק, חֹסֶר סֵדֶר, פְּרִיקַת עֹל

Anastatica, *n.* כַּפַּת הַיַּרְדֵּן, שׁוֹשַׁנַּת יְרִיחוֹ

anathema, *n.* נִדּוּי, חֵרֶם, קְלָלָה

anathematize, *v.t. & i.* נִדָּה, קִלֵּל, אָרַר

anatomical, *adj.* שֶׁל מִבְנֵה הַגּוּף

anatomist, *n.* מְנַתֵּחַ

anatomize, *v.t.* נִתַּח

anatomy, *n.* תּוֹרַת מִבְנֵה הַגּוּף

ancestor, *n.* אָב, אָב קַדְמוֹן, אָב רִאשׁוֹן

ancestors, *n. pl.* אָבוֹת

ancestral, *adj.* שֶׁל הָאָבוֹת, יְחוּסִי

ancestry, *n.* יְחוּס מִשְׁפָּחָה, יְחָסִים, שַׁלְשֶׁלֶת הַיְחָסִים

anchor, *n.* עֹגֶן

anchor, *v.t. & i.* עָגַן, חִזֵּק

anchorage, *n.* עֲגִינָה, מַעֲגָן, דְּמֵי עֲגִינָה, עִגּוּן; מְקוֹם הִתְבּוֹדְדוּת

anchorite, anchoret, *n.* מִתְבּוֹדֵד, פָּרוּשׁ, נָזִיר

anchovy, *n.* טָרִית, עַפְיָן

ancient, *adj.* יָשָׁן נוֹשָׁן, קָדוּם, עַתִּיק

and, *conj.* וְ (וַ, וִ, וָ, וּ), גַּם, אַף

anecdote, *n.* מַעֲשִׂיָּה, סִפּוּר קַל, אַגָּדָה, בְּדִיחָה

anemia, anaemia, *n.* חֹסֶר דָּם, חִוָּרוֹן

anemone, *n.* כַּלָּנִית

anesthesia, anaesthesia, *n.* אַלְחוּשׁ

anesthetize, *v.t.* אִלְחֵשׁ

anew, *adv.* שׁוּב, שֵׁנִית עוֹד פַּעַם, מֵחָדָשׁ

angel, *n.* מַלְאָךְ, כְּרוּב, אָדָם נֶחְמָד

angelic, *adj.* מַלְאָכִי, כְּרוּבִי

anger, *n.* חָרוֹן, רֹגֶז, חֵמָה, זַעַם, כַּעַס

anger, *v.t.* הִכְעִיס [כעס], הִרְגִּיז [רגז]

angina, *n.* דַּלֶּקֶת הַגָּרוֹן, חַנֶּקֶת

angle, *n.* זָוִית, קֶרֶן, פִּנָּה; חַכָּה, קֶרֶס; נְקוּדַת מַבָּט
angle, *v.t. & i.* חִכָּה, צָד דָּגִים, דָּג [דוג] בְּחַכָּה
angler, *n.* דַּיָּג, מוֹשֵׁךְ בְּחַכָּה, חַכְּיָן
anglicism, *n.* סִגְנוֹן אַנְגְּלִי
anglicize, *v.t. & i.* אִנְגֵּל, דִּבֵּר כְּאַנְגְּלִי, הִתְנַהֵג [נהג] כְּאַנְגְּלִי; עָשָׂה לְאַנְגְּלִי
angling, *n.* דַּיִג, הַשְׁלָכַת חַכָּה
angrily, *adv.* בְּכַעַס, בְּרֹגֶז, בְּקֶצֶף
angry, *adj.* כּוֹעֵס, זוֹעֵם, קוֹצֵף
anguish, *n.* צַעַר, עֱנוּת, סֵבֶל, יִסּוּרִים
angular, *adj.* קַרְסִי, זָוִיתִי, חַד, כָּפוּף; מְכֹעָר
angularity, *n.* זָוִיתִיּוּת
angulate, *adj.* בְּצוּרַת זָוִית, מְזֻוֶּה
animadversion, *n.* נְזִיפָה, גְּעָרָה, תּוֹכֵחָה
animal, *adj.* חִיּוּנִי, שֶׁל חַי; בְּהֵמִי
animal, *n.* חַיָּה, בְּהֵמָה, נֶפֶשׁ חַיָּה, בַּעַל חַי
animalcule, *n.* חַיְדַּק
Animalia, *n. pl.* עוֹלַם הַחַי
animalism, *n.* בְּהֵמִיּוּת, חוּשִׁיּוּת, חִיּוּנִיּוּת, תַּאַוְתָנוּת
animality, *n.* חַיּוּת, בְּהֵמִיּוּת, עוֹלַם הַחַי
animalization, *n.* הַבְהָמָה, בִּהוּם, הֲפִיכָה לְחַיָּה
animalize, *v.t.* בִּהֵם, הָפַךְ לְחַיָּה
animate, *adj.* חָיֶה, מָהִיר, זָרִיז
animate, *v.t.* חִיָּה, עוֹרֵר [עור], הִלְהִיב [להב], עוֹדֵד [עוד]
animation, *n.* הַחְיָאָה, הַלְהָבָה, עֵרוּת
animosity, *n.* אֵיבָה, שִׂנְאָה
animus, *n.* רוּחַ, נֶפֶשׁ חַיָּה, מַחֲשָׁבָה; כַּעַס, חָרוֹן, שִׂנְאָה
ankle, *n.* קַרְסֹל, אֶפֶס
anklet, *n.* עֶכֶס, אֶצְעָדָה; גַּרְבִּית
annalist, *n.* כּוֹתֵב דִּבְרֵי הַיָּמִים
annals, *n. pl.* לוּחוֹת הַשָּׁנָה, דִּבְרֵי הַיָּמִים
anneal, *v.t.* לִבֵּן בָּאֵשׁ, רִכֵּךְ
annex, *n.* הוֹסָפָה, תּוֹסֶפֶת; אֲגַף לְבַיִת
annex, *v.t.* סִפֵּחַ, חִבֵּר, אִחֵד, הוֹסִיף [יסף]
annexation, *n.* סִפּוּחַ (מְדִינִי), הִסְתַּפְּחוּת, חִבּוּר, צֵרוּף
annihilate, *v.t.* אִבֵּד, הִשְׁמִיד [שמד], הִכְחִיד [כחד], כִּלָּה
annihilation, *n.* אִבּוּד, הַכְחָדָה, הַשְׁמָדָה, כִּלָּיוֹן, כְּלָיָה
anniversary, *n.* יוֹם הוּלֶדֶת, יוֹם הַשָּׁנָה
annotation, *n.* כְּתִיבַת הֶעָרוֹת; הֶעָרָה
announce, *v.t.* הוֹדִיעַ [ידע], הִשְׁמִיעַ [שמע], בִּשֵּׂר, הִכְרִיז [כרז]
announcement, *n.* הוֹדָעָה, הַכְרָזָה
announcer, *n.* קַרְיָן
annoy, *v.t.* הֵצִיק [צוק], הִטְרִיד [טרד], צִעֵר, קִנְטֵר, הִרְגִּיז [רגז]
annoyance, *n.* צַעַר, הַרְגָּזָה, טְרָדָה, קִנְטוּר
annual, *adj. & n.* שְׁנָתִי, חַד שְׁנָתִי; שְׁנָתוֹן
annually, *adv.* שָׁנָה שָׁנָה, מִדֵּי שָׁנָה
annuity, *n.* תַּשְׁלוּם שְׁנָתִי, הַכְנָסָה שְׁנָתִית
annul, *v.t.* בִּטֵּל, הֵפֵר [פור], הִשְׁבִּית [שבת]
annular, *adj.* טַבַּעְתִּי, בְּצוּרַת טַבַּעַת
annulment, *n.* בִּטּוּל, הֲפָרָה, הַשְׁבָּתָה
annunciation, *n.* הַכְרָזָה, הוֹדָעָה, בְּשׂוֹרָה
anodyne, *n.* מַרְגִּיעַ, מֵקֵל כְּאֵב
anoint, *v.t.* מָשַׁח, סָךְ [סוך]
anomalous, *adj.* בִּלְתִּי רָגִיל, בִּלְתִּי טִבְעִי

anomaly, *n.* זָרוּת, יְצִיאָה מִן הַכְּלָל, נְטִיָּה מִן הַמְּקֻבָּל

anon, *adv.* תֵּיכֶף וּמִיָּד, בְּקָרוֹב

anonymity, *n.* עִלּוּם שֵׁם

anonymous, *adj.* עֲלוּם שֵׁם, אַלְמוֹנִי, סְתָמִי

another, *adj.* & *pron.* אַחֵר, עוֹד אֶחָד

answer, *n.* תְּשׁוּבָה, מַעֲנֶה; פִּתְרוֹן

answer, *v.t.* עָנָה, הֵשִׁיב [שוב], פָּתַר; הָיָה אַחֲרַאי

answerable, *adj.* אַחֲרַאי, בַּר תְּשׁוּבָה

ant, *n.* נְמָלָה

antagonism, *n.* הִתְנַגְּדוּת, הִתְנַגְּשׁוּת, נִגּוּד, שִׂנְאָה

antagonist, *n.* יָרִיב, מִתְנַגֵּד, שׂוֹנֵא, סוֹתֵר

antagonistic, *adj.* מִתְנַגֵּד, שׂוֹנֵא, סוֹתֵר

antagonize, *v.t.* הִתְנַגֵּד [נגד] לְ־, סָתַר

antecede, *v.t.* הָיָה לִפְנֵי, בָּא [בוא] לִפְנֵי, הָלַךְ לִפְנֵי

antecedence, *n.* קְדִימָה, בְּכוֹרָה

antecedent, *adj.* קוֹדֵם

antedate, *v.t.* הִקְדִּים [קדם]

antelope, *n.* תְּאוֹ

antenna, *n.* מָחוֹשׁ (בַּחֲרָקִים); מְשׁוֹשָׁה (רַדְיוֹ)

anterior, *adj.* קוֹדֵם, קִדְמִי, רִאשׁוֹן

anteroom, *n.* מָבוֹא, פְּרוֹזְדוֹר

anthem, *n.* הִמְנוֹן, מִזְמוֹר

anthology, *n.* קֹבֶץ סִפְרוּת נִבְחֶרֶת

anthracite, *n.* פֶּחָם קָשֶׁה

anthropology, *n.* תּוֹרַת הָאָדָם

anthropometry, *n.* מְדִידַת חֶלְקֵי הַגּוּף

anthropomorphic, *adj.* דּוֹמֶה לְאָדָם

anticipate, *v.t.* רָאָה מֵרֹאשׁ, חִכָּה לְ־, הִקְדִּים [קדם], קִדֵּם, יִחֵל

anticipation, *n.* רְאִיָּה מֵרֹאשׁ, צִפִּיָּה, יִחוּל

anticlimax, *n.* פִּסְגַּת נֶגֶד, סִיּוּם תָּפֵל

antidote, *n.* סַם שֶׁכְּנֶגֶד, סַם חַיִּים

antipathy, *n.* מְאִיסָה, שִׂנְאָה

antiquary, *n.* סוֹחֵר בְּעַתִּיקוֹת, חוֹקֵר עַתִּיקוֹת

antique, *n.* עַתִּיק

antiquity, *n.* קַדְמוֹנִיּוֹת, יְמֵי קֶדֶם

anti-Semite, *n.* נֶגֶד שֵׁמִי

anti-Semitism, *n.* נֶגֶד שֵׁמִיּוּת

antiseptic, *adj.* מְחַטֵּא

antithesis, *n.* סְתִירָה, הֵפּוּךְ, נִגּוּד

antler, *n.* קֶרֶן הַצְּבִי

anus, *n.* טַבַּעַת, פִּי הַטַּבַּעַת

anvil, *n.* סַדָּן

anxiety, *n.* חֲשָׁשָׁה, דְּאָגָה, חֲרָדָה, פַּחַד; תְּשׁוּקָה

anxious, *adj.* חוֹשֵׁשׁ, דּוֹאֵג, חָרֵד; שׁוֹאֵף, מִשְׁתּוֹקֵק

any, *adj.* & *pron.* אֵיזֶה, אֵיזֶשֶׁהוּ, כָּלְשֶׁהוּ

anybody, *n.* & *pron.* מִישֶׁהוּ, כָּל אִישׁ, אֵיזֶה שֶׁהוּא

anyhow, *adv.* & *conj.* אֵיךְ שֶׁהוּא; בְּכָל אֹפֶן, עַל כָּל פָּנִים

anyone, *n.* & *pron.* מִישֶׁהוּ, אֵיזֶה שֶׁהוּא

anything, *n.* & *pron.* כְּלוּם, אֵיזֶה דָּבָר

anyway, *adv.* אֵיךְ שֶׁהוּא; בְּכָל אֹפֶן

anywhere, *adv.* בְּכָל מָקוֹם שֶׁהוּא

anywise, *adv.* בְּכָל אֹפֶן

aorta, *n.* וָתִין, עוֹרֵק, אַב עוֹרְקִים

apart, *adv.* לְבַד, בִּפְנֵי עַצְמוֹ, הַצִּדָּה

apartment, *n.* דִּירָה, מָעוֹן

apathetic, apathetical, *adj.* אָדִישׁ

apathy, *n.* אֲדִישׁוּת

ape, *v.t.* חִקָּה, עָשָׂה מַעֲשֵׂה קוֹף

ape, *n.* קוֹף; חַקַּאי

aperient, *n.* מְשַׁלְשֵׁל (בִּרְפוּאָה), מְרַפֶּה (מֵעַיִם)

aperture, *n.* פֶּתַח

apex, *n.* רֹאשׁ, פִּסְגָּה, שִׂיא; חֹד

aphorism, *n.* אִמְרָה, מָשָׁל, פִּתְגָּם

apiary, *n.* כַּוֶּרֶת

apiculture, *n.* כַּוָּרָנוּת

apiece, *adv.* לְכָל אֶחָד, לְכָל אִישׁ

apocalypse, *n.* הִתְגַּלּוּת, חֲזוֹן הֶעָתִיד

Apocrypha, *n. pl.* כְּתוּבִים אַחֲרוֹנִים, כְּמוּסוֹת, גְּנוּזִים

apocryphal, *adj.* חִיצוֹנִי, גָּנוּז

apologetic, apologetical, *adj.* מִצְטַדֵּק

apologize, *v.t.* & *i.* הִצְטַדֵּק [צדק], בִּקֵּשׁ סְלִיחָה

apology, *n.* הִצְטַדְּקוּת, בַּקָּשַׁת סְלִיחָה

apoplexy, *n.* שָׁבָץ, שִׁתּוּק

apostasy, *n.* כְּפִירָה, הֲמָרַת דָּת

apostate, *n.* מוּמָר, כּוֹפֵר

apostle, *n.* שָׁלִיחַ, מְשֻׁלָּח

apostrophe, *n.* גֵּרֵשׁ, תָּג

apothecary, *n.* רוֹקֵחַ, רַקָּח

apotheosis, *n.* הַעֲרָצָה, הַקְדָּשָׁה, הַאֲלָהָה

appall, *v.t.* הִדְהִים [דהם], הִבְהִיל [בהל], הִבְעִית [בעת]

appalling, *adj.* מַדְהִים, אָיֹם, נוֹרָא

apparatus, *n.* מַכְשִׁיר, מִתְקָן

apparel, *n.* מַלְבּוּשׁ, לְבוּשׁ, בֶּגֶד

apparel, *v.t.* הִלְבִּישׁ [לבש]

apparent, *adj.* מוּבָן, בָּרוּר; נִדְמֶה; נִרְאֶה

apparently, *adv.* כְּנִרְאֶה, לִכְאוֹרָה

apparition, *n.* הוֹפָעָה, תּוֹפָעָה; רוּחַ, שֵׁד

appeal, *n.* עִרְעוּר, קְבִלָּנָה; בַּקָּשָׁה, קְרִיאָה

appeal, *v.i.* עִרְעֵר; הִתְחַנֵּן, בִּקֵּשׁ, פָּנָה אֶל

appear, *v.i.* הוֹפִיעַ [יפע], יָצָא לָאוֹר, נִרְאָה [ראה], נִדְמָה [דמה]

appearance, *n.* מַרְאֶה; צוּרָה; דְּמוּת; הוֹפָעָה

appease, *v.t.* הִרְגִּיעַ [רגע], הִשְׁקִיט [שקט], פִּיֵּס

appeasement, *n.* הַרְגָּעָה, פִּיּוּס

appellant, *n.* מְעַרְעֵר

appellate, *adj.* שׁוֹמֵעַ עִרְעוּרִים, דָּן בְּעִרְעוּרִים

appellation, *n.* כִּנּוּי; קְרִיאַת שֵׁם

append, *v.t.* הוֹסִיף [יסף], סִפַּח, צֵרַף

appendage, *n.* הוֹסָפָה, תּוֹסֶפֶת, יוֹתֶרֶת

appendicitis, *n.* דַּלֶּקֶת הַתּוֹסֶפְתָּן

appendix, *n.* תּוֹסֶפְתָּן, מְעִי עִוֵּר, מְעִי אָטוּם

appertain, *v.i.* הָיָה שַׁיָּךְ לְ־

appetite, *n.* תֵּאָבוֹן; תַּאֲוָה

appetizer, *n.* פַּרְפֶּרֶת

applaud, *v.t.* & *i.* מָחָא כַּף, הִלֵּל

applause, *n.* מְחִיאַת כַּפַּיִם, תְּשׁוּאוֹת חֵן

apple, *n.* תַּפּוּחַ

appliance, *n.* מַכְשִׁיר, כְּלִי; שִׁמּוּשׁ

applicable, *adj.* שִׁמּוּשִׁי; מַתְאִים, הוֹלֵם

applicant, *n.* מְבַקֵּשׁ, מְבַקֵּשׁ מִשְׂרָה

application, *n.* שִׁמּוּשׁ, פְּנִיָּה, נְתִינָה; שְׁקִידָה; בַּקָּשָׁה; תַּבְקִישׁ; תַּחְבֹּשֶׁת

applicator, *n.* מָטוֹשׁ

apply, *v.t.* & *i.* שָׂם [שים], נָתַן; שָׁקַד; בִּקֵּשׁ

appoint, *v.t.* & *i.* יָעַד, קָבַע, מִנָּה, הִפְקִיד [פקד]

appointee, *n.* מְמֻנֶּה

appointment, *n.* יִעוּד, מִנּוּי, מִשְׂרָה; רֵאָיוֹן; צִיּוּד

apportion, *v.t.* חִלֵּק, מִנָּה, קָצַב

apportionment, *n.* חִלּוּק, מִנּוּן

appraisal, *n.* הַעֲרָכָה, שׁוּמָה, אֹמֶד, אֻמְדָּן

appraise, *v.t.* אָמַד, הֶעֱרִיךְ [ערך], שָׁם [שום]

appraiser, *n.* אוֹמֵד, מַעֲרִיךְ, שַׁמַּאי

appreciate, *v.t.* הוֹקִיר [יקר], הֶעֱרִיךְ [ערך]

appreciation, *n.* הוֹקָרָה, הַעֲרָכָה

appreciative, *adj.* מוֹקִיר, מַעֲרִיךְ

apprehend, *v.t.* & *i.* תָּפַשׂ, אָסַר; הִרְגִּישׁ [רגש]; דָּאַג; פָּחַד, חָשַׁשׁ

apprehension, *n.* תְּפִיסָה, אֲסִירָה; הַרְגָּשָׁה; חֲשָׁשׁ

apprehensive, *adj.* חוֹשֵׁשׁ, דּוֹאֵג, חָרֵד

apprentice, *n.* שׁוּלְיָה, טִירוֹן, מַתְחִיל, חָנִיךְ

approach, *v.t.* & *i.* הִתְקָרֵב [קרב], נִגַּשׁ

approach, *n.* הִתְקָרְבוּת; גִּישָׁה

approbate, *v.t.* אִשֵּׁר

approbation, *n.* אִשּׁוּר, הַרְשָׁאָה, יִפּוּי כֹּחַ

appropriate, *v.t.* לָקַח לְעַצְמוֹ, קָצַב

appropriate, *adj.* מַתְאִים, הָגוּן, רָאוּי

appropriately, *adv.* כְּהֹגֶן, בְּהַתְאָמָה

appropriation, *n.* קִנְיָן, רְכִישָׁה, הַשָּׂגָה; הַקְצָבָה, הַפְרָשָׁה

approve, *v.t.* אִשֵּׁר, קִיֵּם; הִסְכִּים [סכם]

approval, *n.* אִשּׁוּר; הַסְכָּמָה

approximate, *v.t.* & *i.*, *adj.* הִקְרִיב, הִתְקָרֵב [קרב], הִגִּיעַ [נגע] לְ־; בְּקֵרוּב לְ־, קָרוֹב

approximately, *adv.* בְּעֵרֶךְ, כִּמְעַט, בְּקֵרוּב

approximation, *n.* קֵרוּב, הִתְקָרְבוּת

appurtenant, *adj.* נִסְפָּח, נִלְוֶה, שַׁיָּךְ

apricot, *n.* מִשְׁמֵשׁ

April, *n.* אַפְּרִיל

a priori מֵרֹאשׁ, לְכַתְּחִלָּה

apron, *n.* סִנָּר

apropos, *adv.* דֶּרֶךְ אַגַּב, בְּנוֹגֵעַ לְ־

apt, *adj.* עָלוּל, נוֹטֶה; מַתְאִים, הוֹלֵם; מָהִיר

aptitude, *n.* נְטִיָּה; כִּשְׁרוֹן, מְהִירוּת

aqua, *n.* מַיִם

aquamarine, *n.* תַּרְשִׁישׁ, כְּרוּם (הַיָּם)

aquarelle, *n.* צִיּוּר מַיִם

aquarium, *n.* מִקְוֵחַי (בְּרֵכָה)

aquatic, *adj.* & *n.* חַי בְּמַיִם

aqueduct, *n.* אַמַּת מַיִם, תְּעָלָה

Arab, *adj.* & *n.* עֲרָבִי; בֶּן מִדְבָּר; נוֹדֵד

arabesque, *adj.* קִשּׁוּט עֲרָבִי

arable, *adj.* יָגֵב

Aramaic, *n.* & *adj.* אֲרָמִי; אֲרָמִית

arbiter, *n.* שׁוֹפֵט, דַּיָּן, מְתַוֵּךְ

arbitrarily, *adv.* בְּעִוּוּת הַדִּין, בְּזָדוֹן, בִּשְׁרִירוּת לֵב

arbitrary, *adj.* שְׁרִירוּתִי; זְדוֹנִי, עָרִיץ

arbitration, *n.* פְּשָׁרָה, שְׁפִיטָה, תִּוּוּךְ, מִשְׁפַּט בּוֹרְרִים

arbitrator, *n.* מְפַשֵּׁר, מְתַוֵּךְ, בּוֹרֵר

arbor, *n.* אִילָן, עֵץ; סֹרֶג; מְסוּכָה

arboreal, *adj.* שֶׁל עֵצִים, עֵצִי

arboretum, *n.* מַשְׁתֵּלָה

arboriculture, *n.* גִּדּוּל עֵצִים

arc, *n.* קֶשֶׁת

arcade, *n.* אַבּוּל, מַקְמֹרֶת

arch, *n.* קֶשֶׁת, כִּפָּה

archaic, archaical, *adj.* עַתִּיק, קָדוּם, קַדְמוֹן

archbishop, *n.* הֶגְמוֹן, אַרְכִיבִּישׁוֹף

archenemy, *n.* אוֹיֵב בְּנֶפֶשׁ, שָׂטָן

archeology, archaeology, *n.* חַשְׁפָּנוּת, חֲקִירַת קַדְמוֹנִיּוֹת

archeologist, archaeologist, *n.* חַשְׁפָּן, חוֹקֵר קַדְמוֹנִיּוֹת

archer, *n.* קַשָּׁת

archery, *n.* קַשָּׁתוּת

archipelago, *n.* קְבוּצַת אִיִּים, חֶבֶל אִיִּים

architect, *n.* אַדְרִיכָל, אַרְדִּיכָל

architecture, *n.* אַדְרִיכָלוּת, אַרְדִּיכָלוּת

archives, *n. pl.* אַחְמָת, גַּנְזָךְ

archway, *n.* אַבּוּל

arctic, *adj.* קָטְבִּי, צְפוֹנִי, אַרְקְטִי

ardent, *adj.* לוֹהֵט, בּוֹעֵר, נִלְהָב, יוֹקֵד

ardently, *adv.* בְּהִתְלַהֲבוּת

arduous, *adj.* קָשֶׁה, שֶׁדּוֹרֵשׁ מַאֲמָץ

area, *n.* שֶׁטַח, מִשְׁטָח

arena, *n.* זִירָה, אִצְטַדְיוֹן

argue, *v.t.* & *i.* הִתְוַכֵּחַ [וכח], טָעַן

argument, *n.* וִכּוּחַ, טַעֲנָה; רְאָיָה, טַעַם, נִמּוּק

argumentation, *n.* פִּלְפּוּל, וִכּוּחַ, מַשָּׂא וּמַתָּן

aria, *n.* לַחַן, נְעִימָה, מַנְגִּינָה

arid, *adj.* יָבֵשׁ, שָׁמֵם, חֲסַר מַיִם, חָרֵב, צְחִיחַ

aridity, *n.* יֹבֶשׁ, חֹרֶב, שְׁמָמָה, חֹסֶר מַיִם, צִיָּה

aright, *adv.* כְּרָאוּי, הֵיטֵב

arise, *v.i.* קָם [קום], עָמַד

aristocracy, *n.* אֲצִילוּת, אֲצוּלָה

aristocrat, *n.* שׁוֹעַ, אָצִיל, אֶפְרָתִי

arithmetic, *n.* חָכְמַת הַחֶשְׁבּוֹן

arithmetic, arithmetical, *adj.* חֶשְׁבּוֹנִי

ark, *n.* תֵּבָה, אָרוֹן

arm, *n.* זְרוֹעַ; אֲגַף; נֶשֶׁק

arm, *v.t.* & *i.* זִיֵּן, חִמֵּשׁ, בִּצֵּר; הִזְדַּיֵּן [זין]

armada, *n.* צִי אַדִּיר

armament, *n.* נֶשֶׁק, כְּלֵי זַיִן, חִמּוּשׁ

armature, *n.* זִיּוּן; מָגֵן; שִׁרְיוֹן; עֹגֶן; מוֹטוֹת בַּרְזֶל לְבִנְיָן

armchair, *n.* מֵסַב, כֻּרְסָה

armistice, *n.* שְׁבִיתַת נֶשֶׁק

armlet, *n.* צָמִיד, אֶצְעָדָה; לְשׁוֹן יָם

armor, *n.* שִׁרְיוֹן; נֶשֶׁק; תַּחְמֹשֶׁת

armorer, *n.* נַשָּׁק

armory, *n.* בֵּית הַנֶּשֶׁק

armpit, *n.* בֵּית הַשֶּׁחִי

arms, *n. pl.* נֶשֶׁק

army, *n.* צָבָא, חַיִל

aroma, *n.* בֹּשֶׂם, רֵיחַ נִיחוֹחַ

aromatic, *adj.* רֵיחָנִי, בָּשְׂמִי

around, *adv.* & *prep.* סָבִיב, מִסָּבִיב; קָרוֹב לְ־, בְּעֵרֶךְ

arouse, *v.t.* עוֹרֵר [עור], הֵעִיר [עור], הֵקִיץ [קיץ]

arraign, *v.t.* הִזְמִין [זמן] לְדִין, הֶאֱשִׁים [אשם]

arraignment, *n.* הַעֲמָדָה, לְמִשְׁפָּט, הַאֲשָׁמָה

arrange, *v.t.* & *i.* סִדֵּר, עָרַךְ, הֵכִין [כון], תִּקֵּן

arrangement, *n.* סִדּוּר, עֲרִיכָה, הֲכָנָה, תִּקּוּן

array, *n.* מַעֲרָכָה, סֵדֶר; מַלְבּוּשׁ, מַדִּים

array, *v.t.* עָרַךְ, סִדֵּר, הִלְבִּישׁ [לבש]

arrears, *n. pl.* חוֹב, חוֹב יָשָׁן

arrest, *n.* מַאֲסָר, מַעְצוֹר, עֲצִירָה; הַפְסָקָה

arrest, *v.t.* אָסַר, עָצַר; הִפְסִיק [פסק]; הֵסֵב [סבב] לֵב

arrival, *n.* בִּיאָה, הַגָּעָה; הַשָּׂגָה

arrive, *v.i.* בָּא [בוא], הִגִּיעַ [נגע]; הִשִּׂיג [נשג]

arrogance, *n.* חֻצְפָּה, רַהַב; גַּאֲוָה, יְהִירוּת

arrogant, *adj.* גֵּאֶה, יָהִיר; מִתְחַצֵּף
arrogation, *n.* הֶעָזַת פָּנִים
arrow, *n.* חֵץ
arsenal, *n.* בֵּית הַנֶּשֶׁק
arsenic, *n.* זַרְנִיךְ, אַרְסָן
arson, *n.* הֶבְעֵר
art, *n.* אָמָּנוּת, מְלֶאכֶת מַחֲשֶׁבֶת; חֲרִיצוּת; עָרְמָה
arterial, *adj.* עוֹרְקִי, שֶׁל עוֹרְקִים
arteriosclerosis, *n.* הִסְתַּיְּדוּת הָעוֹרְקִים, הִתְעַבּוּת הָעוֹרְקִים
artery, *n.* עוֹרֵק; דֶּרֶךְ
artful, *adj.* עַרְמוּמִי, פִּקֵּחַ, חָרוּץ
artfully, *adv.* בְּעָרְמָה, בַּחֲרִיצוּת, בְּחָכְמָה
arthritis, *n.* דַּלֶּקֶת הַפְּרָקִים, שִׁגָּרוֹן
artichoke, *n.* חַרְשָׁף, קִנְרֵס
article, *n.* מַאֲמָר; פֶּרֶק, סָעִיף; סְחוֹרָה, חֵפֶץ; תָּוִית (בְּדִקְדּוּק)
articular, *adj.* שֶׁל פֶּרֶק, פִּרְקִי
articulate, *adj.* עָשׂוּי פְּרָקִים; מְפֹרָשׁ, בָּרוּר
articulate, *v.t.* & *i.* חִבֵּר עַל יְדֵי פְּרָקִים; דִּבֵּר, בִּטֵּא
articulation, *n.* פֶּרֶק, מִפְרוּק, חִבּוּר הַפְּרָקִים; צַחוּת הַדִּבּוּר, עִצּוּר
artifice, *n.* תַּחְבּוּלָה, עָרְמָה
artificial, *adj.* מְלָאכוּתִי, בִּלְתִּי טִבְעִי
artificially, *adv.* בְּדֶרֶךְ מְלָאכוּתִית, שֶׁלֹּא כְּדֶרֶךְ הַטֶּבַע
artillery, *n.* תּוֹתְחָנוּת, חֵיל הַתּוֹתְחָנִים
artilleryman, *n.* תּוֹתְחָן
artisan, *n.* חָרָשׁ, אֻמָּן
artist, *n.* אָמָּן; צַיָּר
artistic, artistical, *adj.* אָמָּנוּתִי
artless, *adj.* תָּם, כֵּן; מְחֻסַּר כִּשָּׁרוֹן
as, *adv.* & *conj.* כְּמוֹ, כְּ־, כְּגוֹן; מִכֵּיוָן שֶׁ־
as follows כִּדְלְקַמָּן, כִּדְלְהַלָּן
asbestos, *n.* אַמְיַנְטוֹן
ascend, *v.t.* עָלָה, טִפֵּס, הִתְרוֹמֵם [רום]
ascension, *n.* עֲלִיָּה, הִתְרוֹמְמוּת
ascertain, *v.t.* בֵּרֵר, חָקַר וּמָצָא, נוֹכַח [יכח]
ascetic, *n.* & *adj.* פָּרוּשׁ, סַגְּפָן; נְזִירִי
ascribe, *v.t.* יִחֵס לְ־
aseptic, *adj.* חֲסַר רִקָּבוֹן
ash, *n.* אֵפֶר, רֶמֶץ; מֵילָה (עֵץ)
ash tray, *n.* מַאֲפֵרָה
ashamed, *adj.* נִכְלָם, מְבֻיָּשׁ, נֶעֱלָב
ashes, *n. pl.* אֵפֶר גּוּפַת הַמֵּת
ashore, *adv.* עַל הַחוֹף, אֶל הַחוֹף
Asiatic, *adj.* אַסְיָתִי, שֶׁל אַסְיָה
aside, *adv.* & *n.* הַצִּדָּה; שִׂיחַ מֻסְגָּר
ask, *v.t.* & *i.* שָׁאַל, בִּקֵּשׁ, הִזְמִין [זמן], דָּרַשׁ
askance, *adv.* מִן הַצַּד, בַּחֲשָׁד, בַּאֲלַכְסוֹן
askew, *adv.* בַּאֲלַכְסוֹן
aslant, *adv.* בְּשִׁפּוּעַ, בַּאֲלַכְסוֹן
asleep, *adv.* בְּשֵׁנָה, יָשֵׁן, נִרְדָּם
asparagus, *n.* הֶלְיוֹן
aspect, *n.* רְאִיָּה, רְאוּת, (נְקֻדַּת) מַבָּט
aspen, *n.* צַפְצָפָה, לִבְנֶה
asperity, *n.* גַּסּוּת, חֲרִיפוּת
aspersion, *n.* רְכִילוּת, דִּבָּה, הוֹצָאַת שֵׁם רָע, הַזָּיָה
asphalt, *n.* חֵמָר, כֹּפֶר, זֶפֶת
asphalt, *v.t.* זִפֵּת, כָּפַר, מָרַח (כִּסָּה) בְּחֵמָר
asphyxia, *n.* חֶנֶק, מַחֲנָק
asphyxiate, *v.t.* חָנַק, חִנֵּק
aspirant, *adj.* & *n.* שׁוֹאֵף, מִשְׁתּוֹקֵק; מֻעֲמָד לְמִשְׂרָה
aspirate, *adj.* מֻנְשָׁם, מֻדְגָּשׁ; מַפִּיק; גְּרוֹנִי

aspiration, *n.* נִשּׁוּם; תְּשׁוּקָה, שְׁאִיפָה
aspire, *v.t.* & *i.* הִשְׁתּוֹקֵק [שקק], שָׁאַף
ass, *n.* חֲמוֹר; שׁוֹטֶה, טִפֵּשׁ; עַכּוּז
assail, *v.t.* תָּקַף, הִתְנַפֵּל [נפל] עַל
assailant, *adj.* & *n.* מִתְנַפֵּל
assassin, *n.* רוֹצֵחַ, רַצְחָן, מַכֵּה נֶפֶשׁ, קַטָּל
assassinate, *v.t.* רָצַח, הָרַג, הִכָּה נֶפֶשׁ
assassination, *n.* רֶצַח, רְצִיחָה, קֶטֶל
assault, *n.* הִתְנַפְּלוּת, הַתְקָפָה, אֹנֶס
assault, *v.t.* & *i.* הִתְנַפֵּל [נפל], תָּקַף, אָנַס
assay, *v.t.* & *i.* בָּחַן (מַתָּכוֹת); נִסָּה
assemble, *v.t.* & *i.* אָסַף, קִבֵּץ, הִקְהִיל [קהל]; הִתְאַסֵּף [אסף], הִרְכִּיב [רכב]
assembly, *n.* כֶּנֶס, כִּנּוּס, וְעִידָה; מוֹעָצָה, בֵּית מְחוֹקְקִים; הַרְכָּבָה
assent, *v.i.* & *n.* הִסְכִּים [סכם], אִשֵּׁר; הַסְכָּמָה, אִשּׁוּר
assert, *v.t.* הִגִּיד [נגד] בְּבֵרוּר, טָעַן
assess, *v.t.* הֶעֱרִיךְ [ערך], קָבַע (מַס, עֹנֶשׁ)
assessment, *n.* שׁוּמָה
assessor, *n.* שַׁמַּאי
assets, *n. pl.* רְכוּשׁ, נְכָסִים, הוֹן
assiduity, *n.* חֲרִיצוּת, שַׁקְדָנוּת
assiduous, *adj.* חָרוּץ, שַׁקְדָן, מַתְמִיד
assign, *v.t.* יָעַד, מִנָּה, הִפְקִיד [פקד]
assignment, *n.* מִנּוּי, הַפְקָדָה; תַּפְקִיד
assimilate, *v.t.* & *i.* הִתְבּוֹלֵל [בלל], נִטְמַע [טמע]
assimilation, *n.* הִתְבּוֹלְלוּת, טְמִיעָה
assist, *v.t.* & *i.* סִיַּע, עָזַר
assistance, *n.* סַעַד, עֶזְרָה, סִיּוּעַ, תְּמִיכָה
assistant, *adj.* & *n.* עוֹזֵר, מְסַיֵּעַ, תּוֹמֵךְ

assizes, *n. pl.* בֵּית (דִּין) מִשְׁפָּט, מִשְׁבָּעִים
associate, *adj.* & *n.* שֻׁתָּף, חָבֵר, עָמִית
associate, *v.t.* & *i.* חִבֵּר, אִחֵד, שִׁתֵּף; הִתְחַבֵּר, הִתְאַחֵד, הִשְׁתַּתֵּף
association, *n.* אֲגֻדָּה, חֶבְרָה, שִׁתּוּף; חִבּוּר, הִתְחַבְּרוּת
assort, *v.t.* & *i.* מִיֵּן, סִדֵּר, חִלֵּק
assortment, *n.* מִבְחָר
assuage, *v.t.* הִרְגִּיעַ [רגע], הִשְׁקִיט [שקט]
assume, *v.t.* & *i.* קִבֵּל עַל עַצְמוֹ, סָבַר, הִנִּיחַ שֶׁ־
assumption, *n.* הַנָּחָה, סְבָרָה, הַשְׁעָרָה
assurance, *n.* הַבְטָחָה, בִּטּוּחַ
assure, *v.t.* הִבְטִיחַ [בטח], בִּטַּח
aster, *n.* כּוֹכָבִית (פֶּרַח)
asterisk, *n.* & *v.t.* כּוֹכָב, סִימָן כּוֹכָב; סִמֵּן בְּכוֹכָב
astern, *adv.* מֵאֲחוֹרֵי הָאֳנִיָּה
asteroid, *n.* & *adj.* כּוֹכָבִית, מַזָּל קָטָן; כּוֹכָבִי
asthma, *n.* קַצֶּרֶת
asthmatic, *adj.* חוֹלֵה בְּקַצֶּרֶת, שֶׁל קַצֶּרֶת
astonish, *v.t.* הִפְלִיא [פלא], הִתְמִיהַּ [תמה]
astonishment, *n.* תִּמָּהוֹן, בְּהִיָּה
astound, *v.t.* הִפְתִּיעַ [פתע]
astral, *adj.* מְכֻכָּב, כּוֹכָבִי
astray, *adj.* & *adv.* תּוֹעֶה
astride, *adv.* בְּפִשּׂוּק רַגְלַיִם, רָכוּב
astringent, *adj.* & *n.* מְכַוֵּץ; סַם (מְכַוֵּץ) עוֹצֵר
astrologer, *n.* הוֹבֵר, חוֹזֶה בַּכּוֹכָבִים
astrology, *n.* הַבִּירָה, חָכְמַת הַמַּזָּלוֹת

astronaut, *n.* כּוֹכָבָן (נוֹסֵעַ לַכּוֹכָבִים)
astronomer, *n.* תּוֹכֵן
astronomy, *n.* תְּכוּנָה, תּוֹרַת הַכּוֹכָבִים
astute, *adj.* פִּקֵּחַ, שָׁנוּן, עַרְמוּמִי
asunder, *adv.* לִקְרָעִים, לְבָדָד, לַחֲלָקִים
asylum, *n.* מוֹשָׁב, מַחֲסֶה, מִקְלָט, בֵּית חוֹלֵי רוּחַ
at, *prep.* בְּ־, אֵצֶל, לְ־, עִם, מִ־
at first בַּתְּחִלָּה
at last לִבְסוֹף, סוֹף סוֹף
at least לְפָחוֹת
at once מִיָּד
atavism, *n.* תּוֹרָשָׁה, יְרוּשַּׁת אָבוֹת
atheism, *n.* כְּפִירָה, אֶפִּיקוֹרְסוּת, שְׁלִילַת אֱלֹהִים
atheist, *n.* כּוֹפֵר, אֶפִּיקוֹרוֹס
athirst, *adj.* צָמֵא
athlete, *n.* גִּבּוֹר, חָזָק, אַתְלֵט, לוּדָר
athletic, *adj.* רַב כֹּחַ, אַתְלֵטִי
atlas, *n.* מַפּוֹן, קֹבֶץ מַפּוֹת, מַפִּיָּה
atmosphere, *n.* אֲוִירָה, סְבִיבָה, רוּחַ, הַשְׁפָּעָה
atmospheric, *adj.* אֲוִירָתִי, שֶׁל הָאֲוִירָה
atoll, *n.* אִי אַלְמֻגִּים
atom, *n.* פְּרִיד, פְּרָד, אָטוֹם
atomic, *adj.* פְּרִידִי, אֲטוֹמִי
atomizer, *n.* מְאַיֵּד
atone, *v.t. & i.* כִּפֵּר; הִתְפַּיֵּס [פיס]
atonement, *n.* כַּפָּרָה, כִּפּוּר; הִתְפַּיְּסוּת
Day of Atonement יוֹם הַכִּפּוּרִים
atop, *adv. & prep.* בְּרֹאשׁ, לְמַעְלָה
atrocious, *adj.* אַכְזָר
atrocity, *n.* אַכְזָרִיּוּת
atrophy, *n.* הִתְנַוְּנוּת, אַלְזָן
attach, *v.t. & i.* חִבֵּר, צִמֵּד, הִדֵּק, סִפֵּחַ, הִתְחַבֵּר [חבר], הִצְטָרֵף [צרף]; עִקֵּל נְכָסִים
attaché, *n.* נִסְפָּח (לְשַׁגְרִירוּת אוֹ לִפְקִידוּת גְּבוֹהָה)
attachment, *n.* תּוֹסֶפֶת; חִבָּה, אַהֲבָה; עִקּוּל, עִקּוּל נְכָסִים, עִכּוּב רְכוּשׁ
attack, *n.* הִתְנַפְּלוּת, הַתְקָפָה, הֶתְקֵף, תְּקִיפָה
attack, *v.t. & i.* הִתְנַפֵּל [נפל] עַל, תָּקַף
attain, *v.t. & i.* הִשִּׂיג [נשג], הִגִּיעַ [נגע] לְ־
attainable, *adj.* שֶׁאֶפְשָׁר לְהַשִּׂיג
attainment, *n.* הַשָּׂגָה, הַגָּעָה;
attempt, *n.* הִשְׁתַּדְּלוּת, נִסָּיוֹן; הִתְנַקְּשׁוּת
attempt, *v.t.* הִשְׁתַּדֵּל [שדל], נִסָּה לְ־, הִתְנַקֵּשׁ [נקש] בְּחַיֵּי...
attend, *v.t. & i.* בִּקֵּר; שִׁמֵּשׁ, שֵׁרֵת; הִתְעַסֵּק [עסק], הִקְשִׁיב [קשב]
attendance, *n.* בִּקּוּר; שֵׁרוּת; נוֹכְחוּת; כְּבֻדָּה
attendant, *adj. & n.* מְשָׁרֵת, מְשַׁמֵּשׁ, מְלַוֶּה
attention, *n.* הַקְשָׁבָה, תְּשׂוּמֶת לֵב
attentive, *adj.* מַקְשִׁיב, שָׂם לֵב
attenuate, *adj.* דַּק, קָלוּשׁ
attenuate, *v.t. & i.* הֵדַק [דקק], הֵקֵל [קלל], הִמְעִיט [מעט], הִפְחִית [פחת]
attest, *v.t. & i.* אִשֵּׁר, קִיֵּם, הֵעִיד [עוד]
attestation, *n.* אִשּׁוּר, קִיּוּם, הַעֲדָאָה, עֵדוּת
attic, *n.* עֲלִיָּה, עֲלִיַּת גַּג
attire, *n.* מַלְבּוּשׁ, לְבוּשׁ
attire, *v.t.* לָבַשׁ; הִלְבִּישׁ [לבש]
attitude, *n.* יַחַס, נְטִיָּה, עֶמְדָּה, גִּישָׁה, הַשְׁקָפָה
attorney, *n.* עוֹרֵךְ דִּין

attract, *v.t.* מָשַׁךְ, מָשַׁךְ לֵב

attraction, *n.* מְשִׁיכָה, חֵן, קֶסֶם

attractive, *adj.* מוֹשֵׁךְ, מוֹשֵׁךְ אֶת הַלֵּב

attractiveness, *n.* חֵן, נֹעַם, קֶסֶם

attribute, *n.* תְּכוּנָה

attribute, *v.t.* יִחֵס לְ־, תָּלָה בְּ־, חִיֵּב

attribution, *n.* יִחוּס

attune, *v.t.* כִּוֵּן (כְּלֵי נְגִינָה), הִתְאִים [תאם]

auburn, *adj.* עַרְמוֹנִי

auction, *n.* מְכִירָה פֻּמְבִּית

auction, *v.t.* מָכַר בְּהַכְרָזָה, מָכַר בְּפֻמְבִּי

auctioneer, *n.* כָּרוֹז, מוֹכֵר בְּהַכְרָזָה, מַכְרִיז

auctioneer, *v.t.* מָכַר בְּפֻמְבִּי

audacious, *adj.* נוֹעָז, חָצוּף

audacity, *n.* עַזּוּת, חֻצְפָּה, עֹז נֶפֶשׁ

audible, *adj.* שָׁמִיעַ, נִשְׁמַע

audience, *n.* קְהַל שׁוֹמְעִים, אֲסֵפָה; הַקְשָׁבָה; רֵאָיוֹן רִשְׁמִי

audiovisual, *adj.* חֲזוּתִי־שְׁמִיעָתִי

audit, *n.* בְּדִיקַת חֶשְׁבּוֹנוֹת

audit, *v.t.* בָּדַק חֶשְׁבּוֹנוֹת

audition, *n.* שְׁמִיעָה, חוּשׁ הַשְּׁמִיעָה

auditor, *n.* שׁוֹמֵעַ, מַאֲזִין; בּוֹדֵק חֶשְׁבּוֹנוֹת, חַשָּׁב

auditorium, *n.* אוּלָם (הַצָּגוֹת, אֲסֵפוֹת), בֵּית עֲצֶרֶת

auditory, *adj.* שֶׁל שְׁמִיעָה, שִׁמְעִי

auger, *n.* מַקְדֵּחַ

aught, *n.* מַשֶּׁהוּ, כְּלוּם, מְאוּמָה, אֶפֶס

augment, *v.t.* & *i.* הִגְדִּיל [גדל], הִרְבָּה [רבה], הוֹסִיף [יסף]

augmentation, *n.* הוֹסָפָה, רִבּוּי; תּוֹסֶפֶת

augmentative, *adj.* מוֹסִיף, מַרְבֶּה

augur, *n.* מְנַחֵשׁ, מְנַבֵּא עֲתִידוֹת

augur, *v.t.* & *i.* נִחֵשׁ

august, *adj.* נִשָּׂא, נִשְׂגָּב, נַעֲלֶה

August, *n.* אָבְגּוּסְט

aunt, *n.* דּוֹדָה

au revoir לְהִתְרָאוֹת

auricle, *n.* תְּנוּךְ, בְּדַל; אֹזֶן הַלֵּב

aurora, *n.* אַיֶּלֶת הַשַּׁחַר, עַמּוּד הַשַּׁחַר

aurora australis הָאַיֶּלֶת הַדְּרוֹמִית

aurora borealis הָאַיֶּלֶת הַצְּפוֹנִית

auscultation, *n.* הַאֲזָנָה

auspices, *n. pl.* חָסוּת, הַשְׁגָּחָה

austere, *adj.* מַחְמִיר, מַקְפִּיד; פָּשׁוּט

austerity, *n.* חֻמְרָה, הַקְפָּדָה; צֶנַע

Australian, *adj.* אוֹסְטְרָלִי

Austrian, *adj.* אוֹסְטְרִי

authentic, authentical, *adj.* אָמִין, אֲמִתִּי, מְקוֹרִי

authenticate, *v.t.* אִמֵּת

authenticity, *n.* אֲמִינוּת, אֲמִתּוּת

author, *n.* מְחַבֵּר, סוֹפֵר

authoritative, *adj.* סַמְכוּתִי, מֻסְמָךְ

authority, *n.* סַמְכוּת; מָרוּת, שִׁלְטוֹן; מֻמְחֶה

authorization, *n.* הַרְשָׁאָה, אִשּׁוּר, יִפּוּי כֹּחַ

authorize, *v.t.* הִרְשָׁה [רשה], נָתַן רְשׁוּת, אִשֵּׁר

autobiographer, *n.* כּוֹתֵב תּוֹלְדוֹת עַצְמוֹ

autobiography, *n.* תּוֹלְדוֹת עַצְמוֹ

autocracy, *n.* מֶמְשֶׁלֶת יָחִיד, שִׁלְטוֹן יָחִיד, עָרִיצוּת

autograph, *n.* חֲתִימַת יָד

autograph, *v.t.* חָתַם בְּעֶצֶם יָדוֹ

automatic, *adj.* מֵנִיעַ עַצְמוֹ, פּוֹעֵל מֵאֵלָיו

automobile, *n.* מְכוֹנִית

autonomous, *adj.* עַצְמָאִי, עוֹמֵד בִּרְשׁוּת עַצְמוֹ
autonomy, *n.* עַצְמָאוּת, שִׁלְטוֹן עַצְמִי
autopsy, *n.* נְתִיחָה, נִתּוּחַ גּוּף מֵת
autumn, *n.* סְתָו, עֵת הָאָסִיף
autumnal, *adj.* סְתָוִי
auxiliary, *adj.* נוֹסָף, עוֹזֵר, מְסַיֵּעַ
auxiliary, *n.* סִיּוּעַ, עֵזֶר
auxiliary verb פֹּעַל עוֹזֵר
avail, *v.t.* & *i.*, *n.* הוֹעִיל [יעל]; תּוֹעֶלֶת
available, *adj.* נִמְצָא, מוֹעִיל
avalanche, *n.* שִׁלְגּוֹן, גֶּלֶשׁ
avarice, *n.* קַמְצָנוּת
avenge, *v.t.* & *i.* נָקַם, הִתְנַקֵּם [נקם] בְּ־
avenger, *n.* נוֹקֵם, מִתְנַקֵּם
avenue, *n.* שְׂדֵרָה; אֶמְצָעִי
average, *n.* בֵּינוֹנִי, מְמֻצָּע; נֵזֶק יַמִּי
average, *v.t.* מִצַּע
averse, *adj.* מְמָאֵן, מְסָרֵב, מוֹאֵס
aversion, *n.* תֵּעוּב, גֹּעַל נֶפֶשׁ, בְּחִילָה, מְאִיסָה
avert, *v.t.* מָנַע, עִכֵּב, הִסִּיחַ [נסח] הַדַּעַת
aviary, *n.* כְּלוּב צִפֳּרִים
aviation, *n.* טַיִס, אֲוִירוֹנוּת, תְּעוּפָה
aviator, *n.* טַיָּס
avid, *adj.* שׁוֹאֵף, חוֹמֵד
avidity, *n.* חַמְדָּנוּת, תְּשׁוּקָה, תַּאַוְתָנוּת
avocation, *n.* תַּחְבִּיב, אוּמָנוּת, מְלָאכָה, עֲבוֹדָה
avoid, *v.t.* & *i.* הִתְרַחֵק [רחק] מִן, נִמְנַע [מנע] מִן
avoidable, *adj.* שֶׁאֶפְשָׁר לְהִמָּנַע מִמֶּנּוּ
avoidance, *n.* הִתְרַחֲקוּת, הִמָּנְעוּת
avow, *v.t.* הוֹדָה [ידה], הִתְוַדָּה [ידה]
avowal, *n.* הוֹדָאָה, וִדּוּי, הִתְוַדּוּת
await, *v.t.* & *i.* חִכָּה, צִפָּה, הִמְתִּין [מתן]
awake, *v.t.* & *i.* הֵקִיץ [קוץ], הֵעִיר [עור], עוֹרֵר [עור], הִתְעוֹרֵר, [עור]
awake, *adj.* עֵר, נֵעוֹר
awaken, *v.t.* & *i.* הֵעִיר [עור], הִתְעוֹרֵר [עור]
awakening, *n.* יְקִיצָה, הִתְעוֹרְרוּת
award, *n.* פְּרָס, פְּסַק דִּין
award, *v.t.* & *i.* פָּסַק, זִכָּה בְּ־
aware, *adj.* יוֹדֵעַ, מַכִּיר
away, *adv.* & *interj.* רָחוֹק; הָלְאָה
awe, *n.* יִרְאָה, יִרְאַת כָּבוֹד, פַּחַד, אֵימָה
awe, *v.t.* הִפִּיל [נפל] פַּחַד, הֵטִיל [נטל] אֵימָה
awful, *adj.* אָיֹם, נוֹרָא
awfully, *adv.* בְּיִרְאָה; מְאֹד
awhile, *adv.* לְרֶגַע, זְמַן מָה
awkward, *adj.* חֲסַר מְהִירוּת, כָּבֵד, שְׁלוּמִיאֵלִי, גַּמְלוֹנִי
awkwardness, *n.* חֹסֶר מְהִירוּת, כְּבֵדוּת
awl, *n.* מַרְצֵעַ
awn, *n.* מֶלַע, זְקַן הַשִּׁבֹּלֶת
awning, *n.* גַּגּוֹן, גְּנוֹנָה, גְּנוֹנֶת, סוֹכֵךְ
awry, *adj.* עָקֹם, מְעֻקָּל, מְעֻוָּת
ax, axe, *n.* גַּרְזֶן, קַרְדֹּם, כַּשִּׁיל
axial, *adj.* שֶׁל צִיר, צִירִי
axiom, *n.* אֲמִתָּה, מֻשְׂכָּל רִאשׁוֹן
axis, *n.* צִיר
axle, *n.* צִיר, סֶרֶן
ay, aye, *interj.* אוֹי, אֲבוֹי, אֲהָהּ
aye, ay, *adv.* כֵּן, הֵן, אָמְנָם
aye, ay, *adv.* & *n.* תָּמִיד, לְעוֹלָם
azure, *adj.* & *n.* תְּכֵלֶת הַשָּׁמַיִם, תְּכֵלֶת, תָּכֹל

B, b

B, b, *n.* בִּי, הָאוֹת הַשְּׁנִיָּה בָּאָלֶף בֵּית הָאַנְגְּלִי; שֵׁנִי, ב׳
baa, *n.* פְּעִיָּה, גְּעִיָּה
baa, *v.i.* פָּעָה, פִּעָה, גָּעָה
babble, *n.* פִּטְפּוּט, הֶבֶל, לַהַג
babble, *v.t. & i.* פִּטְפֵּט, גִּמְגֵּם, מִלְמֵל
babbler, *n.* פַּטְפְּטָן; כֶּלֶב צַיִד קוֹלָנִי
baboon, *n.* בַּבּוּן
baby, babe, *n.* תִּינוֹק, תִּינֹקֶת, עוֹלָל,
baby, *v.t.* פִּנֵּק, עִדֵּן, עִנֵּג
babyish, *adj.* תִּינוֹקִי, יַלְדוּתִי
baby sitter, *n.* שְׁמַרְטַף, שׁוֹמֶרֶת טַף
baccalaureate, *n.* בּוֹגֵר, בַּגְרוּת
bachelor, *n.* רַוָּק; בּוֹגֵר (תֹּאַר מִכְלָלָה)
back, *adj.* אֲחוֹרִי, יָשָׁן (חוֹב); חוֹזֵר
back, *n.* גַּב; אָחוֹר; טֶפַח (הַיָּד); מִסְעָד (הַכִּסֵּא); מָגֵן (כַּדּוּרֶגֶל)
back, *adv.* לְאָחוֹר, אֲחוֹרַנִּית; בַּחֲזָרָה
back, *v.t. & i.* הֵגֵן [גנן]; סִיֵּעַ; תָּמַךְ, סָג, נָסוֹג
backache, *n.* מֵחוּשׁ גַּב
backbone, *n.* שִׁדְרָה; יְסוֹד
backer, *n.* תּוֹמֵךְ
backfall, *n.* נְסִיגַת אָחוֹר
background, *n.* יְסוֹד, רֶקַע, תַּדְרִיךְ
backing, *n.* תְּמִיכָה, עֵזֶר, סִיּוּעַ
backside, *n.* צַד אָחוֹר, יַשְׁבָן
backslide, *v.i.* נָסוֹג [סוג] אָחוֹר, הִתְקַלְקֵל [קלקל]
backward, *adj.* הָפוּךְ; נֶחְשָׁל, מְפַגֵּר
backward, backwards, *adv.* אֲחוֹרַנִּית, לְאָחוֹר
backwardness, *n.* פִּגָּרוֹן, נֶחְשָׁלוּת
bacon, *n.* קֹתֶל חֲזִיר
bacteria, *n. pl.* חַיְדַּקִּים
bad, *adj.* רַע, גָּרוּעַ, מְקֻלְקָל
bad, *n.* רָעָה
badge, *n.* סֵמֶל, תָּג, טוֹטֶפֶת
badger, *n.* תַּחַשׁ, גִּירִית
badger, *v.t.* הִקְנִיט [קנט], הִרְגִּיז [רגז]
badly, *adv.* שֶׁלֹּא כְּהֹגֶן, שֶׁלֹּא כָּרָאוּי
badness, *n.* רָעָה, רֹעַ
baffle, *v.t. & n.* הֵבִיךְ [בוך]; מְבוּכָה
bag, *n.* שַׂקִּיק, שַׂק, אַרְנָק, תִּיק, תַּרְמִיל, חָרִיט, חֲפִישָׁה
bag, *v.t. & i.* שָׂם [שום] בְּשַׂקִּיק; צָד [צוד]
bagel, *n.* כַּעַךְ
baggage, *n.* מִטְעָן, מַשָּׂא; מִזְוָדוֹת, חֲפָצִים; נַפְקָנִית, יַצְאָנִית
baggy, *adj.* נָפוּחַ, רָחָב
bagpipe, *n.* חֵמֶת חֲלִילִים
bail, *n.* עֲרָבוֹן, מַשְׁכּוֹן; דְּלִי סַפָּנִים
bail, *v.t. & i.* עָרַב, נֶעֱרַב [ערב]
bailiff, *n.* שׁוֹמֵר, סוֹכֵן
bait, *n.* פִּתָּיוֹן (לְדָגִים); מִסְפּוֹא (לְסוּסִים, לִבְהֵמוֹת); חֲנִיָּה
bait, *v.t. & i.* פִּתָּה, שָׂם פִּתָּיוֹן; נָתַן מִסְפּוֹא (לְסוּסִים, לִבְהֵמוֹת), חָנָה
bake, *v.t. & i.* אָפָה, שָׂרַף (לְבֵנִים)
baker, *n.* אוֹפֶה, נַחְתּוֹם
bakery, *n.* מַאֲפִיָּה
balance, *n.* שִׁוּוּי מִשְׁקָל; מַאֲזָן; מֹאזְנַיִם; יִתְרָה, עֹדֶף
balance, *v.t. & i.* הָיָה בְּשִׁוּוּי מִשְׁקָל הִתְאַזֵּן [אזן], אִזֵּן, שָׁקַל, קִזֵּז, עִיֵּן
balance sheet מַאֲזָן
balance wheel גַּלְגַּל וִסּוּת
balcony, *n.* יָצִיעַ, גְּזֻזְרָה, גְּזֻזְטְרָה, דָּקָה
bald, *adj.* קֵרֵחַ, גִּבֵּחַ
baldness, *n.* קָרַחַת

bale, *n.* חֲבִילָה, צְרוֹר; צָרָה
bale, *v.t.* צָרַר, אָרַז, כָּרַךְ
baleful, *adj.* מַזִּיק; מָרוּד
balk, *n.* מִכְשׁוֹל, מָרִישׁ, קוֹרָה
balk, *v.t.* & *i.* עָמַד מִלֶּכֶת, נָטָה הַצִּדָּה
ball, *n.* כַּדּוּר; פְּקַעַת (שֶׁל צֶמֶר); דּוּלְלָה (שֶׁל חוּטִים); גַּלְגַּל (הָעַיִן); מָחוֹל (נֶשֶׁף רִקּוּדִים)
ballad, *n.* שִׁיר עֲמָמִי
ballast, *n.* זְבוֹרִית, נֵטֶל, חָצָץ; יַצִּיבוּת
ballast, *v.t.* רִצֵּף; טָעַן; יִצֵּב
ballerina, *n.* רַקְדָנִית, מְחוֹלֶלֶת
ballet, *n.* מָחוֹל (אָמָּנוּתִי)
balloon, *n.* שַׁלְפּוּחִית; כַּדּוּר פּוֹרֵחַ
balloonist, *n.* מַפְרִיחַ כַּדּוּרִים
ballot, *n.* גּוֹרָל, פַּיִס; בְּחִירוֹת
ballot, *v.i.* בָּחַר בְּגוֹרָל; הִצְבִּיעַ [צבע] בְּעַד
balm, *n.* בֹּשֶׂם; צֳרִי
balmy, *adj.* רֵיחָנִי
balsam, *n.* נָטָף
baluster, *n.* מִסְעָד, מִשְׁעָן; בַּד שְׂבָכָה
balustrade, *n.* מַעֲקֶה
bamboo, *n.* חִזְרָן, בַּמְבּוּק
bamboozle, *v.t.* & *i.* הוֹנָה [ינה], תִּעְתַּע, רִמָּה
ban, *n.* חֵרֶם, אִסּוּר
ban, *v.t.* הֶחֱרִים [חרם], אָסַר
banal, *adj.* רָגִיל, יוֹם יוֹמִי, הֲמוֹנִי
banality, *n.* יוֹם יוֹמִיּוּת, הֲמוֹנִיּוּת; תִּפְלָה
banana, *n.* מוֹז, בַּנָּנָה
band, *n.* אֶגֶד; חֶבֶל, רְצוּעָה; קֶשֶׁר; חֶבֶר; כְּנֻפְיָה; תִּזְמֹרֶת; לַהֲקָה
band, *v.t.* & *i.* אִחֵד, קָשַׁר; הִתְחַבֵּר [חבר], עִמֵּר
bandage, *n.* תַּחְבֹּשֶׁת, אֶגֶד
bandage, *v.t.* אָגַד, שָׂם תַּחְבֹּשֶׁת עַל; לָפַף, לִפֵּף
bandit, *n.* שׁוֹדֵד, גַּזְלָן
bandoleer, bandolier, *n.* פֻּנְדָּה, חֲגוֹרַת כַּדּוּרִים
bane, *n.* הֶרֶס; רַעַל, אֶרֶס; מַגֵּפָה
baneful, *adj.* הַרְסָנִי; אַרְסִי; מֵמִית
bang, *n.* מַהֲלֻמָּה, דְּפִיקָה, רַעַשׁ
bang, *v.t.* & *i.* הָלַם, דָּפַק, רָעַשׁ, הִכָּה בְּכֹחַ, חָבַט
bangle, *n.* אֶצְעָדָה, עֶכֶס
banish, *v.t.* גֵּרַשׁ, הִגְלָה [גלה]
banishment, *n.* גֵּרוּשׁ, גָּלוּת
banister, *n.* מִסְעָד, מִשְׁעָן; בַּד שְׂבָכָה
bank, *n.* שָׂפָה, גָּדָה (נָהָר); בַּנְק
bank, *v.t.* & *i.* סָכַר (מַיִם); הִפְקִיד [פקד] כֶּסֶף בְּבַנְק
bank bill, bank note, *n.* כֶּסֶף נְיָר, שְׁטָר בַּנְק
bankbook, *n.* פִּנְקַס הַבַּנְק
banker, *n.* בַּנְקַאי, בַּעַל בַּנְק, שֻׁלְחָנִי
banking, *n.* בַּנְקָאוּת, שֻׁלְחָנוּת
bankrupt, *n.* פּוֹשֵׁט רֶגֶל, שׁוֹמֵט
bankruptcy, *n.* פְּשִׁיטַת רֶגֶל, שֶׁבֶר, שְׁמִטָּה
banner, *n.* דֶּגֶל, נֵס
banns, bans, *n. pl.* הַכְרָזַת נִשּׂוּאִים, ־ן
banquet, *n.* כֵּרָה, סְעֻדָּה, מִשְׁתֶּה
banquet, *v.t.* & *i.* עָשָׂה מִשְׁתֶּה, כָּרָה
banter, *n.* צְחוֹק, לָצוֹן, לֵיצָנוּת
banter, *v.t.* צָחַק, שָׂחַק, לִגְלֵג, הִתְלוֹצֵץ [ליץ]
bantling, *n.* תִּינוֹק, עוֹלָל
baptism, *n.* טְבִילָה
baptist, *n.* מַטְבִּיל
baptize, *v.t.* טָבַל, הִטְבִּיל, נִצֵּר
bar, *n.* מוֹט, בְּרִיחַ (דֶּלֶת); יָתֵד (נְגִינָה); מִסְבָּאָה, מִמְזָנָה; בֵּית דִּין

bar, *v.t.* חָסַם, נָעַל, סָגַר
barb, *n.* קֶרֶס, עֹקֶץ, קוֹץ מַלְעָן, זִיף, זָקָן
barbarian, *n.* פֶּרֶא אָדָם, אַכְזָר
barbaric, *adj.* בִּלְתִּי מְנֻמָּס, אַכְזָרִי
barbarism, *n.* פְּרָאוּת, אַכְזָרִיּוּת
barbarity, *n.* גַּסּוּת, בּוּרוּת
barbarous, *adj.* פְּרָאִי
barbecue, *n.* צָלִי (עַל גֶּחָלִים)
barbecue, *v.t.* צָלָה
barbed, *adj.* בַּעַל קֶרֶס, דּוֹקְרָנִי
barbed wire תַּיִל דּוֹקְרָנִי
barber, *n.* סַפָּר, גַּלָּב
barber, *v.t.* גִּלַּח
barbershop, *n.* מִסְפָּרָה
bard, *n.* פַּיְטָן, מְשׁוֹרֵר, מְזַמֵּר
bare, *adj.* עָרֹם, גָּלוּי, חָשׂוּף; רֵיק; יָחִיד
bare, *v.t.* עֵרָה, גִּלָּה, חָשַׂף
barefoot, barefooted, *adj.* & *adv.* יָחֵף
bareheaded, barehead, *adj.* & *adv.* גְּלוּי רֹאשׁ
bargain, *n.* מְצִיאָה, קְנִיָּה בְּזוֹל
bargain, *v.t.* & *i.* עָמַד עַל הַמְּחִיר, תִּגֵּר, הִתְמַקֵּחַ [מקח]
barge, *n.* פּוֹרֶקֶת, אַרְבָּה
bark, *n.* קְלִפַּת הָעֵץ; נְבִיחָה; מִפְרָשִׂיָּה
bark, *v.t.* & *i.* נָבַח; קִלֵּף (עֵצִים)
barley, *n.* שְׂעוֹרָה
Bar Mitzvah בַּר מִצְוָה
barn, *n.* רֶפֶת; אָסָם, מַמְגּוּרָה
barometer, *n.* מַדְכֹּבֶד, מַדְאֲוִיר, מַדְלַחַץ
baron, *n.* בָּרוֹן, רוֹזֵן
barrack, *n.* צְרִיף
barrage, *n.* סֶכֶר; מַטָּח; מֶנַע; רִכּוּז יְרִיָּה
barrel, *n.* חָבִית; קָנֶה (שֶׁל רוֹבֶה) תֹּף (הָאֹזֶן)
barrel, *v.t.* שָׂם [שים] בְּחָבִית
barren, *adj.* עָקָר, סָרָק (בְּלִי פֵּרוֹת), צָחִיחַ, שָׁמֵם
barrenness, *n.* עֲקָרוּת, סְרָק, צְחִיחָה
barrette, *n.* מַכְבֵּנָה, מַסְרֵק קָטָן לַשְּׂעָרוֹת
barricade, *n.* מִתְרָס, מַעְצוֹר, סוֹלְלָה
barricade, *v.t.* חָסַם, הִתְרִיס [תרס]
barrier, *n.* מְחִצָּה, מַעְצוֹר
barrister, *n.* עוֹרֵךְ דִּין
barrow, *n.* חֲדוֹפָן, מְרִיצָה
bartender, *n.* מוֹזֵג
barter, *n.* חִלּוּף, חֲלִיפִין, הֲמָרָה, מִיר
barter, *v.t.* & *i.* עָשָׂה חֲלִיפִין, הֵמִיר, מִיֵּר
basalt, *n.* בַּזֶּלֶת
base, *adj.* נִבְזֶה, מֻשְׁחָת, נִקְלֶה, שָׁפָל
base, *n.* בָּסִיס, יְסוֹד; עִקָּר; תּוֹשֶׁבֶת
base, *v.t.* יִסַּד, בִּסֵּס
baseball, *n.* כַּדּוּר בָּסִיס
baseless, *adj.* מְחֻסַּר יְסוֹד, לְלֹא יְסוֹד
basement, *n.* מַרְתֵּף
baseness, *n.* שִׁפְלוּת
bashful, *adj.* בַּיְשָׁן, מִתְבַּיֵּשׁ
bashfulness, *n.* בַּיְשָׁנוּת, צְנִיעוּת
basic, *adj.* בְּסִיסִי, יְסוֹדִי
basin, *n.* אַגָּן, כִּיּוֹר, מִשְׁכְּלָה
basis, *n.* בָּסִיס, יְסוֹד, עִקָּר
bask, *v.i.* הִתְחַמֵּם בַּשֶּׁמֶשׁ
basket, *n.* סַל, טֶנֶא
bas-relief, *n.* תַּבְלִיט
bass, *n.* נְמִרִית (דָּג); נָמוּךְ הַקּוֹל
bassinet, *n.* עֲרִיסָה; אַמְבַּט תִּינוֹקוֹת
basso, *n.* בַּטְנָן
bast, *n.* לֶכֶשׁ, חֶבֶל לֶכֶשׁ
bastard, *n.* מַמְזֵר
bastardy, *n.* מַמְזֵרוּת

baste, *v.t.* הִכְלִיב [כלב]; מָרַח שׁוּמָן עַל צְלִי בָּשָׂר
bastion, *n.* תַּבְנוּן
bat, *n.* עֲטַלֵּף; אַלָּה (לְמִשְׂחָקִים)
bat, *v.t.* & *i.* הִכָּה [נכה] בְּאַלָּה
batch, *n.* אַצְוָה, קְבוּצָה, צְרוֹר
bath, *n.* אַמְבָּט, טְבִילָה
bathe, *v.t.* & *i.* אִמְבֵּט, הִתְאַמְבֵּט [אמבט]
bather, *n.* מִתְרַחֵץ, טוֹבֵל
bathtub, *n.* אַמְבָּט
baton, *n.* שַׁרְבִיט (הַמְנַצֵּחַ בְּתִזְמֹרֶת)
battalion, *n.* גְּדוּד
batter, *v.t.* & *i.*, *n.* נִפֵּץ, נָתַץ, פָּרַץ; בָּחַשׁ (עִיסָה); תִּבְחֹשֶׁת
battering-ram, *n.* אֵיל בַּרְזֶל
battery, *n.* סוֹלְלָה, סוֹלְלַת חַשְׁמַל, מַצְבֵּר; גֻּנְדָּה; מַעֲרֶכֶת; סִדְרָה
battle, *n.* קְרָב, מִלְחָמָה
battle, *v.i.* נִלְחַם, לָחַם, נֶאֱבַק [אבק], הִתְגּוֹשֵׁשׁ [גשש]
battlefield, *n.* שְׂדֵה־מִלְחָמָה, שְׂדֵה־קְרָב
battleship, *n.* אֳנִיַּת־קְרָב
bawdy, *adj.* שֶׁל זְנוּנִים
bawl, *n.* צְרִיחָה
bay, *n.* מִפְרָץ; נְבִיחָה (כֶּלֶב); עָר (דַפְנָה)
bay, *adj.* & *n.* חוּם אֲדַמְדַּם, סוּס אֲדַמְדַּם
bay, *v.t.* & *i.* נָבַח
bayonet, *n.* כִּידוֹן
bayonet, *v.t.* דָּקַר בְּכִידוֹן
bazaar, bazar, *n.* שׁוּק, יָרִיד
be, *v.i.* הָיָה, חָל, הִתְקַיֵּם [קים]
beach, *n.*, *v.t.* & *i.* חוֹף, שָׂפָה (נָהָר, אֲגַם וְכוּ׳); חוֹלָה; הֶעֱלָה [עלה] (חָתַר) לַחוֹף
beacon, *n.* מִגְדַּלּוֹר; אַזְהָרָה
bead, *n.* חָרוּז, חֻלְיָה; אֶגֶל, בּוּעוֹת; קֶצֶף
beading, *n.* חֲרִיזָה, מַחֲרֹזֶת; הִתְקַצְּפוּת
beadle, *n.* שַׁמָּשׁ
beagle, *n.* כֶּלֶב צַיִד
beak, *n.* מַקּוֹר, חַרְטוֹם
beaker, *n.* גָּבִיעַ, כּוֹס
beam, *n.* מָרִישׁ, קוֹרָה; קֶרֶן אוֹר; יָצוּל (בְּמַחֲרֵשָׁה)
beam, *v.t.* & *i.* זָרַח, קָרַן, נָצַץ
beaming, *adj.* קוֹרֵן, מַבְרִיק, שָׂמֵחַ
bean, *n.* פּוֹל; שְׁעוּעִית
bear, *n.* דֹּב
bear, *v.t.* & *i.* נָשָׂא; סָבַל; יָלַד; הֵעִיד; נָתַן פְּרִי; לָחַץ
bearable, *adj.* שֶׁאֶפְשָׁר לְסָבְלוֹ
beard, *n.* זָקָן; מַלְעָן (בִּצְמָחִים)
bearded, *adj.* בַּעַל זָקָן
beardless, *adj.* מְחֻסַּר זָקָן
bearer, *n.* סַבָּל, נוֹשֵׂא, נוֹשֵׂא מִטָּה (שֶׁל מֵת); מוֹכָ״ז
bearing, *n.* כִּוּוּן; לֵידָה; הִתְנַהֲגוּת; מֵסַב (בִּמְכוֹנוֹת)
beast, *n.* חַיָּה; פֶּרֶא
beastly, *adj.* חַיָּתִי, אַכְזָרִי
beat, *n.* מַכָּה, דְּפִיקָה, פְּעִימָה (לֵב), פְּעָמָה (נְגִינָה); אֵזוֹר
beat, *v.t.* & *i.* הִכָּה, הִלְקָה [לקה]; דָּפַק; נִצַּח; פָּעַם (לֵב); טָרַף (בֵּיצָה)
beaten, *adj.* מֻכֶּה, מְנֻצָּח; מְרֻדָּד, טָרוּף
beater, *n.* מַכֶּה; מַחְבֵּט; מַטְרֵף
beatitude, *n.* בְּרָכָה, נֹעַם
beau, *n.* גַּנְדְּרָן, אוֹהֵב (אִשָּׁה)
beauteous, *adj.* יְפֵהפֶה, נָאוֶה
beautiful, *adj.* יָפֶה, נָאוֶה
beautify, *v.t.* & *i.* קִשֵּׁט, יִפָּה, פֵּאֵר; הִתְיַפָּה [יפה]

beauty, *n.* יֹפִי, פְּאֵר, חֶמְדָּה, חֵן
beaver, *n.* בּוֹנֶה, בֵּבָר
becalm, *v.t.* הִרְגִּיעַ [רגע], הִשְׁקִיט [שקט]; הִדְמִים [דמם] (מִפְרָשִׂיָּה)
because, *adv.* & *conj.* כִּי, מִפְּנֵי שֶׁ־, מִכֵּיוָן שֶׁ־
beck, *n.* רְמִיזָה, רֶמֶז, נִעֲנוּעַ (יָד, רֹאשׁ); נַחַל
beckon, *v.t.* & *i.* רָמַז לְ־, נִעְנַע (בְּיָד, בְּרֹאשׁ), אוֹתֵת
becloud, *v.t.* & *i.* עִנֵּן, הֵעִיב [עוב], הֶאֱפִיל [אפל]
become, *v.t.* & *i.* הָיָה לְ־, נַעֲשָׂה [עשה]; הָיָה נָאֶה
becoming, *adj.* יָאֶה, מַתְאִים, הוֹלֵם, רָאוּי
bed, *n.* מִטָּה, מִשְׁכָּב; עֲרוּגָה; אָפִיק
bed, *v.t.* & *i.* הִשְׁכִּיב [שכב], שָׁכַב (עִם), שָׁתַל (בַּעֲרוּגָה), עָרַג
bedaub, *v.t.* לִכְלֵךְ, טִשְׁטֵשׁ
bedbug, *n.* פִּשְׁפֵּשׁ
bedding, *n.* צָרְכֵי הַמִּטָּה ;רֶבֶד
bedeck, *v.t.* עָדָה, קִשֵּׁט, פֵּאֵר
bedevil, *v.t.* הִתְעוֹלֵל [עלל]
bedlam, *n.* בֵּית מְשֻׁגָּעִים; מְבוּכָה, שָׁאוֹן, רַעַשׁ
bedpan, *n.* עֲבִיט מִטָּה
bedrid, bedridden, *adj.* חוֹלֶה, שׁוֹמֵר מִטָּתוֹ
bedroom, *n.* חֲדַר מִטּוֹת, חֲדַר שֵׁנָה
bedspread, *n.* צָפִית
bee, *n.* דְּבוֹרָה
beech, *n.* אַשּׁוּר
beechen, *adj.* אַשּׁוּרִי, שֶׁמֵּעֵץ הָאַשּׁוּר
beechnut, *n.* בַּלּוּט אַשּׁוּרִים
beef, *n.* בְּשַׂר בָּקָר
beefsteak, *n.* אֻמְצָה
beehive, *n.* כַּוֶּרֶת

beer, *n.* בִּירָה, שֵׁכָר
beeswax, *n.* דּוֹנַג
beet, *n.* (often beetroot) לֶפֶת, סֶלֶק
beetle, *n.* חִפּוּשִׁית; מַכּוֹשׁ; פַּטִּישׁ
beetle, *v.i.* בָּלַט, הָיָה סָרוּחַ
befall, *v.t.* קָרָה, אֵרַע, הִתְרַחֵשׁ [רחש]
befit, *v.t.* & *i.* יָאָה, הָיָה נָאֶה
befitting, *adj.* יָאֶה, הוֹלֵם, מַתְאִים
befog, *v.t.* עִרְבֵּל, כִּסָּה בַּעֲרָפֶל, הֵעִיב [עוב]; בִּלְבֵּל
before, *adv.* תְּחִלָּה, רִאשׁוֹנָה, בָּרִאשׁוֹנָה
before, *prep.* & *conj.* לִפְנֵי, טֶרֶם, קֹדֶם; לִפְנֵי שֶׁ־, קֹדֶם שֶׁ־
beforehand, *adv.* מֵרֹאשׁ, לְמַפְרֵעַ
befoul, *v.t.* לִכְלֵךְ, טִנֵּף, זִהֵם
befriend, *v.t.* הָיָה רֵעַ, הָיָה יְדִיד, הִתְיַדֵּד [ידד]
beg, *v.t.* & *i.* בִּקֵּשׁ, פָּשַׁט יָד, חָזַר עַל הַפְּתָחִים; הִפְצִיר [פצר], הִתְחַנֵּן [חנן]
beget, *v.t.* הוֹלִיד [ילד]
beggar, *n.* קַבְּצָן, פּוֹשֵׁט יָד
beggar, *v.t.* רוֹשֵׁשׁ [רשש]
beggary, *n.* עֲנִיּוּת, קַבְּצָנוּת
begin, *v.t.* & *i.* הִתְחִיל [תחל]
beginner, *n.* מַתְחִיל
beginning, *n.* הַתְחָלָה, רֵאשִׁית
begrime, *v.t.* לִכְלֵךְ, טִנֵּף, זִהֵם
begrudge, *v.t.* קִנֵּא בְּ־, הָיָה צַר עַיִן
beguile, *v.t.* הוֹנָה [ינה], רִמָּה; לִבֵּב, שִׁעֲשַׁע
behalf, *n.* תּוֹעֶלֶת
on behalf בְּעַד, בְּשֵׁם
behave, *v.t.* & *i.* הִתְנַהֵג [נהג]
behavior, *n.* נִמּוּס, דֶּרֶךְ אֶרֶץ, הִתְנַהֲגוּת
behead, *v.t.* הֵסִיר [סור] רֹאשׁ, כָּרַת רֹאשׁ, הִתִּיז [נתז] רֹאשׁ, עָרַף

behest, *n.* צַו, פְּקֻדָּה

behind, *adv.* אַחַר־, אַחֲרֵי־, מֵאַחֲרֵי־

behind, *prep.* אָחוֹר, לְאָחוֹר, מֵאָחוֹר

behindhand, *adj.* & *adv.* מְאֻחָר, מְפַגֵּר

behold, *v.t.* & *i.* רָאָה, הִתְבּוֹנֵן [בין] בְּ־, שָׁר [שור]

behold, *interj.* רְאֵהוּ, הַבֵּטוּ!

beholder, *n.* חוֹזֶה, מִתְבּוֹנֵן, מִסְתַּכֵּל

behoof, *n.* שָׂכָר, רֶוַח, תּוֹעֶלֶת, טוֹבָה

being, *n.* הֱיוֹת, מְצִיאוּת יֵשׁוּת, יְקוּם

belabor, *v.t.* הִלְקָה [לקה]; הִשְׁקִיעַ [שקע] עֲבוֹדָה

belate, *v.t.* אִחֵר, עִכֵּב

belated, *adj.* מְאֻחָר

belay, *v.t.* חִזֵּק, כָּרַךְ (בָּאֳנִיָּה)

belch, *n.* גִּהוּק

belch, *v.t.* & *i.* גִּהֵק

beleaguer, *v.t.* צָר [צור], שָׂם [שים] מָצוֹר עַל, הִקִּיף [נקף]

belfry, *n.* מִגְדַּל פַּעֲמוֹנִים

Belgium, *n.* בֶּלְגְּיָה

belie, *v.t.* כִּזֵּב, הִכְזִיב [כזב]

belief, *n.* אֵמוּן, אֱמוּנָה; דָּת

believable, *adj.* נֶאֱמָן, מְהֵימָן

believe, *v.t.* & *i.* הֶאֱמִין [אמן]; חָשַׁב, סָבַר

believer, *n.* מַאֲמִין

belittle, *v.t.* הֵקֵל [קלל] בְּ, הִקְטִין [קטן]

bell, *n.* פַּעֲמוֹן, מְצִלָּה, זוֹג, צִלְצוּל

belladonna, *n.* חֵדֶק אַרְסִי

belle, *n.* יְפֵהפִיָּה

belles-lettres, *n. pl.* סִפְרוּת, סִפְרוּת יָפָה

bellhop, *n.* נַעַר, שָׁלִיחַ

bellicose, *adj.* שׁוֹאֵף מִלְחָמוֹת, אִישׁ מָדוֹן

bellied, *adj.* כַּרְסְתָן

belligerence, belligerency, *n.* עֲשִׂיַּת מִלְחָמָה, לוֹחֲמוּת

belligerent, *n.* עוֹשֵׂה מִלְחָמָה, (צַד) לוֹחֵם, נִלְחָם

bellow, *n.* גְּעִיָּה

bellow, *v.t.* & *i.* גָּעָה

bellows, *n. pl.* מַפּוּחַ

belly, *n.* בֶּטֶן, כֶּרֶס, גָּחוֹן

belly, *v.t.* & *i.* צָבָה, תָּפַח, הִתְנַפֵּחַ [נפח]

bellyache, *n.* עֲוִית

belong, *v.i.* הָיָה שַׁיָּךְ, הִשְׁתַּיֵּךְ [שיך]

belongings, *n. pl.* רְכוּשׁ, שַׁיָּכִים, כְּבֻדָּה

beloved, *adj.* אָהוּב

below, *adv.* לְמַטָּה, לְהַלָּן, מִלְמַטָּה, מִתַּחַת

belt, *n.* חֲגוֹרָה, אַבְנֵט, אֵזוֹר

belt, *v.t.* חָגַר, אָזַר

bemoan, *v.t.* & *i.* הִתְאַבֵּל [אבל], סָפַד, בָּכָה

bench, *n.* סַפְסָל; בֵּית מִשְׁפָּט

bend, *v.t.* & *i.* כָּפַף, כָּרַע (בֶּרֶךְ); עִקֵּם; דָּרַךְ קֶשֶׁת

bend, *n.* כְּפִיפָה, עֲקִימָה

beneath, *adv.* & *prep.* תַּחַת, מִתַּחַת, מִלְמַטָּה

benediction, *n.* בְּרָכָה

benefaction, *n.* חֶסֶד, גְּמִילוּת חֶסֶד

benefactor, *n.* מֵיטִיב, גּוֹמֵל חֶסֶד

benefice, *n.* נַחֲלָה, הַכְנָסָה

beneficial, *adj.* מוֹעִיל, מַכְנִיס רְוָחִים

beneficiary, *n.* יוֹרֵשׁ, נֶהֱנֶה

benefit, *n.* גְּמוּל, תַּגְמוּל, תּוֹעֶלֶת, רֶוַח

benefit, *v.t.* & *i.* הוֹעִיל [יעל], גָּמַל, זָכָה

benevolence, *n.* נְדִיבוּת, טוּב לֵב

benevolent, *adj.* נָדִיב, טוּב לֵב

benign, *adj.* רַחוּם, נוֹחַ, נָעִים
benignant, *adj.* לְבָבִי, מְרַחֵם
benignity, *n.* עֲדִינוּת, נֹעַם, רַכּוּת, טְבוּת, טוּב
bent, *adj.* כָּפוּף
bent, *n.* תַּאֲוָה, יֵצֶר
benumb, *v.t.* הִקְהָה [קהה], אִבֵּן
benzene, *n.* בֶּנְזִין
bequeath, *v.t.* הוֹרִישׁ [ירש], צִוָּה
bequest, *n.* יְרֻשָּׁה, עִזָּבוֹן
berate, *v.t.* נָזַף קָשׁוֹת
bereave, *v.t.* שִׁכֵּל, גָּזַל
bereavement, *n.* שְׁכֹל, אֲבֵדָה, גְּזֵלָה
beret, *n.* כֻּמְתָּה
berry, *n.* תּוּת, גַּרְגֵּר
berth, *n.* מִטָּה, מִשְׁכָּב; תָּא; מַעֲגָן
berth, *v.t. & i.* נָתַן תָּא; נָתַן מִטָּה; עָגַן
beseech, *v.t.* הִתְחַנֵּן [חנן]
beseem, *v.i.* הָלַם, יָאָה, הִתְאִים
beset, *v.t.* עָטַר, הִקִּיף [נקף]; הִרְגִּיז [רגז], הִפְרִיעַ [פרע] מְנוּחָה
beshrew, *n.* אָרַר, קִלֵּל
beside, *prep.* עַל יַד, אֵצֶל, כְּנֶגֶד
besides, *adv. & prep.* מִלְּבַד, חוּץ; גַּם, עוֹד, זוּלַת
besiege, *v.t.* כִּתֵּר, הִקִּיף [נקף], צָר [צור]
besmear, besmirch, *v.t.* לִכְלֵךְ, טִנֵּף, נִבֵּל
besom, *n. & v.t.* מַטְאֲטֵא; טֵאטֵא
bespeak, *v.t.* הִזְמִין [זמן], הִתְנָה [תנה]
best, *adj.* מֻבְחָר, הַטּוֹב בְּיוֹתֵר, הַמְעֻלֶּה
best, *n.* מֵיטָב, עִדִּית
best, *adv.* טוֹב מִכֹּל
bestial, *adj.* בַּהֲמִי, אַכְזָרִי, תַּאַוְתָנִי
bestiality, *n.* בַּהֲמִיּוּת
bestir, *v.t.* הֵנִיעַ [נוע], הִתְנוֹעֵעַ, זֵרֵז
best man, *n.* שׁוֹשְׁבִין
bestow, *v.t.* הֶעֱנִיק [ענק], נָתַן
bestowal, *n.* נְתִינָה, מַתָּנָה, הַעֲנָקָה
bestride, *v.t.* רָכַב עַל
bet, *n.* הִתְעַרְבוּת, הִמּוּר
bet, *v.t. & i.* הִתְעָרֵב [ערב], הִמְרָה [מרה]
betoken, *v.t.* רָמַז, הוֹרָה [ירה], בִּשֵּׂר, נִבָּא
betray, *v.t.* בָּגַד, גִּלָּה סוֹד
betrayal, *n.* בְּגִידָה, מַעַל, בֶּגֶד, גִּלּוּי סוֹד
betroth, *v.t.* אֵרַשׂ, אָרַס, קִדֵּשׁ אִשָּׁה
betrothal, *n.* אֵרוּסִים, כְּלוּלוֹת
betrothed, *adj.* אָרוּס
better, bettor, *n.* מִתְעָרֵב, מְהַמֵּר
better, *adj. & adv.* טוֹב יוֹתֵר, מוּטָב
better, *v.t. & i.* הֵטִיב [טוב], שִׁפֵּר, הִשְׁבִּיחַ [שבח]
betterment, *n.* הֲטָבָה, שִׁפּוּר, הַשְׁבָּחָה
between, betwixt, *adv. & prep.* בָּאֶמְצַע, בֵּין
bevel, *n.* מַזְוִית; זָוִית מְשֻׁפַּעַת
bevel, *v.t.* מָדַד זָוִיּוֹת, שִׁפַּע
beverage, *n.* מַשְׁקֶה, שִׁקּוּי
bevy, *n.* קְבוּצָה, סִיעָה, לַהֲקָה, מַחֲנֶה
bewail, *v.t. & i.* הִתְאַבֵּל [אבל], סָפַד, בָּכָה, הִתְיַפֵּחַ [יפח]
beware, *v.i.* נִזְהַר [זהר], נִשְׁמַר [שמר]
bewilder, *v.t.* בִּלְבֵּל, הֵבִיא בִּמְבוּכָה
bewilderment, *n.* בִּלְבּוּל, מְבוּכָה, עִרְבּוּבְיָה
bewitch, *v.t.* כִּשֵּׁף, הִקְסִים [קסם]
beyond, *adv.* מֵאֲחוֹרֵי, מֵעֵבֶר לְ־, הָלְאָה, מֵרָחוֹק
biannually, *adv.* פַּעֲמַיִם בְּשָׁנָה
bias, *n.* מִשְׁפָּט קָדוּם, מַשּׂוֹא פָּנִים
bias, *v.t.* הִטָּה [נטה] לֵב, שִׁחֵד

bib, *n.* מַפִּית לְתִינוֹק
Bible, *n.* כִּתְבֵי הַקֹּדֶשׁ, תַּנַ"ךְ
Biblical, *adj.* תְּנָ"כִי
bibliographic, bibliographical, *adj.* סַפְרָאִי
bibliography, *n.* סַפְרָאוּת
bicarbonate, *n.* דּוּ־פַּחְמָה
biceps, *n.* קִבֹּרֶת
bicker, *v.i.* הִתְקוֹטֵט [קטט], רָב [ריב]
bicycle, *n.* & *v.i.* אוֹפַנַּיִם; אָפַן
bicyclist, *n.* אוֹפַנָּן
bid, *n.* מִצְוָה, הַצָּעָה, מִכְרָז
bid, *v.t.* & *i.* צִוָּה, הִצִּיעַ [יצע]
bidder, *n.* מְצַוֶּה, מַצִּיעַ
bide, *v.t.* & *i.* גָּר [גור], יָשַׁב, שָׁכַן; חִכָּה
biennial, *n.* דּוּ־שְׁנָתִי
bier, *n.* מִטַּת (אֲרוֹן) מֵתִים, קֶבֶר
big, *adj.* גָּדוֹל, רָחָב, מָלֵא, כַּבִּיר
bigamist, *n.* בַּעַל שְׁתֵּי נָשִׁים, נְשׂוּאָה לִשְׁנַיִם
bigamous, *adj.* שֶׁל נִשּׂוּאֵי כֶּפֶל
bigamy, *n.* נִשּׂוּאֵי כֶּפֶל
bigness, *n.* גֹּדֶל, גְּדֻלָּה, גַּדְלוּת
bigot, *n.* צָבוּעַ, מִתְחַסֵּד, עַקְשָׁן, קַנַּאי
bigoted, *adj.* קַנַּאי
bigotry, *n.* קַנָּאוּת, חֹסֶר סוֹבְלָנוּת
bike, *n.* אוֹפַנַּיִם
bilateral, *adj.* דּוּ־צְדָדִי, בַּעַל שְׁנֵי צְדָדִים
bile, *n.* מָרָה; מָרָה שְׁחוֹרָה
bilge, *n.* שִׁפּוּלַיִם, בֶּטֶן אֳנִיָּה, בֶּטֶן חָבִית
bilingual, *adj.* דּוּ־לְשׁוֹנִי
bilious, *adj.* מְרֵרָתִי, שֶׁל מַחֲלַת הַמָּרָה, כַּעֲסָנִי, רַגְזָנִי
bill, *n.* מַקּוֹר, חַרְטֹם; שְׁטָר, שְׁטָר חוֹב; חֶשְׁבּוֹן; גַּרְזֶן; חוֹד הָעֹגֶן
bill, *v.t.* & *i.* הוֹדִיעַ [ידע], הִכְרִיז [כרז]; הִתְנַשֵּׁק [נשק], הִתְעַלֵּס [עלס]
billboard, *n.* לוּחַ מוֹדָעוֹת; יְצוּעַ הָעֹגֶן
billet, *n.* פִּתְקָה, פִּתְקַת לִינָה, מְקוֹם לִינָה
billet, *v.t.* & *i.* אִכְסֵן, הִתְאַכְסֵן [אכסן]
billfold, *n.* אַרְנָק
billiards, *n.* כַּדּוּר מַטֶּה, בִּלְיַרְד
billion, *n.* בִּלְיוֹן
billow, *n.* מִשְׁבָּר (גַּל), נַחְשׁוֹל
bimonthly, *adj.* דּוּ־חָדְשִׁי
bin, *n.* מְגוּרָה, קֻפָּה
bind, *v.t.* & *i.* קָשַׁר, צָרַר; חָבַשׁ (פֶּצַע); כָּרַךְ (סֵפֶר)
binder, *n.* כּוֹרֵךְ סְפָרִים; מְאַלֵּם (בַּיָּד); מְאַלֶּמֶת
bindery, *n.* כְּרִיכִיָּה
binding, *n.* כְּרִיכָה (סְפָרִים); קִשּׁוּר; אִלּוּם
binoculars, *n. pl.* מִשְׁקֶפֶת
biography, *n.* תּוֹלְדוֹת חַיֵּי אָדָם
biographic, biographical, *adj.* תּוֹלְדִי
biologist, *n.* בָּקִי בְּתוֹרַת הַחַיִּים
biology, *n.* תּוֹרַת הַחַיִּים
bipartisan, *adj.* דּוּ־מִפְלַגְתִּי
birch, *n.* & *v.t.* עֵץ הַבְּתוּל, לִבְנֶה; שֶׁבֶט; יִסֵּר, שָׁבַט
bird, *n.* & *v.t.* צִפּוֹר, עוֹף; לָכַד צִפֳּרִים; זִהָה צִפֳּרִים
birth, *n.* לֵדָה; מוֹצָא, מָקוֹר
birth control, *n.* הַגְבָּלַת הַיְלָדָה
birthday, *n.* יוֹם הֻלֶּדֶת
birthmark, *n.* סִמָּן מִלֵּדָה
birthplace, *n.* מוֹלֶדֶת, מְכוֹרָה
birthright, *n.* בְּכוֹרָה
biscuit, *n.* נִקּוּד, בִּסְקְוִיט, רָקִיק
bisect, *v.t.* חָצָה, תִּוֵּךְ, נִתַּח

bisection, *n.* חֲצָיָה, מִצּוּעַ, נְתִיחָה

bisector, *n.* חוֹצֶה, נַתְּחָן

bisexual, *adj.* דּוּ־מִינִי

bishop, *n.* הֶגְמוֹן, בִּישׁוֹף

bismuth, *n.* מַרְקָשִׁית

bison, *n.* יַחְמוּר

bit, *n.* חֲתִיכָה, מִקְצָת; עַקְרַב שֶׁל רֶסֶן; שֵׁן שֶׁל כֵּלִים, חָף

bitch, *n.* כַּלְבָּה; זְאֵבָה; פְּרוּצָה

bite, *n.* נְשִׁיכָה; פֶּצַע; לְגִימָה

bite, *v.t.* & *i.* נָשַׁךְ, הִכִּישׁ [נכש]

bitter, *adj.* מַר, חָרִיף; מַר נֶפֶשׁ

bitterness, *n.* מְרִירוּת, חֲרִיפוּת

bitumen, *n.* חֵמָר, זֶפֶת, כֹּפֶר

bivouac, *n.* מַחֲנֶה (אֲרָעִי)

bivouac, *v.i.* חָנָה

biweekly, *adj.* & *n.* דּוּ־שְׁבוּעִי; דּוּ־שְׁבוּעוֹן

bizarre, *adj.* מְשֻׁנֶּה, מוּזָר

blab, *v.t.* & *i.* פִּטְפֵּט

black, *n.* שְׁחוֹר, שָׁחוֹר

black, *adj.* שָׁחוֹר, אָפֵל

blackbird, *n.* קִיכְלִי, טֶרֶד

blackboard, *n.* לוּחַ

blacken, *v.t.* הִשְׁחִיר [שחר], פִּחֵם

black list רְשִׁימָה שְׁחוֹרָה

blackmail, *n.* סַחְטָנוּת, אִיּוּם

blackmail, *v.t.* אִיֵּם, הוֹצִיא [יצא] דִּבָּה

black market, *n.* שׁוּק שָׁחוֹר

blackness, *n.* שְׁחוֹר, שַׁחֲרוּת

blackout, *n.* אִפּוּל, הַאֲפָלָה; אִבּוּד הַכָּרָה

blacksmith, *n.* נַפָּח, חָרַשׁ בַּרְזֶל

bladder, *n.* שַׁלְפּוּחִית (הַשֶּׁתֶן)

blade, *n.* סַכִּין גִּלּוּחַ, לַהַב (סַכִּין); עָלֶה (עֵשֶׂב)

blain, *n.* כִּיב, אֲבַעְבּוּעָה

blame, *n.* אַשְׁמָה, הַאֲשָׁמָה

blame, *v.t.* הֶאֱשִׁים [אשם]

blameless, *adj.* נָקִי, חַף מִפֶּשַׁע

blanch, *v.t.* & *i.* הִלְבִּין [לבן], חִוֵּר

bland, *adj.* אָדִיב, עָדִין, רַךְ

blandishment, *n.* חֲנִיפָה

blank, *adj.* לָבָן, חָלָק (בִּלְתִּי כָּתוּב); נִדְהָם, עָקָר, פָּשׁוּט

blank, *n.* חָלָל; נְיָר חָלָק

blanket, *n.* שְׂמִיכָה, מַעֲטֶה

blankness, *n.* רֵיקוּת; לֹבֶן; חֲלָקוּת

blare, *n.*, *v.t.* & *i.* תְּרוּעָה, קוֹל חֲצוֹצְרָה; חִצְצֵר

blaspheme, *v.t.* & *i.* קִלֵּל, חֵרֵף, גִּדֵּף

blasphemy, *n.* חֵרוּף, גִּדּוּף

blast, *n.* & *v.t.* צְפִירָה, הִתְפּוֹצְצוּת; תְּקִיעָה; פּוֹצֵץ

blatant, *adj.* הוֹמֶה, רוֹעֵשׁ

blaze, *n.*, *v.t.* & *i.* אֵשׁ לֶהָבָה; הִתְפָּרְצוּת; לָהַט, בָּעַר; צִיֵּן שְׁבִיל

bleach, *v.t.* & *i.* לִבֵּן; הִדְהָה [דהה]

bleach, *n.* דְּהוּי, דְּהִיָּה

bleak, *adj.* עָצוּב, קַר, רֵיק

blear, *adj.* טָרוּט, כֵּהֶה, עָמוּם

bleat, *v.i.* & *n.* גָּעָה, פָּעָה; גְּעִיָּה, פְּעִיָּה

bleed, *v.i.* שָׁתַת (אִבֵּד) דָּם

bleeding, *n.* דִּמּוּם

blemish, *n.* מוּם, פְּגָם

blemish, *v.t.* גִּבֵּל, לִכְלֵךְ

blend, *n.* מִמְזָג, תַּעֲרֹבֶת

blend, *v.t.* & *i.* עִרְבֵּב, מָזַג; הִתְעַרְבֵּב [ערבב], הִתְמַזֵּג [מזג]

bless, *v.t.* בֵּרֵךְ

blessed, blest, *adj.* בָּרוּךְ; מְבֹרָךְ

blessing, *n.* בְּרָכָה, אֹשֶׁר

blight, *n.* שִׁדָּפוֹן, כִּמְשׁוֹן, יֵרָקוֹן

blight, *v.t.* & *i.* שָׁדַף; הִשְׁתַּדֵּף [שדף]
blind, *adj.* & *n.* עִוֵּר, סוּמָא; וִילוֹן, תְּרִיס
blind, *v.t.* עִוֵּר, סִמֵּא
blinder, *n.* אֲפֵר (סַכֵּי עֵינַיִם לַסּוּס)
blindfold, *v.t.* כִּסָּה (עֵינַיִם)
blindness, *n.* עִוָּרוֹן; קַלּוּת דַּעַת
blink, *n.* קְרִיצַת עַיִן
blink, *v.t.* & *i.* קָרַץ עַיִן
bliss, *n.* אֹשֶׁר, בְּרָכָה, תַּעֲנוּג
blissful, *adj.* מְאֻשָּׁר, עָרֵב
blister, *n.* אֲבַעְבּוּעָה
blister, *v.t.* & *i.* הוֹצִיא [יצא] אֲבַעְבּוּעָה
blithe, *adj.* שָׂמֵחַ, עַלִּיז
blithesome, *adj.* שָׂמֵחַ, עַלִּיז
blizzard, *n.* סְעָרַת שֶׁלֶג
bloat, *v.t.* & *i.* הִתְנַפֵּחַ [נפח], מִלֵּא (מַיִם, אֲוִיר), הִצְבָּה [צבה]; עִשֵּׁן (יִבֵּשׁ) דָּגִים
block, *n.* בּוּל עֵץ; מִכְשׁוֹל, מַעְצוֹר; אִמּוּם (נַעַל); רֹבַע (עִיר)
block, *v.t.* חָסַם, עִכֵּב; אִמֵּם (נַעַל)
blockade, *n.* מָצוֹר, הֶסְגֵּר
blockade, *v.t.* צָר, סָגַר, חָסַם
blockhead, *n.* טִפֵּשׁ, בַּעַר
blond, blonde, *adj.* צָהֹב, (שֵׂעָר)
blood, *n.* & *v.t.* דָּם; גֶּזַע, מוֹצָא; הִקִּיז [נקז] דָּם
blood clot, *n.* קְרִישׁ (חֲרָרַת) דָּם
blooded, *adj.* טוֹב הַגֶּזַע
bloodhound, *n.* כֶּלֶב (צַיִד) גִּשּׁוּשׁ
blood pressure לַחַץ דָּם
bloodshed, *n.* שְׁפִיכַת דָּמִים
bloodsucker, *n.* עֲלוּקָה
bloody, *adj.* דָּמִי; אַכְזָר
bloom, *n.* צִיץ, פְּרִיחָה; אֵב
bloom, *v.i.* פָּרַח, הִפְרִיחַ [פרח], צָץ [צוץ]
blooming, *adj.* פּוֹרֵחַ; מַזְהִיר
blossom, *n.* פֶּרַח, נִצָּן
blot, *n.* כֶּתֶם; חֶרְפָּה
blot, *v.t.* כָּתַם; לִכְלֵךְ; סָפַג
blotch, *n.* כֶּתֶם
blotter, *n.* מַסְפֵּג
blouse, *n.* חֲלִיקָה, חֻלְצָה
blow, *n.* מַכָּה, אָסוֹן; תְּקִיעָה; פְּרִיחָה
blow, *v.i.* & *t.* נָשַׁב; תָּקַע (שׁוֹפָר); שָׁרַק (בְּמַשְׁרוֹקִית); נָפַח; גָּרַף (הָאַף) הִמְלִיט [מלט] בֵּיצִים (הַזְּבוּב); לִבְלֵב, פָּרַח
bludgeon, *n.* מַקֵּל עָבֶה
blue, *adj.* כָּחֹל, תָּכֹל; עָגוּם
blue, *n.* תְּכֵלֶת (שָׁמַיִם); כְּחֹל (יָם); כַּחַל (כְּבִיסָה)
bluebell, *n.* פַּעֲמוֹנִית כְּחֻלָּה
blueberry, *n.* אֻכְמָנִיָּה
blueprint, *n.* תָּכְנִית (תְּכֵלֶת), הֶעְתֵּק
bluet, *n.* דַּגְנִיָּה
bluish, *adj.* כְּחַלְחַל
bluff, *adj.* מְשֻׁפָּע, תָּלוּל; נִמְרָץ
bluff, *n.* שׁוּנִית (שֵׁן סֶלַע); אֲחִיזַת עֵינַיִם, הַטְעָיָה
bluff, *v.t.* רִמָּה, הִתְעָה [תעה]
blunder, *n.* שְׁגִיאָה, מִשְׁגֶּה, טָעוּת
blunder, *v.t.* & *i.* שָׁגָה, טָעָה
blunderbuss, *n.* שׁוֹטֶה, כְּסִיל
blunt, *adj.* קֵהֶה; שׁוֹטֶה, עַז פָּנִים
blunt, *v.t.* הִקְהָה [קהה], טִמְטֵם
bluntness, *n.* קֵהוּת, אֱוִילוּת
blur, *n.* טִשְׁטוּשׁ, עִמְעוּם
blur, *v.t.* טִשְׁטֵשׁ, עִמְעֵם
blurt, *v.t.* גִּלָּה מִתּוֹךְ פִּטְפּוּט
blush, *v.t.* & *i.* חִכְלֵל, הִתְאַדֵּם [אדם], הִסְתַּמֵּק [סמק]
blush, *n.* בּוּשָׁה; סֹמֶק

bluster, *n.* רֶגֶשׁ, סְעָרָה, רַהַב

bluster, *v.t.* & *i.* סָעַר, רָגַשׁ; הִתְמַרְמֵר

boa constrictor, *n.* נָחָשׁ בָּרִיחַ, חַנָּק

boar, *n.* חֲזִיר בָּר

board, *n.* קֶרֶשׁ; אֹכֶל; מְסִבָּה, מוֹעֵצָה, וַעַד

board, *v.t.* & *i.* נָתַן אֲרוּחָה; עָלָה עַל אֳנִיָּה אוֹ רַכֶּבֶת; כִּסָּה בִּקְרָשִׁים

boarder, *n.* מִתְאַכְסֵן בְּאֵשֶׁ״ל

boardinghouse, *n.* אֵשֶׁ״ל, פֶּנְסְיוֹן

boarding school *n,* פְּנִימִיָּה

boarish, *adj.* גַּס

boardwalk, *n.* טַיֶּלֶת קְרָשִׁים

boast, *n.* הִתְגָּאוּת, הִתְפַּאֲרוּת

boast, *v.t.* & *i.* הִתְגָּאָה [גאה], הִתְפָּאֵר [פאר], הִתְיַהֵר [יהר]

boaster, *n.* יָהִיר, מִתְפָּאֵר

boastful, *adj.* שַׁחְצָנִי, גַּאַוְתָן

boat, *n.* סִירָה, אֳנִיָּה, סְפִינָה

boat, *v.t.* & *i.* שָׁט [שוט] בְּסִירָה, הִפְלִיג [פלג] בְּסִירָה

boathouse, *n.* בֵּית סִירוֹת

boating, *n.* סִירָאוּת

boatman, boatsman, *n.* סִירַאי

bob, *n.* אֶשְׁכּוֹל; פְּתָיוֹן; הֲנָעַת רֹאשׁ; מַכַּת־יָד; תִּסְפֹּרֶת קְצָרָה

bob, *v.t.* & *i.* נִדְנֵד; קִצֵּר שְׂעָרוֹת; צָד [צוד] דָּגִים

bobbin, *n.* אַשְׁוָה, פְּקַעַת חוּטִים

bobtail, *n.* קְצַר זָנָב

bobwhite, *n.* שְׂלָו אֲמֵרִיקָנִי

bode, *v.t.* & *i.* נִבָּא

bodement, *n.* נְבוּאָה, בְּשׂוֹרָה

bodice, *n.* חֲזִיָּה, מָחוֹךְ

bodily, *adj.* & *adv.* גּוּפָנִי, בְּגוּפוֹ

body, *n.* גּוּף, גְּוִיָּה; עֶצֶם; מֶרְכָּב (מְכוֹנִית); גֶּרֶם (הַשָּׁמַיִם)

bodyguard, *n.* שׁוֹמֵר, שׁוֹמֵר רֹאשׁ

bog, *n.* בִּצָּה

bogey, *n.* רוּחַ, שֵׁד

bogus, *adj.* מְזֻיָּף

boil, *n.* חַבּוּרָה

boil, *v.t.* רָתַח, בִּשֵּׁל, שָׁלַק (בֵּיצִים)

boiler, *n.* דּוּד

boisterous, *adj.* עַז, סוֹעֵר, קוֹלָנִי, צַעֲקָנִי

bold, *adj.* מַרְהִיב, מֵעֵז, חָצוּף

boldly, *adv.* בְּהֶעָזָה

boldness, *n.* עֹז, הֶעָזָה, חֻצְפָּה

bole, *n.* גֶּזַע שֶׁל עֵץ

boll, *n.* תַּרְמִיל (צֶמַח)

bolster, *n.* כַּר, כֶּסֶת

bolster, *v.t.* סָמַךְ

bolt, *n.* בְּרִיחַ, יָתֵד, אֶטֶב, חֵץ

bolt, *v.t.* & *i.* הִבְרִיחַ [ברח] (בְּרִיחַ הַדֶּלֶת); בָּרַח (סוּס), יָרָה (חֵץ)

bomb, *n.* פְּצָצָה, פָּגָז; מַרְסֵס

bomb, *v.t.* בָּזַק, הִפְצִיץ [פצץ], הִרְעִישׁ [רעש]

bombardment, *n.* הַפְצָצָה, הַפְגָּזָה, הַתְקָפָה קָשָׁה

bombast, *n.* גִּבּוּב דְּבָרִים, סִרְבּוּל

bomber, *n.* מַפְצִיץ; רַמָּן

bombing, *n.* הַפְצָצָה

bona fide, *adj.* & *adv.* נֶאֱמָן

bond, *n.* קֶשֶׁר; שְׁבִיָּה (סֹהַר); שְׁטָר (אִגֶּרֶת) חוֹב; עֵרָבוֹן; הִתְקַשְּׁרוּת

bondage, *n.* עַבְדוּת, שֶׁבִי, הִשְׁתַּעְבְּדוּת

bone, *n.* עֶצֶם, גֶּרֶם

bone, *v.t.* הוֹצִיא [יצא] עֲצָמוֹת; נִקֵּר

bonfire, *n.* מְדוּרָה, מוֹקֵד, מַשּׂוּאָה

bonnet, *n.* מִצְנֶפֶת

bonus, *n.* הַעֲנָקָה, תּוֹסֶפֶת

booby, *n.* גֹּלֶם, כְּסִיל

boodle, *n.* שַׁלְמוֹן, שֹׁחַד

book, *n.* סֵפֶר
bookbinder, *n.* כּוֹרֵךְ
bookbinding, *n.* כְּרִיכָה
bookcase, *n.* כּוֹנָנִית, אֲרוֹן סְפָרִים
bookkeeper, *n.* עוֹרֵךְ חֶשְׁבּוֹן, פִּנְקְסָן
bookkeeping, *n.* עֲרִיכַת חֶשְׁבּוֹן, פִּנְקְסָנוּת
booklet, *n.* חוֹבֶרֶת, סֵפֶר קָטָן, סִפְרוֹן
bookmaker, *n.* מְחַבֵּר סְפָרִים; סוֹכֵן לְהִמּוּרִים
bookmark, *n.* סִימָנִיָּה
bookseller, *n.* מוֹכֵר סְפָרִים
bookshelf, *n.* מַדַּף סְפָרִים
bookstand, *n.* בִּיתַן סְפָרִים, דּוּכַן סְפָרִים
bookworm, *n.* מְקַק (בִּסְפָרִים); אוֹהֵב סְפָרִים
boom, *n.* עֲלִיָּה פִּתְאוֹמִית (מְחִירִים); שִׂגְשׂוּג; שָׁאוֹן; קוֹרָה, מוֹט, מָנוֹר
boom, *v.t.* & *i.* רָעַשׁ, זִמְזֵם; שִׂגְשֵׂג
boon, *adj.* מֵיטִיב, עַלִּיז
boon, *n.* טוֹבָה, בְּרָכָה
boor, *n.* בּוּר, בַּעַר
boorish, *adj.* גַּס
boot, *n.* נַעַל; מוּק, מַגָּף
boot, *v.t.* נָעַל מַגָּפַיִם
bootblack, *n.* מְצַחְצֵחַ נַעֲלַיִם
booth, *n.* סֻכָּה, בִּיתָן
bootlegger, *n.* מַבְרִיחַ מַשְׁקָאוֹת
booty, *n.* שָׁלָל, מַלְקוֹחַ, בִּזָּה
booze, *n.* מַשְׁקֶה חָרִיף, שֵׁכָר
border, *n.* גְּבוּל, תְּחוּם
border, *v.t.* גָּבַל, עָשָׂה שָׂפָה
bore, *n.* מְשַׁעֲמֵם; קֹטֶר, רֹחַב הַחוֹר (שֶׁל הָרוֹבֶה); מִשְׁבַּר גֵּאוּת הַיָּם
bore, *v.t.* & *i.* קָדַח, נָקַב; הִטְרִיד [טרד], שִׁעֲמֵם
boredom, *n.* שִׁעֲמוּם

borer, *n.* קַדָּח, מַקְדֵּחַ, מַרְצֵעַ, נוֹקֵב, נוֹבֵר
boric acid חֻמְצַת בֹּר
boring, *n.* & *adj.* קִדּוּחַ; מְשַׁעֲמֵם
born, *adj.* נוֹלָד
borough, *n.* שְׁכוּנָה, עֲיָרָה, חֵלֶק עִיר
borrow, *v.t.* שָׁאַל, לָוָה
borrower, *n.* שׁוֹאֵל, לֹוֶה
bosom, *adj.* קָרוֹב, אָהוּב
bosom, *n.* חֵיק, חָזֶה
boss, *n.* מְנַהֵל; מַשְׁגִּיחַ; אָדוֹן; בַּעַל בַּיִת; מַטְבַּעַת; גַּבְשׁוּשִׁית
boss, *v.t.* נִהֵל; הִדְרִיךְ [דרך], רָדָה; קִשֵּׁט בְּפִתּוּחִים
botanic, botanical, *adj.* שֶׁל תּוֹרַת הַצְּמָחִים, צִמְחִי
botanist, *n.* צִמְחָאִי
botanize, *v.t.* אָסַף צְמָחִים
botany, *n.* צִמְחָאוּת, תּוֹרַת הַצְּמָחִים
botch, *n.* עֲבוֹדָה פְּשׁוּטָה, טְלַאי
botch, *v.t.* הִטְלִיא [טלא], הִשְׁחִית [שחת]
both, *adj.*, *pron.*, & *conj.* שְׁנֵיהֶם, שְׁתֵּיהֶן, יַחַד
bother, *n.* טִרְדָּה, טֹרַח
bother, *v.t.* & *i.* הִטְרִיד [טרד], הִטְרִיחַ [טרח]
bottle, *n.* בַּקְבּוּק, קַנְקַן
bottle, *v.t.* מִלֵּא בַּקְבּוּקִים
bottleneck, *n.*, *v.t* & *.i.* צַוַּאר בַּקְבּוּק (מַעֲצוֹר תְּנוּעָה); עָצַר תְּנוּעַת מְכוֹנִיּוֹת
bottom, *n.* יַשְׁבָן; שְׁמָרִים; קַעַר הָאֳנִיָּה; מְצֻלָּה; קַרְקָעִית, עֹמֶק, תַּחְתִּית
bottomless, *adj.* לְלֹא קַרְקָעִית, בְּלִי סוֹף
bough, *n.* עָנָף, סַרְעַפָּה

boulder, *n.* אֶבֶן כָּתֵף
boulevard, *n.* שְׂדֵרָה, שְׂדֵרַת עֵצִים
bounce, *v.t.* & *i.* קִפֵּץ
bounce, *n.* קְפִיצָה; הִתְפָּאֲרוּת
bound, *adj.* אָסוּר, קָשׁוּר; חַיָּב, מְחֻיָּב
bound, *n.* גְּבוּל
bound, *v.t.* & *i.* גָּבַל, הִגְבִּיל [גבל], קָצַב; נָתַר, קִפֵּץ
boundary, *n.* גְּבוּל, תְּחוּם
boundless, *adj.* בְּלִי גְּבוּל
bountiful, *adj.* נָדִיב, נִמְצָא בְּשֶׁפַע
bounty, *n.* נְדִיבוּת; חֶסֶד; מַתָּת, פְּרָס
bouquet, *n.* זֵר (פְּרָחִים); בֹּשֶׂם (הַיַּיִן)
bourn, bourne, *n.* מָחוֹז, מַטָּרָה; יוּבַל
bout, *n.* תִּגְרָה, הִתְחָרוּת, הַמְרָאָה
bow, *n.* הִשְׁתַּחֲוָיָה, הַרְכָּנַת רֹאשׁ; חַרְטוֹם אֳנִיָּה; קֶשֶׁת
bow tie עֲנִיבַת „פַּרְפַּר"
bow, *v.t.* & *i.* הִשְׁתַּחֲוָה [שחה], הִרְכִּין [רכן] רֹאשׁ; דָּרַךְ קֶשֶׁת; נִגֵּן בְּקֶשֶׁת
bowels, *n. pl.* מֵעַיִם, קְרָבַיִם
bower, *n.* סֻכָּה; עֹגֶן חַרְטוֹם
bowl, *n.* מִזְרָק, קְעָרָה
bowling, *n.* כַּדֹּרֶת
bowling alley מִשְׁעוֹל כַּדֹּרֶת
bowman, *n.* קַשָּׁת
box, *n.* תֵּבָה, קֻפְסָה, אַרְגָּז; תָּא; מַכַּת אֶגְרוֹף, סְטִירָה
box, *v.t.* & *i.* סָטַר, הִתְאַגְרֵף [אגרף]; שָׂם [שים] בְּתֵבָה
boxer, *n.* מִתְאַגְרֵף, אֶגְרוֹפָן
boxing, *n.* הִתְאַגְרְפוּת, אִגְרוּף; אֲרִיזָה בְּתֵבוֹת
boxing gloves כְּפָפוֹת אֶגְרוֹף
box office קֻפַּת כַּרְטִיסִים
boy, *n.* יֶלֶד, נַעַר; מְשָׁרֵת
boycott, *n.* חֵרֶם, הַחְרָמָה
boycott, *v.t.* הֶחֱרִים [חרם]
boyhood, *n.* יַלְדוּת, נְעוּרִים
boyish, *adj.* יַלְדוּתִי
boyishness, *n.* יַלְדוּתִיּוּת
brace, *n.* אֶדֶק; אֶגֶד; מַקְדֵּחַ; זוּג
brace, *v.t.* קָשַׁר; חִזֵּק; הִדֵּק; הִתְעוֹדֵד
bracelet, *n.* אֶצְעָדָה, צָמִיד
braces, *n. pl.* כְּתֵפִיּוֹת, מוֹשְׁכוֹת (שֶׁל מִכְנָסַיִם)
bracket, *n.* זִיז, מִשְׁעָן; סוֹגֵר, אָרִיחַ
bracket, *v.t.* סָגַר בַּחֲצָאֵי לְבָנָה
brackets, *n. pl.* סוֹגְרַיִם, אֲרִיחַיִם
brackish, *adj.* מְמֻלָּח, מָלוּחַ; תָּפֵל
brad, *n.* מַסְמֵר
brag, *n.* הִתְפָּאֲרוּת
brag, *v.i.* הִתְפָּאֵר [פאר]
braid, *n.* מִקְלַעַת; צַמָּה
braid, *v.t.* שָׂרַג, קָלַע
Braille, *n.* כְּתַב עִוְרִים, כְּתָב בְּרַיל
brain, *n.* מֹחַ; שֵׂכֶל, בִּינָה
brainless, *adj.* חֲסַר דַּעַת
brainy, *adj.* מֹחָן, שִׂכְלִי, שָׁנוּן
braise, *v.t.* צָלָה
brake, *n.* מַעְצֵר, בֶּלֶם
brake, *v.t.* בִּלֵּם
brakeman, *n.* בַּלְמָן (בָּרַכֶּבֶת)
bramble, *n.* אָטָד, חוֹחַ
bran, *n.* סֻבִּין
branch, *n.* עָנָף; סְנִיף
branch, *v.t.* הִסְתַּעֵף [סעף]
brand, *n.* אוּד, אֵשׁ; אֵיכוּת; מִין; אוֹת קָלוֹן
brand, *v.t.* הִתְוָה [תוה], כָּוָה (בְּבַרְזֶל מְלֻבָּן)
brandish, *v.t.* נוֹפֵף [נוף] חֶרֶב
brandy, *n.* יֵין שָׂרָף, יי״שׂ
brass, *n.* נְחֹשֶׁת קָלָל
brass, *v.t.* צִפָּה נְחֹשֶׁת

brassière, *n.* חֲזִיָּה
brassy, *adj.* נְחָשְׁתִּי; חָצוּף, עַז פָּנִים
brat, *n.* יֶלֶד, עֲוִיל
brave, *adj.* אַמִּיץ, גִּבּוֹר, עַז
brave, *v.t.* הִתְגַּבֵּר [גבר] עַל, הָיָה אַמִּיץ
bravery, *n.* אֹמֶץ, גְּבוּרָה
bravo, *interj.* הֵידָד
brawl, *n.* רִיב, קְטָטָה
brawl, *v.i.* רָב [ריב]
brawn, *n.* חֹזֶק; בְּשַׂר חֲזִיר
bray, *n.* נְעִירָה (שֶׁל חֲמוֹר), נְהִיקָה
braze, *v.t.* צִפָּה בִּנְחשֶׁת
brazen, *adj.* נְחָשְׁתִּי; חָצוּף
brazier, *n.* אָח, כִּיּוֹר, כַּנּוֹן
breach, *n.* שֶׁבֶר, סֶדֶק, פֶּרֶץ
breach, *v.t.* שָׁבַר, בָּקַע, פָּרַץ
bread, *n.* לֶחֶם, כִּכַּר לֶחֶם, פַּת לֶחֶם
breadth, *n.* רֹחַב
break, *n.* שֶׁבֶר
break, *v.t.* שָׁבַר; פִּצַּח (אֱגוֹזִים); גָּרַם (עֲצָמוֹת); פָּרַס (לֶחֶם); חִלֵּל (שְׁבוּעָה); הֵפֵר [פרר] (חוֹק)
breakable, *adj.* שָׁבִיר, פָּרִיךְ
breakage, *n.* שִׁבָּרוֹן, שְׁבִירָה
breakdown, *n.* קִלְקוּל
breaker, *n.* מִשְׁבָּר (גַּל); מְאַלֵּף סוּסִים
breakfast, *n.* פַּת שַׁחֲרִית, אֲרֻחַת בֹּקֶר
breakfast, *v.t.* אָכַל אֲרֻחַת הַבֹּקֶר
breakwater, *n.* סֶכֶר, שׁוֹבֵר גַּלִּים
breast, *n.* חָזֶה, שַׁד
breast stroke, *n.* מְחִי (שְׂחִיַּת) חָזֶה
breath, *n.* נְשִׁימָה, הֶבֶל
breathe, *v.t.* & *i.* נָשַׁם
breathless, *adj.* קְצַר נְשִׁימָה, עָיֵף
breeches, *n. pl.* מִכְנְסֵי רְכִיבָה
breed, *n.* גִּדּוּל, תּוֹלָדָה, גֶּזַע
breed, *v.t.* & *i.* גִּדֵּל, יָלַד, נוֹלַד [ילד]
breeder, *n.* מְגַדֵּל
breeding, *n.* גִּדּוּל; נִמּוּס
breeze, *n.* רוּחַ קַל, רוּחַ חֲרִישִׁית, רוּחַ צַח; זְבוּב סוּסִים; קְטָטָה; אַשְׁפָּה
breezy, *adj.* אַוְרִירִי, רוּחִי; פָּזִיז
brethren, *n. pl.* אַחִים
breviary, *n.* סִדּוּר תְּפִלּוֹת (בַּכְּנֵסִיָּה הַקָּתוֹלִית)
brevity, *n.* קִצּוּר
brew, *v.t.* בִּשֵּׁל שֵׁכָר; חִבֵּל
brewer, *n.* סוֹדָנִי
brewery, *n.* סוֹדָנִיָּה
briar, *v.* brier
bribe, *n.* שֹׁחַד
bribe, *v.t.* & *i.* שִׁחֵד, נָתַן שֹׁחַד
bribery, *n.* שִׁחוּד, נְתִינַת שֹׁחַד
brick, *n.* לְבֵנָה, אָרִיחַ
bricklayer, *n.* בּוֹנֶה בִּלְבֵנִים
brickwork, *n.* בִּנְיַן לְבֵנִים
bride, *n.* כַּלָּה
bridegroom, *n.* חָתָן
bridesmaid, *n.* שֻׁשְׁבִינָה
bridge, *n.* גֶּשֶׁר; גֶּשֶׁר הַסִּפּוּן (הַשִּׁנַּיִם); מִשְׂחַק קְלָפִים
bridge, *v.t.* גָּשַׁר, בָּנָה גֶּשֶׁר
bridle, *n.* מֶתֶג, רֶסֶן
bridle, *v.t.* מִתֵּג, עָצַר
brief, *adj.* קָצָר, מְצֻמְצָם
brief, *n.* תַּמְצִית, קִצּוּר, תַּדְרִיךְ, תַּקְצִיר
brief, *v.t.* קִצֵּר, תִּדְרֵךְ, תִּמְצֵת
briefly, *adv.* בְּקִצּוּר
brier, briar, *n.* קוֹץ, דַּרְדַּר, חוֹחַ, עֶצְבּוֹנִית
brigade, *n.* פְּלֻגָּה
brigadier, *n.* מְפַקֵּד
brigadier general, *n.* אַלּוּף
brigand, *n.* שׁוֹדֵד, גַּזְלָן, חַמְסָן, חָמוֹץ

brigandage, *n.* שֹׁד, גְּזֵלָה, חָמָס, לִסְטוּת
bright, *adj.* בָּהִיר, מַזְהִיר; פִּקֵּחַ
brighten, *v.t.* & *i.* הֵאִיר [אור]; הִזְהִיר [זהר]; זִכֵּךְ
brightness, *n.* זֹהַר, זִיו; חֲרִיפוּת (הַמַּחֲשָׁבָה)
brilliance, brilliancy, *n.* זֹהַר; חֲרִיפוּת
brilliant, *n.* יַהֲלוֹם
brilliant, *adj.* נוֹצֵץ, מַבְרִיק; חָרִיף
brim, *n.* שָׂפָה, אֹגֶן (כּוֹבַע)
brimful, *adj.* גָּדוּשׁ
brine, *n.* מֵי מֶלַח, צִיר
bring, *v.t.* הֵבִיא [בוא], הִגִּישׁ [נגש]
bring up גִּדֵּל, חִנֵּךְ
brink, *n.* שָׂפָה, גְּבוּל, קָצֶה, פִּי פַּחַת
briny, *adj.* מָלוּחַ
brisk, *adj.* מָהִיר, זָרִיז; פָּעִיל; פָּזִיז
briskly, *adv.* בִּזְרִיזוּת
briskness, *n.* זְרִיזוּת, מְהִירוּת, פְּעִילוּת
bristle, *n.* זִיף, שֵׂעָר (חֲזִיר)
bristle, *v.t.* & *i.* סָמַר, סִמֵּר
bristly, *adj.* זִיפִי
Britain, *n.* בְּרִיטַנְיָה, אַנְגְּלִיָּה
brittle, *adj.* שָׁבִיר, מִתְפּוֹרֵר, תָּחוּחַ
broach, *n.* קְדִיחָה; שַׁפּוּד; סִכָּה, פְּרִיפָה
broach, *v.t.* קָדַח; פָּתַח (בְּשִׂיחָה, בְּדִיּוּן)
broad, *adj.* רָחָב, נִרְחָב, מַקִּיף
broadcast, *v.t.* שִׁדֵּר
broadcast, *n.* שִׁדּוּר, מִשְׁדָּר
broaden, *v.i.* & *t.* הִרְחִיב, הִתְרַחֵב, [רחב]
broadly, *adv.* בְּהַרְחָבָה, בִּכְלָל, בְּרַחֲבוּת
broad-minded, *adj.* בַּעַל הַשְׁקָפָה רְחָבָה
broadside, *n.* צַד הָאֳנִיָּה; פְּנֵי אֳנִיָּה מִמַּעַל לַמַּיִם
brocade, *n.* רִקְמָה
broccoli, *n.* תְּרַבְתָּר (מִין כְּרוּבִית)
brochure, *n.* חוֹבֶרֶת, קֻנְטְרֵס
broil, *n.* צָלִי, צְלִיָּה; מְרִיבָה
broil, *v.t.* צָלָה (עַל גֶּחָלִים); הִתְקוֹטֵט [קטט]
broiler, *n.* מַצְלֶה, צוֹלֶה; עוֹף לִצְלִיָּה; מְחַרְחֵר רִיב
brokage, brokerage, *n.* סַרְסוּרְיָה, דְּמֵי סַרְסָרוּת
broken, *adj.* שָׁבוּר; רָצוּץ, נִדְכָּא, אֻמְלָל
broker, *n.* סַרְסוּר, מְתַוֵּךְ
bromine, *n.* בְּרוֹם; בָּאְשָׁן
bronchitis, *n.* דַּלֶּקֶת הַסִּמְפּוֹנוֹת
bronze, *n.* אָרָד (בְּרוֹנְזָה)
bronze, *v.t.* צִפָּה בְּאָרָד
Bronze Age תְּקוּפַת הָאָרָד
brooch, *n.* סִכָּה, סִיךְ
brood, *n.* בְּרִיכָה (שֶׁל אֶפְרוֹחִים)
brood, *v.t.* & *i.* דָּגַר; שָׁקַע בְּמַחֲשָׁבוֹת
brooder, *n.* דּוֹגֵר, מַדְגֵּרָה; שָׁקוּעַ בְּמַחֲשָׁבוֹת
brook, *n.* נַחַל, יוּבַל, פֶּלֶג
broom, *n.* מַטְאֲטֵא; רֹתֶם
broom, *v.t.* טִאטֵא
broomstick, *n.* מַקֵּל הַמַּטְאֲטֵא
broth, *n.* מָרָק
brothel, *n.* בֵּית זוֹנוֹת, קֻבָּה
brother, *n.* אָח; חָבֵר; עָמִית
brotherhood, *n.* אַחֲוָה; רֵעוּת; אֲגֻדָּה
brother-in-law, *n.* גִּיס
brotherly, *adv.* אַחֲוָתִי
brow, *n.* גַּבָּה, גַּבַּת עַיִן; מֵצַח
browbeat, *v.t.* דִּכָּא (בְּמַבָּט חַד)
brown, *adj.* & *n.* חוּם, שָׁחֹם

brown, *v.t.* & *i.* הִשְׁחִים [שחם]
brownie, browny, *n.* שֵׁד טוֹב, רוּחַ טוֹבָה; צוֹפָה צְעִירָה; עוּגִיַּת שׁוֹקוֹלָד־אֱגוֹזִים
brownish, *adj.* שְׁחַמְחַם
browse, *n.* קֶלַח, נֵצֶר
browse, *v.t.* רָעָה; קָרָא, דִּפְדֵּף
bruise, *n.* פֶּצַע, מַכָּה
bruise, *v.t.* פָּצַע, מָעַךְ
brunch, *n.* בָּקְצָה, שַׁחְצָה
brunette, *adj.* & *n.* שְׁחַרְחֹר, שְׁחַרְחֹרֶת
brunt, *n.* תֹּקֶף, תְּקָפָה
brush, *n.* מִבְרֶשֶׁת, מִשְׂעֶרֶת; מִכְחוֹל; רְחִיפָה (נְגִיעָה קַלָּה)
brush, *v.t.* הִבְרִישׁ [ברש]; נָגַע (קַל), רָחַף; צָבַע
brusque, *adj.* נִמְהָר
brutal, *adj.* אַכְזָרִי
brutality, *n.* אַכְזָרִיּוּת
brutally, *adv.* בְּאַכְזָרִיּוּת
brute, *n.* חַיָּה; אַכְזָר; שׁוֹטֶה
brutish, *adj.* בְּהֵמִי, פֶּרֶא
brutishness, *n.* פְּרָאוּת, גַּסּוּת
bubble, *n.* בַּעְבּוּעַ
bubble, *v.t.* & *i.* בִּעְבֵּעַ
bubble gum לַעַס בּוּעוֹת
buccaneer, *n.* שׁוֹדֵד הַיָּם
buck, *n.* זָכָר; אַיָּל, תַּיִשׁ; אַרְנָב; שָׁפָן; תְּאוֹ; כּוּשִׁי; מֵי כְּבִיסָה; דּוֹלָר; עָלִיל (שֻׁלְחָן נַגָּרִים)
buck, *v.t.* & *i.* קָפַץ, דָּהַר; כִּבֵּס; הִתְנַגֵּד [נגד]
bucket, *n.* דְּלִי
bucket, *v.t.* דָּלָה
buckle, *n.* פְּרִיפָה; אַבְזָם, חֶבֶט, בַּת נֶפֶשׁ
buckle, *v.t.* & *i.* פֵּרַף; חָגַר, אִבְזֵם; הִתְאַבֵּק [אבק]; הִתְעַקֵּם [עקם]
buckshot, *n.* כַּדּוּרֵי צַיִד (לִצְבִי)
buckskin, *n.* עוֹר צְבִי
buckwheat, *n.* כֻּסֶּמֶת
bud, *n.* נִצָּן, צִיץ
bud, *v.i.* הֵנֵץ [נצץ], פָּרַח
buddy, *n.* חָבֵר
budge, *v.t.* & *i.* זָז, הֵזִיז [זוז], נָע, הֵנִיעַ [נוע]
budget, *n.* & *v.t.* תַּקְצִיב; תִּקְצֵב
buff, *n.* עוֹר רְאֵם; מְעִיל צְבָאִי; גֶּוֶן צָהֹב; גַּלְגַּל לְטוּשׁ; מַכָּה
buffalo, *n.* שׁוֹר הַבָּר
buffer, *n.* מַלְטֶשֶׁת; סוֹפֵג הֶלֶם
buffet, *n.* מִזְנוֹן; מַכַּת יָד
buffoon, *n.* לֵץ, בַּדְּחָן
buffoonery, *n.* לֵצָנוּת, בַּדְּחָנוּת
bug, *n.* חֶרֶק; פִּשְׁפֵּשׁ
buggy, *n.* & *adj.* עֲגָלָה; מְטֹרָף
bugle, *n.* חֲצוֹצְרָה
bugler, *n.* מְחַצְצֵר, חֲצוֹצְרָן
build, *n.* מִבְנֶה
build, *v.t.* & *i.* בָּנָה; בִּסֵּס, יִסַּד
builder, *n.* בַּנַּאי, בּוֹנֶה
building, *n.* בְּנִיָּה, בִּנְיָן
bulb, *n.* נוּרָה, אַגָּס; פְּקַעַת
bulge, *n.* בְּלִיטָה
bulge, *v.i.* בָּלַט, יָצָא (עֵינַיִם מֵחוֹרֵיהֶן)
bulk, *n.* גּוּף, גּוּשׁ, נֶפַח, עִקָּר
bulky, *adj.* עָבֶה, גַּס
bull, *n.* פַּר, שׁוֹר, בֶּן בָּקָר, אַבִּיר
bulldog, *n.* כֶּלֶב הַשְּׁוָרִים, כֶּלֶב חָרוּמַף
bulldozer, *n.* דַּחְפּוֹר
bullet, *n.* קָלִיעַ, כַּדּוּר
bulletin, *n.* עָלוֹן, הוֹדָעָה רִשְׁמִית
bulletproof, *adj.* חֲסִין מִקְלִיעִים
bullfight, bullfighting, *n.* מִלְחֶמֶת שְׁוָרִים

bullfinch, *n.* תַּמָּה

bullion, *n.* מְטִיל זָהָב, כֶּסֶף וְכוּ׳

bullock, *n.* שׁוֹר, פַּר בֶּן בָּקָר

bull's-eye, *n.* מֶרְכַּז הַמַּטָּרָה

bully, *n.* אַלָּם, מֵצִיק

bully, *v.t.* & *i.* הֵעִיק [עוק], אִיֵּם

bulrush, *n.* סוּף, אַגְמוֹן

bulwark, *n.* מִבְצָר, סוֹלְלָה, דָּיֵק

bumblebee, *n.* דְּבוֹרָה

bump, *n.* גַּבְנֹן; מַכָּה; חַבּוּרָה; הִתְנַגְּשׁוּת

bump, *v.t.* & *i.* נָגַף, הִכָּה; הִתְנַגֵּשׁ [נגש]

bumper, *n.* כּוֹס מְלֵאָה; מָגֵן (לִמְכוֹנִית), פָּגוֹשׁ (מִפְּנֵי נְגִישָׁה)

bumpkin, *n.* בּוּר; כַּפְרִי

bun, bunn *n.* עוּגָה, כַּעַךְ, לַחְמָנִיָּה מְתוּקָה

bunch, *n.* אֲגֻדָּה; אֶשְׁכּוֹל; זֵר, צְרוֹר; דַּבֶּשֶׁת, חֲטוֹטֶרֶת

bunch, *v.t.* אָגַד, צָרַר

bundle, *n.* חֲבִילָה, צְרוֹר, מַקְנִית

bundle, *v.t.* אָרַז, צָרַר

bungalow, *n.* מְעוֹן קַיִץ, זְבוּל פַּרְוָרִי

bungle, *v.t.* & *i.* קִלְקֵל, שִׁבֵּשׁ

bunion, *n.* יַבֶּלֶת; מָצוֹף

bunk, *n.* & *v.i.* דַּרְגָּשׁ; שְׁטוּיוֹת; לָן [לון]

bunker, *n.* מִפְחָם

bunny, *n.* אַרְנֶבֶת, שְׁפַנּוֹן

bunt, *n.* שַׂק הַמִּכְמֹרֶת, הָאֶמְצָעִי שֶׁל מִפְרָשׂ (מְרֻבָּע); פִּחָמוֹן

bunt, *v.i.* נִמְלָא [מלא] רוּחַ, הִתְנַפֵּחַ [נפח]

bunting, *n.* דֶּגֶל, קִשּׁוּט בִּדְגָלִים; דִּגְלוֹנֵי אֳנִיָּה

buoy, *n.* מָצוֹף, מְצוּפָה

buoy, *v.t.* הֵצִיף [צוף], צִיֵּן בְּמָצוֹף

buoyancy, *n.* כֹּחַ הַצִּיפָה, תְּצוּפָה, צִיפוּת; עַלִּיזוּת

buoyant, *adj.* צָף; שָׂמֵחַ

bur, burr, *n.* קוֹץ, דַּרְדַּר; קְלִפָּה קָשָׁה; גִּרְגּוּר הָ„r"; חִסְפּוּס; מַקְדֵּחַ שִׁנַּיִם; הֶרֶת, לַבְלָב

burden, *n.* מַשָּׂא, מַעֲמָסָה, מִטְעָן; מוּעָקָה; פִּזְמוֹן

burden, *v.t.* הֶעֱמִיס [עמס], הִטְרִיחַ [טרח]; הִכְבִּיד [כבד]

burdensome, *adj.* כָּבֵד, מֵעִיק, מַטְרִיחַ

bureau, *n.* לִשְׁכָּה, מִשְׂרָד; שִׁדָּה, אֲרוֹן מְגֵרוֹת; שֻׁלְחַן כְּתִיבָה

bureaucracy, *n.* פְּקִידוּת, שִׁלְטוֹן הַפְּקִידִים

burgess, *n.* אֶזְרָח (שֶׁל עִיר)

burglar, *n.* גַּנָּב

burial, burying, *n.* קְבוּרָה

burlesque, *n.* הֶפְרֵז, גַּחְכִּית

burly, *adj.* מְגֻשָּׁם

burn, *v.t.* & *i.* שָׂרַף, הִבְעִיר [בער]; בָּעַר, קָדַח, נִקְדַּח (חָלָב); נֶחֱרַךְ (תַּבְשִׁיל); נִשְׁזַף [שזף]

burn, *n.* כְּוִיָּה, צָרֶבֶת; שְׂרֵפָה; פֶּלֶג, יוּבַל

burner, *n.* מַבְעִיר; מַבְעֵר

burnish, *v.t.* מָרַט, לָטַשׁ, צִחְצַח, הִבְרִיק [ברק]

burp, *n.*, *v.t.* & *i.* גִּהוּק; גִּהֵק

burrow, *n.* מְחִלָּה, מְאוּרָה

burrow, *v.t.* & *i.* חָפַר, נָבַר

burst, *n.* פֶּרֶץ, נֶפֶץ, הִתְפָּרְצוּת

burst, *v.t.* & *i.* נִפֵּץ; נִבְקַע [בקע], נִשְׁבַּר [שבר], הִתְפּוֹצֵץ [פצץ]

bury, *v.t.* קָבַר, טָמַן, הִסְתִּיר [סתר]

bus, *n.* (מְכוֹנִית) צִבּוּרִית

bush, *n.* שִׂיחַ, חִישָׁה

bush, *v.t.* הֶעֱלָה [עלה] שִׂיחִים

bushel, *n.* בּוּשֶׁל (בארה"ב: 35.24 לִיטְרִים, בְּאַנְגְּלִיָּה: 36.37)

busily, *adv.* בַּחֲרִיצוּת

business, *n.* עֵסֶק; מִסְחָר; עִנְיָן

businesslike, *adj.* עִסְקִי, מַעֲשִׂי

bust, *n.*, *v.t.* & *i.* בֵּית חָזֶה; פֶּסֶל; שִׁבֵּר, פִּצֵּץ

bustle, *v.i.* נֶחְפַּז [חפז], אָץ [אוץ]

busy, *adj.* עָסוּק, טָרוּד

busy, *v.t.* & *i.* עָסַק, הִתְעַסֵּק [עסק]

but, *adv.* אַךְ, רַק

but, *prep.* אֶלָּא, מִלְּבַד, זוּלַת

but, *conj.* אֲבָל, אוּלָם

butcher, *n.* קַצָּב

butcher, *v.t.* שָׁחַט, הָרַג

butchery, *n.* שְׁחִיטָה, הֶרֶג; אִטְלִיז

butler, *n.* מְשָׁרֵת, שַׁמָּשׁ

butt, *n.* בָּדָל; נְגִיחָה, נְגִיפָה; סוֹף, קָצֶה (סִיגָרָה); קַת (רוֹבֶה); עַכּוּז; חָבִית (יַיִן, בִּירָה)

butt, *v.t.* נָגַח, הִכָּה

butter, *n.* חֶמְאָה; נַגְחָן, נַגָּח

butter, *v.t.* מָרַח בְּחֶמְאָה

buttercup, *n.* תְּיאָה (הַצֶּמַח), נוּרִית (הַפֶּרַח)

butterfly, *n.* פַּרְפַּר

buttocks, *n. pl.* יַשְׁבָן, אָחוֹר, אֲחוֹרַיִם, שֵׁת, עַכּוּז

button, *n.* כַּפְתּוֹר; נִצָּן

button, *v.t.* כִּפְתֵּר, פָּרַף, רָכַס

buttonhole, *n.* לוּלָאָה, אֶבֶק, אִבְקָה

buttress, *n.* אַיִל (חוֹמָה); מִשְׁעָן, מִסְעָד, מִתְמָךְ

buttress, *v.t.* סָעַד, סָמַךְ, תָּמַךְ בְּ־

buxom, *adj.* בָּרִיא, שָׁמֵן

buy, *v.t.* קָנָה; שִׁחֵד

buyer, *n.* קוֹנֶה, לָקוֹחַ

buzz, *n.* זִמְזוּם, הֶמְיָה

buzz, *v.t.* & *i.* זִמְזֵם, הָמָה

buzzard, *n.* עֲקָב, אַיָּה

by, *adv.* & *prep.* לְ־, לְפִי, עַל, עַל יַד, אֵצֶל

by-and-by בְּעוֹד זְמַן מָה

by the way דֶּרֶךְ אַגַּב

bygone, *adj.* & *n.* עָבָר

bypass, *n.* & *v.t.* מַעֲבָר; עָקַף מְכוֹנִית

by-product, *n.* מוּצָר לְוַאי, תּוֹצֶרֶת נוֹסֶפֶת

bystander, *n.* עוֹמֵד מִן הַצַּד, מִתְבּוֹנֵן

byword, *n.* פִּתְגָּם, מָשָׁל, שְׁנִינָה

C, c

C, c, *n.* סִי, ס, שׁ; כּ, ק; הָאוֹת הַשְּׁלִישִׁית בָּאָלֶף בֵּית הָאַנְגְּלִי; שְׁלִישִׁי, ג׳

cab, *n.* עֲגָלָה; מוֹנִית

cabala, *n.* קַבָּלָה

cabalism, *n.* תּוֹרַת הַקַּבָּלָה

cabalist, *n.* מְקֻבָּל

cabalistic, *adj.* קַבָּלִי

cabaret, *n.* מוֹעֲדוֹן לַיְלָה, מִסְבָּאָה

cabbage, *n.* כְּרוּב

cabin, *n.* תָּא

cabinet, *n.* חֲדַר עֲבוֹדָה; תֵּבָה; וָזָרָה, מִשְׂרָד (הַחוּץ, הַפְּנִים וְכוּ׳)

cabinetmaker, *n.* נַגָּר, רָהִיטָן

cable, *n.* כֶּבֶל; מִבְרָק עֵבֶר יַמִּי

cable, *v.t.* & *i.* כִּבֵּל; הִבְרִיק [ברק], שָׁלַח מִבְרָק

cablegram, *n.* מִבְרָק יַמִּי

cabman, *n.* עֶגְלוֹן; נֶהָג מוֹנִית
cacao, *n.* קָקָאוֹ
cache, *n.* סְלִיק, מַטְמֶנֶת נֶשֶׁק
cackle, *n.* קִרְקוּר (תַּרְנְגֹלֶת), גַּעְגּוּעַ (אֲוָז)
cackle, *v.i.* קִרְקֵר, גִּעְגַּע
cactus, *n.* צַבָּר, צָבָר
cad, *n.* רָשָׁע, נָבָל, בֶּן בְּלִיַּעַל
cadaver, *n.* חָלָל, נְבֵלָה, פֶּגֶר, גְּוִיָּה
cadaverous, *adj.* פִּגְרִי, שֶׁל נְבֵלָה
cadence, *n.* קֶצֶב, תֶּנַח, לַחַן, נְגִינָה, עֲלִיָּה וִירִידָה (קוֹל)
cadet, *n.* צָעִיר (בֵּן, אָח); פֶּרַח (קְצוּנָה, כְּהֻנָּה), צוֹעֵר, חֲנִיךְ צָבָא
café, *n.* בֵּית קַהֲוָה, קַהֲוָאָה
cafeteria, *n.* מִסְעָדָה (בְּשֵׁרוּת עַצְמִי)
cage, *n.* כְּלוּב, סוּגַר
cage, *v.t.* שָׂם [שים] בִּכְלוּב, אָסַר
cairn, *n.* גַּל אֲבָנִים
caitiff, *n.* מוּג לֵב, נִבְזֶה
cajole, *v.t.* הֶחֱנִיף [חנף], פִּתָּה
cajolement, *n.* חֲנֻפָּה, פִּתּוּי
cake, *n.* עוּגָה, תּוּפִין; חֲתִיכָה (סַבּוֹן)
cake, *v.t. & i.* גִּבֵּשׁ, הִתְגַּבֵּשׁ [גבש], הִתְקָרֵשׁ [קרש]; עָג [עוג]
calamity, *n.* אָסוֹן, אֵיד, שֵׁאת
calamitous, *adj.* שֶׁל אָסוֹן, רַע
calcination, *n.* שְׂרֵפָה לְאֵפֶר, לִבּוּן
calcium, *n.* סִידָן
calculate, *v.t. & i.* חִשֵּׁב, שִׁעֵר, אָמַד
calculation, *n.* חִשּׁוּב, חֶשְׁבּוֹן, תַּחֲשִׁיב
calculator, *n.* מְחַשֵּׁב, חַשְׁבָּן, חַשָּׁב
calculus, *n.* תּוֹרַת הַחִשּׁוּב
caldron, cauldron, *n.* קַלַּחַת, דּוּד, יוֹרָה
calendar, *n.* לוּחַ
calender, *v.t.* גִּהֵץ
calf, *n.* עֵגֶל, בֶּן בָּקָר
caliber, *n.* קֹטֶב; גֹּדֶל; קֹטֶר; יְכֹלֶת
calipers, *n. pl.* מַדְעֹבִי
calk, caulk, *v.t.* הֶחֱזִיק [חזק] בִּדְקֵי אֳנִיָּה, סָתַם
call, *n.* קְרִיאָה; בִּקּוּר
call, *v.t.* קָרָא; הִקְהִיל [קהל]; כִּנָּה; זָעַק
calligraphy, *n.* כְּתִיבָה תַּמָּה
callous, *adj.* קָשֶׁה, קְשֵׁה לֵב
callow, *adj.* רַךְ, עָרֹם, חֲסַר נוֹצוֹת
callus, *n.* יַבֶּלֶת
calm, *adj.* שׁוֹקֵט, שָׁלֵו, נִרְגָּע
calm, *n.* שֶׁקֶט, שַׁלְוָה, דּוּמִיָּה, מְנוּחָה
calm, *v.t.* הִשְׁקִיט [שקט], מִתֵּק (יָם)
calm, *v.i.* שָׁקַט, שָׁתַק, הִתְמַתֵּק [מתק]
calmly, *adv.* בְּשֶׁקֶט, בִּמְנוּחָה
calmness, *n.* שֶׁקֶט; יִשּׁוּב הַדַּעַת; רְגִיעָה (יָם)
calorie, *n.* אַבְחֹם, קָלוֹרְיָה, חֲמִית
calorimeter, *n.* מַדְחֲמִית
calumniate, *v.i.* הוֹצִיא [יצא] דִּבָּה, הֶעֱלִיל [עלל]
calumnious, *adj.* מוֹצִיא לַעַז, מַעֲלִיל
calumny, *n.* רְכִילוּת, דִּבָּה, לְשׁוֹן הָרָע
calve, *v.t. & i.* מִלֵּט עֵגֶל, פִּלֵּט
calyx, *n.* כּוֹס; גָּבִיעַ (פֶּרַח)
cam, *n.* פִּקָּה (בִּמְכוֹנוֹת)
camber, *n.* קִמּוּר, כִּפָּה
camel, *n.* גָּמָל ז׳, נָאקָה, נ׳
camera, *n.* מַצְלֵמָה; חֶדֶר אָפֵל; לִשְׁכַּת הַשּׁוֹפְטִים
camomile, chamomile, *n.* בַּבּוֹנָג
camouflage, *n.* הַסְוָאָה
camouflage, *v.t.* הִסְוָה [סוה]
camp, *n.* מַחֲנֶה, אֳהָלִיָּה
camp, *v.i.* חָנָה, יָשַׁב בְּמַחֲנֶה
campaign, *n.* מַעֲרָכָה, מַגְבִּית, מִלְחֶמֶת בְּחִירוֹת

camper, *n.* חוֹנֶה
campfire, *n.* מְדוּרָה
camphor, *n.* מוֹר, כֹּפֶר
campus, *n.* חֲצַר הַמִּכְלָלָה
can, *n.* פַּחִית
can, *v.t.* שָׂם [שים] בְּפַחִית, שִׁמֵּר
can, *v.i.* יָכֹל, יָדַע
canal, *n.* תְּעָלָה, בִּיב
canalization, *n.* תִּעוּל, בִּיּוּב
canalize, *v.t.* תִּעֵל, בִּיֵּב
canard, *n.* אֲחִיזַת עֵינַיִם, תַּרְמִית, בְּדוּתָה
canary, *n.* כַּנָּרִית
cancel, *v.t.* בִּטֵּל, מָחַק; חִתֵּם (בּוּלִים)
cancellation, *n.* בִּטּוּל, מְחִיקָה; חִתּוּם (בּוּלִים)
cancer, *n.* סַרְטָן
candelabrum, *n.* נִבְרֶשֶׁת, מְנוֹרָה
candid, *adj.* גְּלוּי לֵב, יָשָׁר
candidacy, *n.* מֻעֲמָדוּת
candidate, *n.* מֻעֲמָד
candidly, *adv.* בְּתֹם לֵבָב
candle, *n.* נֵר
candlestick, *n.* פָּמוֹט
candor, candour, *n.* גִּלּוּי לֵב
candy, *n.* סֻכָּרִיָּה, מַמְתַּקִּים
cane, *n.* קָנֶה, מַקֵּל
cane, *v.t.* הִכָּה בְּמַקֵּל, הִלְקָה [לקה]
cane sugar סֻכַּר קָנִים
canine, *adj.* כַּלְבִּי
Canis, *n.* כֶּלֶב
canister, *n.* קֻפְסָה, תֵּבָה
canker, *v.t.* הִמְאִיר [מאר]
canker, *v.i.* נֶאֱלַח [אלח]
cankerworm, *n.* אִכּוּל, יֶלֶק
canned, *adj.* כָּבוּשׁ, מְשֻׁמָּר
cannibal, *n.* אוֹכֵל אָדָם
cannibalism, *n.* אֲכִילַת אָדָם
cannon, *n.* תּוֹתָח
cannonade, *n.* הַפְגָּזָה
cannonball, *n.* כַּדּוּר תּוֹתָח, פָּגָז
cannoneer, *n.* תּוֹתְחָן
canoe, *n.* סִירָה קַלָּה, דּוּגִית, בּוּצִית
canoe, *v.i.* שָׁט בְּדוּגִית
canoeist, *n.* בַּעַל דּוּגִית
canon, *n.* חֹק, מִשְׁפָּט, דָּת; כֹּמֶר
canonical, *adj.* חֻקִּי; דָּתִי
canonization, *n.* קִדּוּשׁ, הַקְדָּשָׁה
canonize, *v.t.* כָּתַב לְחַיֵּי עוֹלָם
canopy, *n.* חֻפָּה
canopy, *v.t.* כִּסָּה בְּחֻפָּה
cant, *n.* הִתְאוֹנְנוּת, הִתְיַפְּחוּת, צְבִיעוּת
cant, *v.t.* דִּבֵּר בִּצְבִיעוּת
cant, *v.i.* הִטָּה, כָּפָה
cantaloupe, *n.* אֲבַטִּיחַ צָהֹב
cantankerous, *adj.* מִתְרַעֵם, מִתְלוֹנֵן
cantata, *n.* פִּזּוּמָה
canteen, *n.* שֶׁקֶם; מֵימִיָּה
canter, *n.* רִיצָה קַלָּה, דְּהִירָה
canter, *v.t.* הֵרִיץ [רוץ] רִיצָה קַלָּה, הִדְהִיר [דהר]
canter, *v.i.* רָץ רִיצָה קַלָּה, דָּהַר
canticle, *n.* שִׁיר
Canticles, *n. pl.* שִׁיר הַשִּׁירִים
canton, *n.* מָחוֹז, גָּלִיל
canton, *v.t.* חִלֵּק לִמְחוֹזוֹת
cantonal, *adj.* מְחוֹזִי
cantor, *n.* חַזָּן
canvas, *n.* מַשְׁתִּית (בַּד לְרִקְמָה); אֲרִיג מִפְרָשִׂים; יְרִיעָה (צִיּוּר)
canvass, *n.* בִּקֹּרֶת, חֲקִירָה, אֲסִיפַת קוֹלוֹת
canvass, *v.t. & i.* בָּחַן, בָּדַק, חִזֵּר אַחֲרֵי קוֹלוֹת (בִּבְחִירוֹת)
canyon, *n.* עָרוּץ, נָקִיק
cap, *n.* כִּפָּה, כֻּמְתָּה, כּוֹבַע; כִּסּוּי, מִכְסֶה; פִּקָּה

cap, *v.t.* כִּסָּה, הִלְבִּישׁ [לבשׁ] כִּפָּה
capability, *n.* יְכֹלֶת; כִּשְׁרוֹן
capable, *n.* מֻכְשָׁר, עָלוּל, יָכֹל
capably, *adv.* בְּכִשְׁרוֹן
capacious, *adj.* נִרְחָב, מְרֻוָּח
capacity, *n.* הֲכָלָה, קִבּוּל; כִּשְׁרוֹן תַּפְקִיד
cape, *n.* קֶפֶשׁ, שִׂכְמִיָּה; שֵׁן סֶלַע, צוּק
caper, *n.* פִּזּוּז, קִרְטוּעַ; צָלָף (שִׂיחַ)
caper, *v.i.* קִרְטֵעַ, פִּזֵּז, דָּץ [דוץ]
caperberry, *n.* אֲבִיּוֹנָה
capillary, *n.* & *adj.* שַׂעֲרָה, נִימָה; שְׂעִיר, נִימִי
capital, *adj.* רָאשִׁי, גָּדוֹל
capital, *n.* כּוֹתֶרֶת; בִּירָה; הוֹן, רְכוּשׁ, מָמוֹן
capitalism, *n.* רְכוּשָׁנוּת
capitalist, *n.* רְכוּשָׁן
capitulate, *v.i.* נִכְנַע [כנע], נִמְסַר [מסר]
capitulation, *n.* הִכָּנְעוּת, כְּנִיעָה
capon, *n.* תַּרְנְגוֹל מְסֹרָס
caprice, *n.* צִבְיוֹן
capricious, *adj.* צִבְיוֹנִי
capsize, *n.* הֲפִיכָה, הִתְהַפְּכוּת (סִירָה)
capsize, *v.t.* הָפַךְ, הִתְהַפֵּךְ (סִירָה)
capsize, *v.i.* נֶהֱפַךְ [הפך]
capsule, *n.* תַּרְמִיל, הֶלְקֵט, נַרְתִּיק, כְּמוּסָה (לִרְפוּאָה)
captain, *n.* סֶרֶן; רַב חוֹבֵל, קַבַּרְנִיט
caption, *n.* כּוֹתֶרֶת
captivate, *v.t.* כִּשֵּׁף, לָקַח לֵב
captivation, *n.* שְׁבִיָּה, לְכִידַת לֵב
captive, *n.* אָסִיר, שָׁבוּי
captivity, *n.* שֶׁבִי, שְׁבוּת
captor, *n.* שׁוֹבֶה
capture, *n.* לְכִידָה
car, *n.* מְכוֹנִית; מֶרְכָּבָה (בָּרַכֶּבֶת)
caramel, *n.* סֻכָּר שָׂרוּף, סֻכָּרִיָּה
carat, *n.* קֶרֶט
caravan, *n.* אוֹרְחָה, שַׁיָּרָה
carbine, *n.* קַרְבִּין, רוֹבֶה קָצָר וְקַל
carbohydrate, *n.* פַּחְמֵימָה
carbon, *n.* פַּחְמָן
carbon dioxide דּוּ־תַּחְמֹצֶת הַפַּחְמָן
carbuncle, *n.* כַּדְכֹּד
carburetor, carburettor, *n.* מְאַיֵּד
carcass, *n.* פֶּגֶר, נְבֵלָה
card, *n.* קְלָף, כַּרְטִיס; מַקְרֵדָה
card, *v.t.* סָרַק (פִּשְׁתָּן), נִפֵּץ (צֶמֶר); נָתַן קְלָפִים; קֵרֵד
cardboard, *n.* נְיֹרֶת, קַרְטוֹן
cardiac, *adj.* שֶׁל הַלֵּב
cardinal, *adj.* רָאשִׁי, עִקָּרִי
cardinal, *n.* חַשְׁמָן; אַדְמוֹן (צִפּוֹר)
care, *n.* דְּאָגָה; זְהִירוּת; טִפּוּל
care, *v.i.* דָּאַג, טִפֵּל
careen, *v.t.* & *i.* נָטָה עַל צִדּוֹ
career, *n.* תַּכְלִיתָנוּת, מִקְצוֹעַ, מִשְׂרָה
careful, *adj.* זָהִיר, נִשְׁמָר
carefully, *adv.* בִּזְהִירוּת, בְּדַיְּקָנוּת
carefulness, *n.* זְהִירוּת, דַּיְּקָנוּת
careless, *adj.* בִּלְתִּי זָהִיר, פָּזִיז
carelessness, *n.* רַשְׁלָנוּת, אִי זְהִירוּת
caress, *n.* לְטִיפָה
caress, *v.t.* לִטֵּף
cargo, *n.* מִטְעָן, מַשָּׂא
caricature, *n.* תְּמוּנָה מֻגְזֶמֶת, מִפְלֶצֶת
caricature, *v.t.* צִיֵּר תְּמוּנָה מֻגְזֶמֶת
caricaturist, *n.* צַיָּר תְּמוּנוֹת מֻגְזָמוֹת גַּחֲכָן
caries, *n.* עַשֶּׁשֶׁת, רִקָּבוֹן (עֲצָמוֹת)
carmine, *n.* אַרְגָּמָן, שָׁנִי, תּוֹלַע
carnal, *adj.* בְּשָׂרִי, חוּשִׁי, תַּאֲוָנִי
carnation, *n.* צִפֹּרֶן (פֶּרַח)
carnival, *n.* עַדְלְיָדַע, קַרְנָבָל

carnivorous, *adj.* אוֹכֵל בָּשָׂר
carob, *n.* חֲרוּב
carol, *n.* מִזְמוֹר, שִׁיר הַמּוֹלָד
carotid, *n.* עוֹרֵק הָרֹאשׁ
carouse, *n.* מִשְׁתֶּה
carouse, *v.t.* & *i.* סָבָא, שָׁכַר
carp, *n.* שִׁבּוּט (דָּג)
carp, *v.i.* הִטִּיל [נטל] דֹּפִי
carpenter, *n.*, *v.t.* & *i.* נַגָּר; נִגֵּר
carpentry, *n.* נַגָּרוּת
carpet, *n.* שָׁטִיחַ, מַרְבַד
carpet, *v.t.* כִּסָּה בִּשְׁטִיחִים
carriage, *n.* עֲגָלָה, מֶרְכָּבָה; הוֹבָלָה, נְשִׂיאָה; הִתְנַהֲגוּת
carrier, *n.* סַבָּל; נוֹשֵׂא (מַעֲבִיר) מַחֲלָה
carrion, *n.* נְבֵלָה
carrot, *n.* גֶּזֶר
carry, *v.t.* & *i.* נָשָׂא, הֵבִיא [בוא] הִסִּיעַ [נסע]
cart, *n.* עֲגָלָה
cart, *v.t.* נָשָׂא בַּעֲגָלָה
cartage, *n.* שְׂכַר עֲגָלָה
cartilage, *n.* חַסְחוּס, סְחוּס
cartilaginous, *adj.* סְחוּסִי
carton, *n.* נְיֹרֶת, קַרְטוֹן
cartoon, *n.* צִיּוּר הִתּוּלִי
cartoonist, *n.* צַיָּר הִתּוּלִי
cartridge, *n.* תַּחְמִישׁ, כַּדּוּר
carve, *v.t.* & *i.* גִּלֵּף, חָקַק, חָרַת
carver, *n.* חַטָּב, גַּלָּף
carving, *n.* כִּיּוּר, פִּתּוּחַ, חִטּוּב
cascade, *n.* אֶשֶׁד, אֲשֵׁדָה
cascade, *v.t.* נָפַל, זָרַם, סָחַף
case, *n.* מִשְׁפָּט; מִקְרֶה, מְאֹרָע; עֻבְדָּה; מַחֲלָה; תִּיק; אַרְגָּז; אָרוֹן
casein, *n.* גְּבִינִין
casement, *n.* מַלְבֵּן, מִסְגֶּרֶת (חַלּוֹן)
cash, *n.* פֶּרֶט, מְזֻמָּנִים; מָעוֹת; אֲגוֹרָה
cash, *v.t.* פָּרַט, מִזֵּמֵן
cashier, *n.* גִּזְבָּר, קֻפַּאי
casing, *n.* תִּיק, מִשְׁבֶּצֶת
cask, *n.* חֲבִיּוֹנָה, חָבִית
casket, *n.* קֻפְסָה; אֲרוֹן מֵתִים
casque, *n.* קַסְדָּה, כּוֹבַע מַתֶּכֶת
casserole, *n.* אִלְפָּס, קְלַחַת
cassock, *n.* מְעִיל הַכְּמָרִים
cast, *n.* הַשְׁלָכָה; צוּרָה, מַרְאֶה; דֶּפֶס, יְצִיקָה; קְבוּצַת שַׂחְקָנִים
cast, *v.i.* זָרַק, הִשְׁלִיךְ [שלך], יָצַק
castanets, *n. pl.* עַרְמוֹנִיּוֹת
castaway, *n.* נִדָּח
caste, *n.* כַּת, כִּתָּה, מַעֲמָד
castigate, *v.t.* הוֹכִיחַ [יכח], יִסֵּר
castigation, *n.* יִסּוּר, עֲנִישָׁה
casting, *n.* הַשְׁלָכָה; יְצִיקָה; הַגְרָלָה
cast iron, *n.* יַצֶּקֶת, בַּרְזֶל יָצוּק
castle, *n.* צְרִיחַ (שַׁחְמָט); טִירָה, מִגְדָּל, בִּירָנִית
castle, *v.t.* הִצְרִיחַ [צרח]
castoff, *adj.* מָאוּס, נָטוּשׁ
castor oil שֶׁמֶן קִיק
castor-oil plant קִיקָיוֹן
castrate, *n.* סָרִיס, עָקָר
castrate, *v.t.* סֵרֵס, עִקֵּר
castration, *n.* עִקּוּר, סֵרוּס
casual, *adj.* מִקְרִי, אֲרָעִי
casualty, *n.* מִקְרֶה; אָסוֹן; פָּצוּעַ; תְּאוּנָה
casuist, *n.* חָרִיף, פַּלְפְּלָן, מְפַלְפֵּל
casuistry, *n.* פִּלְפּוּל
cat, *n.* חָתוּל
cataclysm, *n.* אָסוֹן, מַהְפֵּכָה, מַבּוּל, שֶׁטֶף
catacomb, *n.* מְעָרַת כּוּכִים, מְעָרַת קְבָרִים
catalog, *n.* רְשִׁימָה (סְפָרִים וְכוּ'), קָטָלוֹג

catalog, *v.t.* הֵכִין [כון] רְשִׁימָה, קָטָלֹג
catamount, *n.* חֲתוּל הַבָּר
cataract, *n.* אֶשֶׁד, מַפַּל מַיִם; יָרוֹד, חַרְדְּלִית; תְּבַלּוּל; חַלָּזוֹן (בָּעַיִן)
catarrh, *n.* נַזֶּלֶת
catastrophe, *n.* אָסוֹן, שׁוֹאָה, חֻרְבָּן
catch, *n.* תְּפִיסָה, צֵיד דָּגִים; בְּרִיחַ (בַּמַּנְעוּל)
catch, *v.t.* תָּפַס, הֶחֱזִיק [חזק]; אָחַז (אֵשׁ); הִשִּׂיג [נשג]; נִדְבַּק [דבק] (בְּמַחֲלָה); צָד [צוד], דָּג [דוג]; הִצְטַנֵּן [צנן]
catcher, *n.* תּוֹפֵס
catchup, catsup, ketchup, *n.* רֹטֶב עַגְבָנִיּוֹת
categorical, *adj.* סוּגִי; מֻחְלָט, וַדָּאִי, נִמְרָץ
category, *n.* סוּג (עֶלְיוֹן), מַעֲמָד, מַדְרֵגָה, מַחְלָקָה
cater, *v.i.* הִסְפִּיק [ספק] מָזוֹן
caterer, *n.* סַפָּק מָזוֹן
caterpillar, *n.* זַחַל
catfish, *n.* שְׂפַמְנוּן
catgut, *n.* מֵיתָר, כְּלֵי מֵיתָרִים
cathartic, *adj.* & *n.* מְשַׁלְשֵׁל
cathedral, *n.* כְּנֵסִיָּה
catheter, *n.* אַבּוּב
catholic, *adj.* & *n.* כְּלָלִי, עוֹלָמִי, קָתוֹלִי
catsup, *v.* catchup
cattle, *n.* בָּקָר, בְּהֵמָה, אֶלֶף, מִקְנֶה
cattleman, *n.* בּוֹקֵר, בַּקָּר
caudal, *adj.* זְנָבִי
caudate, *adj.* בַּעַל זָנָב
cauldron, *v.* caldron
cauliflower, *n.* כְּרוּבִית
caulk, *v.* calk
causal, *adj.* סִבָּתִי, עִלָּתִי, גּוֹרֵם, מִקְרִי, פָּשׁוּט (לְבוּשׁ)
causality, *n.* סִבָּתִיּוּת
causally, *adv.* בְּתוֹר סִבָּה
causation, *n.* גְּרִימָה
cause, *n.* סִבָּה, טַעַם, עִלָּה, עִנְיָן, מִשְׁפָּט
cause, *v.t.* גָּרַם, הֵסֵב [סבב], הֵבִיא [בוא] לִידֵי
causeless, *adj.* חֲסַר סִבָּה, חֲסַר טַעַם
causerie, *n.* שִׂיחָה
caustic, *adj.* מְאַכֵּל; צוֹרֵב; חוֹתֵךְ; חַד
caustically, *adv.* בַּעֲקִיצָה
cauterize, *v.t.* כָּוָה, כִּוָּה, הִצְרִיב [צרב]
caution, *n.* זְהִירוּת; הַזְהָרָה, הַתְרָאָה
caution, *v.t.* הִזְהִיר [זהר], הִתְרָה [תרה]
cautious, *adj.* מָתוּן, זָהִיר, נִזְהָר
cautiously, *adv.* בִּזְהִירוּת
cautiousness, *n.* זְהִירוּת, מְתִינוּת
cavalcade, *n.* אוֹרְחַת פָּרָשִׁים
cavalier, *n.* אַבִּיר, צַבָּא, רוֹכֵב
cavalry, *n.* חֵיל פָּרָשִׁים, צְבָא רוֹכְבִים
cave, *n.* מְעָרָה, כּוּךְ, חוֹחַ
cave, *v.t.* & *i.* כָּרָה; הִתְמוֹטֵט [מוט]
cavern, *n.* נִקְרָה, חָלָל
cavernous, *adj.* מָלֵא נְקָרוֹת, חָלוּל
caviar, caviare, *n.* שַׁחְלָה, אֶשְׁכּוֹל, סְגוֹל
cavil, *n.* גִּנּוּי, דֹּפִי
cavil, *v.t.* בִּקֵּשׁ עֲלִילוֹת, הִתְגּוֹלֵל [גלל] עַל
cavity, *n.* חָלָל, חוֹר; רֵיקָנוּת; מְחִלָּה
caw, *n.* קִרְקוּר
caw, *v.t.* & *i.* קִרְקֵר
cease, *v.t.* & *i.* פָּסַק, כָּלָה, חָדַל
ceaseless, *adj.* בִּלְתִּי פּוֹסֵק
ceaselessly, *adv.* בְּלִי הֶרֶף
cedar, *n.* אֶרֶז

cede, *v.t.* וִתֵּר
ceil, *v.t.* סִפֵּן
ceiling, *n.* תִּקְרָה, סִפּוּן
celebrant, *n.* חוֹגֵג
celebrate, *v.t.* & *i.* חָגַג, הִלֵּל, שִׁבַּח
celebrated, *adj.* מְפֻרְסָם
celebration, *n.* חֲגִיגָה
celebrity, *n.* אִישׁ מְפֻרְסָם, מְהֻלָּל
celerity, *n.* מְהִירוּת, חִפָּזוֹן
celery, *n.* כַּרְפַּס
celestial, *adj.* שְׁמֵימִי, נֶאֱצָל
celibacy, *n.* פְּרִישׁוּת, רַוָּקוּת
celibate, *n.* פָּרוּשׁ, רַוָּק
cell, *n.* תָּא
cellar, *n.* מַרְתֵּף, יֶקֶב
cellular, *adj.* תָּאִי
cellule, *n.* תָּאוֹן
celluloid, *n.* צִיבִית
cellulose, *n.* תָּאִית
cement, *n.* מֶלֶט
cement, *v.t.* מִלֵּט, טָח [טוח]
cemetery, *n.* בֵּית קְבָרוֹת, בֵּית חַיִּים
censer, *n.* מִקְטֶרֶת, מַחְתָּה
censor, *n.* בַּדָּק, מְבַקֵּר, נַקְדָן
censorial, *adj.* בִּקָּרְתִּי
censorship, *n.* בִּדֹּקֶת
censure, *n.* נְזִיפָה, גִּנּוּי
censure, *v.t.* גִּנָּה, נָזַף
census, *n.* מִפְקָד
cent, *n.* סֶנְט
centenarian, *n.* בֶּן מֵאָה שָׁנָה
centenary, *n.* מֵאוֹן, מֵאָה שָׁנִים
center, centre, *n.* מֶרְכָּז, אֶמְצַע, טַבּוּר
center, centre, *v.t.* רִכֵּז
center, centre, *v.i.* הִתְרַכֵּז [רכז]
centigrade, *adj.* בַּעַל מֵאָה מַעֲלוֹת
centigram, centigramme, *n.* מְאִית הַגְּרַם, סַנְטִיגְרַם
centimeter, centimetre, *n.* מְאִית הַמֶּטֶר, סַנְטִימֶטֶר
centipede, *n.* נַדָּל
central, *adj.* מֶרְכָּזִי, אֶמְצָעִי
centralization, *n.* רִכּוּז, מִרְכּוּז
centralize, *v.t.* & *i.* רִכֵּז, מִרְכֵּז, הִתְרַכֵּז [רכז]
centralizer, *n.* רַכָּז, מְרַכֵּז
centrifugal, *adj.* בּוֹרֵחַ מֶרְכָּז
century, *n.* מֵאָה (שָׁנָה)
ceramics, *n.* קַדָּרוּת
cere, *v.t.* דִּנֵּג
cereal, *adj.* דְּגָנִי, זֵרְעוֹנִי
cerebral, *adj.* מֹחִי, מֹחָנִי
ceremonial, *adj.* טִכְסִי, מִנְהָגִי
ceremonial, *n.* סֵדֶר הַטְּכָסִים
ceremony, *n.* טֶכֶס, טֶקֶס, מִנְהָג
certain, *adj.* בָּטוּחַ, וַדַּאי, בָּרוּר; פְּלוֹנִי
certainly, *adv.* בְּוַדַּאי, בְּלִי סָפֵק
certainty, *n.* וַדָּאוּת
certificate, *n.* תְּעוּדָה, אִשּׁוּר
certified, *adj.* מְאֻשָּׁר
certify, *v.t.* אִשֵּׁר
certitude, *n.* וַדָּאוּת
cessation, *n.* הֶפְסֵק, הַפְסָקָה, חֶדֶל, חִדָּלוֹן, הֲפוּגָה, בִּטּוּל
cession, *n.* וִתּוּר, מְסִירָה
cesspool, cesspit, *n.* בִּיב (בּוֹר) שְׁפָכִים
chafe, *n.* חִכּוּךְ, שִׁפְשׁוּף
chafe, *v.t.* & *i.* הִתְרַגֵּשׁ [רגש], הִקְנִיט [קנט]
chaff, *n.* לֵיצָנוּת; מוֹץ, פְּסֹלֶת
chaff, *v.t.* & *i.* לִגְלֵג, הִתְלוֹצֵץ [ליץ]
chaffer, *n.* תַּגְרָנוּת; לַגְלְגָן, מִתְלוֹצֵץ
chaffer, *v.i.* הִתְוַכֵּחַ [וכח] עַל הַמְּחִיר, עָמַד עַל הַמִּקָּח
chagrin, *n.* צַעַר, עָגְמַת נֶפֶשׁ

chagrin, *v.t.* צַעֵר
chain, *n.* שַׁרְשֶׁרֶת, שַׁלְשֶׁלֶת, כֶּבֶל, זֵק, עֲבוֹת
chain, *v.t.* שָׁלַל, אָסַר בְּזִקִּים, כָּבַל
chair, *n.* כִּסֵּא
chair, *v.t.* הוֹשִׁיב [ישב]; שִׁמֵּשׁ יוֹשֵׁב רֹאשׁ
chairman, *n.* יוֹשֵׁב רֹאשׁ
chaise, *n.* מֶרְכָּבָה
chalice, *n.* כּוֹס, גָּבִיעַ
chalk, *n.* גִּיר, קִרְטוֹן
chalk, *v.t.* כָּתַב בְּגִיר, קִרְטֵם
challenge, *n.* הִתְגָּרוּת, תַּגְרִית, אֶתְגָּר, הַתְרָסָה, הַזְמָנָה לְדוּ־קְרָב; סַפְקָנוּת
challenge, *v.t.* הִתְגָּרָה [גרה], תִּגֵּר, הִתְרִיס [תרס] כְּנֶגֶד
challenger, *n.* תִּגְרָן
chamber, *n.* חֶדֶר, לִשְׁכָּה
chameleon, *n.* זִקִּית
chamfer, *n.* חָרִיץ
chamois, *n.* יָעֵל
chamomile, *v.* camomile
champagne, *n.* יֵין תּוֹסֵס, יֵין קוֹצֵף
champion, *n.* מְנַצֵּחַ, גִּבּוֹר, אַלּוּף
champion, *v.t.* תָּמַךְ, הֵגֵן [גנן], הֵמְלִיץ [מלץ]
championship, *n.* אַלִּיפוּת, נִצָּחוֹן, רָאשׁוּת
chance, *n.* אֶפְשָׁרוּת, מִקְרֶה, הִזְדַּמְּנוּת
chance, *v.i.* קָרָה
chancellor, *n.* שַׂר; דַּיָּן; נְשִׂיא מִכְלָלָה
chandelier, *n.* נִבְרֶשֶׁת
change, *n.* חֲלִיפִין, חִלּוּף, הֲמָרָה, שִׁנּוּי; פֶּרֶט, מָעוֹת; הִשְׁתַּנּוּת
change, *v.t. & i.* שִׁנָּה, הָפַךְ, חִלֵּף, הִתְחַלֵּף [חלף]
changeable, *adj.* מִשְׁתַּנֶּה
channel, *n.* תְּעָלָה
channel, *v.t.* תִּעֵל; כִּוֵּן, הִכְוִין [כון]
chant, *n.* זֶמֶר, זִמְרָה, מִזְמוֹר, נִגּוּן
chant, *v.i. & t.* זִמֵּר, רִנֵּן, שָׁר [שיר], קוֹנֵן [קין]
chaos, *n.* תֹּהוּ וָבֹהוּ, מְבוּכָה
chap, *n.* בָּחוּר
chap, *v.t.&i.* פִּלַּח, בָּקַע; נִסְדַּק [סדק]
chapel, *n.* בֵּית תְּפִלָּה
chaperon, *n.* חוֹסֶה, מֵגֵן, בַּת לְוַאי
chaperon, *v.t.* חָסָה
chaplain, *n.* רַב (כֹּמֶר) צְבָאִי
chapter, *n.* פֶּרֶק, סְנִיף; בָּבָא, בָּבָה
char, *v.t. & i.* חָרַךְ, גָּחַל, הָיָה לְפֶחָם
character, *n.* תְּכוּנָה, טֶבַע, אֹפִי; טִיב; אוֹת
characteristic, *adj.* אָפְיָנִי
characteristic, *n.* תְּכוּנָה, טִיב
characterization, *n.* אִפְיוּן
characterize, *v.t.* אִפְיֵן, תֵּאֵר
characterless, *adj.* מְחֻסַּר אֹפִי
charcoal, *adj.* פֶּחָם (עֵץ)
charge, *n.* מַשָּׂא, מִטְעָן; דְּאָגָה; חוֹבָה; הִשְׁתָּעֲרוּת, זְקִיפָה לְחֶשְׁבּוֹן
charge, *v.t. & i.* הֶעֱמִיס [עמס]; הֶאֱשִׁים [אשם]; הִשְׁתָּעֵר [שער] קָבַע מְחִיר, זָקַף לְחֶשְׁבּוֹן
charger, *n.* קְעָרָה; אֲגַרְטֵל; סוּס מִלְחָמָה
charily, *adv.* בִּזְהִירוּת
chariot, *n.* רֶכֶב, מֶרְכָּבָה
charioteer, *n.* רַכָּב, קָרָר; מַזָּל עֶגְלוֹן
charitable, *adj.* צַדְקָן, נְדִיב לֵב
charity, *n.* צְדָקָה, נְדָבָה, חֶסֶד
charlatan, *n.* נוֹכֵל, רַמַּאי, יִדְּעוֹנִי
charm, *n.* חֵן; קֶסֶם, חֶבֶר, כְּשָׁפִים; קָמֵעַ
charm, *v.t.* לִבֵּב; קָסַם, כִּשֵּׁף, לָחַשׁ

charmer, *n.* קוֹסֵם, חוֹבֵר, מְלַחֵשׁ; יִדְּעוֹנִי
charming, *adj.* מַקְסִים, נֶחְמָד; לוֹחֵשׁ
chart, *n.* מַפָּה, לוּחַ, תַּרְשִׁים
chart, *v.t.* רָשַׁם, לִוַּח
chart, *v.i.* עָשָׂה מַפָּה, מִפָּה
charter, *n.* אִשּׁוּר, כְּתַב זְכוּיוֹת
charter, *v.t.* אִשֵּׁר, שָׂכַר
chary, *adj.* חַסְכָן, מְקַמֵּץ; מָתוּן; זָהִיר
chase, *n.* רְדִיפָה, צַיִד
chase, *v.t. & i.* רָדַף, הִדִּיחַ [נדח]
chase, *v.t.* פִּתַּח, חָקַק
chasm, *n.* תְּהוֹם, נִקְרָה
chassis, *n.* מֶרְכָּב
chaste, *adj.* צָנוּעַ, בַּיְשָׁן, תָּם
chasten, *v.t.* הוֹכִיחַ [יכח], יִסֵּר, טִהֵר
chasteness, *n.* צְנִיעוּת, תֹּם
chastise, *v.t.* עָנַשׁ, יִסֵּר
chastisement, *n.* עֲנִישָׁה, יִסּוּר מַלְקוּת
chastity, *n.* טָהֳרַת הַמִּין, צְנִיעוּת
chat, *n.* שִׂיחָה
chat, *v.i.* שׂוֹחַח, הֵשִׂיחַ [שיח]
chattels, *n. pl.* מִטַּלְטְלִין
chatter, *n.* פִּטְפּוּט
chatter, *v.t. & i.* פִּטְפֵּט, צִפְצֵף
chatterer, *n.* פַּטָּט, פַּטְפְּטָן
chauffeur, *n.* נֶהָג
chauvinism, *n.* קַנָּאוּת, קִיצוֹנִיּוּת
chauvinist, *n.* קַנַּאי
cheap, *adj.* זוֹל; נִקְלֶה
cheapen, *v.t.* הֵזִיל [זול]
cheaply, *adv.* בְּזוֹל
cheapness, *n.* זוֹל, זוֹלוּת
cheat, *n.* הוֹנָאָה, תַּרְמִית; רַמַּאי
cheat, *v.t. & i.* הוֹנָה, [ינה], רִמָּה
cheater, *n.* נוֹכֵל, רַמַּאי

check, cheque, *n.* הַמְחָאָה; עִכּוּב, סִימָן, בַּקָּרָה; מִבְדָּק
check, *v.t.* עִכֵּב, סִמֵּן, בָּדַק, אִיֵּם
checker, chequer, *n.* בּוֹלֵם, עוֹצֵר
checker, chequer, *v.t.* שִׁבֵּץ
checkerboard, *n.* לוּחַ שַׁחְמָט
checkmate, *n.* שַׁחְמָט!
checkmate, *v.t.* נָתַן מָט, לָכַד (אֶת הַמֶּלֶךְ בְּשַׁחְמָט)
cheek, *n.* לְחִי, לֶחִי, לֶסֶת; חֻצְפָּה
cheeky, *adj.* עַז פָּנִים
cheep, *n.* צִפְצוּף, צִיּוּץ
cheep, *v.t. & i.* צִפְצֵף, צִיֵּץ
cheer, *n.* שִׂמְחָה; הֵידָד; בְּדִיחוּת
cheer, *v.t. & i.* שִׂמַּח; מָחָא כַּף; הֵרִיעַ [רוע]; עוֹדֵד [עוד]
cheerful, *adj.* שָׂמֵחַ
cheerfully, *adv.* בְּשִׂמְחָה
cheerless, *adj.* קוֹדֵר, עָצוּב, נוּגֶה
cheese, *n.* גְּבִינָה
cheesecake, *n.* עֻגַּת גְּבִינָה
chef, *n.* טַבָּח רָאשִׁי
chemical, *adj.* כִּימִי
chemist, *n.* כִּימַאי; רוֹקֵחַ
chemistry, *n.* כִּימְיָה
cheque, *v.* check
chequer, *v.* checker
cherish, *v.t.* חָשַׁב, הוֹקִיר [יקר], פִּנֵּק
cherry, *n.* דֻּבְדְּבָן; דֻּבְדְּבָנִיָּה
cherub, *n.* כְּרוּב, מַלְאָךְ; אִשָּׁה יָפָה
cherubic, *adj.* כְּרוּבִי, מַלְאָכִי
cherubim, *n. pl.* כְּרוּבִים
chess, *n.* שַׁחְמָט, אִשְׁקוּקָה
chest, *n.* חָזֶה; אַרְגָּז; תֵּבָה; אָרוֹן
chestnut, *adj.* עַרְמוֹנִי
chestnut, *n.* עַרְמוֹן
chevy, *n.* צַיִד, קוֹל צַיָּדִים

chew, *n.* לְעִיסָה, גֵּרָה
chew, *v.i.* לָעַס, כָּסַס
chewing gum צֶמֶג לְעִיסָה, לַעַס
chicanery, *n.* רַמָּאוּת, מִרְמָה, אֲחִיזַת עֵינַיִם
chick, *n.* אֶפְרוֹחַ, גּוֹזָל
chicken, *n.* תַּרְנְגוֹל, תַּרְנְגֹלֶת, פַּרְגִּית
chicken pox, *n.* אֲבַעְבּוּעוֹת רוּחַ
chick-pea, *n.* חִמְּצָה
chicory, *n.* עֹלֶשׁ
chide, *v.t.* & *i.* הוֹכִיחַ [יכח], גָּעַר, נָזַף
chief, *adj.* רָאשִׁי, עִקָּרִי
chief, *n.* רֹאשׁ, מְנַהֵל, עִקָּר
chiefly, *adv.* בְּיִחוּד, בְּעִקָּר
chieftain, *n.* רֹאשׁ שֵׁבֶט
chiffon, *n.* מַלְמָלָה, מֶשִׁי רַךְ
chilblain, *n.* אֲבַעְבּוּעוֹת חֹרֶף
child, *n.* יֶלֶד, יַלְדָּה, בֵּן, בַּת
childbirth, *n.* לֵדָה, חֶבְלֵי לֵדָה
childhood, *n.* יַלְדוּת
childish, *adj.* יַלְדוּתִי
childishness, *n.* יַלְדוּתִיּוּת
childless, *adj.* שַׁכּוּל, עֲרִירִי, עֲקָרָה
childlike, *adj.* יַלְדוּתִי, דּוֹמֶה לְיֶלֶד
children, *n. pl.* יְלָדִים, טְפָלִים, טַף
Children of Israel בְּנֵי יִשְׂרָאֵל
chill, *adj.* קָרִיר
chill, *n.* צִנָּה, קֹר, צְמַרְמֹרֶת
chill, *v.t.* קֵרֵר, צִנֵּן
chilly, *adj.* קָרִיר, צוֹנֵן
chime, *n.* צִלְצוּל פַּעֲמוֹנִים
chime, *v.t.* & *i.* צִלְצֵל בְּפַעֲמוֹנִים
chimera, *n.* מִפְלֶצֶת, תַּעְתּוּעַ
chimerical, *adj.* דִּמְיוֹנִי; מְתַעְתֵּעַ
chimney, *n.* מַעֲשֵׁנָה, אֲרֻבָּה
chimpanzee, *n.* קוֹף הָאָדָם, שִׁמְפַּנְזֶה
chin, *n.* סַנְטֵר
china, *n.* חַרְסִינָה

chinaware, *n.* כְּלֵי חֶרֶס
Chinese, *adj.* & *n.* סִינִי, בֶּן סִין, סִינִית (לָשׁוֹן)
chink, *n.* צִלְצוּל; סֶדֶק
chink, *v.i.* סָתַם סְדָקִים, נִסְדַּק [סדק]
chink, *v.t.* & *i.* קִשְׁקֵשׁ, צִלְצֵל
chip, *n.* קֵיסָם, שָׁבָב
chip, *v.t.* & *i.* סִתֵּת, שִׁבֵּב, בִּקַּע
chipper, *n.* זָרִיז, נִמְרָץ
chipper, *v.t.* צִפְצֵף
chiropodist, *n.* רוֹפֵא יַבָּלוֹת
chirp, *n.* צִפְצוּף
chisel, *n.* אִזְמֵל, חֶרֶט, מַפְסֶלֶת
chisel, *v.t.* & *i.* גִּלֵּף, חָטַב, חָצַב, חָרַת; הוֹנָה [ינה], רִמָּה
chiseler, chiseller, *n.* רַמַּאי, מְרַמֶּה, נוֹכֵל
chitchat, *n.* שִׂיחַת חֻלִּין
chiton, *n.* חָלוּק
chivalrous, *adj.* אָדִיב
chivalry, *n.* אֲדִיבוּת
chlorine, *n.* כְּלוֹר
chlorophyll, chlorophyl, *n.* יַרְקוֹן
chocolate, *n.* שׁוֹקוֹלָד
choice, *adj.* מֻבְחָר, מְשֻׁבָּח
choice, *n.* מִבְחָר, בְּרֵרָה, בְּחִירָה
choir, *n.* מַקְהֵלָה
choke, *v.t.* & *i.* חָנַק, נֶחֱנַק [חנק]
cholera, *n.* חֹלִירַע
choose, *v.t.* & *i.* בָּחַר, בֵּרֵר, אָבָה
chop, *n.* נֵתַח, חֲתִיכָה; צֵלָע, צַלְעִית
chop, *v.t.* & *i.* חָטַב, קִטַּע, קִצֵּץ
choppy, *adj.* סוֹעֵר, גּוֹעֵשׁ
choral, *adj.* שֶׁל מַקְהֵלָה
chord, *n.* מֵיתָר, חוּט
chord, *v.t.* שָׂם [שים] חוּטִים (מֵיתָרִים)
chore, *n.* מְשִׂימָה

chorus, *n.* מַקְהֵלָה

chrestomathy, *n.* מִבְחַר הַסִּפְרוּת

Christ, *n.* יֵשׁוּ הַנּוֹצְרִי

christen, *v.t.* הִטְבִּיל [טבל], קָרָא שֵׁם

Christendom, *n.* הָעוֹלָם הַנּוֹצְרִי

Christian, *adj.* & *n.* נוֹצְרִי

Christianity, *n.* נַצְרוּת

Christianize, *v.t.* נִצֵּר

Christmas, *n.* חַג הַמּוֹלָד הַנּוֹצְרִי

Christmas tree אַשׁוּחַ

chromatic, *adj.* צִבְעוֹנִי, שֶׁל חֲצָאֵי צְלִילִים

chromium, *n.* כְּרוֹם

chronic, *adj.* מְמֻשָּׁךְ

chronicle, *n.* דִּבְרֵי הַיָּמִים

chronicle, *v.t.* כָּתַב בְּסֵפֶר דִּבְרֵי הַיָּמִים

Chronicles, *n. pl.* סֵפֶר דִּבְרֵי הַיָּמִים (בַּתַּנַ"ךְ)

chronology, *n.* סֵדֶר הַדּוֹרוֹת

chronometer, *n.* מַדְזְמַן

chrysalis, *n.* גֹּלֶם

chrysanthemum, *n.* חַרְצִית

chubby, *adj.* מְסֻרְבָּל

chuck, *v.t.* הִשְׁלִיךְ [שלך]

chuckle, *n.* צְחוֹק (עָצוּר)

chuckle, *v.i.* צָחַק (בְּקִרְבּוֹ)

chum, *n.* חָבֵר, יְדִיד

chum, *v.i.* הָיָה חָבֵר, גָּר [גור] עִם חָבֵר

chump, *n.* שׁוֹטֶה, הֶדְיוֹט, חֲסַר שֵׂכֶל

church, *n.* כְּנֵסִיָּה

churchman, *n.* כֹּמֶר

churl, *n.* בּוּר, הֶדְיוֹט

churlish, *adj.* הֶדְיוֹטִי

churlishness, *n.* בַּעֲרוּת, הֶדְיוֹטוּת

churn, *n.* מַחְבֵּצָה

churn, *v.t.& i.* חִבֵּץ, חָמַר; הִתְגָּעֵשׁ [געש]

chute, *n.* מִגְלָשָׁה, מַזְחֵלָה

cicada, *n.* צְלָצַל, צְרָצַר, צַרְצוּר

cicatrice, cicatrix, *n.* צַלֶּקֶת, שָׂרֶטֶת

cider, *n.* יֵין תַּפּוּחִים

cigar, *n.* סִיגָרָה

cigarette, *n.* סִיגַרְיָה

cincture, *n.* חֲגוֹרָה, אַבְנֵט

cinder, *n.* רֶמֶץ, אֵפֶר

cinema, *n.* קוֹלְנוֹעַ, רְאִינוֹעַ

cinematograph, *n.* מְכוֹנַת (מַצְלֵמַת) קוֹלְנוֹעַ

cinnamon, *n.* קִנָּמוֹן

cipher, cypher *n.* אֶפֶס; סִפְרָה; צֹפֶן, כְּתַב סְתָרִים; מִשְׁלֶבֶת

cipher, *v.i.* & *t.* חִשֵּׁב; צָפַן, כָּתַב בִּכְתַב סְתָרִים

circa, *adv.* בְּעֵרֶךְ

circle, *n.* עִגּוּל, גֹּרֶן, מָחוֹז, חוּג

circle, *v.t.* חָג, [חוג], סִבֵּב, כִּתֵּר

circle, *v.i.* סָבַב, הִסְתּוֹבֵב [סבב]

circuit, *n.* סִבּוּב, הֶקֵּף, מַעְגַּל זֶרֶם, גְּלִילָה

circuitous, *adj.* עִגּוּלִי, עָקִיף

circular, *adj.* עָגֹל, מִסְתּוֹבֵב

circular, *n.* חוֹזֵר, מִכְתָּב חוֹזֵר

circulate, *v.t.* הֵפִיץ [פוץ]

circulate, *v.i.* סָבַב

circulation, *n.* הֲפָצָה, הִסְתּוֹבְבוּת סִבּוּב, מַחֲזוֹר; תְּפוּצָה

circulator, *n.* מֵפִיץ

circumcise, *v.t.* מָהַל, מָל [מול]

circumciser, *n.* מוֹהֵל

circumcision, *n.* מְהִילָה, בְּרִית מִילָה

circumference, *n.* הֶקֵּף, מַעְגָּל

circumnavigation, *n.* הַקָּפַת הָאָרֶץ (בָּאֳנִיָּה)

circumscribe, *v.t.* הִגְדִּיר [גדר], תָּחַם

circumscription, *n.* הַגְבָּלָה

circumspect, *adj.* זָהִיר, פִּקֵּחַ
circumstance, *n.* אֹפֶן, מַצָּב, מִקְרֶה, סִבָּה, נְסִבָּה
circumstances, *n. pl.* תְּנָאִים, נְסִבּוֹת
circumstantial, *adj.* נְסִבָּתִי, עָקִיף, מִקְרִי
circumvent, *v.t.* עָקַף, הוֹנָה [ינה], תִּחְבֵּל
circus, *n.* קִרְקָס, זִירָה; רְחָבָה, כִּכָּר
cistern, *n.* בּוֹר, בְּאֵר, גֵּב
citadel, *n.* מִבְצָר, מְצוּדָה
citation, *n.* סַעַד, הַזְכָּרָה; הוֹעָדָה
cite, *v.t.* הֵבִיא [בוא], תָּבַע (לְדִין); שִׁבַּח, הִזְכִּיר [זכר] לְטוֹבָה
citric acid חֻמְצַת לִימוֹן
citron, *n.* אֶתְרוֹג, פְּרִי עֵץ הָדָר
citizen, *n.* אֶזְרָח, עִירוֹנִי
citizenship, *n.* אֶזְרָחוּת
city, *n.* עִיר, קִרְיָה
civic, *adj.* אֶזְרָחִי, עִירוֹנִי
civics, *n.* תּוֹרַת הָאֶזְרָחוּת
civil, *adj.* אָדִיב, מְנֻמָּס; אֶזְרָחִי
civilian, *n.* אֶזְרָחָן
civility, *n.* אֲדִיבוּת
civilization, *n.* תַּרְבּוּת
civilize, *v.t.* תִּרְבֵּת
clad, *adj.* לָבוּשׁ
claim, *n.* זְכוּת; דְּרִישָׁה, תְּבִיעָה
claim, *v.t.* & *i.* דָּרַשׁ, תָּבַע
claimant, *n.* תּוֹבֵעַ, דּוֹרֵשׁ
clairvoyant, *n.* מְנַחֵשׁ
clamber, *v.i.* טִפֵּס
clamor, clamour, *n.* הֲמֻלָּה, מְהוּמָה
clamor, clamour, *v.t.* & *i.* צָעַק
clamorous, clamourous, *adj.* צַעֲקָנִי
clamp, *n.* מַלְחֶצֶת, כְּלִיבָה; מְהַדֵּק, אֶטֶב
clamp, *v.t.* לָחַץ, הִדֵּק

clan, *n.* שֵׁבֶט, מִשְׁפָּחָה
clandestine, *adj.* חֲשָׁאִי, נִסְתָּר
clang, *n.* צִלְצוּל
clank, *n.* קִשְׁקוּשׁ
clannish, *adj.* שִׁבְטִי, מִשְׁפַּחְתִּי
clap, *n.* מְחִיאָה
clap, *v.t.* & *i.* מָחָא כַּף, תָּקַע יָד
clapper, *n.* עִנְבָּל; מַכּוֹשׁ
claret, *n.* יַיִן אָדֹם
clarification, *n.* זִכּוּךְ; בֵּרוּר, הִתְלַבְּנוּת
clarify, *v.t.* בֵּרֵר, הִסְבִּיר [סבר]
clarify, *v.i.* הִתְבַּהֵר [בהר], הִתְבָּרֵר [ברר]
clarinet, *n.* חָלִיל
clarion, *n.* קֶרֶן
clarity, *n.* בְּרִירוּת, בְּהִירוּת
clash, *n.* הִתְנַגְּשׁוּת
clash, *v.t.* & *i.* הִתְנַגֵּשׁ [נגש]
clasp, *n.* אֶטֶב, מַכְבֵּנָה (לְשֵׂעָר); מְהַדֵּק (לִנְיָרוֹת, לִכְבָסִים); מַנְעוּל (לְתַכְשִׁיטִים); לְחִיצָה (יָדַיִם)
clasp, *v.t.* הִדֵּק, חָבַק; לָחַץ (יָדַיִם)
class, *n.* מַעֲמָד; כִּתָּה, מַחְלָקָה; סוּג
classic, classical, *adj.* מוֹפְתִי
classic, *n.* מוֹפֵת
classification, *n.* מִיּוּן, סִוּוּג, סִדּוּר
classify, *v.t.* מִיֵּן, סִוֵּג, סִדֵּר
classmate, *n.* בֶּן מַחְלָקָה, בֶּן כִּתָּה
clatter, *n.* שָׁאוֹן, פִּטְפּוּט; חֲרִיקָה
clatter, *v.t.* הִקִּישׁ [נקש]
clatter, *v.i.* קִשְׁקֵשׁ
clause, *n.* קֶטַע, סָעִיף
clavicle, *n.* בְּרִיחַ, עֶצֶם הַבְּרִיחַ
claw, *n.* צִפֹּרֶן; שְׂרִיטָה
claw, *v.t.* טָרַף בְּצִפָּרְנַיִם, סָרַט
clay, *n.* חֹמֶר, חֵמָר, חַרְסִית
clean, *adj.* נָקִי, זַךְ, צַח

clean, *v.t.* נַקֵּה, טַהֵר, לַבֵּן
cleaner, *n.* מְנַקֶּה
cleanness, cleanliness, *n.* נִקָּיוֹן, טֹהַר
cleanse, *v.t.* טַהֵר, חַטֵּא
clear, *adj.* בָּהִיר, צַח; מוּבָן, בָּרוּר; צָלוּל (יַיִן)
clear, *v.t.* זַכֵּךְ, סַנֵּן, בָּרֵר
clear, *v.i.* סַלֵּק חֶשְׁבּוֹן, שַׁלֵּם; הִפְלִיג [פלג]; הִזְדַּכֵּךְ [זכך] (יַיִן); הִתְפַּזֵּר [פזר] (עֲנָנִים)
clearance, *n.* הֲסָרָה, הַרְחָקָה; סִלּוּק חֶשְׁבּוֹנוֹת; מִרְוָח; מְכִירָה כְּלָלִית
clearing, *n.* פִּנּוּי; פְּרִיקַת מַשָּׂא; הַסְבָּרָה; קָרַחַת יַעַר
clearinghouse, *n.* לִשְׁכַּת סִלּוּקִין
clearly, *adv.* בְּפֵרוּשׁ, בַּעֲלִיל; בָּרוּר, בִּבְהִירוּת
clearness, *n.* בְּהִירוּת, צְלִילוּת
cleat, *n.* טְרִיז, יָתֵד; שְׁלַבִּית, מַאֲחָז; אֶדֶן (סוֹלְלוֹת)
cleavage, *n.* בְּקִיעָה, פִּלּוּחַ
cleave, *v.t.* סָדַק, בָּקַע, פִּלֵּג, פָּלַח
cleave, *v.i.* נִדְבַּק [דבק], דָּבַק; נִבְקַע [בקע], נִסְדַּק [סדק]
cleaver, *n.* חוֹטֵב, פּוֹלֵחַ; קוֹפִיץ
clef, *n.* מַפְתֵּחַ תָּוִים
cleft, *n.* נְקִיק, חָגוּ; טֶרֶשׁ; שֶׁסַע
clemency, *n.* חֲנִינָה, רִתְיוֹן, רַכּוּת
clement, *adj.* רַחוּם, חַנּוּן, מְרַתֶּה, מוֹחֵל
clergy, *n.* כְּהֻנָּה
clergyman, *n.* כֹּהֵן
clerical, *adj.* שֶׁל כְּהֻנָּה, שֶׁל מַזְכִּיר
clerk, *n.* לַבְלָר, מַזְכִּיר
clever, *adj.* מֻכְשָׁר, פִּקֵּחַ, נָבוֹן, חָכָם
cleverly, *adv.* בְּחָכְמָה
cleverness, *n.* תְּבוּנָה
clew, *v.* clue

cliché, *n.* גְּלוּפָה
click, *n.* נְקִישָׁה
client, *n.* לָקוֹחַ, קוֹנֶה
clientele, *n.* לְקוֹחוֹת
cliff, *n.* שֵׁנָן, שְׁנִית, חוֹחַ
climate, *n.* אַקְלִים, מֶזֶג אֲוִיר
climatic, *adj.* אַקְלִימִי
climax, *n.* פִּסְגָּה; מַשְׁבֵּר
climb, *v.t.* & *i.* טִפֵּס, עָלָה; נָסַק (מָטוֹס)
climber, *n.* טַפְסָן, מְטַפֵּס (צֶמַח)
clinch, *v.t.* קָפַץ, סָגַר בְּכֹחַ, אָחַז, הֵדֵק (שִׁנַּיִם), קָמַץ (יָד); קִיֵּם; כָּפַף (מַסְמֵר); חִזֵּק
cling, *v.i.* אָחַז, דָּבַק, נִדְבַּק [דבק]
clinic, *n.* מִרְפָּאָה
clinical, *adj.* קְלִינִי
clink, *n.* קִשְׁקוּשׁ
clink, *v.t.* & *i.* קִשְׁקֵשׁ
clinker, *n.* קַשְׁקְשָׁן
clip, *n.* אֶטֶב, מְהַדֵּק; מַטְעֵן (כַּדּוּרִים); גְּזִיזָה
clip, *v.t.* & *i.* גָּזַז, כָּסַם; הִדֵּק; גָּזַר; קִצֵּץ (מַטְבְּעוֹת)
clipper, *n.* גּוֹזֵז, מַגְזֵזָה; מִפְרָשִׂית; מָטוֹס גָּדוֹל
clipping, *n.* גֶּזֶר (גְּזַר עִתּוֹן וְכוּ׳)
clique, *n.* כְּנוּפְיָה, חֲבוּרָה
clitoris, *n.* דַּגְדְּגָן
cloak, *n.* מְעִיל, אַדֶּרֶת, גְּלִימָה, קֶפֶשׁ
cloak, *v.t.* הִלְבִּישׁ [לבש] אַדֶּרֶת
cloak, *v.i.* לָבַשׁ אַדֶּרֶת
clock, *n.* שָׁעוֹן
clockwork, *n.* מְכוֹנַת הַשָּׁעוֹן
clod, *n.* רֶגֶב, גּוּשׁ
clog, *n.* נַעַל עֵץ, קַבְקָב; מַעֲצוֹר
clog, *v.t.* & *i.* חָסַם, עִכֵּב; סָתַם, הִסְתַּתֵּם [סתם], נִדְבַּק [דבק]

cloister, *n.* מִנְזָר; סְטָו
cloister, *v.t.* סָגַר בְּמִנְזָר
cloistral, *adj.* מִנְזָרִי
close, *adj.* סָגוּר, נָעוּל; צָפוּף; קָרוֹב, דּוֹמֶה; מַחֲנִיק (אֲוִיר); קַמְצָן
close, *n.* גְּמַר, סוֹף, רַחֲבַת מִנְזָר
close, *v.t.* סָגַר, עָצַם, גָּמַר, בָּלַם
close, *v.i.* נִסְגַּר [סגר], נִנְעַל [נעל], הִתְחַבֵּר [חבר]
closeness, *n.* צְפִיפוּת, דֹּחַק
closet, *n.* אֲרוֹן (בְּגָדִים) קִיר, חָדָר; חֶדֶר מְיֻחָד, חֲדַר מוֹעָצָה
closet, *v.t.* סָגַר
closure, *n.* סְגִירָה, סְתִימָה, סוֹף
clot, *n.* עַבְטִיט (דָּם קָרוּשׁ), חֲרָרַת דָּם; גּוּשׁ
clot, *v.i.* & *t.* קָרַשׁ, קָפָא; נִקְרַשׁ [קרש], נִקְפָּא [קפא]
cloth, *n.* אָרִיג, אֶרֶג, בַּד; מַטְלִית
clothe, *v.t.* הִלְבִּישׁ [לבש], עָטָה
clothes, *n. pl.* בְּגָדִים, מַלְבּוּשִׁים
clothier, *n.* מוֹכֵר בְּגָדִים
clothing, *n.* מַלְבּוּשׁ, לְבוּשׁ
cloud, *n.* עָב, עָנָן, נָשִׂיא, חָזִיז
cloud, *v.t.* & *i.* הִתְעַנֵּן [ענן], הִתְכַּסָּה [כסה] בַּעֲנָנִים, הִתְקַדֵּר [קדר]; הֶאֱפִיל [אפל]; הֵעִיב [עוב], הֶחֱשִׁיךְ [חשך]
cloudburst, *n.* שֶׁבֶר נְשִׂיאִים
cloudless, *adj.* בָּהִיר
cloudlet, *n.* עֲנָנָה
cloudy, *adj.* מְעֻנָּן
clout, *n.* מַטְלִית, סְחָבָה; מַטָּרָה; מַכָּה, סְטִירַת לֶחִי
clout, *v.t.* הִכָּה [נכה], סָטַר
clove, *n.* קַרְפּוֹל (תַּבְלִין)
clover, *n.* שַׁלְשׁוֹן, תִּלְתָּן
clown, *n.* בַּדְּחָן, בַּדְחָן, גַּחְכָּן, לֵץ

cloy, *v.t.* הִשְׂבִּיעַ [שבע], הָיָה לְזָרָא
club, *n.* אַלָּה; מוֹעֲדוֹן
club, *v.t.* הִכָּה [נכה] בְּאַלָּה
cluck, *n.* קִרְקוּר
cluck, *v.i.* קִרְקֵר
clue, clew, *n.* פְּקַעַת חוּטִים; קְצֵה מִפְרָשׂ; רֶמֶז, סִימָן; מַפְתֵּחַ (לְפִתְרוֹן)
clump, *n.* קְבוּצַת עֵצִים; גּוּשׁ; סֻלְיָה נוֹסֶפֶת; פְּסִיעָה גַּסָּה
clump, *v.i.* הָלַךְ בִּכְבֵדוּת
clumsy, *adj.* מְסֻרְבָּל, מְגֻשָּׁם
cluster, *n.* אֶשְׁכֹּל
cluster, *v.i.* צָמַח בְּאֶשְׁכֹּלוֹת; הִתְקַהֵל [קהל]
clutch, *n.* אֲחִיזָה, תְּפִיסָה; צִפֹּרֶן; מַצְמֵד, מַזְוֵג; בְּרֵיכַת אֶפְרוֹחִים
clutch, *v.t.* & *i.* אָחַז, תָּפַשׂ; דָּגַר
clutter, *n.* מְבוּכָה
clyster, *n.* חֹקֶן
coach, *n.* עֲגָלָה, מֶרְכָּבָה; מְאַמֵּן
coach, *v.t.* & *i.* לִמֵּד, הֵכִין [כון], אִמֵּן; הִתְחַנֵּךְ [חנך]
coachman, *n.* עֶגְלוֹן
coagulate, *v.t.* הִקְפִּיא [קפא], הִקְרִישׁ [קרש]
coagulate, *v.i.* קָרַשׁ
coagulation, *n.* קְרִישָׁה, הַקְרָשָׁה
coal, *n.* פֶּחָם
coal, *v.t.* סִפֵּק פֶּחָם
coal, *v.i.* הִצְטַיֵּד [צוד] בְּפֶחָם
coalesce, *v.i.* הִתְמַזֵּג [מזג], הִתְאַחֵד [אחד]
coalescence, *n.* אִחוּד, חִבּוּר
coalition, *n.* הִתְחַבְּרוּת
coal oil נֵפְט, שֶׁמֶן פְּחָמִים
coal tar זֶפֶת פְּחָמִים, עִטְרָן
coarse, *adj.* גַּס, עָבֶה
coarsely, *adv.* בְּגַסּוּת

coarseness, *n.* גַּסּוּת
coast, *n.* חוֹף, שְׂפַת הַיָּם
coast, *v.i.* שָׁט [שוט] קָרוֹב לַחוֹף, גָּלַשׁ
coastal, *adj.* חוֹפָנִי
coaster, *n.* סְפִינַת חוֹף
coast guard שׁוֹמְרֵי חוֹף
coat, *n.* מְעִיל, בֶּגֶד; שִׁכְבָה
coat, *v.t.* כִּסָּה (בְּצֶבַע), מָרַח
coax, *v.t.* שִׁדֵּל
cob, *n.* אֶשְׁבּוֹל, שִׁבֹּלֶת הַתִּירָס; בַּרְבּוּר; עַכָּבִישׁ
cobalt, *n.* זָרְנִיךְ, קֹבֶלֶת, שֵׁדָן
cobble, *v.t.* & *i.* תִּקֵּן נַעֲלַיִם
cobbler, *n.* סַנְדְּלָר, רַצְעָן
cobra, *n.* פֶּתֶן
cobweb, *n.* קוּרֵי עַכָּבִישׁ
cochineal, *n.* זְהוֹרִית
cochlea, *n.* שַׁבְּלוּל (הָאֹזֶן)
cock, *n.* תַּרְנְגוֹל, שֶׂכְוִי, גֶּבֶר; הֹלֶם (רוֹבֶה); בֶּרֶז
cock, *v.t.* הֵרִים [רום], זָקַף; דָּרַךְ
cockatoo, *n.* תֻּכִּי
cockeye, *n.* עַיִן פּוֹזֶלֶת
cockle, *n.* שַׁבְּלוּל
cockroach, *n.* חִפּוּשִׁית הַבַּיִת, יְבוּסִי
cocktail, *n.* מַשְׁקֶה כָּהֳלִי, פַּרְפֶּרֶת
cocky, *adj.* גֵּא, גֵּאֶה, מִתְרַבְרֵב
coconut, *n.* אֱגוֹז הֹדּוּ, נַרְגִּיל
cocoon, *n.* פְּקַעַת
cod, codfish, *n.* אִלְתִּית, חֲמוֹר הַיָּם
coddle, *n.* מְפֻנָּק
code, *n.* כְּתַב סְתָרִים; חֹק; סֵפֶר חֻקִּים, צֹפֶן
codger, *n.* קַמְצָן, כִּילַי
codicil, *n.* נִסְפָּח לַצַּוָּאָה
codification, *n.* קְבִיעַת חֻקִּים
codify, *v.t.* עָרַךְ חֻקִּים
coeducation, *n.* חִנּוּךְ מְעֹרָב

coefficient, *n.* מָנָה, מְקַדֵּם, כּוֹפֵל
coerce, *v.t.* הִכְרִיחַ [כרח]) כָּפָה
coercion, *n.* הַכְרָחָה, אִלּוּץ, כְּפִיָּה
coercive, *adj.* מַכְרִיחַ, כּוֹפֶה
coeval, *adj.* בֶּן דּוֹר, בֶּן זְמַנֵּנוּ
coexist, *v.i.* חָיָה עִם, הִתְקַיֵּם [קים] בּוֹ בִּזְמַן
coexistence, *n.* דּוּ־קִיּוּם
coffee, *n.* קַהֲוָה, קָפֶה
coffee shop קַהֲוָאָה, בֵּית קָפֶה
coffin, *n.* אֲרוֹן מֵתִים
cog, *n.* שֵׁן (בְּגַלְגַּל)
cog, *v.t.* קָבַע שֵׁן; רִמָּה
cogent, *adj.* מְשַׁכְנֵעַ, מַכְרִיעַ
cogitate, *v.t.* & *i.* הִרְהֵר, הָגָה, הִתְעַשֵּׁת [עשת]
cogitation, *n.* הִרְהוּר
cognate, *adj.* דּוֹמֶה, בֶּן גֶּזַע, קָרוֹב
cognition, *n.* יְדִיעָה, דַּעַת
cognizance, *n.* הֲבָנָה, הַכָּרָה
cognizant, *adj.* יוֹדֵעַ, מַכִּיר
cohabitation, *n.* בְּעִילָה, הִזְדַּוְּגוּת, בִּיאָה, גִּישָׁה, עוֹנָה
cohere, *v.i.* דָּבַק
coherence, *n.* עֲקֵבִיּוּת, חִבּוּר, קֶשֶׁר
coherent, *adj.* עֲקֵבִי, קָשִׁיר, לָכִיד, מְחֻבָּר, הֶגְיוֹנִי
cohesion, *n.* אַחְדּוּת, אִחוּד, הִתְלַכְּדוּת, קְשִׁירוּת, תַּאֲחִיזָה
cohesive, *adj.* מִתְדַּבֵּק, מִתְלַכֵּד
coiffure, *n.* תִּסְפֹּרֶת, תִּסְרֹקֶת
coil, *n.* לְפִיתָה, פְּקַעַת, סְלִיל, קְפִיץ
coil, *v.t.* גָּלַל, כָּרַךְ
coil, *v.i.* נִלְפַּת [לפת]
coin, *n.* מַטְבֵּעַ
coin, *v.t.* טָבַע, הִטְבִּיעַ [טבע]; חִדֵּשׁ מִלִּים, מִנַּח
coinage, *n.* הַטְבָּעָה, טְבִיעָה

coiner, *n.* מַטְבִּיעַ, מַנִּיחַ
coincide, *v.i.* הִסְכִּים [סכם], הִתְאִים [תאם]
coincidence, *n.* תְּחוּלָה, הַסְכָּמָה, הַתְאָמָה
coincident, *adj.* מַתְאִים, דּוֹמֶה
coition, coitus, *n.* תַּשְׁמִישׁ הַמִּטָּה, הִזְדַּוְּגוּת, מִשְׁגָּל, בִּיאָה, גִּישָׁה
coke, *n.* קוֹקְס, פַּחְמֵי אֶבֶן שְׂרוּפִים
cold, *n.* קָרָה, קֹר, צִנָּה, הִצְטַנְּנוּת
cold, *adj.* קַר, צוֹנֵן
coldblooded, *adj.* אַכְזָרִי, חֲסַר לֵב
coldhearted, *adj.* חֲסַר רֶגֶשׁ
coldness, *n.* קֹר
coleslaw, *n.* מְלִיחַ כְּרוּב
colic, *n.* עֲוִית מֵעַיִם, כְּאֵב בֶּטֶן
collaborate, *v.i.* שִׁתֵּף פְּעֻלָּה, עָבַד יַחַד עִם
collaboration, *n.* שִׁתּוּף פְּעֻלָּה
collaborator, *n.* מְסַיֵּעַ, עוֹזֵר; בּוֹגֵד
collapse, *n.* מַיִט, הִתְמוֹטְטוּת, הֶרֶס, שֶׁבֶר
collapse, *v.i.* & *t.* הִתְמוֹטֵט [מוט], כָּשַׁל; הִתְעַלֵּף [עלף]
collapsible, *adj.* מִתְקַפֵּל
collar, *n.* צַוָּארוֹן, עֲנָק
collar, *v.t.* תָּפַשׂ אָדָם בְּעָרְפּוֹ
collate, *v.t.* עָרַךְ; אָסַף; אָכַל, לָעַס
collateral, *adj.* צְדָדִי, נוֹסָף, מַקְבִּיל
collation, *n.* אֲכִילָה קַלָּה; תֵּאוּם, הִתְיָעֲצוּת
colleague, *n.* חָבֵר, רֵעַ
collect, *v.t.* אָסַף, קִבֵּץ, לִקֵּט, כִּנֵּס
collect, *v.i.* הִתְאַסֵּף [אסף], הִתְקַבֵּץ [קבץ]
collection, *n.* גְּבִיָּה, מַאֲסָף, קִבּוּץ, אֹסֶף

collective, *adj.* מְשֻׁתָּף, קִבּוּצִי
collective, *n.* קִבּוּץ
collector, *n.* מְאַסֵּף, גּוֹבֶה
college, *n.* מִכְלָלָה
collegian, *n.* מִכְלָלַנִּי, תַּלְמִיד מִכְלָלָה
collegiate, *adj.* שֶׁל מִכְלָלָה
collide, *v.i.* הִתְנַגֵּשׁ [נגש]
collie, *n.* כֶּלֶב רוֹעִים
collier, *n.* כּוֹרֵה פֶּחָם
colliery, *n.* מִכְרֵה פֶּחָם
collision, *n.* הִתְנַגְּשׁוּת
colloquial, *adj.* מְדֻבָּר
colloquy, *n.* דּוּ־שִׂיחַ, וִכּוּחַ
collusion, *n.* קֶשֶׁר, מֶרֶד, קְנוּנְיָה
colon, *n.* נְקֻדָּתַיִם (:)
colonel, *n.* אַלּוּף מִשְׁנֶה
colonial, *adj.* מוֹשָׁבְתִּי
colonist, *n.* מִתְיַשֵּׁב
colonization, *n.* יִשּׁוּב, הִתְיַשְּׁבוּת
colonize, *v.t.* & *i.* יִשֵּׁב, הִתְיַשֵּׁב [ישב]
colonnade, *n.* שְׁדֵרַת עַמּוּדִים, סְטָו
colony, *n.* מוֹשָׁבָה
color, colour, *n.* צֶבַע, גַּוָּן; אֹדֶם
color, colour, *v.t.* צָבַע, גִּוֵּן
color, colour, *v.i.* הִתְאַדֵּם [אדם]
coloration, colouration, *n.* צְבִיעָה, צִבּוּעַ; רַבְגּוֹנִיּוּת
colored, coloured, *adj.* צָבוּעַ; כּוּשִׁי; מְזֻיָּף
colorful, colourful, *adj.* צִבְעוֹנִי, חַי, סַסְגּוֹנִי
colorless, colourless, *adj.* חֲסַר צֶבַע, חֲסַר אֹפִי
colors, colours, *n. pl.* דֶּגֶל, נֵס
colossal, *adj.* עֲנָקִי
colossus, *n.* עֲנָק, פֶּסֶל עֲנָק
colt, *n.* סְיָח
columba, *n.* יוֹנָה

columbary, *n.* שׁוֹבָךְ
columbine, *adj.* יוֹנִי
column, *n.* עַמּוּד, טוּר
columnar, *adj.* עַמּוּדִי
columnist, *n.* טוּרָן (בְּעִתּוֹן)
coma, *n.* תַּרְדֵּמָה, אַלְחוּשׁ
comb, *n.* מַסְרֵק; מַגְרֵדָה; כַּרְבֹּלֶת
comb, *v.t.* & *i.* סָרַק, הִסְתָּרֵק [סרק]; נִפֵּץ; חִפֵּשׂ; הִתְנַפֵּץ [נפץ] (הַגַּל)
combat, *n.* קְרָב, דּוּ־קְרָב, הִתְגּוֹשְׁשׁוּת
combat, *v.t.* & *i.* נִלְחַם [לחם], הִתְגּוֹשֵׁשׁ [גשש]
combatant, *adj.* לוֹחֵם, נִלְחָם, מִתְגּוֹשֵׁשׁ
comber, *n.* סוֹרֵק
combination, *n.* תִּרְכֹּבֶת, הַרְכָּבָה, צֵרוּף; מִצְרֶפֶת
combine, *n.* מַקְצֵרְדָשׁ; אִגּוּד
combine, *v.t.* אִחֵד, צֵרַף
combine, *v.i.* הִתְאַחֵד [אחד], הִצְטָרֵף [צרף]
combustible, *adj.* אָכָל, בָּעִיר
combustion, *n.* בְּעִירָה, שֵׂרוּף, אִכּוּל
come, *v.i.* בָּא [בוא], אָתָה
come about קָרָה
come across הִסְכִּים; פָּגַשׁ
come back חָזַר, שָׁב [שוב]
come by הִשִּׂיג [נשג]
comedian, *n.* בַּדְחָן
comedy, *n.* מַהֲתַלָּה, קוֹמֶדְיָה
come in נִכְנַס [כנס]
comeliness, *n.* חֵן, נוֹי
comely, *adj.* מַתְאִים, הוֹלֵם; חִנָּנִי
come near קָרַב
come of age הִתְבַּגֵּר [בגר]
come out יָצָא
comestible, *adj.* רָאוּי לַאֲכִילָה, אָכִיל
comestibles, *n. pl.* מַאֲכָלִים, אֹכֶל

comet, *n.* שָׁבִיט (כּוֹכָב)
come to pass קָרָה
comfit, *n.* מַמְתָּק, פַּרְפֶּרֶת
comfort, *n.* נוֹחִיּוּת; נֶחָמָה, תַּנְחוּמִים
comfort, *v.t.* נִחֵם, אִמֵּץ
comfortable, *adj.* נוֹחַ
comforter, *n.* מְנַחֵם
comfortless, *adj.* לְלֹא נֶחָמָה
comic, *n.* מַצְחִיק
comical, *adj.* הִתּוּלִי
coming, *n.* בִּיאָה
comity, *n.* נְדִיבוּת, נֹעַם
comma, *n.* פְּסִיק (,)
command, *n.* פְּקֻדָּה, צַו; שְׁלִיטָה; חֲלִישָׁה עַל; מִפְקָדָה
command, *v.t.* & *i.* פָּקַד, צִוָּה; חָלַשׁ עַל
commandant, *n.* מְפַקֵּד
commandeer, *v.t.* גִּיֵּס לַצָּבָא
commander, *n.* שַׂר צָבָא
commandment, *n.* צַו, צִוּוּי, מִצְוָה, דָּבָר, דִּבֵּר, דִּבְּרָה
the Ten Commandments, *n. pl.* עֲשֶׂרֶת הַדְּבָרִים, עֲשֶׂרֶת הַדִּבְּרוֹת
commemorate, *v.t.* הִזְכִּיר [זכר]; חָגַג
commemoration, *n.* אַזְכָּרָה, הַזְכָּרָה, חֲגִיגָה
commence, *v.i.* הִתְחִיל [חלל]; סִיֵּם (מִכְלָלָה)
commencement, *n.* הַתְחָלָה; סִיּוּם (לִמּוּדִים)
commend, *v.t.* שִׁבַּח, קִלֵּס
commendable, *adj.* רָאוּי
commendation, *n.* שֶׁבַח, תְּהִלָּה
commensurate, *adj.* שְׁוֵה־מִדָּה, שָׁקוּל
comment, *n.* הֶעָרָה; בֵּאוּר
comment, *v.i.* פֵּרַשׁ, בֵּאֵר; הֵעִיר [עור]

commentary, *n.* פֵּרוּשׁ, בֵּאוּר
commentator, *n.* פַּרְשָׁן, מְפָרֵשׁ
commerce, *n.* מִסְחָר
commercial, *adj.* מִסְחָרִי
commercially, *adv.* בְּדֶרֶךְ הַמִּסְחָר
commercialize, *v.t.* מִסְחֵר, הָפַךְ מִסְחָרִי
commiserate, *v.t.* רִחֵם, חָמַל
commiseration, *n.* חֶמְלָה, רַחֲמָנוּת
commissary, *n.* חֲנוּת שֶׁק״ם; סוֹכֵן, עָמִיל
commission, *n.* מִשְׁלַחַת, וַעֲדָה, עֲמִילוּת, עֲמָלָה
commission, *v.t.* יִפָּה כֹּחַ, הִזְמִין [זמן], מִנָּה, גִּיֵּס
commissioner, *n.* נְצִיב
commit, *v.t.* עָשָׂה; הִפְקִיד [פקד]; סִכֵּן, סִבֵּךְ
committal, commitment, *n.* הִתְחַיְּבוּת
committee, *n.* וַעַד, וַעֲדָה
commode, *n.* שִׁדָּה, קַמְטָר
commodious, *adj.* נוֹחַ, מְרֻוָּח
commodities, *n. pl.* מִצְרָכִים מִסְחָרִיִּים
commodity, *n.* נוֹחִיּוּת; רֶוַח; סְחוֹרָה
commodore, *n.* רַב חוֹבֵל
common, *adj.* מְשֻׁתָּף; שָׁכִיחַ, צִבּוּרִי; רָגִיל, פָּשׁוּט; הֲדָדִי; הֲמוֹנִי; כְּלָלִי
commonalty, *n.* הֲמוֹן הָעָם
commoner, *n.* בֶּן הֶהָמוֹן; הֶדְיוֹט; צִיר, נִבְחָר
common law חֹק הַמְּדִינָה
commonly, *adv.* כְּרָגִיל
common noun שֵׁם עֶצֶם כְּלָלִי
commonplace, *adj.* בֵּינוֹנִי, שִׁטְחִי
commons, *n. pl.* הֲמוֹן הָעָם
common sense הַשֵּׂכֶל הַיָּשָׁר, הִגָּיוֹן
commonweal, *n.* טוֹבַת הַכְּלָל

commonwealth, *n.* קְהִלִּיָּה
commotion, *n.* זִיעַ, זַעֲזוּעַ, מְהוּמָה
commune, *n.* קְבוּצָה
commune, *v.t.* דִּבֵּר עִם
communicable, *adj.* נִמְסָר, מְדַבֵּר; מְדַבֵּק
communicant, *n.* & *adj.* מוֹדִיעַ, מִשְׁתַּתֵּף
communicate, *v.t.* מָסַר, גִּלָּה, הוֹדִיעַ [ידע]
communication, *n.* הוֹדָעָה, תִּשְׁדֹּרֶת, הִתְקַשְּׁרוּת, תִּקְשֹׁרֶת, תַּחְבּוּרָה; הִתְכַּתְּבוּת, חֲלִיפַת מִכְתָּבִים
communicative, *adj.* דַּבְּרָנִי
communion, *n.* אַחֲוָה, מַשָּׂא וּמַתָּן; הִתְיַחֲדוּת
communiqué, *n.* הוֹדָעָה רִשְׁמִית
communism, *n.* שִׁתְּפָנוּת
communist, *n.* שִׁתְּפָן
communistic, *adj.* שִׁתְּפָנִי
community, *n.* קְהִלָּה, עֵדָה, צִבּוּר; שִׁתָּפוּת
commutation, *n.* חִלּוּף, תְּמוּרָה; הַמְתָּקַת דִּין
commutator, *n.* מְשַׁנֶּה (זֶרֶם חַשְׁמַל)
commute, *v.t.* נָסַע יוֹם יוֹם; הֶחֱלִיף [חלף]; הִמְתִּיק [מתק] (דִּין)
commuter, *n.* נוֹסֵעַ קָבוּעַ, מַחֲלִיף זֶרֶם
compact, *adj.* צָפוּף, לָכוּד, מְעֻבֶּה
compact, *n.* אֲמָנָה, בְּרִית, קְנוּנְיָה; תַּמְרוּקָה (לְאַבְקָה)
compact, *v.t.* הִדֵּק, אִחֵד, צִפֵּף
companion, *n.* חָבֵר, עָמִית, שֻׁתָּף
companionship, *n.* יְדִידוּת, חֲבֵרוּת, הִתְאַגְּדוּת
company, *n.* חֶבְרָה; חֶבֶר; לַהֲקָה
comparable, *adj.* מַשְׁוֶה, מִשְׁתַּוֶּה, דּוֹמֶה לְ־

comparative, *adj.* & *n.* יַחֲסִי; עֵרֶךְ הַיִּתְרוֹן

compare, *v.t.* & *i.* הִשְׁוָה [שוה], דִּמָּה; הִשְׁתַּוָּה [שוה]

comparison, *n.* הַשְׁוָאָה, דִּמְיוֹן; מָשָׁל

compartment, *n.* חֶדֶר; תָּא, מַחְלָקָה

compass, *n.* מָחוֹג, מְחוּגָה; מַצְפֵּן; הֶקֵּף

compass, *v.t.* סוֹבֵב [סבב]; הִקִּיף [קוף]; כִּתֵּר; זָמַם

compassion, *n.* חֶמְלָה, רַחֲמָנוּת; נִחוּם

compassionate, *adj.* מְרַחֵם, רַחוּם

compatibility, *n.* הִשְׁתַּוּוּת; נָאוּת, הַתְאָמָה

compatible, *adj.* יָאֶה; מַתְאִים

compatriot, *n.* עָמִית, בֶּן אֶרֶץ

compel, *v.t.* הִכְרִיחַ [כרח], כָּפָה

compensate, *v.t.* & *i.* תִּגְמֵל, גָּמַל, פִּצָּה; קִזֵּז; שִׁלֵּם; פִּיֵּס

compensation, *n.* פִּצּוּי; תַּגְמוּל; הֲטָבָה; שִׁלּוּם, שִׁלּוּמִים; קִזּוּז

compete, *v.i.* הִתְחָרָה [חרה]

competence, competency, *n.* יְכֹלֶת; סַמְכוּת; כִּשָּׁרוֹן

competent, *adj.* מֻכְשָׁר; מְסֻגָּל; מַתְאִים

competition, *n.* תַּחֲרוּת, הִתְחָרוּת

competitive, *adj.* תַּחֲרוּתִי, הִתְחָרוּתִי

competitor, *n.* מִתְחָרֶה

compilation, *n.* אִסּוּף, אֹסֶף, מַאֲסָף; חִבּוּר

compile, *v.t.* אָסַף, לִקֵּט, חִבֵּר

compiler, *n.* מְחַבֵּר; אוֹסֵף, מְלַקֵּט

complacence, complacency, *n.* נַחַת, שַׁאֲנַנּוּת

complacent, *adj.* שְׂבַע רָצוֹן, נוֹחַ, שַׁאֲנָן

complain, *v.i.* הִתְאוֹנֵן [אנן], קָבַל; הִתְרַעֵם [רעם]

complainant, *n.* מִתְאוֹנֵן, מִתְלוֹנֵן

complaint, *n.* תְּלוּנָה, הִתְאוֹנְנוּת

complaisance, *n.* אֲדִיבוּת, נֹעַם, נִמּוּסִיּוּת

complaisant, *adj.* אָדִיב, נָעִים, נִמּוּסִי

complement, *n.* הַשְׁלָמָה, מַשְׁלִים

complement, *v.t.* הִשְׁלִים [שלם]

complementary, *adj.* מַשְׁלִים

complete, *adj.* גָּמוּר; תָּמִים; שָׁלֵם; מָלֵא

complete, *v.t.* גָּמַר; הִשְׁלִים [שלם]; מִלֵּא; כִּלָּה

completely, *adv.* בִּשְׁלֵמוּת; כָּלִיל

completeness, *n.* שְׁלֵמוּת; תַּמּוּת

completion, *n.* גְּמַר, גְּמִירָה; הַשְׁלָמָה

complex, *adj.* מְסֻבָּךְ, מֻרְכָּב

complex, *n.* תַּסְבִּיךְ; תַּצְמִיד

complexion, *n.* צֶבַע הַפָּנִים; תֹּאַר, מַרְאֶה

complexity, *n.* תִּסְבֹּכֶת

compliance, compliancy, *n.* הֵעָנוּת, הַסְכָּמָה

compliant, *adj.* מִתְרַצֶּה, מַסְכִּים

complicate, *v.t.* סִבֵּךְ

complicated, *adj.* קָשֶׁה, מְסֻבָּךְ

complication, *n.* קֹשִׁי, סִבּוּךְ, הִסְתַּבְּכוּת

complicity, *n.* הִשְׁתַּתְּפוּת בַּעֲבֵרָה

compliment, *n.* מַחְמָאָה, שֶׁבַח, תְּהִלָּה

compliment, *v.t.* הִלֵּל, שִׁבֵּחַ, בֵּרֵךְ

complimentary, *adj.* לְלֹא תְּמוּרָה, בְּכָבוֹד

comply, *v.i.* נַעֲנָה [ענה], עָשָׂה רְצוֹן, מִלֵּא בַּקָּשָׁה

component, *n.* רְכִיב

comport, *v.t.* & *i.* הִתְנַהֵג [נהג], נָאוֹת [אות]

comportment, *n.* הִתְנַהֲגוּת

compose, *v.t.* & *i.* כָּתַב; אָרַג; חִבֵּר; הִלְחִין [לחן]
composed, *adj.* שָׁלֵו, מָתוּן; מֻרְכָּב
composedly, *adv.* בְּיִשּׁוּב הַדַּעַת, בְּשֶׁקֶט
composer, *n.* מַלְחִין, מְחַבֵּר (נְגִינוֹת)
composite, *adj.* & *n.* מֻרְכָּב; צֵרוּף, תַּסְבִּיךְ
composition, *n.* חִבּוּר; הַלְחָנָה; סִדּוּר; תִּרְכֹּבֶת
compositor, *n.* סַדָּר; מְחַבֵּר; מַלְחִין
compost, *n.* בָּלְפוֹר
composure, *n.* מְתִינוּת; שֶׁקֶט; יִשּׁוּב הַדַּעַת
compote, *n.* לִפְתָּן, מְתִיקָה
compound, *adj.* מֻרְכָּב
compound, *n.* מִגְרָשׁ וּבִנְיָנָיו; תִּרְכֹּבֶת, הַרְכָּבָה; תַּעֲרֹבֶת, מִלָּה מֻרְכֶּבֶת
compound, *v.t.* & *i.* עִרְבֵּב; הִרְכִּיב [רכב]; הִתְפַּשֵּׁר [פשר]; הִכְפִּיל [כפל] רִבִּית; הִתְרַבָּה [רבה]
compound interest רִבִּית דְּרִבִּית
comprehend, *v.t.* כָּלַל; הֵבִין [בין], תָּפַס, הִשִּׂיג [נשג]
comprehensible, *adj.* מוּבָן, קַל לְהָבִין
comprehension, *n.* הֲבָנָה
comprehensive, *adj.* מֵבִין; מַקִּיף
compress, *n.* תַּחְבֹּשֶׁת, רְטִיָּה
compression, *n.* דְּחִיפוּת, לְחִיצָה, צְפִיפָה, דְּחִיסָה
compressor, *n.* מַדְחֵס, דַּחֲסָן
comprise, comprize, *v.t.* כָּלַל, נִכְלַל [כלל], הֵכִיל [כול], הֶחֱזִיק [חזק] בְּקִרְבּוֹ
compromise, *n.* פְּשָׁרָה, וִתּוּר, וְתָּרוֹן
compromise, *v.t.* פִּשֵּׁר, הִתְפַּשֵּׁר [פשר]; סִכֵּן
comptroller, *n.* מְפַקֵּחַ; מְבַקֵּר; מַשְׁגִּיחַ

compulsion, *n.* אִלּוּץ; הֶכְרֵחַ; כְּפִיָּה; אֹנֶס
compulsive, *adj.* אוֹנֵס; מַכְרִיחַ; כּוֹפֶה
compulsory, *adj.* הֶכְרֵחִי; שֶׁל חוֹבָה
compunction, *n.* חֲרָטָה, מוּסַר כְּלָיוֹת
computation, *n.* חֲשִׁיבָה, אֻמְדָּן
compute, *v.t.* חִשֵּׁב
comrade, *n.* חָבֵר, יְדִיד
comradeship, *n.* רֵעוּת, יְדִידוּת
con, *adv.* כְּנֶגֶד
con, *v.t.* שִׁנֵּן, לָמַד עַל פֶּה
concatenate, *v.t.* שִׁרְשֵׁר
concatenation, *n.* שִׁרְשׁוּר
concave, *adj.* שְׁקַעֲרוּרִי, קָעוּר
concavity, *n.* שְׁקַעֲרוּרִית
conceal, *v.t.* הִסְתִּיר [סתר], הִצְפִּין [צפן], הִטְמִין [טמן]
concealment, *n.* מִסְתָּר, הַצְפָּנָה, הַעְלָמָה, הַכְמָנָה, הֶעְלֵם
concede, *v.t.* וִתֵּר, הוֹדָה [ידה]
conceit, *n.* גַּאֲוָה, יְהִירוּת, יָהֳרָה, זָחוּת
conceited, *adj.* יָהִיר, גַּאַוְתָן
conceivable, *adj.* עוֹלֶה עַל הַדַּעַת
conceive, *v.t.* & *i.* חָשַׁב; דִּמָּה; הֵבִין [בין]; הָרָה, הִתְעַבֵּר [עבר], חִבֵּל, יִחֵם
concentrate, *v.t.* & *i.* רִכֵּז, הִתְרַכֵּז [רכז]; צִמְצֵם
concentrate, *n.* תַּרְכִּיז
concentration, *n.* רִכּוּז, הִתְרַכְּזוּת
concentric, concentrical, *adj.* מְשֻׁתָּף; מְרֻכָּז
concept, *n.* מֻשָּׂג; רַעֲיוֹן
conception, *n.* הֲבָנָה; הַשָּׂגָה; תְּפִיסָה; עִבּוּר, הִתְעַבְּרוּת, הֵרָיוֹן
concern, *n.* דְּאָגָה; חֲשָׁשׁ; מִפְעָל; עֵסֶק, יַחַס

concerning, *prep.* בְּנוֹגֵעַ לְ־, עַל אוֹדוֹת, לְגַבֵּי
concert, *n.* הֶסְכֵּם; נֶשֶׁף; מַנְגִּינָה
concert, *v.t.* הִסְכִּים [סכם]; זָמַם
concession, *n.* וִתּוּר; זִכָּיוֹן
concessionaire, *n.* זִכְיוֹנַאי, בַּעַל זִכָּיוֹן
conciliate, *v.t.* פִּיֵּס, פִּשֵּׁר
conciliation, *n.* פִּיּוּס, הַשְׁלָמָה
conciliator, *n.* מְפַיֵּס
concise, *adj.* מְקֻצָּר; תַּמְצִיתִי
conciseness, *n.* קִצּוּר; תַּמְצִית
conclude, *v.t.* & *i.* גָּמַר, סִיֵּם; כִּלָּה; הֶחֱלִיט [חלט], הִסִּיק [נסק]
conclusion, *n.* הַחְלָטָה; תּוֹצָאָה; מַסְקָנָה; סִיּוּם
conclusive, *adj.* מֻחְלָט
conclusively, *adv.* בְּהֶחְלֵט
concoct, *v.t.* עִכֵּל; הֵכִין [כון]; מָזַג; חִבֵּל; בָּדָה (סִפּוּר), הִמְצִיא [מצא]
concoction, *n.* בִּשּׁוּל; בְּדוּת; זְמָם
concomitance, concomitancy, *n.* לְוַאי; צְמִידוּת
concomitant, *n.* מְלַוֶּה, בֶּן לְוַאי, נִסְפָּח
concord, *n.* הֶסְכֵּם
concordance, *n.* הֶתְאֵם
concordant, *adj.* מַסְכִּים; מַתְאִים
concordat, *n.* אֲמָנָה, בְּרִית
concourse, *n.* רְחָבָה; פְּגִישָׁה; אֲסֵפָה
concrete, *adj.* מַמָּשִׁי, מוּחָשִׁי, מַעֲשִׂי
concrete, *n.* מַעֲזִיבָה; עַרְבֹּלֶת (בֵּטוֹן)
concrete, *v.t.* חִבֵּר; עִרְבֵּל
concrete, *v.i.* הִתְאַחֵד [אחד]; הִתְעַרְבֵּל [ערבל]
concubinage, *n.* פִּילַגְשׁוּת
concubine, *n.* פִּילֶגֶשׁ
concupiscence, *n.* אֲבִיוֹנָה, תַּאֲוַת הַמִּין
concupiscent, concupiscible, *adj.* חַמְדָנִי, מִתְאַוֶּה

concur, *v.i.* הִסְכִּים [סכם], הִתְאִים [תאם]
concurrence, *n.* הַסְכָּמָה, הַתְאָמָה
concurrent, *adj.* מַתְאִים, מַסְכִּים; מִתְאַחֵד; מַשִּׁיק
concussion, *n.* זַעֲזוּעַ, חַלְחָלָה
condemn, *v.t.* הִרְשִׁיעַ [רשע], הֶאְשִׁים [אשם], חִיֵּב; גִּנָּה, פָּסַל
condemnation, *n.* הַרְשָׁעָה, הַאֲשָׁמָה, חִיּוּב; גִּנּוּי, פְּסִילוּת
condensation, *n.* דְּחִיסָה; עִבּוּי, הִתְאַבְּכוּת, הִתְעַבּוּת
condense, *v.t.* צִמְצֵם; עִבָּה; גִּבֵּשׁ; רִכֵּז, תִּמְצֵת, קִצֵּר, צִמְצֵם
condense, *v.i.* הִתְעַבָּה [עבה], הִצְטַמְצֵם [צמצם]
condenser, *n.* מְרַכֵּז, מְעַבֶּה, מְצַמְצֵם
condescend, *v.i.* הוֹאִיל [יאל], הִשְׁתַּפֵּל [שפל], מָחַל עַל כְּבוֹדוֹ
condescension, *n.* מְחִילָה, וִתְּרוֹן, הִשְׁתַּפְּלוּת
condiment, *n.* תֶּבֶל, לֶפֶת, בַּג, פַּת בַּג, כֶּדֶו (כִּדְרֵי לֶחֶם), חֲרוֹסֶת
condition, *n.* תְּנַאי; מַצָּב
condition, *v.t.* הִתְנָה [תנה]; הֵכִין, תִּקֵּן, מִזֵּג (אֲוִיר)
conditional, *adj.* תָּלוּי; תְּנָאִי, מֻתְנֶה
condole, *v.i.* נִחֵם
condolence, *n.* תַּנְחוּמִים
condone, *v.t.* מָחַל, סָלַח
conduce, *v.i.* הוֹעִיל [יעל], הֵבִיא [בוא] לִידֵי
conducive, *adj.* מֵבִיא לִידֵי, מוֹעִיל
conduct, *n.* הַנְהָגָה, הִתְנַהֲגוּת
conduct, *v.t.* & *i.* נָהַג; נִהֵל; נִצַּח עַל; הִתְנַהֵג [נהג], הוֹבִיל [יבל]
conduction, *n.* הוֹבָלָה, הוֹלָכָה
conductive, *adj.* מוֹבִיל, מַעֲבִיר

conductivity, *n.* הוֹבָלָה, הַעֲבָרָה, מוֹלִיכוּת

conductor, *n.* מַנְהִיג, נָהָג; מוֹבִיל; מַעֲבִיר; מְנַצֵּחַ; כַּרְטִיסָן

conduit, *n.* צִנּוֹר

cone, *n.* חָרוּט, חַדּוּדִית; צְנוֹבָר; גָּבִיעַ (לִגְלִידָה)

confabulation, *n.* שִׂיחָה

confection, *n.* מִרְקַחַת

confectioner, *n.* רוֹקֵחַ

confederacy, confederation, *n.* הִתְאַחֲדוּת, בְּרִית

confederate, *adj.* & *n.* מְאֻחָה, בֶּן בְּרִית

confederate, *v.i.* הִתְחַבֵּר [חבר]

confer, *v.t.* & *i.* הִתְיָעֵץ [יעץ]; הֶעֱנִיק [ענק]

conference, *n.* יְשִׁיבָה, וְעִידָה

confess, *v.t.* & *i.* הוֹדָה [ידה], הִתְוַדָּה [ידה]

confession, *n.* וִדּוּי, הוֹדָיָה

confessor, *n.* מִתְוַדֶּה

confide, *v.t.* & *i.* בָּטַח, הֶאֱמִין [אמן] בְּ־; גִּלָּה סוֹד לְ־

confidence, *n.* אֵמוּן, בִּטָּחוֹן

confident, *adj.* מַאֲמִין, בּוֹטֵחַ

confidential, *adj.* חֲשָׁאִי, סוֹדִי

confidentially, *adv.* בְּסוֹד

confidently, *adv.* מִתּוֹךְ אֵמוּן

confine, *v.t.* הִגְדִּיר [גדר]; צִמְצֵם; יִחֵד

confinement, *n.* אֲסִירָה; לֵדָה

confirm, *v.t.* אִשֵּׁר, קִיֵּם

confirmation, *n.* אִשּׁוּר, אֲשָׁרָה, קִיּוּם; בַּר (בַּת) מִצְוָה

confirmative, confirmatory, *adj.* מְאַשֵּׁר, מְקַיֵּם

confiscate, *v.t.* הֶחֱרִים [חרם] רְכוּשׁ

confiscation, *n.* הַחֲרָמָה

conflagration, *n.* שְׂרֵפָה, דְּלֵקָה

conflict, *n.* סִכְסוּךְ, מִלְחָמָה

conflux, *n.* מִשְׁפָּךְ

conform, *v.t.* הִתְאִים [תאם], הִסְכִּים [סכם]

conformable, *adj.* מַתְאִים, הוֹלֵם

conformation, *n.* צוּרָה, מִבְנֶה, סֵדֶר

conformity, *n.* דְּמוּת, שִׁוּוּי, הִסְתַּגְּלוּת, הַתְאָמָה

confound, *v.t.* בִּלְבֵּל, עִרְבֵּב, שִׁמֵּם, הִכְלִים [כלם]

confront, *v.t.* עִמֵּת, עָמַד, הֶעֱמִיד [עמד] בִּפְנֵי

confuse, *v.t.* בִּלְבֵּל, הֵבִיךְ [בוך], עִרְבֵּב

confusion, *n.* מְבוּכָה, מְהוּמָה, בִּלְבּוּל

confutation, *n.* הַכְחָשָׁה, הֲזָמָה

confute, *v.t.* הִכְחִישׁ [כחש], סָתַר דִּבְרֵי, הִפְרִיךְ [פרך]

congeal, *v.t.* & *i.* קָרַשׁ, הִקְרִישׁ [קרש], קָפָא, הִקְפִּיא [קפא], הִתְקָרֵשׁ [קרש], הִגְלִיד [גלד]

congenial, *adj.* מַתְאִים, אָהוּד

congenital, *adj.* לֵדָתִי, שֶׁמִּלֵּדָה, מֵרֶחֶם

congest, *v.t.* & *i.* עָרַם, צָבַר, מִלֵּא יוֹתֵר מִדַּי, הִגְדִּישׁ [גדש]

congestion, *n.* צְפִיפוּת, דֹּחַק, מְלֵאוּת, גֹּדֶשׁ (דָּם)

conglomerate, *adj.* צָבוּר, מְגֻבָּב

conglomerate, *n.* אֹסֶף, גִּבּוּב

conglomeration, *n.* קִבּוּץ, כִּנּוּס, אֹסֶף

congratulate, *v.t.* בֵּרַךְ

congratulation, *n.* בְּרָכָה

congregate, *v.t.* & *i.* הִקְהִיל, הִתְקַהֵל [קהל], אָסַף

congregate, *v.i.* הִתְאַסֵּף [אסף], נִקְהַל, הִתְקַהֵל [קהל]
congregation, *n.* קְהִלָּה, עֵדָה, צִבּוּר, קְהַל מִתְפַּלְלִים
congregational, *adj.* עֲדָתִי, צִבּוּרִי
congress, *n.* כְּנֵסָה, כְּנֵסִיָּה, כֶּנֶס, כִּנּוּס בֵּית נִבְחָרִים; מִשְׁגָּל
congressional, *adj.* כְּנֵסִיָּתִי, צִבּוּרִי
congruence, congruency, *n.* הַתְאָמָה
congruent, *adj.* מַתְאִים, עִקְבִי
congruity, *n.* הֶתְאֵם, עִקְבִיּוּת
congruous, *adj.* מַתְאִים, עָקִיב
conic, conical, *adj.* חֲרוּטִי
conifer, *n.* מַחְטָן, עֵץ מַחַט
conjectural, *adj.* מְשֹׁעָר, שֶׁל אֻמְדָּנָה
conjecture, *n.* אֹמֶד, אֻמְדָּנָה, הַשְׁעָרָה סְבָרָה
conjecture, *v.t.* & *i.* שִׁעֵר, אָמַד, סָבַר
conjoin, *v.t.* אִחֵד, חִבֵּר
conjoin, *v.i.* הִתְאַחֵד [אחד], הִתְחַבֵּר [חבר]
conjoint, *adj.* מְאֻחָד, מְשֻׁתָּף
conjugal, *adj.* זוּגִי, שֶׁל נִשּׂוּאִים
conjugate, *adj.* & *n.* מְצֹרָף, מִלָּה נִגְזֶרֶת
conjugate, *v.t.* נָטָה פֹּעַל
conjugate, *v.i.* הִזְדַּוֵּג [זוג]
conjugation, *n.* בִּנְיָן, גִּזְרָה, נְטִיַּת הַפֹּעַל
conjunction, *n.* צֵרוּף, חִבּוּר; מִלַּת הַחִבּוּר, קֶשֶׁר
conjunctivitis, *n.* דַּלֶּקֶת הַלַּחְמִית
conjunctive, *adj.* מְחַבֵּר, מְאַחֵד
conjure, *v.t.* & *i.* הִשְׁבִּיעַ [שבע]; לָחַשׁ, קָסַם, כִּשֵּׁף
conjurer, conjuror, *n.* לוֹחֵשׁ, מְכַשֵּׁף, בַּעַל אוֹב; מַשְׁבִּיעַ
connect, *v.t.* & *i.* חִבֵּר, קִשֵּׁר, הִתְחַבֵּר [חבר], הִתְקַשֵּׁר [קשר]
connection, *n.* קֶשֶׁר, חִבּוּר, שַׁיָּכוּת, יַחַס
connective, *adj.* מְקַשֵּׁר, מְחַבֵּר, חִבּוּרִי
connivance, *n.* הֶסְכֵּם חֲשָׁאִי, הַעְלָמַת עַיִן
connive, *v.i.* הֶעֱלִים [עלם] עַיִן
connoisseur, *n.* מֻמְחֶה, בָּקִי, יַדְעָן
connotation, *n.* הַגְדָּרָה, רֶמֶז, מַסְקָנָה
connubial, *adj.* שֶׁל נִשּׂוּאִים
conquer, *v.t.* כָּבַשׁ, לָכַד, הִכְנִיעַ [כנע], נִצַּח
conqueror, *n.* גִּבּוֹר, מְנַצֵּחַ, כּוֹבֵשׁ, לוֹכֵד
conquest, *n.* כִּבּוּשׁ, לְכִידָה, נִצָּחוֹן
consanguinity, *n.* קִרְבַת דָּם, שְׁאֵרָה
conscience, *n.* יַדְעוּת, מַצְפּוּן, הַכָּרָה פְּנִימִית
conscienceless, *adj.* לְלֹא מַצְפּוּן, חֲסַר יַדְעוּת
conscientious, *adj.* בַּעַל מַצְפּוּן, יָשָׁר
conscious, *adj.* בַּעַל הַכָּרָה, תּוֹדָעִי, עֵרָנִי
consciously, *adv.* בְּכַוָּנָה, בִּיְדִיעָה, בְּהַכָּרָה
consciousness, *n.* הַכָּרָה, שֵׂכֶל, יְדִיעָה
conscript, *adj.* מְגֻיָּס
conscript, *n.* טִירוֹן (צָבָא), מְגֻיָּס
conscript, *v.t.* רָשַׁם (לְצָבָא), גִּיֵּס
conscription, *n.* גִּיּוּס
consecrate, *v.t.* & *adj.* הִקְדִּישׁ [קדש], קִדֵּשׁ; מְקֻדָּשׁ
consecration, *n.* הַקְדָּשָׁה, הִתְקַדְּשׁוּת
consecutive, *adj.* רָצוּף, תָּכוּף
consent, *n.* הֶסְכֵּם, הַסְכָּמָה
consent, *v.i.* אָבָה, הִסְכִּים [סכם] רָצָה, הוֹאִיל [יאל]
consequence, *n.* תּוֹצָאָה, מַסְקָנָה, עֵקֶב

consequent, *adj.* יוֹצֵא מִכַּךְ, עוֹקֵב (בָּא, רוֹדֵף) אַחֲרֵי
consequential, *adj.* עָקִיב, מַסְקָנִי
consequently, *adv.* הִלְכָּךְ, עֵקֶב זֶה
conservation, *n.* שִׁמּוּר, שְׁמִירָה, קִיּוּם
conservatism, *n.* שַׁמְרָנוּת
conservative, *adj.* מְשַׁמֵּר, שַׁמְרָנִי
conservator, *n.* שַׁמְרָן, מְשַׁמֵּר
conservatory, *n.* בֵּית מִדְרָשׁ לְזִמְרָה
conserve, *v.t.* שָׁמַר, שִׁמֵּר, חָשַׂךְ
consider, *v.t.* & *i.* הִתְבּוֹנֵן [בין] הִסְתַּכֵּל [סכל], חָשַׁב, חִשֵּׁב, הִתְחַשֵּׁב [חשב]
considerable, *adj.* רַב עֵרֶךְ, נִכָּר
considerably, *adv.* בְּכַמּוּת הֲגוּנָה, בְּמִדָּה רַבָּה
considerate, *adj.* מִתְחַשֵּׁב, נִזְהָר, מָתוּן
consideration, *n.* הִתְחַשְּׁבוּת, הִתְבּוֹנְנוּת, עִיּוּן, הוֹקָרָה; תְּמוּרָה
consign, *v.t.* מָסַר, שָׁלַח (סְחוֹרָה), הִפְקִיד [פקד]
consignee, *n.* מְקַבֵּל, שְׁגִיר
consignment, *n.* סְחוֹרָה בַּעֲמִילוּת, מִשְׁגּוֹר
consignor, *n.* שׁוֹגֵר, מְשַׁלֵּחַ, שׁוֹלֵחַ, מוֹסֵר, מַפְקִיד
consist, *v.i.* הֵכִיל [כול], הָיָה מֻרְכָּב מִ־
consistency, consistence, *n.* עֲקִיבוּת, עִקְבִיּוּת; סמֶךְ; יַצִּבוּת; מִתְיַשְּׁבוּת
consistent, *adj.* עָקִיב; יַצִּיב; אָשׁוּן; מִתְיַשֵּׁב עִם
consistently, *adv.* בַּעֲקִיבוּת, בְּהַתְאָמָה עִם
consistory, *n.* מוֹעָצָה
consolation, *n.* נֶחָמָה, תַּנְחוּמִים
consolatory, *adj.* מְנַחֵם, מְעוֹדֵד
console, *n.* זִיזִית, טִפְחָה
console, *v.t.* נִחֵם
consolidate, *v.t.* חִבֵּר, אִחֵד; חִזֵּק; גִּבֵּשׁ, מִצֵּק; יִצֵּב
consolidate, *v.i.* הִתְחַבֵּר [חבר] הִתְאַסֵּף [אסף], הִתְגַּבֵּשׁ [גבש], הִתְמַצֵּק [מצק]
consolidation, *n.* אִחוּד, חִזּוּק, הִתְאַחְדוּת, מִזּוּג, הִתְגַּבְּשׁוּת, יִצּוּב, בִּסּוּס
consommé, *n.* מְרַק בָּשָׂר
consonance, consonancy, *n.* אַחְדוּת, הַתְאָמָה; לִכּוּד קוֹלוֹת, מִזּוּג צְלִילִים
consonant, *n.* אוֹת נָעָה, אוֹת מִבְטָאָה; עִצּוּר
consort, *n.* שֻׁתָּף; חָבֵר; בַּעַל; אִשָּׁה; אֳנִיַּת לְוָי
consort, *v.t.* הִתְחַבֵּר [חבר], נִתְלַוָּה [לוה] אֶל
conspicuous, *adj.* בּוֹלֵט, בָּרוּר, חָשׁוּב, גָּלוּי
conspicuously, *adv.* בְּגָלוּי, כְּבוֹלֵט
conspiracy, *n.* קֶשֶׁר, מֶרֶד, הִתְנַקְּשׁוּת
conspirator, *n.* זוֹמֵם, מוֹרֵד, מִתְנַקֵּשׁ
conspire, *v.t.* & *i.* מָרַד, זָמַם, הִתְקַשֵּׁר [קשר]
constable, *n.* שׁוֹטֵר, בַּלָּשׁ
constabulary, *adj.* & *n.* מִשְׁטַרְתִּי; מִשְׁטָרָה
constancy, *n.* קְבִיעוּת, תְּמִידוּת, נֶאֱמָנוּת
constant, *adj.* קָבוּעַ, תְּמִידִי, תָּדִיר
constant, *n.* מִסְפָּר קַיָּם
constantly, *adv.* תָּדִיר, תָּמִיד, בִּתְמִידוּת
constellation, *n.* מַזָּל, קְבוּצַת כּוֹכָבִים
consternation, *n.* מְבוּכָה, תִּמָּהוֹן, בֶּהָלָה
constipation, *n.* אֲמִיצוּת, עֲצִירוּת

constituency, *n.* קְהַל בּוֹחֲרִים
constituent, *adj.* & *n.* בּוֹחֵר, עִקָּר, עִקָּרִי, יְסוֹד, יְסוֹדִי, מְכוֹנֵן
constitute, *v.t.* יָסַד, קָבַע, כּוֹנֵן [כון]
constitution, *n.* חֻקָּה, תְּחֻקָּה, תַּקָּנוֹן; מִבְנֶה (גּוּף), מַעֲרֶכֶת, הַרְכָּבָה
constitutional, *adj.* חֻקִּי, חֻקָּתִי; מַעַרְכְתִּי, מִבְנִי
constitutionality, *n.* חֻקָּתִיּוּת
constrain, *v.t.* הִכְרִיחַ [כרח], כָּפָה; עָצַר
constraint, *n.* הֶכְרֵחַ, אֹנֶס, עֲצִירָה, מְנִיעָה
constrict, *v.t.* צִמְצֵם, הֵדֵק, כִּוֵּץ
constriction, *n.* הִצְטַמְצְמוּת, הִדּוּק, כִּוּוּץ, הִתְכַּוְּצוּת
constrictor, *n.* (נָחָשׁ) בָּרִיחַ
construct, *v.t.* בָּנָה
construction, *n.* מִבְנֶה, בִּנְיָן, בְּנִיָּה; פֵּרוּשׁ, בֵּאוּר
constructive, *adj.* בּוֹנֶה
constructor, *n.* בּוֹנֶה
construe, *v.t.* תִּרְגֵּם, פֵּרֵשׁ, בֵּאֵר
consul, *n.* קוֹנְסוּל
consult, *v.t.* & *i.* הִתְיַעֵץ [יעץ], נוֹעַץ
consultant, consulter, *n.* יוֹעֵץ
consultation, *n.* הִתְיָעֲצוּת
consume, *v.t.* & *i.* אִכֵּל, בִּעֵר, כָּלָה; אָכַל; הִתְאַכֵּל [אכל]
consumer, *n.* אוֹכֵל; צַרְכָן
consummate, *adj.* מֻשְׁכְלָל, גָּמוּר
consummate, *v.t.* הִשְׁלִים [שלם], גָּמַר
consummation, *n.* הִתְמַלְּאוּת, הִתְגַּשְּׁמוּת
consumption, *n.* שַׁחֶפֶת, כִּלָּיוֹן, רִזּוֹן
consumptive, *adj.* מְשֻׁחָף
contact, *n.* מַגָּע, נְגִיעָה; קֶשֶׁר; תִּשְׁלֹבֶת

contact, *v.t.* & *i.* נָגַע, פָּגַע, הִפְגִּיעַ [פגע]; הִתְקַשֵּׁר [קשר]
contagion, *n.* הִתְדַּבְּקוּת
contagious, *adj.* מְדַבֵּק
contain, *v.t.* הֶחֱזִיק [חזק], הֵכִיל [כול]
contain, *v.i.* הִתְאַפֵּק
container, *n.* מֵיכָל, כְּלִי קִבּוּל
contaminate, *v.t.* סֵאֵב, טִנֵּף, זִהֵם
contamination, *n.* סֵאָבוֹן, זִהוּם
contemn, *v.t.* בָּזָה, נָאַף
contemplate, *v.t.* & *i.* הִתְבּוֹנֵן [בין] הָגָה, חָשַׁב; הִרְהֵר; הִתְכַּוֵּן [כון]
contemplation, *n.* הִתְבּוֹנְנוּת, מַחֲשָׁבָה
contemplative, *adj.* מִתְבּוֹנֵן, חוֹשֵׁב, מְהַרְהֵר
contemporaneous, *adj.* בֶּן דּוֹר
contemporary, *adj.* בֶּן זְמָן
contempt, *n.* בּוּז, בִּזּוּי, שְׁאָט נֶפֶשׁ
contemptible, *adj.* נִבְזֶה, בָּזוּי
contemptuous, *adj.* מְבַזֶּה
contend, *v.t.* & *i.* טָעַן, דָּן [דון], רָב [ריב] הִתְחָרָה [חרה]
contender, *n.* יָרִיב
content, *adj.* מְרֻצֶּה, שְׂבַע רָצוֹן
content, *n.* שִׂמְחָה, נַחַת רוּחַ; תֹּכֶן
contentedly, *adv.* בְּרָצוֹן
contention, *n.* מָדוֹן, מְרִיבָה, קְטָטָה, וִכּוּחַ
contentious, *adj.* מִתְקוֹטֵט, מְחַרְחֵר רִיב
contentment, *n.* שַׁלְוָה, שִׂמְחָה, מְנוּחָה; הִסְתַּפְּקוּת
contents, *n. pl.* תֹּכֶן הָעִנְיָנִים; נֶפַח, תְּכוּלָה
contest, *n.* תַּחֲרוּת, הִתְחָרוּת; תִּגְרָה, רִיב, הִתְמוֹדְדוּת
contest, *v.t.* & *i.* הִתְנַצֵּחַ [נצח], רָב [ריב] עִרְעֵר; הִתְחָרָה [חרה], הִתְמוֹדֵד [מדד]

contestant, contester, *n.* נִלְחָם, טוֹעֵן, מְעַרְעֵר
context, *n.* הֶקְשֵׁר
contiguous, *adj.* נוֹגֵעַ, הַבָּא בְּמַגָּע, סָמוּךְ
continence, continency, *n.* הִתְאַפְּקוּת, כְּבִישַׁת הַיֵּצֶר
continent, *adj.* מַבְלִיג, מִתְאַפֵּק, מוֹשֵׁל בְּרוּחוֹ
continent, *n.* יַבָּשָׁה, יַבֶּשֶׁת
contingency, *n.* מִקְרֶה, אֶפְשָׁרוּת
contingent, *adj.* אֶפְשָׁרִי, מִקְרִי
continual, *adj.* תְּמִידִי, מַתְמִיד, נִמְשָׁךְ
continually, *adv.* בְּלִי הֶפְסֵק, תָּמִיד
continuance, *n.* הֶמְשֵׁךְ, תְּמִידוּת
continuation, *n.* הַמְשָׁכָה, הַאֲרָכָה
continue, *v.t.* הִמְשִׁיךְ [משך], הוֹסִיף [יסף]
continue, *v.i.* נִשְׁאַר [שאר], עָמַד, הָיָה
continuity, *n.* הַתְמָדָה, הֶמְשֵׁכִיּוּת, רְצִיפוּת
continuous, *adj.* נִמְשָׁךְ, מִתְמַשֵּׁךְ
continuously, *adv.* בְּהֶמְשֵׁךְ
contort, *v.t.* עִקֵּם, עִוָּה
contortion, *n.* עִקּוּם, הַעֲוָיָה, עֲוָיָה
contour, *n.* מִתְאָר
contraband, *n.* הַבְרָחַת מֶכֶס, סְחוֹרָה אֲסוּרָה
contraceptive, *n.* כְּלִיל, כּוֹבָעוֹן, אֶמְצָעִי לִמְנִיעַת הֵרָיוֹן
contract, *n.* חוֹזֶה
contract, *v.t.* צִמְצֵם, כִּוֵּץ
contract, *v.i.* הִתְכַּוֵּץ [כוץ]; הִתְנָה [תנה], עָשָׂה חוֹזֶה
contraction, *n.* הִצְטַמְצְמוּת, הִתְכַּוְּצוּת
contractor, *n.* קַבְּלָן
contradict, *v.t.* הִכְחִישׁ [כחש], הֵזֵם [זמם], סָתַר
contradiction, *n.* נִגּוּד, הֲזָמָה, סְתִירָה, הַכְחָשָׁה
contradictory, *adj.* סוֹתֵר, מִתְנַגֵּד
contrariwise, *adv.* לְהֶפֶךְ, אַדְּרַבָּה
contrary, *adj.* מִתְנַגֵּד, סוֹתֵר, הֲפַכְפַּךְ
contrast, *n.* הַשְׁוָאָה, הֶבְדֵּל, הֶפֶךְ
contrast, *v.t.* הִשְׁוָה [שוה]
contravene, *v.t.* הֵפֵר [פור] חֹק
contribute, *v.t.* תָּרַם, נָדַב
contribution, *n.* תְּרוּמָה, נְדָבָה
contributor, *n.* תּוֹרֵם
contributory, *adj.* שֶׁל תְּרוּמָה
contrite, *adj.* עָנָו, שְׁפַל רוּחַ, נִכְנָע
contrition, *n.* נֹחַם
contrivance, *n.* הַמְצָאָה, תַּחְבּוּלָה
contrive, *v.t.* תִּחְבֵּל, הִמְצִיא [מצא] זָמַם, חִבֵּל
contriver, *n.* מַמְצִיא, תַּחְבְּלָן
control, *n.* תַּבְחִין, בִּקֹּרֶת, בַּקָּרָה, פִּקּוּחַ, הַשְׁגָּחָה, שִׁלְטוֹן
control, *v.t.* שָׁלַט, מָשַׁל, עָצַר, בִּקֵּר, פִּקֵּחַ
controller, *n.* בַּדָּק, מְבַקֵּר, מְפַקֵּחַ, מוֹשֵׁל, מַשְׁגִּיחַ
controversial, *adj.* וִכּוּחִי, שָׁנוּי בְּמַחְלֹקֶת
controversy, *n.* וִכּוּחַ, מַחֲלֹקֶת, רִיב, קְטָטָה
controvert, *v.t.* סָתַר, הִכְחִישׁ [כחש], הִתְוַכֵּחַ [וכח]
contumacious, contumelious, *adj.* עַז פָּנִים, חָצוּף, עַקְשָׁן, סוֹרֵר
contumacy, *n.* מַרְדוּת, עַקְשָׁנוּת, הִתְעַקְּשׁוּת
contusion, *n.* הֲטָחָה, חֲבָלָה, פְּצִיעָה
conundrum, *n.* חִידָה
convalesce, *v.i.* הִבְרִיא [ברא], שָׁב [שוב] לְאֵיתָנוֹ, הֶחֱלִים [חלם]

convalescence, *n.* הַחְלָמָה, הַבְרָאָה
convalescent, *adj.* & *n.* מַחֲלִים, מַבְרִיא
convene, *v.t.* הִקְהִיל [קהל], כָּנַס, כִּנֵּס
convene, *v.i.* נִקְהַל [קהל], נֶאֱסַף [אסף], הִתְכַּנֵּס [כנס]
convenience, *n.* נוֹחוּת
convenient, *adj.* נוֹחַ, רָצוּי
conveniently, *adv.* בְּנוֹחִיּוּת
convent, *n.* מִנְזָר
convention, *n.* אֲסֵפָה, וְעִידָה, כֶּנֶס, כִּנּוּס; הֶסְכֵּם
conventional, *adj.* מֻסְכָּם, מְקֻבָּל
conventual, *adj.* מִנְזָרִי
converge, *v.i.* הִתְקָרֵב [קרב], נִפְגַּשׁ [פגש], הִתְכַּנֵּס [כנס] אֶל
conversation, *n.* שִׂיחָה, שִׂיחַת רֵעִים
conversational, *adj.* שֶׁל שִׂיחָה, מְדֻבָּר
converse, *n.* הִפּוּךְ
converse, *v.i.* שָׂח [שיח], שׂוֹחַח [שיח] דִּבֵּר
conversion, *n.* הֲמָרָה, חִלּוּף, הִפּוּךְ; שְׁמָד
convert, *n.* מְשֻׁמָּד, מוּמָר, גֵּר
convert, *v.t.* & *i.* הָפַךְ, הֵמִיר [מור]; שִׁמֵּד; הִשְׁתַּנָּה
converter, convertor, *n.* מַחֲלִיף, מֵמִיר
convertible, *adj.* & *n.* מִתְחַלֵּף, מִשְׁתַּנֶּה; מְכוֹנִית עִם גַּג מִתְקַפֵּל
convex, *adj.* קָמוּר, גַּבְנוּנִי
convexity, *n.* קְמִירוּת, גַּבְנוּנִיּוּת
convey, *v.t.* הוֹבִיל [יבל]; הוֹדִיעַ [ידע]; הֶעֱבִיר [עבר]
conveyance, *n.* הוֹבָלָה; הוֹדָעָה; הַעֲבָרָה, כְּלִי (רֶכֶב), תּוֹבָלָה
conveyer, conveyor, *n.* מַעֲבִיר; מוֹלִיךְ, מוֹבִיל
convict, *n.* אָסִיר, אָשֵׁם
convict, *v.t.* הִרְשִׁיעַ [רשע], חִיֵּב
conviction, *n.* הַרְשָׁעָה, חִיּוּב בְּדִין; הַכָּרָה פְּנִימִית, שִׁכְנוּעַ
convince, *v.t.* הוֹכִיחַ [יכח], שִׁכְנֵעַ
convivial, *adj.* עַלִּיז, שָׂמֵחַ, חֲגִיגִי
conviviality, *n.* חֶדְוָה, שִׂמְחָה
convocation, *n.* סִיּוּם; עֲצֶרֶת, אֲסֵפָה
convoke, *v.t.* כִּנֵּס, הִקְהִיל [קהל]
convolution, *n.* פִּתּוּל
convoy, *n.* שַׁיָּרָה
convoy, *v.t.* לִוָּה וְהֵגֵן [גנן]
convulsion, *n.* פִּרְפּוּר, כְּוִיצָה, עֲוִית, חַלְחָלָה, חִלְחוּל
cony, *n.* שָׁפָן
coo, *v.i.* & *n.* הָמָה, הָגָה; הֶמְיַת יוֹנִים
cook, *n.* טַבָּח, מְבַשֵּׁל
cook, *v.t.* & *i.* טָבַח, בִּשֵּׁל, הִתְבַּשֵּׁל [בשל]
cookbook, *n.* טִבְחוֹן
cooker, *n.* כְּלִי בִּשּׁוּל; כּוּפָח, תַּנּוּר; מַרְחֶשֶׁת, סִיר; מְזַיֵּף חֶשְׁבּוֹנוֹת
cookery, *n.* בִּשּׁוּל, טֶבַח, טִבְחָה
cooky, cookie, *n.* עוּגִית
cool, *adj.* קַר, קָרִיר; אָדִישׁ
cool, *v.t.* צִנֵּן, קֵרֵר
cool, *v.i.* הִתְקָרֵר [קרר], הִצְטַנֵּן [צנן]
cooler, *n.* מְצַנֵּן, מְקָרֵר
coolie, *n.* סַבָּל
coolly, *adv.* בִּקְרִירוּת, בַּאֲדִישׁוּת
coolness, *n.* קְרִירוּת, צִנָּה; אֲדִישׁוּת
coop, *n.* לוּל; חֲבִית
coop, *v.t.* סָגַר, שָׂם [שים] בְּלוּל
cooper, *n.* חַבְתָּן
cooperage, *n.* חַבְתָּנוּת
co-operate, *v.i.* שִׁתֵּף פְּעֻלָּה, פָּעַל יַחַד, סִיֵּעַ
co-operation, *n.* שִׁתּוּפִיּוּת, שִׁתּוּף פְּעֻלָּה
co-operative, *adj.* שִׁתּוּפִי, מְשֻׁתָּף

co-operative, *n.* צַרְכָנִיָּה, חֲנוּת (אֲגֻדָּה) שִׁתּוּפִית
co-operator, *n.* מְסַיֵּעַ, מִשְׁתַּתֵּף
co-ordinate, *adj.* שָׁוֶה, שָׁקוּל
co-ordinate, *v.t.* הִשְׁוָה [שוה], הִתְאִים [תאם]
co-ordination, *n.* הַשְׁוָאָה, הַתְאָמָה, סִדּוּר
coot, *n.* גִּירִית
cop, *n.* שׁוֹטֵר
cope, *v.i.* יָכֹל לְ־, הִתְגַּבֵּר [גבר] עַל
copious, *adj.* גָּדוּשׁ, רָחָב, רַב
copiously, *adv.* בְּשֶׁפַע
copper, *n.* נְחֹשֶׁת
coppery, *adj.* נְחָשְׁתִּי
coppice, *n.* חֹרֶשׁ שִׂיחִים
copulate, *v.i.* הִזְדַּוֵּג [זוג]
copulation, *n.* הִזְדַּוְּגוּת, תַּשְׁמִישׁ, הַרְבָּעָה, גִּישָׁה, תַּפְקִיד
copy, *n.* פַּתְשֶׁגֶן, הֶעְתֵּק; הַעְתָּקָה, חִקּוּי; טֹפֶס; כְּתַב יָד, חֹמֶר הַדְפָּסָה
copy, *v.t.* & *i.* הֶעֱתִיק [עתק], חִקָּה
copyist, *n.* מַעְתִּיק
copyright, *n.* כָּל הַזְּכֻיּוֹת שְׁמוּרוֹת
coquet, *n.* גַּנְדְּרָן
coquet, coquette, *v.i.* הִתְגַּנְדֵּר [גנדר]
coquetry, *n.* אֲהַבְהָבִים, הִתְגַּנְדְּרוּת
coquette, *n.* אֲהַבְהֶבֶת, גַּנְדְּרָנִית
coral, *n.* אַלְמֹג, אַלְגֹּם
cord, *n.* מֵיתָר; חוּט; פְּתִיל
cord, *v.t.* קָשַׁר
cordage, *n.* חֲבָלִים, חַבְלֵי סְפִינָה
cordial, *adj.* לְבָבִי
cordiality, *n.* לְבָבִיּוּת, יְדִידוּת
corduroys, *n. pl.* מִכְנְסֵי (אָרִיג צְלָעִי) קְטִיפָה
core, *n.* לֵב; מֶרְכָּז; עִקָּר; תּוֹךְ
core, *v.t.* הוֹצִיא [יצא] הַתּוֹךְ
cork, *n.* פֶּקֶק, פְּקָק; שַׁעַם
cork, *v.t.* פָּקַק, סָתַם
corkscrew, *n.* מַחְלֵץ
cormorant, *n.* שָׁלָךְ, קַקְוַאי (עוֹף)
corn, *n.* תִּירָס; תְּבוּאָה, בָּר, דָּגָן; שֶׁבֶר; יַבֶּלֶת
cornea, *n.* קַרְנִית (הָעַיִן)
corner, *n.* פִּנָּה, זָוִית; קֶרֶן; קָצֶה; כָּנָף
corner, *v.t.* & *i.* זִוָּה
corners, *n. pl.* כְּנָפוֹת
cornerstone, *n.* אֶבֶן הַפִּנָּה
cornet, *n.* קֶרֶן (כְּלִי נְגִינָה)
cornice, *n.* כַּרְכֹּב
corolla, *n.* כּוֹתֶרֶת, עֲלֵי הַכּוֹתֶרֶת
corollary, *n.* תּוֹצָאָה, מַסְקָנָה
corona, *n.* עֲטָרָה, זֵר, כֶּתֶר
coronation, *n.* הַכְתָּרָה
coroner, *n.* חוֹקֵר (סִבּוֹת מָוֶת)
coronet, *n.* צְפִירָה; זֵר, כֶּתֶר
corporal, *n.* רַב טוּרַאי
corporal, *adj.* גּוּפָנִי, גַּשְׁמִי
corporate, *adj.* מְשֻׁתָּף, קִבּוּצִי
corporation, *n.* שֻׁתָּפוּת, חֶבְרָה חֻקִּית
corporeal, *adj.* גּוּפָנִי, גַּשְׁמִי, חָמְרִי
corps, *n.* פְּלֻגָּה, גְּדוּד; סֶגֶל
corpse, *n.* גּוּפָה, גְּוִיָּה, גּוּפַת מֵת; נְבֵלָה
corpulence, corpulency, *n.* גֹּדֶל, שְׁמַנְמָנוּת, פִּימָה
corpulent, *adj.* שָׁמֵן, דָּשֵׁן
corpuscle, *n.* גּוּפִיף; כַּדּוּרִית (דָּם)
corral, *n.* גְּדֵרָה, דִּיר
correct, *adj.* מְדֻיָּק; מְתֻקָּן; נָכוֹן; יָשָׁר
correct, *v.t.* תִּקֵּן, הִגִּיהַּ [נגה]; יִסֵּר
correction, *n.* תִּקּוּן; תּוֹכֵחָה; יִסּוּר; הַגָּהָה
corrective, *adj.* מְתַקֵּן
correctly, *adv.* כַּהֲלָכָה, כָּרָאוּי
corrector, *n.* מַגִּיהַּ, מְתַקֵּן

correctness, *n.* יֹשֶׁר, דִּיּוּק
correlation, *n.* מִתְאָם
correspond, *v.i.* הִתְכַּתֵּב [כתב]
correspondence, *n.* תִּכְתֹּבֶת, הִתְכַּתְּבוּת, חִלּוּף מִכְתָּבִים; הֶתְאֵם; כַּתָּבָה
correspondent, *n.* דּוֹמֶה, מַתְאִים; כַּתָּב; מִתְכַּתֵּב
corridor, *n.* מָבוֹא, מִסְדְּרוֹן, פְּרוֹזְדוֹר
corroborate, *v.t.* חִזֵּק, אִמֵּת, אִשֵּׁר
corroboration, *n.* חִזּוּק, אִמּוּת, אִשּׁוּר
corrode, *v.t.* אָכַל (חֲלוּדָה), אִכֵּל
corrode, *v.i.* הֶחֱלִיד [חלד]
corrosion, *n.* אִכּוּל
corrosive, *adj.* מְכַלֶּה, מְאַכֵּל
corrugate, *v.t. & i.* קָמַט, קִמֵּט
corrugated, *adj.* מְקֻמָּט, גַּלִּי
corrugation, *n.* קִמּוּט, קְמִיטָה
corrupt, *adj.* מְקֻלְקָל, מֻשְׁחָת, בִּלְתִּי מוּסָרִי
corrupt, *v.t.* קִלְקֵל, הִשְׁחִית [שחת]; שִׁחֵד, עִוֵּת
corrupt, *v.i.* הִתְקַלְקֵל, [קלקל], נִשְׁחַת [שחת]
corrupter, *n.* מְקַלְקֵל, מַשְׁחִית
corruption, *n.* שֹׁחַד, הַשְׁחָתָה, שְׁחִיתוּת; אִי מוּסָרִיּוּת, קִלְקוּל, קַלְקָלָה
corsage, *n.* חֲזִיָּה; פִּרְחָה
corsair, *n.* שׁוֹדֵד יָם, סְפִינַת שׁוֹדְדִים
corset, *n.* מָחוֹךְ
cortege, cortège, *n.* סִיעָה; בְּנֵי לְוָיָה
cortex, *n.* שִׁיפָה
corvette, corvet, *n.* אֳנִיַּת מִלְחָמָה
cosmetic, *n. & adj.* תַּמְרוּק, יִפּוּי; מְיַפֶּה
cosmic, *adj.* תֵּבְלִי, עוֹלָמִי
cosmopolitan, *adj. & n.* עוֹלָמִי; אֶזְרַח הָעוֹלָם
cosmos, *n.* תֵּבֵל, עוֹלָם

cost, *n.* שֹׁוִי, מְחִיר, דָּמִים, הוֹצָאָה
cost, *v.i.* שָׁוָה, עָלָה (בִּמְחִיר)
costliness, *n.* יֹקֶר
costly, *adj.* בְּיֹקֶר, יָקָר
costume, *n.* תִּלְבֹּשֶׁת, חֲלִיפָה
costumer, *n.* עוֹשֶׂה (מוֹכֵר) חֲלִיפוֹת
cosy, *v.* cozy
cot, *n.* מִטָּה (קְטַנָּה) מִתְקַפֶּלֶת
cote, *n.* דִּיר, מִכְלָה, לוּל, שׁוֹבָךְ
cottage, *n.* בַּיִת קָטָן, סֻכָּה, צְרִיף
cottage cheese גְּבִינָה לְבָנָה
cotton (wool), *n.* צֶמֶר גֶּפֶן, כֻּתְנָה
couch, *n.* סַפָּה
cough, *n.* שִׁעוּל
cough, *v.t. & i.* שִׁעֵל, הִשְׁתָּעֵל [שעל]
council, *n.* מוֹעָצָה
councilor, councillor, *n.* חָבֵר הַמּוֹעָצָה
counsel, *n.* עֵצָה; הִתְיָעֲצוּת; יוֹעֵץ; עוֹרֵךְ דִּין; מְזִמָּה
counsel, *v.t.* עָץ [עוץ], יָעַץ; הִזְהִיר [זהר]
counselor, counsellor, *n.* יוֹעֵץ
count, *n.* מִנְיָן, סְפִירָה; סְכוּם; אָצִיל; אַלּוּף
count, *v.t.* מָנָה, סָפַר
count, *v.i.* נִשְׁעַן [שען] עַל, בָּטַח בְּ־, סָמַךְ עַל, הִסְתַּמֵּךְ [סמך]
countenance, *n.* מַרְאֶה; תֹּאַר; הֶסְכֵּם; עֵזֶר
countenance, *v.t.* סִיֵּעַ, עוֹדֵד [עוד], אִמֵּץ
counter, *adj.* נֶגְדִּי
counter, *n.* מַנַּאי (בִּמְכוֹנָה), סוֹפֵר, מוֹנֶה; חֶשְׁבּוֹנִיָּה; דֶּלְפֵּק
counter, *adv.* כְּנֶגֶד, לְהֶפֶךְ, בְּנִגּוּד
counter, *v.i.* נִגֵּד
counteract, *v.t.* הִתְנַגֵּד, סָתַר; הֵפֵר [פור]

counterattack, *n.* הַתְקָפַת נֶגֶד

counterbalance, *v.t.* הִכְרִיעַ [כרע]; שָׁקַל (כְּנֶגֶד)

counterbalance, *n.* הֶכְרֵעַ, מִשְׁקָל (אִזּוּן) שֶׁכְּנֶגֶד

counterespionage, *n.* רִגּוּל נֶגְדִּי

counterfeit, *adj.* מְחֻקֶּה; מְזֻיָּף

counterfeit, *n.* זִיּוּף; חִקּוּי; הֶעְתֵּק

counterfeit, *v.t.* חִקָּה; זִיֵּף

counterfeiter, *n.* זַיְּפָן; מְחַקֶּה

countermand, *v.t.* הֵפֵר [פור], הִתְנַגֵּד [נגד]

counteroffensive, *n.* הַתְקָפַת נֶגֶד

counterpart, *n.* חֵלֶק מִשְׁנֶה, מַקְבִּיל, מַשְׁלִים

counterpoint, *n.* פִּזּוּם, פִּזְמוֹן; הִפּוּךְ

counterpoise, *n.* שִׁוּוּי מִשְׁקָל; הַכְרָעָה

counterrevolution, *n.* מַהְפֵּכָה נֶגְדִּית

countersignature, *n.* חֲתִימָה נוֹסֶפֶת

countersign, *v.t.* אִשֵּׁר חֲתִימָה, הוֹסִיף [יסף] חֲתִימָה

counterweight, *n.* מִשְׁקָל נֶגְדִּי, הֶכְרֵעַ

countess, *n.* אֲצִילָה

countless, *adj.* לְאֵין מִסְפָּר

country, *n.* אֶרֶץ, מְדִינָה; מִחוּץ לָעִיר

countryman, *n.* בֶּן אֶרֶץ

countryside, *n.* מְקוֹם קַיִט, מְקוֹם נֹפֶשׁ, קִיְטָנָה

county, *n.* מָחוֹז

coup, *n.* פְּעֻלַּת פֶּתַע: הֲפִיכָה; מַכָּה נִצַּחַת

couple, *n.* זוּג, צֶמֶד

couple, *v.t.* זִוֵּג, חִבֵּר, קִשֵּׁר

couple, *v.i.* הִזְדַּוֵּג [זוג], הִתְחַבֵּר [חבר]

couplet, *n.* בַּיִת, חָרוּז

coupling, *n.* זִוּוּג, חִבּוּר, קִשּׁוּר; מַצְמֵד; הִזְדַּוְּגוּת

coupon, *n.* שׁוֹבֵר, תְּלוּשׁ

courage, *n.* אֹמֶץ, אֹמֶץ לֵב, עֹז רוּחַ, גְּבוּרָה

courageous, *adj.* אַמִּיץ, אִישׁ חַיִל

courageously, *adv.* בְּאֹמֶץ לֵב

courier, *n.* שָׁלִיחַ, רָץ, בַּלְדָּר

course, *n.* מַהֲלָךְ; מֵרוֹץ; סִדְרָה; מָנָה; שִׁעוּר; כִּוּוּן; וֶסֶת; מַסְלוּל; נִדְבָּךְ

course, *v.t.* & *i.* שָׁטַף, עָבַר, רָדַף (צֵדָה)

courser, *n.* סוּס מָהִיר

court, *n.* חָצֵר, חֲצַר מַלְכוּת; בֵּית מִשְׁפָּט

court, *v.t.* חִזֵּר; בִּקֵּשׁ, הִפְצִיר [פצר]

courteous, *adj.* אָדִיב

courteously, *adv.* בַּאֲדִיבוּת

courtesan, *n.* יַצְאָנִית, זוֹנָה; חַצְרָן

courtesy, *n.* אֲדִיבוּת; קִדָּה

court-martial, *n.* בֵּית דִּין צְבָאִי

courtship, *n.* חִזּוּר (אַחַר אִשָּׁה), חַזְּרָנוּת

courtyard, *n.* חָצֵר

cousin, *n.* דּוֹדָן, דּוֹדָנִית

cove, *n.* מִפְרָצִית (מִפְרָץ קָטָן); מַחֲסֶה

covenant, *n.* בְּרִית, הֶסְכֵּם, אֲמָנָה, חֹזוּת

covenant, *v.t.* & *i.* כָּרַת בְּרִית

cover, *n.* מִכְסֶה, מַעֲטֶה, צִפּוּי, כִּסּוּי; כְּרִיכָה; עֲרֵבוּת

cover, *v.t.* כִּסָּה, הֶעֱלָה [עלה], צִפָּה, סִכֵּךְ

coverlet, *n.* שְׂמִיכָה, מִכְסֶה

covert, *adj.* מְכֻסֶּה; נִסְתָּר; סוֹדִי

covert, *n.* מַאֲרָב, אֶרֶב, מַחְבּוֹא

covet, *v.t.* & *i.* אִוָּה, חָמַד, הִתְחַשֵּׁק [חשק], הִתְאַוָּה [אוה]

covetous, *adj.* מִתְאַוֶּה, חוֹשֵׁק

covetousness, *n.* חֶמְדָּה, חֵשֶׁק, תְּשׁוּקָה, תַּאֲוָה

covey, *n.* בְּרִיכָה, חֲבוּרָה שֶׁל צִפֳּרִים
cow, *n.* פָּרָה
cow, *v.t.* הִתְיָרֵא [ירא], פִּחֵד, הֵבִיא [בוא] מֹרֶךְ בַּלֵּב
coward, *n.* פַּחְדָן, מוּג לֵב
cowardice, *n.* פַּחְדָנוּת, יִרְאָה
cowardly, *adv.* בְּמֹרֶךְ לֵב, בְּפַחַד
cowboy, *n.* בַּקָּר
cower, *v.i.* קָרַס (מִפַּחַד), חָרַד, רָעַד
cowhide, *n.* עוֹר פָּרָה
cowl, *n.* בַּרְדָּס
coxcomb, *n.* גַּנְדְּרָן, מִתְיַפֶּה
coxswain, *n.* הַגַּאי (מְפַקֵּד) סִירָה
coy, *adj.* בַּיְשָׁן, עָנָו
coyote, *n.* זְאֵב עֲרָבוֹת
coyness, *n.* בַּיְשָׁנוּת, עֲנָוָה
cozen, *v.t. & i.* רִמָּה
cozy, cosy, cosey, *adj. & n.* מְרֻוָּח, מָלֵא נוֹחִיּוּת; מַטְמֵן
crab, *n.* (מַזָּל) סַרְטָן; זַעְפָן
crab apple חֻזְרָר, עֻזְרָר, עֻזְרָד
crabbed, *adj.* זָעֵף, סַר וְזָעֵף
crack, *n.* סֶדֶק, נֶפֶץ; נָקִיק
crack, *v.t. & i.* בָּקַע, סִדֵּק, פִּצַּח, נִסְדַּק [סדק], הִתְבַּקַּע [בקע], נִבְקַע
cracker, *n.* רָקִיק, מַצִּיָּה, פַּכְסָם; מְפַצֵּחַ; זִקּוּק (דִּי נוּר)
crackers, *n. pl.* רְקִיקִים
cradle, *n.* עֲרִיסָה
cradle, *v.t.* נִעְנַע בָּעֲרִיסָה, יִשֵּׁן
cradle, *v.i.* שָׁכַב בַּעֲרִיסָה
craft, *n.* אוּמָנוּת; עָרְמָה, תַּחְבּוּלָה; אֳנִיָּה קְטַנָּה, (כְּלָל) אֳנִיּוֹת, מְטוֹסִים
craftiness, *n.* עַרְמוּמִיּוּת
craftsman, *n.* אוּמָן; בַּעַל מְלָאכָה, מֻמְחֶה, בַּעַל מִקְצוֹעַ
craftsmanship, *n.* מִקְצוֹעִיּוּת, אוּמָנוּת, מֻמְחִיּוּת
crafty, *adj.* זָרִיז; נוֹכֵל, עָקֹב, עַרְמוּמִי
crag, *n.* צוּק
cram, *v.t. & i.* לָעַט, פִּטֵּם, זָלַל; הִתְמַלֵּא [מלא] (יְדִיעוֹת); דִּחֵס, הִתְדַּחֵס [דחס]
cramp, *n.* כְּוִיצָה, שֶׁבֶץ; מַלְחֶצֶת, צְבָת
cramp, *v.t.* הִתְכַּוֵּץ [כוץ]; לָחַץ, חִזֵּק
cranberry, *n.* כְּרוּכִית
crane, *n.* עָגוּר, עֲגוּרָן, כְּרוּכִיָּה; מָנוֹף, מַדְלֶה
crane, *v.t. & i.* עִגֵּר, הֵנִיף [נוף], הֶעֱלָה [עלה]; הִסֵּס
cranial, *adj.* גֻּלְגָּלְתִּי, קַרְקַפְתִּי
cranium, *n.* גֻּלְגֹּלֶת, קַרְקֶפֶת
crank, *n.* אַרְכֻּבָּה, יָדִית
crank, *v.t.* הִתְנִיעַ [נוע], סוֹבֵב הַיָּדִית, אִרְכֵּב
crankshaft, *n.* גַּלְכֻּבָּה, גַּל אַרְכֻּבָּה
cranky, *adj.* נִרְגָּז
cranny, *n.* סֶדֶק, בְּקִיעַ
crape, *v.* crepe,
crash, *n.* נֶפֶץ, הִתְנַגְּשׁוּת, הִתְרַסְּקוּת
crash, *v.t. & i.* שִׁבֵּר, נִפֵּץ, הִתְנַפֵּץ [נפץ], הִתְרַסֵּק [רסק], הִתְנַגֵּשׁ [נגש]
crass, *adj.* טִפֵּשׁ, גַּס
crate, *n. & v.t.* אַרְגָּז, תֵּבָה, סַל (גָּדוֹל); אָרַז (בְּתֵבוֹת)
crater, *n.* לוֹעַ, לֹעַ
cravat, *n.* עֲנִיבָה
crave, *v.t. & i.* הִשְׁתּוֹקֵק [שקק], הִתְחַנֵּן [חנן], הִתְאַוָּה [אוה]
craving, *n.* תְּשׁוּקָה, כֹּסֶף, גַּעְגּוּעִים
crawl, *n.* זְחִילָה; שְׂחִיַּת חֲתִירָה; מַאֲגוֹר יַמִּי
crawl, *v.i.* זָחַל
crayfish, crawfish, *n.* סַרְטַן הַמַּיִם
crayon, *n.* גִּיר, חֶרֶט

craze, craziness, *n.* שִׁגָּעוֹן, בֻּלְמוּס
craze, *v.t.* & *i.* הִשְׁתַּגֵּעַ [שגע]
crazily, *adv.* בְּשִׁגָּעוֹן
crazy, *adj.* מְשֻׁגָּע, מְטֹרָף
creak, *n.* חֲרִיקָה, צְרִימָה
creak, *v.i.* חָרַק, צָרַם
cream, *n.* זִבְדָּה, שַׁמֶּנֶת; עִדִּית; מִשְׁחָה
cream, *v.t.* עָשָׂה שַׁמֶּנֶת, לָקַח הַמֻּבְחָר
crease, *n.* קִפּוּל, קֶמֶט
crease, *v.t.* & *i.* קִפֵּל, קָמַט, קִמֵּט, הִתְקַמֵּט [קמט]
create, *v.t.* בָּרָא, יָצַר
creation, *n.* בְּרִיאָה, יְצִירָה
creative, *adj.* בּוֹרֵא, יוֹצֵר
creator, *n.* בּוֹרֵא, יוֹצֵר
creature, *n.* יְצוּר, בְּרִיאָה
credence, *n.* אֵמוּן, אֱמוּנָה
credential, *n.* אִשּׁוּר
credentials, *n. pl.* כְּתַב הָאֲמָנָה
credibility, *n.* מְהֵימָנוּת, כֵּנוּת; אֹמֶן, אֵמוּן
credible, *adj.* נֶאֱמָן, מְהֵימָן
credit, *n.* אַשְׁרַאי; הַקָּפָה; תְּהִלָּה; כָּבוֹד
credit, *v.t.* הִקִּיף [קוף], זָקַף (עַל חֶשְׁבּוֹן)
creditor, *n.* נוֹשֶׁה, מַלְוֶה
credo, creed, *n.* אֱמוּנָה, עִקָּר
creek, *n.* פֶּלֶג
creep, *v.i.* זָחַל, רָמַשׂ, הִתְרַפֵּס [רפס], הִתְגַּנֵּב [גנב]
creepy, *adj.* זַחְלָנִי
cremate, *v.t.* שָׂרַף לְאֵפֶר (גּוּפָה)
cremation, *n.* שְׂרֵפַת גּוּפָה
crematorium, crematory *n.* מִשְׂרָפָה
crepe, crape, *n.* סַלְסָלָה (אָרִיג מֶשִׁי)
crescent, *n.* סַהַר, שַׂהֲרוֹן
cress, *n.* שַׁחַל

crest, *n.* כַּרְבֹּלֶת; בְּלוֹרִית; זֵר; רֶכֶס; שֶׁלֶט (אַבִּירִים); קְצֵה הַגַּל
crevasse, *n.* חָרִיץ
crew, *n.* צֶוֶת (מַלָּחִים, וְכוּ׳)
crib, *n.* עֶרֶשׂ, עֲרִיסָה
crick, *n.* עֲוִית, שָׁבָץ
cricket, *n.* צְרָצַר
crier, *n.* כָּרוֹז, מַכְרִיז, צַעֲקָן
crime, *n.* חֵטְא, פֶּשַׁע, עֲבֵרָה
criminal, *adj.* עֲבַרְיָן, חוֹטֵא, פּוֹשֵׁעַ
criminality, *n.* תַּפְשׁוּעָה, עֲבַרְיָנוּת
criminologist, *n.* בָּקִי בְּתוֹרַת הַחֲטָאִים
criminology, *n.* תּוֹרַת הַחֲטָאִים
crimp, *n.* קֶמֶט
crimp, *v.t.* קָמַט, כִּוֵּץ
crimson, *adj.* אֲדַמְדַּם, חַכְלִילִי
crimson, *n.* אֹדֶם, אַרְגָּמָן, שָׁנִי
crimson, *v.t.* צָבַע בְּצֶבַע שָׁנִי, תִּלַּע
crimson, *v.i.* הִתְאַדֵּם [אדם], תֻּלַּע
cringe, *n.* הִתְרַפְּסוּת, חֹנֶף
cringe, *v.i.* הִתְרַפֵּס [רפס], הֶחֱנִיף [חנף]
crinkle, *n.* קִפּוּל, קֶמֶט
crinkle, *v.t.* קִפֵּל, קִמֵּט, כִּוֵּץ
crinkle, *v.i.* הִתְקַמֵּט [קמט], הִתְכַּוֵּץ [כוץ]
cripple, *n.* קִטֵּעַ, נָכֶה, בַּעַל מוּם, מוּמָם
cripple, *v.t.* קָטַע, עָשָׂה לְבַעַל מוּם, הוּמַם [מום], הִטִּיל [נטל] מוּם
crisis, *n.* מַשְׁבֵּר
crisp, *adj.* מְסֻלְסָל, מְתֻלְתָּל; שָׁבִיר; פָּרִיךְ, פָּרִיר; חַד (שֵׂכֶל), עַלִּיז
crisp, *v.t.* & *i.* סִלְסֵל, תִּלְתֵּל; פּוֹרֵר, פָּרַךְ, הִתְפָּרֵךְ [פרך]
crisscross, *n.* & *adj.* שְׁתִי וָעֵרֶב, תַּשְׁבֵּץ
criterion, *n.* קְנֵה מִדָּה, בֹּחַן, תַּבְחִין
critic, *n.* מְבַקֵּר, בּוֹחֵן

critical, *adj.* מַשְׁבֵּרִי; מְסֻכָּן; מַכְרִיעַ, בִּקָּרְתִּי
criticism, *n.* בִּקֹּרֶת, גִּנּוּי
criticize, criticise, *v.t. & i.* בִּקֵּר, גִּנָּה
critique, *n.* בִּקֹּרֶת, נִתּוּחַ
croak, *n.* קִרְקוּר
croak, *v.t.* קִרְקֵר
crochet, *n.* מַסְרֵגָה, צִנּוֹרָה
crochet, *v.t.* צִנֵּר, סָרַג
crockery, *n.* כְּלֵי חֶרֶשׂ
crocodile, *n.* תַּנִּין, תִּמְסָח
crocus, *n.* חֲבַצֶּלֶת, כַּרְכֹּם
croft, *n.* שָׂדֶה, מִגְרָשׁ
crofter, *n.* אִכָּר זָעִיר
crone, *n.* זְקֵנָה בָּלָה
crony, *n.* חָבֵר, יְדִיד
crook, *n.* עִקּוּם; מַקֵּל כָּפוּף, שֵׁבֶט; גַּנָּב, נוֹכֵל
crook, *v.t. & i.* עִקֵּם, כָּפַף, הִתְעַקֵּם [עקם], נִכְפַּף [כפף]
crooked, *adj.* עָקֹם; בִּלְתִּי יָשָׁר
croon, *v.t.* שׁוֹרֵר [שיר]; זִמְזֵם
crooner, *n.* מְזַמְזֵם
crop, *n.* יְבוּל; זֶפֶק; שֶׁלַח
crop, *v.t.* זָרַע; קָצַר, קָנַב, קִצֵּץ
cropper, *n.* קוֹצֵר
croquet, *n.* מִשְׂחָק בְּכַדּוּרֵי עֵץ
croquette, *n.* קְצִיצָה, לְבִיבָה
cross, *adj.* צוֹלֵב; זָעֵף, נִרְגָּז, סַר
cross, *n.* צְלָב
cross, *v.t. & i.* שִׂכֵּל; שִׁלֵּב (יָדַיִם); עָבַר, חָצָה; מָחַק; הִכְלִיא [כלא]; הִכְעִיס [כעס]; צָלַב, הִצְטַלֵּב [צלב]; הִתְעָרֵב [ערב]; רָגַז, נִרְגַּז
crossbar, *n.* כָּפִיס
crossbow, *n.* קֶשֶׁת מַצְלִיבָה
crossbreed, *n.* כִּלְאַיִם, הַכְלָאָה
crossbreed, *v.t.* הִרְכִּיב [רכב], הִכְלִיא [כלא]
crosscut, *adj., n., v.t. & i.* חֶתֶךְ רֹחַב, חָתַךְ
cross-examination, *n.* חֲקִירַת עֵדִים
cross-examine, *v.t.* חָקַר
cross-eye, *n.* פְּזִילָה
crossing, *n.* מַעֲבָר, עִבּוּר, סְתִירָה
crosspiece, *n.* יָצוּל; מַשְׁקוֹף
crossroad, *n.* מִסְעָף
crosswise, *adv.* בַּאֲלַכְסוֹן, לָרֹחַב
crossword puzzle תַּשְׁבֵּץ
crotch, *n.* מִפְשָׂעָה; מִפְגָּשׁ; זָוִית
crouch, *v.t.&i., n.* כָּרַע, קָרַס, הִתְרַפֵּס [רפס], רָבַץ; הַרְכָּנָה, הִתְכּוֹפְפוּת
croup, *n.* קָרֶמֶת, אַסְכָּרָה; אֲחוֹרֵי הַסּוּס
crow, *n.* קְרִיאַת הַתַּרְנְגוֹל; עוֹרֵב; מָנוֹף
crow, *v.i.* קָרָא, הִתְפָּאֵר [פאר]
crowbar, *n.* כֵּילַף, מַפֵּץ, קִילוֹן
crowd, *n.* הָמוֹן, אֲסַפְסוּף, דֹּחַק
crowd, *v.t. & i.* דָּחַק, מִלֵּא; הִתְקַהֵל [קהל], הִצְטוֹפֵף [צפף], נִדְחַק [דחק]
crown, *n.* כֶּתֶר, עֲטָרָה, זֵר, כּוֹתֶרֶת; אָמִיר (עֵץ)
crown, *v.t.* הִכְתִּיר [כתר], עִטֵּר
crucial, *adj.* מַכְרִיעַ
crucible, *n.* מַצְרֵף, כּוּר, עֲלִיל
crucifix, *n.* צֶלֶב
crucifixion, *n.* צְלִיבָה
crucify, *v.t.* צָלַב, עִנָּה
crude, *adj.* גָּלְמִי, בִּלְתִּי מְעֻבָּד; גַּס; תָּפֵל
crudeness, crudity, *n.* גַּסּוּת; תְּפֵלוּת
cruel, *adj.* אַכְזָר, אַכְזָרִי
cruelly, *adv.* בְּאַכְזָרִיּוּת

cruelty, *n.* אַכְזָרִיּוּת
cruet, *n.* בַּקְבּוּק קָטָן, צִנְצֶנֶת
cruise, *n.* טִיּוּל (עַל הַיָּם)
cruise, *v.i.* שׁוֹטֵט [שוט]
cruiser, *n.* אֳנִיַּת מִלְחָמָה, אֳנִיַּת מֵרוֹץ
crumb, *n.* פֵּרוּר, פָּתִית
crumb, *v.t.* פּוֹרֵר [פרר], פָּתַת, פָּרַךְ
crumble, *v.i.* הִתְפּוֹרֵר [פרר], הִתְמוֹטֵט [מוט]
crumbly, *adj.* פָּרִיר
crumple, *v.t.* & *i.* קִמֵּט, הִתְקַמֵּט [קמט]
crunch, *n.* כִּרְסוּם
crunch, *v.t.* & *i.* כִּרְסֵם, כָּסַס
crusade, *n.* & *v.i.* מַסַּע צְלָב; הִתְקִיף [תקף] בְּקַנָּאוּת
crusader, *n.* צַלְבָּן, (נוֹשֵׂא הַצְּלָב)
cruse, *n.* פַּךְ, צַפַּחַת
crush, *n.* מְעִיכָה, לַחַץ, דֹּחַק; תְּשׁוּקָה
crush, *v.t.* מָעַךְ; לָחַץ; נִפֵּץ; דִּכֵּא; טָחַן
crush, *v.i.* פּוֹרֵר [פרר]; הִשְׁמִיד [שמד]; כִּלָּה
crust, *n.* קְרוּם (הַלֶּחֶם); גֶּלֶד
crust, *v.t.* & *i.* קָרַם; הִגְלִיד [גלד]
crutch, *n.* מִשְׁעֶנֶת; קַב
crutches, *n. pl.* קַבַּיִם
crux, *n.* עִקָּר
cry, *n.* בֶּכִי, בְּכִיָּה; צְעָקָה; קְרִיאָה
cry, *v.i.* & *t.* בָּכָה, יִבֵּב; קָרָא; צָעַק
crypt, *n.* כּוּךְ, מְעָרָה
cryptic, cryptical, *adj.* בִּלְתִּי מוּבָן, טָמִיר
crystal, *n.* בְּדֹלַח, גָּבִישׁ, אֶלְגָּבִישׁ
crystalline, *adj.* בְּדָלְחִי, גְּבִישִׁי, צַח
crystallization, *n.* גִּבּוּשׁ, הִתְגַּבְּשׁוּת
crystallize, *v.t.* גִּבֵּשׁ
crystallize, *v.i.* הִתְגַּבֵּשׁ [גבש]
cub, *n.* גּוּר

cube, *n.* קֻבִּיָּה
cubic, cubical, *adj.* מְעֻקָּב
cubism, *n.* צִיּוּר נֶפַח
cuckoo, *n.* קוּקִיָּה
cucumber, *n.* קִשּׁוּא, מְלָפְפוֹן
cud, *n.* גֵּרָה
cuddle, *n.* חִבּוּק, לִטּוּף
cuddle, *v.t.* חִבֵּק, לִטֵּף
cuddle, *v.i.* הִתְחַבֵּק [חבק]
cue, *n.* זָנָב; כָּנָף; רֶמֶז; תּוֹר; מַטֶּה (בִּלְיַרְד)
cuff, *n.* יָדָה; חֶפֶת; שַׁרְווּלִית
cuirass, *n.* מָגֵן, שִׁרְיוֹן, צִנָּה
cuirassier, *n.* צַנָּן, נוֹשֵׂא צִנָּה
cuisine, *n.* בִּשּׁוּל, שִׁיטַת בִּשּׁוּל
culinary, *adj.* אָכִיל
cull, *v.t.* בָּחַר, לָקַט
culminate, *v.i.* הִגִּיעַ [נגע]; נִגְמַר [גמר]
culmination, *n.* פִּסְגָּה, שִׂיא; סִיּוּם
culpable, *adj.* אָשֵׁם, חַיָּב
culprit, *n.* אָשֵׁם, נֶאֱשָׁם, פּוֹשֵׁעַ
cult, *n.* הַעֲרָצָה, הַאֲלָהָה, פֻּלְחָן
cultivate, *v.t.* עִבֵּד הָאֲדָמָה, גִּדֵּל; נִכֵּשׁ, תִּחַח
cultivation, *n.* עִבּוּד אֲדָמָה, גִּדּוּל; נִכּוּשׁ, תִּחוּחַ
cultivator, *n.* אִכָּר, עוֹבֵד אֲדָמָה; מְנַכֵּשׁ, מְתַחֵחַ; מַתְחֵחָה
cultural, cultured, *adj.* תַּרְבּוּתִי
culture, *n.* תַּרְבּוּת
cumber, *n.* תְּעוּקָה, הַכְבָּדָה
cumbersome, *adj.* מַכְבִּיד, מֵעִיק
cumbrous, *adj.* מֵצִיק, מַפְרִיעַ
cumulation, *n.* עֲרֵמָה, צְבִירָה, אֲסִיפָה
cumulative, *adj.* נֶעֱרָם, נִצְבָּר
cuneiform, *adj.* & *n.* (שֶׁל) כְּתָב הַיְתֵדוֹת
cunning, *adj.* עָקֹב, עֲרְמוּמִי
cunning, *n.* תַּרְמִית, עַרְמוּמִיּוּת

cup, *n.* & *v.t.* סֵפֶל, גָּבִיעַ; מִשְׁקַע הַשַּׁד (בַּחֲזִיָּה); מִלֵּא; הִקִּיז [נקז] (דָּם)
cupbearer, *n.* מַשְׁקֶה, שַׂר מַשְׁקִים
cupboard, *n.* מִזְנוֹן; אֲרוֹן כֵּלִים; קַמְטָר; חָרָד
cupful, *n.* מְלֹא הַסֵּפֶל
cupidity, *n.* תַּאֲוָה, חֵשֶׁק, חֶמְדָּה
cupola, *n.* כִּפָּה
cur, *n.* כֶּלֶב כִּלְאַיִם, נִבְזֶה
curable, *adj.* רָפִיא, שֶׁאֶפְשָׁר לְרַפֵּא
curacy, *n.* גַּלָּחוּת
curate, *n.* כֹּמֶר, גַּלָּח
curator, *n.* מְנַהֵל בֵּית נְכוֹת, מְפַקֵּחַ, מַשְׁגִּיחַ
curb, *n.* מֶתֶג; מַעֲצוֹר; שְׂפַת הַמִּדְרָכָה
curb, *v.t.* עָצַר, בָּלַם, רִסֵּן; הֶחֱרִיא [חרא] (כֶּלֶב)
curd, *n.* חָלָב נִקְרָשׁ, חֶבֶץ, קוּם
curdle, *v.t.* & *i.* קָפָא, קָרַשׁ, הִקְרִישׁ [קרש]
cure, *n.* רְפוּאָה, תְּרוּפָה, מַרְפֵּא; שִׁמּוּר
cure, *v.t.* & *i.* רִפֵּא, תִּקֵּן; עִשֵּׁן, שִׁמֵּר; הִבְרִיא [ברא], הִתְרַפֵּא [רפא]
cureless, *adj.* שֶׁאֵין לוֹ רְפוּאָה
curettage, *n.* גְּרִידָה
curfew, *n.* עֹצֶר; כִּבּוּי אוֹרוֹת
curio, *n.* יְקַר הַמְּצִיאוּת, דָּבָר עַתִּיק
curiosity, *n.* סַקְרָנוּת
curious, *adj.* סַקְרָנִי
curl, *n.* סִלְסוּל, תַּלְתַּל, קְוֻצָּה
curl, *v.t.* & *i.* סִלְסֵל, תִּלְתֵּל, פָּתַל; הִסְתַּלְסֵל [סלסל]
curly, *adj.* מְסֻלְסָל, מְתֻלְתָּל
currants, *n. pl.* דְּמְדְּמָנִיּוֹת, עִנְבֵי שׁוּעָל; צִמּוּקִים שְׁחוֹרִים
currency, *n.* כֶּסֶף, שְׁטַר כֶּסֶף, מָמוֹן, מָעוֹת, מַטְבֵּעַ
current, *adj.* מְקֻבָּל; נָפוֹץ; שׁוֹטֵף, זוֹרֵם
current, *n.* זֶרֶם, שִׁבֹּלֶת, מַהֲלָךְ
currently, *adv.* כְּרָגִיל, לְפִי שָׁעָה
curriculum, *n.* תָּכְנִית לִמּוּדִים
curry, *v.t.* קִרְצֵף (סוּס), עִבֵּד (עוֹר); הֶחֱנִיף [חנף]
currycomb, *n.* קַרְצֶפֶת, מַגְרֶדֶת (מַסְרֵק סוּסִים)
curse, *n.* קְלָלָה, אָלָה; שְׁבוּעָה
curse, *v.t.* & *i.* אָרַר, קִלֵּל, אָלָה
cursed, *adj.* מְקֻלָּל, אָרוּר
cursive, *adj.* & *n.* כְּתָב שׁוֹטֵף, אוֹת מְשָׁה; מְשִׁיט
cursory, *adj.* שִׁטְחִי, פָּזִיז
curt, *adj.* פַּסְקָנִי; מְקֻצָּר
curtail, *v.t.* קִצֵּר, מִעֵט, קִפַּח
curtailment, *n.* קִצּוּר, קִפּוּחַ, הַפְחָתָה
curtain, *n.* & *v.t.* וִילוֹן, מָסָךְ, פָּרֹכֶת; וִלֵּן
curtly, *adv.* בְּקִצּוּר
curtsy, curtsey, *n.* & *v.t.* קִדָּה; קִדֵּד
curvature, *n.* קֶשֶׁת; כְּפִיפָה; עֲקִימָה
curve, *n.* קֶשֶׁת, כְּפִיפָה, עַקְמוּמִית, עֹקֶם, עֲקֻמָּה
curve, *v.t.* & *i.* כָּפַף, עִקֵּל, הִתְכּוֹפֵף [כפף]
curvet, *n.* דְּהִירָה, דַּהֲרָה
cushion, *n.* כַּר, כֶּסֶת; סָמוֹךְ, מַרְדַּעַת
cushion, *v.t.* הוֹשִׁיב [ישב] עַל כַּר
cusp, *n.* עֹקֶץ
custard, *n.* חֲבִיצָה, רַפְרֶפֶת
custodian, *n.* מַשְׁגִּיחַ, מְמֻנֶּה, מְפַקֵּחַ
custody, *n.* הַשְׁגָּחָה; כְּלִיאָה
custom, *n.* מֶכֶס; מִנְהָג, הֶרְגֵּל; נִמּוּס
customary, *adj.* נָהוּג, מְקֻבָּל
customer, *n.* קוֹנֶה, לָקוֹחַ
customhouse, *n.* בֵּית הַמֶּכֶס
custom made לְפִי הַזְמָנָה

cut, *n.* חֶתֶךְ, פֶּצַע; חֲתִיכָה, נֶתַח; גִּזְרָה (לְבוּשׁ)

cut, *v.t.* & *i.* חָתַךְ, כָּרַת, גָּזַז, חָטַב; גָּזַר

cute, *adj.* מְלַבֵּב, נֶחְמָד

cuticle, *n.* עוֹר (קַרְנִי), קְרוּם, קְרוּמִית

cutlery, *n.* סַכִּינִים, סַכּוּ"ם; סַכִּינָאוּת

cutlet, *n.* צַלְעִית, צֵלָע, קְצִיצָה

cutout, *n.* מַפְסֵק, שַׁסְתּוֹם

cutter, *n.* גַּזָּר; מִפְרָשִׂית, סִירָה חַדְתָּרְנִית

cutthroat, *n.* רוֹצֵחַ

cyclamen, *n.* רַקֶּפֶת

cycle, *n.* מַחְזוֹר, תְּקוּפָה; אוֹפַנַּיִם

cycle, *v.i.* סָבַב; אָפַן

cyclic, cyclical, *adj.* חוּגִי, מַחֲזוֹרִי

cyclist, *n.* אוֹפַנָּן

cyclone, *n.* סְעָרָה

cyclopedia, cyclopaedia, *n.* מַחֲזוֹר

cylinder, *n.* אִצְטְוָנָה; עַמּוּד; גָּלִיל

cylindric, cylindrical, *adj.* גְּלִילִי

cymbals, *n.pl.* צֶלְצְלִים (צֶלְצָל)

cynic, *n.* לַעֲגָן, נוֹשֵׁךְ

cynical, *adj.* כַּלְבִּי, בָּז, לוֹעֵג

cynicism, *n.* כַּלְבִּיּוּת, לַעַג, לִגְלוּג

cynosure, *n.* תַּלְפִּיּוֹת, מֶרְכַּז הַהִתְעַנְיְנוּת

cypress, *n.* בְּרוֹשׁ

cyst, *n.* כִּיס, שַׁלְחוּף, כִּיסוֹן

D, d

D, d, *n.* דִּי, הָאוֹת הָרְבִיעִית בָּאָלֶף בֵּית הָאַנְגְּלִי; רְבִיעִי, ד'

dab, *n.* נְגִיעָה (קַלָּה); פּוּטִית, דַּג מֹשֶׁה רַבֵּנוּ

dab, *v.t.* נָגַע, מָשַׁח

dabble, *v.t.* & *i.* שִׁכְשֵׁךְ; עָשָׂה בְּשִׁטְחִיּוּת

dace, *n.* קַרְפִּיוֹן

dad, daddy, *n.* אַבָּא

daffodil, *n.* עִירוֹן, נַרְקִיס זָהָב

daft, *adj.* שׁוֹטֶה, טִפֵּשׁ, מְשֻׁגָּע

dagger, *n.* חֲנִית, פִּגְיוֹן

dahlia, *n.* דָּלִיָּה

daily, *n.* עִתּוֹן יוֹמִי

daily, *adv.* יוֹם יוֹם

daintiness, *n.* נְעִימוּת, עֲדִינוּת, רַכּוּת

dainty, *adj.* & *n.* עָדִין, נָעִים

dairy, *n.* מַחְלָבָה

dairyman, dairymaid, *n.* חוֹלֵב, חוֹלֶבֶת; חַלְבָן, חַלְבָנִית

dais, *n.* בָּמָה, בִּימָה

daisy, *n.* מַרְגָּנִית, קַחְוָן

dale, *n.* עֵמֶק

dalliance, *n.* בִּלּוּי זְמָן; הִתְפַּנְקוּת

dally, *v.i.* בִּטֵּל זְמָן, שִׁעֲשַׁע, הִתְמַהְמֵהַּ

dam, *n.* סֶכֶר

dam, *v.t.* סָכַר; עָצַר, עִכֵּב

damage, *n.* נֶזֶק; הֶפְסֵד

damage, *v.t.* & *i.* הִזִּיק [נזק]; הִפְסִיד [פסד]; נִזַּק, הִתְקַלְקֵל [קלקל]

damask, *n.* בַּד; פְּלָדָה

dame, *n.* אִשָּׁה, גְּבֶרֶת

damn, *v.t.* & *i.* קִלֵּל, אָרַר; חִיֵּב

damnation, *n.* קְלָלָה; הַרְשָׁעָה

damp, *adj.* רָטֹב; לַח; טָחוּב

damp, dampness, *n.* לַחוּת, טַחַב

damp, dampen, *v.t.* הִרְטִיב [רטב], לִחְלֵחַ

damsel, *n.* נַעֲרָה, עַלְמָה

damson, *n.* שָׁזִיף (קָטָן)

dance, *n.* רִקּוּד, רְקִידָה, מָחוֹל, נֶשֶׁף רִקּוּדִים
dance, *v.t.* & *i.* רָקַד, חָגַג, חָל, הִתְחוֹלֵל [חול]
dancer, *n.* רַקְדָן, מְחוֹלֵל
dandelion, *n.* שֵׁן הָאַרְיֵה
dander, *n.* זַעַם; קַשְׂקֶשֶׂת
dandle, *v.t.* שִׁעֲשַׁע
dandruff, *n.* סֻבֵּי רֹאשׁ, קַשְׂקֶשֶׂת, יַלֶּפֶת
dandy, *n.* גַּנְדְּרָן
danger, *n.* סַכָּנָה
dangerous, *adj.* מְסֻכָּן
dangle, *v.t.* דִּלְדֵּל
dangle, *v.i.* הִתְדַּלְדֵּל, הִדַּלְדֵּל [דלדל]
dank, *adj.* רָטֹב, לַח
dapper, *adj.* נְקִי, מְקֻשָּׁט
dapple, *n.* מְנֻמָּר
dapple, *v.t.* נִמֵּר
dare, *n.* הֶעָזָה
dare, *v.t.* & *i.* הֵעֵז [עזז], הֵעֵז פָּנִים, הִרְהִיב [רהב] עֹז
daredevil, *n.* עַז (רוּחַ) נֶפֶשׁ, רַהַבְתָּן
daring, *n.* עַזּוּת נֶפֶשׁ, רַהֲבָה, אֹמֶץ, הֶעָזָה
daring, *adj.* אַמִּיץ, נוֹעָז
dark, *adj.* חָשֵׁךְ, אָפֵל, קוֹדֵר; כֵּהֶה, עָמוּם, אָמֵשׁ
dark, *n.* חשֶׁךְ, אֹפֶל
darken, *v.t.* & *i.* הֶחֱשִׁיךְ [חשך], הֶאֱפִיל [אפל], קָדַר, הִקְדִּיר [קדר], הִתְקַדֵּר [קדר]
darkness, *n.* חֲשֵׁכָה, חשֶׁךְ, אֲפֵלָה
darling, *adj.* & *n.* יַקִּיר, אָהוּב, חָבִיב, נֶחְמָד
darn, darning, *n.* תִּקּוּן גַּרְבַּיִם, טְלַאי, הַטְלָאָה
darn, *v.t.* תִּקֵּן גַּרְבַּיִם, הִטְלִיא [טלא]
darnel, *n.* זוּן
darner, *n.* מְתַקֵּן גַּרְבַּיִם
dart, *n.* שֶׁלַח, חֵץ; תְּנוּעָה מְהִירָה
dart, *v.t.* & *i.* מִהֵר, הֵחִישׁ [חוש] אָץ [אוץ], דָּהַר
dash, *n.* מַקָּף (־); מַכָּה; מִקְצָת (טִפָּה)
dash, *v.t.* & *i.* שִׁבֵּר, רִצֵּץ; רָץ [רוץ], מִהֵר, דָּהַר; הִסְתָּעֵר [סער], הִשְׂתָּעֵר [שער], גָּח [גיח]
dashboard, *n.* לוּחַ מַחֲוָנִים
dashing, *adj.* חַי, עֵר, מִתְפָּאֵר
dastard, *n.* פַּחְדָן, מוּג לֵב
dastardly, *adj.* כְּמוּג לֵב
data, *n. pl.* נְתוּנִים, פְּרָטִים, עֻבְדּוֹת
date, *n.* דֶּקֶל, תָּמָר; תַּאֲרִיךְ; יִעוּד, פְּגִישָׁה, רֵאָיוֹן
date, *v.t.* צִיֵּן תַּאֲרִיךְ; קָבַע פְּגִישָׁה (רֵאָיוֹן)
daub, *n.* כֶּתֶם; תְּמוּנָה זוֹלָה
daub, *v.t.* & *i.* מָרַח (צְבָעִים); הִכְתִּים [כתם]
daughter, *n.* בַּת
daughter-in-law, *n.* כַּלָּה
daunt, *v.t.* אִיֵּם, הִפְחִיד [פחד]
dauntless, *adj.* אַמִּיץ
davenport, *n.* מִכְתָּבָה; סַפָּה־מִטָּה
davit, *n.* מַדְלֶה (סִירוֹת)
dawdle, *v.i.* בִּלָּה זְמָן, בִּזְבֵּז, פִּגֵּר, אֵחַר
dawn, *n.* שַׁחַר
dawn, *v.i.* עָלָה הַשַּׁחַר; הִתְחִיל [תחל] לְהָבִין
day, *n.* יוֹם
daze, *n.* סַנְוֵרִים, עִוָּרוֹן
daze, *v.t.* סִנְוֵר, עִוֵּר
dazzle, *n.* תִּמָּהוֹן; סַנְוֵרִים
dazzle, *v.t.* & *i.* סִנְוֵר, הִכָּה בְּסַנְוֵרִים
dead, *adj.* מֵת
dead, *n.* מֵת, מֵתִים

deaden, *v.t.* & *i.* הִקְהָה [קהה], הִכְהָה [כהה]
deadline, *n.* גְּבוּל לֹא יַעֲבֹר; שָׁעָה אַחֲרוֹנָה
deadly, *adj.* מֵמִית, אַכְזָרִי
Dead Sea יָם הַמֶּלַח
deaf, *adj.* חֵרֵשׁ
deafen, *v.t.* חָרַשׁ, הֶחֱרִישׁ [חרש]
deafness, *n.* חֵרְשׁוּת
deal, *n.* עֵסֶק, עִסְקָה; חִלּוּק (קְלָפִים); מָנָה
deal, *v.t.* & *i.* הִתְעַסֵּק [עסק], סָחַר; חִלֵּק (קְלָפִים); נָהַג, הִתְנַהֵג [נהג]
dealer, *n.* תַּגָּר, סוֹחֵר; מְחַלֵּק קְלָפִים
dealing, *n.* מִסְחָר; עֵסֶק
dean, *n.* דֵּיקָן, נְשִׂיא מִכְלָלָה
dear, *adj.* & *n.* אָהוּב, יָקָר, חָבִיב
dearly, *adv.* בְּאַהֲבָה; בְּיֹקֶר
dearness, *n.* יֹקֶר
dearth, *n.* יֹקֶר, מַחְסוֹר, רָעָב
death, *n.* מָוֶת, מִיתָה, תְּמוּתָה, פְּטִירָה
deathbed, *n.* מִטַּת מָוֶת
deathblow, *n.* מַכַּת מָוֶת
deathless, *adj.* נִצְחִי
deathly, *adj.* & *adv.* כַּמֵּת, מֵמִית
death rate שִׁעוּר הַתְּמוּתָה
debacle, *n.* מַפָּלָה, תְּבוּסָה
debar, *v.t.* מָנַע, עָצַר
debark, *v.t.* & *i.* יָצָא מֵאֳנִיָּה, עָלָה לַיַּבָּשָׁה
debase, *v.t.* הִשְׁפִּיל [שפל]
debasement, *n.* הַשְׁפָּלָה
debatable, *adj.* תָּלוּי, מֻטָּל בְּסָפֵק
debate, *n.* וִכּוּחַ
debate, *v.t.* & *i.* הִתְוַכֵּחַ [וכח]
debater, *n.* מִתְוַכֵּחַ
debauch, *v.t.* & *i.* הִשְׁחִית [שחת], הִתְהוֹלֵל [הלל]
debauchery, *n.* שְׁחִיתוּת, שְׁחִיתוּת הַמִּדּוֹת, הוֹלְלוּת
debilitate, *v.t.* הֶחֱלִישׁ [חלש]
debility, *n.* חֻלְשָׁה, תְּשִׁישׁוּת
debit, *n.* חוֹב, חוֹבָה
debit, *v.t.* חִיֵּב
debonair, debonaire, *adj.* עַלִּיז
debris, *n.* הֶרֶס, מַפֹּלֶת, חָרְבָּה
debt, *n.* חוֹב, חוֹבָה
debtor, *n.* חַיָּב, לֹוֶה
debut, *n.* הוֹפָעָה רִאשׁוֹנָה
debutante, *n.* מַתְחִילָה, טִירוֹנִית
decade, *n.* עָשׂוֹר, עֶשֶׂר שָׁנִים
decadence, decadency, *n.* הִתְנַוְּנוּת
decadent, *n.* מִתְנַוֵּן
Decalogue, Decalog, *n.* עֲשֶׂרֶת הַדְּבָרִים, עֲשֶׂרֶת הַדִּבְּרוֹת
decamp, *v.i.* בָּרַח, נָס [נוס]
decant, *v.t.* יָצַק, מָזַג
decanter, *n.* בַּקְבּוּק
decapitate, *v.t.* כָּרַת רֹאשׁ, הִתִּיז [נתז]
decapitation, *n.* כְּרִיתַת רֹאשׁ, עֲרִיפָה
decay, *n.* רִקָּבוֹן, עִפּוּשׁ, בָּאְשָׁה
decay, *v.t.* & *i.* רָקַב, בָּאַשׁ, הִתְעַפֵּשׁ [עפש]; הִשְׁחִית [שחת]
decease, *n.* מָוֶת, מִיתָה
decease, *v.i.* נִפְטַר [פטר], מֵת [מות]
deceit, *n.* מִרְמָה, רַמָּאוּת
deceitful, *adj.* רַמַּאי
deceitfulness, *n.* תַּרְמִית, רַמָּאוּת
deceive, *v.t.* רִמָּה, הִתְעָה [תעה]; בָּגַד
deceiver, *n.* רַמַּאי
decelerate, *v.t.* & *i.* הֵאֵט [אטט]
December, *n.* דֶּצֶמְבֶּר
decency, *n.* נִמּוּסִיּוּת, הֲגִינוּת
decent, *adj.* הָגוּן, נָכוֹן, מַתְאִים
decently, *adv.* בִּצְנִיעוּת, בְּדֶרֶךְ אֶרֶץ

decentralization, *n.* בִּזּוּר
decentralize, *v.t.* בִּזֵּר
deception, *n.* אוֹנָאָה, תַּרְמִית, אַכְזָבָה
deceptive, *adj.* מַתְעֶה, מְרַמֶּה, מְאַכְזֵב
decide, *v.t. & i.* הֶחֱלִיט [חלט], דָּן [דין], הִכְרִיעַ [כרע]
decidedly, *adv.* בְּהֶחְלֵט
deciduous, *adj.* נָשִׁיר (עֵץ)
decimal, *adj.* עֶשְׂרוֹנִי
decimate, *v.t.* הָרַג, הֵמִית [מות], הִשְׁמִיד [שמד] רַבִּים
decipher, *v.t.* פָּתַר, בֵּאֵר, פִּעְנֵחַ
decision, *n.* הַחְלָטָה, הַכְרָעָה
decisive, *adj.* מֻחְלָט
decisively, *adv.* לְגַמְרֵי
deck, *n.* סִפּוּן אֳנִיָּה; חֲבִילָה (קְלָפִים)
deck, *v.t.* קִשֵּׁט, עָדָה
declaim, *v.t.* הִקְרִיא [קרא]
declamation, *n.* הַקְרָאָה
declaration, *n.* הַצְהָרָה, הַכְרָזָה
declarative, *adj.* מַצְהִיר, מַכְרִיז, מוֹדִיעַ
declare, *v.t.* אָמַר, הִכְרִיז [כרז], הוֹדִיעַ [ידע], הִצְהִיר [צהר]
declension, *n.* מִדְרוֹן; נְטִיָּה (דִּקְדּוּק)
declination, *n.* הַטָּיָה, יְרִידָה
decline, *n.* יְרִידָה, דִּלְדּוּל, הִתְמַעֲטוּת
decline, *v.t. & i.* יָרַד, נָטָה; סֵרֵב, מֵאֵן
declivity, *n.* מוֹרָד, מִדְרוֹן, שִׁפּוּעַ
decompose, *v.t. & i.* פֵּרַק; הִתְפָּרֵק [פרק]; נִרְקַב [רקב], רָקַב, נָמַק [מקק]; הִפְרִיד [פרד]
decomposition, *n.* פֵּרוּק, רָקָבוֹן, הַפְרָדָה
decorate, *v.t.* עִטֵּר, קִשֵּׁט, יִפָּה
decoration, *n.* תִּפְאוֹרָה, קִשּׁוּט, יִפּוּי; אוֹת (כָּבוֹד) הִצְטַיְּנוּת
decorative, *adj.* מְקַשֵּׁט, קִשּׁוּטִי
decorator, *n.* מְקַשֵּׁט, קַשְּׁטָן (דִּירָה); תַּפְאוּרָן (בָּמָה)
decorous, *adj.* צָנוּעַ, אָדִיב, נָאֶה
decoy, *v.t.* פִּתָּה, דִּמָּה
decoy, *n.* דֶּמֶה
decrease, *n.* מִעוּט, הַמְעָטָה, פְּחָת
decrease, *v.t. & i.* הִתְמַעֵט [מעט]; מִעֵט, הֶחְסִיר [חסר], הִפְחִית [פחת]
decree, *n.* פְּקֻדָּה, צַו, גְּזֵרָה, חֹק
decree, *v.t. & i.* חָרַץ, פָּסַק, צִוָּה, חָקַק
decrepit, *adj.* יָשִׁישׁ, חָלָשׁ, יָגֵעַ
decrepitude, *n.* זִקְנָה, חֻלְשַׁת זִקְנָה, אֲפִיסַת כֹּחוֹת
decry, *v.t.* גִּנָּה
dedicate, *v.t.* הִקְדִּישׁ [קדש], חָנַךְ
dedication, *n.* הַקְדָּשָׁה, חֲנֻכָּה
dedicator, *n.* מַקְדִּישׁ, חוֹנֵךְ
deduce, *v.t.* הִסִּיק [נסק]
deduct, *v.t.* חִסֵּר, גָּרַע, נִכָּה, הִפְחִית [פחת]
deduction, *n.* נִכּוּי, חִסּוּר; מַסְקָנָה
deductive, *adj.* מְנַכֶּה, מַפְחִית; מַסִּיק
deem, *v.t. & i.* סָבַר, חָשַׁב
deed, *n.* פְּעֻלָּה, מִפְעָל, מַעֲשֶׂה; שְׁטָר
deep, *adj.* עָמֹק, סָתוּם
deep, *n.* עֹמֶק, תְּהוֹם
deepen, *v.t. & i.* הֶעֱמִיק [עמק], עָמַק
deepfreeze, *n. & v.t.* מַקְפָּאוֹן; הִתְקַפָּא [קפא]
deer, *n.* צְבִי, אַיָּל
deface, *v.t.* מָחַק, הִשְׁחִית [שחת], הֵפֵר [פרר]
defalcate, *v.t. & i.* מָעַל בִּכְסָפִים
defalcation, *n.* מְעִילָה בִּכְסָפִים
defamation, *n.* דִּבָּה, הוֹצָאַת שֵׁם רָע, הַשְׁמָצָה

defamatory, *adj.* מוֹצִיא דִּבָּה, מְגַדֵּף, מַשְׁמִיץ

defame, *v.t.* הוֹצִיא [יצא] דִּבָּה, גִּדֵּף, שִׁמֵּץ, הֶאֱשִׁים [אשם]

default, *n.* מוּם, זִלְזוּל; הִשְׁתַּמְּטוּת

default, *v.i.* הִשְׁתַּמֵּט [שמט]

defaulter, *n.* חוֹטֵא; מִשְׁתַּמֵּט

defeat, *n.* מַפָּלָה, תְּבוּסָה

defeat, *v.t.* נִצַּח, הִכָּה, הִפִּיל [נפל], הֵבִיס [בוס]

defeatist, *n.* תְּבוּסָן

defecate, *v.t.* & *i.* יָצָא, עָשָׂה צְרָכִים, הִפְרִישׁ [פרש] (צוֹאָה), הֶחֱרִיא [חרא]

defect, *n.* מוּם, פְּגָם, חִסָּרוֹן, מִגְרַעַת

defection, *n.* מְעִילָה, בְּגִידָה; בְּרִיחָה

defective, *adj.* פָּגוּם, לָקוּי, בַּעַל מוּם

defend, *v.t.* הֵגֵן [גנן]; הִצְדִּיק [צדק]

defendant, *n.* נֶאֱשָׁם, נִתְבָּע; מֵגֵן

defender, *n.* (אִישׁ) מָגֵן; טוֹעֵן

defense, defence, *n.* הֲגָנָה, סַנֵּגוֹרְיָה, טֵעוּן

defenseless, defenceless, *adj.* מְחֻסַּר הֲגָנָה, מְחֻסַּר סַנֵּגוֹרְיָה

defensive, *adj.* מֵגֵן

defer, *v.t.* & *i.* דָּחָה, עִכֵּב; נִכְנַע [כנע]

deference, *n.* כָּבוֹד, הַכְנָעָה; צִיּוּת

deferentially, *adv.* בְּכָבוֹד

deferment, *n.* דְּחִיָּה

defiance, *n.* הִתְקוֹמְמוּת, חֻצְפָּה, הַתְרָסָה

defiant, *adj.* מִתְקוֹמֵם, חָצוּף, מַתְרִיס

defiantly, *adv.* בְּחֻצְפָּה

deficiency, deficience, *n.* פְּגָם, גֵּרָעוֹן, מַחְסוֹר

deficient, *adj.* זָעוּם, חָסֵר, חָסִיר, פָּגוּם

deficit, *n.* גֵּרָעוֹן בְּכֶסֶף

defile, *n.* מַעֲבָר; הִזְדַּנְּבוּת

defile, *v.t.* טִמֵּא, חִלֵּל, זִהֵם, הִזְדַּנֵּב [זנב]

defilement, *n.* הַבְזָיָה, חִלּוּל, טֻמְאָה

define, *v.t.* הִגְדִּיר [גדר], הִגְבִּיל [גבל]

definite, *adj.* מְסֻיָּם, בָּרוּר, מְדֻיָּק, מֻגְבָּל, מְיֻדָּע

definite article ה׳ הַיְדִיעָה, תָּוִית מְיַדַּעַת

definitely, *adv.* בְּהֶחְלֵט

definition, *n.* הַגְדָּרָה

definitive, *adj.* מֻחְלָט, מְסֻיָּם, מֻגְבָּל

deflate, *v.t.* & *i.* הֵרִיק [ריק], הֵדֵק, כִּוֵּץ; הוֹרִיד [ירד] (שְׁוִי הַמַּטְבֵּעַ)

deflect, *v t.* & *i.* הִטָּה [נטה]

deflection, deflexion, *n.* הַטָּיָה; כֶּפֶף

deforest, *v.t.* בֵּרֵא

deform, *v.t.* הוּמַם [מום], כִּעֵר, קִלְקֵל

deformation, *n.* קִלְקוּל, הַטָּלַת מוּם

deformity, *n.* מוּם, כִּעוּר

defraud, *v.t.* הוֹנָה [ינה], רִמָּה

defray, *v.t.* שִׁלֵּם (הוֹצָאוֹת)

defrayment, *n.* תַּשְׁלוּם, סִלּוּק

defrost, *v.t.* הִפְשִׁיר [פשר]

defroster, *n.* מַפְשֵׁר

deft, *adj.* זָרִיז

deftly, *adv.* בִּזְרִיזוּת

deftness, *n.* זְרִיזוּת

defunct, *adj.* & *n.* מֵת, נִפְטָר

defy, *v.t.* הִתְנַגֵּד [נגד] לְ־

degenerate, *adj.* & *n.* מָשְׁחָת, מְנֻוָּנֶה, יָרוּד

degenerate, *v.i.* הִשְׁחִית [שחת], הִתְנַוְּנָה [נונה]

degeneration, degeneracy, *n.* יְרִידָה, הִתְנַוְּנוּת, שְׁחִיתוּת הַמִּדּוֹת

degradation, *n.* הוֹרָדָה בְּדַרְגָּה; חֶרְפָּה, קָלוֹן, הַשְׁפָּלָה

degrade, *v.i.* הוֹרִיד [ירד] בְּדַרְגָּה, בִּזָּה, מִעֵט, הִשְׁפִּיל [שפל]

degree, *n.* מַעֲלָה, דַּרְגָּה; תֹּאַר (מִכְלָלָה); עֵרֶךְ; אֵיכוּת

  by degrees בְּהַדְרָגָה

  to a degree בְּמִדַּת מַה

dehydration, *n.* יִבּוּשׁ, צִנּוּם (יְרָקוֹת וְכוּ׳), אַל מִיּוּם

deification, *n.* הַאֲלָהָה

deify, *v.t.* הֶאֱלִיהַּ [אלה]

deign, *v.t.* & *i.* הוֹאִיל [יאל], הִרְשָׁה [רשה]

deity, *n.* אֱלֹהוּת

dejected, *adj.* נוּגֶה, עָצוּב

dejectedly, *adv.* בְּעֶצֶב

dejection, *n.* יָגוֹן, עַצְבוּת

delay, *n.* עִכּוּב; שְׁהִיָּה, אִחוּר

delay, *v.t.* & *i.* עִכֵּב; שָׁהָה, אִחַר, הִתְמַהְמַהּ [מהמה], הִשְׁהָה [שהה]

delectable, *adj.* מְעַנֵּג, מוֹצֵא חֵן

delegate, *n.* צִיר, נָצִיג, בָּא כֹּחַ

delegate, *v.t.* שָׁלַח בְּתוֹר נָצִיג; נָתַן כֹּחַ וְהַרְשָׁאָה

delegation, delegacy, *n.* מִשְׁלַחַת

delete, *v.t.* מָחָה, מָחַק

deletion, *n.* מְחִיקָה

deliberate, *v.t.* & *i.* חָשַׁב, שָׁקַל בְּדַעַת, הִתְיָעֵץ [יעץ]

deliberation, *n.* עִיּוּן, שִׁקּוּל דַּעַת; מְתִינוּת

deliberative, *adj.* מָתוּן

delicacy, *n.* עֲדִינוּת, רֹךְ

delicate, *adj.* נָעִים, טָעִים, עָדִין

delicately, *adv.* בְּרֹךְ

delicatessen, *n.* (חֲנוּת) מַטְעַמִּים, מַעֲדַנִּים

delicious, *adj.* טָעִים

delight, *n.* תַּעֲנוּג, שִׂמְחָה, נֹעַם, חֶמֶד

delight, *v.t.* & *i.* עִנֵּג, שִׂמַּח, שִׁעֲשַׁע; הִתְעַנֵּג [ענג]

delightful, *adj.* מְעַנֵּג

delightfully, *adv.* בְּתַעֲנוּג

delineate, *v.t.* שִׂרְטֵט, רָשַׁם, תֵּאֵר

delineation, *n.* שִׂרְטוּט, רְשִׁימָה, תֵּאוּר

delinquency, *n.* חֵטְא, פְּשִׁיעָה, עֲבֵרָה; חַטֹּאות נְעוּרִים; הִתְרַשְּׁלוּת

delinquent, *adj.* & *n.* פּוֹשֵׁעַ, מִתְרַשֵּׁל, עֲבַרְיָן

deliquesce, *v.i.* נָמַס [מסס], הִתְמוֹסֵס [מסס]

deliquescent, *adj.* נָמֵס, מִתְמַסְמֵס

delirious, *adj.* מְטֹרָף, מְשֻׁגָּע

delirium, *n.* טֵרָפוֹן, טֵרוּף דַּעַת

deliver, *v.t.* הִצִּיל [נצל], פָּדָה; הִרְצָה [רצה]; מָסַר; הִסְגִּיר [סגר]; יִלֵּד, מִלֵּט

deliverance, *n.* שִׁחְרוּר, הַצָּלָה, יְשׁוּעָה; מְסִירָה

deliverer, *n.* מַצִּיל, מוֹשִׁיעַ; מוֹסֵר

delivery, *n.* הַצָּלָה, יְשׁוּעָה; מְסִירָה; לֵדָה; חֲלֻקָּה (מִכְתָּבִים)

dell, *n.* גַּיְא, עֵמֶק

delude, *v.t.* הִשִּׁיא [נשא], רִמָּה, הִתְעָה [תעה]

deluge, *n.* & *v.t.* מַבּוּל, שִׁטָּפוֹן; הֵצִיף [צוף] מַיִם

delusion, *n.* דִּמְיוֹן שָׁוְא, מִרְמָה, הוֹנָאָה, הַתְעָיָה, תַּעְתּוּעַ

delusive, *adj.* מַתְעֶה, מְרַמֶּה

de luxe, *n.* מְפֹאָר, מְהֻדָּר

delve, *v.t.* & *i.* הִתְעַמֵּק [עמק], חָקַר, כָּרָה

demagogue, demagog, *n.* מַסִּית הֲמוֹנִי, מַלְהִיב

demand, *n.* דְּרִישָׁה, תְּבִיעָה; בִּקּוּשׁ

demand, *v.t.* & *i.* דָּרַשׁ, תָּבַע, בִּקֵּשׁ

demarcation, *n.* תְּחוּם, גְּבִילָה

demean, *v.t. & i.* הִשְׁפִּיל [שפל]; הִתְבַּזָּה [בוזה]; הִתְנַהֵג [נהג]

demeanor, demeanour, *n.* נִמּוּס, הִתְנַהֲגוּת

demented, *adj.* מְטֹרָף, מְשֻׁגָּע

demerit, *n.* צִיּוּן רַע (לְתַלְמִיד), מִגְרַעַת, חִסָּרוֹן

demigod, *n.* אֱלִיל, אֲרִיאֵל

demilitarize, *v.t.* פֵּרֵז

demise, *n.* הוֹרָשָׁה, הַעֲבָרָה; מִיתָה, מָוֶת

demise, *v.t.* הִנְחִיל [נחל], הוֹרִישׁ [ירש]

demitasse, *n.* סִפְלוֹן

demobilization, *n.* שִׁחְרוּר כְּלָלִי מִן הַצָּבָא

demobilize, *v.t.* שִׁחְרֵר מִן הַצָּבָא

democracy, *n.* עֲמוֹנִיּוּת, דֵּמוֹקְרַטְיָה

democrat, *n.* עֲמוֹנַאי, דֵּמוֹקְרָט

democratic, *adj.* עֲמָמִי, דֵּמוֹקְרָטִי

demolish, *v.t.* הֶחֱרִיב [חרב], הָרַס, כִּלָּה

demolition, *n.* הֲרִיסָה, הֶרֶס, חֻרְבָּן

demon, *n.* שֵׁד, רוּחַ

demoniac, demoniacal, *adj.* שֵׁדִי, מַזִּיק

demonstrate, *v.t. & i.* הִצִּיג [יצג], הֶרְאָה [ראה], הוֹכִיחַ [יכח]; הִפְגִּין [פגן]

demonstration, *n.* הַצָּגָה, הוֹכָחָה; הַפְגָּנָה

demonstrative, *adj.* מוֹכִיחַ; מַפְגִּין; מַדְגִּישׁ, רוֹמֵז (דִּקְדּוּק)

demonstrator, *n.* מוֹכִיחַ, מַרְאֶה; מַפְגִּין, מַדְגִּים

demoralization, *n.* הַשְׁחָתַת הַמִּדּוֹת

demoralize, *v.t.* הִשְׁחִית [שחת] אֶת הַמִּדּוֹת, הֵמֵס [מסס] לֵב

demote, *v.t.* הוֹרִיד [ירד] בְּדַרְגָּה

demur, *n.* עִרְעוּר, פִּקְפּוּק

demur, *v.i.* עִרְעֵר, טָעַן, פִּקְפֵּק

demure, *adj.* מָתוּן, רְצִינִי, מִצְטַנֵּעַ

demurely, *adv.* בִּרְצִינוּת

demurrage, *n.* עִכּוּב, הַשְׁהָיָה; דְּמֵי הַשְׁהָיָה

den, *n.* מְאוּרָה, גֹּב

denature, *v.t.* פִּגֵּל

denial, *n.* הַכְחָשָׁה, סֵרוּב, מֵאוּן

denizen, *n. & v.t.* תּוֹשָׁב; אִכְלֵס

denominate, *v.t.* נָקַב בְּשֵׁם, כִּנָּה

denomination, *n.* כִּנּוּי, נְקִיבַת שֵׁם; כִּתָּה; קְהִילָּה

denominational, *adj.* כִּתָּתִי, קְהִילָתִי

denominator, *n.* מְכַנֶּה

denote, *v.t.* סִמֵּן, צִיֵּן

denouement, *n.* הַתָּרָה

denounce, *v.t.* גִּנָּה, הִלְשִׁין [לשן]

dense, *adj.* מְעֻבֶּה, צָפוּף, סָמִיךְ

density, *n.* עִבּוּי, צְפִיפוּת, סְמִיכוּת

dent, *n.* שֵׁן; שְׁקִיעָה, שֶׁקַע, מִשְׁקָע, גֻּמָּה

dent, *v.t.* עָשָׂה שֶׁקַע, עָשָׂה גֻּמָּה

dental, *adj.* שִׁנִּי, שֶׁל שִׁנַּיִם

dentifrice, *n.* מִשְׁחַת (אַבְקַת, תַּרְחִיץ) שִׁנַּיִם

dentist, *n.* רוֹפֵא שִׁנַּיִם, שִׁנָּן

denture, *n.* (טוּר) שִׁנַּיִם מְלָאכוּתִיּוֹת

denudation, *n.* עִרְטוּל, חֲשִׂיפָה

denude, *v.t.* עָרַם, עִרְטֵל, הֶעֱרָה [ערה]

denunciation, *n.* הַאֲשָׁמָה, הַלְשָׁנָה, גִּנּוּי

deny, *v.t. & i.* הִכְחִישׁ [כחש]

deodorant, *adj. & n.* מֵפִיג (מַרְחִיק) רֵיחַ רָע

deodorize, *v.t.* הֵפִיג [פוג] רֵיחַ רָע

depart, *v.t. & i.* עָזַב, יָצָא; נִפְרַד [פרד]; נָסַע; מֵת

department, *n.* סְנִיף; מַחְלָקָה
department store, *n.* חֲנוּת כָּל בָּהּ
departure, *n.* עֲזִיבָה, נְסִיעָה, יְצִיאָה, פְּרִידָה; מִיתָה
depend, *v.i.* תָּלָה, סָמַךְ, נִשְׁעַן
dependence, *n.* תְּלוּת, תְּלִיָּה, סְמִיכָה, אֵמוּן
dependent, *adj.* תָּלוּי, סוֹמֵךְ
depict, *v.t.* תֵּאֵר
depiction, *n.* תֵּאוּר
depilation, *n.* הַשָּׁרַת שֵׂעָר
deplete, *v.t.* הֵרִיק [ריק]
depletion, *n.* הֲרָקָה
deplorable, *adj.* מִסְכֵּן, אֻמְלָל
deplore, *v.t.* הִצְטַעֵר [צער] (עַל)
deploy, *v.t.* & *i.* הֶעֱמִיד [עמד] בְּמַעֲרָכָה; פָּרַס (דֶּגֶל), הִתְפָּרֵס [פרס]
deponent, *adj.* & *n.* מֵעִיד, עֵד
depopulate, *v.t.* הִשְׁמִיד [שמד] תּוֹשָׁבִים
depopulation, *n.* הַשְׁמָדַת (הִתְמַעֲטוּת) אֻכְלוּסִים
deport, *v.t.* שִׁלַּח, גֵּרַשׁ; הִתְנַהֵג [נהג]
deportation, *n.* הַגְלָיָה
deportment, *n.* הִתְנַהֲגוּת, נִמּוּס
depose, *v.t.* & *i.* הוֹרִיד [ירד], הֵסִיר, [סור] הִרְחִיק [רחק]; הֵעִיד [עוד]
deposit, *n.* פִּקָּדוֹן; מַשְׁכּוֹן, עֵרָבוֹן; מִשְׁקָע (שְׁמָרִים); דְּמֵי קְדִימָה; רֹבֶד, שִׁכְבָה
deposit, *v.t.* & *i.* שָׂם [שים], הֵנִיחַ [נוח], הִפְקִיד [פקד]; שָׁקַע
deposition, *n.* הַפְקָדָה; הַעֲדָאָה; הַדָּחָה; מִרְבָּד
depositor, *n.* מַפְקִיד
depository, *n.* אוֹצָר; נִפְקָד
depot, *n.* תַּחֲנָה (רַכֶּבֶת); מַחְסָן; קֶלֶט
depravation, *n.* קִלְקוּל, הַשְׁחָתָה
deprave, *v.t.* קִלְקֵל, הִשְׁחִית [שחת]
depravity, *n.* פְּרִיצוּת, תַּרְבּוּת רָעָה, שְׁחִיתוּת הַמִּדּוֹת
deprecate, *v.t.* הִבִּיעַ [נבע] צַעַר, קָבַל
deprecation, *n.* קְבִילָה, הַבָּעַת צַעַר
depreciate, *v.t.* & *i.* הִפְחִית [פחת], הוּזַל [זול], יָרַד (מְחִיר)
depreciation, *n.* פְּחָת, יְרִידַת (עֵרֶךְ) מְחִיר
depredate, *v.t.* בָּזַז, עָשַׁק
depredation, *n.* בִּזָּה, עֹשֶׁק
depress, *v.t.* הֵעִיק [עוק], הֶעֱצִיב [עצב], הִשְׁפִּיל [שפל]
depression, *n.* יְרִידָה; שֶׁקַע; עַצְבוּת; שֵׁפֶל, מַשְׁבֵּר (כַּלְכָּלִי)
deprivation, deprival, *n.* קִפּוּחַ, שְׁלִילָה, חִסּוּר
deprive, *v.t.* קִפַּח, שָׁלַל, מָנַע
depth, *n.* עֹמֶק, מְצוּלָה, תְּהוֹם
deputation, *n.* מַלְאָכוּת, הַרְשָׁאָה; מִשְׁלַחַת
depute, *v.t.* שָׁלַח, מִנָּה כְּסֶגֶן
deputize, *v.t.* יִפָּה כֹּחַ
deputy, *n.* צִיר, סֶגֶן
derail, *v.t.* הוֹרִיד מִמְּסִילַּת הַבַּרְזֶל, יָרַד מִמְּסִילַּת הַבַּרְזֶל
derailment, *n.* הוֹרָדָה (יְרִידָה) מִמְּסִילַּת הַבַּרְזֶל
derange, *v.t.* בִּלְבֵּל, עִרְבֵּב, הִפְרִיעַ [פרע]
derangement, *n.* מְבוּכָה, בִּלְבּוּל
derelict, *adj.* & *n.* נָטוּשׁ, נֶעֱזָב, בִּלְתִּי נֶאֱמָן; חֵפֶץ נָטוּשׁ; חֵלֶךְ
dereliction, *n.* נְטִישָׁה, הַזְנָחָה, עֲזִיבָה, הַפְקָרָה
deride, *v.t.* לָעַג, לִגְלֵג, עָשָׂה צְחוֹק מ־
derision, *n.* צְחוֹק, לַעַג
derisive, *adj.* לוֹעֵג, מְהַתֵּל

derivation, *n.* מָקוֹר, הִתְפַּתְּחוּת, הַגְזָרָה
derivative, *adj.* & *n.* מִסְתָּעֵף, נִגְזָר; תּוֹלָדָה, נִגְזֶרֶת
derive, *v.t.* & *i.* הֵפִיק [פוק], הוֹצִיא [יצא], גָּזַר; הִסְתָּעֵף [סעף] מִ־
dermatologist, *n.* מֻמְחֶה לְמַחֲלוֹת עוֹר
derogation, *n.* קִפּוּחַ, הַפְחָתַת עֵרֶךְ, הַשְׁפָּלָה
derogatory, *adj.* מְבַזֶּה
derrick, *n.* מָנוֹף, עֲגוּרָן; מִגְדַּל קִדּוּחַ
descant, *v.i.* הֶאֱרִיךְ [ארך] בְּדִבּוּר
descend, *v.i.* יָרַד, נָחַת
descendant, *adj.* & *n.* צֶאֱצָא, יוֹצֵא חֲלָצַיִם
descent, *n.* מוֹרָד, יְרִידָה; מוֹצָא
describe, *v.t.* תֵּאֵר
description, *n.* תֵּאוּר
descriptive, *adj.* מְתָאֵר, תֵּאוּרִי
descry, *v.t.* הִכִּיר [נכר], רָאָה
desecrate, *v.t.* חִלֵּל
desecration, *n.* חִלּוּל
desegregation, *n.* בִּטּוּל הַהַפְרָדָה הַגִּזְעִית
desert, *n.* מִדְבָּר, יְשִׁימוֹן
desert, *v.t.* & *i.* עָזַב, זָנַח, נָטַשׁ, בָּרַח, עָרַק
deserter, *n.* עָרִיק
desertion, *n.* בְּרִיחָה, עֲזִיבָה, נְטִישָׁה, עֲרִיקָה
deserve, *v.t.* & *i.* הָיָה רָאוּי, זָכָה
deserving, *adj.* זַכַּאי
desiccate, *v.t.* & *i.* יִבֵּשׁ, הִתְיַבֵּשׁ [יבש]
design, *n.* צִיּוּר; רִשּׁוּם; מַחֲשָׁבָה; כַּוָּנָה
design, *v.t.* & *i.* שִׂרְטֵט, רָשַׁם; חָשַׁב, זָמַם
designate, *v.i.* מִנָּה, סִמֵּן, נָקַב בְּשֵׁם
designation, *n.* כִּנּוּי, מִנּוּי
designer, *n.* רַשָּׁם, שַׂרְטָט, מְשַׂרְטֵט, צַיָּר
designing, *adj.* מִתְכַּנֵּן; נוֹכֵל
designing, *n.* רְשִׁימָה, צִיּוּר; תְּכִינָה; הִתְנַכְּלוּת
desirable, *adj.* רָצוּי, נֶחְמָד
desire, *v.t.* & *i.* חָפֵץ, רָצָה, אָבָה, תָּאַב, חָמַד; הִשְׁתּוֹקֵק [שקק], הִתְאַוָּה [אוה] לְ־
desire, *n.* חֵפֶץ, רָצוֹן, תַּאֲוָה, חֶמְדָּה, מִשְׁאָלָה
desirous, *adj.* חוֹמֵד, חוֹשֵׁק, מִתְאַוֶּה
desist, *v.i.* חָדַל, הִרְפָּה [רפה]
desk, *n.* מַכְתֵּבָה; שֻׁלְחָן (כְּתִיבָה)
desolate, *adj.* חָרֵב, שָׁמֵם, נָטוּשׁ; אֻמְלָל
desolate, *v.t.* הֶחֱרִיב [חרב]; אִמְלֵל
desolation, *n.* שְׁמָמָה, צִיָּה; תּוּגָה, צַעַר
despair, *n.* יֵאוּשׁ, מַפַּח נֶפֶשׁ
despair, *v.t.* & *i.* הִתְיָאֵשׁ [יאש]
despatch, *v.* dispatch
desperado, *n.* שׁוֹדֵד, עֲבַרְיָן, בִּרְיוֹן
desperate, *adj.* מִתְיָאֵשׁ, נוֹאָשׁ, עַז נֶפֶשׁ, מְסֻכָּן
desperately, *adv.* בְּיֵאוּשׁ, בְּאֵין תִּקְוָה
desperation, *n.* יֵאוּשׁ, הֶעָזָה
despicable, *adj.* בָּזוּי, נִתְעָב, מָאוּס
despise, *v.t.* בָּזָה, תִּעֵב, זִלְזֵל
despiser, *n.* בָּז
despite, *n.* גֹּעַל, בּוּז
despite, *prep.* לַמְרוֹת
despoil, *v.t.* שָׁלַל, בָּזַז, גָּזַל
despoiler, *n.* גַּזְלָן, עוֹשֵׁק
despond, *v.i.* הִתְיָאֵשׁ [יאש]
despondence, despondency, *n.* יֵאוּשׁ, דִּכָּאוֹן, עָגְמַת (מַפַּח) נֶפֶשׁ

despondent, *adj.* מְדֻכָּא, מְדֻכְדָּךְ
despot, *n.* עָרִיץ, אַכְזָר
despotic, despotical, *adj.* עָרִיץ, אַכְזָר
despotism, *n.* עָרִיצוּת, אַכְזָרִיּוּת, שְׁרִירוּת לֵב
dessert, *n.* קִנּוּחַ סְעֻדָּה, פַּרְפֶּרֶת, לִפְתָּן
destination, *n.* מַטָּרָה, תַּכְלִית, מְחוֹז חֵפֶץ, יַעַד, יִעוּד
destine, *v.t.* מִנָּה, יָעַד
destiny, *n.* גּוֹרָל, מַזָּל, יִעוּד
destitute, *adj.* רָשׁ, מִסְכֵּן
destitution, *n.* רִישׁ, מִסְכֵּנוּת, מַחְסוֹר
destroy, *v.t.* הָרַס, כִּלָּה, הִשְׁחִית [שחת], הִשְׁמִיד [שמד]
destroyer, *n.* מַשְׁחִית; מַשְׁחֶתֶת (אֳנִיָּה)
destructible, *adj.* נִשְׁחָת
destruction, *n.* חֻרְבָּן, הֶרֶס, הַשְׁחָתָה, הַשְׁמָדָה
destructive, *adj.* מַשְׁמִיד, הוֹרֵס, הַרְסָנִי, מְכַלֶּה, מֵמִית
desultory, *adj.* פּוֹסֵחַ, מְדַלֵּג, מְסָרֵג, מִקְרִי
detach, *v.t.* פֵּרַק, הִפְרִיד [פרד], הִתִּיר [נתר], נִתֵּק
detachable, *adj.* פָּרִיק, פָּרִיד, נָתִיק
detachment, *n.* הַפְרָדָה; גְּדוּד צָבָא, עֻצְבָּה
detail, *n.* פְּרָט, פֶּרֶט; פְּלֻגָּה
detail, *v.t.* פֵּרַט, תֵּאֵר
detailed, *adj.* מְפֹרָט
detain, *v.t.* עִכֵּב, הִשְׁהָה [שהה], אָסַר, עָצַר
detainment, *n.* מַעֲצָר, מַעְצוֹר, עִכּוּב
detect, *v.t.* גִּלָּה, מָצָא
detection, *n.* גִּלּוּי
detective, *n.* & *adj.* בַּלָּשׁ, שׁוֹטֵר חָרֵשׁ; בַּלָּשִׁי

detector, *n.* מְגַלֶּה, בָּחוֹן, גַּלַּאי
detention, *n.* חֲבִישָׁה, כְּלִיאָה, מַעֲצָר
deter, *v.t.* הִפְחִיד [פחד], עִכֵּב
detergent, *n.* מְנַקֶּה, תְּמִיסַת (אַבְקַת) נִקּוּי, כֶּבֶס
deteriorate, *v.t.* & *i.* קִלְקֵל; הִתְקַלְקֵל, הָלַךְ וָרַע
deterioration, *n.* קִלְקוּל, הֲרָעָה
determinable, *adj.* מֻגְדָּר
determination, *n.* הַחְלָטָה; עַקְשָׁנוּת; הַגְדָּרָה, קְבִיעָה
determine, *v.t.* הֶחְלִיט [חלט], הִגְדִּיר [גדר], קָבַע
deterrent, *adj.* & *n.* מוֹנֵעַ; (גּוֹרֵם) מַרְתִּיעַ
detest, *v.t.* שָׂנֵא, מָאַס
detestable, *adj.* שָׂנוּא, מָאוּס, נִמְאָס, בָּזוּי
detestation, *n.* שִׂנְאָה, גֹּעַל
dethrone, *v.t.* הוֹרִיד [ירד] מִכִּסֵּא הַמְּלוּכָה
dethronement, *n.* הוֹרָדָה מִכִּסֵּא הַמְּלוּכָה
detonate, *v.t.* & *i.* נִפֵּץ, פּוֹצֵץ [פצץ]; הִתְפּוֹצֵץ
detonation, *n.* נֶפֶץ, הִתְפּוֹצְצוּת
detonator, *n.* פַּצָּץ
detour, *n.* עֲקִיפָה, עֲקִיפַת דֶּרֶךְ
detract, *v.t.* & *i.* גָּרַע, חִסֵּר
detraction, *n.* הַקְטָנָה, הַלְשָׁנָה, עֶלְבּוֹן
detriment, *n.* רָעָה, נֵזֶק, הֶפְסֵד
detrimental, *adj.* מַזִּיק
Deuteronomy, *n.* (סֵפֶר) דְּבָרִים
devaluation, *n.* יִרוּד, הַפְחָתַת עֵרֶךְ הַמַּטְבֵּעַ
devastate, *v.t.* הֵשַׁם, הֵשִׁים [שמם]
devastation, *n.* שְׁמָמָה, יְשִׁימוֹן
develop, *v.t.* & *i.* פִּתַּח, הִתְפַּתַּח

developer, *n.* מְפַתֵּחַ (בְּצִלּוּם)

development, *n.* פִּתּוּחַ, הִתְפַּתְּחוּת

deviate, *v.i.* תָּעָה, נָטָה, נָטָה הַצִּדָּה

deviation, *n.* נְטִיָּה, סְטִיָּה, מִשְׁגֶּה

device, *n.* תַּחְבּוּלָה, הַמְצָאָה, מְזִמָּה; מִתְקָן, הֶתְקֵן, מַכְשִׁיר

devil, *n.* שָׂטָן, שֵׁד, יֵצֶר הָרָע; מַקְרֵעַ (מְכוֹנַת קְרִיעָה)

devilish, *adj.* שְׂטָנִי

devilment, *n.* הִשְׁתּוֹבְבוּת

devilry, deviltry, *n.* שֵׁדִיּוּת, רָעָה

devious, *adj.* עֲקַלְקַל

devise, *n.* יְרֻשָּׁה

devise, *v.t.* בָּדָא, הִמְצִיא [מצא], זָמַם; הוֹרִישׁ [ירש]

devoid, *adj.* חָסֵר, רֵיק

devolve, *v.t.* & *i.* מָסַר, הֶעֱבִיר [עבר], נִמְסַר [מסר]

devote, *v.t.* הִקְדִּישׁ [קדש], הִתְמַסֵּר [מסר]

devoted, *adj.* מָסוּר, מֻקְדָּשׁ

devotee, *n.* נֶאֱמָן, קַנַּאי

devotion, *n.* מְסִירוּת; חֲסִידוּת, אֵמוּן

devour, *v.t.* אָכַל, טָרַף, בָּלַע, חָסַל

devourer, *n.* אַכְלָן, בַּלְעָן

devout, *adj.* אָדוּק, חָסִיד, חָרֵד

dew, *n.* & *v.t.* טַל; טִלֵּל, הִטְלִיל [טלל]

dewy, *adj.* טָלוּל

dexterity, *n.* חֲרִיצוּת, זְרִיזוּת, מְיֻמָּנוּת

dexterous, dextrous, *adj.* חָרוּץ, זָרִיז, מְיֻמָּן

diabetes, *n.* סֻכֶּרֶת

diabetic, *adj.* & *n.* חוֹלֵה סֻכָּר

diabolic, diabolical, *adj.* שֵׁדִי

diadem, *n.* כֶּתֶר, עֲטָרָה

diagnose, *v.t.* אִבְחֵן, בָּחַן (מַחֲלָה)

diagnosis, *n.* אִבְחוּן, אַבְחָנָה

diagnostic, *adj.* אַבְחָנִי

diagnostician, *n.* אַבְחָן, מְאַבְחֶנֶת

diagonal, *adj.* & *n.* אֲלַכְסוֹנִי; אֲלַכְסוֹן

diagonally, *adv.* בַּאֲלַכְסוֹן

diagram, *n.* תַּרְשִׁים, שִׂרְטוּט

dial, *v.t.* & *n.* חִיֵּג; חוּגָה; מַצְפֵּן כּוֹרִים

dialect, *n.* מִבְטָא, נִיב

dialectic, dialectical, *adj.* מִבְטָאִי, נִיבִי

dialing, *n.* חִיּוּג

dialogue, dialog, *n.* דּוּ־שִׂיחַ

diameter, *n.* קֹטֶר

diametrical, *adj.* קָטְרִי

diamond, *n.* יַהֲלֹם

diapason, *n.* מִגְבּוֹל, קוֹלָן, מַזְלֵג קוֹל

diaper, *n.* חִתּוּל, חוֹתֶלֶת

diaphaneity, *n.* שְׁקִיפוּת

diaphanous, *adj.* שָׁקוּף

diaphragm, *n.* סַרְעֶפֶת, טַרְפֵּשׁ, תֻּפִּית

diarrhea, diarrhoea, *n.* שִׁלְשׁוּל

diary, *n.* יוֹמָן

diaspora, *n.* נְפוֹצָה, תְּפוּצָה

dibble, *n.* דֶּקֶר, מַנְבֵּט

dice, *n.* (pl. of *die*) *v.t.* & *i.* קֻבִּיּוֹת; חָתַךְ לְ־ (בְּ); שִׂחֵק (קִשֵּׁט) קֻבִּיּוֹת

dicker, *v.t.* & *i.* הִתְוַכֵּחַ [וכח], עָמַד עַל הַמִּקָּח, תִּגֵּר, הִתְמַקֵּחַ [מקח]

Dictaphone, *n.* מְכוֹנַת הַכְתָּבָה

dictate, *n.* פְּקֻדָּה, גְּזֵרָה

dictate, *v.t.* & *i.* פָּקַד, צִוָּה; הִכְתִּיב [כתב]

dictation, *n.* הַכְתָּבָה, תַּכְתִּיב

dictator, *n.* שַׁלִּיט, רוֹדָן; מַכְתִּיב

dictatorial, *adj.* שַׁלִּיטִי, רוֹדָנִי

dictatorship, *n.* שִׁלְטוֹן, רוֹדָנוּת

diction, *n.* לָשׁוֹן, סִגְנוֹן, מִדְבָּר

dictionary, *n.* מִלּוֹן

didactic, didactical, *adj.* לִמּוּדִי, מַשְׂכִּיל

die, *n.* קֻבִּיָּה; מַטְבַּעַת
die, *v.i.* מֵת [מות], נִפְטַר, יָצְאָה נִשְׁמָתוֹ, גָּוַע, שָׁבַק (חַיִּים); דָּעַךְ (לֶהָבָה); הִשְׁתּוֹקֵק [שקק]
diet, *n.* בִּרְיָה, בָּרוּת, מָזוֹן, תְּזוּנָה, אֲכִילָה קַלָּה
diet, *v.t. & i.* בָּרָה, נִזּוֹן (הֵזִין) [זון],
dietetic, dietetical, *adj.* בִּרְיִי, מְזוֹנִי, תְּזוּנָתִי
dietetics, *n.* בִּרְיוּת, (תּוֹרַת הַ)תְּזוּנָה
dietitian, dietician, *n.* בָּרַאי, תְּזוּנַאי
differ, *v.i.* נִבְדַּל [בדל], הָיָה שׁוֹנֶה מִ־; חָלַק עַל
difference, *n.* הֶבְדֵּל, שִׁנּוּי, שֹׁנִי; מַחְלֹקֶת; הֶפְרֵשׁ
different, *adj.* שׁוֹנֶה, נִבְדָּל
differentiate, *v.t.* הִבְדִּיל [בדל], הִפְלָה [פלה]
differentiation, *n.* הַבְדָּלָה; בִּדּוּל
differently, *adv.* אַחֶרֶת
difficult, *adj.* קָשֶׁה
difficulty, *n.* קֹשִׁי
diffidence, *n.* אִי בִּטָּחוֹן, עֲנָוָה, בַּיְשָׁנוּת
diffident, *adj.* עָנָו, בַּיְשָׁן, צָנוּעַ
diffuse, *adj.* נָפוֹץ, מְפֻזָּר
diffuse, *v.t.* הֵפִיץ [פוץ], פִּזֵּר
diffusion, *n.* הֲפָצָה, הִתְרַחֲבוּת; הִשְׁתַּפְּכוּת, דִּיּוּת
dig, *v.t.* חָפַר, עָדַר, כָּרָה, חִטֵּט, נָעַץ
digest, *n.* תַּמְצִית, קִצּוּר
digest, *v.t. & i.* עִכֵּל, הִתְעַכֵּל [עכל]; תִּמְצֵת
digestible, *adj.* מִתְעַכֵּל
digestion, *n.* עִכּוּל
digestive, *adj.* עִכּוּלִי
digger, *n.* חוֹפֵר, כּוֹרֶה; מַחְפֵּר
digit, *n.* אֶצְבַּע; יְחִידָה, סִפְרָה
dignified, *adj.* מְכֻבָּד
dignify, *v.t.* כִּבֵּד, רוֹמֵם [רום]
dignitary, *n.* בַּעַל מִשְׂרָה שֶׁל כָּבוֹד, אִישׁ מְכֻבָּד, נִכְבָּד
dignity, *n.* כָּבוֹד, אֲצִילוּת, הַדְרַת פָּנִים
digress, *v.i.* נָטָה הַצִּדָּה
digression, *n.* נְטִיָּה, נְסִיגָה
dike, dyke, *n.* דָּיֵק, סוֹלְלָה, תְּעָלָה, סֶכֶר
dilapidated, *adj.* נֶהֱרָס, נֶחֱרָב
dilapidation, *n.* הֶרֶס, חֻרְבָּן
dilate, *v.t. & i.* הִרְחִיב [רחב], הִגְדִּיל
dilatation, *n.* הִתְרַחֲבוּת
dilation, *n.* הַרְחָבָה, הַגְדָּלָה
dilatory, *adj.* אִטִּי, דּוֹחֶה
dilemma, *n.* מִסְפָּק, בְּעָיָה, בְּרֵרָה
dilettante, *n.* חוֹבְבָן, שִׁטְחִי
diligence, *n.* חֲרִיצוּת, הַתְמָדָה, שְׁקִידָה
diligent, *adj.* חָרוּץ, מַתְמִיד, שַׁקְדָן
diligently, *adv.* בַּחֲרִיצוּת
dill, *n.* שֶׁבֶת; שָׁמִיר
dillydally, *v.i.* הִתְמַהְמֵהַּ [מהמה]
dilute, *v.t.* מָהַל (מַשְׁקֶה), הִדְלִיל [דלל], הִקְלִישׁ [קלש]
dilution, *n.* מְהִילָה, הַדְלָלָה, הַקְלָשָׁה
dim, *adj.* כֵּהֶה, עָמוּם; מְעֻרְפָּל
dim, *v.t. & i.* הִכְהָה [כהה], עָמַם, הֶחֱשִׁיךְ [חשך]; כָּהָה
dime, *n.* מַטְבֵּעַ אֲמֵרִיקָאִי, עֲשָׂרָה סֶנְטִים
dimension, *n.* מִדָּה, שִׁעוּר, מֵמַד, גֹּדֶל
dimensional, *adj.* מְמַדִּי
diminish, *v.t. & i.* הִפְחִית [פחת], הִמְעִיט [מעט], הִתְמַעֵט [מעט]
diminution, *n.* הַקְטָנָה, פְּחָת; הִתְמַעֲטוּת
diminutive, *adj. & n.* מַקְטִין, מְמַעֵט
dimness, *n.* כֵּהוּת, אַפְלוּלִיּוּת

dim-out, *n.* עִמּוּם (אוֹרוֹת)

dimple, *n.* גֻּמַּת חֵן (בַּלֶּחִי)

dimple, *v.t.* & *i.* עָשָׂה גֻּמּוֹת

din, *n.*, *v.t.* & *i.* שָׁאוֹן; שָׁאַן, רָעַשׁ

dine, *v.t.* & *i.* סָעַד, אָכַל; נָתַן אֲרֻחָה, הֶאֱכִיל [אכל]

diner, *n.* מֶרְכֶּבֶת הָאֹכֶל

dinette, *n.* חַדְרוֹן אֹכֶל

dinghy, *n.* סִירָה, סִירַת דּוּגָה

dingle, *n.* גַּיְא

dingy, *adj.* מְלֻכְלָךְ, אָפֵל

dining room חֲדַר הָאֹכֶל

dinner, *n.* אֲרֻחָה, סְעֻדָּה, אֲרֻחַת (הָעֶרֶב) הַצָּהֳרַיִם

dint, *n.* מַכָּה, כֹּחַ

diocese, *n.* בִּישׁוֹפוּת, מְחוֹז הַבִּישׁוֹף

dip, *n.* טְבִילָה, הַטְבָּלָה; מוֹרָד

dip, *v.t.* & *i.* טָבַל; נִטְבַּל; שָׁקַע

diphtheria, diphtheritis, *n.* אַסְכָּרָה

diphthong, *n.* דּוּ־קוֹל, דּוּ־תְנוּעָה

diploma, *n.* תְּעוּדָה, תְּעוּדַת סִיּוּם

diplomacy, *n.* מְדִינָאוּת

diplomat, *n.* מְדִינַאי

dipper, *n.* טוֹבֵל; טַבְלָן (עוֹף); תַּרְוָד, מַצֶּקֶת; מַזָּל, הַדֹּב הַגָּדוֹל

dire, direful, *adj.* נוֹרָא, מַפְחִיד

direct, *adj.* יָשִׁיר יָשָׁר, מְפֹרָשׁ, בָּרוּר

direct, *v.t.* & *i.* כִּוֵּן, הִפְנָה [פנה], נִהֵל, הִדְרִיךְ [דרך], צִוָּה

directly, *adv.* יָשָׁר, תֵּכֶף וּמִיָּד

direction, *n.* כִּוּוּן, הַדְרָכָה, נִהוּל

director, *n.* מְנַהֵל

directorate, *n.* מִנְהָלָה

directory, *n.* מַדְרִיךְ

dirge, *n.* קִינָה

dirk, *n.* פִּגְיוֹן

dirt, *n.* לִכְלוּךְ, רֶפֶשׁ, זֻהֲמָה; אֲדָמָה, עָפָר; רְכִילוּת

dirty, *adj.* מְלֻכְלָךְ, נִרְפָּשׁ,; נִבְזֶה, נִתְעָב

dirty, *v.t.* & *i.* לִכְלֵךְ, טִנֵּף, הִתְלַכְלֵךְ [לכלך]

disability, *n.* מוּם, חֻלְשָׁה, תְּשִׁישׁוּת, נָכוּת, לִקּוּי

disable, *v.t.* הֶחֱלִישׁ [חלש], הוּמַם, עָשָׂה לְבַעַל מוּם, שָׁלַל אֶת הַיְכֹלֶת

disadvantage, *n.* הֶזֶק, גְּרִיעוּת, חִסָּרוֹן

disadvantageous, *adj.* בִּלְתִּי נוֹחַ

disagree, *v.i.* הָיָה שׁוֹנֶה, חָלַק עַל, רָב [ריב], נִבְדַּל [בדל]

disagreeable, *adj.* בִּלְתִּי נָעִים

disagreement, *n.* אִי הַסְכָּמָה, אִי הַתְאָמָה

disallow, *v.t.* & *i.* אָסַר, הֵנִיא [נוא]

disappear, *v.t.* נֶעֱלַם [עלם], עָבַר, חָלַף

disappearance, *n.* הֵעָלְמוּת

disappoint, *v.t.* הִכְזִיב [כזב], כִּזֵּב

disappointing, *adj.* מְאַכְזֵב

disappointment, *n.* מַפַּח נֶפֶשׁ, אַכְזָבָה

disapprobation, disapproval, *n.* גִּנּוּי, אִי הַסְכָּמָה

disapprove, *v.t.* גִּנָּה

disarm, *v.t.* & *i.* פֵּרַק נֶשֶׁק, הִתְפָּרֵק [פרק] מִנִּשְׁקוֹ

disarmament, *n.* פֵּרוּק נֶשֶׁק

disarrange, *v.t.* בִּלְבֵּל

disarrangement, *n.* אִי סֵדֶר

disaster, *n.* אָסוֹן, צָרָה, שׁוֹאָה

disastrous, *adj.* אָיֹם, נוֹרָא

disavow, *v.t.* נִכֵּר, כִּחֵשׁ

disband, *v.t.* & *i.* פָּרַק גְּדוּד, פִּזֵּר

disbelief, *n.* אִי אֵמוּן

disbelieve, *v.t.* & *i.* כָּפַר

disbeliever, *n.* כּוֹפֵר

disburse, *v.t.* שִׁלֵּם, הוֹצִיא [יצא] כֶּסֶף

disbursement, *n.* הוֹצָאָה, תַּשְׁלוּמִים
disc, *v.* disk
discard, *v.t.* & *i.* הִשְׁלִיךְ [שלך], הִרְחִיק [רחק]
discern, *v.t.* הִכִּיר [נכר], רָאָה, הִבְחִין [בחן], הִבְדִּיל [בדל]
discernment, *n.* הַכָּרָה, רְאִיָּה, שִׁפּוּט, הַבְחָנָה
discharge, *n.* פְּרִיקָה; פִּטּוּרִים, שִׁחְרוּר; יְרִיָּה
discharge, *v.t.* פָּרַק; פִּטֵּר; שִׁחְרֵר; יָרָה (רוֹבֶה)
disciple, *n.* תַּלְמִיד
discipline, *n.* מִשְׁמַעַת
discipline, *v.t.* לִמֵּד; מִשְׁמֵעַ
disclaim, *v.t.* הִכְחִישׁ [כחש] (תְּבִיעָה)
disclose, *v.t.* גִּלָּה, הוֹדִיעַ [ידע]
disclosure, *n.* גִּלּוּי, הוֹדָעָה
discolor, discolour, *v.t.* & *i.* טִשְׁטֵשׁ, שִׁנָּה צֶבַע
discoloration, discolouration, *n.* דְּהִיָּה, שִׁנּוּי צֶבַע
discomfit, *v.t.* נִגַּף (בַּמִּלְחָמָה), הֵבִיס [בוס]
discomfiture, *n.* יֵאוּשׁ, תְּבוּסָה, מְבוּכָה
discomfort, *n.* אִי נוֹחִיּוּת
discomfort, *v.t.* גָּרַם אִי נוֹחִיּוּת
disconcert, *v.t.* הִרְגִּיז [רגז], בִּלְבֵּל
disconnect, *v.t.* הִפְרִיד [פרד], הִבְדִּיל [בדל], נִתֵּק (קֶשֶׁר)
disconsolate, *adj.* עָצוּב
discontent, discontentment, *n.* אִי רָצוֹן
discontinuance, discontinuation, *n.* אִי הַמְשָׁכָה, הֶפְסֵק
discontinue, *v.t.* הִפְסִיק [פסק], חָדַל מִ־
discord, *n.* אִי הַסְכָּמָה, רִיב, מָדוֹן
discordant, *adj.* צוֹרֵם (אֶת הָאֹזֶן); סוֹתֵר
discount, *n.* נִכָּיוֹן, נִכּוּי, הַנָּחָה
discount, *v.t.* & *i.* נִכָּה (רִבִּית), הִמְעִיט [מעט] (הַמְּחִיר); פִּקְפֵּק (בַּאֲמִתּוּת)
discourage, *v.t.* רִפָּה יְדֵי־, דָּחָה, יֵאֵשׁ
discouragement, *n.* רִפְיוֹן יָדַיִם, יֵאוּשׁ, דְּחִיָּה
discourse, *n.* נְאוּם, הַרְצָאָה
discourse, *v.t.* & *i.* הִרְצָה [רצה], שָׂח [שיח]
discourteous, *adj.* בִּלְתִּי (מְנֻמָּס) אָדִיב, גַּס
discourtesy, *n.* גַּסּוּת, אִי אֲדִיבוּת
discover, *v.t.* גִּלָּה, הִמְצִיא [מצא]
discovery, *n.* חִדּוּשׁ, תַּגְלִית
discredit, *n.* אִי אֵמוּן, שֵׁם רָע, שִׁמְצָה
discredit, *v.t.* הִבִּיעַ [נבע] אִי אֵמוּן, חִלֵּל שֵׁם, הִשְׁמִיץ [שמץ]
discreet, *adj.* זָהִיר, שׁוֹמֵר סוֹד
discreetly, *adv.* בִּזְהִירוּת, בַּחֲשַׁאי
discrepancy, *n.* סְתִירָה, נִגּוּד
discrete, *adj.* פָּרוּשׁ
discretion, *n.* שִׁקּוּל דַּעַת, חָכְמָה, בִּינָה, כֹּחַ שִׁפּוּט
discretionary, discretional, *adj.* לְפִי שִׁקּוּל דַּעַת
discriminate, *v.t.* & *i.* הִפְלָה [פלה]
discrimination, *n.* הַבְחָנָה, הַפְלָיָה
discuss, *v.t.* הִתְוַכֵּחַ [וכח], דָּן [דון], שָׂח [שיח]
discussion, *n.* וִכּוּחַ, שִׂיחָה, פִּלְפּוּל
disdain, *n.* בּוּז
disdain, *v.t.* בָּזָה, תִּעֵב
disdainful, *adj.* בָּז, מְתָעֵב
disease, *n.* מַחֲלָה, חֳלִי
diseased, *adj.* חוֹלֶה, חוֹלָנִי
disembark, *v.t.* & *i.* יָצָא מֵאֳנִיָּה, הוֹרִיד [ירד] מֵאֳנִיָּה, פֵּרַק (מִטְעָן)

disembarkation, *n.* יְצִיאָה מֵאֳנִיָּה, הוֹרָדָה (פְּרִיקָה) מֵאֳנִיָּה

disenchant, *v.t.* הֵסִיר [סור] קֶסֶם

disengage, *v.t.* שִׁחְרֵר, הִתִּיר [נתר]

disengagement, *n.* שִׁחְרוּר, הַתָּרָה

disentangle, *v.t.* הוֹצִיא [יצא] מִסְּבָךְ

disfavor, disfavour, *n.* אִי רָצוֹן

disfiguration, *n.* קִלְקוּל צוּרָה

disfigure, *v.t.* קִלְקֵל צוּרָה

disgorge, *v.t. & i.* הֵקִיא [קיא], שָׁפַךְ, הִשְׁתַּפֵּךְ [שפך]

disgrace, *n.* חֶרְפָּה, גְּנַאי, כְּלִימָּה

disgrace, *v.t.* חֵרֵף, בִּיֵּשׁ

disgraceful, *adj.* מְגֻנֶּה, נִבְזֶה

disguise, *n.* הִתְנַכְּרוּת; מַסְוֶה; הִתְחַפְּשׂוּת

disguise, *v.t.* הִסְתִּיר [סתר], תִּחְפֵּשׂ

disgust, *n.* גֹּעַל נֶפֶשׁ, בְּחִילָה

disgust, *v.t.* עוֹרֵר [עור] גֹּעַל נֶפֶשׁ

dish, *n.* קְעָרָה, צַלַּחַת; מַאֲכָל

dish, *v.t.* חִלֵּק (מָנוֹת), הִגִּישׁ [נגש] בְּצַלַּחַת

dishcloth, *n.* מַטְלִית

dishearten, *v.t.* רִפָּה יְדֵי־

dishevel, *v.t.* פָּרַע אוֹ סָתַר (שֵׂעָר)

dishonest, *adj.* בִּלְתִּי יָשָׁר, לֹא יָשָׁר

dishonesty, *n.* אִי יֹשֶׁר, רַמָּאוּת, מַעַל

dishonor, dishonour, *n.* חֶרְפָּה, בִּזָּיוֹן, אִי כָּבוֹד

dishonor, dishonour, *v.t.* הִכְלִים [כלם], בִּיֵּשׁ, בִּזָּה; חִלֵּל (לֹא קִיֵּם חֲתִימָה, שְׁטָר, תַּשְׁלוּם); אִנֵּס

dishonorable, dishonourable, *adj.* מְגֻנֶּה, מַחְפִּיר

dishwasher, *n.* מַרְחֶצֶת (כֵּלִים)

disillusion, *v.t.* הִשְׁלָה [שלה], קִוָּה לַשָּׁוְא, שִׁחְרֵר מֵהֲזָיָה, הִתְפַּכֵּחַ [פקח]

disinclination, *n.* אִי (רָצוֹן) נְטִיָּה

disinfect, *v.t.* טִהֵר, חִטֵּא

disinfectant, *n.* מְחַטֵּא

disinfection, *n.* טִהוּר, חִטּוּי

disinherit, *v.t.* בִּטֵּל יְרוּשָּׁה

disintegrate, *v.t. & i.* פּוֹרֵר, הִתְפּוֹרֵר [פרר]

disintegration, *n.* הִתְפּוֹרְרוּת

disinter, *v.t.* הוֹצִיא [יצא] מִקֶּבֶר

disinterment, *n.* הוֹצָאָה מִקֶּבֶר

disinterested, *adj.* בִּלְתִּי מְעֻנְיָן

disjoin, *v.t.* הִפְרִיד [פרד], הִתְפָּרֵק [פרק]

disjoint, *v.t.* פֵּרֵד, פֵּרַק, נִתֵּק

disjointed, *adj.* מְפֹרָד, מְנֻתָּק

disk, disc, *n.* תַּקְלִיט, פְּנֵי הָעִגּוּל, צַלַּחַת, אַגָּן

disk jockey, *n.* תַּקְלִיטָן

dislike, *n.* שִׂנְאָה, מְאִיסָה

dislike, *v.t.* שָׂנֵא, מָאַס

dislocate, *v.t.* הֶעְתִּיק (מֵהַמָּקוֹם), נָקַע (אֵבֶר)

dislocation, *n.* נְקִיעָה, הַעְתָּקָה

dislodge, *v.t.* גֵּרַשׁ, נִשֵּׁל

disloyal, *adj.* בִּלְתִּי נֶאֱמָן, בּוֹגֵד

disloyalty, *n.* בֶּגֶד, בְּגִידָה

dismal, *adj.* עָגוּם, עָצֵב

dismantle, *v.t.* הֵסִיר רָהִיטִים, הֵסִיר [סור] חֲלָקִים; פֵּרַק (פְּצָצָה)

dismay, *n.* בֶּהָלָה

dismay, *v.t.* הִפְחִיד [פחד], הִבְהִיל [בהל]

dismember, *v.t.* הִפְרִיד [פרד], קָרַע, גָּזַר, אִבֵּר

dismemberment, *n.* אִבּוּר

dismiss, *v.t.* פִּטֵּר, שִׁלַּח; הִתְפַּזֵּר (פְּקוּדָה)

dismissal, *n.* פִּטּוּר, פִּטּוּרִים, שִׁלּוּחַ

dismount, *v.t.* & *i.* יָרַד, הוֹרִיד [ירד] (מֵעַל סוּס); רֵדֶן (פְּקוּדָה לְרוֹכְבִים)
disobedience, *n.* אִי מִשְׁמַעַת, אִי צִיּוּת, מְרִי, מֶרִי
disobedient, *adj.* מַמְרֶה, שֶׁאֵינוֹ מַקְשִׁיב
disobey, *v.t.* הִמְרָה [מרה]
disorder, *n.* מְהוּמָה, אִי סֵדֶר
disorder, *v.t.* בִּלְבֵּל, סִכְסֵךְ
disorderly, *adj.* פָּרוּעַ
disorganize, *v.t.* גָּרַם אִי סֵדֶר, בִּלְבֵּל, עִרְעֵר
disown, *v.t.* הִכְחִישׁ [כחש], זָנַח, בִּטֵּל יְרוּשָּׁה
disparage, *v.t.* זִלְזֵל
disparagement, *n.* זִלְזוּל, פְּגִיעָה בִּכְבוֹד
disparity, *n.* אִי שִׁוְיוֹן, הֶבְדֵּל, פַּעַר
dispassionate, *adj.* קַר רוּחַ, מָתוּן, בִּלְתִּי מְשֻׁחָד
dispatch, despatch, *n.* מִשְׁלוֹחַ; אִגֶּרֶת, מִבְרָק; הֲמָתָה; מְהִירוּת
dispatch, *v.t.* גָּמַר בִּמְהִירוּת, שָׁלַח, סִלֵּק; הֵמִית [מות]
dispel, *v.t.* פִּזֵּר, גֵּרֵשׁ
dispensary, *n.* מִרְפָּאָה, בֵּית רְפוּאוֹת
dispensation, *n.* חִלּוּק, מַתְּנַת יָהּ, הֶתֵּר, שִׁחְרוּר (מֵחוֹבָה)
dispense, *v.t.* חִלֵּק, בִּטֵּל, הִתִּיר [נתר], הִרְקִיחַ [רקח] (רְפוּאוֹת)
dispenser, *n.* רוֹקֵחַ
disperse, *v.t.* & *i.* זֵרָה, פִּזֵּר, הֵפִיץ [פוץ]; הִתְפַּזֵּר [פזר]
dispersion, *n.* פִּזּוּר, תְּפוּצָה, נְפוֹצָה
dispirit, *v.t.* הֵמֵס [מסס] לֵב, דִּכְדֵּךְ
displace, *v.t.* שָׂם [שים] לֹא בִּמְקוֹמוֹ, סִלֵּק, הוֹרִיד [ירד], עָקַר מִמְּקוֹמוֹ

displaced person, D.P., *n.* עָקוּר
displacement, *n.* מַעְתָּק; הֶדְחֵק; תְּפוּסָה (נֶפַח)
display, *n.* רַאֲוָה, הַצָּגָה, תְּצוּגָה, תַּעֲרוּכָה
display, *v.t.* הִצִּיג [יצג]
displease, *v.t.* & *i.* הִכְעִיס [כעס], הָיָה רַע בְּעֵינָיו, הָיָה לְמֹרַת רוּחַ
displeasure, *n.* מֹרַת רוּחַ
disport, *n.* שַׁעֲשׁוּעַ, מִשְׂחָק
disport, *v.t.* & *i.* שִׁעֲשַׁע, הִשְׁתַּעֲשֵׁעַ [שעשע] בִּדֵּר, הִתְבַּדֵּר [בדר]
disposal, *n.* סִדּוּר, פִּקּוּחַ, רְשׁוּת
dispose, *v.t.* סִדֵּר, הִשְׁתַּמֵּשׁ [שמש], מָכַר
disposition, *n.* מֶזֶג; נְטִיָּה; הֶסְדֵּר
dispossess, *v.t.* הוֹרִיד [ירד] מִנְּכָסִים, נִשֵּׁל
dispraise, *v.t.* & *n.* גִּנָּה; גְּנוּת
disproof, *n.* הַכְחָשָׁה, הֲזָמָה
disproportion, *n.* אִי הַתְאָמָה
disprove, *v.t.* הִכְחִישׁ [כחש]
disputant, *n.* בַּעַל דִּין, מִתְוַכֵּחַ
dispute, *n.* מַחֲלֹקֶת, רִיב, וִכּוּחַ
dispute, *v.t.* & *i.* הִכְחִישׁ [כחש], חָלַק, רָב [ריב], הִתְוַכֵּחַ [וכח], הִתְדַּיֵּן [דין]
disqualification, *n.* פַּסְלוּת
disqualify, *v.t.* פָּסַל, שָׁלַל זְכוּת
disquiet, *v.t.* & *n.* הִפְרִיעַ [פרע] מְנוּחָה, הִדְרִיךְ [דרך] מְנוּחָה; אִי שֶׁקֶט
disquieting, *adj.* מַפְרִיעַ, מַדְאִיג
disquietude, *n.* חֹסֶר מְנוּחָה
disregard, *n.* הִתְעַלְּמוּת, הַעֲלָמַת עַיִן, בִּטּוּל, זִלְזוּל
disregard, *v.t.* הֶעְלִים [עלם] עַיִן, זִלְזֵל
disrepute, *n.* שֵׁם רָע
disrespect, *n.* אִי כָּבוֹד
disrespect, *v.t.* פָּגַע בִּכְבוֹד

disrespectful, *adj.* מְזַלְזֵל, שֶׁאֵינוֹ מְכֻבָּד

disrobe, *v.t. & i.* פָּשַׁט, הִתְפַּשֵּׁט [פשט], הִפְשִׁיט [פשט] בְּגָדִים

disrupt, *v.t. & i.* קָרַע, שָׁבַר; נִקְרַע, נִשְׁבַּר; שִׁבֵּשׁ (תְּנוּעָה)

disruption, *n.* קֶרַע, קְרִיעָה, שֶׁבֶר

dissatisfaction, *n.* אִי שְׂבִיעַת רָצוֹן, תַּרְעֹמֶת

dissatisfy, *v.t.* גָּרַם אִי שְׂבִיעַת רָצוֹן

dissect, *v.t.* נִתַּח, בִּתֵּר

dissection, *n.* נִתּוּחַ, בִּתּוּר

disseminate, *v.t.* זָרַע, זָרָה, פִּזֵּר, הֵפִיץ [פוץ]

dissemination, *n.* זְרִיעָה, פִּזּוּר, הֲפָצָה

dissension, *n.* מַצָּה, מְרִיבָה, מַחֲלֹקֶת

dissent, *v.t.* חָלַק עַל־, הִתְנַגֵּד [נגד] לְ־

dissenter, dissentient, *n.* מִתְנַגֵּד, חוֹלֵק

dissertation, *n.* מֶחְקָר, חִבּוּר מַדָּעִי

dissever, *v.t.* חָתַךְ, חִלֵּק, נִתֵּק, קָרַע

dissimilar, *adj.* שׁוֹנֶה

dissimulation, *n.* הִתְחַפְּשׂוּת, צְבִיעוּת

dissipate, *v.t. & i.* בִּזְבֵּז, פִּזֵּר, הִתְהוֹלֵל [הלל]

dissipation, *n.* בִּזְבּוּז, פִּזּוּר; הוֹלְלוּת

dissociate, *v.t. & i.* הִתְרַחֵק [רחק] מִ־, הוֹצִיא [יצא] עַצְמוֹ מִ־, הִפְרִיד [פרד]

dissolute, *adj. & n.* שׁוֹבָב, הוֹלֵל, תַּאַוְתָן

dissolution, *n.* הֲמָסָה, הִמַּסּוּת; הֲפָרָה, בִּטּוּל, פֵּרוּק, הִתְפָּרְקוּת, פִּזּוּר

dissolve, *v.t. & i.* מוֹסֵס [מסס], הֵמֵס [מסס], הֵפֵר [פרר] (חוֹזֶה), הִתִּיר [נתר] (קֶשֶׁר), פֵּרַק (חֶבְרָה), פִּזֵּר, הִתְפַּזֵּר [פזר] (יְשִׁיבָה, כְּנֶסֶת)

dissonance, *n.* אִי הַתְאָמָה, צְרִימָה

dissonant, *adj.* צוֹרֵם; נוֹגֵד

dissuade, *v.t.* יָעַץ נֶגֶד־, הוֹצִיא [יצא] מִלֵּב, מָנַע

distaff, *n.* פֶּלֶךְ, כִּישׁוֹר; אִשָּׁה

distance, *n.* מֶרְחָק, מַהֲלָךְ, דֶּרֶךְ

distant, *adj.* רָחוֹק

distantly, *adv.* הַרְחֵק, מֵרָחוֹק

distaste, *n.* בְּחִילָה, גֹּעַל, גֹּעַל נֶפֶשׁ

distaste, *v.t.* מָאַס, בָּחַל

distasteful, *adj.* בִּלְתִּי עָרֵב, גָּעֳלִי, חֲסַר טַעַם

distemper, *n.* רֹגֶז, טֵרוּף; מַחֲלַת כְּלַבְלָבִים

distend, *v.t. & i.* נִפַּח, הִרְחִיב [רחב]; הִתְנַפֵּחַ [נפח], הִתְמַתַּח [מתח] הִתְאָרֵךְ [ארך]

distention, distension, *n.* הִתְפַּשְּׁטוּת, הַרְחָבָה, הִתְנַפְּחוּת, הִתְמַתְּחוּת

distill, distil, *v.t. & i.* זִקֵּק, טִפְטֵף, זָלַף

distillation, *n.* זִקּוּק

distiller, *n.* זַקָּק, מְזַקֵּק

distillery, *n.* בֵּית זִקּוּק

distinct, *adj.* מֻבְהָק, בָּרוּר; שׁוֹנֶה, נִבְדָּל

distinction, *n.* הִצְטַיְּנוּת; הֶבְדֵּל, הַפְלָיָה

distinctive, *adj.* אָפְיָנִי, שׁוֹנֶה, נִבְדָּל

distinctness, *n.* אָפְיָנוּת, בְּהִירוּת

distinguish, *v.t. & i.* הִבְדִּיל [בדל] בֵּין־, הִפְלָה [פלה], הִבְחִין [בחן]

distinguished, *adj.* מֻבְהָק, מְצֻיָּן

distort, *v.t.* עִקֵּם, עִוֵּת, סֵרֵס, סִלֵּף

distortion, *n.* עִקּוּם, עִוּוּת, סֵרוּס, סִלּוּף

distract, *v.t.* הִפְרִיעַ [פרע], הִסִּיחַ [נסח] דַּעַת, הֵבִיךְ [בוך]

distraction, *n.* מְבוּכָה, הַסָּחַת הַדַּעַת, פִּזּוּר הַנֶּפֶשׁ

distraught, *adj.* נָבוֹךְ

distress, *n.* דֹּחַק, צָרָה, מְצוּקָה, אֶבְיוֹנוּת

distress, *v.t.* צִעֵר, הֵצִיק [צוק], הֵעִיק [עוק]

distressful, *adj.* דָּחוּק, עָנִי

distribute, *v.t.* חִלֵּק, הֵפִיץ [פוץ]

distribution, *n.* חֲלֻקָּה, חִלּוּק, הֲפָצָה, תְּפוּצָה

distributor, distributer, *n.* מֵפִיץ, מְחַלֵּק

district, *n.* מָחוֹז, גָּלִיל, חֶבֶל, פֶּלֶךְ

distrust, *n.* אִי אֵמוּן, חֲשָׁד

distrust, *v.t.* חָשַׁד בְּ־, הֵטִיל [נטל] סָפֵק בְּ־

distrustful, *adj.* חוֹשֵׁד

disturb, *v.t.* הִפְרִיעַ [פרע], בִּלְבֵּל

disturbance, *n.* הַפְרָעָה, מְהוּמָה, פְּרִיעָה

disturber, *n.* מַפְרִיעַ

disunion, *n.* פֵּרוּד, הַבְדָּלָה, הִתְבַּדְּלוּת, פְּרִישָׁה, אַל אִחוּד

disunite, *v.t.* הִפְרִיד [פרד]

disuse, *n.* אִי שִׁמּוּשׁ

disuse, *v.t.* חָדַל מִלְּהִשְׁתַּמֵּשׁ

ditch, *n.* עָרוּץ, תְּעָלָה

ditto, *n.* אוֹתוֹ דָּבָר, הַנִּזְכָּר לְעֵיל, הנ"ל

ditty, *n.* שִׁירוֹן

diurnal, *adj.* יוֹמִי, יוֹמְיוֹמִי

divan, *n.* סַפָּה

dive, diving, *n.* צְלִילָה

dive, *v.i.* צָלַל

diver, *n.* אֲמוּדַאי, צוֹלֵל; טַבְלָן (עוֹף)

diverge, *v.i.* הִפְרִיד [פרד] הָיָה שׁוֹנֶה, הִתְרַחֵק [רחק], סָר [סור]

divergence, divergency, *n.* הִסְתָּעֲפוּת, מֶרְחָק

divergent, *adj.* שׁוֹנֶה, מִתְרַחֵק, מִתְחַלֵּק

divers, *adj.* אֲחָדִים; שׁוֹנֶה, מִתְחַלֵּף

diverse, *adj.* שׁוֹנֶה, בִּלְתִּי דּוֹמֶה, רַב (צוּרוֹת) צְדָדִי

diversification, *n.* שִׁנִּי, הִשְׁתַּנּוּת, שִׁנּוּי

diversify, *v.t.* שִׁנָּה, עָשָׂה שִׁנּוּיִים

diversion, *n.* הַפְנָיָה, הַטָּיָה; בִּדּוּר, שִׁנּוּי, שַׁעֲשׁוּעִים

diversity, *n.* שִׁנּוּי, שׁוֹנוּת

divert, *v.t.* הִסִּיחַ [נסח] דַּעַת, פִּנָּה לֵב; הִפְנָה [פנה], הִטָּה [נטה]; בִּדֵּר

divest, *v.t.* הִפְשִׁיט [פשט], שָׁלַל מִ־

divide, *v.t.* & *i.* חִלֵּק, הִפְרִיד [פרד], בָּקַע, פִּלֵּג, הִתְפַּלֵּג [פלג], הִתְחַלֵּק [חלק]

dividend, *n.* מְחֻלָּק; רֶוַח נֶחֱלָק (מִמְּנָיוֹת)

divider, divisor, *n.* מְחַלֵּק

divination, *n.* נִחוּשׁ, כְּשָׁפִים, הַגָּדַת עֲתִידוֹת

divine, *adj.* & *n.* קָדוֹשׁ, אֱלֹהִי, דָּתִי; כֹּהֵן

divine, *v.t.* & *i.* נִחֵשׁ, שִׁעֵר, שָׁאַל בְּאוֹב

diviner, *n.* מַגִּיד עֲתִידוֹת, אוֹב, מְכַשֵּׁף, מְנַחֵשׁ, קוֹסֵם

divinity, *n.* אֱלָהוּת

divisible, *adj.* מִתְחַלֵּק

division, *n.* חִלּוּק, חֲלֻקָּה; גְּדוּד; פִּלּוּג; פְּלֻגָּה (צָבָא)

divisor, *v.* divider

divorce, *n.* גֵּט; גֵּרוּשִׁים, סֵפֶר כְּרִיתוּת

divorce, *v.t.* נָתַן (גֵּט) סֵפֶר כְּרִיתוּת, גֵּרֵשׁ

divorcé (e), *n.* גָּרוּשׁ, גְּרוּשָׁה
divulge, *v.t.* גִּלָּה, הוֹדִיעַ [ידע] (סוֹד)
dizziness, *n.* סְחַרְחֹרֶת
dizzy, *adj.* סְחַרְחַר, מְסַחְרֵר
do, *n.* דוֹ (הַצְּלִיל הָרִאשׁוֹן בְּסוּלָּם הַנְּגִינָה)
do, *v.t. & i.* עָשָׂה, גָּמַר; הוֹנָה [ינה]
docile, *adj.* נוֹחַ, צַיְּתָן, מַקְשִׁיב, לָמִיד
docility, *n.* נוֹחוּת, רַכּוּת, צִיּוּת
dock, *n.* מִסְפָּנָה, רָצִיף; תָּא (סַפְסַל) הַנֶּאֱשָׁמִים; גֶּדֶם הַזָּנָב
dock, *v.t.* הִסְפִּין [ספן] קָטַע (זָנָב)
docket, *n.* רְשִׁימָה, קִצּוּר
doctor, *n.* רוֹפֵא, מְלֻמָּד
doctorate, *n.* תֹּאַר (מְלֻמָּד) דּוֹקְטוֹר
doctrine, *n.* תּוֹרָה, שִׁיטָה, עִקָּר, דֵּעָה
document, *n.* תְּעוּדָה, מִסְמָךְ
document, *v.t.* תִּעֵד, מִסְמֵךְ
documentary, *adj.* שֶׁל תְּעוּדוֹת
dodge, *n.* הִתְחַמְּקוּת, עָרְמָה
dodge, *v.t. & i.* הִתְחַמֵּק [חמק], הִשְׁתַּמֵּט [שמט], הֶעֱרִים [ערם]
doe, *n.* צְבִיָּה, אַיָּלָה
doeskin, *n.* עוֹר צְבִי
doff, *v.t.* פָּשַׁט, הֵסִיר [סור]
dog, *n.* כֶּלֶב; אַבְרֵק; בֶּן בְּלִיַּעַל
dogfish, *n.* גַּלְדָּן
dogged, *adj.* עַקְשָׁן
dogma, *n.* אֱמוּנָה, עִקָּר
dogmatic, dogmatical, *adj.* עִקָּרִי
doily, *n.* מַפִּית
doldrums, *n. pl.* שִׁעֲמוּם, שִׁמָּמוֹן
dole, *n.* נְדָבָה, קִצְבָּה; דְּמֵי אַבְטָלָה
dole, *v.t.* חִלֵּק, נָתַן צְדָקָה
doleful, *adj.* מְדֻכָּא
doll, *n.* בֻּבָּה
dollar, *n.* דּוֹלָר, מַטְבֵּעַ (אוֹ שְׁטָר), כֶּסֶף אֲמֶרִיקָנִי בֶּן מֵאָה סֶנְט)
dolly, *n.* בֻּבִּית, בֻּבָּה קְטַנָּה; גַּלְגַּלֶּנֶת
dolor, dolour, *n.* מַכְאוֹב, עֶצֶב, אֵבֶל
dolorous, dolourous, *adj.* מַכְאִיב, עָצוּב
dolphin, *n.* שִׁבּוּט
dolt, *n.* טִפֵּשׁ, שׁוֹטֶה, „חֲמוֹר"
domain, *n.* אֲחֻזָּה; מָרוּת; תְּחוּם
dome, *n.* כִּפָּה
domestic, *adj.* & *n.* בֵּיתִי; מְשָׁרֶת
domesticate, *v.t.* בִּיֵּת, אִלֵּף
domicile, *n.* מְקוֹם מְגוּרִים, בַּיִת
domicile, *v.t.* שִׁכֵּן, דִּיֵּר, הוֹשִׁיב [ישב]
dominant, *adj.* שׁוֹלֵט, שׂוֹרֵר
dominate, *v.t. & i.* שָׁלַט, שָׂרַר, מָשַׁל, הִשְׂתַּלֵּט [שלט]
domination, *n.* שְׁלִיטָה, שְׂרָרָה
domineer, *v.i.* הִשְׂתָּרֵר [שרר]
dominion, *n.* מֶמְשָׁלָה, שְׁלִיטָה, מְלוּכָה
domino, *n.* פְּתִיגִיל
dominoes, *n. pl.* פִּסְפָּסִים (מִשְׂחָק)
don, *n.* תַּלְמִיד חָכָם
don, *v.t.* לָבַשׁ, עָטָה
donate, *v.t.* נִדֵּב
donation, *n.* מַתָּנָה, נְדָבָה, שַׁי, מִנְחָה
donkey, *n.* חֲמוֹר; עַקְשָׁן, טִפֵּשׁ, שׁוֹטֶה
donor, *n.* מְנַדֵּב, נַדְבָן
doom, *n.* אֲבַדּוֹן, כִּלָּיוֹן, גְּזַר דִּין, גּוֹרָל
doom, *v.t.* גָּזַר (דִּין), חָרַץ (מִשְׁפָּט), חִיֵּב
door, *n.* דֶּלֶת, פֶּתַח
doorkeeper, *n.* שׁוֹעֵר
doorpost, *n.* מְזוּזָה
doorway, *n.* מָבוֹא, פֶּתַח
dope, *n. & v.t.* חֲשִׁישׁ, סַם מְשַׁכֵּר; שׁוֹטֶה; הֵמֵּם
dormant, *n.* מִתְנַמְנֵם, יָשֵׁן, נִרְדָּם, רָדוּם
dormer, *n.* חֲדַר מִטּוֹת; גַּמְלוֹנִית (צֹהַר גַּג)

dormitory, *n.* פְּנִימִיָּה
dormouse, *n.* מְכַרְסֵם, עַכְבָּר קָטָן
dorsal, *adj.* גַּבִּי, שֶׁל הַגַּב
dose, *n., v.t. & i.* כַּמּוּת, מָנָה; מִנֵּן
dot, *n. & v.t.* נְקֻדָּה; נָדָן; נִקֵּד
dotage, *n.* זִקְנָה; טִפְּשׁוּת, חֹסֶר דַּעַת
dotard, *n.* מְטֹרָף, טִפְּשִׁי
dote, *v.t.* תָּשַׁשׁ
double, *adj.* כָּפוּל, פִּי שְׁנַיִם, זוּגִי
double, *n., adv.* בֶּן זוּג, מִשְׁנֶה; כִּפְלַיִם
double, *v.t. & i.* כָּפַל, נִכְפַּל [כפל], הִכְפִּיל [כפל]
doubt, *n.* פִּקְפּוּק, סָפֵק, חֲשָׁשׁ
doubt, *v.t. & i.* פִּקְפֵּק, הִסֵּס, הָיָה מְסֻפָּק
doubtful, *adj.* מְסֻפָּק, מְפֻקְפָּק
doubtfully, *adv.* בְּסָפֵק
doubtless, *adj.* בְּלִי סָפֵק, בְּוַדַּאי
dough, *n.* בָּצֵק, עִסָּה; מְזֻמָּנִים
doughnut, *n.* סֻפְגָּנִיָּה
doughty, *adj.* אַמִּיץ
douse, dowse, *v.t. & i.* כִּבָּה; הִרְטִיב [רטב]; הִשְׁלִיךְ [שלך] (הַמַּיְמָה)
dove, *n.* תּוֹר, יוֹנָה; תָּמִים, צָנוּעַ
dovecot, dovecote, *n.* שׁוֹבָךְ
dovetail, *n. & v.t.* שָׁלָב; שִׁלֵּב
dowager, *n.* אַלְמָנָה, יוֹרֶשֶׁת
dowdy, *adj. & n.* מְלֻכְלֶכֶת; לְכְלוּכִית
dowel, *n. & v.t.* יָתֵד; חִזֵּק בְּיָתֵד
dower, dowry, *n.* נְדוּנְיָה, מַתָּנָה
down, *n.* נוֹצָה, מוֹךְ
down, *adv.* לְמַטָּה, מַטָּה
down, *v.t.* הוֹרִיד [ירד], הִשְׁפִּיל [שפל]
downcast, *adj.* נִדְכֶּה
downfall, *n.* מַפָּלָה, תְּבוּסָה, כִּשָּׁלוֹן
downhearted, *adj.* נְכֵא, נוּגֶה
downpour, *n.* גִּשְׁמֵי זַעַף
downright, *adj.* יָשָׁר, מֻחְלָט
downright, *adv.* בְּפֵרוּשׁ, לְגַמְרֵי
downstairs, *adv.* בַּקּוֹמָה הַתַּחְתּוֹנָה
downtown, *adv.* לְמוֹרַד הָעִיר
downy, *adj.* מוֹכִי, רַךְ
dowry, dowse, *v.* dower, douse
doze, *n. & v.i.* תְּנוּמָה; הִתְנַמְנֵם [נמנם]
dozen, *n.* תְּרֵיסַר
drab, *n. & v.i.* מְזֹהָם, מְטֻנָּף; זוֹנָה, זַנַּאי; זָנָה
draft, draught, *n.* קִצּוּר, שִׂרְטוּט, תַּרְשִׁים; טְיוּטָה; גִּיּוּס; מִטְעָן; (מְשִׁיכַת) שָׁלָל (דָּגִים); רוּחַ פְּרָצִים; שְׁתִיָּה; הַמְחָאָה, שְׁטָר; שֹׁקַע
drag, *n.* מְשִׁיכָה, גְּרִירָה, סְחִיבָה; מְצִיצָה (סִיגָרִיָּה); מַשְׂדֵּדָה
drag, *v.t. & i.* גָּרַר, סָחַב
dragnet, *n.* מִכְמֹרֶת
dragon, *n.* דְּרָקוֹן; כַּעֲסָן
dragoon, *n. & v.t.* פָּרָשׁ; רָדַף, הִכְנִיעַ [כנע], הִכְרִיחַ [כרח]
drain, *n.* תְּעָלָה, מַרְזֵב
drain, *v.t. & i.* נִקָּז, יִבֵּשׁ, מִצָּה, מָצַץ
drainage, *n.* בִּיּוּב, נִקּוּז, יִבּוּשׁ
drainer, *n.* מְנַקֵּז, מְיַבֵּשׁ
drake, *n.* בַּרְוָז (זָכָר)
dram, *n.* מִשְׁקָל; כּוֹסִית יַיִן, לְגִימַת יי"שׁ
drama, *n.* חִזָּיוֹן, מַחֲזֶה, מַעֲגָמָה
dramatic, dramatical, *adj.* חֶזְיוֹנִי
dramatist, *n.* מַחֲזַאי
dramatize, *v.t.* הִמְחִיז [מחז]
drape, *v.t.* רִבַּד, וִלֵּן
draper, *n.* סוֹחֵר אֲרִיגִים
drapery, *n.* אֲרִיגִים
drastic, *adj.* מַחֲמִיר, קָשֶׁה, נִמְרָץ, חָזָק
draught, *v.* draft
draughts, *n. pl.* מִשְׂחַק הַנְּשִׂיאָה, נַרְדְּשִׁיר

draw, *n.* מְשִׁיכָה; שְׁאִיבָה; גּוֹרָל

draw, *v.t.* & *i.* מָשַׁךְ, סָחַב; שָׁאַב, דָּלָה; סָפַג; צִיֵּר

drawback, *n.* מִכְשׁוֹל; עִכּוּב; הֶפְסֵד

drawer, *n.* מוֹשֵׁךְ; מְשַׂרְטֵט; מְגֵרָה; שׁוֹאֵב

drawing, *n.* מְשִׁיכָה; שְׁאִיבָה; צִיּוּר

drawl, *v.t.* & *i.* דִּבֵּר לְאַט וּבַעֲצַלְתַּיִם

dray, *n.* עֶגְלַת מַשָּׂא

drayman, *n.* עֶגְלוֹן

dread, *v.t.* & *i.* פָּחַד, חָרַד, יָרֵא, הִתְיָרֵא [ירא]

dread, *n.* פַּחַד, יִרְאָה, אֵימָה

dreadful, *adj.* מַפְחִיד, אָיֹם, נוֹרָא

dreadfully, *adv.* בְּפַחַד, בְּיִרְאָה

dreadnought, dreadnaught, *n.* אֳנִיַּת מַקְלֵעִים

dream, *n.* חֲלוֹם, חִזָּיוֹן, הֲזָיָה

dream, *v.t.* & *i.* חָלַם, רָאָה בַּחֲלוֹם

dreamer, *n.* חוֹלֵם

dreamily, *adv.* כְּבַחֲלוֹם

dreamland, *n.* אֶרֶץ פְּלָאִים

dreamy, *adj.* בַּעַל חֲלוֹמוֹת, חוֹלֵם

drear, dreary, *adj.* נִדְכֶּה, נוּגֶה

dredge, *v.t.* נִקָּה (יָם), קָדַח

dregs, *n. pl.* פְּסֹלֶת, שְׁמָרִים

drench, *v.t.* & *n.* הִשְׁרָה [שרה], הִשְׁקָה [שקה], הִרְוָה [רוה]; הַרְטָבָה

dress, *n.* שִׂמְלָה, חֲלִיפָה, מַלְבּוּשׁ

dress, *v.t.* & *i.* לָבַשׁ, הִתְלַבֵּשׁ (הִלְבִּישׁ [לבש]; עָרַךְ (שֻׁלְחָן); הֵכִין [כון] לְבִשּׁוּל; קִשֵּׁט; עִבֵּד (עוֹר); חָבַשׁ (פֶּצַע)

dresser, *n.* שִׁדָּה

dressmaker, *n.* תּוֹפֶרֶת

dribble, *v.t.* & *i.*, *n.* טִפְטֵף, עָרַף; הוֹרִיד [ירד] רִיר; טִפָּה, טִפְטוּף; רִיר

drier, dryer, *n.* מְיַבֵּשׁ

drift, *n.* נְטִיָּה; מִסְחָף

drift, *v.t.* & *i.* סָחַף, נִסְחַף [סחף], זָרַם, צָבַר (שֶׁלֶג), הִצְטַבֵּר [צבר]; נָע [נוע] לְלֹא כִּוּוּן

driftwood, *n.* עֵץ סַחַף

drill, *n.* מַקְדֵּחַ; תַּרְגִּיל, תִּרְגּוּל; מַזְרֵעָה; זְרִיעָה בְּשׁוּרוֹת

drill, *v.t.* & *i.* קָדַח, נָקַב; תִּרְגֵּל (צָבָא), הִתְאַמֵּן [אמן]; זָרַע בְּשׁוּרוֹת

drink, *n.* מַשְׁקֶה, שְׁתִיָּה

drink, *v.t.* & *i.* שָׁתָה, הִשְׁתַּכֵּר [שכר]

drinker, *n.* שַׁתְיָן

drip, *n.* & *v.i.* דֶּלֶף; טִפְטֵף, דָּלַף

drive, *n.* נְסִיעָה, דֶּרֶךְ; מַגְבִּית

drive, *v.t.* & *i.* דָּחַף, דָּפַק; נָהַג (מְכוֹנִית), הוֹלִיךְ [הלך] (בְּהֵמוֹת); שִׁקַּע (מַסְמֵר, בֹּרֶג)

drivel, *n.* רוֹק, רִיר; הֶבֶל

drivel, *v.t.* הוֹרִיד [ירד] רִיר; הֶהְבִּיל [הבל] (דִּבֵּר הֶבֶל)

driveler, driveller, *n.* מוֹרִיד רִיר; טִפֵּשׁ

driver, *n.* נֶהָג, נֶהָג

drizzle, *n.* רְבִיבִים, גֶּשֶׁם דַּק

drizzle, *v.i.* רִעֵף, יָרַד גֶּשֶׁם דַּק

droll, *adj.* מַצְחִיק, מְשֻׁנֶּה, מוּזָר

dromedary, *n.* גָּמָל, בֶּכֶר

drone, *n.* זְכַר הַדְּבוֹרִים; עַצְלָן; זִמְזוּם

drone, *v.i.* זִמְזֵם; הָלַךְ בָּטֵל

droop, *n.* נְבִילָה, קְמִילָה, כְּפִיפָה

droop, *v.i.* & *t.* נָפַל; שָׁחַח; נָבַל, קָמַל

drop, *n.* טִפָּה, נֵטֶף, אֵגֶל (טַל); נְפִילָה; לֵדָה, וְלָד; חָרָךְ

drop, *v.t.* & *i.* הִפִּיל [נפל], נָפַל; טִפְטֵף, הִזִּיל [נזל]; יָלַד; שִׁלְשֵׁל; צָנַח

dropper, *n.* אֶדֶק, טַפְטֶפֶת

dropsy, *n.* מַיֶּמֶת
dross, *n.* סִיג, בְּדִיל
drought, drouth, *n.* בַּצֹּרֶת, יֹבֶשׁ, צִיָּה, צִמָּאוֹן, חֹרֶב, חֲרָבוֹן
drove, *n.* הָמוֹן, עֵדֶר, מִקְנֶה
drown, *v.t.* & *i.* הִטְבִּיעַ [טבע]; טָבַע
drowning, *n.* טְבִיעָה
drowse, *n.* תְּנוּמָה
drowse, *v.i.* הִתְנַמְנֵם [נמנם]
drowsiness, *n.* שֵׁנָה, תַּרְדֵּמָה, הִתְנַמְנְמוּת
drowsy, *adj.* נִרְדָּם, מִתְנַמְנֵם
drudge, *n.* עוֹבֵד עֲבוֹדָה קָשָׁה
drudge, *v.i.* עָבַד קָשֶׁה
drudgery, *n.* עֲבוֹדַת פֶּרֶךְ
drug, *n.* סַם, רְפוּאָה, תְּרוּפָה
drug, *v.t.* & *i.* שָׁתָה סַמִּים, הִקְהָה [קהה] (חוּשִׁים)
druggist, *n.* רוֹקֵחַ
drugstore, *n.* בֵּית מִרְקַחַת
drum, *n.* תֹּף
drum, *v.t.* & *i.* תָּפַף, תּוֹפֵף, תִּפֵּף
drummer, *n.* תַּפָּף, מְתוֹפֵף
drunk, *adj.*, drunkard, *n.* שִׁכּוֹר
drunken, *adj.* שִׁכּוֹר, שָׁכוּר, סוֹבֵא
drunkenness, *n.* שִׁכָּרוֹן, שִׁכְרוּת
dry, *adj.* יָבֵשׁ; נָגוּב; חָרֵב; צָמֵא; חֲסַר עִנְיָן; בִּלְתִּי אָדִיב
dry, *v.t.* & *i.* יִבֵּשׁ, נִגֵּב, הוֹבִישׁ [יבש], הִתְיַבֵּשׁ [יבש]
dryer, *v.* drier
dryness, *n.* יֹבֶשׁ, חֹרֶב
dual, *adj.* כָּפוּל, זוּגִי
dual, *n.* מִסְפָּר (שֵׁם) זוּגִי
dualism, duality, *n.* כְּפִילוּת, שְׁנִיּוּת
dub, *v.t.* כִּנָּה; מָרַח
dubious, *adj.* מְסֻפָּק
dubiously, *adv.* בְּסָפֵק
duchess, *n.* דֻּכָּסִית
duck, *n.* בַּרְוָז
duck, *v.t.* & *i.* צָלַל, טָבַל בַּמַּיִם; הִתְכּוֹפֵף [כפף]; הִשְׁתַּמֵּט [שמט]
duckling, *n.* בַּרְוָזוֹן
duct, *n.* שְׁבִיל, בִּיב
ductile, *adj.* גָּמִישׁ
dude, *n.* גַּנְדְּרָן
dudgeon, *n.* זַעַם, חֵמָה
duds, *n. pl.* מַלְבּוּשִׁים
due, *adj.* מַגִּיעַ, רָאוּי
due, *n.* מַס, חוֹב
duel, *n.* מִלְחֶמֶת שְׁנַיִם, דּוּ קְרָב
duel, *v.i.* לָחַם מִלְחֶמֶת שְׁנַיִם
duelist, duellist, *n.* לוֹחֵם מִלְחֶמֶת שְׁנַיִם
dues, *n. pl.* דְּמֵי חָבֵר
duet, *n.* צִמְדָּה, שִׁיר שֶׁל שְׁנַיִם
duke, *n.* דֻּכָּס
dull, *adj.* קֵהֶה; דֵּהֶה; טִפְּשִׁי; מְשַׁעֲמֵם; מְעֻנָּן
dull, *v.t.* & *i.* הִקְהָה [קהה], טִמְטֵם
dullard, *n.* כְּסִיל, שׁוֹטֶה
dullness, *n.* קֵהוּת, טִפְּשׁוּת
dumb, *adj.* אִלֵּם; דּוֹמֵם
dumfound, dumbfound, *v.t.* הִדְהִים [דהם]
dummy, *adj.* דּוֹמֵם, מְלָאכוּתִי
dummy, *n.* גֹּלֶם, שַׁתְקָן; דֻּגְמָן, דֶּמֶה
dump, *n.* אַשְׁפָּה; מַחְסָן (עֲרָאִי)
dump, *v.t.* הִשְׁלִיךְ [שלך], הֵרִיק [ריק]
dun, *adj.* & *n.* חוּם אֲפַרְפַּר; נוֹשֶׁה
dunce, *n.* הֶדְיוֹט, טִפֵּשׁ, כְּסִיל
dune, *n.* חוֹלָה
dung, *n.* דֹּמֶן, זֶבֶל, אַשְׁפָּה
dungarees, *n. pl.* מִכְנְסֵי עֲבוֹדָה
dungeon, *n.* בֵּית סֹהַר
dunghill, *n.* מַדְמֵנָה
dupe, *n.* & *v.t.* פֶּתִי; רִמָּה

duplex, *n.* & *adj.* כְּפְלָה, מַכְפֵּלָה
duplicate, *n.* הֶעְתֵּק
duplicate, *v.t.* הִכְפִּיל [כפל], שִׁכְפֵּל
duplicator. *n.* מַכְפֶּלֶת
duplication, *n.* חִקּוּי, כְּפִילָה, הַכְפָּלָה, שִׁכְפּוּל
duplicity, *n.* שְׁנִיּוּת, עָקְבָה, מִרְמָה
durability, *n.* הִתְקַיְּמוּת, קִיּוּם
durable, *adj.* מִתְקַיֵּם, נִמְשָׁךְ
duration, *n.* הֶמְשֵׁךְ, קִיּוּם
duress, *n.* מְצוּקָה, כְּלִיאָה
during, *prep.* בְּמֶשֶׁךְ, מֶשֶׁךְ
dusk, *n.* חֲשֵׁכָה, בֵּין הַשְּׁמָשׁוֹת, בֵּין הָעַרְבַּיִם
dusky, *adj.* אַפְלוּלִי
dust, *n.* אָבָק, עָפָר, שַׁחַק
dust, *v.t.* & *i.* אָבָק, אִבֵּק; הֵסִיר [סור] אָבָק, כִּסָּה בְּאָבָק, הִתְכַּסָּה [כסה] בְּאָבָק, הִתְאַבֵּק [אבק]
dusty, *adj.* אָבִיק, אֲבָקִי, מְאֻבָּק
Dutch, *adj.* & *n.* הוֹלַנְדִי, הוֹלַנְדִית
dutiable, *adj.* חָב מֶכֶס, טָעוּן מַס
dutiful, *adj.* מַקְשִׁיב, מְצַיֵּת
duty, *n.* חוֹבָה, תַּפְקִיד, מַס, מֶכֶס

dwarf, *n.* גַּמָּד, נַנָּס
dwarf, *v.t.* & *i.* גִּמֵּד, נִנֵּס, הִתְגַּמֵּד [נמד], הִתְנַנֵּס [ננס]
dwell, *v.i.* שָׁכַן, גָּר [גור], דָּר [דור]
dweller, *n.* תּוֹשָׁב, דָּר
dwelling, *n.* מָעוֹן, מִשְׁכָּן, דִּירָה
dwindle, *v.i.* הִתְמַעֵט [מעט], הִתְנַוְּנָה [נונה]
dye, *n.* צֶבַע
dye, *v.t.* צָבַע
dyer, *n.* צוֹבֵעַ, צַבָּע
dyeing, *n.* צְבִיעָה
dyestuff, *n.* צִבְעָן
dying, *adj.* גּוֹסֵס, גּוֹוֵעַ, מֵת
dyke, *v.* dike
dynamic, dynamical, *adj.* פָּעִיל, בַּעַל מֶרֶץ, שֶׁל כֹּחוֹת
dynamite, *n.* חֹמֶר נֶפֶץ, כֹּחִית
dynamite, *v.t.* נִפֵּץ (טָעַן) בְּחֹמֶר נֶפֶץ
dynamo, *n.* דִּינָמוֹ
dynastic, *adj.* שׁוֹשַׁלְתִּי
dynasty, *n.* שׁוֹשֶׁלֶת
dysentery, *n.* בּוֹרְדָם, שִׁלְשׁוּל דָּם
dyspepsia, *n.* פְּרַעְכּוּל, עִכּוּל קָשֶׁה

E, e

E, e, *n.* אִי, הָאוֹת הַחֲמִישִׁית בָּאָלֶף בֵּית הָאַנְגְּלִי; חֲמִישִׁי, ה׳
each, *adj.* & *pron.* כָּל, כָּל אֶחָד
eager, *adj.* נִכְסָף, מִשְׁתּוֹקֵק, נִלְהָב, לָהוּט
eagerly, *adv.* בְּהִתְלַהֲבוּת
eagerness, *n.* הִתְלַהֲבוּת, חֵשֶׁק
eagle, *n.* נֶשֶׁר, עָזְנִיָּה
ear, *n.* אֹזֶן; שִׁבֹּלֶת
eardrum, *n.* תֹּף הָאֹזֶן

early, *adj.* מֻקְדָּם, קָדוּם, מַשְׁכִּים
early, *adv.* בְּהַשְׁכָּמָה, בְּהֶקְדֵּם
earmark, *n.* צִיּוּן, סִימָן
earmark, *v.t.* סִמֵּן, צִיֵּן
earn, *v.t.* הִשְׂתַּכֵּר [שכר], הִרְוִיחַ [רוח]
earnest, *adj.*, *n.* רְצִינִי; רְצִינוּת
earnings, *n. pl.* הַכְנָסָה, רְוָחִים
earring, *n.* עָגִיל, נֶזֶם הָאֹזֶן, נְטִיפָה, חֲלִי, לַחַשׁ

earth, *n.* אֶרֶץ, כַּדּוּר הָאָרֶץ, אֲדָמָה, יַבָּשָׁה, עָפָר
earthen, *adj.* אַרְצִי, חַרְסִי
earthenware, *n.* כְּלֵי חֶרֶס
earthly, *adj.* אַרְצִי, חָמְרִי
earthquake, *n.* רְעִידַת אֲדָמָה, רַעַשׁ
earthworm, *n.* שִׁלְשׁוּל
ease, *n.* שַׁלְוָה, נַחַת, רְוָחָה
ease, *v.t.* הֵקֵל [קלל] (כְּאֵב), הֵנִיחַ [נוח] (דַּעַת)
easel, *n.* כַּנָּה, אֲתוֹנֶת
easily, *adv.* בְּקַלּוּת, עַל נְקַלָּה
easiness, *n.* קַלּוּת, נַחַת
east, *n.* מִזְרָח, קֶדֶם
Easter, *n.* פֶּסַח; פַּסְחָא
easterly, *adj.* מִזְרָחִי, קָדִים
eastward, eastwards, *adv.* מִזְרָחָה
easy, *adj.* קַל, נוֹחַ
eat, *v.t.* & *i.* אָכַל, סָעַד; אִכֵּל, הִתְאַכֵּל [אכל]
eatable, *adj.* אָכִיל, רָאוּי לַאֲכִילָה
eatables, *n. pl.* אֳכָלִים
eater, *n.* אוֹכֵל, אַכְלָן
eavesdrop, *v.i.* צִיֵּת, הִקְשִׁיב [קשב] בְּסֵתֶר
eavesdropper, *n.* מַקְשִׁיב בְּסֵתֶר, צַיְּתָן
ebb, *n.* שֶׁפֶל הַמַּיִם (בַּיָּם), הִתְמַעֲטוּת
ebb, *v.i.* הִשְׁתַּפֵּל [שפל], מָעַט, נִתְמַעֵט [מעט]
ebonite, *n.* אֶבֶן הָבְנֶה
ebony, *n.* הָבְנֶה
ebullition, *n.* תְּסִיסָה, רְתִיחָה
eccentric, *adj.* & *n.* יוֹצֵא מֶרְכָּז; מְשֻׁנֶּה, יוֹצֵא דֹּפֶן
eccentricity, *n.* יְצִיאַת מֶרְכָּז; יְצִיאַת דֹּפֶן, זָרוּת
Ecclesiastes, *n.* קֹהֶלֶת
ecclesiastic, *n.* כֹּהֵן, כֹּמֶר
ecclesiastical, *adj.* כְּנֵסִיָּתִי, רוּחָנִי
echo, *n.*, *v.t.* & *i.* בַּת קוֹל, הֵד; הִדְהֵד
eclipse, *n.* לִקּוּי (חַמָּה, לְבָנָה)
eclipse, *v.t.* & *i.* לָקְתָה [לקה] (חַמָּה, לְבָנָה), הֶאֱפִיל [אפל], הֶחֱשִׁיךְ [חשך]
economic, economical, *adj.* כַּלְכָּלִי; חַסְכָנִי
economically, *adv.* בְּחִסָּכוֹן
economist, *n.* כַּלְכְּלָן, חַסְכָן
economize, *v.t.* & *i.* חָסַךְ
economy, *n.* כַּלְכָּלָה, חִסָּכוֹן, חַסְכָנוּת
ecstasy, *n.* תַּעֲנוּג; הִתְלַהֲבוּת; הִתְרַגְּשׁוּת
ecstatic, *adj.* מִתְפָּעֵל; מִתְלַהֵב
ecstatically, *adv.* בְּהִתְפָּעֲלוּת; בְּהִתְלַהֲבוּת
eczema, *n.* חֲזָזִית
eddy, *n.*, *v.t.* & *i.* שִׁבֹּלֶת (בַּנָּהָר, בַּיָּם), מְעַרְבֹּלֶת; עִרְבֵּל
Eden, *n.* עֵדֶן
edge, *n.* קָצֶה, שָׂפָה; לִזְבֵּז; חֹד; שׁוּנִית
edge, *v.t.* & *i.* חִדֵּד, שִׁנֵּן; עָשָׂה שָׂפָה; הִתְקַדֵּם [קדם] לְאַט לְאַט
edible, *adj.* & *n.* אָכִיל; מַאֲכָל
edict, *n.* גְּזֵרָה, צַו
edification, *n.* חִנּוּךְ, לִמּוּד
edifice, *n.* בִּנְיָן
edify, *v.t.* לִמֵּד, חִנֵּךְ
edit, *v.t.* עָרַךְ
edition, *n.* הוֹצָאָה, מַהֲדוּרָה
editor, *n.* עוֹרֵךְ
editorial, *n.* מַאֲמָר רָאשִׁי
educate, *v.t.* חִנֵּךְ, הוֹרָה [ירה]
education, *n.* חִנּוּךְ, לִמּוּד, אִמּוּן
educational, *adj.* חִנּוּכִי
educator, *n.* אוֹמֵן, מוֹרֶה, מְחַנֵּךְ
eel, *n.* צְלוֹפָח (דָּג)
eerie, eery, *adj.* סוֹדִי; מַפְחִיד; נִסְתָּר

efface, *v.t.* מָחָה, מָחַק; הִכְחִיד [כחד]
effect, *n.* תּוֹצָאָה, מְסֻבָּב, תַּכְלִית; רֹשֶׁם, כַּוָּנָה
effect, effectuate, *v.t.* גָּרַם, הוֹצִיא [יצא] לְפֹעַל, פָּעַל, סִבֵּב, יִעֵל
effective, *adj.* יָעִיל
effects, *n. pl.* חֲפָצִים
effeminacy, *n.* נָשִׁיּוּת, נְקֵבוּת
effeminate, *adj.* נָשִׁי, נְקֵבִי
effervesce, *v.i.* תָּסַס
effervescence, effervescency, *n.* תְּסִיסָה, קְצִיפָה
effervescent, *adj.* תּוֹסֵס
effete, *adj.* עָיֵף; חַלָּשׁ; עָקָר
efficacious, *adj.* יָעִיל, מֻכְשָׁר, פָּעִיל
efficacy, *n.* מֶרֶץ, כֹּשֶׁר, יְעִילוּת
efficiency, *n.* יְעִילוּת, חֲרִיצוּת, זְרִיזוּת
efficient, *adj.* יָעִיל, זָרִיז, נִמְרָץ
efficiently, *adv.* בִּיעִילוּת, בְּמֶרֶץ
effigy, *n.* דְּמוּת, צֶלֶם
effluence, *n.* שֶׁפֶךְ, הִשְׁתַּפְּכוּת
effort, *n.* הִשְׁתַּדְּלוּת, מַאֲמָץ
effrontery, *n.* עַזּוּת (פָּנִים) מֵצַח, חֻצְפָּה
effulgence, *n.* זִיו, זְרִיחָה, זֹהַר
effulgent, *adj.* קוֹרֵן, מַבְהִיק
effusion, *n.* הֲגָרָה, שְׁפִיכָה, הִשְׁתַּפְּכוּת
effusive, *adj.* מִשְׁתַּפֵּךְ, נִגָּר; רַגְשָׁנִי
egg, *n.* בֵּיצָה
eggplant, *n.* חָצִיל
ego, *n.* אָנֹכִי, אֲנִי
egoism, egotism, *n.* אָנֹכִיּוּת
egoist, egotist, *n.* אָנֹכִיָּן, אָנֹכִיִּי
egress, *n.* יְצִיאָה, מוֹצָא
Egypt, *n.* מִצְרַיִם
eight, *n.* שְׁמוֹנָה, שְׁמוֹנֶה
eighteen, *n.* שְׁמוֹנָה עָשָׂר, שְׁמוֹנֶה עֶשְׂרֵה
eighteenth, *adj.* הַשְּׁמוֹנָה עָשָׂר, הַשְּׁמוֹנֶה עֶשְׂרֵה
eighth, *adj.* & *n.* שְׁמִינִי, שְׁמִינִית
eighty, *n.* שְׁמוֹנִים
either, *adj.* & *pron.* כָּל אֶחָד, הָאֶחָד (מִשְּׁנַיִם)
either, *conj.* אוֹ, אִם
ejaculate, *v.t.* קָרָא, צָוַח
eject, *v.t.* הוֹצִיא [יצא], הִשְׁלִיךְ [שלך], גֵּרַשׁ; שָׁחַת (זֶרַע)
ejection, *n.* הוֹצָאָה, גֵּרוּשׁ, הַשְׁלָכָה; שְׁחוּת, קֶרִי
eke, *v.t.* סִפֵּק (בְּדֹחַק); הֶאֱרִיךְ [ארך], הִגְדִּיל [גדל]
elaborate, *adj.* מְשֻׁפָּר, מֻרְכָּב, מְשֻׁכְלָל, מְעֻבָּד
elaborate, *v.t.* שִׁכְלֵל, עִבֵּד
elaboration, *n.* שִׁכְלוּל, שִׁפּוּר
elapse, *v.i.* חָלַף, עָבַר
elastic, *adj.* גָּמִישׁ, קְפִיצִי
elasticity, *n.* גְּמִישׁוּת, קְפִיצִיּוּת
elate, *v.t.* שִׂמַּח
elation, *n.* חֶדְוָה, גִּיל
elbow, *n.* מַרְפֵּק, אַצִּיל
elbow, *v.t.* & *i.* דָּחָה הַצִּדָּה, עָשָׂה (לְעַצְמוֹ) מָקוֹם
elder, *adj.* & *n.* בְּכוֹר, זָקֵן; סַמְכוּת
elderly, *adj.* קְצָת זָקֵן
eldest, *adj.* הַזָּקֵן בְּיוֹתֵר; בְּכוֹר
elect, *adj.* & *n.* נִבְחָר; בָּחִיר
elect, *v.t.* בָּחַר, מִנָּה
election, *n.* בְּחִירָה, בִּכּוּר
elections, *n. pl.* בְּחִירוֹת
elective, *adj.* נִבְחָר
elector, *n.* מַצְבִּיעַ, בּוֹחֵר
electorate, *n.* בּוֹרְרוּת, כְּלַל הַבּוֹחֲרִים
electric, electrical, *adj.* חַשְׁמַלִּי
electrically, *adv.* עַל יְדֵי חַשְׁמַל
electrician, *n.* חַשְׁמַלַּאי, חַשְׁמְלָן

electricity, *n.* חַשְׁמַל
electrification, *n.* הִתְחַשְׁמְלוּת, חִשְׁמוּל
electrify, *v.t.* חִשְׁמֵל
electrocute, *v.t.* הֵמִית [מות] בְּחַשְׁמַל
electrocution, *n.* מִיתַת חַשְׁמַל
electrolysis, *n.* הַפְרָדָה (הֲמָסָה) חַשְׁמַלִּית
electron, *n.* אֶלֶקְטְרוֹן, חַשְׁמַלִּיָּה
elegance, *n.* שַׁפִּירוּת
elegant, *adj.* שַׁפִּיר, מְפֹאָר, נֶהְדָּר
elegy, *n.* הֶסְפֵּד, קִינָה
element, *n.* יְסוֹד
elementary, *adj.* יְסוֹדִי; פָּשׁוּט
elephant, *n.* פִּיל
elephantine, *adj.* פִּילִי
elevate, *v.t.* הֵרִים [רום], הִגְבִּיהַּ [גבה], רוֹמֵם, שִׂגֵּב
elevation, *n.* הַגְדָּלָה; גֹּבַהּ; שִׂיא; הַעֲלָאָה
elevator, *n.* מַעֲלִית
eleven, *adj.* & *n.* אַחַד עָשָׂר, אַחַת עֶשְׂרֵה
eleventh, *adj.* הָאַחַד עָשָׂר, הָאַחַת עֶשְׂרֵה
elf, *n.* שֵׁד, רוּחַ
elfin, *adj.* & *n.* יֶלֶד שׁוֹבָב, שֵׁדִי
elfish, *adj.* שׁוֹבָב, עָרוּם
elicit, *v.t.* הוֹצִיא [יצא] מִ־, גִּלָּה
elide, *v.t.* הִבְלִיעַ [בלע], הִשְׁמִיט [שמט] (הֲבָרָה)
eligible, *adj.* רָאוּי לְהִבָּחֵר, רָצוּי
eliminate, *v.t.* הוֹצִיא [יצא], הִרְחִיק [רחק], גֵּרֵשׁ
elimination, *n.* הַרְחָקָה, הַשְׁמָטָה
elixir, *n.* סַם חַיִּים
elk, *n.* אֵיל הַקּוֹרֵא
ell, *n.* אַמָּה
ellipse, *n.* סְגַלְגַּל, עִגּוּל (מָאֳרָךְ) בֵּיצִי
ellipsis, *n.* הַבְלָעָה, הַשְׁמָטָה (שֶׁל אוֹת אוֹ מִלָּה)
elliptic, *adj.* סְגַלְגַּל, עִגּוּל־מָאֳרָךְ
elm, *n.* בּוּקִיצָה
elocution, *n.* הַטָּפָה, דַּבְּרָנוּת
elongate, *v.t.* הֶאֱרִיךְ [ארך]
elongation, *n.* הַאֲרָכָה
elope, *v.i.* בָּרַח עִם אֲהוּבָה
elopement, *n.* בְּרִיחַת נֶאֱהָבִים
eloquence, *n.* צַחוּת (הַדִּבּוּר)
eloquent, *adj.* צַח לָשׁוֹן, נִמְלָץ
else, *adj.* & *adv.* אַחֵר, בְּדֶרֶךְ אַחֶרֶת
elsewhere, *adv.* בְּמָקוֹם אַחֵר
elucidate, *v.t.* בֵּאֵר, הִבְהִיר [בהר]
elucidation, *n.* בֵּאוּר, הֶאָרָה, הַבְהָרָה
elude, *v.t.* הִתְחַמֵּק [חמק], הִשְׁתַּמֵּט [שמט], נִמְלַט [מלט]
elusive, *adj.* מִתְחַמֵּק, מוֹלִיךְ שׁוֹלָל
emaciate, *v.t.* & *i.* רָזָה; כָּחַשׁ
emaciation, *n.* רָזוֹן
emanate, *v.i.* יָצָא, נָבַע
emanation, *n.* יְצִיאָה, שֶׁפֶךְ, שֶׁפַע
emancipate, *v.t.* נָתַן שִׁוּוּי זְכֻיּוֹת, שִׁחְרֵר
emancipation, *n.* דְּרוֹר, שִׁוּוּי זְכֻיּוֹת
emancipator, *n.* מְשַׁחְרֵר
emasculate, *v.t.* סֵרֵס; הֶחֱלִישׁ [חלש]
embalm, *v.t.* חָנַט
embalmer, *n.* חוֹנֵט
embankment, *n.* דָּיֵק, סֶכֶר, מַחְסוֹם
embargo, *n.* אִסּוּר, עִכּוּב (מִשְׁלוֹחַ)
embark, *v.t.* & *i.* הֶעֱלָה (עָלָה) עַל אֳנִיָּה, הִפְלִיג [פלג]; הִתְחִיל [תחל]
embarkation, *n.* הַפְלָגָה
embarrass, *v.t.* הֵבִיא [בוא] בִּמְבוּכָה; הֵבִיךְ [בוך]
embarrassment, *n.* מְבוּכָה
embassy, *n.* שַׁגְרִירוּת, צִירוּת

embattle, *v.t.* עָרַךְ לִקְרָב

embed, *v.t.* הִשְׁכִּיב [שכב], שִׁבֵּץ

embellish, *v.t.* יִפָּה

embellishment, *n.* יִפּוּי

embers, *n. pl.* רֶמֶץ

embezzle, *v.t.* מָעַל בִּכְסָפִים

embezzlement, *n.* מְעִילָה בִּכְסָפִים

embitter, *v.t.* מֵרַר, הִכְעִיס [כעס]

emblazon, *v.t.* קִשֵּׁט

emblem, *n.* סֵמֶל, אוֹת

emblematic, *adj.* סִמְלִי

embodiment, *n.* גִּשּׁוּם, הַגְשָׁמָה, הִתְגַּשְּׁמוּת

embody, *v.t.* הִגְשִׁים [גשם], לִכֵּד, הֵכִיל [כול]

embody, *v.i.* הִתְלַכֵּד [לכד], הִתְחַבֵּר [חבר]

embolden, *v.t.* עוֹדֵד [עוד], אִמֵּץ

embosom, *v.t.* טָמַן בְּחֵיקוֹ, הוֹקִיר [יקר]; שָׁמַר

emboss, *v.t.* הִטְבִּיעַ [טבע] צוּרָה

embower, *v.t.* סוֹכֵךְ [סכך], שָׂם [שים] בְּסֻכָּה

embower, *v.i.* הֵסֵךְ [סכך]; יָשַׁב בְּסֻכָּה

embrace, *n.* חֲבִיקָה, חִבּוּק, גִּפּוּף

embrace, *v.t.* & *i.* חִבֵּק, גִּפֵּף; הֵכִיל [כול]; הִתְחַבֵּק [חבק]

embroider, *v.t.* רָקַם

embroidery, *n.* רֶקֶם, רִקְמָה

embroil, *v.t.* סִכְסֵךְ; עוֹרֵר רִיב

embryo, *n.* עֻבָּר, שָׁלִיל

embryologist, *n.* מֻמְחֶה בְּתוֹלְדוֹת הָעֻבָּר

embryology, *n.* תּוֹרַת הָעֻבָּר

embryonic, *adj.* עֻבָּרִי, שְׁלִילִי, בִּלְתִּי מְפֻתָּח

emend, *v.t.* תִּקֵּן, הִגִּיהַּ [נגה]

emendation, *n.* תִּקּוּן, הֲטָבָה, הַגָּהָה

emerald, *n.* בָּרֶקֶת

emerge, *v.i.* יָצָא, עָלָה, הוֹפִיעַ [יפע], נִגְלָה [גלה]

emergence, *n.* הוֹפָעָה, עֲלִיָּה

emergency, *n.* שְׁעַת חֵרוּם, דֹּחַק, הֶכְרֵחַ

emery, *n.* שָׁמִיר

emetic, *n.* סַם הֲקָאָה

emigrant, *n.* מְהַגֵּר

emigrate, *v.i.* הִגֵּר

emigration, *n.* הֲגִירָה, הִגּוּר

eminence, eminency, *n.* רוֹמְמוּת; הִתְרוֹמְמוּת, הִתְנַשְּׂאוּת, חֲשִׁיבוּת; הוֹד, רוּם, מַעֲלָה

eminent, *adj.* רָם, נִכְבָּד

emissary, *n.* שָׁלִיחַ, צִיר

emission, *n.* הוֹצָאָה, שִׁלּוּחַ

emit, *v.t.* הוֹצִיא [יצא]; הֵפִיץ [פוץ]

emolument, *n.* הַכְנָסָה, מַשְׂכֹּרֶת

emotion, *n.* רֶגֶשׁ, הַרְגָּשָׁה, הִתְרַגְּשׁוּת

emotional, *adj.* רַגְשָׁנִי, רִגְשִׁי

emperor, *n.* מֶלֶךְ, קֵיסָר

emphasis, *n.* הַדְגָּשָׁה, הַבְלָטָה, הַטְעָמָה

emphasize, *v.t.* הִדְגִּישׁ [דגש], הִטְעִים [טעם]

emphatic, *adj.* בּוֹלֵט, מֻדְגָּשׁ, וַדָּאִי

empire, *n.* מַמְלָכָה

empiric, empirical, *adj.* נִסְיוֹנִי

employ, *n.* עֵסֶק, שִׁמּוּשׁ

employ, *v.t.* הֶעֱבִיד [עבד], הֶעֱסִיק [עסק], הִשְׁתַּמֵּשׁ [שמש] בְּ־

employee, *n.* שָׂכִיר, פּוֹעֵל, פָּקִיד

employer, *n.* מַעֲבִיד, מַעֲסִיק

employment, *n.* עֲבוֹדָה, מַעֲשֶׂה, מְלָאכָה, הַעֲסָקָה

emporium, *n.* מֶרְכָּז מִסְחָרִי, שׁוּק; חֲנוּת כָּל־בּוֹ

empower, *v.t.* יִפָּה כֹּחַ, הִרְשָׁה [רשה]
empress, *n.* מַלְכָּה
emptiness, *n.* רֵיקָנוּת, חָלָל, תֹּהוּ
empty, *adj.* רֵיק, בּוּר; רָעֵב
empty, *v.t.* & *i.* הֵרִיק [ריק], שָׁפַךְ, פִּנָּה, רוֹקֵן, נִתְרוֹקֵן [רוקן]
emulate, *v.t.* הִתְחָרָה [חרה]
emulation, *n.* הִתְחָרוּת, תַּחֲרוּת
emulsion, *n.* תַּחֲלִיב
enable, *v.t.* נָתַן הַיְכֹלֶת, הִרְשָׁה, [רשה], אִפְשֵׁר
enact, *v.t.* חָקַק, הִצִּיג [יצג], מִלֵּא תַּפְקִיד
enactment, *n.* חֻקָּה, תַּקָּנָה
enamel, *n.*, *v.t.* אֵימָל ;אִמֵּל
enamor, enamour, *v.t.* הִתְאַהֵב [אהב]
encamp, *v.i.* חָנָה
encampment, *n.* חֲנִיָּה, מַחֲנֶה, אָהֳלִיָּה
encase, *v.t.* נַרְתֵּק; צִפָּה, כִּסָּה
enchain, *v.t.* כָּבַל, אָסַר בַּאֲזִקִּים
enchant, *v.t.* לִבֵּב, קָסַם
enchantment, *n.* כִּשּׁוּף, נַחַשׁ, הִתְלַהֲבוּת
enchantress, *n.* מְלַבֶּבֶת, קוֹסֶמֶת
encircle, *v.t.* הִקִּיף [נקף], כִּתֵּר, עָטַר, סָבַב
enclose, inclose, *v.t.* שָׂם [שים] בְּ־, צֵרַף, רָצַף לְ־; גָּדַר
enclosure, *n.* הֶקֵּף, עֲזָרָה; גְּדֵרָה, מִכְלָאָה, בָּצְרָה, טִירָה
encomium, *n.* שֶׁבַח, תְּהִלָּה
encompass, *v.t.* אָפַף, סָבַב, כִּתֵּר
encore, *n.*, *adv.* & *interj.* הַדְרָן
encounter, *n.* פְּגִישָׁה; הִתְנַגְּשׁוּת
encounter, *v.t.* & *i.* פָּגַשׁ, הִתְנַגֵּשׁ [נגש]
encourage, *v.t.* עוֹדֵד [עוד], אִמֵּץ לֵב
encouragement, *n.* אִמּוּץ, חִזּוּק
encroach, *v.i.* הִסִּיג [נסג] גְּבוּל

encroachment, *n.* הַסָּגַת גְּבוּל
encrust, *v.t.* & *i.* צִפָּה, כִּסָּה
encumber, *v.t.* הִכְבִּיד [כבד], הֶעֱמִיס [עמס]
encumbrance, *n.* הַכְבָּדָה, מַעֲמָסָה
encyclical, *adj.* & *n.* כְּלָלִי, (מִכְתָּב) חוֹזֵר
encyclopedia, encyclopaedia, *n.* אִגְרוֹן, מַחֲזוֹר, אֶנְצִיקְלוֹפֶּדְיָה
end, *n.* תַּכְלִית; סוֹף, קֵץ, סִיּוּם
end, *v.t.* גָּמַר, הִשְׁלִים [שלם], כִּלָּה, סִיֵּם
endanger, *v.t.* סִכֵּן
endear, *v.t.* חִבֵּב
endearment, *n.* אַהֲבָה, חִבָּה, חִבּוּב
endeavor, endeavour, *n.* הִתְאַמְּצוּת, הִשְׁתַּדְּלוּת
endeavor, endeavour, *v.t.* & *i.* הִתְאַמֵּץ [אמץ], הִשְׁתַּדֵּל [שדל]
ending, *n.* סִיּוּם, גְּמָר, תּוֹצָאָה
endive, *n.* עֹלֶשׁ (טָרִי)
endless, *adj.* שֶׁאֵין לוֹ סוֹף, אַל סוֹפִי
endlessly, *adv.* לְאֵין סוֹף
endorse, indorse, *v.t.* אִשֵּׁר, קִיֵּם
endorsement, indorsement, *n.* אִשּׁוּר, קִיּוּם
endow, *v.t.* הֶעֱנִיק, [ענק]; חָנַן (בְּכִשְׁרוֹן)
endowment, *n.* הַעֲנָקָה, זֶבֶד; כִּשְׁרוֹן
endurable, *adj.* שֶׁאֶפְשָׁר לִסְבֹּל
endurance, *n.* סַבְלָנוּת, הַתְמָדָה, קִיּוּם
endure, *v.t.* & *i.* סָבַל, נָשָׂא; הִתְקַיֵּם [קום]
enema, *n.* חֹקֶן
enemy, *n.* אוֹיֵב, שׂוֹנֵא, צַר
energetic, *adj.* בַּעַל מֶרֶץ, נִמְרָץ
energetically, *adv.* בְּמֶרֶץ
energize, *v.t.* & *i.* הִמְרִיץ [מרץ]
energy, *n.* מֶרֶץ, כֹּחַ

enervate, *v.t.* עִצְבֵּן, הֶחֱלִישׁ [חלש]
enfeeble, *v.t.* רִפָּה, נֶחֱלַשׁ [חלש]
enfold, *v.* infold
enforce, *v.t.* הוֹצִיא [יצא] לְפֹּעַל, הִכְרִיחַ [כרח], כָּפָה, אִלֵּץ
enforcement, *n.* אֹנֶס, הֶכְרֵחַ
enfranchise, *v.t.* נָתַן זְכוּת בְּחִירוֹת, שִׁחְרֵר
enfranchisement, *n.* גְּאֻלָּה, פְּדוּת
engage, *v.t.* & *i.* הֶעֱסִיק [עסק]; עָרַב; אָרַס
engagement, *n.* עֵסֶק; הִתְקַשְּׁרוּת; אֵרוּסִים
engender, *v.t.* & *i.* הוֹלִיד [ילד]; יָצַר; נוֹלַד [ילד], יָלַד
engine, *n.* מָנוֹעַ, מְכוֹנָה
engineer, *n.* מְהַנְדֵּס; מְכוֹנַאי, מְכוֹנֵן; קַטָּרַאי
engineer, *v.t.* הִנְדֵּס, כּוֹנֵן [כון], בָּנָה
England, *n.* אַנְגְּלִיָּה
English, *adj.* & *n.* אַנְגְּלִי, אַנְגְּלִית
engraft, *v.t.* הִרְכִּיב [רכב]
engrave, *v.t.* חָרַת, גָּלַף, חָקַק
engraver, *n.* גַּלָּף, חוֹרֵת, חַקָּק, חוֹרֵט
engraving, *n.* גְּלִיפָה, פִּתּוּחַ, חֲקִיקָה
engross, *v.t.* כָּתַב (בְּאוֹתִיּוֹת גְּדוֹלוֹת); מִלֵּא (לֵב, זְמַן)
engulf, *v.t.* בָּלַע
enhance, *v.t.* גִּדֵּל, הִגְדִּיל [גדל], הִרְבָּה [רבה]
enhancement, *n.* הֲרָמָה; הַגְזָמָה, רִבּוּי, גְּדִילָה
enigma, *n.* חִידָה, בְּעָיָה
enigmatic, enigmatical, *adj.* סָתוּם, בִּלְתִּי מוּבָן
enjoin, *v.t.* אָסַר, צִוָּה עַל
enjoy, *v.t.* שָׂמַח, נֶהֱנָה, [הנה], הִתְעַנֵּג [ענג], הִשְׁתַּעְשַׁע [שעשע]
enjoyment, *n.* תַּעֲנוּג, הֲנָאָה
enkindle, *v.t.* הִדְלִיק [דלק], הִבְעִיר [בער], הִצִּית [יצת]; הֶחֱרָה [חרה] (אַף); הֵסִית [סות]
enlarge, *v.t.* & *i.* הִרְחִיב [רחב], הִגְדִּיל [גדל], הֶאֱרִיךְ [ארך]
enlargement, *n.* הַרְחָבָה, הַגְדָּלָה
enlighten, *v.t.* הִסְבִּיר [סבר], הֵאִיר [אור] עֵינֵי, הֵבִין [בין], הֶחְכִּים [חכם]
enlightenment, *n.* הַסְבָּרָה, הַשְׂכָּלָה
enlist, *v.t.* & *i.* הִתְנַדֵּב [נדב] לַצָּבָא
enlistment, *n.* הַרְשָׁמָה, הִסְתַּפְּחוּת
enliven, *v.t.* נָפַח רוּחַ חַיִּים בְּ־; עוֹרֵר
enmity, *n.* שִׂנְאָה, אֵיבָה
ennoble, *v.t.* רוֹמֵם [רום], גִּדֵּל
ennui, *n.* שִׁעֲמוּם, לֵאוּת
enormity, *n.* גֹּדֶל, עֹצֶם; זָדוֹן
enormous, *adj.* גָּדוֹל, כַּבִּיר, עָצוּם
enough, *adj.* & *adv.* מַסְפִּיק; לְמַדַּי
enough, *n.* דַּי, סִפּוּק
enquire, *v.* inquire
enrage, *v.t.* הִכְעִיס [כעס], הִקְצִיף [קצף]
enrapture, *v.t.* לִבֵּב, שִׂמַּח
enrich, *v.t.* הֶעֱשִׁיר [עשר]
enrichment, *n.* הַעֲשָׁרָה
enroll, *v.t.* הִרְשִׁים [רשם]
enrollment, *n.* הַרְשָׁמָה
enshrine, *v.t.* הִקְדִּישׁ [קדש]
enshroud, *v.t.* עָטַף בְּתַכְרִיכִים
ensign, *n.* דֶּגֶל, נֵס; דַּגְלָן, דַּגָּל
enslave, *v.t.* שִׁעְבֵּד, הִשְׁתַּעְבֵּד [עבד]
enslavement, *n.* שִׁעְבּוּד
ensnare, *v.t.* לָכַד בַּפַּח
ensue, *v.i.* בָּא [בוא] אַחֲרֵי
ensure, *v.* insure
entail, *v.t.* גָּרַר אַחֲרָיו; גָּרַם

entangle, *v.t.* בִּלְבֵּל, סִבֵּךְ, סִכְסֵךְ
entanglement, *n.* סִבּוּךְ, בִּלְבּוּל
enter, *v.i.* & *t.* נִכְנַס [כנס], בָּא [בוא]; רָשַׁם, פִּנְקֵס
enterprise, *n.* הֶעָזָה; יָזְמָה, עֵסֶק
entertain, *v.t.* & *i.* בִּדְחֵן, בִּדַּח, בִּדֵּר, שִׁעְשַׁע, הִשְׁתַּעְשֵׁעַ [שעשע]; אֵרַח
entertainer, *n.* בַּדְחָן
entertainment, *n.* בִּדּוּחַ, שַׁעֲשׁוּעַ, בִּדּוּר
enthrall, enthral, *v.t.* שִׁעְבֵּד
enthrone, *v.t.* הִמְלִיךְ [מלך], הִכְתִּיר [כתר]
enthuse, *v.t.* & *i.* הִלְהִיב, הִתְלַהֵב [להב]
enthusiasm, *n.* הִתְלַהֲבוּת
enthusiast, *n.* מִתְלַהֵב
enthusiastic, *adj.* נִלְהָב
entice, *v.t.* פִּתָּה, הֵסִית [סות]
enticement, *n.* פִּתּוּי, הֲסָתָה
entire, *adj.* שָׁלֵם, כָּלִיל, מָלֵא, כָּל כֻּלּוֹ
entirely, *adv.* לְגַמְרֵי
entirety, *n.* הַכֹּל, שְׁלֵמוּת
entitle, *v.t.* כִּנָּה, קָרָא שֵׁם; נָתַן זְכוּת
entity, *n.* הֲוָיָה; מְצִיאוּת
entomb, *v.t.* קָבַר, קִבֵּר
entombment, *n.* קְבוּרָה, קִבּוּר
entomologist, *n.* חוֹקֵר חֲרָקִים
entomology, *n.* חָכְמַת הַחֲרָקִים
entrails, *n. pl.* קְרָבַיִם
entrance, *n.* כְּנִיסָה, פֶּתַח, מָבוֹא
entrance, *v.t.* קָסַם, הִלְהִיב [להב]
entrant, *n.* נִכְנָס, בָּא
entrap, *v.t.* לָכַד בְּפַח
entreat, *v.t.* הִפְצִיר [פצר], הִתְחַנֵּן [חנן]
entreaty, *n.* הַפְצָרָה, בַּקָּשָׁה, תַּחֲנוּן
entree, entrée, *n.* מָבוֹא, כְּנִיסָה; מָנָה רִאשׁוֹנָה, פַּרְפְּרָאוֹת
entrust, *v.* intrust

entry, *n.* כְּנִיסָה; פִּנְקוּס; עֵרֶךְ (בְּמִלּוֹן)
entwine, *v.t.* כָּרַךְ, שֵׂרַג, סִבֵּךְ
enumerate, *v.t.* סָפַר, מָנָה, סִפְרֵר
enumeration, *n.* סְפִירָה, מִנְיָן, סִפְרוּר
enunciate, *v.t.* בִּטֵּא, דִּבֵּר
enunciation, *n.* הַבָּעָה, נִיב, בִּטּוּי, מִבְטָא
envelop, *v.t.* כִּסָּה, הֶעֱטָה [עטה], עָטַף, עִטֵּף
envelope, envelop, *n.* מַעֲטָפָה
envelopment, *n.* עִטּוּף, עֲטִיפָה
envenom, *v.t.* הִרְעִיל [רעל]
enviable, *adj.* מְעוֹרֵר קִנְאָה
envious, *adj.* מְקַנֵּא, חוֹמֵד
environment, *n.* סְבִיבָה
envisage. *v.t.* חָשַׁב, עָמַד בִּפְנֵי, אָמַר לַעֲשׂוֹת
envoy, *n.* שָׁלִיחַ, צִיר
envy, *n.* קִנְאָה
envy, *v.t.* & *i.* קִנֵּא, הִתְקַנֵּא [קנא]
epaulet, epaulette, *n.* כְּתֵפָה
ephemeral, *adj.* בֶּן יוֹם, חוֹלֵף
epic, *adj.* אֶפִּי, נִשְׂגָּב
epic, *n.* שִׁיר (עֲלִילָה) גִּבּוֹרִים
epicure, *n.* רוֹדֵף תַּעֲנוּגִים
epidemic, *adj.* & *n.* מַגִּפָתִי; מַגֵּפָה
epidermis, *n.* עוֹר עֶלְיוֹן
epigram, *n.* מִכְתָּם
epigrammatic, *adj.* מִכְתָּמִי
epilepsy, *n.* כִּפְיוֹן, נְפִילוּת
epileptic, *n.* נִכְפֶּה
epilogue, *n.* סִיּוּם, נְעִילָה; הַפְטָרָה; חֲתִימָה, מַחְתָּם
episcopacy, *n.* בִּישׁוֹפוּת
episode, *n.* מִקְרֶה, מְאֹרָע
epistle, *n.* מִכְתָּב, אִגֶּרֶת
epistolary, *adj.* מִכְתָּבִי, אִגַּרְתִּי
epitaph, *n.* כְּתֹבֶת מַצֵּבָה

epithet, *n.* תֹּאַר

epitome, *n.* תַּמְצִית, קִצּוּר, סִכּוּם

epitomize, *v.t.* תִּמְצֵת, קִצֵּר, סִכֵּם

epoch, *n.* תְּקוּפָה

epochal, *adj.* תְּקוּפָתִי, שֶׁל תְּקוּפָה

equability, *n.* בְּקָבִיעוּת

equable, *adj.* קָבוּעַ

equal, *adj.* שָׁוֶה, שָׁקוּל, מְעֻיָּן

equal, *v.t.* שָׁוָה, הִשְׁתַּוָּה [שוה], דָּמָה

equality, *n.* שִׁוְיוֹן

equalize, *v.t.* הִשְׁוָה [שוה]

equalizer, *n.* מַשְׁוֶה

equanimity, *n.* מְתִינוּת, יִשּׁוּב הַדַּעַת

equate, *v.t.* הִשְׁוָה, הִשְׁתַּוָּה [שוה]

equation, *n.* מִשְׁוָאָה

equator, *n.* קַו הַמַּשְׁוֶה

equatorial, *adj.* שֶׁל קַו הַמַּשְׁוֶה

equestrian, *adj.* & *n.* רוֹכֵב, פָּרָשׁ, שֶׁל פָּרָשִׁים

equidistant, *adj.* שְׁוֵה מֶרְחָק

equilateral, *adj.* שְׁוֵה צְלָעוֹת

equilibrium, *n.* שִׁוּוּי מִשְׁקָל, אִזּוּן

equinox, *n.* תְּקוּפָה, שִׁוְיוֹן יוֹם וָלַיְלָה

autumnal equinox תְּקוּפַת תִּשְׁרִי

vernal equinox תְּקוּפַת נִיסָן

equip, *v.t.* סִפֵּק, זִיֵּן, הֵכִין [כון]

equipment, *n.* אַסְפָּקָה, זִיּוּן

equitable, *adj.* יָשָׁר, צוֹדֵק

equity, *n.* יֹשֶׁר, צֶדֶק

equivalent, *adj.* שָׁקוּל, מְעֻיָּן

equivalent, *n.* שֹׁוִי

equivocal, *adj.* כְּפוּל מַשְׁמָעוּת, מְסֻפָּק

era, *n.* תַּאֲרִיךְ, סְפִירָה, תְּקוּפָה

eradicate, *v.t.* עָקַר, שֵׁרֵשׁ

erase, *v.t.* מָחַק

eraser, *n.* מוֹחֵק

erasure, *n.* מְחִיקָה

ere, *prep.* & *conj.* טֶרֶם, לִפְנֵי

erect, *adj.* זָקוּף, יָשָׁר

erect, *v.t.* כּוֹנֵן[כון], הֵקִים [קום], בָּנָה, יִסֵּד

erection, *n.* הֲקָמָה, עֲמִידָה; קִשּׁוּי, זְקִיפָה

eremite, *n.* מִתְבּוֹדֵד, פָּרוּשׁ, נָזִיר

ermine, *n.* חֹלֶד הָרִים

erode, *v.t.* חָלַד, אִכֵּל; נִסְחַף [סחף]

erosion, *n.* סַחַף, סְחוֹפֶת, הַחְלָדָה

erotic, *adj.* עַגְבָנִי, תַּאַוְתָנִי

err, *v.t.* & *i.* תָּעָה, שָׁגָה, הִתְעָה [תעה], הִשְׁגָּה [שגה], הֶחֱטִיא [חטא]

errand, *n.* שְׁלִיחוּת

errant, *adj.* נוֹדֵד, תּוֹעֶה, שׁוֹגֶה

erroneous, *adj.* מְשֻׁבָּשׁ, מֻטְעֶה

error, *n.* שִׁבּוּשׁ, שְׁגָגָה, מִשְׁגֶּה, טָעוּת

erst, erstwhile, *adv.* לְפָנִים

erudite, *adj.* בָּקִי, מְלֻמָּד

erudition, *n.* לַמְדָּנוּת, בְּקִיאוּת, יַדְעָנוּת

eruption, *n.* הִתְפָּרְצוּת, פְּרִיחָה, סַפַּחַת

eruptive, *adj.* מִתְפָּרֵץ

erysipelas, *n.* שׁוֹשַׁנָּה, וֶרֶדֶת, סַמֶּקֶת

escalator, *n.* מַדְרֵגוֹת נוֹעַ

escapade, *n.* מְשׁוּבָה, בְּרִיחָה

escape, *n.* מָנוֹס, מִפְלָט

escape, *v.t.* & *i.* בָּרַח, נָס [נוס], נִמְלַט [מלט], הִסְתַּלֵּק [סלק]

eschew, *v.t.* נִמְנַע [מנע] (מִן), הִשְׁתַּמֵּט [שמט]

escort, *n.* מְלַוֶּה, שׁוֹמֵר, לִוּוּי

escort, *v.t.* לִוָּה

escutcheon, *n.* צִנָּה, מָגֵן, שֶׁלֶט

esophagus, oesophagus, *n.* וֶשֶׁט, בֵּית הַבְּלִיעָה

esoteric, *adj.* סוֹדִי, נִסְתָּר

especial, *adj.* מְיֻחָד, עִקָּרִי

especially, *adv.* בִּמְיֻחָד, בְּיִחוּד
espionage, *n.* רִגּוּל
espousal, *n.* כְּלוּלוֹת, נִשּׂוּאִים, חֲתֻנָּה; הִתְמַסְּרוּת
espouse, *v.t.* נָשָׂא, נִשָּׂא, הִשִּׂיא [נשא]; הֵגֵן [גנן] עַל (רַעְיוֹן)
esprit, *n.* רוּחַ, שֵׂכֶל; חֲרִיפוּת
espy, *v.t.* רָאָה, גִּלָּה; תָּר [תור], רִגֵּל
esquire, *n.* אָדוֹן, מַר
essay, *n.* מַסָּה; נִסָּיוֹן
essay, *v.t.* נִסָּה
essence, *n.* תַּמְצִית, עִקָּר; מַהוּת
essential, *adj.* עִקָּרִי, מַהוּתִי
essentially, *adv.* בְּעִקָּר, בְּעֶצֶם מַהוּתוֹ
establish, *v.t.* הֵקִים [קום], קִיֵּם, יָסַד, כּוֹנֵן [כון]
establishment, *n.* מוֹסָד, מָכוֹן; קִיּוּם
estate, *n.* מַעֲמָד, מַצָּב; נְכָסִים, נַחֲלָה
esteem, *n.* כָּבוֹד, הוֹקָרָה
esteem, *v.t.* כִּבֵּד, הוֹקִיר [יקר]
estimate, estimation, *n.* הַעֲרָכָה, אֻמְדָּן, אֹמֶד, שׁוּמָה
estimate, *v.t.* אָמַד, הֶעֱרִיךְ [ערך], שָׂם [שום]
estrange, *v.t.* הִרְחִיק [רחק], הִפְרִיד [פרד] בֵּין, הֵסִיר [סור] לִבּוֹ מֵאַחֲרֵי; הָלַךְ עִמּוֹ בְּקֶרִי
estrangement, *n.* הִתְנַכְּרוּת הִתְרַחֲקוּת; קֶרִי
estuary, *n.* מוֹצָא (שֶׁל נָהָר לַיָּם)
etch, *v.t.* & *i.* חָרַט, קִעְקַע
etching, *n.* תַּחֲרִיט, חֲרִיטָה, קַעֲקַע
eternal, *adj.* נִצְחִי, עוֹלָמִי
eternally, *adv.* לָנֶצַח, לְעוֹלָם, לָעַד
eternity, *n.* נֵצַח, נִצְחִיּוּת
ether, *n.* אֲוִיר עֶלְיוֹן, אֶתֶר
ethereal, *adj.* אֲוִירִי, שְׁמֵימִי
ethical, *adj.* מוּסָרִי, מִדּוֹתִי
ethics, *n. pl.* מוּסָר, מִדּוֹת
ethnologist, *n.* חוֹקֵר חַיֵּי עַמִּים
ethnology, *n.* תּוֹרַת הָעַמִּים
etiquette, *n.* נִמּוּס, דֶּרֶךְ אֶרֶץ
étude, *n.* תַּרְגִּיל (בִּנְגִינָה)
etymological, *adj.* גִּזְרוֹנִי
etymology, *n.* גִּזְרוֹנוּת, חֵקֶר מִלִּים
Eucharist, *n.* סְעֻדַּת יֵשׁוּ
eulogize, *v.t.* שִׁבַּח, הִלֵּל
eulogy, *n.* שֶׁבַח, קִלּוּס; הֶסְפֵּד
eunuch, *n.* סָרִיס
euphemism, *n.* לָשׁוֹן נְקִיָּה
euphony, *n.* נְעִימָה, נְעִימוּת הַצְּלְצוּל
Europe, *n.* אֵירוֹפָּה
evacuate, *v.t.* הֵרִיק [ריק], יָצָא, עָזַב
evacuation, *n.* יְצִיאָה, עֲזִיבָה, הֲרָקָה
evade, *v.t.* & *i.* הִשְׁתַּמֵּט [שמט], הִתְחַמֵּק [חמק]; נִצַּל, נִמְלַט [מלט]
evaluate, *v.t.* הֶעֱרִיךְ [ערך]
evangelic, evangelical, *adj.* שֶׁל (הַבְּרִית הַחֲדָשָׁה) תּוֹרַת יֵשׁוּ, אֵוַנְגֶּלִי
evaporate, *v.t.* & *i.* אִיֵּד, אָיַד, הִתְאַיֵּד [איד], הִתְאַדָּה [אדה], הִתְנַדֵּף [נדף]
evaporation, *n.* הִתְאַיְּדוּת; הִתְאַדּוּת
evasion, *n.* הַעֲרָמָה, נְסִיגָה, הִתְחַמְּקוּת
evasive, *adj.* מִתְחַמֵּק, מִשְׁתַּמֵּט
eve, *n.* עֶרֶב
even, *adj.* שָׁוֶה, דּוֹמֶה, שָׁקוּל, מְעֻיָּן
even, *adv.*, *v.t.* & *i.* אֲפִילוּ, אַף; הִשְׁוָה [שוה], הִשְׁתַּוָּה [שוה]
evening, *n.* עֶרֶב, לַיְלָה
event, *n.* מְאֹרָע, מִקְרֶה, אֵרָעוֹן
eventual, *adj.* אֶפְשָׁרִי
eventually, *adv.* לְבַסּוֹף, סוֹף סוֹף
ever, *adv.* תָּמִיד, בְּכָל אֹפֶן, בִּכְלָל
evermore, *adv.* תָּמִיד, לָנֶצַח
every, *adj.* כָּל

everybody, everyone, *n.* כָּל אִישׁ, כָּל אֶחָד, הַכֹּל
everyday, *adj.* יוֹמְיוֹמִי
everything, *n.* הַכֹּל, כָּל דָּבָר
everywhere, *adv.* בְּכָל מָקוֹם
evict, *v.t.* גֵּרֵשׁ, הוֹצִיא [יצא] בְּכֹחַ
eviction, *n.* הוֹצָאָה, גֵּרוּשׁ
evidence, *n.* עֵדוּת, רְאָיָה, הוֹכָחָה
evident, *adj.* מְפֹרָשׁ, בָּרוּר, בּוֹלֵט
evidently, *adv.* כְּנִרְאֶה
evil, *adj.* & *n.* רַע; רֹעַ, רָעָה, פֶּגַע
evil eye עַיִן הָרַע
evince, *v.t.* הֶרְאָה [ראה]
evoke, *v.t.* הֶעֱלָה [עלה] (מֵת), עוֹרֵר [עור]
evolution, *n.* הִתְפַּתְּחוּת, תּוֹרַת הַהִתְפַּתְּחוּת
evolutionary, *adj.* הִתְפַּתְּחוּתִי
evolve, *v.t.* & *i.* פִּתַּח, הִתְפַּתַּח [פתח]
ewe, *n.* רְחֵלָה, כִּבְשָׂה
ewer, *n.* קִיתוֹן, כַּד
exact, *adj.* נָכוֹן, מְדֻיָּק, בָּרוּר
exact, *v.t.* דָּרַשׁ, תָּבַע
exacter, *n.* תַּבְעָן, נוֹשֶׁה
exaction, *n.* תְּבִיעָה יְתֵרָה, לְחִיצָה, נְגִישָׂה
exactitude, *n.* דַּיְקָנוּת
exactly, *adv.* בְּדִיּוּק
exactness, *n.* דִּיּוּק
exaggerate, *v.t.* הִגְזִים [גזם], הִפְלִיג [פלג], הִפְרִיז [פרז]
exaggeration, *n.* גֻּזְמָה, הַגְזָמָה, הַפְרָזָה
exalt, *v.t.* הֵרִים [רום], רוֹמֵם [רום], שִׂגֵּב, קִלֵּס
exaltation, *n.* שֶׂגֶב, הִתְרוֹמְמוּת
examination, *n.* מִבְחָן, בְּחִינָה, בְּדִיקָה, חֲקִירָה
examine, *v.t.* בָּחַן, בָּדַק, חָקַר, עִיֵּן

examiner, *n.* חוֹקֵר, בּוֹחֵן, בּוֹדֵק
example, *n.* דֻּגְמָה, מָשָׁל, דִּמְיוֹן
exasperate, *v.t.* הִכְעִיס [כעס], הִרְגִּיז [רגז]
exasperation, *n.* הַכְעָסָה, הַרְגָּזָה
excavate, *v.t.* חָפַר, כָּרָה
exceed, *v.t.* & *i.* עָלָה עַל; גָּדַשׁ אֶת הַסְּאָה, הִפְרִיז [פרז] עַל הַמִּדָּה, עָבַר (מִדָּה, מְהִירוּת)
exceeding, *adj.* גָּדוֹל, מְרֻבֶּה
exceedingly, *adv.* הַרְבֵּה, הַרְבֵּה מְאֹד, עַד מְאֹד
excel, *v.t.* & *i.* הִצְטַיֵּן [צין]
excellence, *n.* הִצְטַיְּנוּת
excellency, *n.* הִצְטַיְּנוּת; הוֹד מַעֲלָתוֹ (כִּנּוּי כָּבוֹד)
excellent, *adj.* מְצֻיָּן, נִפְלָא
except, *v.t.* & *i.* הוֹצִיא [יצא] מֵהַכְּלָל, חָלַק עַל, הִתְנַגֵּד [נגד] לְ־
except, *prep.* זוּלַת, מִלְּבַד
exception, *n.* חָרִיג, יוֹצֵא מִן הַכְּלָל; הִתְנַגְּדוּת
exceptional, *adj.* יוֹצֵא מִן הַכְּלָל, יְקַר הַמְּצִיאוּת, בִּלְתִּי רָגִיל
excerpt, *n.* קֶטַע
excess, *n.* יִתְרוֹן, עֹדֶף; רֹב, קִיצוֹנִיּוּת, שֶׁפַע, יֶתֶר
excessive, *adj.* נִפְרָז, מְיֻתָּר
exchange, *n.* חִלּוּף, תְּמוּרָה; מְחִיר, שַׁעוּר; מִשְׁעָרָה
exchange, *v.t.* & *i.* הֶחֱלִיף, הֵמִיר
exchequer, *n.* אוֹצַר הַמְּדִינָה
excise, *n.* & *v.t.* מֶכֶס (מַס) עֲקִיפִין, בְּלוֹ; כָּרַת, קִצֵּץ; הֵרִים [רום] מֶכֶס, הֵטִיל [נטל] בְּלוֹ
excite, *v.t.* גֵּרָה, עוֹרֵר [עור], הִרְגִּיז [רגז]
excitement, *n.* הִתְרַגְּשׁוּת, גֵּרוּי, הַרְגָּזָה

exclaim, *v.t.* קָרָא, צָעַק
exclamation, *n.* קְרִיאָה, צְעָקָה
exclamation point סִימַן קְרִיאָה (!)
exclude, *v.t.* הוֹצִיא [יצא] מִן הַכְּלָל
exclusion, *n.* הוֹצָאָה מִן הַכְּלָל
exclusive, *adj.* בִּלְעָדִי, יִחוּדִי
excommunicate, *v.t.* הֶחֱרִים [חרם]
excommunication, *n.* הַחֲרָמָה, חֵרֶם
excrement, *n.* פֶּרֶשׁ, רְעִי, צוֹאָה, גָּלָל (שֶׁל בְּהֵמוֹת), חִרְיוֹנִים, דִּבְיוֹנִים
excrete, *v.t.* הוֹצִיא [יצא], הִפְרִישׁ [פרש], הִתְרִיז [תרז]
excruciating, *adj.* מַכְאִיב, מְעַנֶּה
exculpate, *v.t.* נִקָּה, זִכָּה, הִצְדִּיק [צדק]
excursion, *n.* טִיּוּל
excursionist, *n.* טַיָּל
excuse, *n.* מְחִילָה, סְלִיחָה; אֲמַתְלָה, תּוֹאֲנָה, סִבָּה
excuse, *v.t.* מָחַל, סָלַח, הִצְדִּיק [צדק], הִצְטַדֵּק [צדק]
execrable, *adj.* נִמְאָס, נִבְזֶה, נִתְעָב
execrate, *v.t.* שָׂנֵא, אָרַר, קִלֵּל
execute, *v.t. & i.* פָּעַל, הוֹצִיא [יצא] לַפֹּעַל; הוֹצִיא [יצא] לְהֶרֶג
execution, *n.* הוֹצָאָה לְהֶרֶג, הֲמָתָה (שֶׁל בֵּית דִּין); הוֹצָאָה לַפֹּעַל
executioner, *n.* תַּלְיָן, טַבָּח
executive, *adj. & n.* מוֹצִיא לַפֹּעַל; וַעַד פּוֹעֵל
exegesis, *n.* פֵּרוּשׁ (הַתַּנַ"ךְ), בֵּאוּר
exemplary, *adj.* מוֹפְתִי, לְמוֹפֵת
exemplification, *n.* הַדְגָּמָה
exemplify, *v.t.* הִדְגִּים [דגם], עָשָׂה הֶעְתֵּקִים
exempt, *adj. & v.t.* פָּטוּר; שִׁחְרֵר, פָּטַר
exemption, *n.* שִׁחְרוּר, פְּטוּר

exercise, *n.* אִמּוּן; תַּרְגִּיל, תִּרְגּוּל, שִׁעוּר; הִתְעַמְּלוּת
exercise, *v.t. & i.* הִשְׁתַּמֵּשׁ [שמש] בְּ־; תִּרְגֵּל; הִתְרַגֵּל [רגל]; עִמֵּל, הִתְעַמֵּל [עמל]
exert, *v.t.* פָּעַל, הִתְאַמֵּץ [אמץ]; הִתְיַגַּע [יגע]
exertion, *n.* הִתְאַמְּצוּת, עָמָל
exhalation, *n.* נְשִׁיפָה, הִתְאַדּוּת, הִתְנַדְּפוּת; גֹּהַר
exhale, *v.t. & i.* נָשַׁף, הִתְנַדֵּף [נדף]
exhaust, *n.* מוֹצָא, פְּלִיטָה; מִפְלָט (מְכוֹנִית)
exhaust, *v.t.* הֵרִיק [ריק], הִלְאָה [לאה]; פָּלַט (אֵדִים)
exhaustion, *n.* הֲרָקָה; עֲיֵפוּת, לֵאוּת; הַפְלָטָה
exhaustive, *adj.* מְמַצֶּה
exhibit, *n.* מֻצָּג, רַאֲוָה
exhibit, *v.t.* הֶרְאָה [ראה], הִצִּיג [יצג]
exhibition, *n.* הַצָּגָה, תַּעֲרוּכָה
exhilarate, *v.t.* שִׂמַּח, חִדָּה
exhilaration, *n.* הַצְהָלָה, הַרְנָנַת לֵב
exhort, *v.t. & i.* הוֹכִיחַ [יכח], יִסֵּר, יָעַץ
exhortation, *n.* זֵרוּז, הֲאָצָה; הַזְהָרָה
exhumation, *n.* הוֹצָאָה מֵעָפָר (מֵת)
exhume, *v.t.* הוֹצִיא מֵהַקֶּבֶר
exigency, *n.* צֹרֶךְ, דֹּחַק
exigent, *adj.* מֵאִיץ, דּוֹחֵק
exile, *n.* גּוֹלָה, גָּלוּת
exile, *v.t.* הִגְלָה
exist, *v.i.* נִמְצָא [מצא], הִתְקַיֵּם [קים], הָיָה, חָיָה
existence, *n.* חַיִּים, יֵשׁוּת, קִיּוּם, מְצִיאוּת
existent, *adj.* קַיָּם, נִמְצָא
exit, *n.* מוֹצָא, יְצִיאָה

exodus, *n.* יְצִיאָה
Exodus, *n.* (סֵפֶר) שְׁמוֹת
exonerate, *v.t.* זִכָּה, הִצְדִּיק [צדק] בַּדִּין
exorbitant, *adj.* נִפְרָז, מֻפְלָג, רַב
exorcise, exorcize, *v.t.* גֵּרֵשׁ שֵׁדִים
exotic, *adj.* נָכְרִי, חִיצוֹנִי
expand, *v.t.* & *i.* פָּשַׁט, הִתְפַּשֵּׁט [פשט], הִשְׂתָּרֵעַ [שרע], שָׁטַח, הִשְׁתַּטֵּחַ [שטח]
expander, *n.* מַרְחִיב
expanse, *n.* מֶרְחָב, שֶׁטַח
expansion, *n.* הִתְפַּשְּׁטוּת, הִתְרַחֲבוּת
expatriate, *v.t.* הִגְלָה [גלה]
expatriation, *n.* הַגְלָיָה, גֵּרוּשׁ, שִׁלּוּחַ
expect, *v.t.* חִכָּה, יִחֵל, קִוָּה, צִפָּה
expectancy, *n.* חִכּוּי, תּוֹחֶלֶת, שֵׂבֶר, סֵבֶר, צִפִּיָּה
expectant, *adj.* מְיַחֵל, מְחַכֶּה
expectation, *n.* תִּקְוָה, צִפִּיָּה, תּוֹחֶלֶת
expectorate, *v.t.* יָרַק, רָקַק
expectoration, *n.* רֹק, כִּיחַ
expediency, *n.* הַתְאָמָה, כְּדָאִיּוּת
expedient, *adj.* מַתְאִים, מוֹעִיל
expedite, *v.t.* הֵקֵל [קלל], מִהֵר
expedition, *n.* מְהִירוּת, פְּזִיזוּת; מִשְׁלַחַת
expel, *v.t.* גֵּרֵשׁ, הוֹצִיא [יצא]
expend, *v.t.* הוֹצִיא [יצא] (כֶּסֶף), בִּלָּה
expenditure, *n.* הוֹצָאָה
expense, *n.* הוֹצָאָה
expensive, *adj.* יָקָר
expensively, *adv.* בְּיֹקֶר
experience, *n.* נִסָּיוֹן, הַרְפַּתְקָה
experience, *v.t.* לָמַד, הִתְנַסָּה [נסה]
experienced, *adj.* מְנֻסֶּה
experiment, *n.* מִבְחָן, נִסָּיוֹן
experiment, *v.i.* עָשָׂה נִסְיוֹנוֹת, נִסָּה

experimental, *adj.* נִסְיוֹנִי
experimentation, *n.* נִסּוּי, הִתְנַסּוּת
expert, *n.* מֻמְחֶה, יַדְעָן
expertness, *n.* מֻמְחִיּוּת, בְּקִיאוּת
expiate, *v.t.* רִצָּה, כִּפֵּר
expiation, *n.* כִּפּוּר, רִצּוּי
expiration, *n.* סוֹף; נְשִׁימָה, הוֹצָאַת רוּחַ, יְצִיאַת נְשָׁמָה
expire, *v.t.* & *i.* נָשַׁם, שָׁאַף רוּחַ; מֵת, כָּבָה
explain, *v.t.* פֵּרַשׁ, בֵּאֵר, תֵּרֵץ
explanation, *n.* בֵּאוּר, הַסְבָּרָה
explanatory, *adj.* מְבָאֵר, מְפָרֵשׁ
explicit, *adj.* מְפֹרָשׁ, בָּרוּר
explicitly, *adv.* בְּפֵרוּשׁ
explode, *v.t.* & *i.* פּוֹצֵץ, הִתְפּוֹצֵץ [פצץ]
exploit, *n.* עֲלִילָה, מַעֲשֵׂה גְבוּרָה
exploit, *v.t.* נִצֵּל, הֵפִיק [פוק] תּוֹעֶלֶת
exploitation, *n.* נִצּוּל
explore, *v.t.* חָקַר, חִפֵּשׂ, רִגֵּל
explorer, *n.* תַּיָּר, חוֹקֵר, מְחַפֵּשׂ
explosion, *n.* הִתְפּוֹצְצוּת
explosive, *n.* & *adj.* חֹמֶר נֶפֶץ; נָכוֹן לְהִתְפּוֹצֵץ, פַּצִּיץ
exponent, *n.* מַעֲרִיךְ (אַלְגֶּבְּרָה); מְבָאֵר, מְפָרֵשׁ
export, exportation, *n.* יִצּוּא
export, *v.t.* יִצֵּא
exporter, *n.* יְצוּאָן
expose, *v.t.* גִּלָּה, פִּרְסֵם, הִצִּיג [יצג], בֵּאֵר
exposition, *n.* הֶסְבֵּר; תַּעֲרוּכָה
expostulate, *v.t.* הִתְאוֹנֵן [אנן], הִתְוַכֵּחַ [וכח] עִם
expostulation, *n.* קֻבְלָנָה, תְּלוּנָה
exposure, *n.* הוֹקָעָה; מַחֲשׂוֹף; הִגָּלוּת, הִתְגַּלּוּת

expound, *v.t.* פֵּרֵשׁ, בֵּאֵר, הִסְבִּיר [סבר]

expounder, *n.* מְבָאֵר, מְפָרֵשׁ, מַסְבִּיר

express, *adj.* & *n.* מְפֹרָשׁ, מְיֻחָד; דָּחוּף; מַסָּע מָהִיר

express, *v.t.* הִבִּיעַ [נבע], חִוָּה, בִּטֵּא; סָחַט

expression, *n.* הַבָּעָה, בִּטּוּי; סְחִיטָה

expressly, *adv.* בִּמְפֹרָשׁ

expropriate, *v.t.* הִפְקִיעַ [פקע] (נְכָסִים)

expulsion, *n.* גֵּרוּשׁ

expurgate, *v.t.* טִהֵר, נִקָּה (סֵפֶר)

exquisite, *adj.* מְצֻיָּן, נִבְחָר; נַעֲלֶה, מְעֻלֶּה

extant, *adj.* נִמְצָא, קַיָּם

extemporaneous, *adj.* לְלֹא הֲכָנָה

extend, *v.t.* & *i.* הוֹשִׁיט [ישט] (יָד), הִתְרַחֵב [רחב], הִתְמַתַּח [מתח], מָתַח, הוֹסִיף [יסף], הִשְׂתָּרֵעַ [שרע]

extension, *n.* הַאֲרָכָה, הַרְחָבָה, מְתִיחָה

extensive, *adj.* נִרְחָב, כּוֹלֵל, מַקִּיף

extensively, *adv.* בַּאֲרִיכוּת

extenuate, *v.t.* הֵקֵל [קלל], הִקְטִין [קטן]

extenuation, *n.* הֲקַלָּה, הַקְטָנָה

exterior, *adj.* חִיצוֹנִי

exterior, *n.* חִיצוֹנִיּוּת

exterminate, *v.t.* הִשְׁמִיד [שמד], הִכְרִית [כרת], כִּלָּה

extermination, *n.* הַשְׁמָדָה

external, *adj.* חִיצוֹנִי

extinct, *adj.* נִכְחָד, נִשְׁכָּח, כָּבוּי

extinction, *n.* כִּבּוּי, הַשְׁמָדָה

extinguish, *v.t.* כִּבָּה, הֶאֱפִיל [אפל], כִּלָּה

extinguisher, *n.* מַטְפֶּה, מְכַבֶּה

extirpate, *v.t.* עָקַר, שֵׁרֵשׁ, הִכְרִית [כרת]

extirpation, *n.* הַשְׁמָדָה, כְּרִיתָה

extol, *v.t.* קִלֵּס, שִׁבַּח, הִלֵּל

extort, *v.t.* הוֹצִיא [יצא] בְּכֹחַ (אוֹ עַל יְדֵי אִיּוּם), עָשַׁק, חָמַס

extortion, *n.* עֹשֶׁק

extortioner, *n.* עוֹשֵׁק

extra, *adj.*, *n.* & *adv.* נוֹסָף; בִּלְתִּי רָגִיל; בְּיִחוּד, מְיֻחָד

extract, *n.* תַּמְצִית; מִיץ

extract, *v.t.* עָקַר (שֵׁן), הוֹצִיא [יצא], הֵפִיק [פוק]

extraction, *n.* עֲקִירָה, הוֹצָאָה; מִצּוּי; גֶּזַע (מוֹצָא)

extradite, *v.t.* הִסְגִּיר [סגר] (פּוֹשֵׁעַ)

extradition, *n.* הַסְגָּרָה

extraneous, *adj.* זָר, חִיצוֹנִי; טָפֵל

extraordinary, *adj.* יוֹצֵא מִן הַכְּלָל, בִּלְתִּי רָגִיל

extravagance, *n.* בִּזְבּוּז, מוֹתָרוֹת

extravagant, *adj.* מְבַזְבֵּז, נִפְרָז, מֻפְלָג

extreme, *adj.* קִיצוֹנִי; אַחֲרוֹן

extreme, *n.* קָצֶה, קִיצוֹן

extremely, *adv.* (הַרְבֵּה) מְאֹד

extremist, *n.* קִיצוֹנִי

extremity, *n.* קָצֶה; גְּבוּל; קְצֵה הָאֵבֶר (כָּנָף; רֶגֶל; יָד)

extricate, *v.t.* שִׁחְרֵר מִסְּבָךְ, חִלֵּץ

exuberance, *n.* שֶׁפַע, מַרְבִּית, רֹב

exuberant, *adj.* מִתְרַבֶּה, מְשַׂגְשֵׂג

exudation, *n.* הֲזָעָה, דִּיּוּת

exude, *v.t.* & *i.* נָטַף, דִּיֵּת, הֵזִיעַ [זוע]

exult, *v.i.* צָהַל, עָלַז, שָׂמַח

exultant, *adj.* עַלִּיז, שָׂמֵחַ

exultation, *n.* חֶדְוָה, דִּיצָה, שָׂשׂוֹן, שִׂמְחָה

eye, *n.* עַיִן; מַרְאֶה; בִּינָה; קוּף מַחַט; הִתְבּוֹנְנוּת; רְאִיָּה
eye, *v.t.* הִבִּיט [נבט], הִתְבּוֹנֵן [בין] נָתַן עַיִן, עִיֵּן
eyeball, *n.* גַּלְגַּל הָעַיִן
eyebrow, *n.* גַּבָּה, גַּבַּת עַיִן, גָּבִין
eyeglasses, *n. pl.* מִשְׁקָפַיִם
eyelid, *n.* עַפְעַף, שְׁמוּרָה
eyelash, *n.* רִיס
eyelet, *n.* לוּלָאָה, קוּף
eyesight, *n.* רְאִיָּה; הַבָּטָה

F, f

F, f, *n.* אֶף, הָאוֹת הַשִּׁשִּׁית בָּאָלֶף בֵּית הָאַנְגְּלִי, שִׁשָּׁה, ו׳
fable *n.* בְּדָיָה, מַעֲשִׂיָּה, אַגָּדָה
fable, *v.t.* & *i.* בָּדָא, סִפֵּר
fabric, *n.* אֶרֶג, אָרִיג; בִּנְיָן
fabricate, *v.t.* יָצַר; בָּדָא, בָּדָה
fabrication, *n.* יְצִירָה, בְּדִיָּה, בְּדָיָה
fabulous, *adj.* בָּדוּי, דִּמְיוֹנִי; כּוֹזֵב; עָצוּם
façade, *n.* חֲזִית (פְּנֵי בִּנְיָן)
face, *n.* פָּנִים, פַּרְצוּף, קְלַסְתֵּר פָּנִים; אֹמֶץ
face, *v.t.* & *i.* עָמַד בִּפְנֵי, עָמַד פָּנִים אֶל פָּנִים; הִתְנַגֵּד [נגד]; כִּסָּה, צִפָּה
facetious, *adj.* עַלִּיז, מְחֻדָּד מְבַדֵּחַ, הִתּוּלִי
facial, *adj.* שֶׁל פָּנִים
facile, *adj.* קַל
facilitate, *v.t.* הֵקֵל [קלל]
facilities, *n. pl.* נוֹחִיּוּת
facility, *n.* קַלּוּת; נוֹחִיּוּת, נוֹחוּת
facing, *n.* פְּנִיָּה, צִפּוּי, חֲזִית
facsimile, *n.* הֶעְתֵּק, הַעְתָּקָה, פַּתְשֶׁגֶן, דְּמוּת
fact, *n.* עֻבְדָּה, אֲמִתּוּת
faction, *n.* פְּלֻגָּה, מִפְלָגָה; רִיב, מַחֲלֹקֶת
factitious, *adj.* מְלָאכוּתִי
factor, *n.* מַכְפִּיל (בְּחֶשְׁבּוֹן); גּוֹרֵם, פּוֹעֵל; סוֹכֵן, עָמִיל
factory, *n.* בֵּית חֲרשֶׁת
faculty, *n.* חֶבֶר הַמּוֹרִים, מַחְלָקָה (בְּמִכְלָלָה),; יְכֹלֶת, בִּינָה
fad, *n.* אָפְנָה, מִנְהָג, שִׁגָּעוֹן
fade, *v.i.* דָּהָה, נָבַל, קָמַל, בָּלָה, כָּהָה
fag, *v.t.* & *i.* עָבַד קָשֶׁה, יָעַף, הִתְיַגֵּעַ [יגע], הֶלְאָה, הֶעֱבִיד [עבד]
fagot, faggot, *n.* חֲבִילָה, צְרוֹר
fail, *v.t.* & *i.* הִכְזִיב [כזב], כָּשַׁל, חָסַר, אָזַל; פָּשַׁט רֶגֶל
failure, *n.* כִּשָּׁלוֹן, אִי הַצְלָחָה, מַפָּלָה; פְּשִׁיטַת רֶגֶל; הַזְנָחָה
faint, *adj.* מִתְעַלֵּף; חַלָּשׁ, פַּחְדָן, חִוֵּר
faint, *v.i.* הִתְעַלֵּף [עלף]; עָיֵף
faintness, *n.* רִפְיוֹן, חֲלָשׁוּת, תְּשִׁישׁוּת; פַּחְדָנוּת; חִוָּרוֹן
fair, *adj.* צוֹדֵק; מַתְאִים; בֵּינוֹנִי; נֶחְמָד
fair. *n.* יָרִיד, שׁוּק
fair, *adv.* יָפֶה, נָאֶה
fairly, *adv.* יָפֶה, נָאֶה; בְּצֶדֶק, בְּיֹשֶׁר
fairness, *n.* צֶדֶק, יֹשֶׁר
fairy, *n.* פֵּיָה, קוֹסֶמֶת, מַקְסִימָה
fairyland, *n.* אֶרֶץ הַקְּסָמִים
fairy tale מַעֲשִׂיָּה, אַגָּדָה
faith, *n.* אֵמוּן, אֱמוּנָה, אֱמֶת
faithful, *adj.* נֶאֱמָן

faithless, *adj.* חֲסַר אֱמוּנָה, בּוֹגֵד; סוֹטָה, סוֹטֶה
fake, *n.* גְּנֵבַת דַּעַת, אֲחִיזַת עֵינַיִם, תַּרְמִית, מִרְמָה
fake, *v.t.* גָּנַב דַּעַת, אָחַז עֵינַיִם
falcon, *n.* בַּז
falconer, *n.* בַּזְיָר
falconry, *n.* בַּזְיָרוּת
fall, *v.t.* & *i.* נָפַל, יָרַד
fall, *n.* נְפִילָה, יְרִידָה; מַפָּל, אֶשֶׁד; מַפָּלָה; סְתָו
fallacious, *adj.* מַתְעֶה, מַטְעֶה; מְרַמֶּה
fallacy, *n.* טָעוּת, מִרְמָה, הַטְעָיָה
fallow, *n.* בּוּר, שָׂדֶה בּוּר מְלָאכוּתִי
false, *adj.* מְזֻיָּף, כּוֹזֵב, מְרַמֶּה
falsification, *n.* זִיּוּף
falsify, *v.t.* זִיֵּף
falsity, *n.* שִׁקְרוּת
falter, *v.i.* & *t.* פִּקְפֵּק, גִּמְגֵּם
fame, *n.* תִּפְאֶרֶת, שֵׁמַע, שֵׁם טוֹב, פִּרְסוּם.
famed, *adj.* מְפֻרְסָם, מְהֻלָּל
familiar, *adj.* & *n.* רָגִיל, יָדִיד, מַכִּיר
familiarity, *n.* יְדִידוּת, קִרְבָה
familiarize, *v.t.* הִרְגִּיל [רגל]; יִדַּע
family, *n.* מִשְׁפָּחָה, גֶּזַע
famine, *n.* רָעָב
famish, *v.t.* & *i.* הֵמִית [מות], מֵת (בְּרָעָב)
famous, *adj.* נוֹדָע, דָּגוּל, מְפוּרְסָם
fan, *n.* מְנִיפָה, מְאַוְרֵר, אַוְרָר; מַעֲרִיץ
fan, *v.t.* הֵנִיף [נוף] (בִּמְנִיפָה), לִבָּה (אֵשׁ), זָרָה (תְּבוּאָה)
fanatic, fanatical, *adj.* & *n.* קַנַּאי
fanaticism, *n.* קַנָּאוּת
fanciful, *adj.* דִּמְיוֹנִי
fancy, *adj.* יָפֶה, דִּמְיוֹנִי
fancy, *n.* דִּמְיוֹן; רָצוֹן מְיֻחָד, נְטִיָּה, מִשְׁאָלָה
fancy, *v.t.* & *i.* דִּמָּה, שִׁעֵר; חָפֵץ
fang, *n.* שֵׁן חַיָּה, שֵׁן נָחָשׁ, שֵׁן כֶּלֶב
fantastic, fantastical, *adj.* נִפְלָא, מֻפְלָא, דִּמְיוֹנִי
fantasy, phantasy, *n.* דִּמְיוֹן, הֲזָיָה, בְּדַי; חִבּוּר נְגִינִי
far, *adj.* רָחוֹק
far, *adv.* מֵרָחוֹק
faraway, *adj.* רָחוֹק, פִּזּוּר נֶפֶשׁ, מְפֻזָּר
far-between, *adj.* נָדִיר, שֶׁאֵינוֹ שָׁכִיחַ
farce, *n.* חִזָּיוֹן מַצְחִיק, מִצְחָק
farcical, *adj.* מְגֻחָךְ, מַצְחִיק
fare, *n.* נְסִיעָה, מְחִיר נְסִיעָה; מַאֲכָלִים
fare, *v.i.* נִמְצָא (בְּמַצָּב), הָיָה, נָסַע, אָכַל וְשָׁתָה; קָרָה
farewell, *interj.* & *n.* שָׁלוֹם!; פְּרִידָה
farina, *n.* קֶמַח, עֲמִילָן
farm, *n.* חַוָּה, אֲחֻזָּה, מֶשֶׁק
farm, *v.t.* אִכֵּר, עָבַד אֲדָמָה
farmer, *n.* אִכָּר, חַקְלַאי
farmhouse, *n.* בֵּית (הָאִכָּר) הַחַוָּה
farming, *n.* אִכָּרוּת, חַקְלָאוּת
farmstead, *n.* מֶשֶׁק הָאִכָּר
farmyard, *n.* חֲצַר הַחַוָּה
farsighted, *adj.* רְחוֹק רְאוּת; חוֹזֶה מֵרֹאשׁ
farther, *adj.* & *adv.* נוֹסָף; יוֹתֵר רָחוֹק; הָלְאָה, וְעוֹד
farthermost, farthest, *adj.* & *adv.* הָרָחוֹק בְּיוֹתֵר
farthing, *n.* פְּרוּטָה (אַנְגְּלִית)
fascinate, *v.t.* & *i.* לָכַד בְּחַבְלֵי קֶסֶם, הִקְסִים [קסם]; לִבֵּב
fascination, *n.* הַקְסָמָה, מִקְסָם
fashion, *n.* אֹפֶן; אָפְנָה; צוּרָה, דֶּרֶךְ
fashion, *v.t.* הָיָה לְאָפְנָה, נָתַן צוּרָה, יָצַר, הִתְאִים [תאם]
fashionable, *adj.* שֶׁלְּפִי הָאָפְנָה

fast, *adj.* סָגוּר, מְהֻדָּק; מָהִיר, פָּזִיז; מָסוּר, נֶאֱמָן
fast, *n.* תַּעֲנִית, צוֹם
fast, *adv.* בִּמְהִירוּת
fast, *v.i.* הִתְעַנָּה [ענה], צָם [צום]
fasten, *v.t.* & *i.* סָגַר, נָעַל, הֵנִיף [נוף], חִזֵּק, חִבֵּר, הִדְבִּיק [דבק], הֶחֱזִיק [חזק]; נִדְבַּק [דבק] בְּ־
fastening, *n.* קִשּׁוּר, הִדּוּק, סְגִירָה, נְעִילָה
fastidious, *adj.* אֲנִין הַדַּעַת, מְפֻנָּק, נוֹקְדָן
fastness, *n.* מְהִירוּת; מְצוּדָה; בִּטָּחוֹן
fat, *adj.* שָׁמֵן; דָּשֵׁן; כָּבֵד; עָשִׁיר
fat, *n.* שֻׁמָּן, שֹׁמֶן, שֶׁמֶן, חֵלֶב
fatal, *adj.* מֵבִיא מָוֶת, גּוֹרָלִי, אֲסוֹנִי
fatalism, *n.* גּוֹרָלִיּוּת
fatalist, *n.* מַאֲמִין בְּגוֹרָלִיּוּת
fatality, *n.* גּוֹרָל; (מִקְרֵה) מָוֶת; אָסוֹן
fate, *n.* גּוֹרָל, מַזָּל; גְּזֵרָה, מָנָה; מִיתָה
fateful, *adj.* גּוֹרָלִי
father, *n.* אָב, אַבָּא; מוֹלִיד; מַמְצִיא
father, *v.t.* הָיָה אָב לְ־
fatherhood, *n.* אָבוֹת, אַבְהוּת
father-in-law, *n.* חוֹתֵן, חָם
fatherland, *n.* אֶרֶץ אָבוֹת, מְכוֹרָה
fatherless, *adj.* יָתוֹם
fatherlike, fatherly, *adv.* אַבְהִי
fathom, *v.t.* חָקַר, בָּא [בוא] עַד חֵקֶר
fathomless, *adj.* עָמֹק, עַד אֵין חֵקֶר
fatigue, *n.* עֲיֵפוּת, יְגִיעָה, לֵאוּת
fatigue, *v.t.* הִלְאָה [לאה], יִגֵּעַ
fatness, *n.* שֹׁמֶן, שְׁמֵנוּת
fatten, *v.t.* הִשְׁמִין [שמן], פִּטֵּם; טִיֵּב
fatten, *v.i.* דָּשַׁן, שָׁמַן
fatty, *adj.* שַׁמְנוּנִי
fatuous, *adj.* טִפְּשִׁי, חֲסַר דַּעַת
faucet, *n.* בֶּרֶז, דַּד, מֵינֶקֶת

fault, *n.* לִקּוּי, מוּם, חִסָּרוֹן; אָשָׁם; קִלְקוּל
faultless, *adj.* שָׁלֵם, צָרוּף, חֲסַר מוּם
faulty, *adj.* לָקוּי, פָּגוּם
fauna, *n.* הַחַי; חַיּוֹת, בַּעֲלֵי חַיִּים
favor, favour, *n.* טוֹבָה, סַעַד, חֶסֶד
favor, favour, *v.t.* תָּמַךְ, נָשָׂא פָּנִים, עָשָׂה חֶסֶד
favorable, favourable, *adj.* מְקֻבָּל, רָצוּי
favorably, favourably, *adv.* בְּרָצוֹן
favorite, favourite, *n.* אָהוּב, חָבִיב, נִבְחָר
favoritism, favouritism, *n.* הַעֲדָפָה, מַשּׂוֹא פָּנִים, נְשִׂיאַת פָּנִים
fawn, *n.* עֹפֶר, יַחְמוּר צָעִיר
fay, *n.* פֵיָה, שֵׁדָה, מַקְסִימָה
fealty, *n.* נֶאֱמָנוּת, אֵמוּן
fear, *n.* פַּחַד, יִרְאָה, חִתָּה
fear, *v.t.* & *i.* פָּחַד, יָרֵא, חָשַׁשׁ
fearful, *adj.* דְּחִיל, אָיֹם, נוֹרָא, מַפְחִיד
fearfully, *adv.* בְּיִרְאָה
fearless, *adj.* בְּלִי חַת
fearsome, *adj.* מַחֲרִיד, אָיֹם
feasibility, *n.* אֶפְשָׁרוּת
feasible, *adj.* אֶפְשָׁרִי
feast, *n.* חַג, מִשְׁתֶּה, כֵּרָה
feast, *v.t.* & *i.* חָגַג, אָכַל וְשָׁתָה, כָּרָה, שִׁעֲשַׁע
feat, *n.* מִפְעָל
feather, *n.* נוֹצָה, אֶבְרָה
feather, *v.t.* & *i.* כִּסָּה נוֹצוֹת, קִשֵּׁט בְּנוֹצוֹת, הִתְכַּסָּה [כסה] נוֹצוֹת
feathery, *adj.* נוֹצִי
feature, *n.* אֲרֶשֶׁת (קְלַסְתֵּר) פָּנִים, שִׂרְטוּט, אֹפִי; תּוֹסֶפֶת; סֶרֶט רָאשִׁי
featureless, *adj.* חֲסַר אֲרֶשֶׁת פָּנִים
febrile, *adj.* קַדַּחְתָּנִי

February, *n.* פֶּבְּרוּאַר (הַחֹדֶשׁ הַשֵּׁנִי בַּשָּׁנָה הָאֶזְרָחִית)
feces, *n.* חֲרָאִים, צוֹאָה, גְּלָלִים רְעִי, צְפִיעִים, לִשְׁלֶשֶׁת (עוֹפוֹת); פְּסֹלֶת, שְׁמָרִים
fecund, *adj.* פּוֹרֶה
fecundate, *v.t.* הִפְרָה [פרה], עִבֵּר
fecundity, *n.* פְּרִיָּה וּרְבִיָּה, פִּרְיָה וּרְבִיָּה
federal, *adj.* מְאֻחָד, מְאֻגָּד, שֶׁל בְּרִית
federalism, *n.* הִתְאַחֲדוּת, אַחְדוּת
federation, *n.* הִסְתַּדְּרוּת
fee, *n.* תַּשְׁלוּם, שָׂכָר, אֲגָרָה
fee, *v.t.* שִׁלֵּם שָׂכָר
feeble, *adj.* & *n.* חַלָּשׁ, רָפֶה, תָּשׁוּשׁ
feebleness, *n.* תְּשִׁישׁוּת
feed, *n.* מַאֲכָל, סְעֻדָּה, מִשְׁתֶּה; מִרְעֶה
feed, *v.t.* & *i.* הֶאֱכִיל [אכל], זָן [זון], פִּרְנֵס; אָכַל, הִתְפַּרְנֵס [פרנס]; הִכְנִיס [כנס] (בִּמְכוֹנָה)
feeder, *n.* מַאֲכִיל, מַלְעִיט; מְכַלְכֵּל
feel, *n.* חוּשׁ, חוּשׁ הַמִּשּׁוּשׁ, תְּחוּשָׁה
feel, *v.t.* הִרְגִּישׁ [רגש], מִשֵּׁשׁ, מִשְׁמֵשׁ, גִּשֵּׁשׁ
feeler, *n.* מַרְגִּישׁ; זִיז; מְרַגֵּל
feeling, *n.* הַרְגָּשָׁה, תְּחוּשָׁה, רֶגֶשׁ, מִשּׁוּשׁ
feet, *n. pl.* רַגְלַיִם
feign, *v.t.* & *i.* הֶעֱמִיד [עמד] פָּנִים, הִתְחַפֵּשׂ [חפש], עָשָׂה עַצְמוֹ כְּאִלּוּ
feint, *n.* תַּחְבּוּלָה, תּוֹאֲנָה
felicitate, *v.t.* אִשֵּׁר, בֵּרֵךְ
felicitation, *n.* בְּרָכָה, בִּרְכַּת מַזָּל טוֹב
felicity, *n.* אֹשֶׁר, בְּרָכָה, הַצְלָחָה
feline, *adj.* חֲתוּלִי; עָרוּם
fell, *adj.* אַכְזָרִי, אָיֹם, מֵמִית; עַר
fell, *n.* עוֹר
fell, *v.t.* כָּרַת, חָטַב, הִפִּיל [נפל] (עֵץ)

fellow, *n.* עָמִית, רֵעַ, חָבֵר; אִישׁ; מַדְעָן; פּוֹחֵז; בֶּן זוּג
fellowship, *n.* חֲבֵרוּת, שֻׁתָּפוּת, רֵעוּת; תְּמִיכָה
felly, *n.* חִשּׁוּק (שֶׁל גַּלְגַּל)
felon, *n.* עֲבַרְיָן, חוֹטֵא, פּוֹשֵׁעַ, נִשְׁחַת; חַבּוּרָה
felony, *n.* עֲבֵרָה, עָוֹן (פְּלִילִי)
felt, *n.* לֶבֶד, נֶמֶט
female, *adj.* & *n.* נְקֵבִי; נְקֵבָה, אִשָּׁה
feminine, *adj.* נָשִׁי
femur, *n.* קוּלִית, עֶצֶם הַיָּרֵךְ
fen, *n.* בִּצָּה
fence, *n.* גֶּדֶר, גָּדֵר, סְיָג
fence, *v.t.* & *i.* גָּדַר, סִיֵּג; סִיֵּף, הִסְתַּיֵּף [סיף]
fencer, *n.* סַיָּף
fencing, *n.* גְּדִירָה, סִיּוּג; סִיּוּף
fend, *v.t.* הִרְחִיק [רחק], הֵשִׁיב [שוב] (אָחוֹר), סָכַךְ, הֵגֵן
fender, *n.* כָּנָף (מְכוֹנִית) [illegible]בָּכָה, שְׁבָכַת תַּנּוּר;
fennel, *n.* [illegible]שׁוּט, גּוּפָן, שֻׁמָּר
ferment, *n.* תְּסִיסָה, שְׂאוֹר שֶׁבְּעִסָּה; מְהוּמָה
ferment, *v.i.* & *t.* תָּסַס, הִתְגָּעֵשׁ [געש], הֵסִית [סות]
fermentation, *n.* חִמּוּץ, תְּסִיסָה
fern, *n.* שָׁרָךְ
ferocious, *adj.* אַכְזָרִי
ferocity, *n.* אַכְזָרִיּוּת
ferret, *n.* & *v.t.* נַבְרָן; נָבַר, חִטֵּט, גִּלָּה
ferrous, *adj.* בַּרְזִלִּי
ferrule, *n.* חָח
ferry, *n.* מַעְבֹּרֶת; גֶּשֶׁר נָע
ferry, *v.t.* & *i.* הֶעֱבִיר [עבר] בְּמַעְבֹּרֶת; עָבַר בְּמַעְבֹּרֶת
ferryboat, *n.* מַעְבֹּרֶת, רַפְסוֹדָה

fertile, *adj.* פּוֹרֶה
fertility, *n.* פּוֹרִיּוּת, פְּרִיָּה, פִּרְיוֹן
fertilize, *v.t.* הִפְרָה [פרה], עִבֵּר; זִבֵּל
fertilizer, *n.* זֶבֶל; זַבָּל
fervency, *n.* חֹם, הִתְלַהֲבוּת
fervent, *adj.* נִלְהָב, חַם
fervently, *adv.* בְּהִתְלַהֲבוּת
fervid, *adj.* קוֹדֵחַ, לוֹהֵט
fervor, fervour, *n.* קִנְאָה, לַהַט
festal, *adj.* שָׂמֵחַ, עַלִּיז
ester, *v.i.* & *t.* מִגֵּל, הִתְמַגֵּל [מגל], רָקַב, נָמַק
tival, *n.* חַג, חֲגִיגָה, מוֹעֵד
ive, *adj.* שָׂמֵחַ, חֲגִיגִי
ity, *n.* חֲגִיגוּת, חֶדְוָה, גִּילָה
n, *n.* זֵר (מְקֻלַּעַת) פְּרָחִים; לוֹיָה
.t. & *i.* הִשִּׂיג [נשג] (מְחִיר), הֵבִיא [בוא]
adj. מַבְאִישׁ, מַסְרִיחַ
, fetich, *n.* תֶּרֶף (תְּרָפִים), אֱלִיל, קָמִיעַ
s, *n. pl.* זִיקִים, אֲזִקִּים, כְּבָלִים; עַבְדוּת
fetter, *v.t.* כָּפַת, עָקַד, אָסַר בַּאֲזִקִּים
fettle, *n.* מַצָּב, נְכוֹנוּת
fetus, foetus, *n.* עֻבָּר
feud, *n.* שִׂנְאָה, קְטָטָה, רִיב (מִשְׁפָּחוֹת, אַחִים)
fever, *n.* אֲבָבִית, חַמָּה, קַדַּחַת, חֹם צְמַרְמֹרֶת
feverish, *adj.* קַדַּחְתָּנִי
few, *adj.* מְעַטִּים, אֲחָדִים
fiancé(e), *n.* חָתָן, כַּלָּה, אָרוּס, אֲרוּסָה
fiasco, *n.* כִּשָּׁלוֹן, תְּבוּסָה
fiat, *n.* גְּזֵרָה; יְהִי
fib, *n.* בְּדָיָה, כָּזָב, כִּזָּבוֹן, צִ'זְבַּת
fibber, fibster, *n.* בַּדַּאי, כַּזְבָן
fiber, fibre, *n.* סִיב, צִיב, לִיף
fibrous, *adj.* סִיבִי, לִיפִי
fickle, *adj.* הֲפַכְפַּךְ, פְּתַלְתֹּל
fickleness, *n.* הֲפַכְפְּכָנוּת
fiction, *n.* בְּדָיָה, סִפּוּר דִּמְיוֹנִי, סִפֹּרֶת
fictional, fictitious, *adj.* בָּדוּי
fiddle, *n.* כִּנּוֹר
fiddle, *v.t.* & *i.* כִּנֵּר, נִגֵּן בְּכִנּוֹר; בִּטֵּל זְמַן, עָסַק בִּדְבָרִים בְּטֵלִים
fiddler, *n.* כַּנָּר; בַּטְלָן
fidelity, *n.* אֵמוּן, נֶאֱמָנוּת, יֹשֶׁר
fidget, *n.* עַצְבָּנוּת, תְּזָזִית
fidget, *v.t.* & *i.* הָיָה עַצְבָּנִי, הִתְנוֹעֵעַ [נוע]
field, *n.* שָׂדֶה, שְׂדֵמָה
fiend, *n.* שֵׁד, שָׂטָן
fierce, *adj.* עַז, אַכְזָרִי
fiery, *adj.* לוֹהֵט, נִלְהָב
fife, *n.* חָלִיל, מַשְׁרוֹקִית
fifteen, *adj.* & *n.* חֲמִשָּׁה עָשָׂר, חֲמֵשׁ עֶשְׂרֵה
fifteenth, *adj.* הַחֲמִשָּׁה עָשָׂר, הַחֲמֵשׁ עֶשְׂרֵה
fifth, *adj.* חֲמִישִׁי, חֲמִישִׁית
fifthly, *adv.* חֲמִישִׁית
fiftieth, *adj.* הַחֲמִשִּׁים
fifty, *adj.* & *n.* חֲמִשִּׁים
fig, *n.* תְּאֵנָה
fight, *n.* הֵאָבְקוּת, קְרָב, מִלְחָמָה
fight, *v.t.* & *i.* לָחַם, נִלְחַם [לחם], רָב, הִתְגּוֹשֵׁשׁ [גשש]
fighter, *n.* מִתְגּוֹשֵׁשׁ, לוֹחֵם
figurative, *adj.* מֻשְׁאָל
figuratively, *adv.* בְּהַשְׁאָלָה
figure, *n.* דְּמוּת, צוּרָה; אִישִׁיּוּת; סִפְרָה
figure, *v.t.* & *i.* דִּמָּה, שִׁעֵר, חִשֵּׁב; הָיָה חָשׁוּב

filament, *n.* נִימָה, חוּט (בְּאַגָּס חַשְׁמַלִּי, בְּנוּרָה); זִיר (בְּפֶרַח)
filbert, *n.* אִלְסָר
filch, *v.t.* גָּנַב, סָחַב
file, *n.* תִּיק, תִּיקִיָּה; שׁוּרָה; פְּצִירָה, מַסָּר, שׁוֹפִין
file, *v.t. & i.* פָּצַר, שָׁף [שוף]; תִּיֵּק, סִדֵּר (בְּתִיק), טָר [טור], הָלַךְ בְּשׁוּרָה, עָבַר בְּשׁוּרָה
filial, *adj.* שֶׁל בֵּן, שֶׁל בַּת, כְּבֵן, דּוֹמֶה לְבַת
filibuster, *n.* נְאוּם אֵין סוֹף; לִסְטִים
filigree, *n.* תַּחְרִים בְּכֶסֶף וּבְזָהָב
fill, *n.* שֹׂבַע, סִפּוּק, רְוָיָה
fill, *v.t. & i.* מִלֵּא; נִמְלָא [מלא]
filler, *n.* מְמַלְּאָן, מִלּוּא, מִלּוּי
fillet, *n.* שָׁבִיס, סֶרֶט; בָּשָׂר (דָּג) לְלֹא עֲצָמוֹת
filling, *n.* מִלּוּי, סְתִימָה (לְשִׁנַּיִם)
filly, *n.* סְיָחָה
film, *n.* קוּר; שִׁכְבָה; סֶרֶט (שֶׁל מַצְלֵמָה, רָאִינוֹעַ, קוֹלְנוֹעַ)
film, *v.t. & i.* קָרַם; צִלֵּם, הִסְרִיט [סרט]
film strip סִרְטוֹן
filter, *n.* מְסַנֵּן, מְסַנֶּנֶת
filter, *v.t. & i.* סִנֵּן, פִּכְפֵּךְ
filth, *n.* חֶלְאָה, טִנֹּפֶת, זֻהֲמָה, זֹהַם
filthy, *adj.* מְלֻכְלָךְ, מְזֹהָם, מְטֻנָּף
filtration, *n.* סִנּוּן
fin, *n.* סְנַפִּיר
final, *adj.* סוֹפִי, מֻחְלָט
finale, *n.* נְעִילָה (בִּנְגִינָה)
finality, *n.* צְמִיתוּת, הֶחְלֵט
finally, *adv.* לְבַסּוֹף, לְסוֹף
finance, *n.* כְּסָפִים, עִנְיְנֵי כְּסָפִים, מָמוֹנוֹת
finance, *v.t.* מִמֵּן
financial, *adj.* מָמוֹנִי, כַּסְפִּי
financier, *n.* מָמוֹנַאי
finch, *n.* פָּרוּשׁ (צִפּוֹר)
find, *n.* מְצִיאָה, תַּגְלִית
find, *v.t.* מָצָא, גִּלָּה
finder, *n.* מוֹצֵא
finding, *n.* מְצִיאָה; פְּסַק דִּין
fine, *adj.* דַּק, עָדִין, חַד; בְּסֵדֶר, נָאֶה, טוֹב
fine, *n.* קְנָס, עֹנֶשׁ
fine, *v.t.* קָנַס, עָנַשׁ; צָרַף
fine arts הָאֻמָּנֻיּוֹת הַיָּפוֹת
finger, *n.* אֶצְבַּע (בֹּהֶן, אֲגוּדָל; אֶצְבַּע; אַמָּה, אֶצְבַּע צְרֵדָה; קְמִיצָה; זֶרֶת)
finger, *v.t. & i.* נָגַע; נִגְנַע בְּאֶצְבָּעוֹת; מִשֵּׁשׁ, מִשְׁמֵשׁ; גָּנַב, סָחַב; פָּרַט, נִגֵּן
finical, *adj.* קַפְדָן
finish, *n.* גְּמָר, גֶּמֶר, סִיּוּם
finish, *v.t.* גָּמַר, כִּלָּה, אָפַס, חָדַל
finite, *adj.* סוֹפִי
fir, *n.* אֹרֶן, צְנוֹבָר, אַשּׁוּחַ
fire, *n.* אֵשׁ, דְּלֵקָה, מְדוּרָה, שְׂרֵפָה; יְרִיָּה; הִתְלַהֲבוּת, רֶגֶשׁ
fire, *v.t. & i.* שָׂרַף, הִבְעִיר [בער], הִדְלִיק [דלק], הִצִּית [יצת], הִסִּיק [נסק]; יָרָה; פִּטֵּר; הִלְהִיב [להב]
fire, *v.i.* בָּעַר, הִתְלַהֵט [להט], הִתְלַהֵב [להב]
fire alarm אַזְעָקַת אֵשׁ
firearm, *n.* כְּלִי נֶשֶׁק (רוֹבֶה, אֶקְדָּח)
firebrand, *n.* אוּד
firecraker, *n.* פִּצְצַת שָׁוְא
fire engine מְכוֹנִית כַּבָּאִים
fire escape מוֹצָא מִדְּלֵקָה
fire extinguisher מַטְפֶּה
firefly, *n.* גַּחֲלִית
fireman, *n.* כַּבַּאי

fireplace, *n.* אָח, מוֹקֵד
fireproof, *adj.* עוֹמֵד בִּפְנֵי אֵשׁ
firewood, *n.* עֲצֵי הַסָּקָה, עֲצֵי דֶלֶק
fireworks, *n. pl.* זִקּוּקִין דִּי־נוּר (דְּנוּר)
firm, *adj.* יַצִּיב, קַיָּם, חָזָק, תַּקִּיף, קָשֶׁה
firm, *n.* בֵּית עֵסֶק
firmament, *n.* רָקִיעַ, שָׁמַיִם
firmly, *adv.* בְּתֹקֶף; בְּחָזְקָה
firmness, *n.* תְּקִיפוּת, שְׁרִירוּת
first, *adj.* רִאשׁוֹן
first, *n.* רֵאשִׁית, הַתְחָלָה
first, *adv.* רֵאשִׁית, בְּרֵאשִׁית, תְּחִילָה
first aid עֶזְרָה רִאשׁוֹנָה
first-born, *adj.* & *n.* רֵאשִׁית אוֹן, בְּכוֹר
first-class, *adj.* מֻבְחָר, מַדְרֵגָה רִאשׁוֹנָה; מַחְלָקָה (כִּתָּה) רִאשׁוֹנָה
first-rate, *adj.* מִן הַמֻּבְחָר
fiscal, *adj.* כַּסְפִּי, כַּלְכָּלִי
fish, *n.* דָּג, דָּגָה
fish, *v.t.* & *i.* דָּג [דוג], חִכָּה, חָרַם, צָד [צוד], דָּגִים; הוֹצִיא [יצא], מָשָׁה, דָּלָה; חִיֵּק; בִּקֵּשׁ מַחְמָאָה
fisher, fisherman, *n.* חָרָם, דַּיָּג
fishery, *n.* דַּיִג, דּוּגָה
fishhook, *n.* אַגְמוֹן, קֶרֶס
fishing, *n.* דַּיִג, דִּיּוּג, דִּיגָה, חָרָם, חִכּוּי
fishwife, *n.* מוֹכֶרֶת דָּגִים
fission, *n.* סְדִיקָה, סִדּוּק
fissure, *n.* סֶדֶק, חָרִיץ בָּקִיעַ, שֶׁסַע
fist, *n.* אֶגְרוֹף
fisticuff, *n.* מַכַּת אֶגְרוֹף
fistula, *n.* שְׁפוֹפֶרֶת מְצִיצָה
fit, *adj.* מַתְאִים, רָאוּי, יָאֶה, הוֹלֵם
fit, *n.* הַתְאָמָה, הַתְקָנָה
fit, *v.t.* & *i.* הִתְאִים [תאם], הָיָה רָאוּי, כִּוֵּן, הָלַם
fitness, *n.* כֹּשֶׁר, הֶכְשֵׁר
five, *adj.* & *n.* חֲמִשָּׁה, חָמֵשׁ
fivefold, *adj.* & *adv.* כָּפוּל חָמֵשׁ, פִּי חֲמִשָּׁה
fix, *n.* מַצָּב קָשֶׁה, מְבוּכָה
fix, *v.t.* & *i.* תִּקֵּן, כּוֹנֵן [כון], קָבַע; שִׁחֵד; נָעַץ (מַבָּט)
fixation, *n.* קְבִיעָה; נְעִיצַת מַבָּט
fixedness, *n.* קִיּוּם
fixture, *n.* קְבִיעָה, תִּקּוּן, רָהִיט קָבוּעַ
fizzle, *n.* כִּשָּׁלוֹן; הִתְרַגְּשׁוּת; תְּסִיסָה
fizzle, *v.i.* כָּשַׁל, נִכְשַׁל [כשל]; תָּסַס
flabby, *adj.* רָפֶה, רַךְ, חֲסַר שְׁרִירִים
flaccid, *adj.* רָפֶה, רַךְ
flag, *n.* דֶּגֶל, נֵס; מַרְצֶפֶת
flag, *v.t.* & *i.* הִדְגִּיל [דגל]; רִצֵּף; עָיֵף, רָפָה, נִלְאָה [לאה]
flagrant, *adj.* גָּלוּי; מַחְפִּיר, מֵבִישׁ
flair, *n.* חוּשׁ הָרֵיחַ
flake, *n.* פְּתוֹת, פְּתִית
flake, *v.t.* פָּתַת, פִּתֵּת
flame, *n.* לֶהָבָה, שַׁלְהֶבֶת; אַהֲבָה
flame, *v.t.* & *i.* הִלְהִיב [להב], שִׁלְהֵב, הִתְלַהֵט [להט], הִדְלִיק [דלק]
flamingo, *n.* שְׁקִיטָן
flange, *n.* אֹגֶן, מְאַגֵּן
flank, *n.* אֲגַף; צַד (בְּהֵמָה)
flank, *v.t.* & *i.* אִגֵּף, תָּקַף, הֵגֵן
flannel, *n.* אֲרִיג צֶמֶר
flannelette, *n.* צִמֶּרֶת
flap, *n.* דַּשׁ, כָּנָף (בֶּגֶד); תְּנוּךְ (אֹזֶן); סְטִירָה
flap, *v.t.* & *i.* נוֹפֵף [נוף], נִפְנֵף, הִשְׁתַּרְבֵּב [שרבב]; הִכָּה (כָּנָף); סָטַר
flapper, *n.* סוֹטֵר; אֶפְרוֹחַ; נַעֲרָה
flare, *n.* הִתְלַקְּחוּת
flare, *v.i.* הִתְלַהֵט [להט]; הִתְאַנֵּף [אנף]
flash, *n.* הַבְרָקָה; בָּזָק; הֶרֶף עַיִן

flash, *v.t. & i.* הֵהֵל, הֵאִיר [אור], בָּרַק, הִבְרִיק [ברק]
flask, *n.* פַּךְ, בַּקְבּוּק, צְלוֹחִית
flat, *adj.* חָלָק; נָמוּךְ; שָׁטוּחַ; תָּפֵל
flat, *n.* דִּירָה; כַּף (רֶגֶל); פַּס (יָד); שֶׁטַח, מִישׁוֹר; אֲגַם; קַת
flatten, *v.t. & i.* שָׁטַח, הִיְשִׁיר [ישר]; נַעֲשָׂה [עשה] תָּפֵל
flatter, *v.t.* הֶחֱנִיף[חנף], דִּבֵּר חֲלָקוֹת, הֶחֱלִיק [חלק] לָשׁוֹן
flatterer, *n.* מַחֲנִיף, חוֹנֵף
flattery, *n.* חֹנֶף, חֲנֻפָּה, חֲלַקְלַקּוֹת
flaunt, *v.i.* הִתְנַגֵּדֵר [נגדר], הִתְיַהֵר [יהר], הִתְפָּאֵר [פאר]
flavor, flavour, *n.* טַעַם, בֹּשֶׂם
flavor, flavour, *v.t.* תִּבֵּל, בִּשֵּׂם
flaw, *n.* פְּגָם, פְּגִימָה, חִסָּרוֹן, לִקּוּי
flawless, *adj.* תָּמִים, לְלֹא מוּם אוֹ פְּגָם
flax, *n.* כִּתָּן, פִּשְׁתָּן
flay, *v.t.* סָרַק (בְּשַׂר אָדָם); הִפְשִׁיט [פשט] (עוֹר)
flea, *n.* פַּרְעוֹשׁ
fleck, *n.* רְבָב, כֶּתֶם
fleck, *v.t.* נִמֵּר
flection, flexion, *n.* הַטָּיָה, נְטִיָּה (דִּקְדּוּק)
fledgling, fledgeling, *n.* אֶפְרוֹחַ, גּוֹזָל
flee, *v.t. & i.* בָּרַח, נָס [נוס]
fleece, *n.* צֶמֶר; גִּזָּה; עֲנָנָה
fleece, *v.t.* גָּזַז; עָשַׁק, גָּזַל, רִמָּה
fleecy, *adj.* גִּזִּי, צַמְרִיר
fleer, *n.* (הַ)עֲוָיַת לַעַג, מַבָּט שֶׁל בִּטּוּל
fleer, *v.i.* לִגְלֵג, הִתְלוֹצֵץ [ליץ]
fleet, *adj.* מָהִיר
fleet, *n.* אֳנִי, צִי; יוּבַל
flesh, *n.* בָּשָׂר, שְׁאֵר בָּשָׂר
fleshly, *adj.* דֶּרֶךְ בְּשָׂרִים, תַּאַוְתָנִי; בְּשָׂרִי, גּוּפִי

flex, *v.t.* עִקֵּם, כָּפַף
flexibility, *n.* גְּמִישׁוּת
flexible, *n.* גָּמִישׁ
flexure, *n.* עִקּוּם, עִוּוּת; נְטִיָּה, הַטָּיָה
flicker, *n.* הִבְהוּב, רִפְרוּף
flicker, *v.i.* הִבְהֵב, רִפְרֵף
flier, flyer, *n.* עָף; טַיָּס, מְעוֹפֵף
flight, *n.* נִיסָה, מְנוּסָה; טִיסָה
flighty, *adj.* קַל דַּעַת; בַּעַל דִּמְיוֹן מֻפְרָז
flimsy, *adj.* קָלוּשׁ, קַל, רָפֶה
flinch, *v.i.* פִּקְפֵּק, הִסֵּס
fling, *n.* מְשׁוּבָה; זְרִיקָה; הִתּוּל
fling, *v.t. & i.* הִשְׁלִיךְ [שלך], זָרַק, רָמָה, יָרָה
flint, *n.* צוּר, אֶבֶן אֵשׁ
flinty, *adj.* שֶׁל צוּר; עִקֵּשׁ
flip, *n.* סְטִירָה
flip, *v.t.* סָטַר
flippancy, *n.* חֻצְפָּה, פְּזִיזוּת, שִׁטְחִיּוּת, לַהַג
flippant, *adj.* קַל דַּעַת, נִמְהָר, פָּזִיז, שִׁטְחִי
flirt, flirtation, *n.* אֲהַבְהָב, אֲהַבְהָבִים
flirt, *v.t. & i.* אֲהַבְהֵב, הִתְנַפְנֵף [נפנף]
flit, *v.i.* עָבַר; חָלַף; הִתְעוֹפֵף [עוף]
float, *n.* רַפְסוֹדָה; צָף; פְּקַק חַכָּה
float, *v.t. & i.* הֵצִיף [צוף], הֵשִׁיט [שוט] צָף [צוף]
floater, *n.* צָף, מָצוּף
flock, *n.* עֵדֶר, קְהִילָה, מַחֲנֶה, קְבוּצָה
flock, *v.i.* הִתְאַסֵּף [אסף], נִקְהַל [קהל], נָהַר, הִתְקַבֵּץ [קבץ]
floe, *n.* שִׁכְבַת קֶרַח, צָף
flog, *v.t.* שִׁרְבֵּט, הִלְקָה [לקה]
flood, *n.* מַבּוּל, שִׁטָּפוֹן; גֵּאוּת הַיָּם
flood, *v.t.* שָׁטַף, הֵצִיף [צוף]
floor, *n.* קַרְקַע, רִצְפָּה; קוֹמָה, דְּיוֹטָה; רְשׁוּת הַדִּבּוּר

floor, *v.t.* רָצַף; הִפִּיל [נפל] מִגֵּר, הִכָּה

flooring, *n.* חָמְרֵי רִצּוּף

flop, *v.i.* הִתְנַפְנֵף [נפנף]; נָפַל (אַרְצָה); נִכְשַׁל [כשל]

flora, *n.* הַצּוֹמֵחַ, מַמְלֶכֶת הַצְּמָחִים

floral, *adj.* פִּרְחִי

florist, *n.* פִּרְחָן, מוֹכֵר (מְגַדֵּל) פְּרָחִים

florid, *adj.* מָלֵא פְּרָחִים; מְלִיצִי

florin, *n.* מַטְבֵּעַ (הוֹלַנְדִּי, אַנְגְּלִי)

floss, *n.* מֶשִׁי (חַי) נָא

flotilla, *n.* אֲנִיּוֹן, צִי קָטָן

flotsam, *n.* שְׁבָרִים שָׁטִים

flounce, *v.i.* הִתְנַדְנֵד [נדנד]

flounder, *n.* סַנְדָּל, דָּג מֹשֶׁה רַבֵּנוּ

flounder, *v.i.* הִתְנַהֵל [נהל] בִּכְבֵדוּת, פִּרְפֵּר, פִּרְכֵּס

flour, *n.* קֶמַח, סֹלֶת

flourish, *n.* קִשּׁוּט; הֲנָפָה (חֶרֶב)

flourish, *v.t.* & *i.* נָב; [נוב]; פָּרַח; הִצְלִיחַ [צלח], עָשָׂה חַיִל

floury, *adj.* קִמְחִי

flout, *n.* לִגְלוּג

flout, *v.t.* לִגְלֵג, בָּז [בוז]

flow, *n.* זֶרֶם; גֵּאוּת (הַיָּם); שֶׁפֶךְ; שֶׁטֶף (דִּבּוּר)

flow, *v.t.* & *i.* זָרַם, נָזַל, שָׁפַע, גָּאָה (הַיָּם), נָבַע, הִתְנַפְנֵף [נפנף]

flower, *n.* פֶּרַח; עִטּוּר, קִשּׁוּט; מִבְחָר

flower, *v.t.* & *i.* פָּרַח; קִשֵּׁט (בִּפְרָחִים)

flowery, *adj.* מְכֻסֶּה פְּרָחִים; נִמְלָץ (דִּבּוּר, סִגְנוֹן)

flowerpot, *n.* עֲצִיץ (פְּרָחִים)

flu, influenza, *n.* שַׁפַּעַת

fluctuate, *v.i.* הִתְנוֹעֵעַ [נוע]; עָלָה וְיָרַד (מְחִיר)

flue, *n.* מַעֲבָר (בָּאֲרֻבָּה, בְּמַעֲשֵׁנָה)

fluency, *n.* אִשְׁגָּרָה, שִׁגְרָה, הֶרְגֵּל; נְזִילוּת; שֶׁטֶף (דִּבּוּר)

fluent, *adj.* שָׁגוּר, שׁוֹטֵף, שִׁטְפִי

fluff, *n.* מוֹכִית

fluffy, *adj.* מוֹכִי

fluid, *adj.* נוֹזְלִי

fluid, *n.* נוֹזֵל, נוֹזְלִים

flunk, *n.* כִּשָּׁלוֹן

flunk, *v.i.* נִכְשַׁל [כשל] (בִּבְחִינָה)

flunky, flunkey, *n.* מְשָׁרֵת, שַׁמָּשׁ; חוֹנֵף

fluoresce, *v.i.* הִקְרִין [קרן]; הִתְגַּוֵּן [גון]

fluorescence, *n.* הִתְגַּוְּנוּת; קְרִינָה

flurry, *n.* הִתְרַגְּשׁוּת, שָׁאוֹן; סוּפָה

flurry, *v.t.* בִּלְבֵּל, הִבְהִיל [בהל]

flush, *n.* אֹדֶם (פָּנִים); שֶׁפַע; הִתְעוֹפְפוּת (פִּתְאוֹמִית); פְּרִיחָה; צְמַרְמֹרֶת; סִדְרַת קְלָפִים בַּיָּד

flush, *v.t.* & *i.* הִתְאַדֵּם, הֶאֱדִים [אדם], הִסְמִיק [סמק]; נִכְלַם [כלם]; יִשֵּׁר (דְּפוּס); הֵדִיחַ [נדח] (אַגַּן בֵּית כִּסֵּא)

flush, *adj.* סָמוּךְ, אָדֹם; פּוֹרֵחַ; נִמְצָא בְּשֶׁפַע (כֶּסֶף); מַקְבִּיל, יָשָׁר (סִדּוּר דְּפוּס); מָלֵא (יַד קְלָפִים)

fluster, *v.t.* & *n.* הִרְגִּיז [רגז], בִּלְבֵּל, חִמֵּם, הִמְהִיר [מהר]; הִתְרַגְּשׁוּת; חֹם; מְהוּר

flute, *n.* & *v.t.* חָלִיל, אַבּוּב; חִלֵּל

flutist, *n.* חֲלִילָן

flutter, *v.t.* & *i.* רִפְרֵף, פִּרְפֵּר; רִחֵף

flutter, *n.* רִפְרוּף, רִחוּף

flux, *n.* זוֹב, זִיבָה; זְרִימָה; גֵּאוּת (יָם)

fly, *n.* יְעָף, מָעוֹף, טִיסָה; זְבוּב

fly, *v.t.* & *i.* עָף, עוֹפֵף, הִתְעוֹפֵף [עוף], טָס [טוס]

flyer, *v.* flier

foal, *n.* סְיָח

foal, *v.i.* הִמְלִיט [מלט], יָלַד (סוּסִים)

foam, *n.* קֶצֶף, אַדְוָה (קֶצֶף גַּלֵּי הַיָּם)

foam, *v.t.* & *i.* הִקְצִיף [קצף], קָצַף, הֶעֱלָה קֶצֶף (אַדְוָה)
focal, *adj.* מֶרְכָּזִי, מוֹקְדִי
focus, *n.* & *v.t.* מֹקֵד; מִרְכֵּז, רִכֵּז, מִקֵּד
fodder, *n.* מִסְפּוֹא
foe, *n.* אוֹיֵב, שׂוֹנֵא, צַר
foetus, fetus, *n.* עֻבָּר
fog, *n.*, *v.t.* & *i.* עֲרָפֶל; עִרְפֵּל, הִתְעַרְפֵּל [ערפל]; הֶאֱפִיל [אפל]
foggy, *adj.* מְעֻרְפָּל
foible, *n.* חֻלְשָׁה, מוּם, פְּגִימָה
foil, *n.* רְדִיד, גִּלָּיוֹן (עָלֶה)
foil, *v.t.* סִכֵּל, הֵפֵר [פרר]
fold, *n.* גְּדֵרָה, דִּיר, מִכְלָה; עֵדָה; קֶמֶט; קִפּוּל, קֶפֶל
fold, *v.t.* קִפֵּל; כִּפֵּל; קִמֵּט; חִבֵּק; כָּלָא
folder, *n.* מְקַפֵּל; מַעֲטָפָה, עֲטִיפָה, כְּרִיכָה
foliage, *n.* עַלְוָה
folk, *n.* אֲנָשִׁים, בְּנֵי אָדָם, לְאֹם, קְרוֹבִים
folklore, *n.* מִנְהֲגֵי הֲמוֹן הָעָם
follow, *v.t.* & *i.* עָקַב, הָלַךְ אַחֲרֵי
follower, *n.* הוֹלֵךְ (בְּעִקְבוֹת), תַּלְמִיד, מַעֲרִיץ, חָסִיד
folly, *n.* טִפְּשׁוּת, שְׁטוּת, שִׁגָּעוֹן, עָוֶל
foment, *v.t.* הִלְהִיב [להב] (לִמְהוּמוֹת), הֵסִית [סות], הֵחֵם [חמם]
fomentation, *n.* חִמּוּם, עוֹרְרוּת
fond, *adj.* אוֹהֵב
fondle, *v.t.* & *i.* אָהַב, חִבֵּב, לִטֵּף
fondness, *n.* חִבָּה
font, *n.* כִּיּוֹר (לִטְבִילָה); יַצֶּקֶת (דְּפוּס)
food, *n.* אֹכֶל, מַאֲכָל, מָזוֹן
fool, *n.* כְּסִיל, פֶּתִי, שׁוֹטֶה
fool, *v.t.* שִׁטָּה; הֵתֵל [תלל], הִתֵּל; הוֹנָה [ינה], רִמָּה

foolery, *n.* טִפְּשׁוּת
foolhardiness, *n.* פַּחֲזוּת
foolish, *adj.* מַצְחִיק, נִבְעָר
foolishness, *n.* טִפְּשׁוּת
foot, *n.* רֶגֶל, כַּף הָרֶגֶל; שַׁעַל; בָּסִיס, מַרְגְּלוֹת
foot, *v.t.* & *i.* צָעַד, הָלַךְ בָּרֶגֶל; בָּעַט
football, *n.* כַּדּוּרֶגֶל
footfall, *n.* פְּסִיעָה, צַעַד
foothold, *n.* עֶמְדָּה; מִדְרָךְ (כַּף רֶגֶל)
footing, *n.* מַעֲמָד, עָקֵב, הֲלִיכָה, יְסוֹד
footlights, *n. pl.* אוֹרוֹת הַכֶּבֶשׁ
footnote, *n.* הֶעָרָה, רַגְלָן
footpad, *n.* שׁוֹדֵד, גַּזְלָן
footprint, *n.* עִקְבָה
footsore, *n.* כְּאֵב רַגְלַיִם
footstep, *n.* צַעַד, אָשׁוּר, עָקֵב
footstool, *n.* הֲדוֹם
fop, *n.* גַּנְדְּרָן
for, *prep.* בְּ־, לְ־, בְּעַד, בִּגְלַל, בִּשְׁבִיל
for, *conj.* כִּי, יַעַן כִּי, כִּי אֲשֶׁר, הֱיוֹת וְ־, כֵּיוָן שֶׁ־
forage, *n.* מִסְפּוֹא
foray, *v.t.* בָּזַז
forbear, *v.t.* & *i.* חָס, [חוס], הֶאֱרִיךְ [ארך] רוּחַ, הִתְאַפֵּק [אפק]
forbid, *v.t.* אָסַר
force, *n.* כֹּחַ, הַכְרָחָה; פְּלֻגָּה
force, *v.t.* & *i.* הִכְרִיחַ [כרח], הִתְאַמֵּץ, [אמץ], אִלֵּץ, אָנַס
forceful, *adj.* נִמְרָץ, חָזָק
forceps, *n.* מֶלְקָחַיִם, צְבָת
ford, *n.* מַעֲבָר, מַעְבָּרָה
ford, *v.t.* עָבַר, חָצָה נָהָר בָּרֶגֶל
fore, *adj.* קוֹדֵם, קִדְמִי, קַדְמוֹן
fore, *adv.* & *prep.* נֹכַח, בִּפְנֵי

forearm, *n.* קָנֶה, אַמָּה
forebear, forbear, *n.* אָב קַדְמוֹן
forebode, *v.t.* & *i.* הִרְגִּישׁ, [רגש], הִגִּיד [נגד] מֵרֹאשׁ, נִבָּא
forecast, *n.* חִזּוּי
foreclose, *v.t.* שָׁלַל זְכוּת (מַשְׁכַּנְתָּה)
foreclosure, *n.* שְׁלִילַת זְכוּת
forefather, *n.* אָב קַדְמוֹן
forefinger, *n.* אֶצְבַּע
forefoot, *n.* רֶגֶל קִדְמִית (בְּהֵמָה)
forefront, *n.* רֹאשׁ וְרִאשׁוֹן, רִאשׁוֹן לַכֹּל
forego, forgo, *v.t.* & *i.* וִתֵּר, מָחַל עַל, הֵנִיחַ [נוח], מָנַע (עַצְמוֹ) מִ־
foregone, *adj.* קוֹדֵם, נֶחֱרָץ מֵרֹאשׁ
foreground, *n.* פָּנִים, חָזִית
forehead, *n.* מֵצַח
foreign, *adj.* נָכְרִי, זָר
foreigner, *n.* נָכְרִי, זָר; לוֹעֵז
forelock, *n.* תַּלְתַּל
foreman, *n.* מַשְׁגִּיחַ (עֲבוֹדָה), פּוֹעֵל רָאשִׁי
foremast, *n.* תֹּרֶן קִדְמִי
foremost, *adj.* חָשׁוּב בְּיוֹתֵר
forerun, *v.t.* קָדַם
forerunner, *n.* מְבַשֵּׂר
foresail, *n.* מִפְרָשׂ רָאשִׁי
foresee, *v.t.* רָאָה מֵרֹאשׁ
foresight, *n.* רְאִיָּה מֵרֹאשׁ, זְהִירוּת
foreskin, *n.* עָרְלָה
forest, *n.* יַעַר, חֻרְשָׁה, חֹרֶשׁ
forest, *v.t.* יִעֵר
forestall, *v.t.* קִדֵּם (פְּנֵי רָעָה)
forester, *n.* יַעֲרָן
forestry, *n.* יִעוּר
foretaste, *v.t.* טָעַם מֵרֹאשׁ
foretell, *v.t.* הִגִּיד [נגד] מֵרֹאשׁ, נִבֵּא
forethought, *n.* מַחֲשָׁבָה תְּחִלָּה
foretoken, *n.* אוֹת, מוֹפֵת
forever, *adv.* לָנֶצַח, לְעוֹלָם
forewarn, *v.t.* הִתְרָה [תרה], הִזְהִיר [זהר]
foreword, *n.* הַקְדָּמָה, מָבוֹא
forfeit, *adj.* אִבֵּד, הִפְסִיד [פסד]
forfeit, *n.* & *v.t.* קְנָס; אִבֵּד זְכוּת
forfeiture, *n.* אִבּוּד, הֶפְסֵד, קְנָס, כֹּפֶר
forgather, *v.i.* נֶאֱסַף [אסף], הִתְאַסֵּף
forge, *n.* מַפָּחָה
forge, *v.t.* & *i.* חִשֵּׁל, יָצַר; הֵאִיץ [אוץ], זִיֵּף
forger, *n.* זַיְּפָן
forgery, *n.* זִיּוּף
forget, *v.t.* שָׁכַח, נָשָׁה
forgetful, *adj.* שַׁכְחָנִי
forgetfulness, *n.* שַׁכְחָנוּת, שִׁכְחָה, נְשִׁיָּה
forget-me-not, *n.* זִכְרִינִי (פֶּרַח)
forgettable, *adj.* שָׁכוּחִי, נְשִׁיִּי
forgive, *v.t.* & *i.* מָחַל, סָלַח
forgiveness, *n.* מְחִילָה, סְלִיחָה
forgo, *v.* forego
fork, *n.* מַזְלֵג; קִלְשׁוֹן (לִתְבוּאָה); הִסְתָּעֲפוּת
fork, *v.t.* & *i.* הִקְלִישׁ [קלש], הֵרִים [רום] בְּקִלְשׁוֹן; הִסְתָּעֵף [סעף]
forlorn, *adj.* נוֹאָשׁ, נֶעֱזָב, אוֹבֵד
form, *n.* צוּרָה, תַּבְנִית, דְּמוּת, אֹפֶן, מִין; סִדּוּר (דְּפוּס)
form, *v.t.* & *i.* צָר [צור], נָתַן צוּרָה, הִלְבִּישׁ [לבש] צוּרָה; עָרַךְ, יָצַר, בָּרָא; אִלֵּף, לִמֵּד
formal, *adj.* רִשְׁמִי, טִקְסִי, צוּרָתִי
formalism, *n.* צוּרִיּוּת, נַקְדָנוּת
formality, *n.* חִיצוֹנִיּוּת; רִשְׁמִיּוּת
formally, *adv.* בְּאֹפֶן רִשְׁמִי
formation, *n.* הֲוָיָה, יְצִירָה, תְּצוּרָה, בְּרִיאָה

formative, *adj.* יוֹצֵר; מְקַבֵּל צוּרָה

former, *adj.* צָר, מְהַוֶּה; קוֹדֵם, הנ"ל (הַנִּזְכָּר לְעֵיל)

formerly, *adv.* מִקֹּדֶם, לְפָנִים

formidable, *adj.* כַּבִּיר, אַדִּיר, נוֹרָא

formless, *adj.* אָטוּם, חֲסַר צוּרָה

formula, *n.* טֹפֶס, נֻסְחָה

formulate, *v.t.* נָתַן צוּרָה, נִסַּח

fornicate, *v.i.* זָנָה, נָאַף, שִׁמֵּשׁ

fornication, *n.* נִאוּף, זְנוּת

forsake, *v.t.* נָטַשׁ, זָנַח

forswear, *v.t.* & *i.* כִּחֵשׁ, הִכְחִישׁ [כחש]; נִשְׁבַּע [שבע] (לַשֶּׁקֶר)

fort, *n.* מִבְצָר, מְצוּדָה

forth, *adv.* הָלְאָה

forthcoming, *adj.* & *n.* הוֹלֵךְ (מְמַשְׁמֵשׁ) וּבָא

forthright, *adj.* יָשָׁר

forthwith, *adv.* מִיָּד, תֵּכֶף וּמִיָּד

fortieth, *adj.* הָאַרְבָּעִים

fortification, *n.* בִּצּוּר, מִבְצָר

fortify, *v.t.* בִּצֵּר; עוֹדֵד, קִיֵּם, שִׂגֵּב

fortitude, *n.* אֹמֶץ רוּחַ

fortnight, *n.* שְׁבוּעַיִם

fortnightly, *adj.* דּוּ שְׁבוּעִי

fortnightly, *adv.* אַחַת לִשְׁבוּעַיִם, פַּעַם בִּשְׁבוּעַיִם

fortress, *n.* מִבְצָר, מִשְׂגָּב, מָעוֹז

fortuitous, *adj.* מִקְרִי, אֲרָעִי

fortuity, *n.* מִקְרֶה, עֲרַאי, מִקְרִיּוּת

fortunate, *adj.* מְאֻשָּׁר, מֻצְלָח, בַּר מַזָּל

fortunately, *adv.* לְאָשְׁרוֹ, לְמַזָּלוֹ

fortune, *n.* מַזָּל, גּוֹרָל; מִקְרֶה; רְכוּשׁ, עֹשֶׁר, הוֹן

fortuneteller, *n.* יִדְּעוֹנִי

forty, *adj.* & *n.* אַרְבָּעִים

forum, *n.* דּוּכָן, בָּמָה (מִפְגָּשׁ) לְוִכּוּחַ חָפְשִׁי

forward, *adj.* קָדוּם, זָרִיז

forward, forwards, *adv.* קָדִימָה, הָלְאָה

fossil, *n.* & *adj.* אֶבֶן; מְאֻבָּן

fossilize, *v.t.* & *i.* אִבֵּן; הִתְאַבֵּן [אבן]

foster, *v.t.* כִּלְכֵּל; אִמֵּץ, גִּדֵּל

foster child יֶלֶד מְאֻמָּץ

foul *adj.* מָאוּס, זָהוּם, מְגֻנֶּה, שָׁפָל

foul, *v.t.* & *i.* לִכְלֵךְ, טִנֵּף; נִטַּנֵּף [טנף], הִתְלַכְלֵךְ [לכלך]

foulness, *n.* לִכְלוּךְ, תּוֹעֵבָה

found, *v.t.* יִסֵּד, בִּסֵּס; כּוֹנֵן [כון], הִשְׁתִּית [שתת]; יָצַק, הִתִּיךְ [נתך]

foundation, *n.* יְסוֹד; בָּסִיס; אָשְׁיָה, מַשְׁתִּית, שֵׁת; קֶרֶן (מוֹסָד)

founder, *n.* מְיַסֵּד; יוֹצֵק, מַתִּיךְ

founder, *v.t.* & *i.* טִבַּע; הָמַם

foundling, *n.* אֲסוּפִי

foundry, *n.* בֵּית יְצִיקָה

fount, *n.* עַיִן, מַעְיָן; יַצֶּקֶת (דְּפוּס)

fountain, *n.* מִזְרָקָה

fountain pen עֵט נוֹבֵעַ, נִבְעוֹן

four, *adj.* & *n.* אַרְבַּע, אַרְבָּעָה

fourfold, *adj.* אַרְבַּעַת מוֹנִים, פִּי אַרְבָּעָה, אַרְבַּעְתַּיִם

fourscore, *adj.* שְׁמוֹנִים

foursquare, *adj.* מְרֻבָּע; צוֹדֵק

fourteen, *adj.* & *n.* אַרְבַּע עֶשְׂרֵה, אַרְבָּעָה עָשָׂר

fourteenth, *adj.* הָאַרְבָּעָה עָשָׂר, הָאַרְבַּע עֶשְׂרֵה

fourth, *adj.* & *n.* רְבִיעִי; רֶבַע

fowl, *n.* עוֹף, בְּשַׂר עוֹף

fowl, *v.i.* צָד [צוד] עוֹפוֹת

fox, *n.* שׁוּעָל

foxglove, *n.* אֶצְבָּעִית (פֶּרַח)

foxy, *adj.* שׁוּעָלִי, עָרוּם

foyer, *n.* מִסְדְּרוֹן, פְּרוֹזְדוֹר

fraction, *n.* שֶׁבֶר; תִּשְׁבֹּרֶת, קֶטַע

fractional, *adj.* זָעִיר, תִּשְׁבָּרְתִּי

fracture, *n.* שֶׁבֶר, סְדִיקָה

fracture, *v.t.* שִׁבֵּר

fragile, *adj.* שָׁבִיר, פָּרִיךְ

fragility, *n.* שְׁבִירוּת, פְּרִיכוּת

fragment, *n,* קֶטַע, בֶּזֶק, שְׁבָב, שֶׁבֶר

fragmentary, *adj.* קִטְעִי, מְקֻטָּע

fragrance, *n.* נִיחוֹחַ, רֵיחָנִיּוּת, בָּשְׂמִיּוּת

fragrant, *adj.* נִיחוֹחִי, בָּשְׂמִי, רֵיחָנִי

frail, *adj.* חַלָּשׁ, תָּשׁוּשׁ, רַךְ

frailty, *n.* חֻלְשָׁה, חַלָּשׁוּת, תְּשִׁישׁוּת

frame, *n.* מִסְגֶּרֶת, מַלְבֵּן, שֶׁלֶד

frame, *v.t.* עִצֵּב, הֵכִין [כון]; הִתְקִין
[תקן] מִסְגֶּרֶת, מִסְגֵּר, הִסְגִּיר [סגר],
זָמַם, הִצְמִיד [צמד] פֶּשַׁע לְאַחֵר

framework, *n.* שֶׁעֶד

France, *n.* צָרְפַת

franchise, *n.* דְּרוֹר, שִׁחְרוּר; זְכוּת
הַצְבָּעָה

frank, *adj.* אֲמִתִּי, כֵּן, יָשָׁר, גָּלוּי,
גְּלוּי לֵב

frankfurter, frankforter, *n.* נַקְנִיקִית

frankincense, *n.* לְבוֹנָה

frankly, *adv.* בֶּאֱמֶת, בְּיֹשֶׁר לֵב

frankness, *n.* תְּמִימוּת, יֹשֶׁר, אֲמִתִּיּוּת,
כֵּנוּת

frantic, *adj.* מִתְרַגֵּז, מְטֹרָף

fraternal, *adj.* אַחֲוָתִי

fraternity, *n.* אַחֲוָה, מִסְדָּר

fraternize, *v.i.* הִתְאַחֲוָה [אחוה],
הִתְרוֹעֵעַ [רעה]

fratricide, *n.* הֲרִיגַת אָח

fraud, *n.* רַמָּאוּת, מִרְמָה, הוֹנָאָה,
מַעַל

fraudulent, *adj.* מִרְמָה

fraught, *adj.* עָמוּס, טָעוּן; מָלֵא

fray, *n.* מָדוֹן, רִיב, מַצָּה

fray, *v.t.* & *i.* מָהָה, בָּלָה, בִּלָּה; חִכֵּךְ;
הִפְחִיד [פחד]

freak, *n.* מִפְלֶצֶת

freakish, *adj.* מוּזָר, מְשֻׁנֶּה

freckle, *n.* עֲדָשָׁה, נֶמֶשׁ, בַּהֶרֶת, נִמּוּר

freckle, *v.t.* & *i.* כִּסָּה נְמָשִׁים,
הִתְכַּסָּה [כסה] נְמָשִׁים (עֲדָשִׁים)

free, *adj.* & *adv.* חָפְשִׁי, פָּנוּי, מֻתָּר;
פַּזְרָנִי; חִנָּם

freedom, *n.* חֹפֶשׁ, חֵרוּת, דְּרוֹר

free will בְּחִירָה חָפְשִׁית; רְצִיָּה

Freemasonry, *n.* בַּנָּאוּת חָפְשִׁית

freeze, *v.i.* & *t.* קָפָא, גָּלַד; הִקְפִּיא
[קפא], הִגְלִיד [גלד]

freight, *n.* מַשָּׂא, מִטְעָן

freight, *v.t.* טָעַן

freighter, *n.* סְפִינַת מַשָּׂא

French, *adj.* & *n.* צָרְפַתִּי; צָרְפָתִית

frenzy, *n.* חֵמָה, טֵרוּף, הִתְרַגְּשׁוּת

frequency, *n.* תְּדִירוּת, תְּכִיפוּת,
בִּקּוּר

frequent, *adj.* תָּדִיר, שָׁכִיחַ, תָּכוּף,
רָגִיל

frequent, *v.t.* בִּקֵּר תָּדִיר

frequently, *adv.* לְעִתִּים קְרוֹבוֹת

fresh, *adj.* טָרִי, רַעֲנָן; חָצוּף, שַׁחֲצָנִי

freshen, *v.t* & *i..* גָּבַר, הִתְחַזֵּק [חזק],
נִשְׁרָה [שרה], רִעֲנֵן, הֶחֱיָה [חיה]

freshman, *n.* (תַּלְמִיד) טִירוֹן

freshness, *n.* טְרִיּוּת, אֵב, רַעֲנַנּוּת

fret, *n.* רֹגֶז, הִתְרַגְּשׁוּת

fret, *v.t.* & *i.* אָכַל, רָגַז, קָצַף;
שָׁף [שוף], אִכֵּל; נֶאֱכַל [אכל],
הִתְמַרְמֵר [מרמר], הִתְגָּעֵשׁ [געש],
הִתְאוֹנֵן [אנן]

fretful, *adj.* זוֹעֵף, מִתְרַגֵּז

friable, *adj.* מִתְפּוֹרֵר

friar, *n.* נָזִיר

friary, *n.* מִנְזָר
friction, *n.* שִׁפְשׁוּף, חֲפִיפָה, חִכּוּךְ; סִכְסוּךְ, חִלּוּקֵי דֵּעוֹת
Friday, *n.* יוֹם שִׁשִּׁי
fried, *adj.* מְטֻגָּן
friend, *n.* יְדִיד, רֵעַ, עָמִית, חָבֵר
friendless, *adj.* חֲסַר יְדִיד
friendliness, *n.* יְדִידוּת
friendly, *adj.* יְדִידִי, יְדִידוּתִי
friendly, *adv.* בִּידִידוּת
friendship, *n.* יְדִידוּת, אַהֲבָה
frigate, *n.* אֳנִיַּת מִלְחָמָה, סְפִינַת קְרָב
fright, *n.* אֵימָה, בֶּהָלָה, יִרְאָה, פַּחַד, חִתָּה, בְּעָתָה, חֲרָדָה
frighten, *v.t.* הִבְהִיל [בהל], יָרֵא, הִפְחִיד [פחד], הִבְעִית [בעת]
frightful, *adj.* מַבְהִיל, מַפְחִיד, אָיֹם
frigid, *adj.* קַר מְאֹד, קַר הַמֶּזֶג (אֹפִי)
frigidity, *n.* קֹר, קָרָה, צִנָּה
frill, *n.* מְלָל, פִּיף, צִיצָה, גְּדִיל
fringe, *n.* אִמְרָה, מִפְרַחַת
fringe, *v.t.* עָשָׂה אִמְרוֹת
frippery, *n.* בְּגָדִים (חֳמָרִים) יְשָׁנִים, גְּרוּטָאוֹת
frisk, *n.* דִּלּוּג
frisk, *v.i.* קִרְטַע
frisky, *adj.* פָּזִיז, עַלִּיז
fritter, *n.* כִּיסָן, חָרִיט, (מַאֲפֶה מְמוּלָּא)
fritter, *v.t.* בִּזְבֵּז, פֵּרַר
frivolity, *n.* הֶבֶל, קַטְנוּת, פַּחֲזוּת
frivolous, *adj.* קַטְנוּנִי, רֵיק, קַל רֹאשׁ, פּוֹחֵז
frizzle, *v.t.* סִלְסֵל
fro, *adv.* to and fro הָלֹךְ וָשׁוֹב, אָנֶה וָאָנָה
frock, *n.* שִׂמְלָה; מְעִיל, זִיג
frog, *n.* צְפַרְדֵּעַ
frolic, *adj.* מִשְׁתּוֹבֵב, עַלִּיז
frolic, *n.* שָׂשׂוֹן, עֲלִיצוּת
frolic, *v.i.* צִחֵק
frolicsome, *adj.* שָׂמֵחַ, מָלֵא מְשׁוּבָה
from, *prep.* מֵ־, מִ־, מִן, מֵאֵת
front, *n.* פָּנִים; מֵצַח; חֲזִית (מִלְחָמָה), הֶעָזָה, חֻצְפָּה
front, *v.i.* פָּנָה, הִשְׁקִיף [שקף]
frontage, *n.* חֲזִית, פְּנֵי בִּנְיָן
frontal, *adj.* מִצְחִי
frontier, *n.* גְּבוּל, מֶצֶר
frost, *n.* כְּפוֹר, קִפָּאוֹן
frosty, *adj.* כְּפוֹרִי, קָפוּא; אָדִישׁ, קַר רוּחַ
froth, *n., v.t. & i.* קֶצֶף; הִתְקַצֵּף [קצף]
frown, *n.* קֶמֶט מֵצַח, מַבָּט זַעַם, זַעַף
frown, *v.i.* קָמַט אֶת הַמֵּצַח, הִבִּיט [נבט] בְּזַעַם, קָדַר
frowzy, frowsy, *adj.* מְלֻכְלָךְ, פָּרוּעַ
frozen, *adj.* קָפוּא, נִגְלָד
frugal, *adj.* חַסְכָנִי, דַּל
frugality, *n.* חִסָּכוֹן, דַּלּוּת
fruit, *n.* פְּרִי, פֵּרוֹת
fruitage, *n.* יְבוּל, תְּנוּבָה
fruitful, *adj.* פּוֹרֶה, עוֹשֶׂה (נוֹשֵׂא) פְּרִי
fruition, *n.* הִתְגַּשְּׁמוּת, עֲשִׂיַּת פְּרִי
frustrate, *v.t.* הֵפֵר [פרר], הִכְזִיב [כזב]
frustration, *n.* מַפַּח נֶפֶשׁ, אַכְזָבָה
fry, *v.t. & i.* טִגֵּן, טֻגַּן; הִכְעִיס [כעס], הִרְגִּיז [רגז]
frying pan מַחֲבַת, מַרְחֶשֶׁת
fuddle, *v.t. & i.* שִׁכֵּר, הִשְׁתַּכֵּר [שכר]
fudge, *n.* שְׁטֻיּוֹת; מִשְׁקְלָדָה
fuel, *n.* דֶּלֶק, הֶסֵּק
fugitive, *adj.* פָּלִיט, בּוֹרֵחַ

fulfill, fulfil, *v.t.* קִיֵּם, מִלֵּא, הִגְשִׁים [גשם]
fulfillment, fulfilment, *n.* הִתְקַיְּמוּת, מִלּוּי, הִתְגַּשְּׁמוּת
full, *adj.* מָלֵא, גָּדוּשׁ, שָׂבֵעַ, רָוֶה
full, *adv.* בִּמְלֹאוֹ, לְגַמְרֵי
fullness, *n.* מְלוֹא, גֹּדֶשׁ, שְׁלֵמוּת
fulminate, *v.t.* & *i.* נִפֵּץ, פּוֹצֵץ [פצץ]
fumble, *v.t.* & *i.* מִשֵּׁשׁ; גִּמְגֵּם
fume, *n.* עָשָׁן; רֹגֶז
fume, *v.t.* & *i.* עִשֵּׁן, הֶעֱלָה [עלה] עָשָׁן; אִדָּה, הִתְאַדָּה; חָרָה אַפּוֹ, קָצַף
fumigate, *v.t.* קִטֵּר, עִשֵּׁן
fumigation, *n.* עִשּׁוּן
fun, *n.* לָצוֹן, צְחוֹק, עֹנֶג
function, *n.* תַּפְקִיד, מִשְׂרָה, פְּעֻלָּה, תִּפְקוּד; טֶקֶס
function, *v.i.* תִּפְקֵד, נָשָׂא מִשְׂרָה, פָּעַל
functional, *adj.* תַּפְקִידִי, פִּקּוּדִי
functionary, *n.* פָּקִיד, פְּקִידוֹן
fund, *n.* קֶרֶן, אֶמְצָעִים
fundamental, *adj.* יְסוֹדִי, עִקָּרִי
funeral, *adj.* שֶׁל לְוָיָה, אָבֵל
funeral, *n.* לְוָיָה, קְבוּרָה
fungus, fungi (*pl.*), *n.* פִּטְרִיָּה, סְפוֹג
funk, *n.* פַּחַד, מֹרֶךְ לֵב, הִתְכַּוְּצוּת מִבֶּהָלָה
funnel, *n.* מַשְׁפֵּךְ
funny, *adj.* בַּדְּחָנִי
fur, *n.* פַּרְוָה, אַדֶּרֶת
furbish, *v.t.* צִחְצַח, חִדֵּשׁ, מֵרֵט, לָטַשׁ
furious, *adj.* מִתְקַצֵּף, מִתְרַגֵּז
furl, *v.t.* קִפֵּל וְקָשַׁר (דֶּגֶל, מִפְרָשׂ)
furlough, *n.* חֻפְשָׁה צְבָאִית
furlough, *v.t.* נָתַן חֻפְשָׁה צְבָאִית
furnace, *n.* כִּבְשָׁן, כּוּר
furnish, *v.t.* רִהֵט, סִפֵּק, הִמְצִיא [מצא] לְ־
furniture, *n.* רָהִיט, רָהִיטִים
furor, *n.* חָרוֹן, זַעַם, עֶבְרָה
furrier, *n.* פַּרְוָן
furrow, *n.* מַעֲנִית, גְּדוּד, חָרִיץ, תֶּלֶם
furrow, *v.t.* תִּלֵּם, הִתְלִים [תלם], חָרַשׁ
further, *adj.* יוֹתֵר רָחוֹק, נוֹסָף
further, *adv.* הָלְאָה, שׁוּב, מִלְּבַד זֶה, גַּם (אַף)
further, *v.t.* דָּחַף, קִדֵּם, סִיַּע, עָזַר, הוֹעִיל [יעל] לְ־
furtherance, *n.* קִדּוּם
furthermore, *adv.* & *conj.* יֶתֶר עַל כֵּן, עוֹד זֹאת
furthermost, furthest, *adj.* הָרָחוֹק בְּיוֹתֵר
furtive, *adj.* עָרֹם, (מַבָּט) גָּנוּב
fury, *n.* זַעַם, חֵמָה, כַּעַס, חָרוֹן, חֲרוֹן אַף
furze, *n.* רֹתֶם
fuse, fuze, *n.* נַפָּץ; מַבְטֵחַ, בִּטָּחוֹן חַשְׁמַל
fuse, fuze, *v.t.* & *i.* הִתִּיךְ [נתך], הֻתַּךְ, מִזֵּג, הִתְמַזֵּג [מזג]
fuselage, *n.* שֶׁלֶד שֶׁל אֲוִירוֹן
fusillade, *n.* יְרִיּוֹת תְּכוּפוֹת
fusion, *n.* הַתָּכָה, הִתּוּךְ, חִבּוּר, צֵרוּף, הִתְמַזְּגוּת
fuss, *n.* הֲמֻלָּה, מְבוּכַת שָׁוְא
futile, *adj.* חֲסַר תּוֹעֶלֶת, לַשָּׁוְא, בְּחִנָּם, אַפְסִי
futility, *n.* הֶבֶל, אַפְסוּת, חֹסֶר תּוֹעֶלֶת
future, *adj.* עֲתִידִי
future, *n.* עָתִיד
fuze, *v.* fuse
fuzz, *n.* מוֹךְ

G, g

G, g, *n.* ג׳, הָאוֹת הַשְּׁבִיעִית בָּאָלֶף־בֵּית הָאַנְגְּלִי; שְׁבִיעִי, ז׳

gab, gabble, *n.* פִּטְפּוּט, שִׂיחָה בְּטֵלָה

gabardine, gaberdine, *n.* אָרִיג צִמְרִי; מְעִיל, מְעִיל (אָרֹךְ) עֶלְיוֹן

gabble, *v.i.* פִּטְפֵּט

gable, *n.* גַּמְלוֹן (גַּג)

gad, *v.i.* שׁוֹטֵט [שוט], הָלַךְ בָּטֵל, שָׁט [שוט], נָע וָנָד

gadfly, *n.* זְבוּב סוּסִים

gadget, *n.* מַכְשִׁיר

gag, *n.* מַחְסוֹם זְמָם, סְתִימָה

gag, *v.t. & i.* סָתַם, הִסְתַּתֵּם [סתם] (פֶּה), הִשְׁתִּיק [שתק], הֶהֱסָה [הסה], הִסָּה; גָּרַם רְצוֹן הֲקָאָה

gaiety, gayety, *n.* עַלִּיזוּת, שִׂמְחָה

gaily, gayly, *adv.* בְּשִׂמְחָה, בְּחֶדְוָה

gain, *n.* רֶוַח; שָׂכָר; זְכִיָּה

gain, *v.t. & i.* הִרְוִיחַ [רוח], הִשְׂתַּכֵּר [שכר]; הִתְקַדֵּם [קדם], הִשִּׂיג [נשג], רָכַשׁ

gainer, *n.* מַרְוִיחַ

gainful, *adj.* מַכְנִיס רֶוַח; מוֹעִיל

gainsay, *v.t.* הִכְחִישׁ [כחש], הִתְנַגֵּד [נגד] לְ־

gainsayer, *n.* מִתְנַגֵּד

gait, *n.* הִלּוּךְ

gala, *adj.* חֲגִיגִי

galaxy, *n.* שְׁבִיל הֶחָלָב; אֲסֵפָה נֶהְדָּרָה, קְבוּצַת הוֹד

gale, *n.* נַחְשׁוֹל; סוּפָה

Galilean, *adj.* & *n.* גְּלִילִי

Galilee, *n.* גָּלִיל

gall, *n.* מְרֵרָה, מָרָה; רֹאשׁ, לַעֲנָה

gall, *v.t. & i.* חִכֵּךְ (עוֹר); הִרְגִּיז [רגז]; כָּעַס, זָעַף; מֵרַר, הִתְמַרְמֵר [מרמר]

gallant, *adj.* אָדִיב, אַבִּיר, אַמִּיץ לֵב

gallery, *n.* יָצִיעַ, גְּזֻזְרָה; אוּלָם (מוֹסָד) לְתְצוּגוֹת אֳמָנוּתִיּוֹת

galley, *n.* סְפִינָה חַד מִכְסִית, מִפְרָשִׂית, סִירַת מְשׁוֹטִים; מְסַדָּרָה (דְּפוּס)

galley proof הַגָּהָה רִאשׁוֹנָה

gallon, *n.* גַּלּוֹן (4.543 לִיטְרִים)

gallop, *n.* דְּהָרָה

gallop, *v.t. & i.* דָּהַר; הִדְהִיר [דהר]

galloper, *n.* דַּהֲרָן

gallows, *n.* עֵץ תְּלִיָּה

galore, *adv.* לְמַכְבִּיר, בְּשֶׁפַע, לָרֹב

galoshes, *n. pl.* עַרְדָּלַיִם

galvanize, *v.t.* גִּלְוֵן

gamble, *v.t. & i.* שִׂחֵק בְּמַזָּל (בִּקְלָפִים, בְּקֻבִּיָּה וְכוּ׳)

gambler, *n.* קֻבְיוּסְטוּס, מְשַׂחֵק (בִּקְלָפִים, בְּקֻבִּיָּה), קַלְפָן

gambol, *n.* קִרְטוּעַ, רְקִידָה

gambol, *v.i.* קִרְטֵעַ, פִּרְכֵּס

game, *n.* מִשְׂחָק; צֵידָה, צַיִד; גִּילָה

game, *v.i.* שִׂחֵק

gamesome, *adj.* עַלִּיז; שַׂחֲקָנִי

gamester, *n.* מְשַׂחֵק

gammon, *n.* קֹתֶל

gander, *n.* אַוָּז

gang, *n.* חֲבוּרָה, כְּנֻפְיָה

ganglion, *n.* חַרְצֹב; צֹמֶת עֲצַבִּים

gangrene, *n.* מֶקֶק, חַרְחוּר

gangrene, *v.i.* נָמַק, הִתְנַמֵּק [מקק]

gangster, *n.* שׁוֹדֵד, מַנְהִיג כְּנֻפְיָה

gangway, *n.* מַעֲבָר, דֶּרֶךְ; סֻלַּם אֳנִיָּה

gaol, *v.* jail

gap, *n.* פִּרְצָה, נְקִיק

gape, *n.* פְּעִירַת פֶּה, פִּהוּק

gape, *v.t.* & *i.* עָשָׂה פֶּרֶץ, פָּעַר, פִּהֵק

garage, *n.* מוּסָךְ, תַּחֲנִית

garb, *n.* מַלְבּוּשׁ, לְבוּשׁ

garb, *v.t.* הִלְבִּישׁ [לבש]

garbage, *n.* אַשְׁפָּה, זֶבֶל

garble, *v.t.* נִפָּה; עִקֵּם, קִלְקֵל

garden, *n.* גַּן, גִּנָּה, בֻּסְתָּן

garden, *v.t.* עָבַד בְּגַן

gardener, *n.* גַּנָּן, בֻּסְתְּנַאי

gardenia, *n.* גַּרְדֵּנִית

gardening, *n.* גַּנָּנוּת

gargle, *v.t.* עִרְעֵר, גִּרְגֵּר

gargle, *n.* גִּרְגּוּר, עִרְעוּר

garish, *adj.* מַבְהִיק, נִפְתָּל, הֲפַכְפַּךְ

garland, *n.* זֵר פְּרָחִים, נֵזֶר, לִוְיָה

garlic, *n.* שׁוּם

garment, *n.* בֶּגֶד, שִׂמְלָה, מַלְבּוּשׁ, כְּסוּת

garner, *v.t.* & *n.* אָסַף, צָבַר, אָצַר; אָסָם

garnish, *v.t.* & *n.* יִפָּה, קִשֵּׁט; קִשּׁוּט

garret, *n.* עֲלִיָּה, עֲלִיַּת הַגַּג, חֲדַר עֲלִיָּה

garrison, *n.* מִשְׁמָר, חֵיל הַמִּשְׁמָר, מֻצָּב, מַצָּבָה

garrison, *v.t.* מִשְׁמֵר

garrulity, *n.* פַּטְפְּטָנוּת, אַרְכָנוּת

garrulous, *adj.* פַּטְפְּטָנִי, אַרְכָנִי

garter, *n.* בִּירִית, חֶבֶק

garter, *v.t.* קָשַׁר בְּבִירִית

gas, *n.* גָּז

gaseous, *adj.* גָּזִי

gash, *n.* שֶׂרֶטֶת; גְּדוּדָה

gash, *v.t.* שָׂרַט, פָּצַע; גָּדַד

gasket, *n.* אֶטֶם

gasoline, gasolene, *n.* גַּזּוֹלִין, דֶּלֶק, בֶּנְזִין

gasp, *n.* הִתְנַשְּׁמוּת, פְּעִירַת פֶּה

gasp, *v.i.* שָׁאַף (נָשַׁם) בִּכְבֵדוּת

gastric, *adj.* שֶׁל הַקֵּבָה

gastronomy, *n.* יְדִיעַת (תּוֹרַת) הָאֹכֶל

gate, *n.* שַׁעַר, מָבוֹא

gatepost, *n.* מְזוּזָה

gather, *v.t.* & *i.* אָסַף, הִתְאַסֵּף [אסף], קִבֵּץ, הִקְהִיל [קהל], כִּנֵּס

gathering, *n.* אֲסִיפָה, כִּנּוּס; אֲסֵפָה, עֲצֶרֶת

gaud, *n.* עֲדִי; פְּתִיגִיל

gaudy, *adj.* מַבְהִיק

gauge, gage, *n.* מַכְשִׁיר מְדִידָה; (קְנֵה) מִדָּה

gauge, gage, *v.t.* מָדַד; הִשְׁוָה [שוה] מִדּוֹת

gaunt, *adj.* צָנוּם, כָּחוּשׁ, רָזֶה, דַּק

gauntlet, *n.* מַגּוּל מְזֻיָּן

gauze, *n.* מַלְמָלָה, חוֹר

gauzy, *adj.* חוֹרִי, מַלְמָלִי

gavel, *n.* הַלְמוּת, מַקֶּבֶת, קֻרְנָס, פַּטִּישׁ יוֹשֵׁב רֹאשׁ

gawk, *n.* שׁוֹטֶה, הֶדְיוֹט

gawky, *adj.* טִפְּשִׁי, דֻּבִּי, מְגֻשָּׁם

gay, *adj.* עַלִּיז, שָׂמֵחַ

gayety, gaiety, *n.* עַלִּיזוּת, שִׂמְחָה

gayly, gaily, *adv.* בְּשִׂמְחָה, בְּחֶדְוָה

gaze, *n.* הַבָּטָה, מַבָּט, הֲצָצָה

gaze, *v.t.* הִבִּיט [נבט], הִסְתַּכֵּל [סכל], חָזָה; הִשְׁתָּאָה [שאה]

gazelle, *n.* אַיָּלָה

gazette, *n.* עִתּוֹן רִשְׁמִי

gazette, *v.t.* פִּרְסֵם

gazetteer, *n.* מוֹדִיעַ רִשְׁמִי, עִתּוֹנַאי

gear, *n.* כֵּלִים; רִתְמָה; סַבֶּבֶת (גַּלְגַּל מְשֻׁנָּן)

gear, *v.t.* הִכְשִׁיר [כשר], תִּקֵּן, רָתַם; שִׁלֵּב

gearing, *n.* שִׁלּוּב, תְּשִׁלֹּבֶת

gears, *n. pl.* גַּלְגַּלִּים מְשֻׁנָּנִים; חֲפָצִים, מַכְשִׁירִים
gee, *v.t.* & *i.* זָז [זוז], הֵימִין [ימן] (סוּסִים)
geese, *n. pl.* אַוָּזִים
Gehenna, *n.* גֵּיהִנּוֹם, תֹּפֶת, תָּפְתֶּה
geisha, *n*, רַקְדָנִית יַפָּנִית
gelatin, gelatine, *n.* מִקְפָּא, קְרִישָׁה
gem, *n.* תַּכְשִׁיט, אֶבֶן טוֹבָה
gendarme, *n.* שׁוֹטֵר
gender, *n.* מִין (דִּקְדּוּק)
genealogy, *n.* תּוֹלָדוֹת, יִחוּס
general, *adj.* כְּלָלִי, כּוֹלֵל, רָגִיל
general, *n.* רַב אַלּוּף, שַׂר צָבָא
generalissimo, *n.* שַׂר צְבָאוֹת, מַצְבִּיא
generality, *n.* כְּלָלִיּוּת, רֹב
generalization, *n.* תַּכְלִיל, כִּלּוּל, הַכְלָלָה
generalize, *v.t.* כָּלַל, הִכְלִיל [כלל]
generally, *adv.* עַל פִּי רֹב, בִּכְלָל
generate, *v.t.* הוֹלִיד [ילד]; יָצַר
generation, *n.* רְבִיָּה, יְצִירָה; דּוֹר
generative, *adj.* מוֹלִיד, שֶׁל פְּרִיָּה וּרְבִיָּה, פּוֹרֶה
generator, *n.* מוֹלִיד, אָב; מְחוֹלֵל
generic, *adj.* כְּלָלִי, מִינִי, סוּגִי
generosity, *n.* נְדִיבוּת, נַדְבָנוּת
generous, *adj.* נָדִיב
genesis, *n.* יְצִירָה; מוֹצָא, הִתְהַוּוּת
Genesis, *n.* (סֵפֶר) בְּרֵאשִׁית
genetics, *n. pl.* יְדִיעַת הַיְצִירָה וְהַהִתְפַּתְּחוּת
genetic, *adj.* תּוֹלָדִי, הִתְהַוּוּתִי
genial, *adj.* נוֹחַ, נָעִים, מְשַׂמֵּחַ, שָׂמֵחַ
genital, *adj.* מִינִי
genitals, *n. pl.* אֶבְרֵי הַמִּין, עֶרְוָה, עֶרְיָה, מְבוּשִׁים, תָּרְפָּה
genitive, *adj.* & *n.* יַחַס הַקִּנְיָן, יַחַס הַשַּׁיָּכוּת

genius, *n.* גָּאוֹן; גְּאוֹנוּת; כִּשְׁרוֹן; רוּחַ (טוֹב) רַע
genteel, *adj.* אָדִיב, נִמּוּסִי
gentian, *n.* יְרוֹאָר
gentile, *adj.* & *n.* גּוֹי, נָכְרִי, עָרֵל
gentility, *n.* אֲדִיבוּת
gentle, *adj.* עָדִין, רַךְ, אָצִיל, אֶפְרָתִי
gentlefolk, gentlefolks, *n. pl.* אֶפְרָתִים, אֲדִיבִים, עֲדִינִים
gentleman, *n.* אָדוֹן, אָדִיב, אֶפְרָתִי, רָזִיף
gentleness, *n.* רַכּוּת, חֲבִיבוּת, נֹעַם
gentlewoman, *n.* אֶפְרָתִית, אֲדוֹנָה, גְּבֶרֶת, גְּבִירָה, עֲדִינָה
gentry, *n.* נְשׂוּאֵי פָּנִים, דָּרֵי מַעְלָה
genuine, *adj.* אֲמִתִּי; טִבְעִי; מְקוֹרִי
geographer, *n.* חוֹקֵר כְּתִיבַת הָאָרֶץ
geographic, geographical, *adj.* שֶׁל כְּתִיבַת הָאָרֶץ
geography, *n.* כְּתִיבַת הָאָרֶץ
geologist, *n.* חוֹקֵר יְדִיעַת הָאֲדָמָה
geology, *n.* יְדִיעַת הָאֲדָמָה, חֵקֶר הָאָרֶץ
geometric, geometrical, *adj.* הַנְדָּסִי, תִּשְׁבָּרְתִּי
geometry, *n.* תִּשְׁבֹּרֶת, הַנְדָּסָה
geranium, *n.* מַקּוֹר הַחֲסִידָה
germ, *n.* חַיְדַּק, נֶבֶג, נֶבֶט, חֹנֶט, עֻבָּר
German, *adj.* & *n.* גֶּרְמָנִי, אַשְׁכְּנַזִּי
germicide, *n.* מְכַלֵּה חַיְדַּקִּים
germinate, *v.t.* & *i.* נָבַט, הִצְמִיחַ [צמח]
germination, *n.* נְבִיטָה, צְמִיחָה
gerund, *n.* שֵׁם הַפֹּעַל
gestation, *n.* הֵרָיוֹן
gesticulate, *v.i.* הֶחֱוָה, [חוה], דִּבֵּר בִּרְמָזִים, עָשָׂה תְּנוּעוֹת
gesticulation, *n.* עֲוָיָה, הַעֲוָיַת פָּנִים

gesture, *n.* מַחֲוֶה, רְמִיזָה, תְּנוּעָה
gesture, *v.i.* עָשָׂה תְּנוּעוֹת
get, *v.t.* & *i.* קִבֵּל, לָקַח, קָנָה, נָחַל, הִשִּׂיג [נשג]
get away הִתְחַמֵּק [חמק], נִמְלַט [מלט]
get into נִכְנַס [כנס]
get out יָצָא
get together הִתְאַסֵּף [אסף]
gewgaw, *n.* מִשְׂחָק, צַעֲצוּעַ
ghastly, *adj.* אָיֹם, מַבְעִית, נוֹרָא
ghost, *n.* רוּחַ (הַמֵּת), שֵׁד
ghostly, *adj.* רוּחִי, רוּחָנִי
G.I. חַיָּל בַּצָּבָא הָאֲמֵרִיקָאִי
giant, *n.* עֲנָק, נָפִיל, כַּפֵּחַ
gibber, *v.i.* גִּמְגֵּם, לִמְלֵם
gibberish, *adj.* & *n.* מְגֻמְגָּם; לִמְלוּם, גִּמְגּוּם, קָשֶׁה הֲבָנָה
gibbet, *n.* עֵץ תְּלִיָּה
gibbet, *v.t.* תָּלָה עַל עֵץ
gibe, jibe, *n.* לַעַג, מַהֲתַלָּה
gibe, jibe, *v.i.* לִגְלֵג, הִתֵּל; הִתְנוֹעֵעַ [נוע]
giblets, *n. pl.* קְרָבַיִם, אֵיבָרִים פְּנִימִיִּים (שֶׁל עוֹף)
giddiness, *n.* סְחַרְחֹרֶת (רֹאשׁ)
giddy, *adj.* סְחַרְחַר, מְבֻלְבָּל
gift, *n.* מַתָּן, מַתָּנָה, מִנְחָה, שַׁי, תְּשׁוּרָה, דּוֹרוֹן
gifted, *adj.* בַּעַל כִּשְׁרוֹנוֹת, מְחוֹנָן
gig, *n.* דּוּגִית; צִלְצָל
gigantic, *adj.* עֲנָקִי, גְּבַהּ קוֹמָה
giggle, *n.* חִיּוּךְ, גִּחוּךְ, צְחוֹק
giggle, *v.i.* חִיֵּךְ, גִּחֵךְ, צָחַק
gild, *v.* guild
gild, *v.t.* הִזְהִיב [זהב]
gilding, *n.* הַזְהָבָה
gill, *n.* זִים, אָגִיד; מִדָּב: 118 גְּרַמִּים
gilt, *adj.* מוּפָז, מֻזְהָב

gimlet, *n.* מַקְדֵּחַ יָד
gin, *n.* רֶשֶׁת, חַכָּה, פַּח; עַרְעֶרֶת (מַשְׁקֶה חָרִיף)
gin, *v.t.* לָכַד בְּפַח, חָבַט, נִקָּה מִזְרָעִים
ginger, *n.* זַנְגְּבִיל
ginger ale, ginger beer זַנְגְּבִילָה
gingerbread, *n.* לֶחֶם זַנְגְּבִיל
gingerly, *adj.* מָתוּן, זָהִיר
gingham, *n.* מִטְרִיָּה
gipsy, *v.* gypsy
giraffe, *n.* זֶמֶר, גָּמָל נְמֵרִי
gird, *v.t.* & *i.* חָגַר, אָזַר, שִׁנֵּס, הִקִּיף [נקף]
girder, *n.* כְּפִיס
girdle, *n.* מֵזַח, אֵזוֹר, אַבְנֵט, חֲגוֹרָה
girdle, *v.t.* חָגַר, עָטַר, סָבַב, הִקִּיף [נקף]
girl, *n.* נַעֲרָה, יַלְדָּה, רִיבָה, בְּתוּלָה, בַּחוּרָה; עוֹזֶרֶת, מְשָׁרֶתֶת
girlhood, *n.* נַעֲרוּת, יְמֵי בְּתוּלִים
girth, *n.* חֵבֶק
gist, *n.* עִקָּר, תַּמְצִית, תֹּכֶן
give, *v.t.* נָתַן, יָהַב
give away גִּלָּה (סוֹד); חִלֵּק
give back הֵשִׁיב [שוב], הֶחֱזִיר [חזר]
give birth יָלְדָה [ילד]
give ground נָסוֹג [נסג]
give up הִתְיָאֵשׁ [יאש], הִסְגִּיר [סגר]
give way וִתֵּר
giver, *n.* נוֹתֵן, נַדְבָן
gizzard, *n.* קֵבַת עוֹף
glacial, *adj.* קַרְחִי
glacier, *n.* קַרְחוֹן
glad, *adj.* מְרֻצֶּה, שָׂמֵחַ
gladden, *v.t.* & *i.* שִׂמַּח, שָׂשׂ [שיש]
glade, *n.* קָרְחָה (בַּיַּעַר)
gladiola, gladiolus, *n.* סֵיפָן

gladly, *adv.* בְּשִׂמְחָה
gladness, *n.* שִׂמְחָה
glamour, glamor, *n.* מִקְסָם
glamorous, glamourous, *adj.* מַזְהִיר
glance, *n.* מַבָּט, הַבָּטָה, סְקִירָה
glance, *v.t.* & *i.* סָקַר, הֵעִיף [עוף] עַיִן
gland, *n.* בַּלּוּט, בַּלּוּטָה, שָׁקֵד
glandular, *adj.* בַּלּוּטִי
glare, *n.* זֹהַר, בָּרָק; סִנְווּר
glare, *v.i.* הִבִּיט [נבט], הִזְהִיר [זהר], הִבְרִיק [ברק]; סִנְוֵר
glass, *n.* זְכוּכִית; מַרְאָה; כּוֹס
glassware, *n.* כְּלֵי זְכוּכִית
glassy, *adj.* זְכוּכִי
glaucoma, *n.* בַּרְקִית
glaze, *n.* זִגּוּג
glaze, *v.t.* זִגֵּג, הִסְגִּיר [סגר] זְכוּכִית
gleam, *n.* אוֹר, זֹהַר, זִיו, נִצְנוּץ
gleam, *v.i.* הֵאִיר [אור], הִזְהִיר [זהר]
glean, *n.* לֶקֶט
glean, *v.t.* & *i.* לִקֵּט
gleaner, *n.* מְלַקֵּט
glee, *n.* שִׂמְחָה, מָשׂוֹשׂ, צָהֳלָה
gleeful, *adj.* צָהֵל, עַלִּיז, שָׂשׂ
glen, *n.* גַּיְא
glib, *adj.* מָהִיר, חֲלַקְלַק
glide, *n.* רִחוּף, הַחֲלָקָה; דְּאִיָּה, גְּלִישָׁה
glide, *v.i.* רִחֵף, הֶחֱלִיק [חלק], דָּאָה
glimmer, *n.* אוֹר רָפֶה; הִבְהוּב (אֵשׁ)
glimmer, *v.i.* עָמַם; הִבְהֵב
glimpse, *n.* קֶרֶן אוֹר, מְעוּף עַיִן
glimpse, *v.i.* & *t.* נִצְנֵץ; נִרְאָה [ראה] (עַיִן) לִפְרָקִים
glint, *v.t.* & *i.* הִבְהִיק [בהק], נִצְנֵץ
glint, *n.* נִצְנוּץ, הַבְהָקָה
glisten, *n.* צִחְצוּחַ
glisten, *v.i.* הִבְרִיק [ברק], הִזְהִיר [זהר], נִצְנֵץ [נצץ]
glitter, *n.* זִיו, זֹהַר
glitter, *v.i.* נִצְנֵץ, הִבְהִיק [בהק]
gloaming, *n.* בֵּין (הַשְּׁמָשׁוֹת) הָעַרְבַּיִם
gloat, *v.i.* הִסְתַּכֵּל [סכל] בְּתַאֲוָה, הִבִּיט [נבט] בִּתְשׁוּקָה
globe, *n.* כַּדּוּר, כַּדּוּר הָאָרֶץ
globule, *n.* כַּדּוּרִית, גַּרְעִין
gloom, *n.* אֲפֵלָה, חֲשֵׁכוּת, קַדְרוּת; עִצָּבוֹן, תּוּגָה, צַעַר
gloomy, *adj.* אָפֵל, קוֹדֵר; עָצוּב
glorification, *n.* הִדּוּר, תְּהִלָּה, הַעֲרָצָה
glorify, *v.t.* הֶאְדִּיר [אדר], הִלֵּל, שִׁבַּח, פֵּאֵר
glorious, *adj.* מְפֹאָר, מְהֻלָּל, נֶאְדָּר
glory, *n.* פְּאֵר, תִּפְאֶרֶת, הוֹד, תְּהִלָּה
gloss, *n.* פֵּרוּשׁ, הֶעָרָה
gloss, *v.t.* & *i.* מֵרַט; מָחַל; בֵּאֵר
glossary, *n.* מִלּוֹן, בֵּאוּר מִלִּים
glossy, *adj.* נוֹצֵץ, מַבְרִיק
glove, *n.* כְּפָפָה, כְּסָיָה
glow, *n.* לֶהָבָה; הִתְלַהֲבוּת; לַחַשׁ (גֶּחָלִים); אֹדֶם
glow, *v.i.* בָּעַר, לָחַשׁ, לָהַט
glower, *n.* & *v.i.* מַבָּט זוֹעֵם; זָעַף
glowworm, *n.* גַּחֲלִית
glucose, *n.* סֻכַּר עֲנָבִים
glue, *n.* דֶּבֶק
glue, *v.t.* הִדְבִּיק [דבק]
gluey, *adj.* דִּבְקִי
glum, *adj.* נֶעְכָּר, עָגוּם
glut, *n.* עֹדֶף, שֹׂבַע, שֶׁפַע, רְוָיָה
glut, *v.t.* מִלֵּא, הִשְׂבִּיעַ [שבע]
glutton, *n.* בַּלְעָן, זוֹלֵל, גַּרְגְּרָן
gluttonous, *adj.* בַּלְעָנִי
gluttony, *n.* בַּלְעוּת, גַּרְגְּרָנוּת
glycerin, glycerine, *n.* מְתִקִית
gnarl, *n.* נְהִימָה
gnash, *v.t.* חָרַק שִׁנַּיִם

gnat, *n.* בַּקָּה, יַבְחוּשׁ
gnaw, *v.t.* & *i.* כִּרְסֵם
gnome, *n.* נַנָּס; פִּתְגָּם
go, *v.i.* הָלַךְ; הִתְאִים [תאם]; נָסַע
go away הָלַךְ לוֹ, הִסְתַּלֵּק [סלק]
go back חָזַר, שָׁב [שוב]
go down יָרַד, טָבַע, שָׁקַע
go in נִכְנַס [כנס]
go out יָצָא; דָּעַךְ
goad, *n.* דָּרְבָּן, מַלְמֵד
goad, *v.t.* הִמְרִיץ [מרץ], הֵאִיץ [אוץ]
goal, *n.* מַטָּרָה, תַּכְלִית; שַׁעַר כַּדּוּרֶגֶל
goat, *n.* תַּיִשׁ, צָפִיר, עַתּוּד
goat, *n. f.* עֵז, שְׂעִירָה
gobble, *v.t.* & *i.* אָכַל, בָּלַע; אִדֵּר (תַּרְנְגוֹל הֹדּוּ)
gobbler, *n.* תַּרְנְגוֹל הֹדּוּ
goblet, *n.* גָּבִיעַ
go-between, *n.* מְתַוֵּךְ, סַרְסוּר, אִישׁ בֵּינַיִם, שַׁדְּכָן
goblin, *n.* רְפָאִים
god, *n.* אֵל, אֱלִיל
God, *n.* אֱלֹהַּ, אֱלֹהִים, אֵל, הַקָּדוֹשׁ בָּרוּךְ הוּא (הקב״ה), הַשֵּׁם, ה׳, יָהּ, יְהֹוָה, אֶהְיֶה (אֲשֶׁר אֶהְיֶה)
God forbid חָלִילָה, חַס וְחָלִילָה, חַס וְשָׁלוֹם
God willing אִם יִרְצֶה הַשֵּׁם (אי״ה), בָּרוּךְ הַשֵּׁם (ב״ה)
thank God תּוֹדָה לָאֵל
goddess, *n.* אֱלִילָה, אֵלָה
godfather, *n.* סַנְדָּק
godhead, *n.* אֱלֹהוּת
godlike, *adj.* אֱלֹהִי, דּוֹמֶה לֵאלֹהִים
godmother, *n.* סַנְדָּקִית
godsend, *n.* חֶסֶד אֱלֹהִים
godship, *n.* אֱלֹהוּת

godly, *adj.* אֱלֹהִי, קָדוֹשׁ
Godspeed, *n.* בִּרְכַּת אֱלֹהִים, „צֵאתְךָ לְשָׁלוֹם״, „עֲלֵה וְהַצְלַח״
goggle, *v.i.* פָּזַל
gold, *n.* זָהָב, חָרוּץ, כֶּתֶם, פָּז
golden, *adj.* זָהוּב
goldfish, *n.* דַּג זָהָב
goldsmith, *n.* צוֹרֵף, זֶהָבִי
golf, *n.* כַּדּוּרַאֲלָה, גּוֹלְף
gondola, *n.* סִירִית, גּוֹנְדוֹלָה
gong, *n.* תֹּף, מְצִלּוֹל
gonorrhea, gonorrhoea, *n.* זִיבָה
good, *adj.* & *n.* יָשָׁר, טוֹב, מוֹעִיל, רָאוּי; חֶסֶד
good-by, good-bye, *n.* & *interj.* שָׁלוֹם
goodness, *n.* טוּב, חֶסֶד
goods, *n. pl.* רְכוּשׁ, כִּנְעָה, סְחוֹרָה
goody, *n.* מִתְחַסֵּד; מַמְתָּק
good will, *n.* רָצוֹן טוֹב; שֵׁם (לְקוּחוֹת)
goose, *n.* אַוָּזָה
gooseberry, *n.* עַכְּבִית
gore, *v.t.* נָגַח, נִגַּח; דָּקַר
gorge, *n.* גָּרוֹן; גַּיְא
gorge, *v.t.* הִלְעִיט [לעט], בָּלַע
gorgeous, *adj.* נֶהְדָּר, כְּלִיל יֹפִי
gorilla, *n.* קוֹף אָדָם, גּוֹרִילָה
gory, *adj.* דָּמוּם
gosling, *n.* אַוָּזוֹן
gospel, *n.* בְּשׂוֹרָה, תּוֹרָה, אֱמוּנָה
gossip, *n.* פִּטְפּוּט, לְשׁוֹן הָרָע, רְכִילוּת, רַכְלְתָנוּת
gossip, *v.i.* רִכֵּל, הִלְעִיז [לעז]
Gothic, *adj.* גּוֹתִי, פְּרָאִי, גַּס
gouge, *n.* חֶרֶט מְקֻעָר
gourd, *n.* דְּלַעַת
gourmand, *n.* אַכְלָן
gourmet, *n.* טִיבְאַכְלָן
gout, *n.* צִנִּית

govern, *v.t.* מָשַׁל, שָׁלַט, נִהֵל

governess, *n.* אוֹמֶנֶת

government, *n.* מֶמְשָׁלָה, שִׁלְטוֹן

governor, *n.* מוֹשֵׁל, נְצִיב, שַׁלִּיט

gown, *n.* שִׂמְלָה

grab, *n.* חֲטִיפָה, תְּפִישָׂה, אֲחִיזָה

grab, *v.t.* & *i.* חָטַף, תָּפַשׂ, אָסַר

grace, *n.* חֶסֶד, חֵן, חֲנִינָה, גְּמוּל; בִּרְכַּת הַמָּזוֹן

grace, *v.t.* חָנַן, פֵּאֵר

graceful, *adj.* חִנָּנִי, מְלֵא חֵן

graceless, *adj.* חֲסַר חֵן

gracious, *adj.* נָדִיב, טוֹב לֵב

graciousness, *n.* חֶסֶד, טוּב לֵב

grade, *n.* דַּרְגָּה; שִׁפּוּעַ; כִּתָּה; דֶּרֶג; צִיּוּן

grade, *v.t.* יִשֵּׁר, פִּלֵּס, הִדְרִיג [דרג], חִלֵּק; נָתַן צִיּוּן, צִיֵּן

gradient, *n.* מוֹרָד

gradual, *adj.* הַדְרָגִי, דָּרוּג, מְדֹרָג

graduate, *n.* מְסַיֵּם

graduate, *v.i.* סִיֵּם

graduation, *n.* סִיּוּם; מַחֲזוֹר; הַדְרָגָה, דֵּרוּג

graft, *n.* יִחוּר; שֹׁחַד

graft, *v.t.* & *i.* הִרְכִּיב [רכב]; שִׁחֵד

grain, *n.* גַּרְעִין; דָּגָן, תְּבוּאָה, בָּר

gram, *n.* גְּרַם

grammar, *n.* דִּקְדּוּק

grammarian, *n.* מְדַקְדֵּק

grammatical, *adj.* דִּקְדּוּקִי

granary, *n.* אַמְבָּר, אָסָם, מְגוּרָה

grand, *adj.* גָּדוֹל, מְפֹאָר, נֶהְדָּר

granddaughter, *n.* נֶכְדָּה

grandeur, *n.* רוֹמֵמוּת, גְּדֻלָּה

grandfather, *n.* סָב, סַבָּא, אָב זָקֵן

grandmother, *n.* סָבָה, סַבְתָּא, אֵם זְקֵנָה

grandson, *n.* נֶכֶד

grange, *n.* חַוָּה, מֶשֶׁק

granite, *n.* שַׁחַם

grant, *n.* הַעֲנָקָה, תְּמִיכָה, מַתָּנָה, הֲנָחָה

grant, *v.t.* נָתַן, הִנִּיחַ [נוח], הוֹדָה [ידה]

granular, *adj.* מְגֻרְעָן, מְחֻסְפָּס

granulate, *v.t.* & *i.* גִּרְעֵן, פֵּרֵר

granulation, *n.* גִּרְעוּן

granule, *n.* גַּרְגֵּר, פֵּרוּר

grape, *n.* עֵנָב

grapefruit, *n.* אֶשְׁכּוֹלִית

grapevine, *n.* גֶּפֶן

graphite, *n.* אָבָר

grapnel, *n.* עֹגֶן קָטָן

grapple, *n.* הִתְגּוֹשְׁשׁוּת, נַפְתּוּלִים

grapple, *v.t.* & *i.* אָחַז, תָּפַשׂ; נֶאֱבַק [אבק]

grasp, *v.t.* & *i.* תָּפַס, הֵבִין [בין], הִשִּׂיג [נשג]

grasp, *n.* תְּפִיסָה, הֲבָנָה, הַשָּׂגָה

grass, *n.* עֵשֶׂב, דֶּשֶׁא

grasshopper, *n.* חָגָב, אַרְבֶּה, חַרְגּוֹל

grassy, *adj.* עִשְׂבִּי

grate, *n.* מִכְבָּר, סָרִיג, שְׂבָכָה

grate, *v.t.* & *i.* שִׁפְשֵׁף, גָּרַד, הִרְגִּיז [רגז]

grateful, *adj.* אֲסִיר תּוֹדָה

gratefulness, *n.* הַכָּרַת טוֹבָה

gratification, *n.* נַחַת רוּחַ, רִצּוּי, גְּמוּל; הַעֲנָקָה

gratify, *v.t.* גָּמַל, נָתַן שָׂכָר; מִלֵּא תַּאֲוָתוֹ, הִשְׂבִּיעַ [שבע] רָצוֹן־

grating, *n.* בַּרְזִלֵּי הַמִּכְבָּר

gratis, *adv.* חִנָּם, לְלֹא תַּשְׁלוּם

gratitude, *n.* הַכָּרַת תּוֹדָה

gratuitous, *adj.* נִתָּן חִנָּם, מְיֻתָּר

gratuity, *n.* מַתָּת, מַתָּנָה, שַׁי, תְּשׁוּרָה
grave, *adj.* רְצִינִי
grave, *n.* קֶבֶר, אַשְׁמָן
grave, *v.t.* חָרַת, גִּלֵּף, פִּתַּח, פָּסַל
gravedigger, *n.* קַבְּרָן
gravel, *n.* חָצָץ
gravely, *adv.* בִּרְצִינוּת
graven, *adj.* חָרוּת, חָקוּק
gravestone, *n.* נֶפֶשׁ, מַצֵּבָה
graveyard, *n.* בֵּית קְבָרוֹת, מִקְבָּרָה
gravitate, *v.t.* נִמְשַׁךְ [משך]
gravitation, *n.* הִמָּשְׁכוּת, כֹּחַ הַמְּשִׁיכָה, כֹּחַ הַכֹּבֶד
gravity, *n.* מְשִׁיכַת הָאָרֶץ; רְצִינוּת
gravy, *n.* רֹטֶב, צִיר, זָמִית
gray, grey, *adj.* & *n.* אָפֹר, אָמֹץ; שָׂב
graybeard, greybeard, *n.* זָקֵן, אִישׁ שֵׂיבָה
graze, *v.t.* & *i.* רָעָה; נָגַע נְגִיעָה קַלָּה
grazing, *n.* רְעִי, רְעִיָּה, מִרְעֶה
grease, *n.* שֶׁמֶן, חֵלֶב; שֶׁמֶן סִיכָה
grease, *v.t.* שָׁמַן, הֵסִיךְ [סוך]; שָׁחַד
greasy, *adj.* שָׁמֵן, שַׁמְנוּנִי
great, *adj.* גָּדוֹל, כַּבִּיר, נַעֲלֶה, חָשׁוּב, מְפֻרְסָם
great-grandchild, *n.* נִין
greatly, *adv.* הַרְבֵּה, בְּמִדָּה מְרֻבָּה
greatness, *n.* גֹּדֶל, גְּדֻלָּה
Grecian, *adj.* יְוָנִי
greed, *n.* תַּאֲוָה, אַהֲבַת בֶּצַע, קְמִיצוּת
greedy, *adj.* מִתְאַוֶּה, קַמְצָן
Greek, *adj.* & *n.* יְוָנִי, יְוָנִית
green, *adj.* יָרֹק
green, *n.* יֶרֶק
green, *v.t.* & *i.* צָבַע יָרֹק, עָשָׂה יָרֹק; הוֹרִיק [ירק]; דָּשָׁא
greenback, *n.* דּוֹלָר, שְׁטָר „יָרֹק"
greenhorn, *n.* „יָרֹק", בִּלְתִּי מְנֻסֶּה
greenhouse, *n.* חֲמָמָה
greenish, *adj.* יְרַקְרַק
greet, *v.t.* & *i.* דָּרַשׁ בִּשְׁלוֹם, קִבֵּל פְּנֵי אִישׁ בְּבִרְכַּת שָׁלוֹם
greeting, *n.* דְּרִישַׁת (פְּרִיסַת) שָׁלוֹם
grenade, *n.* פְּצָצַת יָד, רִמּוֹן יָד
grey, *v.* gray
grid, *n.* סְבָכָה (לְחַלּוֹן)
griddle, *n.* מַחֲבַת, מַרְחֶשֶׁת
griddlecake, *n.* רְדִידָה, חֲמִיטָה
gridiron, *n.* מִשְׁפָּדָה
grief, *n.* יָגוֹן, תּוּגָה, צַעַר, עָגְמַת נֶפֶשׁ
grievance, *n.* תְּלוּנָה, קֻבְלָנָה
grieve, *v.t.* עָצַב, צִעֵר
grieve, *v.i.* עָגַם, הִתְאַבֵּל [אבל]
grievous, *adj.* מַדְאִיב, מְצַעֵר
grill, *n.* צְלִי (עַל גֶּחָלִים)
grill, *v.t.* & *i.* צָלָה; נִצְלָה [צלה]
grim, *adj.* מַחֲרִיד, זוֹעֵם, נוֹאָשׁ
grimace, *n.* הַעֲוָיָה
grimace, *v.i.* עִוָּה
grime, *n.* לִכְלוּךְ, פִּיחַ
grimy, *adj.* מְלֻכְלָךְ
grin, *v.t.* חִיֵּךְ, צָחַק
grin, *n.* חִיּוּךְ רָחָב, צְחוֹק, צְחוֹק לַעַג
grind, *n.* טְחִינָה, שִׁפְשׁוּף, מֵרוּט; שְׁחִיקָה
grind, *v.t.* & *i.* טָחַן, דָּקַק, שָׁחַק, כָּתַשׁ; הִשְׁחִיז [שחז], שָׁף [שוף]; חָרַק (שִׁנַּיִם)
grinder, *n.* שֵׁן טוֹחֶנֶת; מַשְׁחִיז
grindstone, *n.* אֶבֶן מַשְׁחֶזֶת, מַשְׁחֵזָה
grip, *n.* תְּפִיסָה, לְחִיצָה, לְחִיצַת יָד; יָדִית; שַׁפַּעַת
grip, *v.t.* & *i.* תָּפַס, הֶחֱזִיק [חזק]
gripe, *n.* תְּפִיסָה, לְחִיצָה
grippe, *n.* שַׁפַּעַת
grisly, *adj.* אָיֹם, נוֹרָא

grist, *n.* גֶּרֶשׁ

gristle, *n.* סְחוּס, חַסְחוּס

grit, *n.* חוֹל גַּס; אֶבֶן חוֹל; אֹמֶץ (רוּחַ)

grits, *n. pl.* גְּרִיסִים; דַּיְסָה

grizzly, *adj.* אָפֹר, אַפְרוּרִי

groan, *n.* אֲנָחָה, נְאָקָה, הֶמְיָה

groan, *v.t. & i.* נֶאֱנַח [אנח], גָּנַח, הָמָה

grocer, *n.* בַּעַל מַכֹּלֶת

grocery, *n.* מַכֹּלֶת, חֲנוּת מַכֹּלֶת

grog, *n.* מַשְׁקֶה חָרִיף, יַ״שׁ

groggy, *adj.* שִׁכּוֹר; מִתְנוֹעֵעַ

groin, *n.* מִפְשָׂעָה; זָוִית קַשְׁתִּית

groom, *n.* סַיָּס; שֻׁשְׁבִּין; חָתָן

groom, *v.t.* טִפֵּל; נִקָּה (סוּסִים)

groove, *n.* חָרִיץ, חֶרֶץ, תֶּלֶם

groove, *v.t.* חָרַץ, עָשָׂה חָרִיץ בְּ־

grope, *v.t. & i.* מִשֵּׁשׁ, גִּשֵּׁשׁ

gross, *n.* תְּרֵיסַר תְּרֵיסָרִים; סַךְ הַכֹּל

gross, *adj.* גָּדוֹל, עָצוּם, עָבֶה, גַּס; נָגִיעַ; תַּאֲוָנִי; טִפְּשִׁי

grotesque, *adj.* מוּזָר, מְשֻׁנֶּה

grotto, *n.* נִקְרָה, נָקִיק, גַּחַר

grouch, *n.* זְעוּם פָּנִים

grouch, *v.i.* רָטַן

ground, *n.* קַרְקַע; אֲדָמָה, אֶרֶץ; נִמּוּק; יְסוֹד, סֶמֶךְ; מִגְרָשׁ (מִשְׂחָקִים)

ground, *v.t. & i.* יִסֵּד, בִּסֵּס; עָלָה עַל שִׂרְטוֹן; חִבֵּר לָאֲדָמָה

groundless, *adj.* חֲסַר יְסוֹד

group, *n.* לַהֲקָה, קְבוּצָה, פְּלֻגָּה

group, *v.t.* הִתְגּוֹדֵד [גדד]

grouse, *n.* קַטָּעָה, תַּרְחוֹל

grove, *n.* חֹרְשָׁה, מַטָּע; פַּרְדֵּס

grovel, *v.i.* הִתְרַפֵּס [רפס], זָחַל

grow, *v.t. & i.* גִּדֵּל, הִצְמִיחַ [צמח]; גָּדַל, צָמַח, רָבָה

growl, *n.* נְהִימָה, הִתְמַרְמְרוּת

growl, *v.i.* נָהַם, הִתְלוֹנֵן [לין]

growth, *n.* גִּדּוּל, צְמִיחָה

grub, *n.* זַחַל (גֹּלֶם); מָזוֹן

grub, *v.t. & i.* חָפַר, עָמַל; אָכַל, הֶאֱכִיל [אכל]

grudge, *n.* טִינָה, קִנְאָה

grudge, *v.t.* הָיָה צַר עַיִן, נָטַר, קִנֵּא

gruel, *n.* מִקְפָּא, דַּיְסָה

gruesome, *adj.* מַבְהִיל, אָיֹם

gruff, *adj.* זוֹעֵם, גַּס, קָשֶׁה

grumble, *n.* רִטּוּן, הִתְמַרְמְרוּת

grumble, *v.i.* רָטַן, הִתְאוֹנֵן [אנן]

grumpy, *adj.* מִתְמַרְמֵר, זוֹעֵם, מִתְלוֹנֵן

grunt, *n.* אֲנָקָה, נְאָקָה, צְרִיחָה

grunt, *v.i.* נָאַק, אָנַק; צָרַח

guano, *n.* דִּבְיוֹנִים

guarantee, guaranty, *n.* עֲרֻבָּה, עֵרָבוֹן

guarantee, *v.t.* עָרַב

guard, *n.* (חֵיל) מִשְׁמָר, נוֹטֵר, שׁוֹמֵר

guard, *v.t. & i.* שָׁמַר, נָטַר, נָצַר; נִשְׁמַר [שמר], נִזְהַר [זהר]

guardian, *n.* מַשְׁגִּיחַ, אֶפִּיטְרוֹפּוֹס

guerdon, *n.* שָׂכָר, גְּמוּל, פְּרָס

guerrilla, guerilla, *n.* הִתְגָּרוּת

guess, *n.* סְבָרָה, נִחוּשׁ, הַשְׁעָרָה

guess, *v.t. & i.* נִחֵשׁ, סָבַר, חָשַׁב

guest, *n.* אוֹרֵחַ, קָרוּא

guffaw, *n.* צְחוֹק עַז (קוֹלָנִי)

guidance, *n.* הַדְרָכָה, הַנְהָגָה

guide, *n.* מַדְרִיךְ, מוֹרֵה דֶרֶךְ, מַנְהִיג

guide, *v.t.* הִדְרִיךְ [דרך], חִנֵּךְ, נָחָה

guidebook, *n.* מַדְרִיךְ

guild, gild, *n.* אַחֲוָה, הִתְאַחֲדוּת, חֶבְרָה

guile, *n.* הוֹנָאָה, עָרְמָה

guileful, *adj.* כּוֹזֵב

guileless, *adj.* זַךְ, תָּם

guillotine, *n.* מַעֲרֶפֶת, גַּרְדּוֹם, מַכְרֵתָה

guillotine, *v.t.* עָרַף, כָּרַת (רֹאשׁ)

guilt, *n.* אַשְׁמָה, עֲבֵרָה, רִשְׁעָה

guiltiness, *n.* עָוֹן, אָוֶן, רֶשַׁע, פֶּשַׁע
guilty, *adj.* אָשֵׁם, חַיָּב
guinea pig, *n.* חֲזִיר יָם
guise, *n.* מַרְאֶה, דְּמוּת, מַסְוֶה, מַסֵּכָה
guitar, *n.* קַתְרוֹס
gulch, *n.* בְּקִיעַ הָרִים, גַּיְא
gulf, *n.* מִפְרָץ, לְשׁוֹן יָם
gull, *n.* שַׁחַף
gull, *v.t.* רִמָּה
gullet, *n.* וֶשֶׁט, בֵּית הַבְּלִיעָה
gullible, *adj.* נוֹחַ לְהַאֲמִין, מַאֲמִין לַכֹּל
gully, *n.* עָרוּץ, תְּעָלָה מְלָאכוּתִית
gulp, *n.* לֶגֶם, לְגִימָה גְּדוֹלָה, עִלּוּעַ
gulp, *v.t.* גִּמַּע, לָגַם, עִלַּע
gum, *n.* צֶמֶג; שְׂרָף; לַעַס
gum, *v.t.* צָמַג; הִדְבִּיק [דבק]
gummy, *adj.* צָמִיג, דָּבִיק
gumption, *n.* תְּבוּנָה
gums, *n. pl.* חֲנִיכַיִם, חִנְכַּיִם
gun, *n.* רוֹבֶה, קְנֵה רוֹבֶה; תּוֹתָח
gun, *v.t.* יָרָה
gunboat, *n.* סִירַת תּוֹתָחִים
gunfire, *n.* אֵשׁ תּוֹתָחִים
gunman, *n.* שׁוֹדֵד מְזֻיָּן
gunner, *n.* תּוֹתְחָן, מְקַלְּעָן
gunnery, *n.* תּוֹתְחָנוּת
gunpowder, *n.* בָּרֶד, אֲבַק שְׂרֵפָה
gunshot, *n.* טְוָח (מְטַחֲוֵה) רוֹבֶה
gunsmith, *n.* נַשָּׁק
gurgle, *n.* גִּרְגּוּר
gurgle, *v.i.* גִּרְגֵּר
gush, *v.t. & i.* נָבַע; נָמוֹג [מוג] (דְּמָעוֹת)
gush, *n.* מַבּוּעַ, שֶׁטֶף
gust, *n.* טַעַם; זִנּוּק; סוּפַת פִּתְאוֹם, רוּחַ תְּזָזִית
gut, *v.t.* רִטֵּשׁ (בֶּטֶן), שָׁפַךְ (הוֹצִיא) מֵעַיִם
guts, *n. pl.* מֵעַיִם, קְרָבַיִם; הֶעָזָה, אֹמֶץ (רוּחַ)
gutter, *n.* סִילוֹן; בִּיב, תְּעָלָה; מַזְחִילָה
guttural, *adj.* מִבְטָא גְּרוֹנִי
guy, *n.* בַּרְנָשׁ
guy, *v.t.* עָשָׂה לִצְחוֹק, הִתְלוֹצֵץ [ליץ]
guzzle, *v.i.* זָלַל
gymnasium, *n.* מִדְרָשָׁה, בֵּית סֵפֶר תִּיכוֹנִי; אוּלָם הִתְעַמְּלוּת
gymnast, *n.* מִתְעַמֵּל
gymnastics, *n. pl.* הִתְעַמְּלוּת
gynecology, gynaecology, *n.* יְדִיעַת מַחֲלוֹת נָשִׁים
gypsum, *n.* גֶּבֶס
gypsy, gipsy, *n.* צוֹעֲנִי, צוֹעֲנִית
gyrate, *v.i.* הִסְתּוֹבֵב [סבב], הִתְגַּלְגֵּל [גלגל]
gyration, *n.* הִסְתּוֹבְבוּת
gyve, *n. (pl.)* סַד, אֲזִקִּים
gyve, *v.t.* שָׂם [שים] בַּסַּד, אָסַר (בַּאֲזִקִּים)

H, h

H, h, *n.* אֵיטְשׁ, הָאוֹת הַשְּׁמִינִית בָּאָלֶף בֵּית הָאַנְגְּלִי; שְׁמִינִי, ח׳
haberdasher, *n.* סִדְקִי (סִדְקָן)
haberdashery, *n.* סִדְקִית
habit, *n.* מִנְהָג, הֶרְגֵּל; לְבוּשׁ, מַלְבּוּשׁ
habitable, *adj.* רָאוּי לְמְגוּרִים
habitant, *n.* תּוֹשָׁב, דַּיָּר
habitat, *n.* מָעוֹן, מָגוֹר, מִשְׁכָּן, מָדוֹר
habitation, *n.* בַּיִת, דִּירָה
habitual, *adj.* רָגִיל, הֶרְגֵּלִי
habituate, *v.t.* הִרְגִּיל [רגל]
hack, *v.t. & i.* קִצֵּץ, קָרַע לִגְזָרִים

hack, hackney, *n.* סוּס עֲבוֹדָה, כִּרְכָּרָה
hackle, *n.* נוֹצָה אֲרֻכָּה (בְּצַוַּאר הָעוֹף)
haddock, *n.* חֲמוֹר יָם
Hades, *n.* שְׁאוֹל, גֵּיהִנּוֹם
haemorrhoids, *v.* hemorrhoids
haemorrhage, *v.* hemorrhage
haft, *n.* נִצָּב, יָדִית
hag, *n.* אִשָּׁה מְכֹעֶרֶת, מְכַשֵּׁפָה, זְקֵנָה בָּלָה
haggard, *adj.* דַּל, רַע הַמַּרְאֶה
haggle, *n.* תִּגּוּר, תִּגְרָה
haggle, *v.i.* תִּגֵּר, עָמַד עַל הַמִּקָּח
Hagiographa, *n.pl.* כְּתוּבִים, דִּבְרֵי קֹדֶשׁ
hail, *n.* בָּרָד
hail, *v.t.* & *i.* בֵּרַךְ בְּשָׁלוֹם; בָּרַד
hailstone, *n.* אֶבֶן הַבָּרָד, אֶלְגָּבִישׁ, חֲנָמַל
hailstorm, *n.* סוּפַת בָּרָד
hair, *n.* שְׂעָרוֹת, שַׂעֲרָה, שֵׂעָר, נִימָה
haircut, *n.* תִּסְפֹּרֶת
hairdresser, *n.* סַפָּר, סַפֶּרֶת
hairpin, *n.* מַכְבֵּנָה, סִכַּת רֹאשׁ
hairy, *adj.* שָׂעִיר
hake, *n.* דַּג הַזְּאֵב
halcyon, *adj.* שָׁלֵו, שׁוֹקֵט
hale, *adj.* בָּרִיא, שָׁלֵם
half, *n.* חֲצִי, מֶחֱצָה, מַחֲצִית
halibut, *n.* פּוּטִית
hall, *n.* אוּלָם; מָבוֹא, מִסְדְּרוֹן
hallelujah, halleluiah, *n.* הַלְלוּיָהּ
hallow, *v.t.* קִדֵּשׁ, הִקְדִּישׁ [קדש]
hallucination, *n.* חֲזוֹן תַּעְתּוּעִים, דִּמְיוֹן כּוֹזֵב, דִּמְיוֹן שָׁוְא שֶׁל זֹהַר
halo, *n.* הִלָּה, עֲטָרָה
halt, *n.* צְלִיעָה, פְּסִיחָה; הַפְסָקָה, מְקוֹם עֲמִידָה
halt, *v.t.* & *i.* עָמַד מִלֶּכֶת, נָח [נוח]; פָּסַח, צָלַע; מָעַד

halter, *n.* אַפְסָר; חֶבֶל תְּלִיָּה
halve, *v.t.* חִצָּה, חָצָה, חִלֵּק לִשְׁנַיִם
ham, *n.* עַרְקֹב, שׁוֹק חֲזִיר, אַרְכֻּבָּה
hamburger, *n.* קְצִיצָה, בָּשָׂר קָצוּץ
hamlet, *n.* כְּפָר קָטָן
hammer, *n.* פַּטִּישׁ, מַקֶּבֶת, הַלְמוּת, קֻרְנָס
hammer, *v.t.* & *i.* הִכָּה בְּפַטִּישׁ, רִדֵּד, הָלַם
hammock, *n.* עַרְסָל
hamper, *n.* סַלְסִלָּה, סַל נְצָרִים
hamper, *v.t.* עִכֵּב, עָצַר
hamstring, *n.* & *v.t.* גִּיד הַבֶּרֶךְ; עִקֵּר (סוּס, פַּר)
hand, *n.* יָד; כַּף; מָחוֹג (שָׁעוֹן); מִשְׂחָק (קְלָפִים)
at hand קָרוֹב
hand, *v.t.* מָסַר, נָתַן, הִסְגִּיר [סגר]
handbill, *n.* מוֹדָעִית, מוֹדָעַת יָד
handcuffs, *n. pl.* אֲזִקִּים, נְחֻשְׁתַּיִם
handcuff, *v.t.* אָסַר בַּאֲזִקִּים
handful, *n.* חֹפֶן, מְלֹא הַיָּד
handicap, *n.* מִכְשׁוֹל, פּוּקָה, קֹשִׁי
handicraft, *n.* אֻמָּנוּת, מְלֶאכֶת יָד
handkerchief, *n.* מִמְחָטָה, מִטְפַּחַת
handle, *n.* יָדִית, אֹחֶז, אֹזֶן, קַת (רוֹבֶה)
handle, *v.t.* נָגַע; טִפֵּל בְּ־, מִשֵּׁשׁ; הִתְעַסֵּק [עסק]
handsome, *adj.* יָפֶה, נָאֶה, שַׁפִּיר
handwork, *n.* מְלֶאכֶת יָד
handwriting, *n.* כְּתַב יָד
handy, *adj.* מוֹעִיל, שִׁמּוּשִׁי
hang, *n.* תְּלִיָּה, צְלִיבָה
hang, *v.t.* & *i.* תָּלָה, הָיָה תָּלוּי, צָלַב
hangar, *n.* מוּסָךְ, מוּסַךְ לִמְטוֹסִים
hanger, *n.* תַּלְיָן; מַתְלֶה, תְּלִי, קֹלֶב
hangman, *n.* תַּלְיָן, טַבָּח
hang-over, *n.* & *adj.* הִתְפַּכְּחוּת

hank, *n.* פְּקַעַת
hanker, *v.i.* הִשְׁתּוֹקֵק [שקק], הִתְאַוָּה [אוה]
hansom, *n.* מֶרְכָּבָה
hap, *n.* מְאֹרָע, מִקְרֶה
haphazard, *n.*, *adj.* & *adv.* מִקְרֶה, הִזְדַּמְּנוּת; אֲרָעִי; בְּמִקְרֶה
haphtarah, *n.* הַפְטָרָה
hapless, *adj.* מִסְכֵּן, אֻמְלָל
haply, *adv.* בְּמִקְרֶה
happen, *v.i.* קָרָה, אֻנָּה, הָיָה, נִהְיָה [היה]
happily, *adv.* בְּדֶרֶךְ (נֵס) מַזָּל, לְאָשְׁרוֹ
happiness, *n.* אֹשֶׁר, הַצְלָחָה
happy, *adj.* מְאֻשָּׁר, שָׂמֵחַ
harangue, *n.* נְאוּם נִלְהָב
harass, *v.t.* הֵצִיק [צוק], הִרְגִּיז [רגז]; עִיֵּף, מוֹטֵט [מוט] הִלְאָה [לאה]
harbinger, *n.* מַכְרִיז, כָּרוֹז, מְבַשֵּׂר
harbor, harbour, *n.* נָמָל, נָמֵל
harbor, harbour, *v.t.* & *i.* נָתַן מַחְסֶה, אִכְסֵן, צָפַן בְּלִבּוֹ, טָמַן בְּחֻבּוֹ
harborage, harbourage, *n.* נָמָל, מַעֲגָנָה
hard, *adj.* & *adv.* קָשֶׁה; חָזָק; בְּקשִׁי
harden, *v.t.* הִקְשָׁה [קשה], חִזֵּק, חִסֵּם
harden, *v.i.* הִתְקַשָּׁה [קשה] הָיָה קָשֶׁה, הִתְאַכְזֵר [אכזר]
hardhearted, *adj.* קְשֵׁה לֵב, קָשֶׁה
hardihood, *n.* גְּבוּרָה, אֹמֶץ; חֻצְפָּה, עַזּוּת (פָּנִים)
hardness, *n.* קַשְׁיוּת; גַּסּוּת
hardship, *n.* עָמָל, יְגִיעָה, דַּחֲקוּת, קשִׁי
hardware, *n.* כְּלֵי (מַכְשִׁירֵי) בַּרְזֶל
hardy, *adj.* עַז, חָזָק
hare, *n.* אַרְנָב, אַרְנֶבֶת
harebell, *n.* פַּעֲמוֹנִית
harem, *n.* הַרְמוֹן
hark, *v.i.* הִקְשִׁיב [קשב], שָׁמַע
harken, hearken, *v.i.* הִקְשִׁיב [קשב], שָׁמַע
harlequin, *n.* לֵיצָן, מוּקְיוֹן
harlot, *n.* זוֹנָה, קְדֵשָׁה
harm, *n.* רָעָה; נֶזֶק
harm, *v.t.* הֵרַע [רעע], הִזִּיק [נזק]
harmful, *adj.* רַע, מַזִּיק
harmless, *adj.* בִּלְתִּי מַזִּיק; חַף, תָּמִים
harmonic, *adj.* מַתְאִים
harmonica, *n.* מַפּוּחִית
harmonize, *v.t.* הִתְאִים [תאם], הִסְכִּים [סכם]
harmony, *n.* הַתְאָמָה, הֶסְכֵּם, אַחְדוּת
harness, *n.* & *v.t.* רִתְמָה; רָתַם
harp, *n.* נֶבֶל, נֵבֶל
harper, harpist, *n.* פּוֹרֵט בְּנֵבֶל
harpoon, *n.* רֹמַח דַּיָּגִים, צִלְצָל
harpoon, *v.t.* דָּג (צָד) בְּצִלְצָל
harpsichord, *n.* פְּסַנְתְּרִיּוֹן
harrow, *n.* מַשְׂדֵּדָה
harrow, *v.t.* שִׂדֵּד; הֵעִיק [עוק], הֵצִיק [צוק]
harry, *v.t.* & *i.* בָּזַז, שָׁסָה; הִקְנִיט [קנט], קִנְטֵר
harsh, *adj.* גַּס; מַחְמִיר, אַכְזָרִי
harshness, *n.* גַּסּוּת, אַכְזָרִיּוּת
hart, *n.* אַיָּל
harvest, *n.* אָסִיף, קָצִיר, בָּצִיר (עֲנָבִים), גְּדִירָה (תְּמָרִים), מָסִיק (זֵיתִים), קְצִיעָה (תְּאֵנִים)
harvest, *v.t.* קָצַר, אָסַף, בָּצַר, גָּדַר, מָסַק, קָצַע
harvester, *n.* קוֹצֵר, מְאַסֵּף, בּוֹצֵר, גּוֹדֵר, מוֹסֵק, קַצָּע; קַצַּרְדָּשׁ
hash, *n.* & *v.t.* פְּרִימָה; קִצֵּף, פֵּרַם
hassock, *n.* הֲדוֹם
haste, *n.* מְהִירוּת; חִפָּזוֹן, פְּזִיזוּת

hasten, *v.t.* & *i.* מַהֵר, הֵחִישׁ [חוש], הֵאִיץ [אוץ]; חָשׁ [חוש], אָץ [אוץ]
hastily, *adv.* בִּמְהִירוּת, חִישׁ
hasty, *adj.* נִמְהָר, בָּהוּל, נֶחְפָּז
hat, *n.* כּוֹבַע, מִגְבַּעַת
hatch, *n.* בְּרִיכָה; פֶּתַח־אֳנִיָּה
hatch, *v.t.* דָּגַר, הִדְגִּיר [דגר]; זָמַם; נִבְקַע [בקע]; נִדְגַּר [דגר]
hatchery, *n.* מַדְגֵּרָה
hatchet, *n.* קַרְדֹּם, גַּרְזֶן
hate, *n.* אֵיבָה, שִׂנְאָה, טִינָה
hateful, *adj.* נִמְאָס, בָּזוּי
hater, *n.* שׂוֹנֵא, אוֹיֵב
hatred, *n.* שִׂנְאָה, אֵיבָה
hatter, *n.* כּוֹבָעָן
haughtiness, *n.* רָמוּת, יְהִירוּת, רַהַב, גַּאַוְתָנוּת
haughty, *adj.* יָהִיר, גֵּא
haul, *n.* מְשִׁיכָה, גְּרִירָה, סְחִיבָה, הַעֲלָאָה
haul, *v.t.* מָשַׁךְ, סָחַב, גָּרַר
haunch, *n.* יָרֵךְ, מֹתֶן
haunt, *n.* מָקוֹם מְבֻקָּר
haunt, *v.t.* בִּקֵּר בִּקְבִיעוּת
have, *v.t.* הָיָה לְ־
haven, *n.* נָמָל; מִבְטָח, מִקְלָט
haversack, *n.* תַּרְמִיל, יַלְקוּט, אַמְתַּחַת
havoc, *n.* הֶרֶס, הַשְׁמָדָה
hawk, *n.* אַיָּה, נֵץ; כִּעְכּוּעַ
hawk, *v.t.* & *i.* כִּעְכַּע; רָכַל; פֵּרַח (נֵץ)
hawker, *n.* רוֹכֵל; מַפְרִיחַ נֵצִים (צַיָּד)
hawthorn, *n.* אָטָד
hay, *n.* חָצִיר, מִסְפּוֹא יָבֵשׁ
haycock, *n.* עֲרֵמַת חָצִיר
hazard, *n.* מְאֹרָע, מִקְרֶה; סִכּוּן
hazard, *v.t.* סִכֵּן
hazardous, *adj.* מְסֻכָּן
haze, *n.* עֲרָפֶל
hazel, hazelnut, *n.* אִלְסָר

hazy, *adj.* מְעֻרְפָּל, עַרְפִּלִּי, אֵדִי
he, *pron.* הוּא
head, *adj.* רִאשׁוֹן, עִקָּרִי, רָאשִׁי
head, *n.* רֹאשׁ; גֻּלְגֹּלֶת
head, *v.t.* & *i.* יָשַׁב (עָמַד בְּ) רֹאשׁ, נִהֵל
headache, *n.* מֵחוֹשׁ (כְּאֵב) רֹאשׁ
headlight, *n.* פָּנָס (קִדְמִי) חֲזִית
headline, *n.* כּוֹתֶרֶת
headmaster, *n.* מְנַהֵל בֵּית סֵפֶר
headquarters, *n.* מִפְקָדָה, מַטֶּה
headsman, *n.* תַּלְיָן, טַבָּח
headstrong, *adj.* עַקְשָׁנִי
headway, *n.* הִתְקַדְּמוּת
heady, *adj.* פָּזִיז, נֶחְפָּז, נִמְהָר; מְשַׁכֵּר
heal, *v.t.* & *i.* נִרְפָּא [רפא], רִפֵּא, הִתְרַפֵּא [רפא]
healer, *n.* מְרַפֵּא
healing, *n.* רִפּוּי
health, *n.* בְּרִיאוּת, קַו הַבְּרִיאוּת
healthy, *adj.* בָּרִיא, שָׁלֵם, חָזָק
heap, *n.* עֲרֵמָה, גַּל, עֹמֶר, תֵּל
heap, *v.t.* צָבַר, עָרַם, גִּבֵּב, גִּדֵּשׁ, הִכְבִּיר [כבר]
hear, *v.t.* & *i.* הֶאֱזִין [אזן], הִקְשִׁיב [קשב], שָׁמַע, נִשְׁמַע [שמע]
hearing, *n.* שְׁמִיעָה, חוּשׁ הַשְּׁמִיעָה; חֲקִירָה וּדְרִישָׁה
hearken, harken, *v.i.* הִקְשִׁיב [קשב], שָׁמַע
hearsay, *n.* שְׁמוּעָה
hearse, *n.* מִטָּה, אֲרוֹן מֵתִים
heart, *n.* לֵב, לִבָּה, לֵבָב
heartache, *n.* צַעַר, כְּאֵב לֵב
heartbeat, *n.* דֹּפֶק לֵב
heartbreak, *n.* שִׁבְרוֹן לֵב
heartbroken, *adj.* שְׁבוּר לֵב
heartburn, *n.* צָרֶבֶת
heartfelt, *adj.* לְבָבִי

hearth, *n.* אָח, מוֹקֵד
heartiness, *n.* לְבָבִיּוּת
heartless, *adj.* אַכְזָרִי
heat, *n.* חֹם, חַמָּה, חֲמִימוּת, שָׁרָב
heat, *v.t.* & *i.* הֵחֵם [חמם], הִתְחַמֵּם [חמם]; לִבֵּן; הִסִּיק [נסק]
heater, *n.* מְחַמֵּם
heath, *n.* עַרְעָר
heathen, *n.* עַכּוּ"ם: עוֹבֵד כּוֹכָבִים וּמַזָּלוֹת, עוֹבֵד אֱלִילִים
heather, *n.* אַבְרָשׁ
heave, *n.* הֲרָמָה, הַשְׁלָכָה, הִתְרוֹמְמוּת
heave, *v.t.* & *i.* רָגַע, הִשְׁלִיךְ [שלך], הֵנִיף [נוף], הִתְרוֹמֵם [רום], הִתְגָּעֵשׁ [געש], הִתְעַמֵּל [עמל]; הֵקִיא [קיא]
heaven, *n.* שָׁמַיִם, רָקִיעַ, שַׁחַק
heavenly, *adj.* שְׁמֵימִי; אֱלֹהִי, נִפְלָא
heavily, *adv.* בִּכְבֵדוּת, בְּקֹשִׁי
heaviness, *n.* כֹּבֶד, מִשְׁקָל, כְּבֵדוּת
heavy, *adj.* כָּבֵד, חָמוּר, סָמִיךְ
Hebraic, *adj.* עִבְרִי
Hebraize, *v.t.* & *i.* עִבְרֵר, הִתְעַבְרֵר [עברר]
Hebrew, *n.* & *adj.* עִבְרִי, עִבְרִית, לְשׁוֹן הַקֹּדֶשׁ
heckle, *v.t.* הִטְרִיד [טרד] בִּשְׁאֵלוֹת,
hectic, *adj.* & *n.* קוֹדֵחַ, מְכַלֶּה; שֶׁל מֶזֶג הַגּוּף; עַז, עִזּוּזִי; קַדַּחַת חוֹזֶרֶת
hedge, *n.* סְיָג, מְסוּכָה
hedge, *v.t.* גָּדַר, כִּתֵּר
hedgehog, *n.* קִפּוֹד
heed, *n.* & *v.t.* תְּשׂוּמֶת לֵב, הַקְשָׁבָה; שָׂם [שים] לֵב, הִקְשִׁיב [קשב]
heedful, *adj.* זָהִיר, מִתְחַשֵּׁב
heedless, *adj.* בִּלְתִּי זָהִיר, מְזַלְזֵל
heel, *n.* עָקֵב
heel, *v.t.* & *i.* נָטָה; הִטָּה [נטה] (אֳנִיָּה); תָּפַר (עָקֵב)
hegira, hejira, *n.* (שְׁנַת הַ) מְנוּסָה, (סְפִירַת הַשָּׁנִים הַמֻּסְלְמִית)
heifer, *n.* עֶגְלַת בָּקָר
height, hight, *n.* גֹּבַהּ, שִׂיא, מָרוֹם
heighten, *v.t.* הִגְבִּיהַּ [גבה], רוֹמֵם [רום], הִגְבִּיר [גבר], הִשְׁבִּיחַ [שבח]
heinous, *adj.* נִבְזֶה, מָאוּס; עָצוּם; אָיֹם
heir, *n.* יוֹרֵשׁ
heiress, *n.* יוֹרֶשֶׁת
heirloom, *n.* יְרֻשָּׁה, תּוֹרָשָׁה
helicopter, *n.* מַסּוֹק
hell, *n.* שְׁאוֹל, גֵּיהִנּוֹם, תָּפְתֶּה
hello, *n.* הָלוֹ (בִּרְכַּת שָׁלוֹם)
helm, *n.* הֶגֶה
helmet, *n.* קַסְדָּה, כּוֹבַע פְּלָדָה
helmsman, *n.* נַוָּט
helot, *n.* עֶבֶד
helotry, *n.* עַבְדוּת
help, *n.* עֵזֶר, עֶזְרָה, יְשׁוּעָה, סִיּוּעַ, תְּמִיכָה; תְּרוּפָה; שֵׁרוּת; מְשָׁרֵת
help, *v.t.* & *i.* עָזַר, סִיַּע; תָּמַךְ; שֵׁרֵת; רִפֵּא; חִלֵּק מָנוֹת (אֹכֶל)
helper, *n.* מוֹשִׁיעַ, עוֹזֵר
helpful, *adj.* עוֹזֵר, מוֹעִיל; מְרַפֵּא
helpless, *adj.* חֲסַר עֵזֶר, מִסְכֵּן, אֻמְלָל; אֵין אוֹנִים, רָפֶה
helpmate, *n.* עֵזֶר כְּנֶגֶד, אִשָּׁה; עוֹזֵר
helve, *n.* יָדִית, נִצָּב, קַת
hem, *n.* אִמְרָה, מְלָל
hem, *v.t.* & *i.* עָשָׂה אִמְרָה (מְלָל), מִלֵּל. כִּחְכֵּךְ, גִּמְגֵּם
hemisphere, *n.* חֲצִי כַּדּוּר הָאָרֶץ
hemlock, *n.* עֵשֶׂב אַרְסִי; רוֹשׁ אַשּׁוּחַ
hemorrhage, haemorrhage, *n.* דִּמּוּם
hemorrhoids, haemorrhoids, *n. pl.* טְחוֹרִים, תַּחְתּוֹנִיּוֹת, עֲפָלִים
hemp, *n.* קַנָּבוֹס
hemstitch, *n.* חֲצִי (פְּלַג) חָרוּז

hen, *n.* תַּרְנְגֹלֶת
hence, *adv.* מֵעַתָּה; לָכֵן, לְפִיכָךְ
henceforth, henceforward, *adv.* מֵעַתָּה וְהָלְאָה, מִכָּאן וְאֵילָךְ (וּלְהַבָּא)
henchman, *n.* מְשָׁרֵת, שַׁמָּשׁ; חָסִיד
hen coop, hen house לוּל
henna, *n.* יַחְנוּן
henpeck, *v.t.* קִנְטֵר
her, *pron.* שֶׁלָּה, אוֹתָהּ
herald, *n.* כָּרוֹז, שָׁלִיחַ, מְבַשֵּׂר
herb, *n.* עֵשֶׂב, צֶמַח
herbaceous, *adj.* עִשְׂבִּי, מְכֻסֶּה עֵשֶׂב
herd, *n.* עֵדֶר, מִקְנֶה
herd, *v.i.* הָיָה לְעֵדֶר, הִתְאַסֵּף [אסף]
herdsman, herder, *n.* בּוֹקֵר, נוֹקֵד
here, *adv.* כָּאן, פֹּה
hereafter, *n.* עוֹלָם הַבָּא
hereafter, *adv.* מֵעַתָּה וְהָלְאָה
hereby, *adv.* בָּזֶה, עַל יְדֵי זֶה
hereditary, *n.* יְרֻשִּׁי, עוֹבֵר בִּירֻשָּׁה
heredity, *n.* מוֹרָשָׁה, יְרֻשָּׁה, תּוֹרָשָׁה
herein, hereon, *adv.* בָּזֶה
hereof, *adv.* מִזֶּה
heresy, *n.* כְּפִירָה
heretic, *adj.* כּוֹפֵר
heretofore, *adv.* לִפְנֵי כֵן
herewith, *adv.* בָּזֶה, בְּזֹאת
heritage, *n.* יְרֻשָּׁה
hermaphrodite, *n.* דּוּ־מִינִי, אַנְדְּרוֹגִינוֹס
hermetic, *adj.* סָגוּר וּמְסֻגָּר
hermit, *n.* פָּרוּשׁ, נָזִיר, מִתְבּוֹדֵד, הֲרָרִי
hermitage, *n.* מִנְזָר, בֵּית הַפָּרוּשׁ
hero, *n.* גִּבּוֹר
heroic, *adj.* גִּבּוֹרִי
heroine, *n.* גִּבּוֹרָה
heroism, *n.* גְּבוּרָה
heron, *n.* אֲנָפָה
herring, *n.* דָּג מָלוּחַ

hesitate, *v.i.* הִסֵּס
hesitation, *n.* הִסּוּס
heterodox, *adj.* כּוֹפֵר, מִין, אֶפִּיקוֹרוֹס
heterodoxy, *n.* כְּפִירָה, מִינוּת, אֶפִּיקוֹרְסוּת
heterogeneous, *adj.* מֻרְכָּב, רַבְגּוֹנִי
hew, *v.t.* חָטַב, כָּרַת, חָצַב, חָקַק, פָּסַל, סִתֵּת
hexagon, *n.* מְשֻׁשֶּׁה
Hexateuch, *n.* שֵׁשֶׁת הַסְּפָרִים (חֻמָּשׁ וְסֵפֶר יְהוֹשֻׁעַ)
heyday, *n.* שִׂיא, פִּסְגָּה
hibernate, *v.i.* חָרַף
hiccup, hiccough, *n.* שִׁהוּק
hickory, *n.* אֱגוֹזָה אֲמֵרִיקָאִית
hidden, *adj.* טָמוּן
hide, *n.* עוֹר, שֶׁלַח
hide, *v.t.* & *i.* הִסְתִּיר [סתר], הֶחְבִּיא [חבא], הִצְפִּין [צפן], הִטְמִין [טמן], הִסְתַּתֵּר [סתר], הִתְחַבֵּא [חבא]
hideous, *adj.* מְכֹעָר, אָיֹם, גֹּעֲלִי
hideousness, *n.* כִּעוּר
hie, *v.t.* & *i.* מִהֵר, הֵחִישׁ [חוש] הֵאִיץ [אוץ]
hierarchy, *n.* שִׁלְטוֹן הַכְּהֻנָּה
hieroglyph, hieroglyphic, *n.* כְּתָב (חֲשָׁאִים) חַרְטֻמִּים
high, *adj.* גָּבֹהַּ, רָם; נַעֲלֶה, נִשָּׂא; גֵּא, יָהִיר; תַּקִּיף; שִׁכּוֹר
high, *n.* & *adv.* גֹּבַהּ; מָרוֹם; לְמַעְלָה
highland, *n.* רָמָה
high school מִדְרָשָׁה, בֵּית סֵפֶר תִּיכוֹן
highway, *n.* כְּבִישׁ
highwayman, *n.* שׁוֹדֵד דְּרָכִים
hike, *n.* טִיּוּל, הֲלִיכָה; עֲלִיָּה (מְחִיר)
hike, *v.t.* טִיֵּל; הֶעֱלָה [עלה] (מְחִיר)
hilarious, *adj.* צוֹהֵל, עַלִּיז
hilarity, *n.* צָהֳלָה, מָשׂוֹשׂ, חֶדְוָה

hill, *n.* גִּבְעָה, תֵּל

hillock, *n.* גַּבְשׁוּשִׁית

hilt, *n.* נִצָּב, קַת

hilly, *adj.* הֲרָרִי

him, *pron.* אוֹתוֹ

himself, *pron.* (הוּא) בְּעַצְמוֹ (בְּגוּפוֹ)

hin, *n.* הִין (6.810 לִיטְרִים)

hind, hinder, *adj.* אֲחוֹרִי, אֲחוֹרַנִּי

hind, *n.* אַיָּלָה, צְבִיָּה; אִכָּר שָׂכִיר

hinder, *v.t.* & *i.* עִכֵּב, מָנַע

hindrance, *n.* מִכְשׁוֹל, הַפְרָעָה

hinge, *n.* צִיר

hinge, *v.t.* & *i.* עָשָׂה (סָבַב עַל) צִיר

hint, *n.* רֶמֶז

hint, *v.t.* & *i.* רָמַז, רִמֵּז, נִרְמַז [רמז]

hip, *n.* יָרֵךְ

hippodrome, *n.* זִירַת סוּסִים

hippopotamus, *n.* בְּהֵמוֹת, סוּס הַיְאוֹר

hire, *n.* & *v.t.* שָׂכָר, מַשְׂכֹּרֶת, שְׂכִירוּת, מְחִיר; שָׂכַר

hireling, *n.* שָׂכִיר

his, *pron.* שֶׁלּוֹ

hiss, *v.t.* & *i.* שָׁרַק, רָטַן

historian, *n.* כּוֹתֵב דִּבְרֵי הַיָּמִים

historical, *adj.* שֶׁל דִּבְרֵי הַיָּמִים, הִסְטוֹרִי

history, *n.* דִּבְרֵי הַיָּמִים; תּוֹלָדוֹת

hit, *n.* מַכָּה, סְטִירָה; פְּגִיעָה; הַצְלָחָה

hit, *v.t.* & *i.* הִכָּה, הִתְנַגֵּשׁ [נגש]; נָגַע; קָלַע, פָּגַע

hitch, *n.* מִכְשׁוֹל, נֶגֶף; קֶשֶׁר; נְסִיעַת חִנָּם

hitch, *v.t.* & *i.* קָשַׁר, חִבֵּר, הֵזִיז [זוז]

hither, *adv.* הֵנָּה, הֲלוֹם, לְכָאן

hitherto, *adv.* עַד, עַד עַתָּה

hive, *n.* כַּוֶּרֶת

hives, *n.* אַסְכָּרָה; חָרֶלֶת

hoar, *adj.* לְבַנְבַּן, אָפֹר, שָׂב

hoard, *n.* אוֹצָר, מַחְסָן נִסְתָּר

hoard, *v.t.* & *i.* גָּנַז, אָגַר, הִצְנִיעַ [צנע]

hoarfrost, *n.* כְּפוֹר

hoarse, *adj.* צָרוּד

hoary, *adj.* לְבַנְבַּן, אָפֹר, שָׂב

hoax, *n.* תַּרְמִית, כָּזָב, תַּעְתּוּעַ

hoax, *v.t.* הוֹנָה [ינה], רִמָּה, תִּעְתַּע

hobble, *v.t.* & *i.* צָלַע; אָסַר, כָּבַל

hobby, *n.* תַּחְבִּיב; סְיָח, סוּס

hobgoblin, *n.* רוּחַ, שֵׁד, מִפְלֶצֶת

hobo, *n.* אוֹרֵחַ פּוֹרֵחַ, נוֹדֵד

hock, *n.* קַרְסֹל הַסּוּס; יַיִן לָבָן

hockey, *n.* הוֹקֵי

hocus-pocus, *n.* אֲחִיזַת עֵינַיִם, גְּנֵבַת דַּעַת

hod, *n.* אֵבוּס הַבַּנַּאי, עֲרֵבָה

hoe, *n.* מַעְדֵּר, מַכּוֹשׁ

hoe, *v.t.* & *i.* עָדַר, עִדֵּר, עָזַק, נִכֵּשׁ

hog, *n.* חֲזִיר; גַּרְגְּרָן

hoggish, *adj.* חֲזִירִי, גַּס, כִּילַי

hoist, *n.* הֲנָפָה, הֲרָמָה

hoist, *v.t.* הֵנִיף [נוף], הֵרִים [רום]

hold, *n.* אֲחִיזָה; סַפְנֶה, תַּחְתִּית אֳנִיָּה

hold, *v.t.* & *i.* אָחַז, עָצַר; סָבַר, דָּבַק, הֶחֱזִיק [חזק]

holder, *n.* מַחֲזִיק

holding, *n.* הַשְׁפָּעָה; תֹּקֶף; רְכוּשׁ

hole, *n.* חוֹר, נֶקֶב

holiday, holyday, *n.* חַג, מוֹעֵד, יוֹם טוֹב

holiness, *n.* קֹדֶשׁ, קְדֻשָּׁה

Holland, *n.* הוֹלַנְד

hollow, *adj.* חָלוּל, נָבוּב; כּוֹזֵב

hollow, *n.* חָלָל; בּוֹר

hollowness, *n.* נְבִיבוּת, רֵיקוּת; תַּרְמִית

holly, *n.* אֶדֶר

hollyhock, *n.* הַרְאָנָה, הַרְאָנַת אֲגַמִּים

holocaust, *n.* טֶבַח, הֶרֶג רַב

holster, *n.* נַרְתִּיק אֶקְדָּח

holy, *adj.* & *n.* קָדוֹשׁ; מִקְדָּשׁ

holyday, holiday, *n.* חַג, מוֹעֵד, יוֹם טוֹב
Holy Land אֶרֶץ (הַקֹּדֶשׁ) יִשְׂרָאֵל
homage, *n.* הַעֲרָצָה
home, *n.* בַּיִת, דִּירָה
home, *adv.* בַּבַּיִת, הַבַּיְתָה
homeland, *n.* מוֹלֶדֶת, אֶרֶץ מוֹלֶדֶת
homeless, *adj.* לְלֹא בַּיִת
homely, *adj.* מְכֹעָר; פָּשׁוּט; בֵּיתִי
homemade, *adj.* בֵּיתִי, עָשׂוּי בַּבַּיִת
homesick, *adj.* מִתְגַּעְגֵּעַ
homesickness, *n.* גַּעֲגוּעִים
homestead, *n.* נַחֲלָה
homeward, *adv.* הַבַּיְתָה
homicidal, *adj.* קַטְלָנִי
homicide, *n.* רֶצַח
homily, *n.* דְּרוּשׁ, דְּרָשָׁה
hominy, *n.* נָזִיד, דַּיְסָה
homo, *n.* אָדָם
homogeneous, *adj.* חַדְגּוֹנִי
homonym, *n.* מִלָּה מְשֻׁתֶּפֶת
hone, *v.i.* הִשְׁחִיז [שחז], לְטֵשׁ
honest, *adj.* יָשָׁר, כֵּן, נֶאֱמָן
honestly, *adv.* בֶּאֱמֶת
honesty, *n.* אֲמִתִּיּוּת, יֹשֶׁר, יַשְׁרוּת, כֵּנוּת, נֶאֱמָנוּת
honey, *n.* דְּבַשׁ, נֹפֶת; מֹתֶק
honeybee, *n.* דְּבוֹרָה
honeycomb, *n.* יַעְרָה, יַעֲרַת דְּבַשׁ
honeycomb, *v.t.* מִלֵּא (נְקָבִים) תָּאִים; חֵרֵר, נִקֵּב
honeydew melon, *n.* אֲבַטִּיחַ דִּבְשִׁי
honeymoon, *n.* יֶרַח הַדְּבַשׁ
honor, honour, *n.* & *v.t.* כָּבוֹד; כִּבֵּד; שִׁלֵּם (שְׁטָר) בִּזְמַנּוֹ
honorable, honourable, *adj.* נִכְבָּד, מְכֻבָּד
honorarium, *n.* שָׂכָר, שְׂכַר שֵׁרוּת
honorary, *adj.* שֶׁל כָּבוֹד, נִכְבָּד

hood, *n.* בַּרְדָּס; נָבָל; חֲפִיפָה (מְכוֹנִית)
hoodlum, *n.* עַוָּל, נָבָל
hoof, *n.* פַּרְסָה, טֶלֶף
hook, *n.* וָו, אַגְמוֹן, חַכָּה, קֶרֶס
hook, *v.t.* צָד, חִכָּה; רָכַס; תָּפַשׂ בְּוָו
hookworm, *n.* תּוֹלַעַת חַכָּה
hoop, *n.* & *v.t.* חִשּׁוּק גַּלְגַּל; חִשֵּׁק
hoot, *v.i.* שָׁרַק עַל, צָעַק, צִפְצֵף
hop, *n.* כְּשׁוּת; קְפִיצָה, נְתִירָה
hop, *v.i.* & *t.* דִּלֵּג, קָפַץ, נִתֵּר פִּזֵּז; צָלַע, פָּסַח
hope, *n.* תִּקְוָה, תּוֹחֶלֶת, יָהָב
hope, *v.t.* & *i.* קִוָּה, יִחֵל, צִפָּה
hopeful, *adj.* מְקַוֶּה, מְיַחֵל, מְצַפֶּה
hopeless, *adj.* חֲסַר תִּקְוָה, נוֹאָשׁ
hopper, *n.* חָגָב; אַגָּנָה (מַשְׁפֵּךְ חִטִּים)
horde, *n.* הָמוֹן, אֲסַפְסוּף
horizon, *n.* אֹפֶק
horizontal, *adj.* אָפְקִי, מְאֻזָּן
horn, *n.* קֶרֶן, יוֹבֵל; שׁוֹפָר; חֲצוֹצְרָה
horn, *v.t.* נִגַּח
hornet, *n.* צִרְעָה
horoscope, *n.* מַזָּל (לֵדָה)
horrible, *adj.* מְכֹעָר, מַחֲרִיד, אָיֹם, נוֹרָא
horrid, *adj.* מַפְחִיד, מַבְהִיל, מַבְחִיל
horrify, *v.t.* הֶחֱרִיד [חרד], הִבְעִית [בעת], הִפְחִיד [פחד]
horror, *n.* בֶּהָלָה, זְוָעָה, אֵימָה
hors d'oeuvre פַּרְפְּרָאוֹת
horse, *n.* סוּס, רֶכֶשׁ, אַבִּיר, רַמָּךְ
horseman, *n.* פָּרָשׁ, רַכָּב
horsepower, *n.* כֹּחַ סוּס
horseradish, *n.* חֲזֶרֶת
horseshoe, *n.* פַּרְסַת בַּרְזֶל
horticultural, *adj.* גַּנָּנִי
horticulture, *n.* גַּנָּנוּת
horticulturist, *n.* גַּנָּן

hosanna, *interj.* & *n.* הוֹשַׁעְנָא
hose, *n.* צִנּוֹר; גֶּרֶב
hosiery, *n.* גַּרְבַּיִם
hospice, *n.* אַכְסַנְיָה, פֻּנְדָּק, בֵּית מָלוֹן
hospitable, *adj.* מַכְנִיס אוֹרְחִים
hospital, *n.* בֵּית חוֹלִים
hospitality, *n.* אֵרוּחַ, הַאֲרָחָה, הַכְנָסַת אוֹרְחִים
host, *n.* צָבָא רַב, מַעֲרָכָה כְּבֵדָה; בַּעַל בַּיִת, מְאָרֵחַ; פֻּנְדְּקִי; דַּיָּל לֶחֶם קָדוֹשׁ (אֵצֶל הַנּוֹצְרִים)
hostage, *n.* (בֶּן) תַּעֲרוּבָה (תַּעֲרוּבוֹת)
hostel, hostelry, *n.* אַכְסַנְיָה, פְּנִימִיָּה
hostess, *n.* בַּעֲלַת בַּיִת, מְאָרַחַת, דַּיֶּלֶת
hostile, *adj.* אוֹיֵב, אוֹיְבִי, שׂוֹנֵא, מִתְנַגֵּד
hostility, *n.* אֵיבָה, הִתְנַגְּדוּת
hot, *adj.* חַם; תַּאַוְתָנִי; חָרִיף, חַד
hotbed, *n.* מִנְבָּטָה
hotel, *n.* מָלוֹן, בֵּית מָלוֹן, אַכְסַנְיָה
hotheaded, *adj.* נִמְהָר, פָּזִיז, רַתְחָן
hothouse, *n.* חֲמָמָה
hound, *n.* & *v.t.* כֶּלֶב צַיִד; רָדַף, שִׁסָּה
hour, *n.* שָׁעָה; מוֹעֵד, זְמָן
house, *n.* בַּיִת, מָעוֹן
house, *v.t.* אִכְסֵן, הוֹשִׁיב [ישב] בְּבַיִת
household, *n.* כְּבוּדָה, הַנְהָלַת בַּיִת
housekeeper, *n.* סוֹכֵן בַּיִת
housemaid, *n.* עוֹזֶרֶת, מְשָׁרֶתֶת, שִׁפְחָה
housewarming, *n.* חֲנֻכַּת בַּיִת
housewife, *n.* בַּעֲלַת בַּיִת
housework, *n.* עֲבוֹדַת בַּיִת
hovel, *n.* צְרִיף רָעוּעַ
hover, *v.i.* רִחֵף, הִסֵּס, שָׁהָה
how, *adv.* אֵיךְ, אֵיכָה, אֵיכָכָה, כֵּיצַד, הָא כֵּיצַד, הָכֵיצַד
however, howsoever, *adv.* בְּכָל אֹפֶן, מִכָּל מָקוֹם, עַל כָּל פָּנִים
however, *conj.* אַף עַל פִּי כֵן, עִם כָּל זֹאת, בְּכָל זֹאת
howitzer, *n.* תּוֹתַח־שָׂדֶה
howl, *n.* יְלָלָה, יְלֵל
howl, *v.t.* & *i.* יִלֵּל, צָוַח
hub, *n.* חִשּׁוּר (אוֹפַן); מֶרְכָּז; טַבּוּר
hubbub, *n.* מְהוּמָה, הֲמֻלָּה
huckleberry, *n.* אֻכְמָנִית
huckster, *n.* סִדְקִי, רוֹכֵל
huddle, *v.t.* & *i.* אָסַף, צָבַר בְּעִרְבּוּבְיָה; נִדְחַק זֶה אֵצֶל זֶה
hue, *n.* זְעָקָה; צֶבַע, גָּוֶן
hue and cry זְעָקָה וּרְדִיפָה (אַחֲרֵי פּוֹשֵׁעַ)
huff, *n.* חֵמָה, זַעַם, חֳרִי אַף; גַּאַוְתָן, יָהִיר
hug, *n.* חִבּוּק, גִּפּוּף
hug, *v.t.* חִבֵּק, גִּפֵּף
huge, *adj.* עָצוּם, עֲנָקִי
hulk, *n.* (שֶׁלֶד) סְפִינָה גְּדוֹלָה וִישָׁנָה; אָדָם מְגֻשָּׁם אוֹ דָּבָר גַּס
hull, *n.* שֶׁלֶד אֳנִיָּה, קְלִפָּה, מִכְסֶה, תַּרְמִיל
hull, *v.t.* קִלֵּף; פָּגַע בָּאֳנִיָּה בְּקָלִיעַ
hum, *v.t.* & *i.* זִמְזֵם; רִנֵּן
hum, humming, *n.* זִמְזוּם; רְנָנָה, רִנּוּן בִּשְׂפָתַיִם סְגוּרוֹת
human, *adj.* & *n.* אֱנוֹשִׁי; אֱנוֹשׁ, בְּרִיָּה
humane, *adj.* אֱנוֹשִׁי, טוֹב לֵב, רַחוּם
humanely, *adv.* בְּחֶסֶד, בְּרַחֲמִים
humanitarian, *n.* אוֹהֵב (אָדָם) בְּרִיּוֹת
humanities, *n. pl.* מַדָּעֵי הָרוּחַ
humanity, *n.* אֱנוֹשִׁיּוּת; טוּב לֵב; הַמִּין הָאֱנוֹשִׁי, אַהֲבַת הַבְּרִיּוֹת
humanize, *v.t.* אִנֵּשׁ
humankind, *n.* הַמִּין הָאֱנוֹשִׁי
humble, *adj.* & *v.t.* צָנוּעַ, עָנָו, נֶחְבָּא אֶל הַכֵּלִים; הִדְבִּיר, דִּכָּא, הִשְׁפִּיל

humbug, *n.* תַּעְתּוּעַ, רַמָּאוּת, הוֹנָאָה; כַּזְבָן, רַמַּאי
humbug, *v.t.* תִּעְתַּע, הוֹלִיךְ [הלך] שׁוֹלָל, רִמָּה, הוֹנָה
humdrum, *adj.* מְשַׁעֲמֵם
humid, *adj.* לַח, טָחוּב, רָטֹב
humidity, *n.* לַחוּת, רְטִיבוּת
humiliate, *v.t.* עָלַב, הֶעֱלִיב [עלב]; הִשְׁפִּיל [שפל], בִּזָּה
humiliation, *n.* עֶלְבּוֹן, הַשְׁפָּלָה
humility, *n.* עַנְוְתָנוּת, הַכְנָעָה
hummingbird, *n.* כְּרוּם
hummock, *n.* גִּדּוּד, תְּלוּלִית, גַּבְשׁוּשִׁית
humor, humour, *n.* לֵחַ, חֵלֶט; בְּדִיחוּת
humorist, humourist, *n.* לֵץ, גַּחְכָּן
humorous, humourous, *adj.* הִתּוּלִי
hump, *n.* דַּבֶּשֶׁת; חֲטוֹטֶרֶת
humus, *n.* עִדִּית, דֶּשֶׁן, תְּחוּחִית
hundred, *adj.* & *n.* מֵאָה, ק׳
hundredfold, *adj.* & *n.* פִּי מֵאָה
hundredth, *adj.* & *n.* הַמֵּאָה; מֵאִית
Hungary, *n.* הוּנְגַרְיָה
hunger, *n.* רָעָב, רְעָבוֹן, כָּפָן; תְּשׁוּקָה
hunger, *v.i.* & *t.* רָעַב, כָּפַן; הִרְעִיב [רעב]; עָרַג
hungry, *adj.* רָעֵב
hunt, *n.* & *v.t.* צַיִד; צִיֵּד
hunter, *n.* צַיָּד
hunting, *n.* חִפּוּשׂ; צַיִד
hurdle, *n.* חַיִץ
hurl, *n.* הַשְׁלָכָה, זְרִיקָה
hurl, *v.t.* הִשְׁלִיךְ [שלך], זָרַק
hurrah, *interj.* הֶאָח, הֵידָד
hurrah, *v.i.* קָרָא (הֶאָח) הֵידָד
hurricane, *n.* סוּפָה, סַעַר, סְעָרָה
hurry, *n.* חִפָּזוֹן, מְהִירוּת
hurry, *v.t.* & *i.* הֶחְפִּיז [חפז], הֵחִישׁ [חוש], מִהֵר, אָץ [אוץ]

hurt, *n.* פְּגִיעָה, עֶלְבּוֹן; פֶּצַע; מַכְאוֹב
hurt, *v.t.* הִכְאִיב [כאב]; פָּצַע; נָגַף; הֵזִיק [נזק]; הֶעֱלִיב [עלב]
husband, *n.* אִישׁ, בַּעַל, בֶּן זוּג
husband, *v.t.* חָשַׂךְ, נִהֵל בְּחִסָּכוֹן
husbandman, *n.* חַקְלַאי, אִכָּר
husbandry, *n.* אִכָּרוּת, חַקְלָאוּת
hush, *n.* דְּמָמָה, דּוּמִיָּה
hush, *v.t.* הֶהֱסָה [הסה], הִשְׁתִּיק [שתק]
husk, *n.* קְלִפָּה; מוֹץ
husk, *v.t.* מָלַל, קָלַף, קִלֵּף
hustle, *n.* דְּחִיפָה; מֶרֶץ
hustle, *v.t.* עָבַד בְּמֶרֶץ; דָּחַף, דָּחַק
husky, *adj.* צָרוּד, נִחָר; חָזָק
hut, *n.* צְרִיף; מְלוּנָה
hutch, *n.* תֵּבָה, אַרְגָּז, קֻפְסָה
hyacinth, *n.* יַקִּנְתּוֹן, יַקֶּנֶת
hybrid, *n.* בֶּן כִּלְאַיִם
hybridization, *n.* הַכְלָאָה
hybridize, *v.t.* הִכְלִיא [כלא]
hydrant, *n.* בֶּרֶז שְׂרֵפָה
hydraulic, *adj.* שֶׁל תּוֹרַת (כֹּחַ) הַמַּיִם
hydrogen, *n.* אַבְמַיִם, מֵימָן
hydrometer, *n.* מַדְמַיִם
hydrophobia, *n.* כַּלֶּבֶת
hyena, hyaena, *n.* צָבוֹעַ
hygiene, *n.* גֵּהוּת, תּוֹרַת הַבְּרִיאוּת
hygienic, *adj.* גֵּהוּתִי
hymen, *n.* (קְרוּם) בְּתוּלִים, כְּלוּלוֹת
hymn, *n.* פִּיּוּט, מִזְמוֹר, תְּהִלָּה
hyphen, *n.* מַקָּף (־)
hyphenated, *adj.* מְקֻקָּף
hypnotize, *v.t.* יִשֵּׁן, שִׁעְבֵּד (רָצוֹן), הִרְדִּים [רדם]
hypochondriac, *n.* בַּעַל מָרָה שְׁחוֹרָה
hypocrisy, *n.* צְבִיעוּת
hypocrite, *n.* צָבוּעַ

hypothesis, *n.* הֲנָחָה, הַשְׁעָרָה
hypothetical, *adj.* הֲנָחִי, הַשְׁעָרִי

hysteria, *n.* נִרְגָּזוּת, נִרְגָּשׁוּת
hysterical, *adj.* רִגּוּשִׁי

I, i

I, i, *n.* אִי, הָאוֹת הַתְּשִׁיעִית בְּאָלֶף בֵּית הָאַנְגְּלִי; תְּשִׁיעִי, ט׳
I, *pron.* אֲנִי, אָנֹכִי
ice, *n.* קֶרַח, גְּלִיד
ice, *v.t.* הִקְפִּיא [קפא], הִגְלִיד [גלד]
iceberg, *n.* קַרְחוֹן
icebox, *n.* אֲרוֹן קֵרוּר, מְקָרֵר
ice cream גְּלִידָה
iceman, *n.* קַרְחָן
icing, *n.* סִכְּרוּר (עוּגוֹת)
icon, *n.* אִיקוֹנִין, תְּמוּנָה, צֶלֶם, פֶּסֶל
idea, *n.* רַעְיוֹן, מֻשָּׂג, דֵּעָה
ideal, *adj.* דִּמְיוֹנִי, מוֹפְתִי, רַעְיוֹנִי
ideal, *n.* שְׁאִיפָה, מַשְׂאַת נֶפֶשׁ
idealist, *n.* שְׁאַפְתָּן, הוֹזֶה
idealistic, *adj.* שְׁאַפָנִי, שְׁאַפְתָּנִי
idealism, *n.* שְׁאַפְתָּנוּת, שְׁאַפָנוּת
idem, id. אוֹתוֹ, אוֹתָהּ
identical, *adj.* דּוֹמֶה, זֵהֶה
identification, *n.* זִהוּי
identify, *v.t.* דִּמָּה, זִהָה, הִכִּיר [נכר]
identity, *n.* זֶהוּת; שִׁוְיוֹן
idiom, *n.* נִיב, בִּטּוּי
idiot, *n.* פֶּתִי, כְּסִיל, טִפֵּשׁ
idiotic, *adj.* טִפְּשִׁי
idle, *adj.* & *v.t.* בָּטֵל; בָּטַל, הָלַךְ בָּטֵל
idleness, *n.* בַּטָּלָה, רֵיקוּת, עַצְלוּת
idler, *n.* בַּטְלָן
idol, *n.* אֱלִיל, שִׁקּוּץ, תֶּרֶף, פֶּסֶל
idolater, *n.* עוֹבֵד אֱלִילִים
idolatry, *n.* עֲבוֹדָה זָרָה, עֲבוֹדַת אֱלִילִים, עַכּוּ״ם

idolize, *v.t.* הֶעֱרִיץ [ערץ], הֶאֱלִיהַ [אלה]
idyl, idyll, *n.* שִׁיר רוֹעִים, אִידִלְיָה
if, *conj.* אִם, לוּ, אִלּוּ
ignite, *v.t.* & *i.* הִצִּית [יצת]; הִתְלַקַּח [לקח]
ignition, *n.* הַצָּתָה
ignoble, *adj.* נִקְלֶה, שָׁפָל
ignominy, *n.* חֶרְפָּה, בִּזָּיוֹן, קָלוֹן
ignorance, *n.* בּוּרוּת, עַם הָאֲרָצוּת
ignorant, *adj.* & *n.* בּוּר, נִבְעָר (מִדַּעַת), עַם הָאָרֶץ
ignore, *v.t.* הִתְעַלֵּם [עלם] מִ־, הִתְנַכֵּר [נכר]
ill, *adj.* חוֹלֶה; רַע
ill, *n.* מַחֲלָה, חֳלִי; צָרָה
illegal, *adj.* בִּלְתִּי חֻקִּי
illegible, *adj.* אַל קָרִיא, שֶׁאֵין לְקָרְאוֹ
illegitimate, *adj.* פָּסוּל; מַמְזֵר
illiberal, *adj.* שֶׁאֵינוֹ חָפְשִׁי, קַמְצָנִי
illicit, *adj.* אָסוּר
illiteracy, *n.* בּוּרוּת
illiterate, *adj.* & *n.* בּוּר, עַם הָאָרֶץ
ill-mannered, *adj.* בִּלְתִּי נִימוּסִי, גַּס
illness, *n.* מַחֲלָה
illogical, *adj.* בִּלְתִּי הֶגְיוֹנִי
ill-tempered, *adj.* מֵרִיב; זוֹעֵף
illtreat, *v.t.* הִתְנַהֵג [נהג] בְּאַכְזָרִיּוּת
illuminate, *v.t.* & *i.* הֵאִיר [אור], הֵפִיץ [פוץ] אוֹר, פֵּרֵשׁ
illumination, *n.* הֶאָרָה, תְּאוּרָה
illusion, *n.* הֲזָיָה, דִּמְיוֹן

illusive, *adj.* מַתְעֶה, מַטְעֶה
illustrate, *v.i.* הִדְגִּים [דגם], קִשֵּׁט בְּצִיּוּרִים
illustration, *n.* צִיּוּר, דֻּגְמָה, בֵּאוּר
illustrator, *n.* מְצַיֵּר
illustrious, *adj.* מְהֻלָּל, נוֹדָע, מְפֻרְסָם
image, *n.* צוּרָה, דְּמוּת, צֶלֶם, תֹּאַר
imaginable, *adj.* תָּאִיר, תֵּאוּרִי
imaginary, *adj.* דִּמְיוֹנִי, מְדֻמֶּה
imagination, *n.* דִּמְיוֹן, דִּמּוּי, הֲזָיָה
imaginative, *adj.* בַּעַל דִּמְיוֹן
imagine, *v.t. & i.* דִּמָּה, שִׁעֵר, תֵּאֵר בְּנַפְשׁוֹ, צִיֵּר לְעַצְמוֹ
imbecile, *adj. & n.* שׁוֹטֶה, כְּסִיל
imbecility, *n.* שְׁטוּת
imbibe, *v.t.* סָבָא, גָּמָא
imbue, *v.t.* טָבַל, הִשְׁרָה [שרה], צָבַע (צֶבַע עָמֹק)
imitate, *v.t.* חִקָּה, זִיֵּף
imitation, *n.* חִקּוּי, זִיּוּף
imitator, *n.* מְחַקֶּה
immaculate, *adj.* חַף, טָהוֹר, נָקִי
immaterial, *adj.* בִּלְתִּי חָמְרִי, בִּלְתִּי גַּשְׁמִי, בִּלְתִּי חָשׁוּב
immature, *adj.* בִּלְתִּי בָּשֵׁל, בִּלְתִּי גָּמֵל, בִּלְתִּי מְבֻגָּר
immaturity, *n.* בֹּסֶר; אִי בַּגְרוּת
immediate, *adj.* תָּכוּף
immediately, *adv.* מִיָּד, תֵּכֶף וּמִיָּד
immense, *adj.* עָצוּם, רַב מְאֹד
immensely, *adv.* מְאֹד, עָצוּם
immensity, *n.* גֹּדֶל, עֹצֶם; עָצְמָה
immerse, *v.t.* טָבַל, הִטְבִּיל, [טבל] הִשְׁקִיעַ [שקע], הִתְעַמֵּק [עמק]
immersion. *n.* הַטְבָּלָה, הַשְׁקָעָה, שְׁקִיעָה
immigrant, *adj. & n.* מְהַגֵּר, עוֹלֶה
immigrate, *v.i.* הִגֵּר, עָלָה
immigration, *n.* הֲגִירָה, עֲלִיָּה

imminent, *adj.* קָרוֹב, מְמַשְׁמֵשׁ וּבָא
immobile, *adj.* שֶׁאֵינוֹ נָע; אֵיתָן
immobility, *n.* חֹסֶר תְּנוּעָה
immoderate, *adj.* מֻפְרָז
immodest, *adj.* בִּלְתִּי עָנָו, בִּלְתִּי צָנוּעַ
immoral, *adj.* בִּלְתִּי מוּסָרִי
immorality, *n.* אִי מוּסָרִיּוּת, פְּרִיצוּת
immortal, *adj.* בֶּן אַלְמָוֶת, נִצְחִי
immortality, *n.* אַלְמָוֶת
immovable, *adj.* קָבוּעַ, מוּצָק; שֶׁאֵינוֹ מַרְגִּישׁ
immune, *adj.* מְחֻסָּן
immunity, *n.* חִסּוּן, חֹסֶן; חֲסִינוּת
immunize, *v.t.* חִסֵּן, הִתְחַסֵּן [חסן]
imp, *n.* בֶּן שֵׁדִים; רוּחַ; יֶלֶד שׁוֹבָב
impact, *n.* הִתְנַגְּשׁוּת
impair, *v.t. & i.* הִזִּיק [נזק], קִלְקֵל, רִפָּה, הוֹרַע [רעע]
impairment, *n.* הַשְׁחָתָה, הֶפְסֵד
impart, *v.t.* נָתַן, מָסַר
impartial, *adj.* יָשָׁר, צוֹדֵק, שֶׁאֵינוֹ נוֹשֵׂא פָּנִים, כָּל צְדָדִי
impartiality, *n.* אַל צְדָדִיּוּת
impassible, *adj.* חֲסַר רֶגֶשׁ
impassioned, *adj.* נִלְהָב, נִרְגָּשׁ
impassive, *adj.* קַר רוּחַ
impatience, *n.* אִי סַבְלָנוּת, קֹצֶר רוּחַ
impatient, *adj.* קְצַר רוּחַ
impeach, *v.t.* הֶאֱשִׁים [אשם], גִּנָּה
impeccable, *adj.* לְלֹא (פְּגָם) חֵטְא
impede, *v.t.* עִכֵּב, מָנַע
impediment, *n.* מִכְשׁוֹל, מַעְצוֹר
impel, *v.t.* הִמְרִיץ [מרץ], הֵאִיץ [אוץ]
impending, *adj.* תָּלוּי (וְעוֹמֵד), קָרוֹב (לָבוֹא)
impenetrable, *adj.* בִּלְתִּי חָדִיר
impenitent, *adj.* עֲרַל (קְשֵׁה) לֵב
imperative, *adj.* הֶכְרֵחִי, מְצֻוֶּה

imperative, *n.* צַו, פְּקֻדָּה; צִוּוּי

imperceptible, *adj.* אַלְתְּחוּשִׁי, בִּלְתִּי מוּחָשׁ

imperfect, *adj.* פָּגוּם, לָקוּי

imperfect, *n.* עָבָר בִּלְתִּי נִשְׁלָם (דִּקְדּוּק)

imperfection, *n.* פְּגָם, אִי שְׁלֵמוּת

imperial, *adj.* מַלְכוּתִי, מַמְלַכְתִּי

imperialism, *n.* מַמְלַכְתִּיּוּת, הִשְׁתַּלְּטוּת (עַל עַמִּים)

imperil, *v.t.* סִכֵּן

imperious, *adj.* מֵאִיץ, נוֹגֵשׂ; הֶכְרָחִי

imperishable, *adj.* בִּלְתִּי נִשְׁחָת, נִשְׁמָר

impermeable, *adj.* אָטִים, בִּלְתִּי חָדִיר

impersonal, *adj.* לֹא אִישִׁי, סְתָמִי

impersonate, *v.t.* הִתְרָאָה [ראה] כְּאַחֵר, חִקָּה

impertinence, *n.* עַזּוּת פָּנִים, חֻצְפָּה

impertinent, *adj.* חָצוּף, עַז פָּנִים

imperturbable, *adj.* מָתוּן, שָׁלֵו

impervious, *adj.* בִּלְתִּי חָדִיר

impetuous, *adj.* רַגְשָׁנִי, פָּזִיז, נִמְהָר

impetus, *n.* מֵנִיעַ, גּוֹרֵם, כֹּחַ דְּחִיפָה

impiety, *n.* חֹסֶר יִרְאָה, חֹסֶר כָּבוֹד

impinge, *v.i.* הִתְנַגֵּף [נגף], הִתְנַגֵּשׁ בְּ־

impious, *adj.* בִּלְתִּי דָּתִי, חֲסַר יִרְאָה

implacable, *adj.* אִי מְרֻגָּע, אִי פַּשְׁרָנִי

implant, *v.t.* שָׁתַל, נָטַע, הִשְׁרִישׁ [שרש] (בַּלֵּב)

implausible, *adj.* בִּלְתִּי מוּבָן

implement, *n.* מַכְשִׁיר, כְּלִי

implement, *v.t.* בִּצַּע, הוֹצִיא [יצא] לַפֹּעַל

implicate, *v.t.* סִבֵּךְ, מָשַׁךְ לְתוֹךְ, הִסְתַּבֵּךְ [סבך]

implication, *n.* מַסְקָנָה, הִסְתַּבְּכוּת

implicit, *adj.* מוּבָן, מָלֵא, גָּמוּר

implore, *v.t.* הִתְחַנֵּן [חנן], בִּקֵּשׁ

imply, *v.t.* כָּלַל, סָבַר, רָמַז

impolite, *adj.* לֹא מְנֻמָּס, גַּס

impoliteness, *n.* אִי אֲדִיבוּת

impolitic, *adj.* בְּלֹא חָכְמָה

imponderable, *adj.* חֲסַר מִשְׁקָל

import, importation, *n.* יְבוּא, יִבּוּא

import, *v.t.* & *i.* יִבֵּא; סִמֵּן; סָבַר, רָזַם; הָיָה חָשׁוּב

importance, *n.* חֲשִׁיבוּת

important, *adj.* חָשׁוּב, נִכְבָּד

importer, *n.* יְבוּאָן

importune, *v.t.* הִפְצִיר [פצר] בְּ־, הֵצִיק [צוק] לְ־

impose, *v.t.* & *i.* שָׂם [שים] עַל, נָתַן עַל; עָשָׂה רֹשֶׁם; הִכְבִּיד [כבד]

imposition, *n.* תְּבִיעָה (בִּלְתִּי צוֹדֶקֶת), הַעֲמָסָה, הַטָּלָה

impossibility, *n.* אִי אֶפְשָׁרוּת

impossible, *adj.* בִּלְתִּי אֶפְשָׁרִי

impost, *n.* מַס, מֶכֶס

impostor, *n.* רַמַּאי, צָבוּעַ

imposture, *n.* הוֹנָאָה, תַּרְמִית

impotence, *n.* אִי יְכֹלֶת, חֻלְשָׁה; הֲפָרַת הָאֲבִיוֹנָה, חֹסֶר אוֹן

impotent, *adj.* חָלָשׁ, אֵין אוֹנִים; מוּפָר הָאֲבִיוֹנָה

impoverish, *v.t.* רוֹשֵׁשׁ

impoverishment, *n.* דַּלּוּת, דִּלְדּוּל, הִתְרוֹשְׁשׁוּת, אֶבְיוֹנוּת

impracticable, *adj.* בִּלְתִּי מַעֲשִׂי

imprecate, *v.t.* קִלֵּל, אָלָה, אָרַר, קָבַב

imprecation, *n.* קְלָלָה, אָלָה, תַּאֲלָה

impregnable, *adj.* עָמִיד, בִּלְתִּי נִכְבָּשׁ

impregnate, *v.t.* עִבֵּר, הִפְרָה [פרה]

impregnation, *n.* עִבּוּר, הַפְרָיָה

impresario, *n.* אֲמַרְגָּן

impress, *n.* טְבִיעָה, רֹשֶׁם, מִשְׂגָּ

impress, *v.t.* טָבַע (מַטְבֵּעַ); הִשְׁפִּיעַ [שפע], עָשָׂה רֹשֶׁם

impression, *n.* רֹשֶׁם, טְבִיעָה; הַדְפָּסָה; שֶׁקַע
impressive, *adj.* עוֹשֶׂה רֹשֶׁם
impressment, *n.* תְּפִיסָה
imprint, *n.* סִימָן, חוֹתָם, טְבִיעָה
imprint, *v.t.* הִדְפִּיס [דפס]; שִׁנֵּן (לְזִכָּרוֹן)
imprison, *v.t.* כָּלָא, אָסַר, חָבַשׁ
imprisonment, *n.* כְּלִיאָה, מַאֲסָר
improbability, *n.* אִי סְבִירוּת
improbable, *adj.* לֹא יִתָּכֵן
impromptu, *adv.* לְפֶתַע, בְּפֶתַע, בְּלִי הֲכָנָה קוֹדֶמֶת, בְּהֶסַּח הַדַּעַת
improper, *adj.* בִּלְתִּי הוֹגֵן
impropriety, *n.* תִּפְלָה
improve, *v.t.* & *i.* שִׁבַּח, הִשְׁבִּיחַ [שבח], טִיֵּב, הִתְקַדֵּם [קדם]
improvement, *n.* הֲטָבָה, טִיּוּב, הַשְׁבָּחָה, הִתְקַדְּמוּת
improvidence, *n.* אִי זְהִירוּת, רַשְׁלָנוּת
improvisation, *n.* אִלְתּוּר
improvise, *v.t.* & *i.* אִלְתֵּר
imprudence, *n.* אִי זְהִירוּת, רַשְׁלָנוּת
imprudent, *adj.* שֶׁאֵינוֹ זָהִיר, רַשְׁלָנִי
impudence, *n.* עַזּוּת פָּנִים, חֻצְפָּה
impudent, *adj.* חָצוּף, עַז פָּנִים
impulse, *n.* דַּחַף, דְּחִיפָה רִגְעִית
impulsion, *n.* דְּחִיפָה, כֹּחַ מְעַשֶּׂה
impulsive, *adj.* רַגְשָׁנִי, פָּזִיז
impunity, *n.* חֹסֶר עֹנֶשׁ
impure, *adj.* טָמֵא, זָהוּם, לֹא נָקִי, מְגֹאָל
impurity, *n.* טֻמְאָה, זֻהֲמָה, טִנּוּף
impute, *v.t.* יִחֵס לְ־, חִשֵּׁב
in, *prep.* & *adv.* בְּ־, בְּתוֹךְ, בְּקֶרֶב, מִבִּפְנִים
inability, *n.* אִי יְכֹלֶת
inaccessible, *adj.* אַל נָגִישׁ
inaccuracy, *n.* טָעוּת, אִי דִּיּוּק
inaccurate, *adj.* בִּלְתִּי מְדֻיָּק
inaction, inactivity, *n.* אִי פְּעֻלָּה
inactive, *adj.* בִּלְתִּי פָּעִיל
inadequate, *adj.* בִּלְתִּי (מַסְפִּיק) מַתְאִים
inadmissible, *adj.* אִי רָשׁוּי, בִּלְתִּי מְקֻבָּל
inadvertent, *adj.* בִּלְתִּי זָהִיר, רַשְׁלָנִי
inadvisable, *adj.* לֹא כְּדַאי, לֹא יָעוּץ
inalienable, *adj.* נִמְנַע הַהַרְחָקָה
inane, *n.* רֵיק, אַפְסִי, אַל שִׂכְלִי
inanimate, *adj.* דּוֹמֵם, מֵת, חֲסַר חַיִּים
inappropriate, *adj.* בִּלְתִּי מַתְאִים
inaptitude, *adj.* אִי הַתְאָמָה, אִי כִּשְׁרוֹן
inarticulate, *adj.* אַל דִּבּוּרִי
inartistic, *adj.* בִּלְתִּי אָמְנוּתִי
inasmuch, *adv.* מִכֵּיוָן שֶׁ־
inattention, *n.* אִי (הַקְשָׁבָה) תְּשׂוּמֶת לֵב
inattentive, *adj.* בִּלְתִּי מַקְשִׁיב, רַשְׁלָנִי
inaudible, *adj.* אַל שִׁמְעִי, שֶׁאֵינוֹ נִשְׁמָע
inaugurate, *v.t.* חָנַךְ, חִנֵּךְ
inauguration, *n.* חֲנֻכָּה, הַקְדָּשָׁה
inboard, *adj.* & *adv.* בְּיַרְכְּתֵי הָאֳנִיָּה
inborn, *adj.* שֶׁמִּלֵּדָה, טִבְעִי
incalculable, *adj.* אַל חָשִׁיב, שֶׁאֵין לְחַשֵּׁב
incandescence, *n.* לַהַט, הִתְלַבְּנוּת
incandescent, *adj.* לוֹהֵט, מִתְלַבֵּן
incantation, *n.* כִּשּׁוּף, לַחַשׁ
incapable, *adj.* חֲסַר יְכֹלֶת, בִּלְתִּי (מְסֻגָּל) מֻכְשָׁר
incapacity, *n.* אִי יְכֹלֶת, אִי כִּשְׁרוֹן
incarcerate, *v.t.* חָבַשׁ, אָסַר
incarnate, *v.t.* הִגְשִׁים [גשם], הִלְבִּישׁ [לבש] בָּשָׂר
incase, *v.t.* תִּיֵּק, נִרְתֵּק
incautious, *adj.* אִי זָהִיר
incendiary, *adj.* & *n.* מֵצִית, מַבְעִיר

incense, *n.* & *v.t.* קְטֹרֶת; הִקְטִיר [קטר]; הִכְעִיס [כעס]
incentive, *adj.* מְעוֹדֵד
inception, *n.* הַתְחָלָה, תְּחִלָּה
incessant, *adj.* בִּלְתִּי מַפְסִיק, נִמְשָׁךְ
incest, *n.* בְּעִילַת (אֲסוּרִים) שְׁאֵרִים
inch, *n.* אִינְטְשׁ, 2.54 סֶנְטִימֶטְרִים
incident, *n.* תַּקְרִית, מִקְרֶה, מְאֹרָע
incidental, *adj.* מִקְרִי, טָפֵל
incidentally, *adv.* בְּמִקְרֶה, אַגַּב (אוֹרְחָא)
incinerate, *v.t.* שָׂרַף (לְאֵפֶר)
incinerator, *n.* מִשְׂרֶפֶת
incipient, *adj.* הַתְחָלִי, רֵאשִׁיתִי
incise, *v.t.* חָתַךְ, שָׂרַט, חָקַק, חָרַת
incision, *n.* חֲתָךְ, שְׂרִיטָה, גְּדִידָה
incisor, *n.* שֵׁן חוֹתֶכֶת
incite, *v.t.* הֵסִית [סות]
incitement, *n.* הַסָּתָה
incivility, *n.* אִי אֲדִיבוּת
inclement, *adj.* אַכְזָרִי; סוֹעֵר
inclination, *n.* נְטִיָּה, הַטָּיָה, יֵצֶר
incline, *n.* מִדְרוֹן, שִׁפּוּעַ
incline, *v.t.* & *i.* נָטָה; הִטָּה [נטה]
inclose, enclose, *v.t.* גָּדַר; צֵרַף
include, *v.t.* הֵכִיל [כול], כָּלַל
inclusive, *adj.* כּוֹלֵל, וְעַד בִּכְלָל
incognito, *adj.* & *adv.* בְּעִלּוּם שֵׁם
incoherence, *n.* חֹסֶר קֶשֶׁר, עִלְּגוּת
incoherent, *adj.* חֲסַר קֶשֶׁר, עִלֵּג
incombustible, *adj.* לֹא (בָּעִיר) אֶכָּל
income, *n.* הַכְנָסָה; הַגָּעָה, בִּיאָה
income tax מַס הַכְנָסָה
incommode, *v.t.* הִפְרִיעַ [פרע], הִטְרִיחַ [טרח], הִכְבִּיד [כבד]
incomparable, *adj.* בִּלְתִּי דָּמוּי, שֶׁאֵין דּוֹמֶה לוֹ
incompatible, *adj.* בִּלְתִּי מַתְאִים

incompetent, *adj.* בִּלְתִּי מֻכְשָׁר
incomplete, *adj.* לֹא שָׁלֵם
incomprehensible, *adj.* בִּלְתִּי מוּבָן
inconceivable, *adj.* לֹא עוֹלֶה עַל הַדַּעַת, אִי אֶפְשָׁרִי, שֶׁאֵין לְהָנִיחַ
inconclusive, *adj.* בִּלְתִּי (מַכְרִיעַ) מוֹכִיחַ
incongruous, *adj.* בִּלְתִּי מַתְאִים
inconsequent, *adj.* בִּלְתִּי עָקִיב
inconsiderate, *adj.* שֶׁאֵינוֹ מִתְחַשֵּׁב
inconsistency, *n.* אִי עִקְבִיּוּת
inconsistent, *adj.* בִּלְתִּי עָקִיב
inconsolable, *adj.* בִּלְתִּי מִתְנַחֵם
inconspicuous, *adj.* בִּלְתִּי (מֻרְגָּשׁ) נִכָּר
inconstant, *adj.* בִּלְתִּי יַצִּיב, קַל דַּעַת
incontinent, *adj.* בִּלְתִּי מִתְאַפֵּק
incontrollable, *adj.* בִּלְתִּי מְרֻסָּן, לֹא שׁוֹלֵט בְּרוּחוֹ
inconvenience, *n.* אִי נוֹחוּת
inconvenient, *adj.* לֹא נֹחַ
inconvertible, *adj.* בִּלְתִּי מִשְׁתַּנֶּה
incorporate, *adj.* כָּלוּל, מְחֻבָּר, מְאֻגָּד, מְשֻׁתָּף; רוּחָנִי
incorporate, *v.t.* & *i.* אִחֵד, צֵרַף, חִבֵּר, כָּלַל, הִתְאַגֵּד [אגד], הִתְחַבֵּר [חבר] (לְחֶבְרָה מִסְחָרִית)
incorrect, *adj.* מֻטְעֶה, מְשֻׁבָּשׁ
incorrigible, *adj.* מֻשְׁחָת, בִּלְתִּי מְתֻקָּן
incorruptible, *adj.* בִּלְתִּי מֻשְׁחָת, בִּלְתִּי מְשֻׁחָד
increase, *n.* תּוֹסֶפֶת, הִתְרַבּוּת, גִּדּוּל
increase, *v.t.* & *i.* הוֹסִיף [יסף], רִבָּה, הִתְרַבָּה [רבה], הִרְבָּה [רבה]
incredible, *adj.* לֹא יֵאָמֵן כִּי יְסֻפַּר
incredulity, *n.* אִי אֱמוּנָה
increment, *n.* גִּדּוּל, תּוֹסֶפֶת
incriminate, *v.t.* הֶאֱשִׁים [אשם]
incrustation, *n.* הַקְרָמָה

incubate, *v.t. & i.* דָּגַר הִדְגִּיר [דגר], רָבַץ עַל בֵּיצִים
incubation, *n.* תִּדְגֹּרֶת, בְּרִיכָה, דְּגִירָה
incubator, *n.* מַדְגֵּרָה, מִדְגָּרָה
inculcate, *v.t.* הִכְנִיס [כנס] בְּמוֹחוֹ
inculcation, *n.* הוֹרָאָה, לִמּוּד
inculpate, *v.t.* הֶאֱשִׁים [אשם]
incumbent, *adj.* מוּטָל עַל, שׁוֹמָה עַל
incur, *v.t.* גָּרַם לְ־, עָשָׂה, הִתְחַיֵּב [חיב]
incurable, *adj.* בִּלְתִּי נִרְפָּא
incurious, *adj.* שֶׁאֵינוֹ סַקְרָן
incursion, *n.* הִתְנַפְּלוּת, פְּשִׁיטָה
indebted, *adj.* חַיָּב, אֲסִיר תּוֹדָה
indebtedness, *n.* הִתְחַיְּבוּת, חוֹב, תּוֹדָה
indecency, *n.* חֹסֶר הֲגִינוּת, פְּרִיצוּת
indecent, *adj.* בִּלְתִּי צָנוּעַ, פָּרוּץ
indecision, *n.* הִסּוּס, אִי הַחְלָטָה
indecorous, *adj.* בִּלְתִּי נִמּוּסִי, גַּס
indeed, *adv.* בֶּאֱמֶת, אָמְנָם
indefatigable, *adj.* בִּלְתִּי נִלְאֶה
indefensible, *adj.* נִמְנָע הַהֲגַנָּה
indefinable, *adj.* בִּלְתִּי מֻגְדָּר
indefinite, *adj.* בִּלְתִּי (מֻגְדָּר) מְדֻיָּק
indefinite article תָּוִית מְסַתֶּמֶת
indelible, *adj.* בִּלְתִּי נִמְחָק
indelicacy, *n.* חֹסֶר (דֶּרֶךְ אֶרֶץ) נִמּוּס
indelicate, *adj.* לֹא צָנוּעַ, גַּס
indemnify, *v.t.* שִׁלֵּם (דְּמֵי) נֵזֶק
indemnity, *n.* פִּצּוּי, שִׁלּוּמִים
indent, *v.t.* שִׁנֵּן, פִּגֵּם
indentation, indention, *n.* שִׁנִּית, גּוּמָה
independence, *n.* עַצְמָאוּת
Independence Day יוֹם הָעַצְמָאוּת
independent, *adj.* עַצְמָאִי, בִּלְתִּי תָּלוּי
indescribable, *adj.* בִּלְתִּי מְתֹאָר
indestructible, *adj.* בִּלְתִּי נֶהֱרָס
indeterminate, *adj.* לֹא בָּרוּר, סָתוּם
index, *n.* מַרְאֵה מָקוֹם, מַפְתֵּחַ (סֵפֶר); מַדָּד, מַחֲוָן, מָחוֹג; מַעֲרִיךְ
index finger אֶצְבַּע
India, *n.* הֹדּוּ
indicate, *v.t.* הֶרְאָה [ראה], הִצְבִּיעַ [צבע], סִמֵּן
indication, *n.* סִימָן, הֶכֵּר; הוֹרָאָה
indicative, *adj.* מַרְאֶה, רוֹמֵז, מַצְבִּיעַ
indict, *v.t.* הֶאֱשִׁים [אשם]
indictment, *n.* אִשּׁוּם, הַאֲשָׁמָה
indifference, *n.* אֲדִישׁוּת
indifferent, *adj.* אָדִישׁ, קַר רוּחַ
indigence, *n.* מִסְכֵּנוּת, עֹנִי
indigent, *adj.* רָשׁ, מָךְ, עָנִי, דַּל
indigestion, *n.* אִי עִכּוּל, קִלְקוּל קֵבָה
indignant, *adj.* כּוֹעֵס, מִתְמַרְמֵר
indignation, *n.* הִתְמַרְמְרוּת, כַּעַס
indignity, *n.* עֶלְבּוֹן, פְּגִיעָה בְּכָבוֹד
indirect, *adj.* בִּלְתִּי יָשִׁיר, עָקִיף
indiscreet, *adj.* לֹא חָכָם, אִי זָהִיר
indiscriminate, *adj.* בִּלְתִּי מַפְלֶה
indispensable, *adj.* נָחוּץ, הֶכְרֵחִי
indisposed, *adj.* חוֹלֶה קְצָת; מְמָאֵן
indisposition, *n.* חֳלִי, מֵחוּשׁ; מֵאוּן
indisputable, *adj.* מוּבָן מֵאֵלָיו
indistinct, *adj.* מְעֻרְפָּל, לֹא בָּרוּר
indite, *v.t.* כָּתַב, חִבֵּר (מִכְתָּב)
individual, *adj. & n.* אִישׁ, אִישִׁי, פְּרָט, פְּרָטִי, יָחִיד, יְחִידִי
individuality, *n.* אִישִׁיּוּת, עַצְמִיּוּת
indivisibility, *n.* אִי הִתְחַלְּקוּת
indivisible, *adj.* בִּלְתִּי מִתְחַלֵּק
indoctrinate, *v.t.* שִׁנֵּן, לִמֵּד; עִקְרֵן
indolent, *adj.* נִרְפֶּה, עָצֵל; בִּלְתִּי מַכְאִיב
indomitable, *adj.* שֶׁאֵינוֹ מְקַבֵּל מָרוּת
indoor, *adj.* פְּנִים הַבַּיִת
indoors, *adv.* בַּבַּיִת

indorse, endorse, *v.t.* קִיֵּם, אִשֵּׁר
indorsement, endorsement, *n.* קִיּוּם, אִשּׁוּר
indubitable, *adj.* בִּלְתִּי מְסֻפָּק, בָּטוּחַ
induce, *v.t.* פִּתָּה, שִׁדֵּל
inducement, *n.* פִּתּוּי, שִׁדּוּל
induct, *v.t.* הִכְנִיס [כנס]; גִּיֵּס
induction, *n.* הַכְנָסָה; גִּיּוּס; הַקְדָּמָה, מָבוֹא; הַשְׁרָאָה
indulge, *v.t. & i.* פִּנֵּק, עִדֵּן; הִתְמַכֵּר [מכר] לְ־, לֹא שָׁלַט בְּרוּחוֹ
indulgence, *n.* פִּנּוּק, עִדּוּן; הִתְמַכְּרוּת; רַתְיָנוּת, סַלְחָנוּת
indulgent, *adj.* מְפַנֵּק, מְעַדֵּן
industrial, *adj.* תַּעֲשִׂיָּתִי
industrialist, *n.* תַּעֲשִׂיָּן
industrialization, *n.* תִּעוּשׁ
industrious, *adj.* שַׁקְדָן, מַתְמִיד, חָרוּץ
industry, *n.* חֲרשֶׁת, תַּעֲשִׂיָּה; שְׁקִידָה
inebriate, *n. & adj.* שִׁכּוֹר; שָׁכוּר, מְבֻסָּם
inebriate, *v.t.* שִׁכֵּר
inedible, *adj.* בַּל אָכִיל, שֶׁאֵינוֹ נֶאֱכָל
ineffable, *adj.* שֶׁאֵין לְבַטֵּא
ineffective, *adj.* לְלֹא רשֶׁם, חֲסַר פְּעוּלָה, בִּלְתִּי מוֹעִיל
inefficiency, *n.* חֹסֶר יְעִילוּת
inefficient, *adj.* בִּלְתִּי יָעִיל
inelegant, *adj.* בִּלְתִּי (שַׁפִּיר) נִמּוּסִי
ineloquent, *adj.* כְּבַד פֶּה
inept, *adj.* בִּלְתִּי מַתְאִים
inequality, *n.* אִי שִׁוְיוֹן
inequity, *n.* אִי (צֶדֶק) יֹשֶׁר
inert, *adj.* לֹא פָּעִיל, מְפַגֵּר
inessential, *adj.* לֹא חָשׁוּב, לֹא נִצְרָךְ
inestimable, *adj.* לְאֵין עֵרֶךְ, אֵין עֲרֹךְ
inevitable, *adj.* בִּלְתִּי נִמְנָע, הֶכְרֵחִי
inexact, *adj.* בִּלְתִּי מְדֻיָּק

inexcusable, *adj.* בִּלְתִּי נִמְחָל
inexhaustible, *adj.* שֶׁאֵינוֹ פּוֹסֵק
inexorable, *adj.* בִּלְתִּי נֶעְתָּר, שֶׁאֵינוֹ נַעֲנֶה
inexpedient, *adj.* שֶׁאֵינוֹ כְּדַי, חֲסַר תּוֹעֶלֶת, בִּלְתִּי מוֹעִיל
inexpensive, *adj.* לֹא יָקָר, זוֹל
inexperience, *n.* חֹסֶר נִסָּיוֹן
inexperienced, *adj.* בִּלְתִּי מְנֻסֶּה
inexpert, *adj.* שֶׁאֵינוֹ מֻמְחֶה
inexpiable, *adj.* לֹא יְכֻפַּר
inexplicable *adj.* בִּלְתִּי מְבֹאָר
inexplicit, *adj.* בִּלְתִּי בָּרוּר
inexpressible, *adj.* אַל מֻבָּע
inextinguishable, *adj.* לֹא יְכֻבֶּה
inextricable, *adj.* בִּלְתִּי נָתִיר, סָתוּם
infallible, *adj.* אַל שׁוֹגֵג, שֶׁאֵינוֹ טוֹעֶה
infamous, *adj.* בַּעַל שֵׁם רַע, בָּזוּי
infamy, *n.* בִּזָּיוֹן, כְּלִמָּה, שַׁעֲרוּרִיָּה
infancy, *n.* תִּינוֹקוּת, יַלְדוּת
infant, *n.* תִּינוֹק, תִּינֹקֶת, עוֹלָל, וָלָד
infantile, *adj.* תִּינוֹקִי, יַלְדוּתִי
infantry, *n.* חֵיל רַגְלִים
infantryman, *n.* רַגְלִי
infatuate, *v.t.* הִקְסִים [קסם]
infatuation, *n.* הַקְסָמָה, שִׁגָּעוֹן, הִתְאַהֲבוּת
infeasible, *adj.* בִּלְתִּי מַעֲשִׂי
infect, *v.t.* הִדְבִּיק [דבק] (מַחֲלָה), אִלַּח
infection, *n.* הִדַּבְּקוּת, אֶלַח
infer, *v.t.* בָּא [בוא] לִידֵי מַסְקָנָה
inference, *n.* הֶקֵּשׁ
inferior, *adj. & n.* פָּחוּת, נוֹפֵל
inferiority, *n.* נְחִיתוּת, פְּחִיתוּת, קַטְנוּת
inferiority complex תַּסְבִּיךְ נְחִיתוּת
infernal, *adj.* שֶׁל אֲבַדּוֹן, שְׁאוֹלִי
inferno, *n.* שְׁאוֹל
infertile, *adj.* בִּלְתִּי פּוֹרֶה

infertility, *n.* עֲקָרוּת
infest, *v.t.* פָּשַׁט עַל; שָׁרַץ
infidel, *adj.* & *n.* כּוֹפֵר; שֶׁאֵינוֹ מַאֲמִין
infidelity, *n.* כְּפִירָה, בְּגִידָה
infiltrate, *v.t.* & *i.* סִנֵּן, הִסְתַּנֵּן [סנן]
infiltration, *n.* הִסְתַּנְּנוּת
infinite, *adj.* אֵין סוֹפִי, סוֹפִי
infinitely, *adv.* לְאֵין שִׁעוּר
infinitesimal, *adj.* קָטָן בְּתַכְלִית הַקְּטַנּוּת
infinitive, *adj.* & *n.* שֵׁם הַפֹּעַל, מָקוֹר (בְּדִקְדּוּק)
infinity, *n.* אֵין סוֹף
infirm, *adj.* רָפֶה, תְּשׁוּשׁ כֹּחַ, חַלָּשׁ
infirmary, *n.* מִרְפָּאָה
infirmity, *n.* חֻלְשָׁה, תְּשִׁישׁוּת, נָכוּת
inflame, *v.t.* & *i.* הִדְלִיק [דלק], הִלְהִיב [להב], הֵסִית [סות], הִקְצִיף [קצף]; הִשְׁתַּלְהֵב [שלהב], הִתְלַהֵב [להב], הִתְלַקַּח [לקח]
inflammable, *n.* דָּלִיק, שָׂרִיף
inflammation, *n.* דַּלֶּקֶת
inflate, *v.t.* נִפַּח
inflation, *n.* נִפּוּחַ, הִתְנַפְּחוּת, יְרִידַת עֶרֶךְ הַכֶּסֶף
inflect, *v.t.* נָטָה, הִטָּה [נטה] (בְּדִקְדּוּק)
inflection, inflexion, *n.* נְטִיָּה, הַטָּיָה, (בְּדִקְדּוּק)
inflexible, *adj.* אִי גָּמִישׁ, שֶׁאֵינוֹ נִכְפָּף, עִקֵּשׁ
inflict, *v.t.* הֵטִיל [נטל], הֵבִיא [בוא] עַל, גָּרַם לְ־
influence, *n.* הַשְׁפָּעָה
influence, *v.t.* הִשְׁפִּיעַ [שפע]
influenza (often flu), *n.* שַׁפַּעַת
influx, *n.* שֶׁפַע, זֶרֶם
infold, enfold, *v.t.* עָטַף, סָגַר, חָבַק

inform, *v.t.* & *i.* הוֹדִיעַ [ידע], הִגִּיד [נגד] לְ־, הִלְשִׁין [לשן]
informal, *adj.* בִּלְתִּי רִשְׁמִי
informant, *n.* מוֹדִיעַ; מַלְשִׁין
information, *n.* הוֹדָעָה, יְדִיעָה
informer, *n.* מוֹדִיעַ; מָסוֹר, מוֹסֵר, מַלְשִׁין
infraction, *n.* הֲפָרָה
infrequent, *adj.* נָדִיר, בִּלְתִּי שָׁכִיחַ
infringe, *v.t.* הֵפֵר (חֹק), עָבַר עַל חֹק; הִסִּיג [נסג] גְּבוּל
infringement, *n.* עֲבֵרָה, הֲפָרָה; הַסָּגַת גְּבוּל
infuriate, *v.t.* הִקְצִיף [קצף], הִכְעִיס [כעס], שִׁגַּע
infuse, *v.t.* הִשְׁרָה [שרה]; יָצַק
infusion, *n.* שְׁרִיָּה, הַשְׁרָאָה; יְצִיקָה, שְׁלִיקָה
ingenious, *adj.* חָרִיף (שֵׂכֶל), מֻכְשָׁר
ingenuity, *n.* חֲרִיפוּת, שְׁנִינוּת, פִּקְחוּת
ingenuous, *adj.* תָּמִים, תָּם
inglorious, *adj.* מַחְפִּיר, מֵבִישׁ, דֵּרָאוֹנִי
ingot, *n.* מְטִיל מַתֶּכֶת
ingratitude, *n.* כְּפִיַּת טוֹבָה
ingredient, *n.* סַמְמָן, סַמָּן, רְכִיב, מַרְכִּיב
ingress, *n.* כְּנִיסָה, מָבוֹא
inhabit, *v.t.* & *i.* יָשַׁב (בְּאֶרֶץ), שָׁכַן, גָּר
inhabitant, *n.* תּוֹשָׁב, שָׁכֵן, דַּיָּר
inhalation, *n.* הַנְשָׁמָה, שְׁאִיפָה
inhale, *v.t.* נָשַׁם, שָׁאַף
inherent, *adj.* תּוֹכִי, פְּנִימִי, טִבְעִי
inherit, *v.t.* & *i.* נָחַל, יָרַשׁ
inheritance, *n.* יְרֻשָּׁה, מוֹרָשָׁה
inhibit, *v.t.* עִכֵּב, אָסַר, עָצַר
inhibition, *n.* עִכּוּב, עַכָּבָה
inhospitable, *adj.* שֶׁאֵינוֹ מְאָרֵחַ

inhuman, *adj.* בִּלְתִּי אֱנוֹשִׁי
inimical, *adj.* אוֹיֵב, שׂוֹנֵא, מִתְנַגֵּד
inimitable, *adj.* בִּלְתִּי מְחֻקֶּה, שֶׁאִי אֶפְשָׁר לְחַקּוֹת
iniquity, *n.* אָוֶן, עַוְלָה
initial, *adj.* תְּחִלִּי, רִאשׁוֹן
initials, *n. pl.* רָאשֵׁי תֵּבוֹת, ר"ת
initiation, *n.* חֲנֻכָּה
initiative, *adj.* & *n.* מַתְחִיל, יוֹזֵם; יָזְמָה, הַתְחָלָה
initiate, *v.t.* יָזַם, זָמַם, הִתְחִיל [תחל]
inject, *v.t.* הִזְרִיק [זרק]
injection, *n.* זְרִיקָה
injunction, *n.* צַו, אַזְהָרָה, הַזְהָרָה
injure, *v.t.* הִזִּיק [נזק], פָּצַע
injurious, *adj.* מַזִּיק
injury, *n.* נֶזֶק, פְּצִיעָה, פְּגַם
injustice, *n.* אִי צֶדֶק, עָוֶל
ink, *n.* & *v.t.* דְּיוֹ; דְּיֵּת
inkstand, inkwell, *n.* דְּיוֹתָה, קֶסֶת
inland, *n.* פְּנִים הָאָרֶץ
inlay, *v.t.* & *n.* שִׁבֵּץ; תַּשְׁבֵּץ
inlet, *n.* מִפְרָצוֹן, מִפְרָץ קָטָן
inmate, *n.* דַּיָּר, שָׁכֵן, אֻשְׁפִּיז
inmost, *adj.* תּוֹךְ תּוֹכִי
inn, *n.* אַכְסַנְיָה, פֻּנְדָּק
innate, *adj.* שֶׁמִּלֵּדָה, טִבְעִי
inner, *adj.* תּוֹכִי, פְּנִימִי
innermost, *adj.* פְּנִים פְּנִימִי, תּוֹךְ תּוֹכִי
innkeeper, *n.* אַכְסְנַאי, פֻּנְדְּקַאי
innocence, *n.* תֹּם, תְּמִימוּת
innocent, *adj.* תָּם, תָּמִים, נָקִי, חַף
innocuous, *adj.* שֶׁאֵינוֹ מַזִּיק
innovate, *v.t.* חִדֵּשׁ
innovation, *n.* חִדּוּשׁ
innuendo, *n.* רְמִיזָה
innumerable, *adj.* בְּלֹא מִסְפָּר, שֶׁאִי אֶפְשָׁר לִסְפֹּר

inoculate, *v.t.* הִרְכִּיב [רכב]
inoculation, *n.* הַרְכָּבָה
inoffensive, *adj.* שֶׁאֵינוֹ (עוֹלֵב) מַזִּיק
inoperative, *adj.* אִי פָּעִיל
inopportune, *adj.* שֶׁלֹּא (בְּעִתּוֹ) בִּזְמַנּוֹ
inordinate, *adj.* מֻפְרָז
inquest, *n.* מֶחְקָרֶת, חֲקִירַת מָוֶת
inquire, enquire, *v.t.* & *i.* חָקַר וְדָרַשׁ, שָׁאַל
inquiry, *n.* חֲקִירָה, דְּרִישָׁה
inquisition, *n.* חֲקִירָה דָּתִית עוֹיֶנֶת
inquisitive, *adj.* סַקְרָנִי
inroad, *n.* פְּלִישָׁה, חֲדִירָה
insane, *adj.* מְשֻׁגָּע, חֲסַר דַּעַת, מְטֹרָף
insanity, *n.* טֵרוּף הַדַּעַת; שִׁגָּעוֹן
insatiable, *adj.* בִּלְתִּי שָׂבֵעַ, שֶׁאֵין לְהַשְׂבִּיעוֹ, אַלְשָׂבוּעַ
inscribe, *v.t.* כָּתַב, רָשַׁם, הִקְדִּישׁ [קדש] לְ־
inscription, *n.* חֲקִיקָה, חֲרִיתָה; כְּתֹבֶת
inscrutable, *adj.* סוֹדִי, נִמְנַע הַהֲבָנָה
insect, *n.* חֶרֶק, שֶׁרֶץ, רֶמֶשׂ
insecticide, *n.* סַם שְׁרָצִים
insecure, *adj.* לֹא בָּטוּחַ
insecurity, *n.* אִי בִּטָּחוֹן
insensate, *adj.* חֲסַר רֶגֶשׁ
insensibility, *n.* חֹסֶר רֶגֶשׁ
insensitive, *adj.* חֲסַר (רֶגֶשׁ) תְּחוּשָׁה
inseparable, *adj.* בִּלְתִּי נִפְרָד
insert, *v.t.* הִכְנִיס [כנס], הֶחְדִּיר [חדר]
insertion, *n.* הַכְנָסָה; הַחְדָּרָה
inside, *adj.* & *adv.* פְּנִימִי, פְּנִימָה
insidious, *adj.* מַתְעֶה, עַקְמוּמִי
insight, *n.* הֲבָנָה פְּנִימִית, חוּשׁ פְּנִימִי
insignia, *n. pl.* סֵמֶל, סִימָן
insignificance, *n.* חֹסֶר עֵרֶךְ, אִי חֲשִׁיבוּת

insignificant, *adj.* חֲסַר עֵרֶךְ, בִּלְתִּי חָשׁוּב
insincere, *adj.* צָבוּעַ, כּוֹזֵב, לֹא יָשָׁר
insinuate, *v.t.* & *i.* רִמֵּז
insinuation, *n.* רְמִיזָה (לְרָעָה)
insipid, *adj.* תָּפֵל, חֲסַר טַעַם
insipience, *n.* חֹסֶר טַעַם, תִּפְלָה
insist, *v.i.* עָמַד (עַל דַּעְתּוֹ), דָּרַשׁ (בְּתֹקֶף)
insistence, *n.* הִתְעַקְּשׁוּת
insistent, *adj.* עַקְשָׁן, קְשֵׁה־עֹרֶף
insolence, *n.* עַזּוּת, חֻצְפָּה
insoluble, *adj.* לֹא פָּתִיר, בִּלְתִּי נָמֵס
insolvency, *n.* פְּשִׁיטַת רֶגֶל
insolvent, *adj.* פּוֹשֵׁט רֶגֶל
insomnia, *n.* נְדוּדִים, נְדִידַת שֵׁנָה, חֹסֶר שֵׁנָה, אָרֶק
inspect, *v.t.* בִּקֵּר, פִּקַּח
inspection, *n.* בְּדִיקָה, פִּקּוּחַ
inspector, *n.* בּוֹחֵן, מְפַקֵּחַ
inspiration, *n.* הַשְׁרָאָה, הַאֲצָלָה
inspire, *v.t.* & *i.* נָשַׁם; הֶאֱצִיל [אצל], הִשְׁרָה [שרה]; הִלְהִיב [להב]
instability, *n.* אִי יַצִּיבוּת, פַּקְפְּקָנוּת
install, instal, *v.t.* קָבַע, הִתְקִין [תקן], הֶעֱמִיד [עמד]
installation, *n.* מִתְקָן; הַתְקָנָה
installment, instalment, *n.* פֵּרָעוֹן לְשִׁעוּרִין, שִׁעוּר, הֶמְשֵׁךְ (סִפּוּר)
instance, *n.* מָשָׁל, דֻּגְמָה
instant, *n.* רֶגַע, הֶרֶף עַיִן
instantaneous, *adj.* כְּהֶרֶף עַיִן, רִגְעִי
instantly, *adv.* כְּרֶגַע, מִיָּד, תֵּכֶף וּמִיָּד
instead, *adv.* בִּמְקוֹם, תַּחַת
instep, *n.* קִמּוּר הָרֶגֶל
instigate, *v.t.* הֵסִית [סות]
instigation, *n.* הֲסָתָה
instigator, *n.* מֵסִית

instill, instil, *v.t.* טִפְטֵף, הִטִּיף [נטף]; הִכְנִיס [כנס], הֶחְדִּיר [חדר]
instinct, *n.* חוּשׁ טִבְעִי, חוּשׁ, יֵצֶר, נְטִיָּה טִבְעִית
instinctive, *adj.* יִצְרִי, חוּשִׁי, רִגְשִׁי
institute, *n.* & *v.t.* מוֹסָד; חֹק (מִשְׁפָּט); יִסֵּד; הֵחֵל [חלל] (בְּמִשְׁפָּט)
institution, *n.* מוֹסָד, אֲגֻדָּה; תִּקּוּן
instruct, *v.t.* לִמֵּד, חִנֵּךְ, הוֹרָה [ירה]
instruction, *n.* לִמּוּד, הוֹרָאָה
instructor, *n.* מְלַמֵּד, מוֹרֶה
instrument, *n.* מַכְשִׁיר, כְּלִי; כְּלִי נְגִינָה; גּוֹרֵם; אֶמְצָעִי; מִסְמָךְ
insubordinate, *adj.* בִּלְתִּי נִכְנָע, סוֹרֵר, מַמְרֶה
insubordination, *n.* מַרְדּוּת, מְרִי, אִי צִיּוּת
insubstantial, *adj.* אִי מַמָּשִׁי, לְלֹא יְסוֹד
insufferable, *adj.* גָּדוֹל מִנְּשׂא, אִי אֶפְשָׁר לִסְבֹּל
insufficient, *adj.* בִּלְתִּי מַסְפִּיק
insular, *adj.* אִיִּי, שֶׁל אִי; מֻגְבָּל בְּדֵעוֹת
insulate, *v.t.* בּוֹדֵד
insulation, *n.* בִּדּוּד
insulator, *n.* מְבַדֵּד
insult, *n.* עֶלְבּוֹן, חֵרוּף, גִּדּוּף
insult, *v.t.* הֶעֱלִיב [עלב], פָּגַע בְּכָבוֹד
insupportable, *adj.* קָשֶׁה מִנְּשׂא
insurance, *n.* בִּטּוּחַ, אַחֲרָיוּת
insure, ensure, *v.t.* בִּטַּח, הִבְטִיחַ [בטח]
insured, *adj.* מְבֻטָּח
insurgence, *n.* מֶרֶד, הִתְקוֹמְמוּת
insurgent, *n.* מוֹרֵד, מִתְקוֹמֵם
insurmountable, *adj.* בִּלְתִּי עָבִיר
insurrection, *n.* מֶרֶד, מְרִידָה
intact, *adj.* שָׁלֵם, כָּלִיל

intake, *n.* הַכְנָסָה; אֲסִיפָה

intangible, *adj.* נִמְנָע הַמְּמוּשׁ, שֶׁאֵין בּוֹ מַמָּשׁ, לֹא מַמָּשִׁי

integer, *n.* יְחִידָה (סִפְרָה) שְׁלֵמָה, מִסְפָּר שָׁלֵם

integral, *adj.* שָׁלֵם

integrate, *v.t.* הִשְׁלִים [שלם], אִחֵד

integration, *n.* הַשְׁלָמָה, אִחוּד

integrity, *n.* יֹשֶׁר, שְׁלֵמוּת

intellect, *n.* שֵׂכֶל, דַּעַת, בִּינָה, תְּבוּנָה

intellectual, *adj.* מַשְׂכִּיל

intelligence, *n.* חָכְמָה, הַשְׂכָּלָה

intelligent, *adj.* חָכָם, מַשְׂכִּיל

intelligible, *adj.* מוּבָן

intemperance, *n.* אִי הִתְאַפְּקוּת, אִי הַבְלָגָה; סְבִיאָה

intend, *v.t.* הִתְכַּוֵּן [כון], סָבַר, הָיָה בְּדַעְתּוֹ

intendant, *n.* מַשְׁגִּיחַ

intense, *adj.* כַּבִּיר, קִיצוֹנִי

intensify, *v.t.* הֶעֱצִים [עצם], הִגְדִּיל [גדל]

intensity, *n.* עָצְמָה, חֹזֶק

intensive, *adj.* מַגְבִּיר, מַגְדִּיל, מְחַזֵּק, מַדְגִּישׁ (דִּקְדּוּק)

intent, intention, *n.* רָצוֹן, פְּנִיָּה, כַּוָּנָה

intentional, *adj.* מֵזִיד, שֶׁבְּכַוָּנָה, שֶׁבִּצְדִיָּה

inter, *v.t.* קָבַר

interaction, *n.* פְּעֻלָּה הֲדָדִית

intercede, *v.i.* הִשְׁתַּדֵּל [שדל] בְּעַד, תִּוֵּךְ בֵּין

intercept, *v.t.* תָּפַשׂ בַּדֶּרֶךְ, עָצַר, הִפְסִיק [פסק]

intercession, *n.* תִּוּוּךְ, הִשְׁתַּדְּלוּת

interchange, *v.t.* הֶחֱלִיף [חלף], הֵמִיר [מור]

intercollegiate, *adj.* בֵּינְמִכְלָלְתִּי

intercourse, *n.* מַשָּׂא וּמַתָּן, מַגָּע וּמַשָּׂא; בְּעִילָה, תַּשְׁמִישׁ, בִּיאָה, הִזְדַּוְּגוּת, שְׁכִיבָה עִם

interdict, *v.t.* אָסַר

interdiction, *n.* אִסּוּר

interest, *n.* עִנְיָן, חֵלֶק בְּ־; רִבִּית

interest, *v.t.* עִנְיֵן

interfere, *v.i.* הִתְעָרֵב בְּ־

interference, *n.* הִתְעָרְבוּת

interim, *adv.* בֵּינְתַיִם

interior, *adj.* & *n.* פְּנִימִי; פְּנִים

interjection, *n.* קְרִיאָה, מִלַּת קְרִיאָה

interlace, *v.t.* & *i.* שָׁזַר, הִשְׁתַּזֵּר [שזר]

interlock, *v.t.* & *i.* חִבֵּר, סָגַר יַחַד

interloper, *n.* אוֹרֵחַ לֹא מְזֻמָּן, נִכְנָס לְלֹא רְשׁוּת

interlude, *n.* מִשְׂחָק בֵּינַיִם

interlunar, *adj.* בֵּין יַרְחִי

intermarriage, *n.* נִשּׂוּאֵי תַּעֲרֹבֶת

intermediary, *adj.* & *n.* סַרְסוּר, מְתַוֵּךְ, אִישׁ־בֵּינַיִם

intermediate, *adj.* אֶמְצָעִי; בֵּינוֹנִי

interment, *n.* קְבוּרָה

interminable, *adj.* בִּלְתִּי מֻגְבָּל, אֵין סוֹפִי

intermingle, *v.t.* & *i.* עִרְבֵּב, בִּלְבֵּל

intermission, *n.* הַפְסָקָה, הֲפוּגָה

intermit, *v.t.* & *i.* הִפְסִיק [פסק]; נִפְסַק [פסק]

intermittent, *adj.* סָרוּג, מְסֹרָג

intermixture, *n.* בְּלִיל

internal, *adj.* פְּנִימִי

international, *adj.* בֵּינְלְאֻמִּי

internationalize, *v.t.* בִּנְאֵם

interpolate, *v.t.* בִּיֵּן

interpolation, *n.* בִּיּוּן

interpose, *v.t.* & *i.* הִפְסִיק [פסק] בֵּין, חָצַץ בֵּין, פִּשֵּׁר

interpret, *v.t.* בֵּאֵר, פֵּרַשׁ, תִּרְגֵּם
interpretation, *n.* בֵּאוּר, תִּרְגּוּם, פֶּשֶׁר
interpreter, *n.* מְתֻרְגְּמָן, תֻּרְגְּמָן
interrogate, *v.t.* חָקַר
interrogation, *n.* חֲקִירָה וּדְרִישָׁה
interrogative, *n.* שׁוֹאֵל, חוֹקֵר וְדוֹרֵשׁ
interrupt, *v.t.* הִפְסִיק
interruption, *n.* הַפְסָקָה
intersect, *v.t.* הִצְטַלֵּב [צלב]
intersection, *n.* מַצְלֵבָה, פָּרָשַׁת דְּרָכִים
intersperse, *v.t.* הֵפִיץ [פוץ], פִּזֵּר
intertwine, *v.t.* & *i.* שָׁזַר, פָּתַל
interurban, *adj.* בֵּין עִירוֹנִי
interval, *n.* רֶוַח, הֶפְסֵק, שָׁהוּת
intervene, *v.i.* הִתְעָרֵב [ערב], עָמַד בֵּין, חָצַץ בֵּין
intervention, *n.* הִתְעָרְבוּת
interview, *n.* רֵאָיוֹן
intestines, *n. pl.* (בְּנֵי) מֵעַיִם, קְרָבַיִם
intimacy, *n.* קִרְבָה, יְחָסִים קְרוֹבִים
intimate, *adj.* מְקֹרָב, יְדִידוּתִי
intimation, *n.* רֶמֶז, רְמִיזָה
intimidate, *v.t.* הִפְחִיד [פחד], אִיֵּם
intimidation, *n.* הַפְחָדָה, אִיּוּם
into, *prep.* לְתוֹךְ, אֶל
intolerable, *adj.* שֶׁאִי אֶפְשָׁר לִסְבֹּל, גָּדוֹל מִנְּשֹׂא
intolerance, *n.* אִי סוֹבְלָנוּת
intolerant, *adj.* שֶׁאֵינוֹ סוֹבְלָנִי
intonation, *n.* הַטְעָמָה
intoxicant, *n.* מְשַׁכֵּר
intoxicate, *v.t.* שִׁכֵּר
intoxication, *n.* שִׁכּוּר, שִׁכָּרוֹן, שִׁכְרוּת
intractable, *adj.* מַמְרֶה, שׁוֹבָב
intransitive, *adj.* (פֹּעַל) עוֹמֵד (דִּקְדּוּק)
intravenous, *adj.* תּוֹךְ וְרִידִי
intrench, *v.t.* הִתְחַפֵּר [חפר]

intrepid, *adj.* אַמִּיץ לֵב
intricacy, *n.* הִסְתַּבְּכוּת
intricate, *adj.* מְסֻבָּךְ
intrigue, *v.t.* & *i.* סִכְסֵךְ, זָמַם
intrigue, *n.* סִכְסוּךְ, תַּחְבּוּלָה
intrinsic, intrinsical, *adj.* תּוֹכִי, טָבוּעַ, פְּנִימִי, טִבְעִי
introduce, *v.t.* הִצִּיג [יצג]
introduction, *n.* הַצָּגָה; הַקְדָּמָה, מָבוֹא
introspection, *n.* הִסְתַּכְּלוּת עַצְמִית, הִסְתַּכְּלוּת פְּנִימִית
intrude, *v.t.* & *i.* נִכְנַס [כנס] לְלֹא רְשׁוּת
intrusion, *n.* כְּנִיסָה לְלֹא רְשׁוּת
intrusive, *n.* נִכְנָס, נִדְחָק
intrust, entrust, *v.t.* הִפְקִיד [פקד]
intuition, *adj.* חוּשׁ פְּנִימִי
inundate, *v.t.* הֵצִיף [צוף], שָׁטַף
inundation, *n.* שִׁטָּפוֹן, הֲצָפָה, מַבּוּל
inure, *v.t.* הִרְגִּיל [רגל]
invade, *v.t.* פָּלַשׁ
invader, *n.* פּוֹלֵשׁ
invalid, *adj.* בְּלִי עֶרֶךְ, בָּטֵל וּמְבֻטָּל
invalid, *n.* נָכֶה, בַּעַל מוּם
invalidate, *v.t.* בִּטֵּל עֶרֶךְ
invaluable, *adj.* חָשׁוּב, שֶׁלֹּא יֵעָרֵךְ
invariable, *adj.* בִּלְתִּי מִשְׁתַּנֶּה, קָבוּעַ
invasion, *n.* פְּלִישָׁה, חֲדִירָה
invent, *v.t.* הִמְצִיא [מצא]
invention, *n.* הַמְצָאָה, אַמְצָאָה
inventive, *adj.* & *n.* מַמְצִיא
inventory, *n.* פְּרָטָה, כְּלָל הַחֲפָצִים
inverse, *adj.* הָפוּךְ, נֶגְדִּי
invert, *v.t.* הָפַךְ
invert, inverted, *adj.* מְהֻפָּךְ
invest, *v.t.* & *i.* הִשְׁקִיעַ [שקע]
investigate, *v.t.* חָקַר וְדָרַשׁ
investigation, *n.* חֲקִירָה וּדְרִישָׁה

investigator, *n.* חוֹקֵר, בּוֹדֵק
investment, *n.* הַשְׁקָעָה; הַלְבָּשָׁה
investor, *n.* מַשְׁקִיעַ
inveterate, *adj.* יָשָׁן נוֹשָׁן; מְשֹׁרָשׁ
invidious, *adj.* מַרְגִּיז, מַכְעִיס; מְקַנֵּא
invigorate, *v.t.* אִמֵּץ, חִזֵּק; הֶחֱלִיץ [חלץ]
invisible, *adj.* שֶׁאֵינוֹ נִרְאֶה
invitation, *n.* הַזְמָנָה
invite, *v.t.* הִזְמִין [זמן]
invoice, *n.* חֶשְׁבּוֹן
invoke, *v.t.* הִתְחַנֵּן [חנן]
involuntary, *adj.* בִּלְתִּי רְצוֹנִי, שֶׁבְּעַל כָּרְחוֹ
involve, *v.t.* סִבֵּךְ בְּ־, מָשַׁךְ לְתוֹךְ, הִסְתַּבֵּךְ [סבך]
invulnerable, *adj.* בִּלְתִּי נִפְגָּע
inward, *adj.* פְּנִימִי
inwrought, *adj.* מְקֻשָּׁט, עָדוּי
iodine, *n.* יוֹד
Iran, *n.* פָּרַס, אִירָן
irascibility, *n.* רַתְחָנוּת
irate, *adj.* כּוֹעֵס
ire, *n.* קֶצֶף, חָרוֹן
ireful, *adj.* מָלֵא חֵמָה
Ireland, *n.* אִירְלַנְדִּיָּה
iridescent, *adj.* צִבְעוֹנִי, מְגֻוָּן
iris, *n.* קֶשֶׁת; קַשְׁתִּית (בָּעַיִן); דִּגְלִית, חַלְפִּית (פֶּרַח)
Irish, *adj.* אִירִי
irk, *v.t.* הֶלְאָה [לאה], הִטְרִיחַ [טרח]
irksome, *adj.* מַטְרִיד, מְשַׁעֲמֵם
iron, *adj.* בַּרְזִילִי
iron, *n.* בַּרְזֶל; מַגְהֵץ
iron, *v.t.* גִּהֵץ
ironical, ironic, *adj.* לוֹעֵג, מְלַגְלֵג
ironing, *n.* גִּהוּץ
irony, *n.* הִתּוּל, שְׁנִינָה
irradiate, *v.t.* & *i.* הִקְרִין [קרן], נָגַהּ, נָצַץ
irradiation, *n.* הַקְרָנָה
irrational, *adj.* בִּלְתִּי שִׂכְלִי
irreconcilable, *adj.* שֶׁאֵין לְהַשְׁלִים עִמּוֹ
irrecoverable, *adj.* שֶׁאֵין לְהָשִׁיב
irredeemable, *adj.* שֶׁאֵין לִפְדּוֹת
irrefutable, *adj.* שֶׁאֵין לִסְתּוֹר
irregular, *adj.* יוֹצֵא מִן הַכְּלָל, בִּלְתִּי חֻקִּי, מְסֻטֶּה
irregularity, *n.* מִסְטֶה
irrelevant, *adj.* בִּלְתִּי שַׁיָּךְ
irreligious, *adj.* אִי דָתִי
irremediable, *adj.* בִּלְתִּי נִרְפָּא, נִמְנַע הָרְפוּאָה
irreparable, *adj.* שֶׁאֵין לְתַקְּנוֹ
irreproachable, *adj.* תָּמִים, נְקִי מִדֹּפִי
irresistible, *adj.* שֶׁאֵין לַעֲמֹד בְּפָנָיו; מְלַבֵּב
irresolute, *adj.* מְהַסֵּס, מְפַקְפֵּק
irrespective, *adj.* שֶׁאֵינוֹ מִתְחַשֵּׁב בְּ־
irresponsible, *adj.* בִּלְתִּי אַחֲרָאִי
irresponsive, *adj.* שֶׁאֵינוֹ נַעֲנֶה
irretrievable, *adj.* אָבֵד, שֶׁאֵין לְהָשִׁיב
irreverence, *n.* חֹסֶר כָּבוֹד
irreverent, *adj.* מְחֻסַּר רֶגֶשׁ כָּבוֹד
irrevocable, *adj.* שֶׁאֵין לְהָשִׁיב
irrigate, *v.t.* הִשְׁקָה [שקה], הִרְטִיב [רטב]
irrigation, *n.* הַשְׁקָאָה, הַשְׁקָיָה
irritable, *adj.* רָגִיז
irritate, *v.t.* הִרְגִּיז [רגז], הִכְעִיס [כעס]
irritation, *n.* הַרְגָּזָה, הַכְעָסָה
irruption, *n.* הִתְפָּרְצוּת
Isaiah, *n.* (סֵפֶר) יְשַׁעְיָה
Islam, *n.* אִסְלָאם (תּוֹרַת מֻחַמַּד)
island, isle, *n.* אִי

islet, *n.* אִיּוֹן
isolate, *v.t.* הִבְדִּיל [בדל], הִפְרִיד [פרד], הִסְגִּיר [סגר]
isolation, *n.* הַפְרָשָׁה, הַבְדָּלָה; בִּדּוּד; הֶסְגֵּר
Israel, *n.* יִשְׂרָאֵל; מְדִינַת יִשְׂרָאֵל
Israeli, *n.* & *adj.* יִשְׂרְאֵלִי, אֶזְרַח מְדִינַת יִשְׂרָאֵל
Israelite, *n.* & *adj.* יְהוּדִי, יִשְׂרְאֵלִי
issue, *n.* יְצִיאָה, מוֹצָא; צֶאֱצָא, פְּרִי בֶּטֶן; הוֹצָאָה; תְּנוּבָה; הַדְפָּסָה; גִּלָּיוֹן, חוֹבֶרֶת; וִכּוּחַ, שְׁאֵלָה; זְרִימָה
issue, *v.t.* & *i.* הוֹצִיא [יצא] (לְאוֹר); נוֹלַד [ילד]; נָבַע
isthmus, *n.* מֵצַר יָם
it, *pron.* הוּא, הִיא; אוֹתוֹ, אוֹתָהּ
Italian, *n.* & *adj.* אִיטַלְקִי, אִיטַלְקִית
italics, *n.* אוֹתִיּוֹת מֻטּוֹת
itch, *n.* & *v.t.* גְּרִיָּה; חָכַךְ
itchy, *adj.* גָּרִי
item, *n.* פְּרָט
itemize, *v.t.* פֵּרַט
iterate, *v.t.* חָזַר (עַל)
itinerary, *n.* מַסָּעוֹן
its, *adj.* & *pron.* שֶׁלּוֹ, שֶׁלָּהּ
itself, *pron.* הוּא עַצְמוֹ, הִיא עַצְמָהּ
ivory, *n.* שֵׁן, שֶׁנְהָב
ivy, *n.* קִיסוֹס

J, j

J, j, *n.* גֶ'י, הָאוֹת הָעֲשִׂירִית בָּאָלֶף בֵּית הָאַנְגְּלִי; עֲשִׂירִי, י'
jab, *n.*, *v.t.* & *i.* דְּקִירָה; דָּקַר
jabber, *v.i.* פִּטְפֵּט
jack, *n.* מַגְבֵּהַ, מָנוֹף; שֵׁם מְקֻצָּר שֶׁל יַעֲקֹב אוֹ יוֹחָנָן; מַלָּח; חַיָּל (קְלָף בְּמִשְׂחָק); דִּגְלוֹן; נֹאד
jack, *v.t.* הִגְבִּיהַּ [גבה], הֵנִיף [נוף], הֵרִים [רום]
jackal, *n.* תַּן
jackass, *n.* חֲמוֹר; טִפֵּשׁ, כְּסִיל
jacket, *n.* מְעִילוֹן, מָתְנִיָּה
jackknife, *n.* אוֹלָר
jack rabbit אַרְנָב, אַרְנֶבֶת
Jacob, *n.* יַעֲקֹב, יִשְׂרָאֵל
jade, *n.* סוּסָה תְּשׁוּשָׁה; יַצְאָנִית; יָרְקוֹן (אֶבֶן טוֹבָה)
jag, *n.* בְּלִיטָה, צוּק, שֵׁן סֶלַע
jagged, *adj.* פָּצוּר, מְשֻׁנָּן
jail, gaol, *n.* כֶּלֶא, בֵּית סֹהַר
jailer, *n.* אַסָּר, כַּלָּאי
jam, *n.* רִבָּה, מִרְקַחַת
jam, jamb, *n.* דֹּחַק, צְפִיפוּת; מַעֲצוֹר
jam, jamb, *v.t.* לָחַץ, דָּחַק; עָצַר
jamb, jambe, *n.* מְזוּזָה
jangle, *n.* סִכְסוּךְ; קִשְׁקוּשׁ
jangle, *v.t.* & *i.* קִשְׁקֵשׁ; הִתְקַשְׁקֵשׁ [קשקש]
janitor, *n.* שׁוֹעֵר, שַׁמָּשׁ
January, *n.* יָנוּאַר
Japan, *n.* יַפָּן
Japanese, *n.* & *adj.* יַפָּנִי; יַפָּנִית
jape, *v.t.* & *i.* בִּדַּח, לָעַג
jar, *n.* צִנְצֶנֶת; כַּד
jar, *n.* זַעֲזוּעַ
jar, *v.t.* & *i.* הִזְדַּעְזֵעַ [זעזע], נִעְנַע
jargon, *n.* זַ'רְגוֹן, לְשׁוֹן תַּעֲרֹבֶת, אִידִית
jasmine, jessamine, *n.* יַסְמִין
jasper, *n.* יָשְׁפֵה
jaundice, *n.* צַהֶבֶת, יֵרָקוֹן

jaunt, *n.* טִיּוּל, נְסִיעָה קְצָרָה, הִתְשׁוֹטְטוּת
jaunt, *v.i.* טִיֵּל, שׁוֹטֵט [שוט]
jaunty, *adj.* נָאֶה, טוֹב לֵב, עַלִּיז, צוֹהֵל
javelin, *n.* כִּידוֹן
jaw, *n.* לֶסֶת
jealous, *adj.* מְקַנֵּא, מִתְקַנֵּא
jealousy, *n.* קִנְאָה, צָרוּת עַיִן
jeer, *n., v.t. & i.* לַעַג; לִגְלֵג
Jehovah, *n.* יהוה, יְהֹוָה
jejune, *adj.* חָסֵר (עִנְיָן), טַעַם יָבֵשׁ
jelly, *n.* קָרִישׁ, מִקְפָּא
jellyfish, *n.* דַּג הַמִּקְפָּא
jeopardize, *v.t.* סִכֵּן
Jeremiah, *n.* (סֵפֶר) יִרְמְיָה
jerk, *n.* פִּרְכּוּס, פִּרְפּוּר; נִיעַ, זִיעַ; אָדָם נִבְזֶה
jerkin, *n.* מְעִילוֹן, מָתְנִיָּה
jersey, *n.* פַּקְרֵס, מֵיזָע
Jerusalem, *n.* יְרוּשָׁלַיִם
jessamine, jasmine, *n,* יַסְמִין
jest, *n.* לָצוֹן, צְחוֹק
jest, *v.t. & i.* הֵתֵל [תלל], הִתְלוֹצֵץ [ליץ]
jester, *n.* לֵצָן
Jesus, *n.* יֵשׁוּ הַנּוֹצְרִי
jet, *n.* סִילוֹן
jetty, *n.* מֵזַח, מַעֲגָן
Jew, *n.* יְהוּדִי
jewel, *n.* תַּכְשִׁיט, אֶבֶן חֵן
jewel, *v.t.* קִשֵּׁט
jeweler, jeweller, *n.* צוֹרֵף, זֶהָבִי
jewelry, jewellry, *n.* חֶלְיָה, עֲדִי
Jewess, *n.* יְהוּדִיָּה
Jewish, *adj.* יְהוּדִי; יְהוּדִית
Jewry, *n.* כְּלַל יִשְׂרָאֵל, כְּנֶסֶת יִשְׂרָאֵל
jib, *n.* מִפְרָשׂ; יַד הַמִּדְלֶה
jibe, *v.* gibe
jiffy, *n.* הֶרֶף עַיִן
jig, *n.* חַכָּה; חִנְגָּה, לַחַן עֵר
jilt, *n.* נְטִישַׁת אָהוּב
jilt, *v.t. & i.* נָטַשׁ אֲהוּבָתוֹ
jingle, *n. & v.i.* צִלְצוּל; צִלְצֵל
job, *n.* עֲבוֹדָה, מִשְׂרָה, עֵסֶק
jockey, *n.* פָּרָשׁ (רַכָּב) מִתְחָרֶה
jocose, jocular, *adj.* מְבַדֵּחַ, לֵצָנִי, מְהַתֵּל
jocund, *adj.* עַלִּיז, שָׂמֵחַ
jog, *v.t. & i.* דָּחַף; עוֹרֵר [עור]
jog, *n.* הֲדִיפָה; תְּנוּעָה אִטִּית
join, *v.t. & i.* הִתְחַבֵּר [חבר], דָּבַק, הִסְתַּפֵּחַ [ספח]
joiner, *n.* מְהַדֵּק; נַגָּר
joint, *adj.* מְשֻׁתָּף, מְחֻבָּר
joint, *n.* אַרְכֻּבָּה, פֶּרֶק, חֻלְיָה
joist, *n.* עָזָק, קוֹרָה
joke, *n.* בְּדִיחָה, הֲלָצָה
joke, *v.t. & i.* הִתְלוֹצֵץ [ליץ], הֵתֵל [תלל]
joker, *n.* לֵצָן; (גַּם קְלָף בְּמִשְׂחָק)
jolly, *adj.* שָׂמֵחַ, עַלִּיז
jolt, *n.* דְּחִיפָה
jolt, *v.t. & i.* נִדְנֵד, הִתְנַדְנֵד [נדנד]
jostle, *v.t. & i.* דָּחַף, דָּחַק אִישׁ אֶת רֵעֵהוּ
jot, *n.* נְקֻדָּה
jot, *v.t.* רָשַׁם בְּקִצּוּר
journal, *n.* עִתּוֹן; יוֹמָן
journalism, *n.* עִתּוֹנָאוּת
journalist, *n.* עִתּוֹנַאי
journey, *n.* נְסִיעָה; מַהֲלָךְ
journey, *v.i.* נָסַע
journeyman, *n.* שׁוּלְיָה
jovial, *adj.* עַלִּיז
joy, *n.* שִׂמְחָה, גִּילָה
joy, *v.t. & i.* שָׂשׂ [שיש], גָּל [גיל], חָדָה
joyful, *adj.* שָׂמֵחַ

joyless, *adj.* נוּגֶה, עָצוּב

joyous, *adj.* שָׂמֵחַ, מְשַׂמֵּחַ

jubilant, *adj.* צָהֵל

jubilee, *n.* יוֹבֵל, שְׁנַת הַחֲמִשִּׁים

Judaism, *n.* יַהֲדוּת

Judaize, *v.i.* & *t.* הִתְיַהֵד [יהד], יִהֵד

judge, *n.* שׁוֹפֵט, פָּלִיל, דַּיָּן; מֵבִין, בָּקִי

judge, *v.t.* & *i.* דָּן [דון], שָׁפַט

Judges, *n.* (סֵפֶר) שׁוֹפְטִים

judgment, judgement, *n.* פְּסַק, פְּסַק דִּין; מִשְׁפָּט; תְּבוּנָה, הֲבָנָה; סְבָרָה

judicial, judiciary, *adj.* מִשְׁפָּטִי; מָתוּן

judiciously, *adv.* בְּיִשּׁוּב הַדַּעַת

jug, *n.* כַּד

juggle, *v.t.* & *i.* תִּעְתַּע, אָחַז עֵינַיִם

juggler, *n.* מְתַעְתֵּעַ, מְאַחֵז עֵינַיִם

jugular, *adj.* וְרִידִי

jugular vein וָרִיד

juice, *n.* מִיץ, עָסִיס

juicy, *adj.* מִיצִי, עֲסִיסִי

July, *n.* יוּלִי

jumble, *n.* תַּעֲרֹבֶת, בְּלִיל

jumble, *v.t.* & *i.* עִרְבֵּב, הִתְעַרְבֵּב [ערבב], סִכְסֵךְ, הִסְתַּכְסֵךְ [סכסך]

jump, *n.* קְפִיצָה, דִּלּוּג

jump, *v.t.* & *i.* קָפֵץ, דִּלֵּג

junction, *n.* צֹמֶת, קֶשֶׁר, חִבּוּר

juncture, *n.* צֹמֶת

June, *n.* יוּנִי

jungle, *n.* יַעַר (עַד) עָבֹת

junior, *adj.* צָעִיר, קָטָן

junk, *n.* גְּרוּטָאוֹת

jurisdiction, *n.* שִׁלְטוֹן

jurisprudence, *n.* מִשְׁפְּטָנוּת

jurist, *n.* מִשְׁפְּטָן

juror, *n.* מֻשְׁבָּע

jury, *n.* חֶבֶר מֻשְׁבָּעִים

just, *adj.* צַדִּיק, יָשָׁר; נָכוֹן, מְדֻיָּק

just, *adv.* זֶה עַתָּה, אַךְ; בְּדִיּוּק; בְּקֹשִׁי

justice, *n.* צֶדֶק; מִשְׁפָּט; שׁוֹפֵט

justification, *n.* הַצְדָּקָה; הִתְנַצְּלוּת

justify, *v.t.* צִדֵּק, הִצְדִּיק [צדק]

justly, *adv.* בְּצֶדֶק

jut, *v.t.* & *i.* בָּלַט

jute, *n.* סִיבֵי יוּטָה, יוּטָה

juvenile, *adj.* & *n.* צָעִיר; תִּשְׁחֹרֶת, קַטִּין

juxtaposition, *n.* קִרְבָה, סְמִיכוּת, מִצְרָנוּת

K, k

K, k, *n.* קֵי, הָאוֹת הָאַחַת עֶשְׂרֵה בָּאָלֶף בֵּית הָאַנְגְּלִי

kangaroo, *n.* כִּיסוֹנִי, קֶנְגּוּרוּ

keel, *n.* קַרְקָעִית, תַּחְתִּית

keen, *adj.* חַד, שָׁנוּן, עֵרָנִי

keenness, *n.* חַדּוּת

keep, *n.* מִחְיָה, פַּרְנָסָה

keep, *v.t.* & *i.* הֶחֱזִיק [חזק], שָׁמַר, פִּרְנֵס

keg, *n.* גָּרָב (חָבִית מֵחֶרֶס)

kennel, *n.* מְלוּנַת כֶּלֶב, מְאוּרַת כֶּלֶב

kerchief, *n.* מִטְפַּחַת, מִמְחָטָה

kernel, *n.* גַּרְעִין; עִקָּר

kerosene, *n.* שֶׁמֶן אֲדָמָה, נֵפְט

ketchup, *v.* catchup

kettle, *n.* קֻמְקוּם, דּוּד, קַלַּחַת

key, *n.* מַפְתֵּחַ; מַכּוֹשׁ, מְנַעֲנֵעַ; גֹּבַהּ הַקּוֹל

key, *v.t.* נָעַל

khaki, *adj.* חָקִי

kick, *n.* בְּעִיטָה, הֶדֶף; הִתְנַגְּדוּת; חִיל־גִּיל

kick, *v.t.* & *i.* בָּעַט; הִתְנַגֵּד [נגד] לְ־
kid, *n.* גְּדִי; יֶלֶד
kid, *v.t.* & *i.* הִתְלוֹצֵץ [ליץ], לָעַג
kidnap, *v.t.* חָטַף (אָדָם)
kidnaper, *n.* חוֹטֵף (אָדָם)
kidney, *n.* כִּלְיָה
kill, *v.t.* הָרַג, מוֹתֵת [מות], קָטַל
killer, *n.* רוֹצֵחַ, הָרָג; לִוְיָתָן
kilogram, kilogramme, *n.* קִילוֹגְרַם
kilometer, kilometre, *n.* קִילוֹמֶטֶר
kilowatt, *n.* קִילוֹוָאט
kimono, *n.* קִימוֹנוֹ (מְעִיל בַּיִת יַפָּנִי)
kin, *n.* קָרוֹב, שְׁאֵר בָּשָׂר
kind, *n.* מִין, סוּג, זַן
kind, kindhearted, *adj.* מֵטִיב, טוֹב לֵב, נוֹחַ
kindergarten, *n.* גַּן יְלָדִים
kindle, *v.t.* & *i.* דָּלַק, הִדְלִיק [דלק], הִצִּית [יצת], בָּעַר
kindling, *n.* הַדְלָקָה, הַצָּתָה
kindly, *adv.* בְּטוּב לֵב, בְּטוּב
kindness, *n.* טוּב לֵב
kindred, *adj.* קָרוֹב, שְׁאֵר בָּשָׂר
kindred, *n.* קִרְבָה, שַׁאֲרָה
king, *n.* מֶלֶךְ
kingdom, *n.* מַלְכוּת
kingly, *adj.* מַלְכוּתִי
kink, *n.* כֶּפֶף, עִקּוּם
kiss, *n.* נְשִׁיקָה
kiss, *v.t.* & *i.* נָשַׁק, נִשֵּׁק, הִתְנַשֵּׁק [נשק]
kit, *n.* תַּרְמִיל, יַלְקוּט, צִקְלוֹן; חֲתַלְתּוּל; כִּנּוֹר קָטָן
kitchen, *n.* מִטְבָּח, בֵּית תַּבְשִׁיל
kitchenette, kitchenet, *n.* מִטְבָּחוֹן
kite, *n.* בַּז, אַיָּה; עֲפִיפוֹן
kitten, kitty, *n.* חֲתַלְתּוּל
knack, *n.* כִּשְׁרוֹן, חָרִיצוּת לְדָבָר
knapsack, *n.* יַלְקוּט, תַּרְמִיל גַּב
knave, *n.* נוֹכֵל, רַמַּאי
knavery, *n.* נוֹכְלוּת, עָקְבָה
knead, *v.t.* לָשׁ [לוש], גִּבֵּל
knee, *n.* בֶּרֶךְ, אַרְכֻּבָּה
kneel, *v.i.* כָּרַע, בָּרַךְ
knell, *n.* צִלְצוּל
knife, *n.* סַכִּין, מַאֲכֶלֶת
knife, *v.t.* דָּקַר בְּסַכִּין
knight, *n.* אַבִּיר, פָּרָשׁ
knighthood, *n.* אַבִּירוּת
knit, *v.t.* סָרַג
knitting, *n.* סְרִיגָה
knob, *n.* כַּפְתּוֹר; גֻּלָּה
knock, *n.* דְּפִיקָה, מַכָּה
knock, *v.t.* & *i.* דָּפַק, הִכָּה [נכה]
knockout, *n.* הִמּוּם, הַפָּלָה
knoll, *n.* גִּבְעָה
knot, *n.* קֶשֶׁר
knot, *v.t.* & *i.* קָשַׁר
know, *v.t.* & *i.* יָדַע, הִכִּיר [נכר], הֵבִין [בין]
knowledge, *n.* יְדִיעָה, דֵּעָה, חָכְמָה, הַשְׂכָּלָה
knuckle, *n.* פֶּרֶק הָאֶצְבַּע
Koran, *n.* קֻרְאָן

L, l

L, l, *n.* אֶל, הָאוֹת הַשְּׁתֵּים עֶשְׂרֵה בָּאָלֶף בֵּית הָאַנְגְּלִי
label, *n.* פֶּתֶק, תָּו
label, *v.t.* שָׂם [שים] תָּו, הִדְבִּיק [דבק] פֶּתֶק
labial, *adj.* שְׂפָתִי

labor, labour, *n.* עֲבוֹדָה, מְלָאכָה; עָמָל; צִירִים, חֶבְלֵי לֵדָה; (מַעֲמַד הַ)פּוֹעֲלִים, (הָ)עוֹבְדִים

labor, labour, *v.t. & i.* עָבַד, עָמַל; יָגַע, טָרַח; הִתְעַמֵּל [עמל], הִתְיַגֵּעַ [יגע]; הִתְנוֹדֵד [נוד] (אֳנִיָּה)

laboratory, *n.* מַעְבָּדָה

Labor Day יוֹם הָעֲבוֹדָה

laborer, *n.* עוֹבֵד, עָמֵל, פּוֹעֵל

laborious, *adj.* מְיַגֵּעַ, מְעַיֵּף; חָרוּץ

labyrinth, *n.* מָבוֹךְ

lace, *n.* שְׂרוֹךְ (נַעַל); תַּחְרִים

lace, *v.t.* שָׁנַץ, רָקַם

laceration, *n.* שְׂרִיטָה, פְּצִיעָה

lachrymal, *adj.* דִּמְעִי, שֶׁל דְּמָעוֹת

lack, *n.* חֹסֶר, מַחְסוֹר, הֶעְדֵּר

lack, *v.t. & i.* חָסַר

laconic, *adj.* מְצֻמְצָם, קָצָר

lacquer, *n.* בָּרֶקֶת, לַכָּה

lad, *n.* נַעַר, בָּחוּר, עֶלֶם

ladder, *n.* סֻלָּם

lading, *n.* טְעִינָה, הַעֲמָסָה; מִטְעָן, מַשָּׂא

Ladino, *n.* סְפָרַדִּית־יְהוּדִית, לָדִינוֹ

ladle, *n.* תַּרְוָד, בַּחֲשָׁה

lady, *n.* גְּבִירָה, גְּבֶרֶת

lag, *n. & v.i.* פִּגּוּר; הִתְמַהְמֵהַּ [מהמה], פִּגֵּר, הִתְעַכֵּב [עכב]

lagoon, *n.* מִקְוֵה מַיִם, בְּרֵכָה, אֲגַם

lair, *n.* מַרְבֵּץ; אֶרֶב

laity, *n.* הֲמוֹן הָעָם

lake, *n.* אֲגַם

lamb, *n.* טָלֶה, שֶׂה, כֶּבֶשׂ

lambkin, *n.* טַלְיָה

lame, *adj.* פִּסֵּחַ, חִגֵּר, נְכֵה רַגְלַיִם

lameness, *n.* פִּסְחוּת, חִגְּרוּת, צְלִיעָה

lament, *n.* קִינָה, שִׁיר אֵבֶל, נְהִי, מִסְפֵּד

lament, *v.t.* אָלָה, אָנָה, הִתְאַבֵּל [אבל] קוֹנֵן [קין], סָפַד

lamentation, *n.* קִינָה, נֹהַּ, נְהִי, הֶסְפֵּד

Lamentations, *n. pl.* קִינוֹת, מְגִלַּת אֵיכָה

lamenter, *n.* מְקוֹנֵן

laminate, *adj.* עָשׂוּי שְׁכָבוֹת

laminate, *v.t. & i.* חִלֵּק לִשְׁכָבוֹת, הִתְחַלֵּק [חלק] לִשְׁכָבוֹת

lamp, *n.* מְנוֹרָה, עֲשָׁשִׁית

lampoon, *n.* שְׁנִינָה, כְּתָב פְּלַסְתֵּר

lampshade, *n.* גֻּלָּה, סְכוּךְ, מְצִלָּה

lance, *n.* רֹמַח, שֶׁלַח

lancer, *n.* רַמָּח, נוֹשֵׂא שֶׁלַח

lancet, *n.* אִזְמֵל

land, *n.* אֲדָמָה, יַבָּשָׁה, קַרְקַע, אֶרֶץ

landlady, *n.* בַּעֲלַת בַּיִת

landing, *n.* יְרִידָה (מֵאֳנִיָּה), עֲלִיָּה (לַיַּבָּשָׁה), נְחִיתָה (מֵאֲוִירוֹן)

landlord, *n.* בַּעַל בַּיִת

landscape, *n.* נוֹף

landslide, *n.* מַפַּל אֲדָמָה; נִצָּחוֹן

lane, *n.* מִשְׁעוֹל

language, *n.* לָשׁוֹן, שָׂפָה; סִגְנוֹן

languid, *adj.* תָּשׁוּשׁ, חַלָּשׁ

languish, *v.i.* תָּשַׁשׁ, נֶחֱלַשׁ [חלש], כָּמַהּ, לָהָה

languor, *n.* תְּשִׁישׁוּת, נִמְנוּם, רֶגֶשׁ חֻלְשָׁה

lank, *adj.* כָּחוּשׁ, דַּק

lantern, *n.* פָּנָס

lap, *n.* חֵיק, חֹצֶן; לְקִיקָה

lap, *v.t.* לָקַק

lapel, *n.* דַּשׁ; אוּנָה

lapse, *n.* שִׁכְחָה, שְׁגִיאָה, בִּטּוּל

lapse, *v.i.* עָבַר (זְמַן), שָׁגָה, בָּטַל

lapwing, *n.* אַבְטִיט, קִוִּית

larboard, *n.* שְׂמֹאל אֳנִיָּה

larceny, *n.* גְּנֵבָה

larch, *n.* לֶגֶשׁ
lard, *n.* שֻׁמַּן חֲזִיר
larder, *n.* מְזָוֶה
large, *adj.* גָּדוֹל, רָחָב
largeness, *n.* גֹּדֶל, רֹחַב
lark, *n.* עֶפְרוֹנִי, חוּגָה, זַרְעִית
larva, *n.* זַחַל
laryngitis, *n.* דַּלֶּקֶת הַגָּרוֹן
larynx, *n.* גַּרְגֶּרֶת, גָּרוֹן
lascivious, *adj.* תַּאַוְתָנִי
lash, *n.* מַגְלֵב, שׁוֹט, שֵׁבֶט; עַפְעַף
lash, *v.t.* & *i.* הִלְקָה [לקה], הִצְלִיף [צלף], רָצַע
lass, *n.* עַלְמָה, בַּחוּרָה
lassie, *n.* יַלְדָּה
lassitude, *n.* לֵאוּת, עֲיֵפוּת, רִפְיוֹן
lasso, *n.* פַּלָּצוּר
lasso, *v.t.* לָכַד בְּפַלָּצוּר
last, *n.* אִמּוּם
last, *adj.* אַחֲרוֹן, סוֹפִי
last, *v.i.* נִמְשַׁךְ [משך], הִתְקַיֵּם [קים]
lasting, *adj.* קַיָּם, מִתְקַיֵּם, נִמְשָׁךְ
latch, *n.* בְּרִיחַ
latch, *v.t.* נָעַל, סָגַר
late, *adj.* מְאֻחָר, מְפַגֵּר
lately, *adv.* מִקָּרוֹב
latent, *adj.* נִסְתָּר, נִצְפָּן, צָפוּן
lateral, *adj.* צְדָדִי
lathe, *n.* מַחֲרֵטָה
lather, *n.* קֶצֶף
lather, *v.t.* הִקְצִיף [קצף], כִּסָּה בְּקֶצֶף
Latin, *adj.* & *n.* לָטִינִית, רוֹמִית; לָטִינִי
latitude, *n.* קַו־רֹחַב
latrine, *n.* מַחֲרָאָה, בֵּית (כִּסֵּא) שִׁמּוּשׁ
latter, *adj.* שֵׁנִי, אַחֲרוֹן
lattice, *n.* סְבָכָה
laud, *v.t.* הִלֵּל, שִׁבַּח
laudation, *n.* הִלּוּל, שֶׁבַח
laugh, *n.* צְחוֹק, שְׂחוֹק, לִגְלוּג
laugh, *v.t.* & *i.* צָחַק, עָשָׂה צְחוֹק מִ־; לִגְלֵג
laughable, *adj.* מַצְחִיק
laughter, *n.* צְחוֹק, שְׂחוֹק
launching, *n.* הַשָּׁקָה
launder, *v.t.* כִּבֵּס
laundry, *n.* מַכְבֵּסָה, מִכְבָּסָה
laureate, *adj.* מֻכְתָּר
laurel, *n.* עָר, דַּפְנָה
lava, *n.* לַבָּה, תִּיכָה
lavatory, *n.* בֵּית שִׁמּוּשׁ; חֲדַר רַחְצָה
lavender, *n.* אֲזוֹבִיוֹן
lavish, *v.t.* נָתַן בְּשֶׁפַע, פִּזֵּר; בִּזְבֵּז
law, *n.* מִשְׁפָּט, חֹק, תּוֹרָה, דִּין
lawful, *adj.* חֻקִּי, מִשְׁפָּטִי; מֻתָּר
lawgiver, lawmaker, *n.* מְחוֹקֵק
lawlessness, *n.* הֶפְקֵר, פְּרִיצוּת
lawn, *n.* מִדְשָׁאָה
lawsuit, *n.* מִשְׁפָּט
lawyer, *n.* עוֹרֵךְ דִּין
lax, *adj.* מְרֻשָּׁל, רָפֶה, קַל
laxity, *n.* רַשְׁלָנוּת, קַלּוּת
laxative, *n.* רְפָף, סַם מְשַׁלְשֵׁל
lay, *adj.* & *n.* חִלּוֹנִי; פִּיּוּט; לַחַן
lay, *v.t.* & *i.* שָׂם [שים], הֵנִיחַ [נוח], הִשְׁכִּיב [שכב], הֵטִיל [נטל]
layer, *n.* שִׁכְבָה, נִדְבָּךְ, מִרְבָּג
layoff, *n.* פִּטּוּרִים, שִׁלּוּחַ (פּוֹעֲלִים)
lazily, *adv.* בַּעֲצַלְתַּיִם
laziness, *n.* עַצְלוּת
lazy, *adj.* עָצֵל
lead, *n.* אֲבָר, עוֹפֶרֶת
lead, *v.t.* & *i.* צִפָּה (מִלֵּא) בְּעוֹפֶרֶת
lead, *v.t.* & *i.* הִנְהִיג [נהג], הוֹלִיךְ [הלך]; עָמַד בָּרֹאשׁ
lead, *n.* נִהוּל, הַנְהָגָה; הַתְחָלָה; תַּפְקִיד רָאשִׁי

leader, *n.* מַנְהִיג
leadership, *n.* הַנְהָגָה
leaf, *n.* טֶרֶף, עָלֶה; דַּף
leaflet, *n.* חוֹבֶרֶת; עַלְעָל
league, *n.* אֲגֻדָּה, בְּרִית, חֶבֶר; 2.4—4.6 מִילִין
leak, leakage, *n.* דֶּלֶף
leak, *v.t.* דָּלַף
leaky, *adj.* דּוֹלֵף
lean, *v.t. & i.* נִשְׁעַן [שען], נִסְמַךְ [סמך]; נָטָה; הִטָּה [נטה], סָמַךְ
lean, *adj.* כָּחוּשׁ, רָזֶה, צָנוּם
leanness, *n.* רָזוֹן
leap, *n.* קְפִיצָה, זְנִיקָה
leap, *v.i.* קָפַץ, זִנֵּק
leap year שָׁנָה מְעֻבֶּרֶת
learn, *v.t. & i.* לָמַד, נוֹדַע [ידע] לְ־
learned, *adj.* מְלֻמָּד, מַשְׂכִּיל, בֶּן תּוֹרָה
learning, *n.* לִמּוּד
lease, *v.t.* חָכַר, הֶחְכִּיר [חכר]
lease, *n.* שְׂכִירוּת, שְׂכִירָה, חֲכִירָה, שְׁטָר חֲכִירָה
leash, *n.* רְצוּעָה
least, *adj.* הַפָּחוּת (הַקָּטָן) בְּיוֹתֵר
least, *adv.* פָּחוּת מִכֹּל, לְפָחוֹת
leather, *n.* עוֹר
leave, *n.* פְּרִידָה, חֹפֶשׁ
leave, *v.t. & i.* עָזַב, יָצָא, הִשְׁאִיר [שאר]; הוֹרִישׁ [ירש]; נָסַע; הִסְתַּלֵּק [סלק]
leaven, *n.* חָמֵץ, שְׂאוֹר
leaven, *v.t.* הֶחְמִיץ [חמץ]
lecture, *n.* הַרְצָאָה, נְאוּם
lecture, *v.t. & i.* יִסֵּר; הִרְצָה [רצה]
lecturer, *n.* מַרְצֶה
ledge, *n.* זִיז
ledger, *n.* סֵפֶר חֶשְׁבּוֹנוֹת, פִּנְקָס
leech, *n.* עֲלוּקָה

leek, *n.* כְּרֵשָׁה
leer, *v.i.* פָּזַל
lees, *n. pl.* שְׁמָרִים
leeway, *n.* דֶּרֶךְ שֶׁכְּנֶגֶד הָרוּחַ; יוֹתֵר זְמַן (מָקוֹם)
left, *adj. & n.* שְׂמָאלִי; שְׂמֹאל
lefthanded, *adj.* אִטֵּר, אִטֵּר יַד יְמִינוֹ
leftist, *n. & adj.* שְׂמָאלִי
leg, *n.* רֶגֶל
legacy, *n.* מוֹרָשָׁה
legal, *adj.* חֻקִּי
legality, *n.* חֻקִּיּוּת
legalize, *v.t.* הִכְשִׁיר [כשר]; קִיֵּם, אִשֵּׁר
legate, *n.* צִיר
legatee, *n.* יוֹרֵשׁ
legation, *n.* צִירוּת
legend, *n.* אַגָּדָה
legendary, *adj.* אַגָּדִי
legging, *n.* רַגְלִיָּה, כִּסּוּי רֶגֶל
legible, *adj.* קָרִיא, בָּרוּר (כְּתָב)
legion, *n.* גְּדוּד, לִגְיוֹן
legislate, *v.i.* חָקַק
legislation, *n.* תְּחֻקָּה, תְּחִקָּה
legislative, *adj.* תְּחֻקָּתִי
legislator, *n.* מְחוֹקֵק
legislature, *n.* בֵּית מְחוֹקְקִים
legitimacy, *n.* כֹּשֶׁר, חֻקִּיּוּת
legitimate, *adj.* כָּשֵׁר, חֻקִּי
legume, *n.* קִטְנִית, פְּרִי תַּרְמִילִי
leisure, *n.* נוֹחִיּוּת; פְּנַאי
leisurely, *adj. & adv.* מְיֻשָּׁב, אִטִּי; בִּמְתִינוּת
lemon, *n.* לִימוֹן
lemonade, *n.* לִימוֹנִית, לִימוֹנָדָה
lend, *v.t. & i.* הִשְׁאִיל [שאל], הִלְוָה [לוה]
lender, *n.* מַלְוֶה

length, *n.* אֹרֶךְ
at length בַּאֲרִיכוּת
lengthen, *v.t.* הֶאֱרִיךְ [ארך]
lengthy, *adj.* אָרִיךְ
leniency, *n.* רַכּוּת, רַחֲמִים
lenient, *adj.* מֵקֵל, נוֹחַ
lens, *n.* עֲדָשָׁה
Lent, *n.* יְמֵי הַצּוֹם לִפְנֵי פַּסְחָא, לֶנְט
lentils, *n. pl.* עֲדָשִׁים
leopard, *n.* נָמֵר
leper, *n.* מְצֹרָע
leprosy, *n.* צָרַעַת, שְׁחִין
less, *adj.* פָּחוֹת
lessee, *n.* שׂוֹכֵר, חוֹכֵר, אָרִיס
lessen, *v.t.* & *i.* הִפְחִית [פחת], הִתְמַעֵט [מעט], פָּחַת, חָסֵר
lesson, *n.* שִׁעוּר
lessor, *n.* מַחְכִּיר, מַשְׂכִּיר
lest, *conj.* פֶּן, לְבִלְתִּי
let, *n.* מִכְשׁוֹל, מַעְצוֹר
let, *v.t.* & *i.* נָתַן, הִשְׂכִּיר [שכר], הִרְשָׁה [רשה]
lethal, *adj.* מֵמִית
lethargic, lethargical, *adj.* יָשֵׁן, מִתְנַמְנֵם
lethargy, *n.* תַּרְדֵּמָה עֲמֻקָּה
letter, *n.* אוֹת; מִכְתָּב, אִגֶּרֶת
lettuce, *n.* חַסָּה
level, *adj.* שָׁוֶה
level, *n.* רָמָה; מִישׁוֹר; מִשְׁטָח
level, *v.t.* & *i.* שִׁוָּה, הִשְׁוָה [שוה], יִשֵּׁר
lever, *n.* מָנוֹף, מוֹט
leverage, *n.* הֲנָפָה, תְּנוּפָה; הֶסֵּט
leviathan, *n.* לִוְיָתָן
levity, *n.* קַלּוּת רֹאשׁ, קַלּוּת דַּעַת
levy, *n.* מַס, מֶכֶס
lewd, *adj.* נוֹאֵף, זוֹנֶה, תַּאַוְתָנִי
lewdness, *n.* נִאוּף
lexicography, *n.* מִלּוֹנוּת

liability, *n.* אַחֲרָיוּת, הִתְחַיְּבוּת
liable, *adj.* עָלוּל, אַחֲרַאי
liaison, *n.* קֶשֶׁר; חִבּוּק, הִתְקַשְּׁרוּת, יַחַס שֶׁל אֲהָבִים
liar, *n.* כַּזְבָן, שַׁקְרָן
libel, *n.* דִּבָּה, לַעַז, הַשְׁמָצָה
libel, *v.t.* הִשְׁמִיץ [שמץ]; הוֹצִיא [יצא] דִּבָּה
liberal, *adj.* נָדִיב, חָפְשִׁי בְּדֵעוֹת
liberal arts, *n.* מַדָּעֵי הָרוּחַ
liberality, *n.* נְדִיבוּת, וַתְּרָנוּת
liberate, *v.t.* שִׁחְרֵר
liberation, *n.* שִׁחְרוּר
liberator, *n.* גּוֹאֵל, מְשַׁחְרֵר
libertine, *n.* תַּאַוְתָן, פָּרוּץ
liberty, *n.* דְּרוֹר, חֵרוּת
librarian, *n.* סַפְרָן
library, *n.* סִפְרִיָּה
lice, *n. pl.* כִּנִּים
license, licence, *n.* רִשְׁיוֹן, רְשׁוּת; פְּרִיצוּת; חֹפֶשׁ
license, licence, *v.t.* נָתַן רִשְׁיוֹן
licentious, *adj.* מֻפְקָר
lichen, *n.* כָּרִיךְ (צֶמַח); חֲזָזִית
lick, *n.* לְחִיכָה, לְקִיקָה
lick, *v.t.* & *i.* לִחֵךְ, לִקֵּק; הִכָּה [נכה], נִצַּח
lid, *n.* מִכְסֶה; עַפְעַף (עַיִן)
lie, *n.* כָּזָב, שֶׁקֶר
lie, *v.i.* כִּזֵּב, שִׁקֵּר; שָׁכַב, נָח [נוח]
lief, *adv.* בְּרָצוֹן
lien, *n.* מַשְׁכַּנְתָּה, שִׁעְבּוּד נְכָסִים (קַרְקָעוֹת)
lieu, *n.* מָקוֹם
lieutenant, *n.* סֶגֶן
life, *n.* חַיִּים; חֶלֶד; תּוֹלְדוֹת חַיִּים
lifeboat, *n.* סִירַת הַצָּלָה
lifetime, *n.* יְמֵי חַיִּים

lift, *n.* הֲרָמָה, סַעַד; מַעֲלִית
lift, *v.t.* הֵרִים [רום], הֶעֱלָה [עלה]
ligament, *n.* מֵיתָר פְּרָקִים
light, *adj.* בָּהִיר, מֵאִיר; קַל, קַל דַּעַת
light, *n.* אוֹר, מָאוֹר; אֵשׁ
light, *v.t.* & *i.* דָּלַק, הִדְלִיק [דלק], הִבְעִיר [בער], בָּעַר; הֵאִיר [אור]
lighten, *v.t.* הֵקֵל [קלל]
lighter, *n.* סִירָה פּוֹרֶקֶת; מַצִּית
lighthouse, *n.* מִגְדַּלּוֹר
lightly, *adv.* בְּקַלּוּת
lightness, *n.* קַלּוּת
lightning, *n.* בָּרָק, חָזִיז
like, *adj.* & *adv.* דּוֹמֶה, שָׁוֶה; כְּמוֹ
like, *v.t.* אָהַב, מָצָא חֵן
likeable, *adj.* חָבִיב
likelihood, *n.* אֶפְשָׁרוּת
likely, *adj.* & *adv.* אֶפְשָׁרִי; כְּנִרְאֶה
liken, *v.t.* דִּמָּה, הִשְׁוָה [שוה]
likeness, *n.* שִׁוְיוֹן, דְּמוּת, דִּמְיוֹן, צֶלֶם
likewise, *adv.* כְּמוֹ כֵן, גַּם כֵּן
lilac, *n.* אֲבִיבִית, לִילָךְ
lily, *n.* חֲבַצֶּלֶת
limb, *n.* אֵבֶר; כָּנָף; רֶגֶל, זְרוֹעַ
limber, *adj.* גָּמִישׁ
lime, *n.* & *v.t.* שִׂיד, סִיד; סִיֵּד
lime tree תִּרְזָה (עֵץ)
limelight, *n.* אוֹר סִידָן; מָקוֹם מְפֻרְסָם
limestone, *n.* גִּיר, אֶבֶן סִיד
limit, *n.* גְּבוּל, קֵץ
limit, *v.t.* הִגְבִּיל [גבל]
limitation, *n.* הַגְבָּלָה, תְּחוּם
limitless, *adj.* בִּלְתִּי מֻגְבָּל, לְלֹא גְּבוּל
limp, *n.* & *v.i.* צְלִיעָה; צָלַע
limpid, *adj.* בָּהִיר, זַךְ
line, *n.* שׁוּרָה, חֶבֶל, קַו
line, *v.t.* שִׂרְטֵט; עָשָׂה בִּטְנָה, מִלֵּא; עָרַךְ שׁוּרוֹת שׁוּרוֹת

lineage, *n.* יִחוּס
lineal, *adj.* קַוִּי; עוֹבֵר בִּירֻשָּׁה
linear, *adj.* קַוִּי, יָשָׁר
linen, *n.* בַּד, לְבָנִים, פִּשְׁתָּן
liner, *n.* אֳנִיָּה, אֳנִיַּת נוֹסְעִים
linger, *v.i.* הִתְמַהְמֵהַּ [מהמה], שָׁהָה
lingerie, *n.* לְבָנִים
linguist, *n.* בַּלְשָׁן
liniment, *n.* מִשְׁחָה
lining, *n.* בִּטְנָה
link, *n.* חֻלְיָה, פֶּרֶק, קֶשֶׁר
link, *v.t.* חִבֵּר, קִשֵּׁר
linoleum, *n.* שַׁעֲמָנִית, לִינוֹל
linseed, *n.* זֶרַע פִּשְׁתִּים
lint, *n.* פִּשְׁתָּן
lintel, *n.* מַשְׁקוֹף
lion, *n.* אַרְיֵה, לָבִיא, לַיִשׁ, שַׁחַל; מַזָּל אַרְיֵה
lioness, *n.* לְבִיאָה
lip, *n.* שָׂפָה
liquefy, *v.t.* הֵמֵס [מסס], הִתִּיךְ [נתך]
liquid, *adj.* נוֹזֵל
liquidate, *v.t.* פָּרַע (חוֹבוֹת), חִסֵּל
liquor, *n.* מַשְׁקֶה חָרִיף, שֵׁכָר, יַי״שׁ
lisp, *v.t.* & *i.* שִׁנְשֵׁן; גִּמְגֵּם
list, *n.* רְשִׁימָה
list, *v.t.* & *i.* רָשַׁם בִּרְשִׁימָה; נָטְתָה [נטה] אֳנִיָּה
listen, *v.i.* הֶאֱזִין [אזן], הִקְשִׁיב [קשב], שָׁמַע
listener, *n.* שׁוֹמֵעַ, מַאֲזִין, מַקְשִׁיב
listless, *adj.* אִי פָּעִיל, אָדִישׁ, קַר רוּחַ
litany, *n.* תְּפִלָּה
liter, litre, *n.* לִיטֶר
literacy, *n.* דַּעַת קְרֹא וּכְתֹב
literal, *adj.* מִלּוּלִי, מְדֻיָּק
literally, *adv.* אוֹת בְּאוֹת
literary, *adj.* סִפְרוּתִי

literate, *adj.* מַשְׂכִּיל
literature, *n.* סִפְרוּת
lithe, *adj.* גָּמִישׁ, כָּפִיף
lithograph, *n.* דְּפוּס אֶבֶן, לִיתוֹגְרַפְיָה
litigation, *n.* מִשְׁפָּט; רִיב
litter, *n.* אֲלֻנְקָה; אַשְׁפָּה; גּוּרִים
little, *adj.* קָטָן, מְעַט, פָּעוּט
little, *adv.* קִמְעָה, מְעַט, קְצָת
liturgy, *n.* סֵדֶר תְּפִלּוֹת, פֻּלְחָן
live, *v.t.* & *i.* חָיָה; גָּר [גור], דָּר [דור]; הִתְפַּרְנֵס [פרנס]
live, *adj.* חַי; פָּעִיל; בּוֹעֵר
livelihood, *n.* מִחְיָה, פַּרְנָסָה, כַּלְכָּלָה
liveliness, *n.* עֵרָנוּת, זְרִיזוּת
lively, *adj.* עֵרָנִי, זָרִיז
liver, *n.* כָּבֵד
livery, *n.* מַדִּים, בִּגְדֵי שְׂרָד
livestock, *n.* בְּהֵמוֹת, מִקְנֶה, צֹאן וּבָקָר
livid, *adj.* כְּחַלְחַל
living, *n.* חַיִּים; מִחְיָה, הַכְנָסָה
lizard, *n.* לְטָאָה
load, *n.* מִטְעָן, עֹמֶס, נֵטֶל, מַשָּׂא
load, *v.t.* & *i.* הֶעֱמִיס [עמס], טָעַן
loadstar, lodestar *n.* כּוֹכָב מַדְרִיךְ
loadstone, lodestone, *n.* אֶבֶן שׁוֹאֶבֶת
loaf, *n.* כִּכָּר
loaf, *v.i.* הָלַךְ בָּטֵל, בִּטֵּל זְמָן
loafer, *n.* בַּטְלָן
loam, *n.* טִיט, חֹמֶר
loan, *n.* מִלְוָה, הַלְוָאָה
loan, *v.t.* & *i.* הִלְוָה [לוה], הִשְׁאִיל [שאל]
loath, *adj.* מְמָאֵן, מִתָּעֵב
loathe, *v.t.* & *i.* שָׂנֵא, מָאַס, גָּעַל
loathsome, *adj.* נִתְעָב, נִמְאָס
lobby, *n.* טְרַקְלִין, אוּלָם הַמְתָּנָה; מִסְדְּרוֹן, פְּרוֹזְדוֹר
lobby, *v.t.* שִׁדֵּל (צִירִים)
lobe, *n.* תְּנוּךְ, בְּדַל (אֹזֶן); אֻנָּה
lobster, *n.* סַרְטַן יָם
local, *adj.* מְקוֹמִי
local, *n.* מָקוֹם
locality, *n.* סְבִיבָה
localize, *v.t.* מִקֵּם
locate, *v.t.* מָצָא מְקוֹם מְגוּרֵי־, מָצָא
location, *n.* קְבִיעַת מָקוֹם, מָקוֹם
lock, *n.* מַנְעוּל; תַּלְתַּל
lock, *v.t.* & *i.* נָעַל; נִסְגַּר [סגר]
locker, *n.* אָרוֹן
lockjaw, *n.* צַפֶּדֶת
lockout, *n.* הַשְׁבָּתָה
locksmith, *n.* מַסְגֵּר
lockup, *n.* מַאֲסָר; בֵּית כֶּלֶא (סֹהַר)
locomotion, *n.* תְּנוּעָה, תַּעֲבוּרָה
locomotive, *n.* & *adj.* קַטָּר; נָע
locust, *n.* אַרְבֶּה, חָגָב, גָּזָם
lode, *n.* עַפְרָה, מַחְצָב
lodestar, *v.* loadstar
lodestone, *v.* loadstone
lodge, *n.* מְלוּנָה, שׁוֹמֵרָה, מְקוֹם (אוּלָם) אֲסֵפוֹת שֶׁל מִסְדָּרִים
lodge, *v.t.* הֵלִין [לון], אִכְסֵן, דָּר [דור]
lodger, *n.* דַּיָּר
lodging, *n.* מָדוֹר, דִּירָה, מִשְׁכָּן
loft, *n.* עֲלִיָּה
lofty, *adj.* גָּבוֹהַּ, נִשָּׂא, נַעֲלֶה
log, *n.* בּוּל עֵץ, קוֹרָה; יוֹמָן (רַב חוֹבֵל)
log, *v.t.* כָּרַת עֵצִים
logarithm, *n.* מַעֲרִיךְ הַחֶזְקָה
loggerhead, *n.* בַּעַר, בּוּר
logic, *n.* הִגָּיוֹן, סְבָרָה, חָכְמַת הַהִגָּיוֹן
logical, *adj.* הֶגְיוֹנִי
logician, *n.* בַּעַל הִגָּיוֹן

loins, *n. pl.* יְרֵכַיִם, מָתְנַיִם, חֲלָצַיִם

loiter, *v.i.* שָׁהָה, בִּטֵּל זְמַן, הִתְמַהְמֵהַּ [מהמה]

loll, *v.i.* יָשַׁב נַחַ, שָׁכַב בַּעֲצַלְתַּיִם

lone, lonely, *adj.* עֲרִירִי, בּוֹדֵד, גַּלְמוּד

loneliness, *n.* בְּדִידוּת

lonesome, *adj.* נֶעֱזָב (לְנַפְשׁוֹ)

long, *adj.* אָרֹךְ

long, *v.i.* הִשְׁתּוֹקֵק [שקק], הִתְגַּעְגֵּעַ [געגע]

longevity, *n.* אֹרֶךְ (אֲרִיכוּת) יָמִים

longing, *n.* גַּעְגּוּעִים, כִּסּוּף, כִּסּוּפִים

longitude, *n.* קַו־אֹרֶךְ

longshoreman, *n.* סַוָּר

look, *n.* מַרְאֶה, מַבָּט

look, *v.t. & i.* הִתְבּוֹנֵן [בין] הִבִּיט [נבט], רָאָה, צָפָה, הִסְתַּכֵּל [סכל]

looking glass מַרְאָה, רְאִי

loom, *n.* נוֹל, מָנוֹר

loom, *v.i.* הוֹפִיעַ [יפע], נִרְאָה [ראה] מֵרָחוֹק

loop, *n. & v.t.* עֲנִיבָה, לוּלָאָה; עָנַב

loophole, *n.* פְּתִיחָה; חוֹר (בְּקִיר); מָנוֹס

loose, *adj.* רָפֶה; פָּרוּץ; מְחֻלְחָל

loose, *v.t.* הִתִּיר [נתר]

loosen, *v.t.* שִׁלְשֵׁל, רִפָּה

looseness, *n.* רִפְיוֹן; שִׁלְשׁוּל; פְּרִיצוּת

loot, *n.* מַלְקוֹחַ, שָׁלָל, בִּזָּה

loot, *v.t.* בָּזַז, שָׁלַל

lop, *v.t.* גָּדַע, קָטַע

loquacious, *adj.* פַּטְפְּטָנִי

Lord, *n.* אֱלֹהִים, הַקָּדוֹשׁ בָּרוּךְ הוּא

lord, *n.* גְּבִיר, אָדוֹן, אִישׁ

lordship, *n.* אַדְנוּת

lore, *n.* לֶקַח, גִּרְסָא, לִמּוּד

lorgnette, *n.* מִשְׁקֶפֶת

lorn, *adj.* גַּלְמוּד, עָזוּב

lorry, *n.* מְכוֹנִית מַשָּׂא, מַשָּׂאִית

lose, *v.t. & i.* אִבֵּד, הִפְסִיד [פסד]; יָצָא חַיָּב, נֻצַּח

loss, *n.* אֲבֵדָה; הֶפְסֵד; מִיתָה

lot, *n.* מִגְרָשׁ; מַזָּל, מָנָה, גּוֹרָל; רֹב

lousy, *adj.* מָלֵא כִּנִּים; שָׁפָל, נִתְעָב

lotion, *n.* מִשְׁחָה, נוֹזֵל רְחִיצָה

lottery, *n.* הַגְרָלָה

loud, *adj.* רוֹעֵשׁ; בָּהִיר; גַּס

loudly, *adv.* בְּקוֹל רָם

lounge, *n.* אוּלָם (חֲדַר) מַרְגּוֹעַ

lounge, *v.i.* בִּלָּה בִּנּוֹחִיּוּת

louse, *n.* כִּנָּה

lout, *n.* טִפֵּשׁ, שׁוֹטֶה, בַּעַר

lovable, *adj.* חָבִיב, נֶחְמָד

love, *n.* אַהֲבָה, חִבָּה

love, *v.t. & i.* אָהַב, חִבֵּב

loveless, *adj.* חֲסַר אַהֲבָה

loveliness, *n.* חֶמְדָּה

lovely, *adj. & adv.* אָהוּב, נֶחְמָד, חִנָּנִי

lover, *n.* אָהוּב, דּוֹד

lovesick, *adj.* מְאֹהָב, חוֹלֵה אַהֲבָה

low, *adj.* נָמוּךְ, עָמֹק, מְעַט, שָׁפָל; חָשׁוּךְ

low, *adv.* לְמַטָּה

lower, *v.t.* הוֹרִיד [ירד], הִשְׁפִּיל [שפל]

lowland, *n.* שְׁפֵלָה

lowliness, *n.* עֲנִיּוּת; שִׁפְלוּת

lowly, *adj.* צָנוּעַ, עָנָו, שָׁפָל

loyal, *adj.* נֶאֱמָן

loyalty, *n.* נֶאֱמָנוּת

lozenges, *n. pl.* סֻכָּרִיּוֹת לַגָּרוֹן

lubber, *n.* גֹּלֶם

lubricant, *n.* שֶׁמֶן, חֹמֶר סִיכָה

lubricate, *v.t.* מָשַׁח (מָרַח) בְּשֶׁמֶן, סָךְ [סוך], שִׁמֵּן, הֶחֱלִיק [חלק]

lubrication, *n.* סִיכָה, מְשִׁיחָה, מְרִיחָה (בְּשֶׁמֶן), שִׁמּוּן

lucent, *adj.* מֵאִיר, מַזְהִיר
lucerne, lucern, *n.* אַסְפֶּסֶת
lucid, *adj.* מוּבָן, בָּרוּר; זַךְ, בָּהִיר
Lucifer, *n.* אַיֶּלֶת הַשַּׁחַר, כּוֹכַב נֹגַהּ
luck, *n.* מַזָּל, גַּד, הַצְלָחָה
luckily, *adv.* לְאָשְׁרוֹ, בְּמַזָּל
lucky, *adj.* מַצְלִיחַ, בַּר מַזָּל
lucrative, *adj.* מַכְנִיס רֶוַח
ludicrous, *adj.* מְגֻחָךְ
luff, *v.i.* & *n.* פָּנָה לְצַד הָרוּחַ; צַד הָרוּחַ
lug, *v.t.* & *n.* סָחַב; אֹזֶן (הַכְּלִי)
luggage, *n.* מִטְעָן, חֲפָצִים, מִזְוָדוֹת
lugubrious, *adj.* עָצוּב, נוּגֶה
lukewarm, *adj.* חָמִים; פּוֹשֵׁר; אָדִישׁ
lull, *v.t.* & *n.* יִשֵּׁן; הִרְגִּיעַ [רגע]; שֶׁקֶט
lullaby, *n.* שִׁיר עֶרֶשׂ
lumbago, *n.* מַתֶּנֶת
lumber, *n.* גְּרוּטָאוֹת; עֵצִים, עֵצָה
lumber, *v.i.* הִתְנַהֵל [נהל] בִּכְבֵדוּת; כָּרַת עֵצִים
luminary, *n.* מָאוֹר, מֵאִיר עֵינַיִם
luminous, *adj.* מֵאִיר, נוֹצֵץ
lump, *n.* רֶגֶב
lunacy, *n.* שִׁגָּעוֹן
lunar, *adj.* יַרֵחִי
lunatic, *adj.* סַהֲרוּרִי, מְטֹרָף
lunch, luncheon, *n.* אֲרוּחַת צָהֳרַיִם
lunch, *v.i.* אָכַל אֲרוּחַת הַצָּהֳרַיִם
lung, *n.* רֵאָה
lunge, *v.t.* & *i.* דָּחַף, בִּתֵּק (חֶרֶב); נִדְחַף [דחף] קָדִימָה
lunge, *n.* בִּתּוּק חֶרֶב, דְּחִיפָה
lurch, *n.* נִעֲנוּעַ; מְבוּכָה, מַצָּב קָשֶׁה
lure, *n.* מְשִׁיכָה, פִּתּוּי
lure, *v.t.* מָשַׁךְ (לֵב), פִּתָּה
lurk, *v.i.* אָרַב
luscious, *adj.* טָעִים, נֶחְמָד
lush, *adj.* עֲסִיסִי
lust, *n.* חֵשֶׁק, תַּאֲוָה
lust, *v.i.* אִוָּה, חָמַד
luster, lustre, *n.* זִיו, נֹגַהּ; נִבְרֶשֶׁת; תְּקוּפַת חָמֵשׁ שָׁנִים
lustrous, *adj.* מַבְרִיק, מַבְהִיק
lusty, *adj.* בָּרִיא, חָזָק
lute, *n.* עוּד
luxuriance, *n.* שֶׁפַע
luxurious, *adj.* עָשִׁיר, בַּעַל מוֹתָרוֹת
luxury, *n.* מוֹתָרוֹת, עֶדְנָה
lye, *n.* אֵפֶר
lying, *n.* שְׁכִיבָה, רְבִיצָה; כַּחַשׁ, רְמִיָּה
lying-in, *n.* לֵדָה, שְׁכִיבַת יוֹלֶדֶת
lymph, *n.* לֵחָה לְבָנָה, לִבְנָה
lymphatic, *adj.* אִטִּי, מְחֻלְחָל
lynch, *v.t.* עָנַשׁ כְּפִי דִּין הֶהָמוֹן
lynx, *n.* חֻלְדַּת הַבָּר
lyre, *n.* נֵבֶל
lyric, lyrical, *adj.* הֲגִיגִי, שִׁירִי, לִירִי
lyric, *n.* הָגִיג, שִׁירַת הִגָּיוֹן

M, m

M, m, *n.* אֶם, הָאוֹת הַשְּׁלֹשׁ עֶשְׂרֵה בָּאָלֶף בֵּית הָאַנְגְּלִי
ma'am, madam, *n.* גְּבֶרֶת, גְּבִרְתִּי
macadam, *n.* כְּבִישׁ
macadamize, *v.t.* כָּבַשׁ, סָלַל כְּבִישׁ
macaroni, *n.* אִטְרִיּוֹת; גַּנְדְּרָן
macaroon, *n.* שְׁקֵדוֹן
macaw, *n.* תֻּכִּי
mace, *n.* שַׁרְבִיט, אַלָּה
machinate, *v.t.* זָמַם
machination, *n.* מְזִמָּה
machinator, *n.* תַּחְבְּלָן, תַּכְסִיסָן

machine, *n.* מְכוֹנָה

machine gun מְכוֹנַת יְרִיָּה

machinist, *n.* מְכוֹנַאי

mackerel, *n.* כּוּפְיָה

mackintosh, *n.* מְעִיל גֶּשֶׁם, גִּשְׁמוֹן

mad, *adj.* מְשֻׁגָּע; מִתְרַגֵּז; שִׁגְעוֹנִי

madam, ma'am, *n.* גְּבֶרֶת, גְּבִרְתִּי

madcap, *n.* פּוֹחֵז, פֶּרֶא

madden, *v.t. & i.* שִׁגֵּעַ; הִשְׁתַּגֵּעַ [שגע]

made-up, *adj.* בָּדוּי; מְפֻרְכָּס, מְאֻפָּר

madhouse, *n.* בֵּית מְשֻׁגָּעִים

madman, *n.* מְשֻׁגָּע

madness, *n.* שִׁגָּעוֹן, טֵרוּף

madrigal, *n.* שִׁיר אַהֲבָה

magazine, *n.* מַחְסָן, מַמְגּוּרָה, קֹבֶץ; תְּקוּפוֹן; מַחְסָנִית

maggot, *n.* תּוֹלָע, גֹּלֶם

magic, *n.* קֶסֶם, חֶבֶר, כִּשּׁוּף

magician, mage, *n.* חַרְטֹם, מְכַשֵּׁף

magistrate, *n.* שׁוֹפֵט

magnanimity, *n.* נְדִיבוּת, רֹחַב לֵב

magnanimous, *adj.* נָדִיב

magnate, *n.* שׁוֹעַ, אָצִיל, עָשִׁיר, אַדִּיר

magnet, *n.* אֶבֶן (זוֹחֶלֶת) שׁוֹאֶבֶת

magnetic, *adj.* שָׁאִיב, מוֹשֵׁךְ

magnificence, *n.* הָדָר, פְּאֵר, יְפִי, הוֹד

magnificent, *adj.* נֶהְדָּר, הָדוּר, מְפֹאָר

magnifier, *n.* מַגְדִּיל

magnify, *v.t.* הִגְדִּיל [גדל]; הִלֵּל

magnitude, *n.* גְּדֻלָּה; שִׁעוּר

magpie, *n.* לִבְנִי, עוֹרֵב צִבְעוֹנִי

mahogany, *n.* תּוֹלַעְנָה

maid, *n.* מְשָׁרֶתֶת, עוֹזֶרֶת, בַּחוּרָה

maiden, *adj.* רִאשׁוֹן, חָדָשׁ, טָהוֹר

maiden, *n.* בְּתוּלָה, עַלְמָה

maidenhood, *n.* בְּתוּלִים

mail, *n.* שִׁרְיוֹן; דֹּאַר, מִכְתָּבִים

mail, *v.t.* שִׁרְיֵן; דִּוֵּאַר, שָׁלַח בַּדֹּאַר

mailman, *n.* דַּוָּאר, דַּוָּר

maim, *v.t.* הוּמַם [מום], קִטַּע

main, *adj.* רָאשִׁי, עִקָּרִי

main, *n.* עִקָּר; גְּבוּרָה

mainly, *adv.* בְּיִחוּד, בְּעִקָּר

mainstay, *n.* מִשְׁעָן, מְפַרְנֵס

maintain, *v.t.* הֶחֱזִיק [חזק] בְּ־; כִּלְכֵּל; טָעַן שֶׁ־

maintenance, *n.* תְּמִיכָה, מִחְיָה

maize, *n.* תִּירָס

majestic, majestical, *adj.* מַלְכוּתִי, נִשְׂגָּב, נֶהְדָּר

majesty, *n.* הוֹד מַלְכוּת

major, *adj.* בָּגִיר, בָּכִיר, רָאשִׁי, עִקָּרִי

major, *n.* רַב סֶרֶן

majority, *n.* רֹב (דֵּעוֹת); בַּגִּירוּת

make, *n.* אֹפִי, טֶבַע, מִין, תּוֹצֶרֶת

make, *v.t. & i.* עָשָׂה, בָּרָא, יָצַר

maker, *n.* עוֹשֶׂה

make-up, *n.* אִפּוּר

maladjustment, *n.* הִסְתַּגְּלוּת גְּרוּעָה

maladministration, *n.* נִהוּל גָּרוּעַ

malady, *n.* מַחֲלָה, מַדְוֶה

malapert, *adj.* שַׁחֲצָנִי, חָצוּף

malaria, *n.* קַדַּחַת

malcontent, *adj.* בִּלְתִּי מְרֻצֶּה

male, *adj.* גַּבְרִי; זְכָרִי, זַכְרוּתִי

male, *n.* גֶּבֶר, זָכָר

malediction, *n.* אָלָה, קְלָלָה

malefactor, *n.* עֲבַרְיָן, חוֹטֵא

malevolence, *n.* רֶשַׁע, זָדוֹן

malevolent, *adj.* רַע לֵב, זְדוֹנִי

malfeasance, *n.* תַּעֲלוּל, מַעֲשֶׂה רַע

malice, *n.* זָדוֹן, מַשְׂטֵמָה

malicious, *adj.* זְדוֹנִי, שׁוֹטֵם

malign, *adj.* מַמְאִיר, מַשְׁחִית, מַזִּיק, קָשֶׁה, רַע לֵב

malign, *v.t.* הָלַךְ רָכִיל
malignant, *adj.* מַמְאִיר, רָשָׁע, מַזִּיק
malignity, *n.* רֹעַ לֵב
mallard, *n.* בַּרְוַז הַבָּר
mallet, *n.* מַקֶּבֶת, פַּטִּישׁ
malnutrition, *n.* תְּזוּנָה גְּרוּעָה
malodor, malodour, *n.* רֵיחַ רַע, סִרְחוֹן
malodorous, *adj.* מַסְרִיחַ, בּוֹאֵשׁ
malt, *n.* לֶתֶת, חֲמִירָה
maltreat, *v.t.* הִתְנַהֵג [נהג] בְּאַכְזָרִיּוּת
mamma, mama, *n.* אֵם, אִמָּא, אַמָּא
mammal, *n.* יוֹנֵק
mammon, *n.* מָמוֹן, בֶּצַע, כֶּסֶף
mammoth, *n.* מַמּוּתָה
man, *n.* גֶּבֶר, אִישׁ, אֱנוֹשׁ, (בֶּן) אָדָם
man, *v.t.* הֶעֱמִיד [עמד] חֵיל מַצָּב
manacles, *n. pl.* אֲזִקִּים, כְּבָלִים
manage, *v.t.* & *i.* כִּלְכֵּל, נִהֵל
management, *n.* נִהוּל
manager, *n.* מְנַהֵל
mandate, *n.* מְמֻנּוּת; פְּקֻדָּה; הַרְשָׁאָה
mandible, *n.* לֶסֶת
mandrake, *n.* יַבְרוּחַ, דּוּדָאִים
mane, *n.* רַעֲמָה
maneuver, manoeuvre, *n.* תִּמְרוֹן,
מֵרוֹן, אִמּוּנִים; תַּחְבּוּלָה
manful, *adj.* אַמִּיץ לֵב
mange, *n.* אִכּוּל
manger, *n.* אֵבוּס
mangle, *n.* מַעֲגִילָה, זִירָה, מַגְהֵץ
חַשְׁמַלִּי; מַסְחֵט לִלְבָנִים
mangle, *v.t.* הִטִּיל [נטל] מוּם בְּ־,
הִשְׁחִית [שחת], טָרַף; זֵיֵּר, גִּהֵץ,
הֶחֱלִיק [חלק] (לְבָנִים)
manhandle, *v.t.* הִשְׁתַּמֵּשׁ [שמש] בְּכֹחַ
manhood, *n.* גַּבְרוּת, בַּגְרוּת, אֹמֶץ
mania, *n.* רוּחַ תְּזָזִית; שִׁגָּעוֹן, תְּשׁוּקָה
maniac, *n.* & *adj.* מִתְהוֹלֵל, מְטֹרָף

manicure, *n.* עִדּוּן (מְעַדֵּן) יָדַיִם
manifest, *adj.* בָּרוּר, יָדוּעַ
manifest, *n.* & *v.t.* שְׁטַר מִטְעָן; גִּלָּה
manifestation, *n.* פִּרְסוּם, הַפְגָּנָה
manifesto, *n.* הַצְהָרָה (שֶׁל מִטְעָן)
manifold, *adj.* מְרֻבֶּה, רַב מִינִי
manikin, mannequin, *n.* גַּמָּד, נַנָּס;
מִדְגָּם, דֻּגְמָן, דֻּגְמָנִית
manipulate, *v.t.* & *i.* נִהֵל; פָּעַל בְּיָדַיִם;
זִיֵּף; מִשֵּׁשׁ
mankind, *n.* אֱנוֹשׁ; אֱנוֹשׁוּת
manliness, *n.* גַּבְרוּת
manna, *n.* מָן
manner, *n.* אֹרַח, אֹפֶן, מִנְהָג, נִמּוּס,
דֶּרֶךְ אֶרֶץ
man-of-war, *n.* אֳנִיַּת מִלְחָמָה
manor, *n.* אֲחֻזָּה
manservant, *n.* מְשָׁרֵת, עֶבֶד, שַׁמָּשׁ
mansion, *n.* אַרְמוֹן
manslaughter, *n.* רֶצַח בִּשְׁגָגָה
mantel, mantelpiece, *n.* מַדַּף הָאָח
mantle, *n.* מְעִיל, מַעֲטֶה
mantle, *v.t.* & *i.* עָטַף; הִתְאַדֵּם [אדם]
manual, *adj.* שֶׁל יָד, שִׁמּוּשִׁי
manual, *n.* סֵפֶר שִׁמּוּשִׁי
manufactory, *n.* בֵּית חֲרֹשֶׁת
manufacture, *n.* חֲרֹשֶׁת, תַּעֲשִׂיָּה
manufacture, *v.t.* תִּעֵשׂ, חָרַשׁ, יָצַר
manufacturer, *n.* תַּעֲשִׂיָּן, חֲרָשְׁתָּן
manure, *n.* דֹּמֶן, זֶבֶל, דֶּשֶׁן
manure, *v.t.* זִבֵּל, טִיֵּב
manuscript, MS., *n.* כְּתָב יָד, כ״י
many, *adj.* & *n.* רַבִּים, הַרְבֵּה
map, *n.* מַפָּה
maple, *n.* גַּלְמוּשׁ
maple sirup שְׂרַף הַגַּלְמוּשׁ
mar, *v.t.* הִשְׁחִית [שחת], הֵפֵר [פרר]
marauder, *n.* שׁוֹדֵד

marble, *n.* שַׁיִשׁ
marbles, *n. pl.* שֵׁשִׁים
March, *n.* מֶרְץ
march, *n.* צְעִידָה, הֲלִיכָה, תַּהֲלוּכָה
march, *v.t.* & *i.* צָעַד, הִצְעִיד [צעד]
mare, *n.* סוּסָה
margarine, *n.* חֶמְאִית, חֶמְאָה מְלָאכוּתִית, מַרְגָּרִינָה
margin, *n.* שׁוּלַיִם
marigold, *n.* מְרִיֶּמֶת (פֶּרַח)
marijuana, *n.* חֲשִׁישׁ
marinate, *v.t.* כָּבַשׁ (בָּשָׂר, דָּגִים)
marine, *adj.* יַמִּי
marine, *n.* צִי, אֳנִי
mariner, *n.* סַפָּן, מַלָּח
marital, *adj.* שֶׁל נִשּׂוּאִים, שֶׁל כְּלוּלוֹת
maritime, *adj.* יַמִּי
mark, *n.* מַטָּרָה, צִיּוּן, סִימָן, חוֹתָם
mark, *v.t.* & *i.* סִמֵּן, צִיֵּן, תֵּאֵר
market, mart, *n.* שׁוּק
market, *v.t.* סָחַר, קָנָה וּמָכַר
marksman, *n.* קַלָּע
marmalade, *n.* אוֹם, רִבָּה
maroon, *n.* חוּם, עַרְמוֹנִי
marquee, *n.* אֹהֶל גָּדוֹל
marriage, *n.* חֲתֻנָּה, נִשּׂוּאִים, כְּלוּלוֹת
married, *adj,* נָשׂוּי, נְשׂוּאָה
marrow, *n.* לֶשֶׁד, לְשַׁד עֲצָמוֹת
marry, *v.t.* & *i.* הִשִּׂיא [נשא]; נִשְּׂאָה [נשא] (אִשָּׁה)
Mars, *n.* מַאְדִּים (מַזָּל)
marsh, *n.* בִּצָּה
marshal, *n.* טִפְסָר; מַצְבִּיא
marshal, *v.t.* סִדֵּר; הִנְהִיג [נהג]
marshy, *adj.* בִּצָּתִי
mart, *v.* market
marten, *n.* נְמִיָּה
martial, *adj.* צְבָאִי, מִלְחַמְתִּי
martin, *n.* סְנוּנִית
martyr, *n.* מְעֻנֶּה, קָדוֹשׁ
martyrdom, *n.* קִדּוּשׁ הַשֵּׁם; עִנּוּיִים
marvel, *n.* פְּלִיאָה
marvel, *v.t.* & *i.* תָּמַהּ, הִתְפַּלֵּא [פלא]
marvelous, marvellous, *adj.* מֻפְלָא
mascot, *n.* סְגֻלָּה, מֵבִיא מַזָּל
masculine, *adj.* & *n.* זָכָר, גַּבְרִי; מִין זָכָר (דִּקְדּוּק)
masculinity, *n.* זַכְרוּת
mash, *n.* & *v.t.* בְּלִיל; בָּלַל
mask, *n.* מַסֵּכָה, מַסְוֶה
mask, *v.t.* & *i.* הִסְוָה [סוה], הִתְחַפֵּשׂ [חפש]
mason, *n.* בַּנַּאי; בּוֹנֶה חָפְשִׁי
masonry, *n.* בַּנָּאוּת; בַּנָּאוּת חָפְשִׁית
Masora, Masorah, *n.* מָסוֹרָה
masquerade, *n.* חַג מַסֵּכוֹת; עַדְלָיָדַע
mass, *n.* כַּמּוּת גְּדוֹלָה, גּוּשׁ, הֲמוֹן הָעָם
mass, *v.t.* & *i.* הִתְאַסֵּף [אסף], אָסַף, צָבַר, הִצְטַבֵּר [צבר], נִקְהַל [קהל]
massacre, *n.* טֶבַח, הֲרֵגָה
massacre, *v.t.* רָצַח, קָטַל
massage, *n.* מִשּׁוּי
massage, *v.t.* מָשָׁה, מִשֵּׁה
masseur, *n.* מַשַּׁאי
massive, *adj.* מוּצָק, אָטוּם; אֵיתָן
mast, *n.* תֹּרֶן
master, *n.* אָדוֹן, בַּעַל, בָּקִי, מוֹרֶה, אָמָּן, מֻמְחֶה, יַדְעָן, רַב
master, *v.t.* שָׁלַט, הֵבִין [בין], יָדַע
masticate, *v.t.* כָּסַס, לָעַס
mastication, *n.* כְּסִיסָה, לְעִיסָה
masturbate, *v.t.* אוֹנֵן
masturbation, *n.* אוֹנָנוּת
mat, *adj.* כֵּהֶה, לֹא מַבְרִיק
mat, *n.* מַחְצֶלֶת, שָׁטִיחַ
matador, *n.* לוֹדֵר, לוֹחֵם בִּשְׁוָרִים

match, *n.* חָבֵר, תֵּיאוּם; שִׁדּוּךְ; הִתְחָרוּת; מַדְלֵק, גַּפְרוּר
match, *v.t.* & *i.* הִשְׁוָה [שוה], הָיָה דּוֹמֶה, דָּמָה; זִוֵּג
matchmaker, *n.* שַׁדְּכָן
mate, *n.* בֶּן זוּג, בַּת זוּג, עָמִית
mate, *v.t.* & *i.* זִוֵּג, הִזְדַּוֵּג [זוג]; הִתְחַבֵּר [חבר]
material, *adj.* & *n.* חָמְרִי, גּוּפָנִי, גַּשְׁמִי; חָשׁוּב; חֹמֶר
materialism, *n.* חָמְרִיּוּת
materialist, *n.* חָמְרָן
materialize, *v.t.* חִמְרֵן, הִגְשִׁים [גשם]
maternal, *adj.* אִמָּהִי
maternity, *n.* אִמָּהוּת
mathematical, *adj.* חֶשְׁבּוֹנִי, מָתֵמָטִי
mathematician, *n.* חַשְׁבָּן, מָתֵמָטִיקַאי
mathematics, *n.* תּוֹרַת הַחֶשְׁבּוֹן
mating, *n.* הִזְדַּוְּגוּת
matriculate, *v.t.* נִרְשַׁם [רשם] לַמִּכְלָלָה
matriculation, *n.* תְּעוּדַת בַּגְרוּת
matrimony, *n.* חֲתֻנָּה, נִשּׂוּאִים, כְּלוּלוֹת
matrix, *n.* אִמָּה, אֵם הַדְּפוּס
matron, *n.* מְנַהֶלֶת
matter, *n.* חֹמֶר, גּוּף, עִנְיָן
matter, *v.i.* הָיָה חָשׁוּב
matter-of-fact, *adj.* עִנְיָנִי, רָגִיל
mattock, *n.* מַעְדֵּר
mattress, *n.* מִזְרָן
mature, *adj.* בָּשֵׁל, מְבֻגָּר
mature, *v.t.* & *i.* בָּשַׁל, הִבְשִׁיל [בשל], בָּגַר, הִתְבַּגֵּר [בגר]
maturity, *n.* הִתְבַּשְּׁלוּת, הִתְבַּכְּרוּת, בַּגְרוּת
maudlin, *adj.* בַּכְיָנִי; מְבֻסָּם
maul, mall *n.* קֻרְנָס, פַּטִּישׁ כָּבֵד
mausoleum, *n.* כּוּךְ, נֶפֶשׁ, יָד, מַצֶּבֶת זִכָּרוֹן, קֶבֶר נֶהְדָּר

mauve, *n.* סֶגֹל בָּהִיר
maw, *n.* קֵבָה
mawkish, *adj.* רַגְשָׁנִי בְּיוֹתֵר; מַבְחִיל
maxim, *n.* אִמְרָה, כְּלָל
maximum, *n.* יַתִּירוּת, מַכְּסִימוּם
May, *n.* מַאי
may, *v.i.* יָכֹל, הָיָה (אֶפְשָׁר), מֻתָּר לְ־
maybe, *adv.* אוּלַי, אֶפְשָׁר
mayor, *n.* מַרְעִיר, רֹאשׁ הָעִירִיָּה
maze, *n.* מָבוֹךְ; סְבַךְ, מְבוּכָה
me, *pron.* אוֹתִי
mead, *n.* תֶּמֶד, צוּף
meadow, *n.* אָפָר, מִרְעֶה
meager, meagre, *adj.* כָּחוּשׁ, רָזֶה
meal, *n.* אֲרוּחָה, סְעוּדָה; קֶמַח
mealtime, *n.* שְׁעַת אֲרוּחָה, שְׁעַת סְעוּדָה
mealy, *adj.* קִמְחִי; מַחֲנִיף
mean, *adj.* נִקְלֶה, מִסְכֵּן, שָׁפָל; מְמֻצָּע
mean, *n.* תָּוֶךְ, אֶמְצַע, אֶמְצָעוּת
mean, *v.t.* & *i.* כִּוֵּן לְ־, חָשַׁב, סִמֵּן, הִתְכַּוֵּן [כון], אָמַר, סָבַר
meander, *n.* עֲקַלְקַל
meander, *v.i.* הִתְפַּתֵּל [פתל]
meaning, *n.* כַּוָּנָה; מוּבָן, מַשְׁמָעוּת,
means, *n. pl.* אֶמְצָעִים, רְכוּשׁ
meantime, meanwhile, *adv.* בֵּינְתַיִם
measles, *n.* אַדֶּמֶת, חַצֶּבֶת
measurable, *adj.* מָדִיד
measure, *n.* (קָנֶה) מִדָּה; צַעַד
measure, *v.t.* & *i.* מָדַד, נִמְדַּד [מדד]
measurement, *n.* מְדִידָה, מֵמַד
meat, *n.* בָּשָׂר
meaty, *adj.* בְּשָׂרִי; עֲשִׁיר הַתֹּכֶן
mechanic, *n.* מְכוֹנֵן, מְכוֹנַאי
mechanics, *n.* מְכוֹנָאוּת; פְּרָטִים
mechanism, *n.* מַנְגָּנוֹן
mechanize, *v.t.* מִכֵּן
mechanization, *n.* מִכּוּן

medal, *n.* אוֹת (כָּבוֹד) הִצְטַיְּנוּת
meddle, *v.i.* הִתְעָרֵב [ערב]
meddler, *n.* מִתְעָרֵב
medial, *adj.* שָׁכִיחַ, בֵּינוֹנִי, אֶמְצָעִי
median, *adj.* מְמֻצָּע, אֶמְצָעִי, בֵּינוֹנִי
mediate, *v.t.* תִּוֵּךְ, פִּשֵּׁר
mediation, *n.* תִּוּוּךְ, פְּשָׁרָה
mediator, *n.* מְתַוֵּךְ
medical, *adj.* מְרַפֵּא
medicament, *n.* רְפוּאָה
medicate, *v.t.* רִפֵּא
medicinal, *adj.* רְפוּאִי
medicine, *n.* חָכְמַת הָרְפוּאָה, רְפוּאָה
medieval, mediaeval, *adj.* שֶׁל יְמֵי הַבֵּינַיִם
mediocre, *adj.* בֵּינוֹנִי
mediocrity, *n.* בֵּנוֹנִיּוּת
meditate, *v.t.* & *i.* הִרְהֵר, הָגָה
meditation, *n.* עִיּוּן, הִרְהוּר, הָגוּת
meditative, *adj.* הֶגְיוֹנִי
medium, *n.* אֶמְצָע, אֶמְצָעִי, תָּוֶךְ
medley, *n.* תַּעֲרֹבֶת, עֵרֶב
meed, *n.* פְּרָס, שָׂכָר
meek, *adj.* עָנָו, צָנוּעַ
meekness, *n.* עֲנָוָה
meet, *adj.* הוֹלֵם, מַתְאִים
meet, *v.t.* & *i.* קִדֵּם, נִפְגַּשׁ [פגש], פָּגַשׁ, הִתְאַסֵּף [אסף], סִלֵּק (חוֹב)
meeting, *n.* אֲסֵפָה, פְּגִישָׁה
megaphone, *n.* רַמְקוֹל
melancholy, *n.* מָרָה שְׁחוֹרָה, עֶצֶב
mellow, *adj.* רַךְ, בָּשֵׁל, נָעִים, מְבֻסָּם
melodious, *adj.* נִגּוּנִי, לַחְנִי
melodrama, *n.* מִפְגָּעָה
melody, *n.* לַחַן, נִגּוּן
melon, *n.* אֲבַטִּיחַ צָהֹב, מֵ לוֹן
melt, *v.t.* & *i.* הֵמֵס [מסס], נָתַךְ, נִתַּךְ, נָמַס [מסס]
member, *n.* אֵבֶר; חָבֵר
membership, *n.* חֲבֵרוּת, חֶבְרָתִיּוּת
membrane, *n.* קְרוּם
memento, *n.* מַזְכֶּרֶת
memoir, *n.* זִכְרוֹן דְּבָרִים
memoirs, *n. pl.* זִכְרוֹנוֹת
memorandum, *n.* תַּזְכִּיר
memorial, *n.* זֵכֶר
memorize, *v.t.* זָכַר, חָזַר בְּעַל פֶּה
memory, *n.* זִכָּרוֹן; זֵכֶר; מַזְכֶּרֶת
menace, *n.* & *v.t.* אִיּוּם; אִיֵּם
mend, *n.* תִּקּוּן
mend, *v.t.* תִּקֵּן, הִטְלִיא [טלא]
mendacious, *adj.* שַׁקְרָנִי
mendacity, *n.* שֶׁקֶר, כָּזָב; שַׁקְרָנוּת
mender, *n.* מְתַקֵּן
mendicant, *n.* פּוֹשֵׁט יָד, קַבְּצָן
menial, *adj.* & *n.* מְשָׁרֵת, מִתְרַפֵּס
meningitis, *n.* שַׁבְתָּה, דַּלֶּקֶת קְרוּם הַמֹּחַ
menopause, *n.* הַפְסָקַת הַוֶּסֶת
menses, *n. pl.* עֶדְנָה, דֶּרֶךְ (אֹרַח) נָשִׁים, וֶסֶת
menstruate, *v.i.* וָסַת, פָּרַס נִדָּה
mensuration, *n.* (חָכְמַת) (הַ)מְּדִידָה
mental, *adj.* שִׂכְלִי
mentality, *n.* שִׂכְלִיּוּת
mention, *n.* הַזְכָּרָה, זֵכֶר
mention, *v.t.* הִזְכִּיר [זכר]
mentor, *n.* יוֹעֵץ, מַדְרִיךְ
menu, *n.* תַּפְרִיט
mephitic, *adj.* מַבְאִישׁ; אַרְסִי
mercantile, *adj.* מִסְחָרִי
mercenary, *adj.* אוֹהֵב בֶּצַע, תַּגְרָנִי
merchandise, *n.* סְחוֹרָה, מַעֲרָב, רְכֻלָּה
merchant, *n.* סוֹחֵר, כְּנַעֲנִי, תַּגָּר
merchantman, *n.* אֳנִיַּת סוֹחֵר

merciful, *adj.* חַנּוּן, רַחוּם
merciless, *adj.* אִי חַנּוּן, אַכְזָרִי
mercurial, *adj.* שֶׁל כַּסְפִּית; מָהִיר
mercury, *n.* כַּסְפִּית, כֶּסֶף חַי
mercy, *n.* חֶמְלָה, רַחֲמִים
mere, *adj.* לְבַדּוֹ, רַק זֶה
merely, *adv.* בִּלְבַד, אַךְ
meretricious, *adj.* מֻפְקָר, פָּרִיץ
merge, *v.t.* & *i.* הִתְמַזֵּג [מזג], הִתְאַחֵד [אחד]
merger, *n.* הִתְאַחֲדוּת, הִתְמַזְּגוּת
meridian, *n.* קַו הָאֹרֶךְ; שִׂיא, גֹּבַהּ
merit, *n.* זְכוּת, עֵרֶךְ
merit, *v.t.* זָכָה, הָיָה רָאוּי
meritorious, *adj.* רָאוּי, מְשֻׁבָּח
mermaid, *n.* בַּת (גַּלִּים) הַיָּם
merrily, *adv.* בְּגִיל, בְּשִׂמְחָה
merriment, *n.* גִּיל, שִׂמְחָה
merry, *adj.* עַלִּיז, צָהֵל
merry-go-round, *n.* סְחַרְחֵרָה
mesh, *n.*, *v.t.* & *i.* רֶשֶׁת; נִלְכַּד [לכד], הִסְתַּבֵּךְ [סבך] בְּרֶשֶׁת
meshy, *adj.* רִשְׁתִּי
mesmerize, *v.t.* הִרְדִּים [רדם]; לִבֵּב
mess, *n.* מְנַת (חֲדַר הָ) אֹכֶל, תַּבְשִׁיל; בִּלְבּוּל
mess, *v.t.* & *i.* סִפֵּק מָזוֹן; בִּלְבֵּל; לִכְלֵךְ; אָכַל בְּצַוְתָּא
message, *n.* יְדִיעָה, שְׁלִיחוּת
messenger, *n.* רָץ, שָׁלִיחַ, מְבַשֵּׂר
metabolism, *n.* שִׁנּוּי הַחֳמָרִים (בַּגּוּף)
metal, *n.* מַתֶּכֶת
metallic, *adj.* מַתַּכְתִּי
metallurgy, *n.* תּוֹרַת הַמַּתָּכוֹת
metamorphosis, *n.* גִּלְגּוּל, חֲלִיפַת (שִׁנּוּי) צוּרָה
metaphor, *n.* הַשְׁאָלָה, מְלִיצָה
metaphorical, metaphoric, *adj.* מְלִיצִי, מֻשְׁאָל, מֶטָפוֹרִי
metaphysical, *adj.* שֶׁל אַחַר הַטֶּבַע
mete, *n.* & *v.t.* גְּבוּל; מָדַד, חִלֵּק
meteor, *n.* אֶלְגָּבִישׁ, כּוֹכָב נוֹפֵל, זִיק
meteoric, *adj.* זִיקִי, מֶטֶאוֹרִי
meteorology, *n.* תּוֹרַת מֶזֶג הָאֲוִיר
meter, metre, *n.* מֶטֶר
meter, *n.* מוֹנֶה, מוֹדֵד
method, *n.* שִׁיטָה
methodical, *adj.* שִׁיטָתִי
meticulous, *adj.* קַפְּדָן, קַפְּדָנִי
metric, *adj.* מֶטְרִי
metropolis, *n.* עִיר (רַבָּתִי) בִּירָה
metropolitan, *adj.* רַבָּתִי
mettle, *n.* הִתְלַהֲבוּת, אֹמֶץ לֵב, תְּכוּנָה
mew, *v.t.* כָּלָא; הִשִּׁיר [נשר] (נוֹצוֹת); יִלֵּל (חָתוּל)
mezzanine, *n.* קוֹמָה אֶמְצָעִית
mica, *n.* נָצִיץ
microbe, *n.* חַיְדַּק
microphone, *n.* רַמְקוֹל
microscope, *n.* רְאִידָק, (זְכוּכִית) מַגְדֶּלֶת
microscopic, *adj.* זַעֲרוּרִי, מִקְרוֹסְקוֹפִּי
mid, *adj.* בֵּינוֹנִי
midday, *n.* צָהֳרַיִם
middle, *adj.* תִּיכוֹן, אֶמְצָעִי
middle, *n.* אֶמְצַע; תּוֹךְ, חֲצִי
middleman, *n.* מְתַוֵּךְ, סַרְסוּר
midge, *n.* יַבְחוּשׁ, בַּקָּה
midget, *n.* נַנָּס, גַּמָּד
midnight, *n.* חֲצוֹת, חֲצוֹת לַיְלָה
midriff, *n.* סַרְעֶפֶת, טַרְפֵּשׁ
midshipman, *n.* פֶּרַח (חֲנִיךְ) יַמָּאוּת
midst, *n.* אֶמְצַע, קֶרֶב
midsummer, *n.* אֶמְצַע הַקַּיִץ
midway, *adj.* & *adv.* בְּאֶמְצַע הַדֶּרֶךְ

midwife, *n.* מְיַלֶּדֶת, חֲכָמָה
midwifery, *n.* יִלּוּד, מְיַלְּדוּת
mien, *n.* מַרְאֶה פָּנִים
might, *n.* עָצְמָה, כֹּחַ, עֱזוּז, תֹּקֶף, חַיִל, אוֹן, אֱיָל
mighty, *adj.* אַדִּיר, חָזָק, אַבִּיר
mighty, *adv.* מְאֹד
migrant, *adj.* נָע וָנָד, נוֹדֵד
migration, *n.* נְדִידָה, הֲגִירָה
migratory, *adj.* נוֹדֵד
mild, *adj.* רַךְ, עָדִין, נוֹחַ
mildew, *n.* יֵרָקוֹן
mildness, *n.* רֹךְ
mile, *n.* מִיל: 1.609 קִילוֹמֶטֶר
milieu, *n.* סְבִיבָה, חוּג
militant, *adj.* תּוֹקְפָנִי
militarism, *n.* צְבָאִיּוּת
military, *adj.* צְבָאִי
military, *n.* חַיִל, צָבָא
militia, *n.* חֵיל אֶזְרָחִים, חֵיל נוֹטְרִים
milk, *n.* חָלָב
milk, *v.t.* & *i.* חָלַב, הֶחֱלִיב [חלב]
milkmaid, *n.* חוֹלֶבֶת, חַלְבָנִית
milkman, *n.* חוֹלֵב, חַלְבָן
Milky Way שְׁבִיל (נְתִיב) הֶחָלָב
mill, *n.* טַחֲנָה, בֵּית רֵחַיִם
mill, *v.t.* טָחַן
millennium, *n.* אַלְפוֹן, אֶלֶף שָׁנִים
miller, *n.* טוֹחֵן; מַטְחֵן
millet, *n.* דֹּחַן, דּוּרָה
milliner, *n.* כּוֹבָעָנִית
millinery, *n.* כּוֹבָעָנוּת
million, *n.* מִלְיוֹן
millionaire, *n.* מִלְיוֹנֵר
millstone, *n.* אֶבֶן רֵחַיִם (פֶּלַח רֶכֶב; שֶׁכֶב, פֶּלַח תַּחְתִּית)
mime, *n.* חִקּוּי, מִשְׂחָק חִקּוּי
mimic, *v.t.* חִקָּה

mince, *v.t.* & *i.* פֵּרַם, קִצֵּץ בָּשָׂר; טָפַף
mind, *n.* שֵׂכֶל, דֵּעָה, מַחֲשָׁבָה
mind, *v.t.* & *i.* שָׂם [שים] לֵב, נִשְׁמַר [שמר], הִקְשִׁיב [קשב]
mindful, *adj.* נִזְהָר, מַקְשִׁיב
mine, *n.* מִכְרֶה; מוֹקֵשׁ
mine, *pron.* שֶׁלִּי
mine, *v.t.* & *i.* כָּרָה, עָבַד בְּמִכְרֶה; מִקֵּשׁ, מֻקַּשׁ
miner, *n.* כּוֹרֶה; מוֹקְשַׁאי
mineral, *n.* & *adj.* מַחְצָב; מַעְדָּנִי
mingle, *v.t.* הִתְעָרֵב [ערב]
miniature, *adj.* זָעִיר
miniature, *n.* זְעִירִית, זְעֵירָה
minimal, *adj.* פָּחוּת, הַקָּטָן בְּיוֹתֵר
minimize, *v.t.* הִפְחִית [פחת]
minimum, *adj.* & *n.* מוּעָט שֶׁבְּמוּעָט; הַחֵלֶק הַקָּטָן בְּיוֹתֵר
mining, *n.* כְּרִיָּה; מִקּוּשׁ
minister, *n.* וָזִיר, שַׂר, כֹּהֵן, כֹּמֶר
minister, *v.t.* & *i.* כִּהֵן, שֵׁרֵת
ministry, *n.* מִשְׂרָד, וְזָרָה, רַבָּנוּת, כְּהֻנָּה
mink, *n.* (פַּרְוַת) חָרְפָּן, חֻלְדַּת הָאֲגַם
minnow, *n.* בֶּן שִׁבּוּט
minor, *adj.* קָטָן, פָּחוּת; קַל עֵרֶךְ, טָפֵל
minor, *n.* קַטִין; מִינוֹר (מוּסִיקָה)
minority, *n.* מִעוּט; קַטְנוּת
minstrel, *n.* מְזַמֵּר, פַּיְטָן
mint, *n.* מִטְבָּעָה; נַעְנַע
mint, *v.t.* הִטְבִּיעַ [טבע]
minuet, *n.* רִקּוּד בְּקֶצֶב אִטִּי, מֵנוּאֶט
minus, *adj.* & *n.* פָּחוּת; סִימַן הַהַפְחָתָה (־), חֶסְרוֹן, פְּגַם, לִקּוּי
minute, *adj.* פָּעוּט, מְדַיֵּק
minute, *n.* דַּקָּה, רֶגַע
minutely, *adj.* בִּפְרוֹטְרוֹט
minutes, *n. pl.* פְּרָטֵי כֹּל

minx, *n.* נַעֲרָה חֲצוּפָה
miracle, *n.* פֶּלֶא, נֵס
miraculous, *adj.* מֻפְלָא, פֶּלְאִי
mirage, *n.* מִקְסַם שָׁוְא, מִירָז׳
mire, *n.* טִיט, רֶפֶשׁ, יָוֵן
mire, *v.t.* & *i.* טִנֵּף, שָׁקַע בְּרֶפֶשׁ
mirror, *n.* מַרְאָה, רְאִי
mirror, *v.t.* הֶרְאָה [ראה] כִּבְרְאִי
mirth, *n.* שִׂמְחָה, עֲלִיצוּת
misadventure, *n.* אָסוֹן, מִקְרֶה רָע
misanthrope, *n.* שׂוֹנֵא אָדָם
misapply, *v.t.* הִשְׁתַּמֵּשׁ [שמש] בְּאֹפֶן רַע
misapprehend, *v.t.* טָעָה
misapprehension, *n.* טָעוּת
misappropriate, *v.t.* מָעַל
misbehave, *v.i.* נָהַג שֶׁלֹּא כְּהֹגֶן
misbehavior, misbehaviour, *n.* הִתְנַהֲגוּת רָעָה
misbelieve, *v.i.* הֶאֱמִין [אמן] בַּשָּׁוְא
miscalculate, *v.t.* & *i.* טָעָה בְּחֶשְׁבּוֹן
miscalculation, *n.* חֶשְׁבּוֹן שָׁוְא
miscarriage, *n.* נֵפֶל, הַפָּלָה; הִתְנַהֲגוּת רָעָה
miscarry, *v.i.* תָּעָה בַּדֶּרֶךְ; הִפִּילָה [נפל] (וָלָד)
miscellaneous, *adj.* שׁוֹנִים; מְעֹרָב
mischance, *n.* מַזָּל רַע, צָרָה
mischief, *n.* תַּעֲלוּל, הֶזֵּק, קַלְקָלָה
mischievous, *adj.* מַשְׁחִית, מְחַבֵּל, מַזִּיק
misconceive, *v.t.* & *i.* טָעָה בַּהֲבָנָה
misconception, *n.* מֻשָּׂג כּוֹזֵב
misconduct, *n.* הִתְנַהֲגוּת פְּרוּעָה
misconstrue, *v.t.* בֵּאֵר שֶׁלֹּא כְּהֹגֶן
miscount, *v.t.* & *i.* טָעָה בְּחֶשְׁבּוֹן
miscreant, *n.* נָבָל, עַוָּל
misdeed, *n.* מַעֲשֶׂה רָע
misdemeanor, misdemeanour, *n.* הִתְנַהֲגוּת פְּרוּעָה, תַּעֲלוּל
misdirect, *v.t.* הִשְׁגָּה [שגה]
misdirection, *n.* הַשְׁגָּיָה
miser, *n.* קַמְצָן, כִּילַי
miserable, *adj.* אֻמְלָל, מִסְכֵּן
misery, *n.* עֹנִי, מְצוּקָה
misfit, *n.* אִי הַתְאָמָה, אִי (סִגּוּל) הִסְתַּגְּלוּת; אָדָם בִּלְתִּי מְסֻגָּל
misfortune, *n.* אָסוֹן, שֶׁבֶר, צָרָה
misgive, *v.t.* & *i.* הֵטִיל [נטל] סָפֵק
misgiving, *n.* חֲשָׁשׁ, סָפֵק
misguide, *v.t.* הוֹלִיךְ [הלך] שׁוֹלָל
mishap, *n.* אָסוֹן, נֶכֶר
Mishnah, Mishna, *n.* מִשְׁנָה
misinformation, *n.* (מְסִירַת) יְדִיעוֹת שָׁוְא
misinterpret, *v.t.* & *i.* בֵּאֵר שֶׁלֹּא כְּהֹגֶן
misjudge, *v.t.* & *i.* טָעָה בְּמִשְׁפָּט, שָׁפַט שֶׁלֹּא בְּצֶדֶק
misjudgment, misjudgement, *n.* עִוּוּת דִּין
mislay, *v.t.* הִנִּיחַ [נוח] שֶׁלֹּא בִּמְקוֹמוֹ, אִבֵּד
mislead, *v.t.* הִטְעָה [טעה], הִתְעָה [תעה]
mislike, *n.* & *v.t.* מְאִיסָה; מָאַס
mismanage, *v.t.* & *i.* נִהֵל שֶׁלֹּא כְּהֹגֶן
misplace, *v.t.* שָׂם [שים] שֶׁלֹּא בִּמְקוֹמוֹ
misprint, *n.* טָעוּת דְּפוּס
misprint, *v.t.* הִדְפִּיס [דפס] בְּטָעוּת
mispronounce, *v.t.* & *i.* בִּטֵּא שֶׁלֹּא כְּהֹגֶן
mispronunciation, *n.* בִּטּוּי שֶׁלֹּא כְּהֹגֶן
misread, *v.t.* קָרָא שֶׁלֹּא כְּהֹגֶן
misrepresent, *v.t.* נָתַן תֵּאוּר בִּלְתִּי נָכוֹן
misrepresentation, *n.* תֵּאוּר מְזֻיָּף
miss, *n.* גְּבֶרֶת (לֹא נְשׂוּאָה), עַלְמָה

miss, *n.* הַחְטָאַת הַמַּטָּרָה
miss, *v.t. & i.* פָּקַד, חָסַר, הֶחֱטִיא [חטא] (מַטָּרָה); עָבַר (מוֹעֵד); הִרְגִּישׁ [רגש] בְּחֶסְרוֹן
misshape, *v.t.* נָתַן צוּרָה לֹא נְכוֹנָה
missile, *n.* טִיל, קָלִיעַ
mission, *n.* יִעוּד, שְׁלִיחוּת, מִשְׁלַחַת, תַּפְקִיד
missionary, *n.* שָׁלִיחַ, שְׁלִיחַ דָּתִי
missive, *n. & adj.* מִכְתָּב, אִגֶּרֶת; שָׁלוּחַ, מָסוּר
misspell, *v.t.* טָעָה בִּכְתִיב
misstate, *v.t.* מָסַר יְדִיעוֹת שָׁוְא
misstatement, *n.* הוֹדָעַת שָׁוְא
misstep, *n.* צַעַד שָׁוְא, מִשְׁגֶּה
mist, *n.* עֲלָטָה, עֲרָפֶל
mistake, *n.* שְׁגִיאָה, טָעוּת, שִׁבּוּשׁ
mistake, *v.t. & i.* שָׁגָה, טָעָה, הִשְׁתַּבֵּשׁ [שבש]
Mister, Mr., *n.* אָדוֹן, מַר
mistletoe, *n.* דִּבְקוֹן
mistreat, *v.t.* הִשְׁתַּמֵּשׁ [שמש] בְּדָבָר לְרָעָתוֹ, צִעֵר
mistress, *n.* אֲהוּבָה, פִּילֶגֶשׁ, שֵׁגָל
mistress, Mrs., *n.* גְּבֶרֶת, מָרָה
mistrust, *n.* חֲשָׁד
mistrust, *v.t. & i.* חָשַׁד
misunderstanding, *n.* אִי הֲבָנָה
misuse, *v.t.* הִשְׁתַּמֵּשׁ [שמש] בְּדָבָר שֶׁלֹּא כְּהֹגֶן
mite, *n.* קַרְצִית
miter, mitre, *n.* מִצְנֶפֶת
mitigate, *v.t.* הֵקֵל [קלל], שִׁכֵּךְ, הִמְתִּיק [מתק] דִּין
mitigation, *n.* הֲקָלָה, הַמְתָּקַת דִּין
mitten, *n.* כְּפָפָה, כְּסָיָה (לְלֹא אֶצְבּוֹעַ אֶלָּא לַאֲגוּדָל)
mix, *n.* תַּעֲרֹבֶת
mix, *v.t. & i.* הִתְעָרֵב [ערב], עִרְבֵּב עִרְבֵּל, בָּחַשׁ, הִתְמַזֵּג [מזג], נִטְמַע [טמע]
mixer, *n.* מְעַרְבֵּל, בּוֹלֵל, מְעָרֵב
mixture, *n.* עֵרוּב, מֶזֶג, עִרְבּוּב, עִרְבּוּל, תַּעֲרֹבֶת
moan, *n.* הֶמְיָה, אֲנָקָה
moan, *v.i.* נֶאֱנַח [אנח], נֶאֱנַק [אנק]
moat, *n. & v.t.* תְּעָלָה; תִּעֵל
mob, *n. & v.t.* הָמוֹן, אֲסַפְסוּף; הִתְקַהֵל [קהל], הִתְנַפֵּל [נפל] עַל
mobile, *adj.* נָע, מִתְנוֹעֵעַ; נַיָּד, מוּנָד
mobility, *n.* נַיָּדוּת, נְדִידָה, תְּנוּעָה
mobilization, *n.* חִיּוּל, גִּיּוּס
mobilize, *v.t. & i.* גִּיֵּס, חִיֵּל, הִתְגַּיֵּס [גיס]
moccasin, *n.* נַעַל עוֹר הַצְּבִי; נָחָשׁ אַרְסִי
mock, *adj.* מְגֻחָךְ, מְדֻמֶּה, מְזֻיָּף
mock, *n. & v.t.* לַעַג; לִגְלֵג, הִתֵּל, הֵתֵל [תלל], לָעַג, צָחַק
mocker, *n.* לֵצָן, לַגְלְגָן
mockery, *n.* מַהֲתַלָּה, לַעַג, לִגְלוּג
mode, *n.* אֹרַח, מִנְהָג, אֹפֶן, אָפְנָה
model, *adj.* מוֹפְתִי
model, *n.* מוֹפֵת, דֻּגְמָה, תַּבְנִית
model, *v.t. & i.* כִּיֵּר, עִצֵּב, צִיֵּר
moderate, *adj.* מָתוּן, בֵּינוֹנִי, מְמֻצָּע
moderate, *v.t. & i.* מִתֵּן, הִתְמַתֵּן [מתן]; הִפְחִית [פחת], הִגְבִּיל [גבל]
moderation, *n.* מְתִינוּת, הִסְתַּפְּקוּת
moderator, *n.* מְמַתֵּן
modern, *adj.* חָדִישׁ
modernize, *v.t.* חִדֵּשׁ
modest, *adj.* עָנָו, צָנוּעַ
modesty, *n.* עֲנָוָה, צְנִיעוּת
modification, *n.* שִׁנּוּי, הַגְבָּלָה
modify, *v.t.* שִׁנָּה, הִגְבִּיל [גבל]

modiste, *n.* תּוֹפֶרֶת
modulate, *v.t. & i.* סִלְסֵל (קוֹל)
modulation, *n.* סִלְסוּל, שִׁנּוּי הַקּוֹל
Mohammedan, *n. & adj.* מֻחַמָּדִי
moil, *v.i.* עָמַל, יָגַע; לִכְלֵךְ
moil, *n.* עָמָל, יְגִיעָה; כֶּתֶם
moist, *adj.* לַח, רָטֹב, טָחוּב
moisten, *v.t.* לִחְלֵחַ, הִרְטִיב [רטב], לָתַת (תְּבוּאָה)
moisture, *n.* רְטִיבוּת, לֶחֶת, טַחַב
molar, *adj.* טוֹחֵן
molar, *n.* שֵׁן טוֹחֶנֶת
molasses, *n.* פְּסֹלֶת סֻכָּר
mold, mould, *n. & v.t.* אִמּוּם, יְצִירָה, דְּפוּס, טֶפֶס; יָצַר, עִצֵּב, יָצַק
mold, mould, *n. & v.i.* קוֹמָנִית, עֹבֶשׁ, עִפּוּשׁ, עָפָר, חֹמֶר; עָבַשׁ, הִתְעַפֵּשׁ [עפש]
molder, moulder, *v.t.* הִרְקִיב [רקב], הִתְפּוֹרֵר [פרר]
mole, *n.* חֹלֶד, אָשׁוּת, חֲפַרְפֶּרֶת; בַּהֶרֶת, כֶּתֶם
molecular, *adj.* פְּרֻדָּתִי
molecule, *n.* פְּרֻדָּה
molest, *v.t.* הִפְרִיעַ [פרע], קִנְטֵר
molestation, *n.* קִנְטוּר, הַקְנָטָה
mollify, *v.t.* רִכֵּךְ
mollusk, mollusc, *n.* רַכּוּכִית
mollycoddle, *v.t. & i.* פִּנֵּק, הִתְפַּנֵּק [פנק]
molt, moult, *v.t.* הִשִּׁיר [נשר] (שֵׂעָר, נוֹצוֹת), הֶחֱלִיף [חלף] (עוֹר)
moment, *n.* רֶגַע, הֶרֶף עַיִן; חֲשִׁיבוּת
momentary, *adj.* רִגְעִי
momentous, *adj.* חָשׁוּב מְאֹד
momentum, *n.* תְּנוּפָה
monarch, *n.* מֶלֶךְ, קֵיסָר
monarchy, *n.* מַלְכוּת, מַמְלָכָה
monastery, *n.* מִנְזָר
Monday, *n.* יוֹם שֵׁנִי, יוֹם ב׳
monetary, *adj.* מָמוֹנִי
money, *n.* כֶּסֶף, מָמוֹן, דָּמִים, מָעוֹת
money order הַמְחָאַת דֹּאַר
monger, *n.* רוֹכֵל, תַּגָּר
mongrel, *adj.* בֶּן כִּלְאַיִם, שַׁעַטְנֵז, מְעֹרַב הַגְּזָעִים; כֶּלֶב רְחוֹב
monition, *n.* הַתְרָאָה
monitor, *n.* מַדְרִיךְ, מַשְׁגִּיחַ; יוֹעֵץ; מַתְרֶה
monk, *n.* נָזִיר
monkey, *n.* קוֹף
monkey, *v.t. & i.* חִקָּה
monkey wrench מַפְתֵּחַ אַנְגְּלִי
monocle, *n.* מִשְׁקָף
monogamous, *adj.* חַד זוּגִי
monogamy, *n.* חַד זוּגִיּוּת
monogram, *n.* רִקְמַת שֵׁם
monologue, *n.* חַד שִׂיחַ
monopolize, *v.t.* לָקַח בְּמוֹנוֹפּוֹלִין
monopoly, *n.* זְכוּת יָחִיד, חַד מֶכֶר, חַד מִמְכָּר, הִשְׁתַּלְּטוּת יָחִיד
monosyllabic, *adj.* חַד הֲבָרָתִי
monotheism, *n.* אֱמוּנָה בְּאֵל אֶחָד, חַד אֱלֹהוּת
monotonous, *adj.* חַד צְלִילִי; חַדְגּוֹנִי
monotony, *n.* חַד צְלִילִיּוּת, חַדְגּוֹנִיּוּת
monsoon, *n.* רוּחַ עוֹנָתִית הַמְבִיאָה יְמוֹת הַגְּשָׁמִים
monster, *n.* מִפְלֶצֶת
monstrosity, *n.* תִּפְלֶצֶת, מִפְלֶצֶת
monstrous, *adj.* מַבְהִיל
month, *n.* חֹדֶשׁ, יֶרַח
monthly, *adj.* חָדְשִׁי
monthly, *adv.* בְּכָל (פַּעַם בְּ) חֹדֶשׁ
monument, *n.* מַצֵּבָה, נֶפֶשׁ, יָד
monumental, *adj.* שֶׁל מַצֵּבָה, נִצְחִי

moo, *n.* גְּעִיָּה
moo, *v.i.* גָּעָה
mood, *n.* מַצַּב רוּחַ, מִנְהָג
moody, *adj.* קוֹדֵר, סַר וְזָעֵף, מְצֻבְרָח
moon, *n.* לְבָנָה, יָרֵחַ, סַהַר; חֹדֶשׁ
moonlight, *n.* זֹהַר, אוֹר לְבָנָה
moor, *v.t.* קָשַׁר (אֳנִיָּה)
moorage, *n.* עִגּוּן
mop, *n.* סְחָבָה, סְמַרְטוּט; עֲוָיָה
mop, *v.t.* נִגֵּב בִּסְמַרְטוּט
mope, *v.i.* יָשַׁב מְשׁוֹמֵם, הִתְעַצֵּב [עצב]
moral, *adj.* & *n.* מוּסָרִי; מוּסָר; נִמְשָׁל
morale, *n.* מַצָּב מוּסָרִי
morality, *n.* מוּסָר, מוּסָרִיּוּת
moralize, *v.i.* הִטִּיף [נטף] מוּסָר
morass, *n.* בִּצָּה, טִיט
moratorium, *n.* אַרְכָּה חֻקִּית
morbid, *adj.* חוֹלָנִי, מְדֻכָּא
more, *adj.* & *adv.* יוֹתֵר, נוֹסָף, עוֹד
moreover, *adv.* עוֹד זֹאת, יֶתֶר עַל כֵּן
morgue, *n.* חֲדַר הַמֵּתִים
moribund, *adj.* גּוֹסֵס
morning, morn, *n.* בֹּקֶר, שַׁחַר
morose, *adj.* קוֹדֵר, נוּגֶה
morphine, morphin, *n.* פִּרְגִּית, מוֹרְפְיוּם
morrow, *n.* מָחֳרָת
Morse code כְּתָב מוֹרְס
morsel, *n.* פְּרוּסָה
mortal, *adj.* & *n.* אֱנוֹשׁ, אֱנוֹשִׁי, בֶּן תְּמוּתָה; מֵמִית, מָוְתִי
mortality, *n.* תְּמוּתָה
mortar, *n.* טִיחַ, טִיט, מֶלֶט, חֹמֶר; מַכְתֵּשׁ, מְדוֹכָה
mortgage, *n.* מַשְׁכַּנְתָּה
mortgage, *v.t.* מִשְׁכֵּן
mortification, *n.* הֲמָתָה; סִגּוּף; פְּגִיעָה, עֶלְבּוֹן
mortify, *v.t.* & *i.* סִגֵּף, הִסְתַּגֵּף [סגף]; הֶעֱלִיב [עלב], פָּגַע
mortise, mortice, *n.* שֶׁקַע, פּוֹתָה
mortuary, *n.* חֲדַר הַמֵּתִים
mosaic, *n.* מַשְׂכִּית, פְּסֵיפָס, תַּשְׁבֵּץ
mosque, mosk, *n.* מִסְגָּד
mosquito, *n.* יַתּוּשׁ
moss, *n.* חֲזָזִית, טְחָבִית
most, *adj.* בְּיוֹתֵר
most, *adv.* לְכָל הַיּוֹתֵר, לָרֹב
mostly, *adv.* בְּעִקָּר, עַל פִּי רֹב
mote, *n.* קֵיסָם
moth, *n.* עָשׁ, סָס
mother, *n.* אֵם, הוֹרָה
motherhood, *n.* אִמָּהוּת
mother-in-law, *n.* חוֹתֶנֶת, חָמוֹת
motherland, *n.* (אֶרֶץ) מוֹלֶדֶת
motherless, *adj.* יָתוֹם (מֵהָאֵם)
mother-of-pearl, *n.* צֶדֶף
Mother's Day יוֹם הָאֵם
motif, *n.* רַעְיוֹן מֶרְכָּזִי
motion, *n.* תְּנוּעָה
motion, *v.t.* & *i.* רָמַז; הִצִּיעַ [יצע]; סִמֵּן בִּתְנוּעָה
motion picture סֶרֶט (רְאִינוֹעַ) קוֹלְנוֹעַ
motivation, *n.* הַנְמָקָה
motive, *adj.* & *n.* מֵנִיעַ, סִבָּה, טַעַם, גּוֹרֵם
motley, *adj.* & *n.* מְגֻוָּן, מְנֻמָּר; כְּתֹנֶת פַּסִּים
motor, *n.* מָנוֹעַ
motorboat, *n.* סִירַת נוֹעַ
motorcar, *n.* מְכוֹנִית
motorcycle, *n.* אוֹפַנּוֹעַ
motorcyclist, *n.* אוֹפַנּוֹעָן
mottle, *v.t.* נִמֵּר
motto, *n.* סִיסְמָה
mould, *v.* mold

moulder, *v.* molder
moult, *v.* molt
mound, *n.* תֵּל, סוֹלְלָה
mount, *n.* גִּבְעָה
mount, *v.t.* & *i.* הֶעֱלָה [עלה], רָכַב, הִרְכִּיב [רכב], הִצִּיג [יצג]
mountain, *n.* הַר, הֶרֶר
mountaineer, *n.* הֲרָרִי, מְטַפֵּס עַל הָרִים
mountainous, *adj.* הֲרָרִי
mourn, *v.i.* & *t.* אָנָה, הִתְאַבֵּל [אבל]
mourner, *n.* אָבֵל, מִתְאַבֵּל, סַפָּד
mourning, *n.* אֵבֶל, אֲנִינָה, מִסְפֵּד
mouse, *n.* עַכְבָּר
mouse, *v.t.* & *i.* לָכַד עַכְבָּרִים
moustache, *v.* mustache
mouth, *n.* פֶּה; פְּתִיחָה, פֶּתַח; קוֹל
mouthful, *n.* מְלֹא הַפֶּה, לְגִימָה
mouthpiece, *n.* פּוּמִית, פִּיָּה; מְצוּפִית
movable, moveable, *adj.* מְטַלְטֵל, נַיָּד
move, *v.t.* & *i.* הֵזִיז [זיז], הֵנִיעַ [נוע], הִתְנוֹעֵעַ [נוע]; הִתְנִיעַ [תנע]; הֶעֱבִיר [עבר], טִלְטֵל; רָחַשׁ (שְׂפָתַיִם); הִלֵּךְ (מֵעַיִם); עוֹרֵר [עור], נָגַע (לֵב); הִצִּיעַ (יצע); הֶחֱלִיף [חלף] (דִּירָה); הִתְקַדֵּם [קדם]; הֵסִית [סות]
move, *n.* תְּנוּעָה, הִלּוּךְ; צַעַד, צְעִידָה
movement, *n.* תְּנוּעָה, נִיעַ, נִיד; רְחִישָׁה; מַתְנֵעַ (שָׁעוֹן); תְּנִיעָה (נְגִינָה)
movies, *n. pl.* רְאִינוֹעַ, קוֹלְנוֹעַ, סֶרֶט
movie camera צַלְמָנוֹעַ
mow, *v.t.* & *i.* קָצַר; עָרַם (תְּבוּאָה); עִוָּה, הֶעֱוָה (פָּנִים)
mower, *n.* קוֹצֵר; מַקְצֵרָה
Mr. מַר, אָדוֹן
Mrs. מָרָה, גְּבֶרֶת

much, *adj.* & *adv.* רַב; הַרְבֵּה, מְאֹד
muck, *n.* זֶבֶל; רָקָב; חָרָא
mucous, *adj.* רִירִי
mucus, *n.* רִיר; לֵחָה
mud, *n.* בֹּץ, טִיט, רֶפֶשׁ
muddle, *n.* מְבוּכָה
muddle, *v.t.* בִּלְבֵּל, דָּלַח, עָכַר
muddy, *adj.* רִפְשִׁי, דָּלוּחַ, מְרֻפָּשׁ
muff, *n.* חֲפָה
muffin, *n.* לַחְמָנִית
muffle, *v.t.* הֶעֱטָה [עטה], כִּסָּה (פָּנִים), מִעֵךְ (קוֹל)
mufti, *n.* מֻפְתִּי, כֹּהֵן מֻסְלְמִי; לְבוּשׁ אֶזְרָחִי
mug, *n.* סֵפֶל
muggy, *adj.* לַח וְחַם
mulatto, *n.* בֶּן תַּעֲרוֹבוֹת (לָבָן וְכוּשִׁי)
mulberry, *n.* תּוּת
mulct, *n.* & *v.t.* כֹּפֶר, קְנָס; קָנַס
mule, *n.* פֶּרֶד, פִּרְדָּה
muleteer, *n.* נוֹהֵג פֶּרֶד
mullet, *n.* שִׁבּוּט (דָּג)
multifarious, *adj.* רַבְגּוֹנִי, מְגֻוָּן מִמִּינִים שׁוֹנִים, טָלוּא
multiform, *adj.* רַב צוּרָתִי
multiple, *adj.* כָּפוּל
multiplication, *n.* הַכְפָּלָה, כֵּפֶל
multiplier, *n.* כּוֹפֵל, מַכְפִּיל
multiply, *v.t.* & *i.* רָבָה, הִפְרָה [פרה], הִרְבָּה [רבה], הִכְפִּיל [כפל]
mum, *adj.* דּוֹמֵם
mumble, *n.* רִטּוּן, מִלְמוּל
mumble, *v.t.* & *i.* רָטַן, מִלְמֵל
mummer, *n.* מְשַׂחֵק מַסֵּכוֹת
mummify, *v.t.* חָנַט
mummy, *n.* חָנוּט
mumps, *n.* חַזֶּרֶת
munch, *v.t.* & *i.* כִּרְסֵם, כָּסַס, לָעַס

mundane, *adj.* אַרְצִי
municipal, *adj.* עִירוֹנִי
municipality, *n.* עִירִיָּה
munificence, *n.* נַדְבָנוּת
munificent, *adj.* נַדְבָן
munition, *n.* תַּחְמֹשֶׁת
mural, *adj.* כָּתְלִי
murder, *n.* רֶצַח
murder, *v.t.* רָצַח, קָטַל, הִכָּה [נכה] נֶפֶשׁ
murderer, *n.* רוֹצֵחַ, קַטְלָן
murderous, *adj.* רַצְחָנִי, קַטְלָנִי
murk, *n.* עֲלָטָה, אֲפֵלָה
murky, *adj.* אַפְלוּלִי
murmur, *n.* לַחַשׁ
murmur, *v.t.* & *i.* לָחַשׁ, לְחֵשׁ; הִתְלוֹנֵן [לין], הִתְרַעֵם [רעם]
murrain, *n.* מַגֵּפָה, דֶּבֶר (בִּבְהֵמוֹת)
muscle, *n.* שְׁרִיר, עָצֵל, עַכְבָּר
muscular, *adj.* שְׁרִירִי, חָסִין
muse, *n.* בַּת שִׁיר, רוּחַ הַשִּׁירָה
muse, *v.t.* & *i.* הִרְהֵר, הִתְבּוֹנֵן [בין]
museum, *n.* בֵּית נְכוֹת
mush, *n.* פִּרְמָה
mushroom, *n.* פִּטְרִיָּה
music, *n.* נְגִינָה, מוּסִיקָה
musical, *adj.* נְגִינָתִי, מוּסִיקָלִי
musician, *n.* מְנַגֵּן, מוּסִיקַאי
musket, *n.* קְנֵה רוֹבֶה
muskrat, *n.* עַכְבְּרוֹשׁ הַמֶּשֶׁק
muslin, *n.* מַלְמֵלָה
muss, *v.t.* & *n.* עִרְבֵּב; מְהוּמָה, מְבוּכָה
mussel, *n.* חִלָּזוֹן
Mussulman, *n.* מֻסְלְמִי
must, *v.i.* הָיָה מֻכְרָח, הָיָה מְחֻיָּב
mustache, moustache, *n.* שָׂפָם
mustard, *n.* חַרְדָּל
muster, *n.* הַקְהָלָה, הַקְהָלַת הַחַיָּלִים
muster, *v.t.* & *i.* הִתְאַסֵּף [אסף], נִזְעַק [זעק] הִצְבִּיא [צבא]
musty, *adj.* מְעֻפָּשׁ, מָהוּהַּ
mutate, *v.t.* & *i.* הֶחֱלִיף [חלף], שִׁנָּה, הִשְׁתַּנָּה [שנה]
mutation, *n.* תְּמוּרָה, הִתְחַלְּפוּת
mute, *adj.* דּוֹמֵם, אִלֵּם, שׁוֹתֵק
mutilate, *v.t.* גִּדֵּם, קִטַּע, חִבֵּל, הִשְׁחִית [שחת]
mutilation, *n.* קִטּוּעַ, סֵרוּס
mutineer, *n.* מוֹרֵד
mutineer, mutiny, *v.i.* מָרַד, הִתְקוֹמֵם [קום]
mutiny, *n.* קֶשֶׁר, הִתְקוֹמְמוּת
mutter, *v.t.* & *i.* נִרְגַּן [רגן], מִלְמֵל
mutton, *n.* בְּשַׂר כֶּבֶשׂ
mutual, *adj.* הֲדָדִי, מְשֻׁתָּף
muzzle, *n.* מַחְסוֹם, זְמָם; פִּי רוֹבֶה
muzzle, *v.t.* חָסַם, זָמַם
my, *pron.* שֶׁלִּי
myopia, *n.* קֹצֶר רְאִיָּה
myopic, *adj.* קְצַר רְאוּת
myriad, *n.* רְבָבָה
myrrh, *n.* מֹר, לוֹט
myrtle, *n.* הֲדַס
myself, *pron.* אֲנִי, אָנֹכִי, אֲנִי בְּעַצְמִי
mysterious, *adj.* טָמִיר, נֶעְלָם, רָזִי, סוֹדִי
mystery, *n.* רָז, לָט, תַּעֲלוּמָה
mystic, mystical, *adj.* כָּמוּס, נִסְתָּר, קַבָּלִי
mystic, *n.* מְקֻבָּל
mysticism, *n.* קַבָּלָה
myth, *n.* אַגָּדָה
mythic, mythical, *adj.* אַגָּדִי
mythology, *n.* אַגָּדוֹת (עַם) אֱלִילִים

N, n

N, n, *n.* אֶן, הָאוֹת הָאַרְבַּע עֶשְׂרֵה בָּאָלֶף בֵּית הָאַנְגְּלִי

nab, *v.t.* תָּפַשׂ

nacre, *n.* צֶדֶף, צִדְפַּת־הַפְּנִינִים

nadir, *n.* נְקֻדַּת הָאֲנָךְ

nag, *n.* סְיָח

nag, *v.t.* & *i.* הִתְרַעֵם [רעם], הִקְנִיט [קנט]

nail, *n.* מַסְמֵר; צִפֹּרֶן

nail, *v.t.* סִמֵּר, מִסְמֵר, תָּקַע מַסְמְרִים

naive, *adj.* תָּמִים, יַלְדוּתִי

naked, *adj.* עָרֹם, חָשׂוּף; פָּשׁוּט

name, *n.* שֵׁם, כִּנּוּי, חֲנִיכָה

name, *v.t.* קָרָא בְּשֵׁם, כִּנָּה

nameless, *adj.* לְלֹא שֵׁם, בֶּן בְּלִי שֵׁם

namely, *adv.* כְּלוֹמַר, הַיְנוּ

namesake, *n.* בֶּן שֵׁם

nap, *n.* תְּנוּמָה; שֵׂעָרִיּוּת (בִּצְמָחִים, אָרִיג)

nap, *v.i.* נִמְנֵם, הִתְנַמְנֵם [נמנם]

nape, *n.* עֹרֶף, מַפְרֶקֶת

naphtha, *n.* שֶׁמֶן אֲדָמָה, נֵפְטְ

napkin, *n.* מַפִּית

narcissus, *n.* נַרְקִיס

narcotic, *adj.* & *n.* מַרְדִּים, מְאַלְחֵשׁ

nares, *n. pl.* נְחִירַיִם

narrate, *v.t.* סִפֵּר

narration, *n.* סִפּוּר, הַגָּדָה

narrative, *n.* & *adj.* סִפּוּר; סִפּוּרִי

narrator, *n.* קַרְיָן, מְסַפֵּר

narrow, *adj.* צַר, דָּחוּק; מֻגְבָּל

narrow-minded, *adj.* צַר מֹחַ, מֻגְבָּל

narrowness, *n.* צָרוּת; מֻגְבָּלוּת

nasal, *adj.* אַפִּי, חָטְמִי

nascency, *n.* לֵדָה

nascent, *adj.* נוֹלָד, מִתְהַוֶּה

nasturtium, *n.* קַרְמוּל

nasty, *adj.* מְזֹהָם, גַּס, מָאוּס

natal, *adj.* לֵדָתִי, שֶׁמִּלֵּדָה

nation, *n.* לְאֹם, עַם, גּוֹי, אֻמָּה

national, *adj.* לְאֻמִּי

nationalism, nationality, *n.* לְאֻמִּיּוּת

nationalization, *n.* הַלְאָמָה

nationalize, *v.t.* הִלְאִים [לאם]

native, *adj.* לֵדָתִי, אֶזְרָחִי

native, *n.* יְלִיד הָאָרֶץ, אֶזְרָח

nativity, *n.* לֵדָה

natural, *adj.* טִבְעִי, אֲמִתִּי, פָּשׁוּט

naturalism, *n.* טִבְעִיּוּת

naturalist, *n.* טִבְעֲתָן; חוֹקֵר הַטֶּבַע

naturalization, *n.* אִזְרוּחַ; הִסְתַּגְּלוּת, אִקְלוּם

naturalize, *v.t.* אִזְרַח; אִקְלֵם, סִגֵּל

naturally, *adv.* בְּאֹפֶן טִבְעִי, מוּבָן מֵאֵלָיו

nature, *n.* טֶבַע, אֹפִי; טִיב, מִין, סוּג; תְּכוּנָה

naught, *n.* אֶפֶס, אַיִן, לֹא כְלוּם

naughty, *adj.* שׁוֹבָב, סוֹרֵר

nausea, *n.* בְּחִילָה, גֹּעַל נֶפֶשׁ, קֶבֶס

nauseate, *v.t.* & *i.* בָּחַל, חָשׁ גֹּעַל, קִבֵּס

nautical, *adj.* יַמִּי, שֶׁל (סַפָּנִים) סַפָּנוּת

naval, *adj.* יַמִּי

navel, *n.* טַבּוּר

navigate, *v.t.* & *i.* הִפְלִיג [פלג]; נִוֵּט

navigation, *n.* הַפְלָגָה; סַפָּנוּת; נִוּוּט

navigator, *n.* סַפָּן; נַוָּט

navy, *n.* צִי, יַמִּיָּה

nay, *adv.* לֹא, לָאו; אֲבָל

near, *adj.*, *adv.* & *prep.* עַל יַד, קָרוֹב, אֵצֶל

near, *v.t.* & *i.* קָרַב, הִתְקָרֵב [קרב]
nearly, *adv.* כִּמְעַט
nearness, *n.* קִרְבָה
nearsighted, *adj.* קְצַר (רְאִיָּה) רְאוּת
nearsightedness, *n.* קֹצֶר (רְאִיָּה) רְאוּת
neat, *adj.* מְסֻדָּר, נָקִי
nebulous, nebulose, *adj.* מְעֻרְפָּל, עַרְפִּלִי
necessary, *adj.* נָחוּץ, הֶכְרֵחִי
necessitate, *v.t.* הִצְרִיךְ [צרך], הִכְרִיחַ [כרח]
necessity, *n.* צֹרֶךְ, נְחִיצוּת, הֶכְרֵחִיּוּת
neck, *n.* צַוָּאר, עֹרֶף
necklace, *n.* עֲנָק, שַׁרְשֶׁרֶת
necktie, *n.* עֲנִיבָה, מִקְשֶׁרֶת
necromancer, *n.* יִדְּעוֹנִי, (בַּעַל) אוֹב, מְכַשֵּׁף
nectar, *n.* צוּף
nee, née, *adj.* נוֹלְדָה
need, *n.* צֹרֶךְ, מַחְסוֹר, דֹּחַק
need, *v.t.* & *i.* צָרַךְ, חָסַר, הִצְטָרֵךְ [צרך], הָיָה נָחוּץ, הָיָה צָרִיךְ
needful, *adj.* נָחוּץ, נִצְרָךְ
needle, *n.* מַחַט
needless, *adj.* לְלֹא צֹרֶךְ, לְלֹא תּוֹעֶלֶת
needlework, *n.* מְלֶאכֶת מַחַט
needy, *adj.* אֶבְיוֹן, רָשׁ, קְשֵׁה יוֹם
nefarious, *adj.* נִבְזֶה, נִתְעָב
negate, *v.t.* שָׁלַל
negation, *n.* שְׁלִילָה
negative, *adj.* שְׁלִילִי, מְסָרֵב
negative, *n.* שְׁלִילִית (בְּצִלּוּם), מִשְׁלָל
neglect, *n.* & *v.t.* רַשְׁלָנוּת, הִתְרַשְּׁלוּת, זִלְזוּל, הַזְנָחָה; הִתְרַשֵּׁל [רשל], זִלְזֵל בְּ־, עָזַב, הִזְנִיחַ [זנח]
neglectful, *adj.* מְרֻשָּׁל, מֻזְנָח
negligee, *n.* חֶשְׁפָּה
negligence, *n.* הִתְרַשְּׁלוּת
negotiate, *v.t.* & *i.* נָשָׂא וְנָתַן, תִּוֵּךְ
negotiation, *n.* מַשָּׂא וּמַתָּן, תִּוּוּךְ
negotiator, *n.* תַּוָּךְ, סַרְסוּר, מְתַוֵּךְ
negress, *n.* כּוּשִׁית
negro, *n.* כּוּשִׁי
neigh, *n.* צַהַל, צָהֳלָה (שֶׁל סוּסִים)
neigh, *v.i.* צָהַל (סוּס)
neighbor, neighbour, *n.* שָׁכֵן
neighborhood, neighbourhood, *n.* סְבִיבָה, שְׁכֵנוּת
neither, *adj.* & *pron.* לֹא זֶה, גַּם זֶה לֹא
Neo-Hebraic, *adj.* & *n.* (שֶׁל) עִבְרִית חֲדָשָׁה
neon, *n.* אֲדוֹן, אוֹר הֶבֶל, נֵאוֹן
nephew, *n.* אַחְיָן
nepotism, *n.* הַעֲדָפַת קְרוֹבִים
nerve, *n.* עָצָב; עֹז, אֹמֶץ לֵב
nerve, *v.t.* אִמֵּץ
nervous, *adj.* עַצְבָּנִי, רַגִּישׁ
nervousness, *n.* עַצְבָּנוּת, רַגְשָׁנוּת
nest, *n.* & *v.i.* קֵן; קִנֵּן
nestle, *v.t.* & *i.* קִנֵּן; חָסָה, הִתְרַפֵּק [רפק]; נִכְנַף [כנף] בְּ־
net, *n.* נָקִי (מִשְׁקָל, מְחִיר וכו׳)
net, *n.* רֶשֶׁת, חֵרֶם, מִכְמֶרֶת
net, *v.t.* & *i.* רִשֵּׁת, עָשָׂה רֶשֶׁת, רָשַׁת; חָרַם, לָכַד בְּרֶשֶׁת (בְּחֵרֶם)
nether, *adj.* תַּחְתּוֹן
netting, *n.* רִשּׁוּת; רְשָׁתוֹת
nettle, *n.* סִרְפָּד
network, *n.* מִקְלַעַת, הִצְטַלְּבוּת
neuralgia, *n.* כְּאֵב עֲצַבִּים
neurologist, *n.* רוֹפֵא עֲצַבִּים
neurosis, *n.* עַצְבָּנוּת חוֹלָנִית
neurotic, *adj.* עַצְבָּנִי
neuter, *adj.* & *n.* (מִין) סְתָמִי
neutral, *adj.* & *n.* חָיוּד, לַעֲלָן

neutrality, *n.* חִיּוּד, לַעֲלָנוּת
never, *adv.* לְעוֹלָם, מֵעוֹלָם לֹא
nevertheless, *adv.* אַף עַל פִּי כֵן, בְּכָל זֹאת
new, *adj.* חָדָשׁ
newly, *adv.* מֵחָדָשׁ
newness, *n.* חִדּוּשׁ
news, *n.* חֲדָשָׁה, חֲדָשׁוֹת
newsboy, *n.* מוֹכֵר עִתּוֹנִים
newspaper, *n.* עִתּוֹן
New Testament הַבְּרִית הַחֲדָשָׁה
New Year רֹאשׁ הַשָּׁנָה
next, *adj.* & *adv.* הַבָּא אַחַר, סָמוּךְ
nib, *n.* חַרְטוֹם; צִפֹּרֶן (עֵט); יָדִית הַחֶרְמֵשׁ
nibble, *n.*, *v.t.* & *i.* כִּרְסוּם; חִטּוּט; כִּרְסֵם, כִּסְכֵּס; חִטְחֵט
nice, *adj.* יָפֶה, נָאֶה
nicely, *adv.* הֵיטֵב, כְּהֹגֶן
nicety, *n.* קַפְּדָנוּת, דִּיּוּק; מַעֲדָן
niche, *n.* מִשְׁקָע, שֶׁקַע
nick, *n.* חָרִיץ, פְּגִימָה; רֶגַע הַזְּמָן
nick, *v.t.* עָשָׂה (חֲרִיצִים) בִּזְמַנּוֹ; רִמָּה
nickel, *n.* נִיקֶל; חֲמִשָּׁה סֶנְטִים
nickname, *n.* חֲנִיכָה, שֵׁם לְוַי, כִּנּוּי
niece, *n.* אַחְיָנִית
niggard, *adj.* קַמְצָן
niggardliness, *n.* קַמְצָנוּת
nigh, *adj.* & *adv.* כִּמְעַט, קָרוֹב
night, *n.* לַיְלָה, לַיִל, לֵיל, חֲשֵׁכָה; מָוֶת; בּוּרוּת
nightgown, nightshirt, *n.* חָלוּק לַיְלָה
nightingale, *n.* זָמִיר
nightly, *adj.* & *adv.* לֵילִי; בְּכָל לַיְלָה
nightmare, *n.* סִיּוּט
nihilism, *n.* אַפְסָנוּת
nihilist, *n.* אַפְסָנִי
nil, *n.* אֶפֶס, אַיִן

nimble, *adj.* מָהִיר, זָרִיז
nimbus, *n.* הִלָּה
Nimrod, *n.* נִמְרוֹד; צַיָּד
nine, *adj.* & *n.* תִּשְׁעָה, תֵּשַׁע
ninefold, *adv.* & *adj.* פִּי (תֵּשַׁע) תִּשְׁעָה, תִּשְׁעָתַיִם; כָּפוּל (תֵּשַׁע) תִּשְׁעָה
nineteen, *adj.* & *n.* תִּשְׁעָה עָשָׂר, תְּשַׁע עֶשְׂרֵה
nineteenth, *adj.* הַתִּשְׁעָה עָשָׂר, הַתְּשַׁע עֶשְׂרֵה
ninetieth, *adj.* הַתִּשְׁעִים
ninety, *adj.* & *n.* תִּשְׁעִים
ninth, *adj.* & *n.* תְּשִׁיעִי, תְּשִׁיעִית; חֵלֶק תְּשִׁיעִי, תְּשִׁיעִית
nip, *n.* צְבִיטָה; גְּמִיעָה; שִׁדָּפוֹן
nip, *v.t.* צָבַט, גָּמַע; שָׁדַף
nippers, *n. pl.* מִצְבָּטַיִם, מַשְׁכַיִם
nipple, *n.* פִּטְמָה, דַּד, פִּי הַשַּׁד; עַיִן
nit, *n.* טָפוּי, בֵּיצַת (חֲרָקִים) כִּנָּה
niter, nitre, *n.* מְלַחַת
nitrate, *n.* חַנְקָה
nitric, *adj.* חַנְקָנִי
nitrogen, *n.* אַבְחֶנֶק, חַנְקָן
no, *n.* & *adv.* לֹא, לָאו; אַיִן, אֵין
nobility, *n.* אֲצִילוּת, עֲדִינוּת
noble, *adj.* אֶפְרָתִי, אָצִיל, עָדִין
nobly, *adv.* בְּרוּחַ נְדִיבָה
nobody, *n.* אַף אֶחָד, אִישׁ
nocturnal, *adj.* לֵילִי
nocturne, *n.* נִשְׁפִּית, נְגִינַת לַיִל
nod, *n.* נִעְנוּעַ רֹאשׁ
nod, *v.t.* & *i.* הֵנִיעַ [נוע] בָּרֹאשׁ; רָמַז
node, *n.* קֶשֶׁר, כַּפְתּוֹר; תִּסְבֹּכֶת; מִסְעָף
noise, *n.* רַעַשׁ, שָׁאוֹן, הֲמֻלָּה
noiseless, *adj.* דּוֹמֵם, שָׁקֵט
noisy, *adj.* מַרְעִישׁ, רוֹעֵשׁ
nomad, *n.* נוֹדֵד, נָע וָנָד

nomadic, *adj.* נוֹדֵד

nomenclature, *n.* שֵׁמוֹת, מֻנָּחִים

nominal, *adj.* שֵׁמִי

nominate, *v.t.* מִנָּה, הִצִּיעַ [יצע], הֶעֱמִיד [עמד]

nomination, *n.* מֻעֲמָדוּת, הַעֲמָדָה, מִנּוּי

nominative, *adj.* יַחַס הַנּוֹשֵׂא

nominee, *n.* מֻעֲמָד

nonage, *n.* קַטְנוּת, מִעוּט

nonce, *n.* הֹוֶה

nonchalance, *n.* אֲדִישׁוּת, שִׁוְיוֹן נֶפֶשׁ

nonchalant, *adj.* אָדִישׁ, קַר רוּחַ, שְׁוֵה נֶפֶשׁ

noncommital, *adj.* סָתוּם

noncommissioned, *adj.* בִּלְתִּי מֻרְשֶׁה, לְלֹא דַּרְגַּת קְצֻנָּה

nonconductor, *n.* בִּלְתִּי מוֹלִיךְ

nonconformity, *n.* אִי הַסְכָּמָה

nondescript, *adj.* אַל צִיּוּרִי, בִּלְתִּי מְצֻיָּר

none, *pron.* אַף אֶחָד, שׁוּם דָּבָר

nonentity, *n.* הֶעְדֵּר, אֲפִיסָה

nonessential, *adj.* בִּלְתִּי הֶכְרֵחִי, לֹא (חָשׁוּב) נָחוּץ בְּיוֹתֵר

nonexistence, *n.* אִי מְצִיאוּת

nonmetal, *n.* אַל מַתֶּכֶת

nonpareil, *adj.* מְיֻחָד בְּמִינוֹ

nonpartisan, *adj.* אַל מִפְלַגְתִּי

nonpayment, *n.* אִי תַּשְׁלוּם

nonplus, *v.t.* בִּלְבֵּל

nonresident, *adj.* זָר, לֹא תּוֹשָׁב

nonresistence, *n.* אִי הִתְנַגְּדוּת

nonsense, *n.* הֶבֶל, שְׁטוּת

nonstop, *adj.* & *adv.* לְלֹא הַפְסָקָה

nonunion, *adj.* אַל הִסְתַּדְּרוּתִי, שֶׁאֵינוֹ שַׁיָּךְ לַהִסְתַּדְּרוּת (הָעוֹבְדִים)

noodle, *n.* אִטְרִיָּה; טִפֵּשׁ

nook, *n.* פִּנָּה

noon, *n.* צָהֳרַיִם; גֹּבַהּ

noontime, *n.* שְׁעַת הַצָּהֳרַיִם

noose, *n.* קֶשֶׁר, עֲנִיבָה; מַלְכֹּדֶת

noose, *v.t.* לָכַד בְּמַלְכֹּדֶת

nor, *conj.* אַף לֹא, גַּם לֹא

norm, *n.* כְּלָל, מוֹפֵת, מְמֻצָּע

normal, *adj.* רָגִיל, שָׁכִיחַ, מְמֻצָּע

north, *adj.*, *adv.* & *n.* צְפוֹנִי, צָפוֹנָה; צָפוֹן

northeast, *adj.*, *adv.* & *n.* צְפוֹן מִזְרָח; צְפוֹנִי מִזְרָחִי; צְפוֹנִית מִזְרָחִית

northeastern, *adj.* צְפוֹנִי מִזְרָחִי

northerly, *adj.* & *adv.* צְפוֹנִי; צָפוֹנָה

North Pole הַקֹּטֶב הַצְּפוֹנִי

northwest, *adj.*, *adv.* & *n.* צְפוֹן מַעֲרָב; צְפוֹנִי מַעֲרָבִי; צְפוֹנִית מַעֲרָבִית

nose, *n.* אַף, חֹטֶם

nose, *v.t.* הֵרִיחַ [ריח]

nosebleed, *n.* דִּמְאַף

nostalgia, *n.* גַּעְגּוּעִים

nostril, *n.* נְחִיר

nostrum, *n.* רְפוּאוֹת שָׁוְא

nosy, *adj.* סַקְרָנִי

not, *adv.* לֹא, בַּל, אַל, אַיִן

notable, *adj.* נוֹדָע; נִכְבָּד

notably, *adv.* בְּיִחוּד

notary, *n.* נוֹטַרְיוֹן, סוֹפֵר הַקָּהָל

notation, *n.* צִיּוּן

notch, *n.* חָרִיץ, פְּגִימָה

notch, *v.t.* חָרַץ

note, *n.* תָּו, קוֹל; צִיּוּן, סִימָן; הֶעָרָה; חֲשִׁיבוּת, עֵרֶךְ; פִּתְקָה; שְׁטָר (חוֹב); רְשִׁימָה, תִּזְכֹּרֶת

note, *v.t.* רָשַׁם, צִיֵּן, הִתְבּוֹנֵן [בין]; שָׂם [שים] לֵב

notebook, *n.* מַחְבֶּרֶת, פִּנְקָס

nothing, *n.* מְאוּמָה; לֹא כְלוּם
nothingness, *n.* אַפְסוּת, תֹּהוּ
notice, *n.* שִׂימַת לֵב, הַזְהָרָה, מוֹדָעָה
notice, *v.t.* הִרְגִּישׁ [רגש], הִתְבּוֹנֵן [בין], רָאָה
notification, *n.* הוֹדָעָה
notify, *v.t.* הוֹדִיעַ [ידע]
notion, *n.* מֻשָּׂג, דֵּעָה
notoriety, *n.* פִּרְסוּם (לִגְנַאי)
notorious, *adj.* מְפֻרְסָם (לִגְנַאי)
notwithstanding, *adv.* & *conj.* בְּכָל זֹאת
nought, naught, *adj.* & *n.* אַפְסִי, לְלֹא עֵרֶךְ; אֶפֶס, בְּלִימָה, אַיִן, לֹא כְלוּם
noun, *n.* שֵׁם, שֵׁם עֶצֶם
nourish, *v.t.* & *i.* הֵזִין [זון], כִּלְכֵּל, חִיָּה, הִבְרָה [ברה], הֶאֱכִיל [אכל]
nourishment, *n.* מָזוֹן, טֶרֶף, אֹכֶל, מִחְיָה
novel, *adj.* חָדָשׁ, זָר, מוּזָר
novel, *n* סִפּוּר, נוֹבֶלָּה, רוֹמָן
novelist, *n.* סוֹפֵר, מְסַפֵּר
novelty, *n.* חִדּוּשׁ, חֲדָשָׁה
November, *n.* נוֹבֶמְבֶּר
novice, *n.* טִירוֹן, מַתְחִיל
now, *adv.* כָּעֵת, עַתָּה, עַכְשָׁו
nowadays, *adv.* בְּיָמֵינוּ
nowhere, *adv.* בְּשׁוּם מָקוֹם
nowise, *adv.* בְּשׁוּם פָּנִים
noxious, *adj.* מַזִּיק, מַשְׁחִית, רַע
nozzle, *n.* זַרְבּוּבִית; אָסוּךְ
nuance, *n.* גָּוָן
nuclear, *adj.* גַּרְעִינִי, יְסוֹדִי, תַּמְצִיתִי
nucleus, *n.* גַּרְעִין, יְסוֹד, תַּמְצִית
nude, *adj.* חָשׂוּף, עָרֹם
nudge, *n.* נְגִיעָה, דְּחִיפָה קַלָּה
nudity, nudeness, *n.* מַעֲרֻמִּים, מַעַר, מַחְשׂוֹף, עֶרְוָה, עֶרְיָה
nuisance, *n.* מִטְרָד, רִגּוּז
null, *adj.* אַפְסִי, מְאֻפָּס
nullification, *n.* הֲפָרָה, בִּטּוּל
nullify, *v.t.* אִפֵּס, בִּטֵּל
nullity, *n.* אַפְסוּת
numb, *adj.* אַלְחוּשִׁי
number, *n.* מִסְפָּר, סִפְרָה; מִנְיָן
number, *v.t.* נָמָה, סָפַר, סִפְרֵר, מִסְפֵּר
Numbers, *n.* (סֵפֶר) בַּמִּדְבָּר
numeral, *adj.* & *n.* מִסְפָּרִי; סִפְרָה, מִסְפָּר
numerator, *n.* מוֹנֶה, מְסַפְרֵר, מְמַסְפֵּר
numerical, *adj.* מִסְפָּרִי
numerous, *adj.* מְרֻבֶּה, שַׂגִּיא
nun, *n.* נְזִירָה
nunnery, *n.* מִנְזָר (נָשִׁים)
nuptial, *adj.* & *n. pl.* שֶׁל כְּלוּלוֹת; כְּלוּלוֹת, נִשּׂוּאִים
nurse, *n.* מֵינֶקֶת; חוֹבֶשֶׁת, אָחוֹת
nurse, *v.t.* הֵינִיקָה [ינק]; טִפֵּל (בְּחוֹלֶה), אָמַן, גִּדֵּל
nursery, *n.* בֵּית תִּינוֹקוֹת; מַשְׁתֵּלָה
nurture, *v.t.* הֵזִין [זון], גִּדֵּל
nut, *n.* אֹם (שֶׁל בֹּרֶג); אֱגוֹז; טִפֵּשׁ, פֶּתִי
nutcracker, *n.* מַפְצֵחַ
nutmeg, *n.* אֱגוֹזָן
nutriment, *n.* מָזוֹן, אֹכֶל
nutrition, *n.* תְּזוּנָה
nutritious, nutritive, *adj.* זָן, מֵזִין
nutshell, *n.* קְלִפַּת אֱגוֹז
nutty, *adj.* אֱגוֹזִי; מְשֻׁגָּע
nuzzle, *v.t.* & *i.* נָבַר, חִטֵּט, הִתְרַפֵּק [רפק]
nylon, *n.* נִילוֹן, זְהוֹרִית
nymph, *n.* בַּת גַּלִּים, נִימְפָה

O, o

O, o, *n.* אוֹ, הָאוֹת הַחֲמֵשׁ עֶשְׂרֵה בָּאָלֶף בֵּית הָאַנְגְּלִי; אֶפֶס; עִגּוּל
oaf, *n.* גֹּלֶם, בּוּר
oak, *n.* אַלּוֹן
oakum, *n.* נְעֹרֶת, חֹסֶן
oar, *n.* & *v.t.* מָשׁוֹט; חָתַר
oarlock, *n.* עֵין הַמָּשׁוֹט
oarsman, *n.* שַׁיָּט
oasis, *n.* נָוֶה, נְאוֹת מִדְבָּר
oat, *n.* שִׁבֹּלֶת שׁוּעָל
oath, *n.* נֶדֶר, שְׁבוּעָה; אָלָה
oatmeal, *n.* דַּיְסַת (קֶמַח) שִׁבֹּלֶת שׁוּעָל
obduracy, *n.* עַקְשָׁנוּת
obdurate, *adj.* עַקְשָׁן
obedience, *n.* מִשְׁמַעַת, צַיְּתָנוּת, יְקָהָה
obedient, *adj.* צַיְּתָן, מְמֻשְׁמָע
obeisance, *n.* הִשְׁתַּחֲוָיָה, כְּרִיעַת בֶּרֶךְ
obelisk, *n.* חֲדוּדִית, מַצֶּבֶת מַחַט
obese, *adj.* שָׁמֵן (גּוּף)
obesity, *n.* הַשְׁמָנָה
obey, *v.t.* & *i.* צִיֵּת, שָׁמַע בְּקוֹל
obituary, *adj.* שֶׁל מָוֶת
object, *n.* חֵפֶץ, דָּבָר; תַּכְלִית, מַטָּרָה
object, *v.t.* & *i.* הִתְנַגֵּד [נגד] לְ־
objection, *n.* הִתְנַגְּדוּת
objective, *adj.* & *n.* חִיצוֹנִי, עִנְיָנִי; יַחַס הַפָּעוּל (דִּקְדּוּק)
objector, *n.* מִתְנַגֵּד
oblation, *n.* מִנְחָה, קָרְבָּן
obligate, *v.t.* חִיֵּב
obligation, *n.* הִתְחַיְּבוּת
obligatory, *adj.* הֶכְרֵחִי
oblige, *v.t.* עָשָׂה חֶסֶד; אִלֵּץ, הִכְרִיחַ [כרח]
oblique, *adj.* אֲלַכְסוֹנִי, מְשֻׁפָּע

obliterate, *v.t.* מָחָה, מָחַק
obliteration, *n.* מְחִיקָה, טִשְׁטוּשׁ
oblivion, *n.* שִׁכְחָה, נְשִׁיָּה
oblivious, *adj.* מֵסִיחַ דַּעְתּוֹ מִן, שׁוֹכֵחַ
oblong, *adj.* מְאֹרָךְ
obloquy, *n.* רְכִילוּת, תּוֹכָחָה, נְזִיפָה
obnoxious, *adj.* נִתְעָב, מַבְחִיל
obscene, *adj.* גַּס, מְגֻנֶּה, זְנוּנִי
obscenity, *n.* נִבּוּל פֶּה, גַּסּוּת, פְּרִיצוּת
obscure, *adj.* אָפֵל, סָתוּם
obscure, *v.t.* הֶחְשִׁיךְ [חשך]
obscurity, *n.* אֲפֵלָה, חֹשֶׁךְ
obsequies, *n. pl.* לְוָיָה, הַלְוָיָה
obsequious, *adj.* צַיְּתָן, נִכְנָע, עַבְדוּתִי
observable, *adj.* בּוֹלֵט, נִכָּר
observance, *n.* שִׂימַת לֵב
observant, *adj.* מִתְבּוֹנֵן, זָהִיר
observation, *n.* הֶעָרָה; תַּצְפִּית; הִסְתַּכְּלוּת
observatory, *n.* מִצְפֵּה כּוֹכָבִים
observe, *v.t.* & *i.* הִסְתַּכֵּל [סכל]
obsession, *n.* דִּבּוּק
obsolescent, *adj.* עוֹבֵר בָּטֵל
obsolete, *adj.* יָשָׁן, יָשָׁן נוֹשָׁן
obsoleteness, *n.* יַשְׁנוּת, יֹשֶׁן, עַתִּיקוּת
obstacle, *n.* מִכְשׁוֹל
obstetrician, *n.* מְיַלֵּד
obstetrics, *n. pl.* תּוֹרַת (חָכְמַת) הַיִּלּוּד
obstinacy, *n.* עַקְשָׁנוּת
obstinate, *adj.* עַקְשָׁן
obstruct, *v.t.* שָׂם מִכְשׁוֹל, סָתַם, עִכֵּב
obstruction, *n.* מִכְשׁוֹל, עִכּוּב, חֲסִימָה
obtain, *v.t.* הִשִּׂיג [נשג]
obtainment, *n.* הַשָּׂגָה
obtrude, *v.t.* הִבְלִיט [בלט], בָּלַט

obtrusion, *n.* הַבְלָטָה עַצְמִית
obtrusive, *adj.* מֵעִיז, מִתְבַּלֵּט
obtuse, *adj.* אָטוּם, קֵהֶה; מְטֻמְטָם
obviate, *v.t.* קִדֵּם, הֵסִיר [סור]
obvious, *adj.* בָּרוּר, מוּבָן
occasion, *n.* הִזְדַּמְּנוּת
occasion, *v.t.* הֵבִיא [בוא] לִידֵי, גָּרַם
occasional, *adj.* אֲרָעִי, מִקְרִי
occasionally, *adv.* לִפְעָמִים, לִפְרָקִים
occident, *n.* מַעֲרָב, יָם
occult, *adj.* סָמוּי, טָמִיר, נִסְתָּר, נֶעְלָם
occupant, *n.* דַּיָּר
occupation, *n.* מִשְׁלַח יָד, מִקְצוֹעַ
occupy, *v.t.* & *i.* כָּבַשׁ, לָכַד, דָּר [דור], הִתְעַסֵּק [עסק]
occur, *v.i.* אָרַע, קָרָה, חָל [חול], הִתְרַחֵשׁ [רחש]
occurrence, *n.* מִקְרֶה, מְאֹרָע, הִתְרַחֲשׁוּת
ocean, *n.* יָם, אוֹקְיָנוּס
oceanic, *adj.* יַמִּי
octagon, *n.* מְתֻמָּן
octave, *n.* שְׁמִינִיָּה (בִּנְגִינָה)
October, *n.* אוֹקְטוֹבֶּר
octogenarian, *adj.* & *n.* בֶּן שְׁמוֹנִים (שָׁנָה)
octopus, *n.* דַּג הַשֵּׁד (מְתֻמַּן הָרַגְלַיִם)
ocular, *adj.* רְאִיּוּתִי, שֶׁל עַיִן
oculist, *n.* רוֹפֵא עֵינַיִם
odd, *adj.* מְשֻׁנֶּה, מוּזָר; נִפְרָד, נוֹתָר, עוֹדֵף
odds, *n. pl.* אִי שִׁוְיוֹן; יִתְרוֹן; סִכּוּיִים; רִיב, סִכְסוּךְ
ode, *n.* שִׁיר תְּהִלָּה
odious, *adj.* נִתְעָב, שָׂנוּא
odor, odour, *n.* רֵיחַ, בֹּשֶׂם
odorless, *adj.* חֲסַר רֵיחַ
odorous, odourous, *adj.* רֵיחָנִי

Oedipus complex תַּסְבִּיךְ אֶדִיפּוּס
of, *prep.* שֶׁל, מִתּוֹךְ
off, *prep.*, *adj.* & *adv.* מִן; מֵעַל; רָחוֹק; מֵרָחוֹק, מִנֶּגֶד
offal, *n.* מַפָּל; פְּסֹלֶת; אַשְׁפָּה
offend, *v.t.* & *i.* חָטָא, עָלַב, הִכְעִיס [כעס]
offender, *n.* מְבַיֵּשׁ, מַכְעִיס, מֵזִיק
offense, offence, *n.* עֲבֵרָה; עֶלְבּוֹן; הַתְקָפָה
offensive, *adj.* & *n.* עוֹלֵב, מַבְחִיל; הַתְקָפָה, תְּקִיפָה
offer, *n.*, *v.t.* & *i.* הַצָּעָה; הִצִּיעַ [יצע], הִקְרִיב [קרב]
offering, *n.* תְּרוּמָה, מַתָּנָה, קָרְבָּן
offhand, *adv.* כִּלְאַחַר יָד, דֶּרֶךְ אַגַּב מִיָּד, לְלֹא (הִסּוּס) עִיּוּן
office, *n.* מִשְׂרָד; מִשְׂרָה
officer, *n.* פָּקִיד, קָצִין
official, *adj.* & *n.* רִשְׁמִי; פָּקִיד
officiate, *v.i.* כִּהֵן
officious, *adj.* מִתְעָרֵב בְּעִנְיְנֵי אֲחֵרִים
offing, *n.* מֶרְחָק מִן הַחוֹף
offset, *n.* הַדְפָּסַת צִלּוּם; סִכּוּם נֶגְדִּי
offspring, *n.* וָלָד, זֶרַע, צֶאֱצָא
often, *adv.* פְּעָמִים רַבּוֹת, לְעִתִּים קְרוֹבוֹת
ogle, *n.*, *v.t.* & *i.* קְרִיצַת עַיִן; שִׁקֵּר עֵינַיִם
ogre, *n.* מִפְלֶצֶת, עֲנָק
oil, *n.* שֶׁמֶן; נֵפְט
oil, *v.t.* סָךְ [סוך], שִׁמֵּן
oilcloth, *n.* דּוֹנַגִּית, בַּד מְדֻנָּג
oily, *adj.* שַׁמְנוּנִי; מְחַנֵּף
ointment, *n.* מִשְׁחָה
old, *adj.* יָשָׁן, עַתִּיק, קָדוּם; זָקֵן
old age זִקְנָה, שֵׂיבָה
Old Glory דֶּגֶל אַרְצוֹת הַבְּרִית

Old Testament תַּנַ"ךְ
oleander, *n.* הַרְדּוּף
olfactory, *adj.* שֶׁל הֲרָחָה
olive, *n.* זַיִת
omelet, omelette, *n.* חֲבִתָּה
omen, *n.* אוֹת, מוֹפֵת
ominous, *adj.* מְבַשֵּׂר רַע
omission, *n.* הַשְׁמָטָה
omit, *v.t.* הִשְׁמִיט [שמט], עָזַב
omnibus, *n.* מְכוֹנִית צִבּוּרִית
omnipotent, *adj.* כֹּל יָכוֹל
omnivorous, *adj.* אוֹכֵל כֹּל
on, *adv.* קָדִימָה, הָלְאָה
on, *prep.* עַל, עֲלֵי, עַל פְּנֵי־
onanism, *n.* מַעֲשֵׂה אוֹנָן, אוֹנָנוּת
once, *adv.* פַּעַם, פַּעַם אַחַת, לְפָנִים
one, *adj.* אֶחָד, אַחַת; יָחִיד, יָדוּעַ; פְּלוֹנִי (אַלְמוֹנִי), פַּלְמוֹנִי
oneness, *n.* אַחְדוּת
onerous, *adj.* מַכְבִּיד, מַלְאֶה, מַטְרִיד
oneself, *pron.* עַצְמוֹ
one-sided, *adj.* חַד צְדָדִי
onion, *n.* בָּצָל
onlooker, *n.* מִסְתַּכֵּל, מִתְבּוֹנֵן
only, *adv.* אַךְ, רַק, בִּלְבַד
only, *adj.* יָחִיד, יְחִידִי, לְבַדּוֹ
onomatopoeia, *n.* נִיב צִיּוּרִי
onrush, *n.* הִשְׂתָּעֲרוּת
onslaught, *n.* הִתְנַפְּלוּת
onus, *n.* מַעֲמָסָה; חוֹבָה; אַחֲרָיוּת
onward, onwards, *adv.* הָלְאָה
onyx, *n.* שֹׁהַם
ooze, *v.i.* נָזַל, טִפְטֵף
opal, *n.* לֶשֶׁם
opaque, *adj.* אָטוּם, עָכוּר
open, *adj.* פָּתוּחַ, גָּלוּי, פָּנוּי
open, *v.t.* & *i.* פָּתַח, פָּקַח, פָּצָה, פָּשַׂק; הִתְחִיל [תחל]; גִּלָּה, נִפְתַּח [פתח]
opener, *n.* פּוֹתֵחַ
opening, *n.* פְּתִיחָה; הִזְדַּמְּנוּת
opera, *n.* אוֹפֶּרָה
operate, *v.t.* & *i.* עָשָׂה, פָּעַל; הִפְעִיל [פעל]; נִתַּח
operation, *n.* פְּעֻלָּה; נִתּוּחַ
operative, *adj.* פּוֹעֵל, מְבַצֵּעַ
operator, *n.* נֶהָג, מַפְעִיל, פּוֹעֵל; מְנַתֵּחַ
operetta, *n.* אוֹפֵּרִית, אוֹפֶּרֶטָה
ophthalmology, *n.* יְדִיעַת הָעֵינַיִם
opine, *v.i.* חָשַׁב, הָיָה סָבוּר
opinion, *n.* דֵּעָה, סְבָרָה, חַוַּת דַּעַת
opium, *n.* רֹאשׁ, אוֹפְיוֹן, אוֹפְיוּם, פִּרְגּוֹן
opponent, *n.* מִתְנַגֵּד, יָרִיב
opportune, *adj.* מַתְאִים, בָּא בְּעִתּוֹ
opportunity, *n.* הִזְדַּמְּנוּת, שְׁעַת כֹּשֶׁר
oppose, *v.t.* & *i.* הִתְנַגֵּד [נגד]
opposite, *adj.* & *n.* נֶגְדִּי, סוֹתֵר; נִגּוּד
opposition, *n.* הִתְנַגְּדוּת, תְּנוּאָה, סְתִירָה
oppress, *v.t.* דִּכָּא, נָגַשׂ, לָחַץ, הֵצֵר [צרר]
oppression, *n.* דִּכּוּי, נְגִישָׂה, שִׁעְבּוּד
oppressive, *adj.* מְדַכֵּא
oppressor, *n.* מְדַכֵּא, מֵעִיק, לוֹחֵץ, נוֹגֵשׂ
opprobrious, *adj.* עוֹלֵב, מַכְלִים
opprobrium, *n.* דֵּרָאוֹן, חֶרְפָּה, תּוֹעֵבָה
optical, *adj.* שֶׁל הָעַיִן, שֶׁל הָרְאִיָּה
optician, *n.* מִשְׁקְפָן
optics, *n.* תּוֹרַת הָאוֹר וְהָרְאִיָּה
optimism, *n.* אֱמוּנָה בְּטוּב הָעוֹלָם
optimist, *n.* בַּעַל בִּטָּחוֹן
optimistic, *adj.* מַאֲמִין, בּוֹטֵחַ
option, *n.* זְכוּת (הַבְּרֵרָה) הַבְּחִירָה
optional, *adj.* שֶׁל זְכוּת הַבְּחִירָה
opulence, *n.* עֹשֶׁר, הוֹן
opulent, *adj.* אָמִיד; עָצוּם

or, *conj.* אוֹ

oracle, *n.* דְּבַר אֱלֹהִים; דְּבִיר

oracles, *n. pl.* אוּרִים וְתֻמִּים

oracular, *adj.* נְבוּאִי

oral, *adj.* שֶׁל פֶּה, שֶׁבְּעַל פֶּה

orange, *n.* תַּפּוּחַ זָהָב, תַּפּוּז

orangeade, *n.* מֵי תַּפּוּזִים

orange juice מִיץ תַּפּוּחֵי זָהָב

oration, *n.* דְּרָשָׁה, נְאוּם

orator, *n.* נוֹאֵם, מַטִּיף

oratory, *n.* דַּבְּרָנוּת

orb, *n.* כַּדּוּר, גַּלְגַּל, עִגּוּל; גֶּרֶם שְׁמֵימִי; עַיִן

orbicular, *adj.* עִגּוּלִי, כַּדּוּרִי

orbit, *n.* מְסִלַּת הַמַּזָּלוֹת; אֲרֻבַּת הָעַיִן

orchard, *n.* פַּרְדֵּס, בֻּסְתָּן

orchestra, *n.* תִּזְמֹרֶת

orchestral, *adj.* תִּזְמָרְתִּי

orchestrate, *v.t.* תִּזְמֵר

orchestration, *n.* תִּזְמוּר

orchid, *n.* סַחְלָב

ordain, *v.t.* סָמַךְ, מִנָּה; הִתְקִין [תקן]

ordeal, *n.* מַסָּה, נִסָּיוֹן (מִבְחָן) קָשֶׁה

order, *n.* סֵדֶר; הַזְמָנָה; צָו, פְּקוּדָה; מִשְׁטוּר, מִסְדָּר

order, *v.t.* & *i.* סִדֵּר; מִשְׁטֵר; צִוָּה, גָּזַר; הִזְמִין [זמן]

orderly, *adj.* מְסֻדָּר; שִׁטָּתִי; מְמֻשְׁטָר, כַּמִּשְׁפָּט

orderly, *n.* שָׁלִיחַ, רָץ

orderly, *adv.* בְּסֵדֶר

ordinal, *adj.* סוֹדֵר (מִסְפָּר), סִדּוּרִי

ordinance, *n.* גְּזֵרָה, צָו, תַּקָּנָה

ordinary, *adj.* מָצוּי, רָגִיל

ordination, *n.* סְמִיכָה

ordure, *n.* דֹּמֶן, זֶבֶל

ore, *n.* בֶּצֶר, עַפְרָה (זָהָב, בַּרְזֶל וכו׳)

organ, *n.* אֵבֶר; עוּגָב; מַגְרֵפָה

organic, *adj.* אֵבָרִי; שֶׁל חַי, חִיּוּתִי

organism, *n.* מַנְגָּנוֹן

organist, *n.* עוּגָבַאי

organization, *n.* הִסְתַּדְּרוּת, אִרְגּוּן

organize, *v.t.* אִרְגֵּן, סִדֵּר, יִסֵּד

orgasm, *n.* שִׂיא הָאֲבִיוֹנָה, מִרְגָּשָׁה

orgy, *n.* שִׁכְרוּת, הוֹלְלוּת

orient, *n.* מִזְרָח, קֶדֶם

oriental, *adj.* מִזְרָחִי

orientation, *n.* הִתְמַצְּאוּת, כִּוּוּן הָרוּחוֹת

orifice, *n.* פֶּה, פְּתִיחָה

origin, *n.* מוֹצָא, מָקוֹר, מְכוֹרָה

original, *adj.* & *n.* מְקוֹרִי; מָקוֹר

originality, *n.* מְקוֹרִיּוּת

originate, *v.t.* & *i.* הִתְחִיל [תחל], בָּרָא, הֵחֵל [חלל]

originator, *n.* מַמְצִיא, מְחַדֵּשׁ

ornament, *n.* תַּכְשִׁיט, קִשּׁוּט, עֲדִי

ornament, *v.t.* הֶעֱדָה [עדה], קִשֵּׁט

ornamental, *adj.* קִשּׁוּטִי, מְיַפֶּה

ornate, *adj.* מְקֻשָּׁט

ornithology, *n.* חֲקִירַת עוֹפוֹת

orphan, *n.* & *v.t.* יָתוֹם; יִתֵּם

orphanage, *n.* בֵּית יְתוֹמִים

orthodox, *adj.* אָדוּק, חָרֵד

orthographic, orthographical, *adj.* שֶׁל כְּתִיב נָכוֹן

orthography, *n.* כְּתִיב

oscillate, *v.t.* & *i.* הִתְנוֹעֵעַ [נוע]; הֵנִיעַ [נוע], הִרְעִיד [רעד]

oscillation, *n.* הַרְעָדָה, נִעְנוּעַ

oscillator, *n.* מַרְעִיד, נָע

osseous, *adj.* גַּרְמִי

ossification, *n.* הַגְרָמָה, הִתְגָּרְמוּת, הִתְקַשּׁוּת (לְעֶצֶם)

ossify, *v.t.* & *i.* גָּרַם, הִגְרִים [גרם], הִתְקַשָּׁה (הִקְשָׁה) [קשה] (לְעֶצֶם)

ostensible, *adj.* נִרְאֶה, גָּלוּי, בּוֹלֵט
ostentation, *n.* יְהִירוּת, הִתְהַדְּרוּת
ostentatious, *adj.* יָהִיר, מִתְהַדֵּר
ostler, *n.* אֻרְוָן
ostracism, *n.* חֵרֶם, נִדּוּי
ostracize, *v.t.* הֶחֱרִים [חרם]
ostrich, *n.* נַעֲמָה, יָעֵן, בַּת יַעֲנָה
other, *adj.* & *n.* אַחֵר, נוֹסָף
otherwise, *adv.* אַחֶרֶת
otter, *n.* כֶּלֶב הַנָּהָר
ottoman, *n.* סַפָּה מְרֻפֶּדֶת, הֲדוֹם
מִרְפָּד, שְׁרַפְרָף
ought, *v.* הָיָה (צָרִיךְ) מֻכְרָח, הָיָה רָאוּי
ounce, *n.* אוּנְקִיָּה : 28.35 גְּרָמִים
our, *adj.*, ours, *pron.* שֶׁלָּנוּ
ourselves, *pron.* אָנוּ, אֲנַחְנוּ; אוֹתָנוּ,
(בְּ)עַצְמֵנוּ
oust, *v.t.* גֵּרֵשׁ, הוֹצִיא [יצא] הַחוּצָה
out, *adv.* הַחוּצָה, מִחוּץ, בַּחוּץ, לַחוּץ
outbalance, *v.t.* הִכְרִיעַ [כרע]
outbid, *v.t.* הִצִּיעַ [יצע] יוֹתֵר
outbreak, *n.* הִתְפָּרְצוּת
outburst, *n.* פֶּרֶץ
outcast, *adj.* נִדָּח, מֻחְרָם
outcast, *n.* מְנֻדֶּה
outcome, *n.* תּוֹצָאָה
outcrop, *v.i.* צָמַח
outcry, *n.* זְעָקָה, שַׁוְעָה
outdo, *v.t.* עָלָה עַל
outdoor, *adj.* מִחוּץ לַבַּיִת
outer, *adj.* חִיצוֹנִי
outfit, *n.* צִיּוּד, צֵידָה, תִּלְבֹּשֶׁת
outgoing, *adj.* יוֹצֵא
outing, *n.* יְצִיאָה; טִיּוּל
outlandish, *adj.* מְשֻׁנֶּה, מוּזָר
outlast, *v.t.* אָרַךְ (יוֹתֵר); שָׂרַד;
הֶאֱרִיךְ [ארך] יָמִים (אַחֲרֵי)
outlaw, *n.* נִדָּח, מֻפְקָר, גַּזְלָן, שׁוֹדֵד

outlaw, *v.t.* הִפְקִיר [פקר]; אָסַר
outlay, *v.t.* הוֹצִיא [יצא] כֶּסֶף
outlet, *n.* מוֹצָא; שׁוּק
outline, *n.* רָאשֵׁי פְּרָקִים, תֵּאוּר, תַּרְשִׁים
outline, *v.t.* תֵּאֵר, רָשַׁם
outlive, *v.t.* & *i.* הֶאֱרִיךְ [ארך] יָמִים
outlook, *n.* סִכּוּי; נוֹף; מִצְפֶּה
outlying, *adj.* מֵעֵבֶר לַגְּבוּלִים, מֻפְרָשׁ
outmaneuver, outmanoeuvre, *v.t.*
הָיָה יִתְרוֹן לְ־, עָבַר עַל
outnumber, *v.t.* עָלָה בְּמִסְפָּר עַל
outpost, *n.* מַצָּבָה, חֵיל מַצָּב
outpour, *n.* שְׁפִיכוּת
output, *n.* תּוֹצֶרֶת
outrage, *n.* שַׁעֲרוּרִיָּה, עַוְלָה, נְבָלָה
outrage, *v.t.* שִׁעֲרֵר, עִוֵּל, אִנֵּס
outrageous, *adj.* מַחְפִּיר; נִתְעָב;
מַבְהִיל; מְגֻנֶּה
outright, *adv.* & *adj.* לְגַמְרֵי; מִיָּד; יָשָׁר
outrun, *v.t.* עָבַר אֶת (בִּמְרוּצָה)
outset, *n.* הַתְחָלָה, רֵאשִׁית
outshine, *v.t.* עָלָה עַל, הִצְטַיֵּן [צין];
הִבְהִיק [בהק] יוֹתֵר, הִזְדַּהֵר [זהר]
outside, *adv.* בַּחוּץ, הַחוּצָה
outside, *adj.* & *n.* צְדָדִי, חִיצוֹנִי; חוּץ
outsider, *n.* זָר
outskirts, *n. pl.* עִבּוּר, פַּרְבָּר, פַּרְוָר
outspoken, *adj.* אֲמִתִּי, גְּלוּי לֵב
outspread, *v.t.* & *i.* פִּזֵּר, הִתְפַּזֵּר [פזר]
outstanding, *adj.* מְצֻיָּן, נִכָּר, בּוֹלֵט
outstretch, *v.t.* פָּשַׁט (יָד)
outwards, *adv.* כְּלַפֵּי חוּץ
outweigh, *v.t.* הִכְרִיעַ [כרע] (בְּמִשְׁקָל)
outwit, *v.i.* חָכַם מִ־, רִמָּה, הִתְחַכֵּם
[חכם] עַל־
oval, *adj.* סְגַלְגַּל (עָגֹל מָאֳרָךְ), בֵּיצִי
ovary, *n.* שַׁחֲלָה
ovation, *n.* תְּרוּעָה, מְחִיאַת כַּפַּיִם

oven, *n.* תַּנּוּר, כִּבְשָׁן
over, *adv.* לְמַעְלָה מִ־, יוֹתֵר מִדַּי; „עֲבֹר" (בְּאַלְחוּטָאוּת)
over, *prep.* עַל, מֵעַל לְ־, נוֹסָף
overalls, *n. pl.* סַרְבָּלִים
overawe, *v.t.* הִטִּיל [נטל] פַּחַד
overbearing, *adj.* מְדַכֵּא, רוֹדֵף, מֵעִיק
overboard, *adv.* הַמַּיְמָה (מֵאֳנִיָּה)
overcast, *adj.* מְעֻנָּן, מְכֻסֶּה עֲנָנִים
overcharge, *n.* מְחִיר מֻפְרָז
overcharge, *v.t. & i.* דָּרַשׁ מְחִיר מֻפְרָז, הֶעְמִיס [עמס] יוֹתֵר מִדַּי
overcloud, *v.t. & i.* הֵעִיב [עוב], הִקְדִּיר [קדר], הֶחְשִׁיךְ [חשך]
overcoat, *n.* בֶּגֶד, מְעִיל
overcome, *v.t. & i.* יָכֹל לְ־, הִתְגַּבֵּר עַל
overdo, *v.t.* הִפְרִיז [פרז] עַל הַמִּדָּה
overdraw, *v.t.* הִגְזִים [גזם]; הוֹצִיא [יצא] יוֹתֵר כֶּסֶף מִן הַיֵּשׁ בְּעַיִן
overdue, *adj.* שֶׁהִגִּיעַ זְמַנּוֹ
overflow, *n.* שֶׁטֶף
overflow, *v.t. & i.* עָבַר (מִלֵּא) עַל גְּדוֹתָיו; הִשְׁתַּפֵּךְ [שפך]
overgrow, *v.t. & i.* כִּסָּה בִּצְמָחִים, גָּדַל יוֹתֵר מִדַּי
overhang, *v.t. & i.* תָּלָה מִמַּעַל, נִשְׁקַף [שקף]
overhaul, *v.t.* הִדְבִּיק [דבק] (אֳנִיָּה), הִשִּׂיג [נשג]; בָּדַק, תִּקֵּן, שִׁפֵּץ
overhead, *adv. & adj.* מִמַּעַל; שֶׁמִּלְמַעְלָה
overhear, *v.t.* שָׁמַע דֶּרֶךְ אַגַּב
overland, *adj.* עַל פְּנֵי הַיַּבָּשָׁה
overlap, *v.t. & i.* פָּשַׁט עַל פְּנֵי חֵלֶק
overlay, *v.t.* צִפָּה, כִּסָּה
overload, *v.t.* הֶעֱמִיס [עמס] יוֹתֵר מִדַּי
overlook, *v.t.* הִשְׁקִיף [שקף] עַל; הֶעְלִים [עלם] עַיִן, סָלַח, שָׁכַח
overmuch, *adj.* רַב מִדַּי
overnight, *adv. & n.* מֶשֶׁךְ הַלַּיְלָה; אֶמֶשׁ
overpower, *v.t.* הִתְגַּבֵּר [גבר] עַל, גָּבַר עַל, הִכְרִיעַ [כרע], הִכְנִיעַ [כנע]
overproduction, *n.* תּוֹצֶרֶת יְתֵרָה
overreach, *v.t.* רִמָּה, הֶעֱרִים [ערם]
override, *v.t.* רָמַס; בִּטֵּל
overrule, *v.t.* בִּטֵּל, הֶחֱלִיט [חלט] נֶגֶד
overrun, *v.t. & i.* הִתְפַּשֵּׁט [פשט] עַל, עָבַר אֶת הַמַּטָּרָה (אֶת הַגְּבוּל, עַל גְּדוֹתָיו)
overseas, *adv.* מֵעֵבֶר לַיָּם, בִּמְדִינוֹת הַיָּם
oversee, *v.t. & i.* הֶעְלִים [עלם] עַיִן; הִשְׁגִּיחַ [שגח]
overshoe, *n.* מִגָּף, עַרְדָּל
overshoot, *v.t.* הֶחֱטִיא [חטא] אֶת הַמַּטָּרָה
oversight, *n.* הַעֲלָמַת עַיִן, שִׁכְחָה, טָעוּת; הַשְׁגָּחָה
oversize, *n.* מִדָּה גְּדוֹלָה מִדַּי
oversleep, *v.i.* אֵחַר בַּשֵּׁנָה
overstate, *v.t.* הִגְזִים [גזם]
overstep, *v.t. & i.* עָבַר עַל, פָּשַׁע
overt, *adj.* גָּלוּי
overtake, *v.t.* הִדְבִּיק [דבק], הִשִּׂיג [נשג]
overthrow, *v.t.* מִגֵּר, נִצַּח, הִפִּיל [נפל]
overtime, *n.* עֹדֶף זְמָן, זְמַן עֲבוֹדָה נוֹסָף
overture, *n.* פְּתִיחָה (בִּנְגִינָה), הַקְדָּמָה
overturn, *v.t. & i.* הָפַךְ
overweight, *n.* עֹדֶף מִשְׁקָל
overwhelm, *v.t.* הִכְנִיעַ [כנע]
overwork, *n.* עֲבוֹדָה יְתֵרָה
overwork, *v.t. & i.* עָבַד יוֹתֵר מִדַּי, הֶעֱבִיד [עבד] יוֹתֵר

ovum, *n.* בֵּיצָה

owe, *v.t.* & *i.* חָב, [חוב], הָיָה חַיָּב

owl, *n.* יַנְשׁוּף, לִילִית, כּוֹס, תִּנְשֶׁמֶת

own, *adj.* שֶׁל עַצְמוֹ

own, *v.t.* הָיָה (שַׁיָּךְ) לְ־; הוֹדָה [ידה]

owner, *n.* בַּעַל

ownership, *n.* בַּעֲלוּת

ox, *n.* שׁוֹר

oxide, oxid, *n.* תַּחְמֹצֶת

oxidize, *v.t.* & *i.* חִמְצֵן, הִתְחַמְצֵן [חמצן]

oxygen, *n.* חַמְצָן, אַבְחֶמֶץ

oyster, *n.* צִדְפָּה

ozone, *n.* חַמְצָן (יַמִּי) רֵיחָנִי

P, p

P, p, *n.* פִּי, הָאוֹת הַשֵּׁשׁ עֶשְׂרֵה בָּאָלֶף בֵּית הָאַנְגְּלִי

pace, *n.* & *v.i.* צַעַד, פְּסִיעָה; צָעַד

pacific, *adj.* מַשְׁלִים, מַשְׁקִיט, מַרְגִּיעַ

pacificate, *v.t.* הִשְׁלִים [שלם], הִרְגִּיעַ [רגע]

pacification, *n.* הַשְׁלָטַת (שֶׁקֶט) שָׁלוֹם

pacifism, *n.* אַהֲבַת הַשָּׁלוֹם, שְׁלוֹמָנוּת

pacifist, *n.* שְׁלוֹמָן, אוֹהֵב שָׁלוֹם

pacify, *v.t.* עָשָׂה שָׁלוֹם, פִּיֵּס

pack, *n.* צְרוֹר; חֲבִילָה; כְּנוּפְיָה, לַהֲקָה, עֵדָה

pack, *v.t.* אָרַז, צָרַר; הֶעֱמִיס [עמס]

package, *n.* חֲבִילָה, צְרוֹר

packer, *n.* אוֹרֵז

packet, *n.* חֲפִיסָה

packing, *n.* אֲרִיזָה

packsaddle, *n.* מַרְדַּעַת

pact, *n.* בְּרִית, אֲמָנָה

pad, *n.* לוּחַ כְּתִיבָה; כַּר; רֶפֶד

pad, *v.t.* רִפֵּד

padding, *n.* רִפּוּד

paddle, *n.*, *v.t.* & *i.* מָשׁוֹט; חָתַר

paddock, *n.* גְּדֵרָה, דִּיר

padlock, *n.* מַנְעוּל תָּלוּי

padre, *n.* כֹּמֶר

pagan, *adj.* אֱלִילִי

pagan, *n.* עוֹבֵד אֱלִילִים

paganism, *n.* עֲבוֹדַת אֱלִילִים, אֱלִילִיּוּת

page, *n.* נַעַר; עַמּוּד, דַּף

pageant, *n.* תַּהֲלוּכָה

pail, *n.* דְּלִי

pailful, *adj.* מְלֹא הַדְּלִי

pain, *n.* כְּאֵב, מֵחוּשׁ, מַכְאוֹב; צִיר, חֵבֶל

pain, *v.t.* הִכְאִיב [כאב]; צִעֵר, הֶעֱצִיב [עצב]

painful, *adj.* מַכְאִיב; מְצַעֵר

painless, *adj.* חֲסַר כְּאֵב

painstaking, *adj.* מִתְאַמֵּץ; חָרוּץ

paint, *n.* צֶבַע

paint, *v.t.* & *i.* צָבַע; צִיֵּר; תֵּאֵר; כִּחֵל; פִּרְכֵּס (פָּנִים)

painter, *n.* צַבָּע; צַיָּר

painting, *n.* צִיּוּר; תְּמוּנָה; צְבִיעָה; פִּרְכּוּס (פָּנִים)

pair, *n.* זוּג, צֶמֶד

pair, *v.t.* & *i.* זִוֵּג, הִזְדַּוֵּג [זוג]

pajamas, pyjamas, *n. pl.* בִּגְדֵי שֵׁנָה

pal, *n.* חָבֵר, רֵעַ, יְדִיד, עָמִית

palace, *n.* הֵיכָל, אַרְמוֹן

palatable, *adj.* עָרֵב

palatal, *adj.* חִכִּי

palate, *n.* חֵךְ

palatial, *adj.* אַרְמוֹנִי, מְפֹאָר

palaver, *n.* שִׂיחָה; פַּטְפְּטָנוּת, פִּטְפּוּט
pale, *adj.*, *v.i.* & *t.* חִוֵּר, לְבַנְבַּן; חָוַר, הִלְבִּין [לבן]; גָּדַר
paleness, *n.* חִוָּרוֹן
Palestine, *n.* אֶרֶץ יִשְׂרָאֵל
palette, *n.* לוּחַ הַצְּבָעִים (שֶׁל הַצַּיָּר)
palfrey, *n.* סוּס רְכִיבָה קָטָן (לְנָשִׁים)
palisade, *n.* חִפּוּף, מֻצָּב
pallbearer, *n.* נוֹשֵׂא מִטַּת הַמֵּת
pallet, *n.* מִטָּה דַּלָּה; כַּף יוֹצְרִים
palliate, *v.t.* הֵקֵל [קלל] (כְּאֵב), הִמְתִּיק [מתק] (דִּין)
pallid, *adj.* חִוֵּר, לְבַנְבַּן
pallor, *n.* חִוָּרוֹן
palm, *n.* כַּף (פַּס) יָד; תָּמָר, דֶּקֶל
palm, *v.t.* נָגַע בְּ־, מִשְׁמֵשׁ; לָחַץ יָד; שִׁחֵד, רִמָּה
palmist, *n.* קוֹרֵא (מְנַחֵשׁ) יָד
palpability, *n.* מַמָּשׁוּת, מוּחָשִׁיּוּת
palpable, *adj.* מַמָּשִׁי, מוּחָשִׁי
palpitate, *v.i.* דָּפַק, נָקַף
palpitation, *n.* דְּפִיקַת (נְקִיפַת) הַלֵּב
palsy, *n.* & *v.t.* שִׁתּוּק; שִׁתֵּק
palter, *v.i.* הֶעֱרִים [ערם]
paltry, *adj.* קַל עֵרֶךְ
pamper, *v.t.* פִּנֵּק; הִלְעִיט [לעט], פִּטֵּם
pamphlet, *n.* חוֹבֶרֶת
pamphleteer, *n.* & *v.i.* כּוֹתֵב חוֹבֶרֶת; כָּתַב חוֹבֶרֶת
pan, *n.* מַחֲבַת, אִלְפָּס
pancake, *n.* לְבִיבָה, חֲמִיטָה
pancreas, *n.* לַבְלָב
pandemonium, *n.* מְהוּמָה
pander, *v.i.* סִרְסֵר
pane, *n.* שִׁמְשָׁה, זְגוּגִית
panegyric, *n.* תְּהִלָּה, שִׁיר שֶׁבַח
panel, *n.* לוּחַ, קֶרֶשׁ; מַלְבֵּן; חִפּוּי; קְבוּצַת (רְשִׁימַת) שׁוֹפְטִים; סַפִּין
pang, *n.* צִיר (חֵבֶל לֵדָה), מַכְאוֹב
panhandle, *n.* יְדִית הָאִלְפָּס
panic, *adj.* & *n.* (שֶׁל) בֶּהָלָה
panic-stricken, *adj.* מֻכֵּה פַּחַד
panorama, *n.* נוֹף, מַרְאֶה כְּלָלִי
pansy, *n.* אַמְנוֹן וְתָמָר, סַרְעֶפֶת
pant, *v.i.* נָשַׁם בִּמְהִירוּת; דָּפַק (הַלֵּב) בְּחָזְקָה, עָרַג, הִתְאַוָּה [אוה]
pantaloons, *n. pl.* מִכְנָסַיִם, תַּחְתּוֹנִים
panther, *n.* בַּרְדְּלָס
pantomime, *n.* מִשְׂחָק בְּלֹא מִלִּים, מָעוֹנִית, חִקּוּי כֹּל
pantry, *n.* מִסְכֶּנֶת
pants, *n. pl.* מִכְנָסַיִם, תַּחְתּוֹנִים
pap, *n.* דַּיְסָה, מִקְפָּה, מִקְפִית
papa, *n.* אַבָּא
papal, *adj.* אַפִּיפְיוֹרִי
paper, *n.* נְיָר; עִתּוֹן; חִבּוּר
paprika, paprica, *n.* פִּלְפֵּל אָדוֹם
papyrus, *n.* גֹּמֶא, אָחוּ
par, *n.* שִׁוְיוֹן
parable, *n.* מָשָׁל
parabola, *n.* תִּקְבֹּלֶת
parachute, *n.*, *v.t.* & *i.* מַצְנֵחַ; הִצְנִיחַ [צנח]
parachutist, *n.* צַנְחָן
parade, *n.*, *v.t.* & *i.* תַּהֲלוּכָה; עָרַךְ תַּהֲלוּכָה, עָבַר בַּסָּךְ
paradise, *n.* עֵדֶן, גַּן עֵדֶן
paradox, *n.* הִפּוּךְ, הִפּוּכוֹ שֶׁל דָּבָר
paraffin, *n.* שֶׁמֶן מַחְצָבִי
paragon, *n.* סֵמֶל, מוֹפֵת, דֻּגְמָה
paragraph, *n.* פִּסְקָה, סָעִיף (§)
parallel, *adj.* מַקְבִּיל, שָׁוֶה, דּוֹמֶה
parallel, *n.* קַו מַקְבִּיל
parallelism, *n.* הַקְבָּלָה
parallelogram, *n.* מַקְבִּילִית, מַקְבִּילוֹן
paralysis, *n.* שָׁבָץ, שִׁתּוּק

paralytic, *adj.* מְשֻׁתָּק
paralyze, *v.t.* שִׁתֵּק
paramount, *adj.* הַגָּדוֹל (הַגָּבֹהַּ) בְּיוֹתֵר, רִאשׁוֹן בְּמַעֲלָה
paramour, *n.* אָהוּב, אֲהוּבָה, פִּילֶגֶשׁ
parapet, *n.* מַעֲקֶה
paraphernalia, *n. pl.* אַבְזָרִים, דְּבָרִים אִישִׁיִּים; פְּתִיגִיל
paraphrase, *n.* עִבּוּד, תַּרְגּוּם חָפְשִׁי
parasite, *n.* טַפִּיל
parasitic, parasitical, *adj.* טַפִּילִי
parasol, *n.* סוֹכֵךְ, שִׁמְשִׁיָּה, מִטְרִיָּה
parboil, *v.t.* בִּשֵּׁל בְּמִקְצָת
parcel, *n.* & *v.t.* חֲבִילָה, צְרוֹר; חִלֵּק
parcel post, *n.* דֹּאַר חֲבִילוֹת
parch, *v.t.* & *i.* יָבַשׁ, יִבֵּשׁ, חָרַךְ, נִחַר (גָּרוֹן)
parchment, *n.* קְלָף, גְּוִיל
pardon, *n.* חֲנִינָה, מְחִילָה, סְלִיחָה
pardon, *v.t.* מָחַל, סָלַח; חָנַן
pare, *v.t.* קִלֵּף
parent, *n.* אָב; הוֹרֶה; אֵם; הוֹרָה
parentage, parenthood, *n.* מָקוֹר; אַבְהוּת; אִמָּהוּת
parenthesis, *n.* סוֹגְרַיִם, חֲצָאֵי לְבָנָה
pariah, *n.* מְנֻדֶּה
parish, *n.* קְהִלָּה, עֵדָה, נָפָה
parishioner, *n.* חָבֵר לִקְהִלָּה
parity, *n.* שִׁוְיוֹן, שִׁוּוּי
park, *n.* בִּיתָן, גַּן טִיּוּל, גַּן עִירוֹנִי
park, *v.t.* הֶחֱנָה [חנה] (מְכוֹנִית)
parking, *n.* חֲנִיָּה, חֲנָיָה
parkway, *n.* כְּבִישׁ שְׂדֵרוֹת, מְסִלָּה רָאשִׁית
parlance, *n.* דִּבּוּר, אֹפֶן הַדִּבּוּר
parley, *n.* מַשָּׂא וּמַתָּן, שִׂיחָה
parley, *v.i.* נָשָׂא וְנָתַן
parliament, *n.* מִרְשׁוֹן, בֵּית מֻרְשִׁים, כְּנֶסֶת
parliamentarian, *n.* מֻרְשֶׁה, חָבֵר כְּנֶסֶת
parlor, *n.* אוּלָם
parochial, *adj.* קְהִלָּתִי; צַר אֹפֶק
parody, *n.* חִקּוּי, שְׂחוֹק, שְׁנִינָה
parole, *n.* הֵן צֶדֶק; אִמְרָה; שִׁבֹּלֶת
paroxysm, *n.* תְּקִיפָה
parquet, *n.* רִצְפַּת עֵץ
parricide, *n.* רְצִיחַת אָב (אֵם); הוֹרֵג אָב (אֵם)
parrot, *n.* & *v.t.* תֻּכִּי; חִקָּה כְּתֻכִּי
parry, *n.* דְּחִיָּה, נְסִיגָה
parry, *v.t.* הָדַף, דָּחָה
parsimonious, *adj.* חַסְכָנִי, קַמְצָנִי
parsimony, *n.* קַמְצָנוּת, חַסְכָנוּת
parsley, *n.* נֵץ חָלָב, כַּרְפַּס
parsnip, *n.* תְּרוּבְתּוֹר
parson, *n.* כֹּהֵן, גַּלָּח, כֹּמֶר
part, *n.* חֵלֶק, גֶּזֶר, קֶטַע; תַּפְקִיד
part, *v.t.* & *i.* חִלֵּק, הִפְרִיד [פרד]; נִפְטַר [פטר], נִפְרַד [פרד]
partake, *v.i.* הִשְׁתַּתֵּף [שתף] בְּ־, לָקַח חֵלֶק בְּ־
partial, *adj.* מַעֲדִיף, נוֹשֵׂא פָּנִים; חֶלְקִי
partiality, *n.* הַעֲדָפָה, נְשִׂיאַת פָּנִים
participant, *n.* מִשְׁתַּתֵּף
participation, *n.* הִשְׁתַּתְּפוּת
participle, *n.* שֵׁם הַפְּעֻלָּה, בֵּינוֹנִי (דִּקְדּוּק)
particle, *n.* גּוּשִׁישׁ; מִלַּת הַטַּעַם (דִּקְדּוּק)
particular, *adj.* פְּרָטִי, מְיוּחָד; קַפְּדָן
particular, *n.* פְּרָט
particularize, *v.t.* & *i.* פָּרַט, פֵּרֵט
partisan, *adj.* & *n.* מִפְלַגְתִּי; לוֹחֵם סֵתֶר
partisanship, *n.* לְחִימַת יְחִידִים; מִפְלַגְתִּיּוּת
partition, *n.* חֲלֻקָּה; מְחִיצָה

partition, *v.t.* חִלֵּק; חָצַץ
partner, *n.* שֻׁתָּף, חָבֵר לְדָבָר
partnership, *n.* שֻׁתָּפוּת
partridge, *n.* קוֹרֵא, חָגְלָה, תַּרְנְגוֹל בַּר
parturition, *n.* לֵדָה
party, *n.* מִפְלָגָה, סִיעָה; צַד; חֶבְרָה; נֶשֶׁף; מְסִבָּה
pass, *n.* מַעֲבָר; רִשָּׁיוֹן; עֲמִידָה (בִּבְחִינָה)
pass, *v.t.* & *i.* עָבַר, הִסְתַּלֵּק [סלק], הָיָה, קָרָה; הִתְקַבֵּל [קבל]; הֶעֱבִיר [עבר]; חָרַץ (מִשְׁפָּט); אִשֵּׁר; בִּלָּה (זְמָן); עָמַד (בִּבְחִינָה)
passable, *adj.* עָבִיר; בֵּינוֹנִי
passage, *n.* מִסְדְּרוֹן; נְסִיעָה; מַעֲבָר; פִּסְקָה
passenger, *n.* נוֹסֵעַ
passion, *n.* יֵצֶר, חֵשֶׁק, תַּאֲוָה, תְּשׁוּקָה; סֵבֶל; חֵמָה, כַּעַס; רֶגֶשׁ
passionate, *adj.* מִתְאַוֶּה, חוֹשֵׁק, חוֹמֵד, רַגְשָׁנִי
passive, *adj.* סָבִיל, אָדִישׁ
Passover, *n.* פֶּסַח
passport, *n.* דַּרְכִּיָּה, דַּרְכּוֹן
password, *n.* סִיסְמָה, אוֹת, סִימַן הֶכֵּר, שִׁבֹּלֶת
past, *adj.* & *n.* (זְמָן) עָבָר; שֶׁעָבַר
paste, *n.* & *v.t.* דֶּבֶק, טִפּוּל; דִּבֵּק, הִדְבִּיק [דבק], טָפַל
pasteboard, *n.* נְיֹרֶת
pastel, *n.* דֶּבֶק צְבָעִים, צִבְעוֹנִית
pasteurize, *v.t.* חִטֵּא (פִּסְטֵר)
pastime, *n.* שַׁעֲשׁוּעִים
pastor, *n.* כֹּמֶר, כֹּהֵן; רוֹעֵה הָעֵדָה
pastoral, *adj.* & *n.* רוֹעִי; שֶׁל כֹּהֵן; שִׁיר רוֹעִים
pastry, *n.* מַאֲפֶה, עוּגוֹת, תֻּפִּינִים
pasturage, *n.* מִרְעֶה, אָפָר
pasture, *n.* דֹּבֶר, מִרְעֶה
pasture, *v.t.* רָעָה, הִרְעָה [רעה]
pat, *n.* לְטִיפָה
pat, *v.t.* לִטֵּף
patch, *n.* טְלַאי
patch, *v.t.* הִטְלִיא [טלא], תִּקֵּן
pate, *n.* גֻּלַּת הָרֹאשׁ, מֹחַ
patent, *n.* & *v.t.* זְכוּת יָחִיד; זִכָּה
paternal, *adj.* אַבְהִי
paternity, *n.* אַבְהוּת
path, *n.* שְׁבִיל, מִשְׁעוֹל
pathetic, pathetical, *adj.* נוֹגֵעַ עַד הַלֵּב, מַעֲצִיב
pathological, *adj.* חוֹלָנִי
pathos, *n.* הִתְלַהֲבוּת; רֶגֶשׁ צַעַר
pathway, *n.* נָתִיב
patience, *n.* סַבְלָנוּת
patient, *adj.* סַבְלָן
patient, *n.* חוֹלֶה
patriarch, *n.* אָב קַדְמוֹן, אָב רִאשׁוֹן
patriarchs, *n.pl.* (הָ)אָבוֹת
patrimony, *n.* מוֹרָשָׁה, נַחֲלַת אָבוֹת
patriot, *n.* מוֹלַדְתָּן, אוֹהֵב אַרְצוֹ
patriotic, *adj.* מוֹלַדְתִּי קַנַּאי, לְאֻמִּי
patriotism, *n.* אַהֲבַת הַמּוֹלֶדֶת, מוֹלַדְתִּיּוּת, לְאֻמִּיּוּת, קַנָּאוּת
patrol, *n.* מִשְׁמָר, מִשְׁמֶרֶת
patrol, *v.t.* & *i.* שִׁמֵּר, מִשְׁמֵר
patrolman, *n.* אִישׁ מִשְׁמָר, שׁוֹטֵר
patron, *n.* מְסַיֵּעַ, תּוֹמֵךְ, חוֹסֶה
patronage, *n.* חָסוּת
patronize, *v.t.* תָּמַךְ
patter, *n.*, *v.t.* & *i.* פִּטְפּוּט; מִלְמֵל
pattern, *n.* דֻּגְמָה, תַּבְנִית
paunch, *n.* בֶּטֶן, קֵבָה
pauper, *n.* קַבְּצָן, אֶבְיוֹן, רָשׁ
pauperism, *n.* קַבְּצָנוּת, אֶבְיוֹנוּת
pauperize, *v.t.* רוֹשֵׁשׁ, דִּלְדֵּל

pause, *n.* שְׁהִיָּה, הַפְסָקָה
pause, *v.i.* שָׁהָה, הִפְסִיק [פסק]
pave, *v.t.* רִצֵּף, סָלַל
pavement, *n.* מִדְרָכָה, מַרְצֶפֶת
pavilion, *n.* בִּיתָן
paw, *n.* רֶגֶל (הַחַי)
pawn, *n.* עֵרָבוֹן, חֲבוֹל, מַשְׁכּוֹן; חַיָּל (בְּשַׁחְמָט)
pawn, *v.t.* מִשְׁכֵּן, חָבַל, הֶעֱבִיט [עבט]
pawnbroker, *n.* מַלְוֶה בְּמַשְׁכּוֹן
pawnshop, *n.* מַעְבָּטָה, בֵּית מַשְׁכּוֹנוֹת
pay, *n.* תַּשְׁלוּם, שָׂכָר, מַשְׂכֹּרֶת
pay, *v.t.* & *i.* שִׁלֵּם, פָּרַע; הוֹעִיל [יעל]
payment, *n.* תַּשְׁלוּם
pea, *n.* אֲפוּנָה
peace, *n.* שָׁלוֹם, מְנוּחָה, שַׁלְוָה
peaceably, *adv.* בְּ(דֶרֶךְ) שָׁלוֹם
peaceful, *adj.* שְׁלוֹמִי, שָׁלֵו, שׁוֹקֵט
peach, *n.* אֲפַרְסֵק
peacock, *n.* טַוָּס
peak, *n.* רֹאשׁ הַר, צוּק, שֵׁן סֶלַע; מִצְחָה (שֶׁל כּוֹבַע)
peal, *n.* צִלְצוּל פַּעֲמוֹנִים
peal, *v.i.* צִלְצֵל
peanut, *n.* בֹּטֶן, אֱגוֹז אֲדָמָה
pear, *n.* אַגָּס
pearl, *n.* מַרְגָּלִית, פְּנִינָה, דַּר
peasant, *n.* אִכָּר, חַקְלַאי, עוֹבֵד אֲדָמָה
peasantry, *n.* אִכָּרוּת, אִכָּרִים
peat, *n.* כָּבוּל
pebble, *n.* צְרוֹר, חָצָץ, חַלּוּק
peck, *n.* נְקִירָה. פֶּק, פִּיק (רֶבַע בּוּשֶׁל)
peck, *v.t.* נִקֵּר, הִקִּישׁ [נקש] בְּמַקּוֹר
peculation, *n.* מְעִילָה
peculiar, *adj.* אָפְיָנִי, מְשֻׁנֶּה
peculiarity, *n.* זָרוּת
pecuniary, *adj.* כַּסְפִּי, מָמוֹנִי
pedagogic, *adj.* חִנּוּכִי

pedagogue, pedagog, *n.* מְחַנֵּךְ
pedagogy, *n.* חִנּוּךְ, תּוֹרַת הַהוֹרָאָה
pedal, *adj.* שֶׁל הָרֶגֶל
pedal, *n.* & *v.t.* דַּוְשָׁה; דִּוֵּשׁ
pedant, *n.* נַקְדָּן, דַּיְקָן, קַפְּדָן
pedantic, *adj.* נַקְדָּנִי, דַּיְקָנִי, קַפְּדָנִי
pedantry, *n.* דַּיְקָנוּת, קַפְּדָנוּת
peddle, *v.t.* & *i.* רָכַל
peddler, *n.* רוֹכֵל
pedestal, *n.* תּוֹשֶׁבֶת, אֶדֶן, בָּסִיס
pedestrian, *adj.* & *n.* הוֹלֵךְ בְּרֶגֶל
pedigree, *n.* שַׁלְשֶׁלֶת יֻחֲסִין, יִחוּס, יַחַשׂ
peek, *n.* סְקִירָה, מַבָּט
peek, *v.i.* סָקַר, הֵצִיץ [ציץ]
peel, *n.* מַרְדֶּה (אוֹפִים); קְלִפָּה
peel, *v.t.* & *i.* פִּקֵּל (בְּצָלִים), קִלֵּף, הִתְקַלֵּף [קלף]
peep, *n.* מַבָּט, הֲצָצָה; צִיּוּץ; צִפְצוּף
peep, *v.i.* הֵצִיץ [ציץ]; צִפְצֵף
peer, *v.i.* הִתְבּוֹנֵן [בין]
peevish, *adj.* נִרְגָּז
peg, *n.* יָתֵד; וָו (מֵעֵץ), תְּלִי; מַשְׁקֶה חָרִיף; מַדְרֵגָה, מַעֲלָה
peg, *v.t.* תָּקַע, קָבַע; עָמַל
pelican, *n.* שַׂקְנַאי
pellagra, *n.* דַּלֶּקֶת הָעוֹר
pellet, *n.* כַּדּוּרִית
pell-mell, pellmell, *adv.* בְּעִרְבּוּבְיָה
pelt, *n.* עוֹר, פַּרְוָה
pelvic, *adj.* שֶׁל אַגַּן הַיְרֵכַיִם
pelvis, *n.* אַגַּן הַיְרֵכַיִם
pen, *n.* מִכְלָא, דִּיר
pen, *v.t.* כָּלָא בְּמִכְלָא, כָּנַס לְדִיר
pen, *n.* & *v.t.* עֵט; כָּתַב
penal, *adj.* שֶׁל עֹנֶשׁ
penalize, *v.t.* עָנַשׁ
penalty, *n.* עֹנֶשׁ
penance, *n.* תְּשׁוּבָה, חֲרָטָה

pence, *n.* אֲגוֹרוֹת (אַנְגְּלִיּוֹת), פְּרוּטוֹת
penchant, *n.* נְטִיָּה
pencil, *n.* עִפָּרוֹן, אֲבָרוֹן
pendant, *n.* נְטִיפָה
pendulous, *adj.* תָּלוּי וּמִתְנַעֲנֵעַ
pendulum, *n.* מְטֻלְטֶלֶת, מְטֻטֶּלֶת
penetrable, *adj.* חָדִיר
penetrate, *v.t. & i.* חָדַר
penetration, *n.* חֲדִירָה
peninsula, *n.* חֲצִי אִי
penis, *n.* זְמוֹרָה, גִּיד, אֵבֶר, וָטִיב, שַׁמָּשׁ
penitence, *n.* תְּשׁוּבָה, חֲרָטָה
penitent, *adj. & n.* מִתְחָרֵט, חוֹזֵר בִּתְשׁוּבָה
penitentiary, *n.* כֶּלֶא, בֵּית (סֹהַר) אֲסוּרִים
penknife, *n.* אוֹלָר
pennant, *n.* דִּגְלוֹן
penniless, *adj.* חֲסַר פְּרוּטָה, אֶבְיוֹן
penny, *n.* פְּרוּטָה, אֲגוֹרָה (אַנְגְּלִית)
pension, *n.* קִצְבָּה
pension, *v.t.* נָתַן (קָבַע) קִצְבָּה
pensive, *adj.* שָׁקוּעַ בְּמַחֲשָׁבוֹת
pentagon, *n.* מְחֻמָּשׁ (מְשֻׁכְלָל)
Pentecost, *n.* שָׁבוּעוֹת
penthouse, *n.* דִּירַת (עֲלִיַּת) גַּג
penurious, *adj.* קַמְצָנִי
penury, *n.* דַּלּוּת
people, *n.* עַם, לְאֹם, גּוֹי, אֻמָּה, אֲנָשִׁים
people, *v.t.* יִשֵּׁב, מִלֵּא (אֶרֶץ) תּוֹשָׁבִים
pepper, *n.* פִּלְפֵּל
peppermint, *n.* נַעֲנָע
peppery, *adj.* מְפֻלְפָּל, חָרִיף
pepsin, *n.* מִיץ עִכּוּל
perambulate, *v.t. & i.* הָלַךְ, טִיֵּל, עָבַר בְּ־
perambulation, *n.* הֲלִיכָה, טִיּוּל
perambulator, *n.* מְטַיֵּל; עֲגָלַת יְלָדִים
perceive, *v.t.* חָשׁ [חוש], הִרְגִּישׁ [רגש]; בָּן [בין]
per cent, per centum, *n.* מֵאִית, אָחוּז, אָחוּז לְמֵאָה (%)
percentage, *n.* אֲחוּזִים (לְמֵאָה)
percept, *n.* מוּחָשׁ
perceptibility, *n.* חִישָׁה
perception, *n.* הַרְגָּשָׁה, בִּינָה, הַשְׁקָפָה, תְּחוּשָׁה, הַמְחָשָׁה, תְּפִיסָה
perceptive, *adj.* מַרְגִּישׁ, מַשִּׂיג, תּוֹפֵס
perch, *n.* מוֹט, בַּד עוֹפוֹת, נִמְרָה (דָּג)
perch, *v.i.* יָשַׁב עַל מוֹט
perchance, *adv.* אוּלַי
percolate, *v.t. & i.* סִנֵּן, הִסְתַּנֵּן [סנן]
percolator, *n.* מְסַנֶּנֶת, מַסְנֵן
percussion, *n.* תְּפִיפָה, זִעְזוּעַ
perdition, *n.* כְּלָיָה, אֲבַדּוֹן, חֻרְבָּן
peregrination, *n.* נְדוּדִים
peremptory, *adj.* מַכְרִיעַ, מֻחְלָט; עַקְשָׁנִי
perennial, *adj.* רַב שְׁנָתִי; תְּמִידִי; אֵיתָן
perfect, *adj.* שָׁלֵם, לְלֹא מוּם, מֻשְׁכְלָל
perfect, *n.* עָבָר (דִּקְדּוּק)
perfect, *v.t.* שִׁכְלֵל
perfection, *n.* שִׁכְלוּל
perfidious, *adj.* בּוֹגֵד
perfidy, *n.* בְּגִידָה
perforate, *v.t.* נִקֵּב, חָרַר, קָדַח
perforation, *n.* חוֹר, נֶקֶב; נְקִיבָה
perforce, *adv.* בְּחָזְקָה
perform, *v.t. & i.* עָשָׂה, פָּעַל, בִּצַּע, הִצִּיג [יצג]
performance, *n.* בִּצּוּעַ; הַצָּגָה
performer, *n.* מְבַצֵּעַ; מַצִּיג
perfume, *n. & v.t.* בֹּשֶׂם, זֶלַח; בִּשֵּׂם
perfumery, *n.* מִבְשָׂמָה
perfunctory, *adj.* רַשְׁלָנִי
perhaps, *adv.* אוּלַי, אֶפְשָׁר

peril, *n.* & *v.t.* סַכָּנָה; סִכֵּן
perilous, *adj.* מְסֻכָּן
perimeter, *n.* הֶקֵּף
period, *n.* תְּקוּפָה, עִדָּן, עֵת; נְקֻדָּה(.), סוֹף פָּסוּק
periodic, *adj.* עִתִּי
periodical, *n.* עִתּוֹן, בִּטָּאוֹן
periphery, *n.* הֶקֵּף
periscope, *n.* צוֹפֶה כֹּל
perish, *v.t.* אָבַד, סָפָה, נָבַל
perishable, *adj.* שָׁחִית
peritonitis, *n.* צַפֶּקֶת
periwig, *n.* פֵּאָה נָכְרִית
periwinkle, *n.* חֶלְזוֹן הָאַרְגָּמָן; חוֹפָנִית
perjure, *v.t.* נִשְׁבַּע [שבע] לַשֶּׁקֶר
perjury, *n.* שְׁבוּעַת שֶׁקֶר
perk, *v.t.* & *i.* הִתְיָהֵר [יהר]; יִפָּה
perky, *adj.* שׁוֹבָב, חָצוּף
permanence, *n.* תְּמִידוּת
permanency, *n.* קְבִיעוּת
permanent, *adj.* תְּמִידִי
permeation, *n.* חֲדִירָה
permissible, *adj.* מֻתָּר
permission, *n.* רְשׁוּת, הַתָּרָה
permit, *n.* רִשָּׁיוֹן
permit, *v.t.* הִתִּיר [נתר], הִרְשָׁה [רשה]
permutation, *n.* תְּמוּרָה
pernicious, *adj.* מַזִּיק
perpendicular, *adj.* זָקוּף, אֲנָכִי
perpetrate, *v.t.* עָבַר (עָשָׂה) עֲבֵרָה, חָטָא
perpetual, *adj.* תְּמִידִי, נִצְחִי
perpetuate, *v.t.* הִנְצִיחַ [נצח]
perpetuation, *n.* הַנְצָחָה
perpetuity, *n.* נִצְחִיּוּת, תְּמִידוּת, עַד
perplex, *v.t.* בִּלְבֵּל, הִדְהִים [דהם]
perplexity, *n.* מְבוּכָה, שִׁגּוּשׁ
perquisite, *n.* תּוֹסֶפֶת שָׂכָר; הַכְנָסָה; הַעֲנָקָה

persecute, *v.t.* רָדַף
persecution, *n.* רְדִיפָה
persecutor, *n.* רוֹדֵף
perseverance, *n.* הַתְמָדָה
persevere, *v.i.* הִתְמִיד [תמד]
persiflage, *n.* לַעַג, פִּטְפּוּט
persist, *v.i.* הִתְמִיד [תמד] בְּ־, עָמַד (בְּ־) עַל דַּעְתּוֹ
persistence, *n.* עַקְשָׁנוּת
persistent, *adj.* עַקְשָׁנִי, שׁוֹקֵד
person, *n.* אִישׁ, גּוּף, אָדָם, בֶּן אָדָם
first person מְדַבֵּר, גּוּף רִאשׁוֹן
second person נוֹכֵחַ, גּוּף שֵׁנִי
third person נִסְתָּר, גּוּף שְׁלִישִׁי
personage, *n.* אָדָם חָשׁוּב
personal, *adj.* פְּרָטִי, אִישִׁי
personality, *n.* אִישִׁיּוּת
personification, *n.* הִתְגַּשְּׁמוּת, גִּשּׁוּם
personify, *v.t.* גִּשֵּׁם, הִלְבִּישׁ [לבש] צוּרָה
personnel, *n.* צֶוֶת, סֶגֶל, חֶבֶר הָעוֹבְדִים
perspective, *n.* סִכּוּי; מֶרְחָק מְסֻיָּם
perspicacity, *n.* חַדּוּת, חֲרִיפוּת (שֵׂכֶל)
perspicuous, *adj.* מוּבָן, בָּרוּר, בָּהִיר
perspiration, *n.* הַזָּעָה
perspire, *v.i.* הֵזִיעַ [זוע]
persuade, *v.t.* & *i.* שִׁכְנַע, הִשְׁתַּכְנַע [כנע]
persuasion, *n.* הִשְׁתַּכְנְעוּת, שִׁכְנוּעַ
persuasive, *adj.* מְשַׁכְנֵעַ
pert, *adj.* עַז פָּנִים, חָצוּף
pertain, *v.i.* הִתְיַחֵס [יחס]
pertinacious, *adj.* קְשֵׁה עֹרֶף, עַקְשָׁן
pertinacity, *n.* עַקְשָׁנוּת, קְשִׁי עֹרֶף
pertinence, pertinency, *n.* הַתְאָמָה, שַׁיָּכוּת
pertinent, *adj.* מַתְאִים, שַׁיָּךְ (לָעִנְיָן)
perturb, *v.t.* הִדְאִיג [דאג], הִרְגִּיז [רגז], הִפְרִיעַ [פרע], הֵבִיךְ [בוך]

perturbation, *n.* מְבוּכָה, הִתְרַגְּשׁוּת
perusal, *n.* עִיּוּן, קְרִיאָה
peruse, *v.t.* קָרָא, סָקַר
pervade, *v.t.* חָדַר
perverse, *adj.* מְסַלֵּף, מְעֻקָּל, מְעֻוָּת
perversion, *n.* סִלּוּף, סֵרוּס, עִוּוּת
perversity, *n.* עִקְּשׁוּת, סֶלֶף, שְׁחִיתוּת
pervert, *n.* מָשְׁחָת
pervert, *v.t.* הִשְׁחִית [שחת] (מִדּוֹת), עִוֵּת (דִּין), הָפַךְ (סִלֵּף) דְּבָרִים
pessimism, *n.* יֵאוּשׁ
pessimist, *n.* יֵאוּשָׁן, רוֹאֶה שְׁחוֹרוֹת
pessimistic, *adj.* מִתְיָאֵשׁ, סַפְקָנִי
pest, *n.* דֶּבֶר
pester, *v.t.* הִטְרִיד [טרד]
pestiferous, *adj.* מֵצִיק, מְיַגֵּעַ
pestilence, *n.* מַגֵּפָה
pestle, *n.* עֱלִי
pet, *n.* מַחְמָד; שַׁעֲשׁוּעַ; חַיַּת בַּיִת
pet, *v.t.* פִּנֵּק, שִׁעֲשַׁע
petal, *n.* עַלְעַל כּוֹתֶרֶת
petition, *n.* בַּקָּשָׁה (כְּלָלִית), עֲצוּמָה
petition, *v.t.* & *i.* בִּקֵּשׁ, הִפְצִיר [פצר]
petrifaction, *n.* הִתְאַבְּנוּת
petrify, *v.t.* & *i.* אִבֵּן, הִתְאַבֵּן [אבן]
petrol, *n.* בֶּנְזִין
petroleum, *n.* שֶׁמֶן אֲדָמָה, נֵפְט
petticoat, *n.* תַּחְתּוֹנָה, חֲצָאִית; אִשָּׁה
pettiness, *n.* קַטְנוּת
petty, *adj.* פָּעוּט; פָּחוּת
petulant, *adj.* קְצַר רוּחַ, רַגְזָנִי
pew, *n.* מוֹשָׁב (בִּכְנֵסִיָּה), סַפְסָל
pewter, *n.* מֶסֶג, נֶתֶךְ (תַּעֲרֹבֶת בְּדִיל וְעוֹפֶרֶת)
phantasm, *n.* הֲזָיָה, דִּמְיוֹן שָׁוְא
phantasy, *v.* fantasy
phantom, *n.* רוּחַ הַמֵּת; מִפְלֶצֶת
Pharisee, *n.* פְּרוּשִׁי
pharmacist, *n.* רוֹקֵחַ
pharmacy, *n.* בֵּית מִרְקַחַת
phase, *n.* תְּקוּפָה; צוּרָה
pheasant, *n.* פַּסְיוֹן
phenomenal, *adj.* שֶׁל מַרְאֶה; בִּלְתִּי רָגִיל, יוֹצֵא מִן הַכְּלָל
phenomenon, *n.* מַרְאֶה, תּוֹפָעָה
phial, *n.* רְבְצָל
philander, *v.i.* חִזֵּר אַחֲרֵי אִשָּׁה
philanderer, *n.* מְחַזֵּר
philanthropist, *n.* נָדִיב, נַדְּבָן
philanthropy, *n.* נַדְּבָנוּת, אַהֲבַת אֲנָשִׁים, צְדָקָה
philharmonic, *adj.* אוֹהֵב נְגִינָה
philologist, *n.* בַּלְשָׁן
philology, *n.* בַּלְשָׁנוּת
philosopher, *n.* פִילוֹסוֹף
philosophical, *adj.* פִילוֹסוֹפִי
philosophy, *n.* פִילוֹסוֹפְיָה, חֶשְׁבּוֹן
philter, philtre, *n.* שִׁקּוּי אַהֲבָה
phlegm, *n.* כִּיחַ, רִיר; אֲדִישׁוּת, קוֹר רוּחַ
phlegmatic, *adj.* אָדִישׁ, קַר רוּחַ
phobia, *n.* בַּעַת
phone, *n.* שָׂח רָחוֹק, טֶלֶפוֹן
phonetic, *n.* הֲבָרוֹנִי, מִבְטָאִי, קוֹלִי
phonograph, *n.* מָקוֹל
phosphate, *n.* זַרְחָה
phosphoric, *adj.* זַרְחָנִי
phosphorous, *adj.* זַרְחִי
phosphorus, *n.* זַרְחָן
photograph, *n.* תַּצְלוּם, צִלּוּם
photograph, *v.t.* צִלֵּם
photographer, *n.* צַלָּם
photography, *n.* כְּתַב אוֹר, צִלּוּם
photostat, *n.* הֶעְתֵּק צִלּוּמִי
phrase, *n.* מִבְטָא, בִּטּוּי, נִיב
phrase, *v.t.* בִּטֵּא בְּמִלִּים

phraseology, *n.* לָשׁוֹן, סִגְנוֹן
phrenology, *n.* מְדִידַת (הַגֻּלְגֹּלֶת) הַקָּדְקֹד
physic, *n.* & *v.t.* מְשַׁלְשֵׁל; רְפוּאָה; חָכְמַת הָרְפוּאָה; רִפֵּא; שִׁלְשֵׁל
physical, *adj.* גּוּפָנִי, חָמְרִי
physician, *n.* רוֹפֵא
physicist, *n.* טִבְעָתָן
physics, *n.* חָכְמַת הַטֶּבַע
physiognomy, *n.* חָכְמַת הַפַּרְצוּף
physiological, *adj.* שֶׁל תַּהֲלִיכֵי הַגּוּף הַחַי, מִטֶּבַע הַחַי
physiology, *n.* טֶבַע בַּעֲלֵי הַחַיִּים
physique, *n.* מִבְנֵה הַגּוּף
pianissimo, *adj.* בְּשֶׁקֶט מֻחְלָט (בִּנְגִינָה)
pianist, *n.* פְּסַנְתְּרָן, פְּסַנְתְּרָנִית
piano, pianoforte, *n.* פְּסַנְתֵּר
piazza, *n.* כִּכָּר, רְחָבָה; מִרְפֶּסֶת
piccolo, *n.* חֲלִילִית
pick, *n.* מַעְדֵּר, נֶקֶר; בְּחִירָה
pick, *v.t.* & *i.* קָטַף; בָּחַר; עָדַר; נִקֵּר
picket, *n.* מִשְׁמֶרֶת
picket, *v.t.* מִשְׁמֵר [שמר], הֶעֱמִיד [עמד] מִשְׁמֶרֶת
picking, *n.* נְקִירָה; קָטִיף, קְטִיפָה
pickle, *n.* & *v.t.* (מְלָפְפוֹן) כָּבוּשׁ; כָּבַשׁ
pickpocket, *n.* כַּיָּס
pickup, *v.t.* הֵרִים [רום]
picnic, *n.* סְבֹלֶת, טוּזִיג
pictorial, *adj.* צִיּוּרִי
picture, *n.* תְּמוּנָה; סֶרֶט, קוֹלְנוֹעַ
picture, *v.t.* צִיֵּר, תֵּאֵר
picturesque, *adj.* יְפֵה נוֹף
pie, *n.* כִּיסָן; נַקָּר (עוֹף)
piece, *n.* חֲתִיכָה, נֵתַח (בָּשָׂר), פְּרוּסָה (לֶחֶם), שֶׁבֶר, גֶּזֶר (עֵץ)
piece, *v.t.* & *i.* אִחָה, הִתְאַחָה [אחה]
piecework, *n.* עֲבוֹדָה בְּקַבְּלָנוּת

pier, *n.* מַעֲגָן
pierce, *v.t.* & *i.* נָקַב, דָּקַר
piety, *n.* יִרְאָה, חֲסִידוּת
pig, *n.* חֲזִיר
pigeon, *n.* יוֹנָה
pigeonhole, *n.* תָּא, מְגוּרָה
pigeonhole, *v.t.* חִלֵּק (שָׂם) בְּתָאִים
pigment, *n.* צִבְעָן
pike, *n.* כִּידוֹן, רֹמַח; אַבְרוֹמָה (דָּג)
pile, *n.* עֲרֵמָה, סְוָר
pile, *v.t.* צָבַר, עָרַם
piles, *n. pl.* טְחוֹרִים, תַּחְתּוֹנִיּוֹת
pilfer, *v.t.* סָחַב, גָּנַב
pilgrim, *n.* עוֹלֶה רֶגֶל
pilgrimage, *n.* עֲלִיָּה לְרֶגֶל
pill, *n.* גְּלוּלָה
pillage, *n.* בִּזָּה, שֹׁד
pillage, *v.t.* בָּזַז
pillar, *n.* עַמּוּד
pillion, *n.* (כַּר) הָאֻכָּף; מוֹשָׁב אֲחוֹרִי (בְּאוֹפַנּוֹעַ)
pillory, *n.* עַמּוּד קָלוֹן
pillow, *n.* כֶּסֶת, כַּר
pillowcase, *n.* צִפִּית, צִפִּיָּה
pilot, *n.* & *v.t.* נַוָּט; נִוֵּט
pimp, *n.* סַרְסוּר זְנוּת
pimple, *n.* חָטָט, חֲטֶטֶת
pin, *n.* סִכָּה, רְכִיסָה, פְּרִיפָה
pin, *v.t.* פָּרַף, רָכַס, חִבֵּר (בְּסִכָּה)
pinafore, *n.* פַּרְגּוֹד (סִנַּר) יְלָדִים
pincers, *n. pl.* מֶלְקָחַיִם; מַלְקֵט
pinch, *v.t.* & *i.* צָבַט
pinch, *n.* צְבִיטָה; קֹרֶט
pincushion, *n.* כַּר סִכּוֹת
pine, *n.* אֹרֶן
pine, *v.i.* דָּאַב
pineapple, *n.* קִשְׁטְ
pinfold, *n.* מִכְלָה

pinion, *n.* גַּלְגַּל שִׁנַּיִם, סַבֶּבֶת; כָּנָף; קְצֵה (נוֹצָה) אֶבְרָה
pinion, *v.t.* כָּפַת, עָקַד (קָשַׁר) כְּנָפַיִם
pink, *adj.* וָרֹד
pink, *n.* צִפֹּרֶן; מְעִיל צַיִד אָדֹם
pinnace, *n.* סִירַת מִפְרָשִׂים וּמְשׁוֹטִים
pinnacle, *n.* מִגְדַּל מַשְׂכִּית; פִּסְגָּה
pint, *n.* פִּינְט, 0.567 לִיטֶר
pioneer, *n.* חָלוּץ
pioneer, *v.t.* & *i.* הָיָה חָלוּץ
pious, *adj.* אָדוּק, חָרֵד
pip, *n.* חַרְצָן
pipe, *n.* צִנּוֹר; מִקְטֶרֶת; אַבּוּב
pipe, *v.t.* & *i.* חִלֵּל; הֶעֱבִיר [עבר] דֶּרֶךְ צִנּוֹרוֹת
piper, *n.* מְחַלֵּל; צַנָּר
piquant, *adj.* חַד, חָרִיף; מְסַקְרֵן
pique, *n.* טִינָה, תַּרְעֹמֶת
piracy, *n.* שֹׁד יַמִּי; גְּנֵבָה סִפְרוּתִית
pirate, *n.* שׁוֹדֵד יָם; פּוֹגֵעַ בִּזְכוּת שְׁמוּרָה
pirouette, *n.* רִקּוּד סְחַרְחוֹר
pistil, *n.* עֱלִי
pistol, *n.* אֶקְדָּח
piston, *n.* בֻּכְנָה
pit, *n.* גַּלְעִין, חַרְצָן; שׁוּחָה, מִכְרֶה בּוֹר, שַׁחַת, גּוּמָץ, גּוּמָה
pitch, *n.* זֶפֶת, כֹּפֶר; קוֹל יְסוֹדִי; מַעֲלֶה
pitch, *v.t.* זִפֵּת, כִּפֵּר
pitch, *v.t.* & *i.* נָטָה, הֶאֱהִיל [אהל]; הִשְׁלִיךְ [שלך], קָלַע, זָרַק; הִשְׁמִיעַ [שמע] קוֹל
pitcher, *n.* כַּד; קוֹלֵעַ
pitchfork, *n.* קִלְשׁוֹן
piteous, *adj.* עָלוּב, אֻמְלָל, מִסְכֵּן
pith, *n.* עִקָּר, עָצְמָה
pithy, *adj.* עַז, נִמְרָץ

pitiful, *adj.* מִסְכֵּן, מְעוֹרֵר חֶמְלָה, עָלוּב
pitiless, *adj.* שֶׁאֵינוֹ חוֹמֵל, אַכְזָרִי
pity, *n.* חֶמְלָה, רַחֲמִים
pity, *v.t.* & *i.* רִחֵם, חָמַל, חָס [חוס]
pivot, *n.* צִיר, סֶרֶן
pivot, *v.t.* & *i.* סָבַב עַל סֶרֶן
placable, *adj.* וַתְּרָנִי
placard, *n.* מוֹדָעָה
placate, *v.t.* פִּיֵּס, רִצָּה, וִתֵּר
place, *n.* מָקוֹם; מַעֲמָד; מִשְׂרָה
place, *v.t.* שָׂם [שים], הִנִּיחַ [נוח], הֶעֱמִיד [עמד]
placid, *adj.* שָׁלֵו, שׁוֹקֵט
placidity, *n.* שַׁלְוָה, נַחַת
plagiarism, *n.* גְּנֵבָה סִפְרוּתִית
plague, *n.* מַכָּה, דֶּבֶר, מַגֵּפָה
plague, *v.t.* הִדְבִּיק [דבק] (נֶגֶף, מַחֲלָה), עִנָּה, נָגַף; הִטְרִיד [טרד]
plaid, *adj.* & *n.* (אָרִיג) מְשֻׁבָּץ
plain, *n.* מִישׁוֹר, עֲרָבָה
plain, *adj.* מוּבָן, פָּשׁוּט, בָּרוּר, יָשָׁר
plainness, *n.* פַּשְׁטוּת
plaint, *n.* תְּלוּנָה, נְהִי, קִינָה
plaintiff, *n.* תּוֹבֵעַ, מַאֲשִׁים
plait, *v.t.* קִפֵּל, סָרַג, קִלַּע
plan, *n.* תָּכְנִית, תַּרְשִׁים, תַּבְנִית, עֶשְׁתּוֹן, זְמָם, הַצָּעָה
plan, *v.t.* & *i.* תִּכְנֵן, זָמַם, חָרַשׁ, הֵשִׁית [שית]
plane, plane tree, *n.* דֹּלֶב, עַרְמוֹן
plane, *n.* שֶׁטַח, מִישׁוֹר
plane, *adj.* שָׁטוּחַ
plane, *n.* & *v.t.* מַקְצוּעָה; הִקְצִיעַ [קצע], הֶחֱלִיק [חלק], שִׁפָּה, שִׁעֵעַ
planet, *n.* כּוֹכַב לֶכֶת, מַזָּל
plank, *n.* דַּף, לוּחַ, קֶרֶשׁ
plank, *v.t.* כִּסָּה בִּקְרָשִׁים

plant, *n.* צֶמַח, שָׁתִיל; בֵּית חֲרֹשֶׁת, כְּלֵי תַּעֲשִׂיָּה
plant, *v.t.* & *i.* נָטַע, שָׁתַל, זָרַע; יִסֵּד
plantation, *n.* מַטָּע
planter, *n.* נוֹטֵעַ, שַׁתְּלָן
plaque, *n.* לוּחַ
plash, *n.*, *v.t.* & *i.* שִׁכְשׁוּךְ; הִשְׁתַּכְשֵׁךְ [שכשך]
plasma, *n.* לֵחַ הַדָּם, חֹמֶר הַתָּא
plaster, *n.* טִיחַ; רְטִיָּה
plaster, *v.t.* הֵטִיחַ [טוח], טָח
plasterer, *n.* טַיָּח
plastic, *adj.* גָּמִישׁ, פְּלַסְטִי
plat, *n.* מִגְרָשׁ
plate, *n.* קְעָרָה, צַלַּחַת; רִקּוּעַ
plate, *v.t.* רִקַּע; צִפָּה
plateau, *n.* רָמָה, מִישׁוֹר
platform, *n.* בָּמָה, בִּימָה, דּוּכָן
platinum, *n.* כֶּתֶם, כַּתְמָן, פְּלָטִינָה
platitude, *n.* שִׁטְחִיּוּת, רְגִילוּת, הֶעָרָה שִׁטְחִית
platoon, *n.* פְּלֻגָּה, גְּדוּד
platter, *n.* קְעָרָה, פִּנְכָּה
plaudit, *n.* מְחִיאַת כַּפַּיִם
plausible, *adj.* אֶפְשָׁרִי, מִתְקַבֵּל עַל הַדַּעַת
play, *n.* מִשְׂחָק, שְׂחוֹק, שַׁעֲשׁוּעַ; מַחֲזֶה
play, *v.t.* & *i.* שִׂחֵק; נִגֵּן; הִשְׁתַּעֲשַׁע [שעשע]
player, *n.* מְשַׂחֵק, שַׂחְקָן
playful, *adj.* שָׂשׂ, מִשְׁתַּעֲשֵׁעַ, מְשַׂחֵק
playground, *n.* מִגְרַשׁ מִשְׂחָקִים
plaything, *n.* שַׁעֲשׁוּעַ, צַעֲצוּעַ, מִשְׂחָק
playwright, *n.* מַחֲזַאי
plea, *n.* טַעֲנָה, בַּקָּשָׁה, הִתְנַצְּלוּת
plead, *v.t.* & *i.* טָעַן, בִּקֵּשׁ, הִצְטַדֵּק [צדק]; סִנְגֵּר
pleader, *n.* טוֹעֵן
pleasant, *adj.* נָעִים, נֶחְמָד
pleasantness, *n.* נֹעַם
pleasantry, *n.* צְחוֹק, הֲלָצָה
please, *v.t.* & *i.* הֵנָה, הִשְׂבִּיעַ [שבע] רָצוֹן; מָצָא חֵן בְּעֵינֵי
please, pray, *interj.* אָנָּא, אָנָּה, בְּבַקָּשָׁה, ־נָא
pleasurable, *adj.* נוֹחַ, נָעִים, עָרֵב
pleasure, *n.* תַּעֲנוּג, הֲנָאָה
pleat, *v.t.* & *n.* סָרַג, קָלַע, קִפֵּל; קֶמֶט
plebiscite, *n.* מִשְׁאַל עָם
pledge, *n.* & *v.t.* הַבְטָחָה; מַשְׁכּוֹן, עֵרָבוֹן, עֲבוֹט; הִבְטִיחַ [בטח]; עָבַט, חָבַל, מִשְׁכֵּן
plenary, *adj.* מָלֵא, שָׁלֵם
plenipotentiary, *n.* מְיֻפֵּה כֹּחַ, מֻרְשֶׁה
plenitude, *n.* שֶׁפַע
plentiful, *adj.* רַב, מְרֻבֶּה
plenty, *n.* שֶׁפַע, רְוָיָה, שֹׂבַע
pliability, *n.* גְּמִישׁוּת
pliable, *adj.* גָּמִישׁ, נִכְפָּף
pliant, *adj.* גָּמִישׁ, כָּפִיף
plicate, *adj.* קָמוּט
pliers, *n. pl.* צְבָת, מֶלְקָחַיִם
plight, *n.* הַבְטָחָה; מַצָּב קָשֶׁה
plight, *v.t.* הִבְטִיחַ [בטח], אָרַס
plinth, *n.* מַסָּד, תּוֹשֶׁבֶת
plod, *v.i.* עָמַל, הָלַךְ בִּכְבֵדוּת
plodder, *n.* יָגֵעַ
plot, *n.*, *v.t.* & *i.* קֶשֶׁר, מֶרֶד; עֲלִילָה (בְּסִפּוּר); מִגְרָשׁ; זָמַם, קָשַׁר, חָרַשׁ
plotter, *n.* חוֹבֵל תַּחְבּוּלוֹת
plover, *n.* שְׂרוֹנִי, גִּשְׁמִי
plow, plough, *n.* & *v.t.* מַחֲרֵשָׁה; חָרַשׁ
plowshare, ploughshare, *n.* אֵת
pluck, *n.* קְטִיפָה; מְרִיטָה; אֹמֶץ לֵב; אֲבָרִים פְּנִימִיִּים (שֶׁל חַיָּה)

pluck, *v.t.* קָטַף (פֶּרַח); מָרַט (נוֹצָה); תָּלַשׁ (עֲשָׂבִים); אָרָה (פֵּרוֹת); מָסַק (זֵיתִים); מָשַׁךְ, סָחַב
plug, *n.* פְּקָק, מַסְתֵּם, מְגוּפָה, סֶכֶר
plug, *v.t.* פָּקַק, סָתַם
plum, *n.* שָׁזִיף
plumage, *n.* נוֹצוֹת
plumb, *adj.* מְאֻנָּךְ
plumb, *n.* אֲנָךְ, אֶבֶן הַבְּדִיל
plumb, *v.t.* אִנֵּךְ
plumber, *n.* שְׁרַבְרָב
plumbing, *n.* שְׁרַבְרָבוּת
plume, *n.* נוֹצָה
plume, *v.t.* הִתְקַשֵּׁט [קשט] בְּנוֹצוֹת; הִתְגָּאָה [גאה], הִתְיַהֵר [יהר]
plummet, *n.* אֲנָךְ, מִשְׁקֹלֶת
plump, *adj.*, *v.t.* & *i.* שְׁמַנְמַן; הִשְׁמִין [שמן], הִשְׁתַּמֵּן [שמן]
plunder, *n.* מְשִׁסָּה, בַּז, שָׁלָל
plunder, *v.t.* שָׁסָה, בָּזַז, גָּזַל
plunderer, *n.* שׁוֹדֵד
plunge, *v.t.* & *i.* שָׁקַע, צָלַל, הִשְׁלִיךְ [שלך] הַמַּיְמָה, טָבַל
plunge, *n.* קְפִיצָה הַמַּיְמָה, טְבִילָה
plural, *n.* & *adj.* רַבִּים, רִבּוּי, מִסְפַּר רַבִּים (דִּקְדּוּק); שֶׁל רַבִּים, רַב
plurality, *n.* רֹב, רִבּוּי
plus, *n.* וְעוֹד, פְּלוּס (+)
plush, *n.* קְטִיפָה
plutocrat, *n.* עָשִׁיר, תָּקִיף
ply, *v.t.* & *i.* כָּפַף, קִפֵּל; עָבַד (בְּמִקְצוֹעַ); תָּפַשׂ; (עֵט וְכוּ׳); טָרַח, קָלַע
pneumatic, *adj.* אֲוִירִי (לַחַץ)
pneumonia, *n.* דַּלֶּקֶת הָרֵאָה
poach, *v.t.* & *i.* צָד [צוד] לְלֹא רְשׁוּת, שָׁלַק (בֵּיצִים לְלֹא קְלִפָּה)
poacher, *n.* נִכְנָס בְּלִי רְשׁוּת, גַּנָּב צַיִד

pock, *n.* אֲבַעְבֻּעָה
pocket, *n.* & *v.t.* כִּיס; שָׂם [שים] בַּכִּיס; לָקַח (בְּעָרְמָה) בִּגְנֵבָה
pocketbook, *n.* אַרְנָק
pocketknife, *n.* אוֹלָר
pock-marked, *adj.* מְנֻמָּם, מְצֻלָּק
pod, *n.* & *v.i.* תַּרְמִיל (קִטְנִיּוֹת); תִּרְמֵל
podagra, *n.* צִנִּית
poem, *n.* פִּיּוּט, שִׁיר
poesy, *n.* שִׁירָה
poet, *n.* מְשׁוֹרֵר, פַּיְטָן
poetic, poetical, *adj.* שִׁירִי
poetry, *n.* שִׁירָה
poignancy, *n.* חֲרִיפוּת, חַדּוּת
poignant, *adj.* חָרִיף; עוֹקֵץ
point, *n.* & *v.t.* דָּגֵשׁ; עֹקֶץ; נְקֻדָּה; עֶצֶם (הָעִנְיָן); תַּכְלִית; נִקֵּד, חִדֵּד; הִצְבִּיעַ [צבע], הֶרְאָה [ראה] עַל; כִּוֵּן
pointer, *n.* מַחֲוֶה, חֹטֶר, מְכַוֵּן; כֶּלֶב צַיִד
poise, *n.* & *v.t.* מְתִינוּת, הִתְנַהֲגוּת; מִשְׁקָל, שִׁוּוּי; יָצַב, הָיָה בְּשִׁוּוּי מִשְׁקָל
poison, *n.* סַם, רַעַל, אֶרֶס, רוֹשׁ
poison, *v.t.* סִמֵּם, הִרְעִיל [רעל]
poisonous, *adj.* אַרְסִי, מַרְעִיל, מְסַמֵּם
poke, *v.t.* & *i.* תָּחַב, דָּחַף, נָעַץ, חָתָה
poker, *n.* מַחְתָּה, שַׁפּוּד
polar, *adj.* קָטְבִּי, שֶׁל הַקֹּטֶב
pole, *n.* קֹטֶב; מוֹט, בַּד
polemic, *adj.* & *n.* וִכּוּחִי; (בַּר) פְּלֻגְתָּה
police, *n.* & *v.i.* מִשְׁטָרָה; מִשְׁטֵר [שטר]
policeman, *n.* שׁוֹטֵר
policy, *n.* תְּעוּדַת בִּטּוּחַ; שִׁיטָה; תַּכְסִיס
Polish, *adj.* & *n.* פּוֹלָנִי; פּוֹלָנִית
polish, *n.* & *v.t.* מֵרוּט, צִחְצוּחַ; מֶרֶט; מִשְׁחַת נַעֲלַיִם; מֵרַט, צִחְצַח, הִבְרִיק [ברק]

polite, *adj.* אָדִיב, מְנֻמָּס
politeness, *n.* אֲדִיבוּת, נִמּוּס
politic, *adj.* מְחֻכָּם, מְדִינִי
political, *adj.* מְדִינִי
politician, *n.* מְדִינַאי
politics, *n.* מְדִינִיּוּת
poll, *n.*, *v.t.* & *i.* בְּחִירוֹת; קָדְקֹד; רְשִׁימַת בּוֹחֲרִים; כָּרַת (רֹאשׁ עֵץ); קָצַץ (קַרְנַיִם); גָּזַם (עֲנָפִים); הִצְבִּיעַ [צבע] (בִּבְחִירוֹת); שִׁלֵּם מַס גֻּלְגֹּלֶת
pollen, *n.* אֲבָק (שֶׁל פֶּרַח)
pollination, *n.* הַאֲבָקָה
pollute, *v.t.* זִהֵם, טִנֵּף
pollution, *n.* זֻהֲמָה, חֶלְאָה; מִקְרֵה לַיְלָה, קֶרִי
poltroon, *n.* מוּג לֵב
polygamy, *n.* רִבּוּי נָשִׁים לְגֶבֶר אֶחָד
polyglot, *n.* בַּלְשָׁן
polygon, *n.* רַב זָוִיּוֹת, רַב צְלָעוֹת, פּוֹלִיגוֹן, רַבְצַלְעוֹן
polygonal, *adj.* מְרֻבֶּה זָוִיּוֹת
polyp, *n.* גֶּדֶל; גִּדּוּל בָּאַף
polytechnic, *adj.* שֶׁל אֻמָּנֻיּוֹת רַבּוֹת
polytheism, *n.* אֱמוּנָה בְּאֵלִים רַבִּים
polytheist, *n.* מַאֲמִין בְּאֵלִים רַבִּים
pomade, *n.* מִשְׁחָה, מִשְׁחַת בְּשָׂמִים
pomegranate, *n.* רִמּוֹן
pommel, *v.t.* חָבַט, מָחַץ
pomp, *n.* תִּפְאֶרֶת
pompous, *adj.* מְפֹאָר
pond, *n.* בְּרֵכָה
ponder, *v.t.* & *i.* חָשַׁב, הִרְהֵר
ponderous, *adj.* כְּבַד מִשְׁקָל
poniard, *n.* & *v.t.* פִּגְיוֹן; דָּקַר בְּפִגְיוֹן
pontiff, *n.* אַפִּיפְיוֹר, הֶגְמוֹן
pontoon, *n.* סִירַת גֶּשֶׁר
pony, *n.* סוּסוֹן; סְיָח, סוּס צָעִיר
poodle, *n.* (כֶּלֶב) צַמְרוֹן

pool, *n.* מִקְוֶה, בְּרֵכָה; קֶרֶן כְּלָלִית
poop, *n.* אֲחוֹרֵי הָאֳנִיָּה, מִכְסֶה
poor, *adj.* גָּרוּעַ, קַל עֶרֶךְ; עָנִי, רָשׁ
pop, *n.* קוֹל (יְרִיָּה), נֶפֶץ קַל; מַשְׁקֶה תּוֹסֵס
popcorn, *n.* קְלִי תִּירָס
pope, *n.* אַפִּיפְיוֹר
poplar, *n.* צַפְצָפָה
poppy, *n.* פֶּרֶג
populace, *n.* אֲסַפְסוּף, הָמוֹן
popular, *n.* עֲמָמִי, הֲמוֹנִי; מְפֻרְסָם, חָבִיב, חֶבְרָתִי
popularity, *n.* עֲמָמִיּוּת; פִּרְסוּם
popularize, *v.t.* עָשָׂה עֲמָמִי, עִמֵּם
populate, *v.t.* & *i.* יִשֵּׁב, אִכְלֵס
population, *n.* יִשּׁוּב, אֻכְלוּסִיָּה, אֻכְלוּסִים, תּוֹשָׁבִים
populous, *adj.* מְיֻשָּׁב, רַב אֻכְלוּסִים
porcelain, *n.* חַרְסִינָה
porch, *n.* מִרְפֶּסֶת
porcupine, *n.* קִפּוֹד, דַּרְבָּן
pore, *n.* נַקְבּוּבִית; תָּא, נֶבֶג
pore, *v.i.* קָרָא בְּעִיּוּן, לָמַד בְּעִיּוּן, חָשַׁב
pork, *n.* בְּשַׂר חֲזִיר
pornography, *n.* נִבּוּל עֵט, פִּרְסוּמֵי זְנוּנִים, כִּתְבֵי תַּזְנוּת
porous, *adj.* נַקְבּוּבִי, סְפוֹגִי, נִבְגִּי
porpoise, *n.* שַׁבּוּט
porridge, *n.* דַּיְסָה
port, *n.* נָמָל, נָמֵל; שְׂמֹאל הָאֳנִיָּה; פֶּתַח; נְשִׂיאָה; יֵין אָדֹם (מָתוֹק)
portable, *adj.* יָבִיל, מִטַּלְטֵל
portal, *n.* כְּנִיסָה, שַׁעַר
portcullis, *n.* דֶּלֶת מַחֲלִיקָה
portend, *v.t.* נִבָּא
portent, *n.* אוֹת (רַע), סִימָן (רַע)
porter, *n.* סַבָּל, כַּתָּף
portfolio, *n.* חֲפִיסָה, תִּיק; מִשְׂרַת שַׂר

portion, *n.* & *v.t.* חֵלֶק, מָנָה; חִלֵּק, מִנֵּן

portmanteau, *n.* מִזְוָדָה גְּדוֹלָה

portrait, *n.* תְּמוּנָה, דְּמוּת, תַּצְלוּם

portray, *v.t.* תֵּאֵר, צִיֵּר

portrayal, *n.* תֵּאוּר, צִיּוּר

Portuguese, *adj.* & *n.* פָּרְטוּגָלִי, פָּרְטוּגָלִית

pose, *v.t.* & *i.* הֶעֱמִיד [עמד] פָּנִים, נִרְאָה [ראה] כְּ־, הִנִּיחַ [נוח]

position, *n.* עֶמְדָּה; מַצָּב; מִשְׂרָה

positive, *adj.* מֻחְלָט, חִיּוּבִי

positively, *adv.* בְּפֵרוּשׁ, בְּחִיּוּב, בְּהֶחְלֵט, אֶל נָכוֹן

possess, *v.t.* הֶחֱזִיק [חזק], הָיָה לְ־

possession, *n.* קִנְיָן, אֲחֻזָּה

possessor, *n.* בַּעַל

possibility, *n.* יְכֹלֶת, אֶפְשָׁרוּת

possible, *adj.* אֶפְשָׁרִי

possibly, *adv.* אֶפְשָׁר, אוּלַי

post, *n.* מִשְׁמָר; מִשְׂרָה; דֹּאַר

post, *v.t.* הֶעֱמִיד [עמד], הִצִּיג [יצג], דִּוֵּאֵר, שָׁלַח (דֹּאַר); הִדְבִּיק [דבק] (מוֹדָעָה)

postage stamp בּוּל דֹּאַר

post card, postcard, *n.* גְּלוּיָה

poster, *n.* מוֹדָעָה, תַּמְרוּר

posterior, *adj.* מְאֻחָר; אֲחוֹרִי

posteriors, *n. pl.* יַשְׁבָן, שֵׁת, עַכּוּז, אֲחוֹרַיִם

posterity, *n.* צֶאֱצָאִים, זֶרַע, בָּנִים, הַדּוֹרוֹת הַבָּאִים

postgraduate, *adj.* שֶׁלְּאַחַר סִיּוּם הַמִּכְלָלָה

posthaste, *n.* מְהִירוּת

posthaste, *adv.* בִּמְהִירוּת

posthumous, *adj.* שֶׁלְּאַחַר הַמָּוֶת

postman, *n.* דַּוָּר, דַּוָּאר

post office (בֵּית) דֹּאַר

postpone, *v.t.* דָּחָה

postponement, *n.* דִּחוּי

postscript, P.S., *n.* תּוֹסֶפֶת אַחֲרוֹנָה, ת״א

postulate, *v.t.* בִּקֵּשׁ, הֵנִיחַ [נוח]

posture, *n.* מַצָּב, מַעֲמַד הַגּוּף, תְּנוּחָה

postwar, *adj.* שֶׁלְּאַחַר הַמִּלְחָמָה

posy, *n.* סִיסְמָה; פִּתְגָּם; זֵר

pot, *n.* קְדֵרָה, סִיר; עָצִיץ; חוֹר עָמֹק; סְכוּם כֶּסֶף הָגוּן

potash, *n.* אַשְׁלָג

potation, *n.* שְׁתִיָּה, שִׁקּוּי

potato, *n.* תַּפּוּחַ אֲדָמָה

potency, potence, *n.* אוֹן, כֹּחַ, עֹז, עָצְמָה

potent, *adj.* אַדִּיר, חָזָק

potentate, *n.* שַׁלִּיט, תַּקִּיף

potential, *adj.* אֶפְשָׁרִי, שֶׁבְּכֹחַ, כֹּחָנִי

potentiality, *n.* אֶפְשָׁרוּת, יְכֹלֶת; כֹּחָנוּת

pother, *n.* רִגְשָׁה

potion, *n.* שִׁקּוּי, מַשְׁקֶה

potpourri, *n.* תַּעֲרֹבֶת (נְגִינָה) סִפְרוּתִית

potsherd, *n.* שֶׁבֶר כְּלִי חֶרֶס

pottage, *n.* מְרַק יְרָקוֹת

potter, *n.* קַדָּר, יוֹצֵר, כַּדָּד

pottery, *n.* קַדָּרוּת; כְּלֵי חֶרֶס

pouch, *n.* שַׂקִּיק, חֲפִיסָה, כִּרְכֶּת

poultice, *n.* תַּחְבֹּשֶׁת

poultry, *n.* עוֹפוֹת בַּיִת

pounce, *v.i.* עָט [עוט], טָשׁ [טוש] (עַל); שָׂרַט (חָתוּל)

pound, *n.* לִטְרָה; לִירָה; מִכְלָאָה

pound, *v.t.* כָּתַשׁ, חָבַט, גָּרַס, כָּתַת, דָּךְ [דוך]; כָּלָא

pour, *v.t.* & *i.* שָׁפַךְ, הִשְׁתַּפֵּךְ [שפך], יָצַק; יָרַד בְּחֹזֶק, שָׁטַף (גֶּשֶׁם), נִתַּךְ; נִגַּר, מָזַג; זָלַג (דְּמָעוֹת), דָּמַע

pout, *n.* כַּעַס, רֹגֶז; שְׂפָתַיִם בּוֹלְטוֹת
pout, *v.i.* הִפְטִיר [פטר] בְּשָׂפָה, עִקֵּם פֶּה
poverty, *n.* דַּלּוּת, עֲנִיּוּת, רֵישׁ
powder, *n.* אָבָק, אֲבָקָה
powder, *v.t.* אִבֵּק; שָׁחַק
powdery, *adj.* אֲבָקִי
power, *n.* כֹּחַ, עָצְמָה; מַעֲצָמָה
powerful, *adj.* חָזָק, אַדִּיר
powerless, *adj.* אֵין אוֹנִים, חַלָּשׁ
pox, *n.* אֲבַעְבּוּעוֹת
practicability, *n.* מַעֲשִׂיּוּת, אֶפְשָׁרוּת
practicable, *adj.* מַעֲשִׂי
practical, *adj.* מַעֲשִׂי, שִׁמּוּשִׁי
practicality, *n.* מַעֲשִׂיּוּת, שִׁמּוּשִׁיּוּת
practice, *n.* תִּרְגּוּל, הֶרְגֵּל, אִמּוּן, שִׁנּוּן; מִנְהָג; מִקְצוֹעַ; שִׁיטָה
practice, practise, *v.t.* & *i.* הִתְרַגֵּל [רגל], הִתְעַסֵּק [עסק]; הִתְאַמֵּן [אמן] בְּ־
practiced, practised, *adj.* מְנֻסֶּה, מְאֻמָּן
prairie, *n.* עֲרָבָה
praise, *n.* תְּהִלָּה, שֶׁבַח
praise, *v.t.* הִלֵּל, שִׁבַּח
praiseworthy, *adj.* רָאוּי לִתְהִלָּה
prance, *n.* & *v.i.* דַּהֲרָה; דָּהַר
prank, *n.* לָצוֹן, צְחוֹק, לֵיצָנוּת
prate, prattle, *v.t.* & *i.* פִּטְפֵּט
pray, *v.t.* & *i.* הִתְחַנֵּן [חנן], הִתְפַּלֵּל [פלל]
pray, *v.* please
prayer, *n.* תְּפִלָּה, בַּקָּשָׁה
prayer book סִדּוּר
preach, *v.t.* & *i.* הִטִּיף [נטף], דָּרַשׁ
preacher, *n.* מַטִּיף, דַּרְשָׁן
preaching, *n.* הַטָּפָה, דְּרָשָׁה
preamble, *n.* מָבוֹא, הַקְדָּמָה
prearrange, *v.t.* סִדֵּר מֵרֹאשׁ

precarious, *adj.* בִּלְתִּי בָּטוּחַ
precaution, *n.* זְהִירוּת, הַזְהָרָה
precede, *v.t.* & *i.* קָדַם לְ־, הִקְדִּים [קדם]
precedence, precedency, *n.* קְדִימָה, זְכוּת קְדִימָה
precedent, *n.* תַּקְדִּים
precept, *n.* תּוֹרָה, צַו, תְּעוּדָה, פְּקֻדָּה
preceptor, *n.* רַב, מְלַמֵּד
precinct, *n.* מָחוֹז
precious, *adj.* יָקָר
precipice, *n.* מוֹרָד, שִׁפּוּעַ
precipitancy, *n.* חִפָּזוֹן
precipitate, *adj.* מְבֹהָל, נוֹפֵל
precipitate, *v.t.* הִשְׁלִיךְ [שלך], הֵחִישׁ [חוש], הֵאִיץ [אוץ]
precipitation, *n.* בְּהִילוּת; נְפִילָה; מָטָר; מְהִירוּת
precipitous, *adj.* נוֹפֵל; תָּלוּל; נִמְהָר; מְבֹהָל
precise, *adj.* מְדֻיָּק
precisely, *adv.* בְּדִיּוּק
precision, *n.* דִּיּוּק
preclude, *v.t.* הוֹצִיא [יצא] (מִכְּלָל), מָנַע מֵרֹאשׁ
preclusion, *n.* מְנִיעָה, הוֹצָאָה
precocious, *adj.* בָּשֵׁל (בּוֹגֵר) לִפְנֵי הַזְּמָן
precocity, *n.* בְּשֵׁלוּת מְהִירָה, בַּגְרוּת מֻקְדֶּמֶת
preconceive, *v.t.* הִשִּׂיג [נשג] מֵרֹאשׁ
precondemn, *v.t.* הִרְשִׁיעַ [רשע] מֵרֹאשׁ
precursor, *n.* מְבַשֵּׂר
predate, *v.t.* הִקְדִּים [קדם] תַּאֲרִיךְ
predatory, *adj.* שׁוֹדֵד, חוֹמֵס
predecessor, *n.* קוֹדֵם
predestinate, *v.t.* עִתֵּד
predicament, *n.* מְבוּכָה, מַצָּב קָשֶׁה

predicate, *adj.* & *n.* נָשׂוּא (דִּקְדּוּק), יַחֲסָה
predicate, *v.t.* יָסַד, בִּסֵּס, יִחֵס לְ־
predict, *v.t.* & *i.* הִגִּיד מֵרֹאשׁ, נִבָּא
prediction, *n.* נְבוּאָה, בְּשׂוֹרָה
predilection, *n.* נְטִיָּה
predispose, *v.t.* הִכְשִׁיר [כשר]
predisposition, *n.* מִשְׁפָּט קָדוּם
predominance, predominancy, *n.* שִׁלְטוֹן, הַכְרָעָה, יֶתֶר תֹּקֶף, יִתְרוֹן
predominant, *adj.* שׁוֹלֵט, מַכְרִיעַ
predominate, *v.i.* הָיָה רַב, שָׁלַט
pre-eminent, *adj.* נַעֲלֶה, דָּגוּל
prefabricated, *adj.* מוּכָן (תְּעַשׂ) מֵרֹאשׁ
preface, *n.* הַקְדָּמָה
preface, *v.t.* & *i.* כָּתַב מָבוֹא
prefect, praefect, *n.* מְנַהֵל, מְמֻנֶּה
prefer, *v.t.* בָּחַר בְּ־, בִּכֵּר
preferable, *adj.* עָדִיף
preference, *n.* עֲדִיפוּת, הַעֲדָפָה
prefix, *n.* תְּחִלִּית, קִדֹּמֶת (דִּקְדּוּק)
pregnancy, *n.* הֵרָיוֹן, עִבּוּר
pregnant, *adj.* הָרָה, מְעֻבֶּרֶת; פּוֹרֶה
prejudice, *n.* דֵּעָה קְדוּמָה, מִשְׁפָּט קָדוּם
prelate, *n.* הֶגְמוֹן
preliminary, *adj.* מְבוֹאִי
preliminary, *n.* מָבוֹא
prelude, *n.* הַקְדָּמָה
premature, *adj.* בַּכִּיר; פַּג
premeditate, *v.t.* זָמַם (חָשַׁב) מֵרֹאשׁ
premeditation, *n.* צְדִיָּה, זָדוֹן; מַחֲשָׁבָה תְּחִלָּה
premier, *n.* רֹאשׁ הַמֶּמְשָׁלָה
première, *n.* הַצָּגַת בְּכוֹרָה
premise, premiss, *n.* הַנָּחָה
premise, *v.t.* & *i.* הִנִּיחַ [נוח]
premium, *n.* פְּרָס, תַּשְׁלוּם, גְּמוּל, שָׂכָר
premonition, *n.* הַתְרָאָה

premonitory, *adj.* מַתְרָה
prenatal, *adj.* שֶׁלִּפְנֵי הַלֵּדָה
preoccupied, *adj.* שָׁקוּעַ בְּמַחֲשָׁבוֹת, מְפֻזָּר
preoccupy, *v.t.* טָרַד; הֶעֱסִיק [עסק] (הַדַּעַת)
preparation, *n.* הַכְשָׁרָה, הֲכָנָה
prepare, *v.t.* & *i.* הִכְשִׁיר [כשר], הִתְכּוֹנֵן [כון], הֵכִין [כון]
prepay, *v.t.* שִׁלֵּם לְמַפְרֵעַ (מֵרֹאשׁ)
preponderance, preponderancy, *n.* יִתְרוֹן, הַכְרָעָה
preposition, *n.* מִלַּת הַיַּחַס (דִּקְדּוּק)
preposterous, *adj.* אֱוִילִי, שְׁטוּתִי, טִפְּשִׁי
prerequisite, *adj.* דָּרוּשׁ מֵרֹאשׁ
prerogative, *n.* זְכוּת בִּלְעֲדִית
presage, *n.* סִימָן
presage, *v.t.* נִבָּא
prescribe, *v.t.* & *i.* כָּתַב תְּרוּפָה; צִוָּה
prescription, *n.* תְּרוּפָה; צַו
presence, *n.* מְצִיאוּת, יֵשׁוּת, מַעֲמָד
present, *adj.* נוֹכָח, נִמְצָא; הֹוֶה (דִּקְדּוּק)
present, *n.* מַתָּנָה, שַׁי, תְּשׁוּרָה, דּוֹרוֹן
present, *v.t.* & *i.* הִצִּיג [נצג], נָתַן מַתָּנָה
presentation, *n.* הַצָּגָה; נְתִינַת מַתָּנָה
presentiment, *n.* הַרְגָּשָׁה מֻקְדֶּמֶת
presently, *adv.* תֵּכֶף, עוֹד מְעַט
preservative, *adj.* & *n.* מְשַׁמֵּר; חֹמֶר שִׁמּוּר
preservation, *n.* שְׁמִירָה, שִׁמּוּר, קִיּוּם
preserve, *v.t.* & *i.* חִיָּה, שָׁמַר, שִׁמֵּר, הֵגֵן [גנן]
preside, *v.i.* יָשַׁב רֹאשׁ
presidency, *n.* נְשִׂיאוּת
president, *n.* נָשִׂיא, יוֹשֵׁב רֹאשׁ
press, *v.t.* & *i.* לָחַץ; דָּחַק; סָחַט; הֵצֵר [צרר], הֵעִיק [עוק]; מִהֵר, אִלֵּץ; גִּהֵץ; דָּרַךְ (עֲנָבִים וְכוּ׳)

press, *n.* דְּפוּס; עִתּוֹנוּת; מַכְבֵּשׁ; מַעֲגִילָה; בַּד, גַּת (לְזֵיתִים, לַעֲנָבִים)
pressure, *n.* לַחַץ, עָקָה; דֹּחַק; כְּפִיָּה
prestige, *n.* הַשְׁפָּעָה, סַמְכוּת, כָּבוֹד
presumable, *adj.* מִתְקַבֵּל עַל הַדַּעַת
presumably, *adv.* כְּנִרְאֶה
presume, *v.t.* & *i.* שִׁעֵר, סָבַר
presumption, *n.* הַשְׁעָרָה, סְבָרָה
presumptuous, *adj.* גְּבַהּ לֵב, גַּס רוּחַ, עַז פָּנִים
presumptuousness, *n.* גַּסּוּת (גֹּבַהּ) רוּחַ, זָדוֹן (לֵב), גַּאֲוָה
presupposition, *n.* הַנָּחָה קוֹדֶמֶת
pretend, *v.t.* & *i.* חִפֵּא, עָשָׂה כְּאִילוּ
pretender, *n.* מִתְחַפֵּשׂ, תּוֹבֵעַ, תַּבְעָן
pretense, pretence, *n.* אֲמַתְלָה; טַעֲנָה, תּוֹאֲנָה, תְּבִיעָה
pretension, *n.* יָמְרָה, פִּתְחוֹן פֶּה
pretext, *n.* אֲמַתְלָה, עִלָּה
prettily, *adv.* יָפֶה, הֵיטֵב
prettiness, *n.* יֹפִי, יָפְיוּת
pretty, *adj.* יָפֶה, נָאֶה
pretty, *adv.* לְמַדַּי
prevail, *v.i.* יָכֹל לְ־, הִתְגַּבֵּר [גבר] עַל, הִשְׁפִּיעַ [שפע] עַל
prevalent, *adj.* שַׁלִּיט; נָפוֹץ
prevaricate, *v.i.* דִּבֵּר דְּבָרִים בְּנֵי שְׁנֵי פָּנִים, סִלֵּף
prevent, *v.t.* מָנַע
prevention, *n.* מְנִיעָה
preview, *v.t.* רָאָה מֵרֹאשׁ
previous, *adj.* קוֹדֵם
previously, *adv.* מִקֹּדֶם, קֹדֶם לָכֵן
prey, *n.* טֶרֶף, שָׁלָל
prey, *v.i.* טָרַף, הֵצִיק [צוק]
price, *n.* מְחִיר
price, *v.t.* הֶעֱרִיךְ [ערך], קָצַב מְחִיר
priceless, *adj.* לֹא יְסֻלָּא בְּפָז

prick, prickle, *n.* עֹקֶץ, חֹד
prick, prickle, *v.t.* & *i.* נָקַב, עָקַץ, זָקַף
prickly, *adj.* מָלֵא צְנִינִים, עוֹקֵץ, מַמְאִיר
pride, *n.* גַּאֲוָה, רַהַב, יָהֳרָה
pride, *v.t.* הִתְגָּאָה [גאה], הִתְיַהֵר [יהר]
prideful, *adj.* גֵּא
priest, *n.* כֹּהֵן, גַּלָּח, כֹּמֶר
priesthood, *n.* כְּהֻנָּה
prim, *adj.* מִתְגַּנְדֵּר, מִתְהַדֵּר
primacy, *n.* רִאשׁוֹנִיּוּת
primarily, *adv.* לְכַתְּחִלָּה, קֹדֶם כֹּל
primary, *adj.* רָאשִׁי, עִקָּרִי; עֲמָמִי, יְסוֹדִי (בֵּית סֵפֶר)
prime, *n.* מֵיטָב, מִבְחָר; שַׁחַר; עֲלוּמִים; סִפְרָה בִּלְתִּי מִתְחַלֶּקֶת
prime, *v.t.* צָבַע (שִׁכְבָה רִאשׁוֹנָה); מִלֵּא (אֲבַק שְׂרֵפָה); יִדַּע, נָתַן יְדִיעוֹת נְחוּצוֹת
primer, *n.* אַלְפוֹן
primeval, *adj.* קַדְמוֹן
primitive, *adj.* רִאשׁוֹנִי, רֵאשִׁיתִי
primp, *v.t.* & *i.* הִתְקַשֵּׁט [קשט] בְּגַנְדְּרָנוּת יְתֵרָה
primrose, *n.* בְּכוֹר אָבִיב (פֶּרַח)
prince, *n.* נָסִיךְ, אַלּוּף
princess, *n.* נְסִיכָה
principal, *adj.* & *n.* רָאשִׁי; מְנַהֵל; קֶרֶן (כֶּסֶף)
principle, *n.* עִקָּרוֹן ; כְּלָל; יְסוֹד
print, *v.t.* & *i.* הִדְפִּיס [דפס], כָּתַב בְּאוֹתִיּוֹת מְרֻבָּעוֹת (כְּתָב מְרֻבָּע)
print, *n.* (אוֹתִיּוֹת) דְּפוּס, כְּתָב מְרֻבָּע
printer, *n.* מַדְפִּיס
printing, *n.* דְּפוּס, הַדְפָּסָה
prior, *adj.* & *n.* קוֹדֵם; רֹאשׁ מִנְזָר
priority, *n.* בְּכוֹרָה, דִּין קְדִימָה
prism, *n.* מִנְסָרָה

prison, *n.* סֹהַר, בֵּית סֹהַר, כֶּלֶא
prisoner, *n.* אַסִּיר; שָׁבוּי
privacy, *n.* פְּרָטִיּוּת
private, *adj.* פְּרָטִי, אִישִׁי
private, *n.* חַיָּל
privation, *n.* מַחְסוֹר, עֹנִי
privately, *adv.* בְּאֹפֶן פְּרָטִי
privilege, *n.* & *v.t.* זְכוּת (מְיֻחֶדֶת) יֶתֶר, יִתְרוֹן; נָתַן זְכוּת מְיֻחֶדֶת, זִכָּה
privy, *adj.* פְּרָטִי, סוֹדִי, חֲשָׁאִי
privy, *n.* יוֹדֵעַ סוֹד; בֵּית כִּסֵּא
prize, *n.* שָׁלָל; פְּרָס
prize, *v.t.* לָקַח שָׁלָל; הֶעֱרִיךְ [ערך], הוֹקִיר [יקר]
prize fighter, *n.* אֶגְרוֹפָן, מִתְאַגְרֵף
pro, *n.*, *adv.* & *prep.* מְחַיֵּב; הֵן; בְּעַד
probability, *n.* אֶפְשָׁרִיּוּת, אֶפְשָׁרוּת
probable, *adj.* אֶפְשָׁרִי
probably, *adv.* יִתָּכֵן
probation, *n.* בֵּרוּר; מִבְחָן; הוֹכָחָה
probationer, *n.* נִבְחָן
probe, *v.t.* בָּדַק, בָּחַן; נִסָּה
problem, *n.* בְּעָיָה, שְׁאֵלָה
problematical, problematic, *adj.* מְסֻפָּק
procedure, *n.* מִנְהָג, מַהֲלָךְ, נֹהַל
proceed, *v.i.* עָשָׂה מִשְׁפָּט, הָלַךְ, עָשָׂה, הוֹסִיף [יסף], הִמְשִׁיךְ [משך]
process, *n.* מַהֲלָךְ; שִׁיטָה; פְּעֻלָּה; מִשְׁפָּט
procession, *n.* תַּהֲלוּכָה
proclaim, *v.t.* הִכְרִיז [כרז], פִּרְסֵם
proclamation, *n.* הַכְרָזָה, הַצְהָרָה, גִּלּוּי דַּעַת
proclivity, *n.* כִּשְׁרוֹן
procrastinate, *v.t.* & *i.* הִשְׁהָה [שהה], דָּחָה, נִדְחָה [דחה]
procrastination, *n.* דְּחִיָּה, שְׁהִיָּה, אִחוּר
procrastinator, *n.* מִתְמַהְמֵהַּ
procreate, *v.t.* הוֹלִיד [ילד]
procreation, *n.* הוֹלָדָה, תּוֹלָדָה
proctor, *n.* סוֹכֵן, מְפַקֵּחַ
procure, *v.t.* & *i.* הִשִּׂיג [נשג], קִבֵּל; סִרְסֵר (זְנוּת)
prod, *v.t.* & *n.* דָּחַק, הֵאִיץ [אוץ]; מַלְמָד
prodigal, *adj.* נָדִיב, פַּזְרָן, בַּזְבְּזָן
prodigious, *adj.* עֲנָקִי, עָצוּם
prodigy, *n.* פֶּלֶא; עִלּוּי
produce, *n.*, *v.t.* & *i.* תּוֹצֶרֶת, תְּנוּבָה; יִצֵּר, עָשָׂה; הֵבִיא [בוא], הֶרְאָה [ראה]; הִצִּיג [יצג], בִּיֵּם; נָשָׂא פְּרִי; יָלַד, הוֹלִיד [ילד]; חוֹלֵל
producer, *n.* מְיַצֵּר, מוֹלִיד; מַסְרִיט; מְבַיֵּם
product, *n.* תּוֹצֶרֶת, פְּרִי, יְבוּל, מוּצָר
production, *n.* יְצִירָה; תַּעֲשִׂיָּה; הַסְרָטָה; בִּיּוּם; הִוָּצְרוּת
productive, *adj.* פּוֹרֶה, יוֹצֵר, יוֹצְרָנִי
productivity, *n.* יוֹצְרָנִיּוּת
profanation, *n.* חִלּוּל
profane, *adj.* & *v.t.* חִלּוֹנִי; חִלֵּל
profess, *v.t.* & *i.* הִכְרִיז [כרז], הִתְוַדָּה [ידה], הוֹדִיעַ [ידע]; הֶאֱמִין [אמן] בְּ־; הֶעֱמִיד [עמד] פָּנִים
profession, *n.* מִקְצוֹעַ, הוֹדָאָה, הִתְוַדּוּת
professional, *adj.* מִקְצוֹעִי
professor, *n.* מוֹדֶה בְּדָת; פְּרוֹפֶסוֹר
proffer, *n.* & *v.t.* הַצָּעָה; הִצִּיעַ [יצע]
proficiency, *n.* יַדְעָנוּת, הִתְמַחוּת
proficient, *adj.* מֻבְהָק, מֻמְחֶה
profile, *n.* צְדוּדִית, מֶחְתָּךְ
profit, *n.* רֶוַח, תּוֹעֶלֶת, הֲנָאָה
profit, *v.t.* & *i.* הִרְוִיחַ [רוח], נֶהֱנָה [הנה], הֵפִיק [פוק] תּוֹעֶלֶת

profitable, *adj.* מוֹעִיל, מֵבִיא תּוֹעֶלֶת
profiteer, *n.* מַפְקִיעַ שְׁעָרִים
profligate, *adj.* & *n.* מֻפְקָר; הוֹלֵל
profound, *adj.* עָמֹק
profundity, *n.* עֹמֶק; עַמְקוּת
profuse, *adj.* נָדִיב, מַפְרִיז, וַתְּרָן
profusion, *n.* שֶׁפַע, נְדִיבוּת
progeny, *n.* צֶאֱצָאִים
prognosis, *n.* נְבוּאָה (קְבִיעָה) מֵרֹאשׁ
prognosticate, *v.t.* & *i.* נִבָּא
program, programme, *n.* תָּכְנִית
progress, *n.* הִתְקַדְּמוּת, קִדְמָה, שִׂגְשׂוּג
progress, *v.i.* הִתְקַדֵּם [קדם], שִׂגְשֵׂג
progression, *n.* מַהֲלָךְ
progressive, *adj.* מִתְקַדֵּם
prohibit, *v.t.* אָסַר
prohibition, *n.* אִסּוּר
prohibitive, *adj.* אוֹסֵר
project, *n.* מִבְצָע, תָּכְנִית
project, *v.t.* & *i.* זָרַק; עָרַךְ הַצָּעָה; בָּלַט
projectile, *n.* קָלַע, פָּגָז
projection, *n.* בְּלִיטָה; זְרִיקָה; קְלִיעָה
projector, *n.* זַרְקוֹר; צַלְמָנוֹעַ
proletarian, *adj.* & *n.* עָמֵל (חֲסַר כֹּל)
proletariat, *n.* מַעֲמַד הָעֲמֵלִים חַסְרֵי כֹּל
prolific, *adj.* פּוֹרֶה
prolix, *adj.* אַרְכָּן
prologue, *n.* פְּתִיחָה, רֵאשִׁית דָּבָר
prolong, prolongate, *v.t.* הֶאֱרִיךְ [ארך], הִמְשִׁיךְ [משך]
prolongation, *n.* הַאֲרָכָה, הַמְשָׁכָה
promenade, *n.* טִיּוּל; טַיֶּלֶת
prominence, *n*, חֲשִׁיבוּת; הִתְבַּלְּטוּת
prominent, *adj.* בּוֹלֵט; חָשׁוּב
promiscuity, *n.* פְּרִיצוּת; כִּלְאַיִם
promiscuous, *adj.* מְעֹרָב, פָּרוּץ
promise, *n.* הַבְטָחָה
promise, *v.t.* & *i.* הִבְטִיחַ [בטח]
promissory, *adj.* מַבְטִיחַ
promissory note שְׁטַר חוֹב
promote, *v.t.* & *i.* קִדֵּם, הֶעֱלָה [עלה]
promoter, *n.* מְעוֹרֵר, לַחֲשָׁן, מְדַרְבֵּן
promotion, *n.* הַעֲלָאָה, קִדּוּם, טִפּוּחַ, עוֹדְדוּת
prompt, *adj.* מוּכָן, דַּיְקָן
prompt, *v.t.* זֵרֵז, הֵסִית [סות]
promptitude, *n.* דַּיְקָנוּת
promptly, *adv.* בְּדִיּוּק
promptness, *n.* מְהִירוּת, זְרִיזוּת
promulgate, *v.t.* פִּרְסֵם, הוֹדִיעַ [ידע]
prone, *adj.* מֻטָּל עַל כְּרֵסוֹ, נוֹטֶה, עָלוּל
prong, *n.* חִדּוּד
pronoun, *n.* שֵׁם הַגּוּף, כִּנּוּי (דִּקְדּוּק)
pronounce, *v.t.* בִּטֵּא, הִבִּיעַ [נבע], חָרַץ (מִשְׁפָּט)
pronunciation, *n.* מִבְטָא, בִּטּוּי, הֲבָרָה
proof, *n.* רְאָיָה, הוֹכָחָה; נִסּוּי; הַגָּהָה; תְּכוּלַת הַכֹּהַל בְּמַשְׁקֶה מְשַׁכֵּר
proofreader, *n.* מַגִּיהַּ
prop, *n.* & *v.t.* מִשְׁעָן; תָּמַךְ, סָמַךְ
propaganda, *n.* תַּעֲמוּלָה
propagate, *v.t.* & *i.* הִרְבָּה [רבה], הוֹלִיד [ילד]; פָּרָה וְרָבָה; הֵפִיץ [פוץ]
propagation, *n.* פְּרִיָּה וּרְבִיָּה; הֲפָצָה
propel, *v.t.* דָּחַף, הֵנִיעַ [נוע]
propeller, *n.* מַדְחֵף
propensity, *n.* תְּשׁוּקָה, נְטִיָּה
proper, *adj.* רָאוּי, הָגוּן, נָכוֹן, מַתְאִים; פְּרָטִי, מְיֻחָד
properly, *adv.* כָּרָאוּי
property, *n.* תְּכוּנָה, טֶבַע; רְכוּשׁ, נְכָסִים, אֲחֻזָּה

prophecy, *n.* נְבוּאָה

prophesy, *v.t.* & *i.* נִבָּא, הִתְנַבֵּא [נבא]

prophet, *n.* נָבִיא, חוֹזֶה

Prophets, the נְבִיאִים

prophetic, prophetical, *adj.* נְבוּאִי

prophylactic, *adj.* מוֹנֵעַ מַחֲלָה

propitious, *adj.* נָעִים, רָצוּי, נוֹחַ

proportion, *n.* יַחַס, מִדָּה

proportion, *v.t.* הִתְאִים [תאם], חִלֵּק

proposal, *n.* הַצָּעָה

propose, *v.t.* & *i.* הִצִּיעַ [יצע], חָשַׁב, הִתְכַּוֵּן [כון]; דִּבֵּר בְּאִשָּׁה

proposition, *n.* הַצָּעָה; הַנָּחָה; שְׁאֵלָה; מִשְׁפָּט

propound, *v.t.* הִצִּיעַ [יצע] לִפְנֵי

proprietor, *n.* בַּעַל (בַּיִת)

proprietorship, *n.* בַּעֲלוּת

propriety, *n.* הֲגִינוּת, אֲדִיבוּת

propulsion, *n.* דְּחִיפָה

prosaic, *adj.* לֹא שִׁירִי; מָצוּי; מְשַׁעֲמֵם, רָגִיל, פָּשׁוּט

proscribe, *v.t.* אָסַר, הֶחֱרִים [חרם], הִגְלָה [גלה]

proscription, *n.* נִדּוּי, גֵּרוּשׁ, שְׁלִילַת זְכֻיּוֹת

prose, *n.* סִפְרוּת בְּלֹא מִשְׁקָל (חֲרוּזִים), לָשׁוֹן רְגִילָה

prosecute, *v.t.* & *i.* תָּבַע לְדִין, רָדַף

prosecution, *n.* תְּבִיעָה לְדִין

prosecutor, *n.* קָטֵגוֹר, מַרְשִׁיעַ

proselyte, *n.* גֵּר, גֵּר צֶדֶק

proselytize, *v.t.* גִּיֵּר

prospect, *n.* סִכּוּי, תִּקְוָה

prospect, *v.t.* חִפֵּשׂ (זָהָב וְכוּ׳)

prospective, *adj.* מְקֻוֶּה, נִכְסָף, מְצֻפֶּה

prospector, *n.* מְחַפֵּשׂ

prospectus, *n.* תַּסְכִּית, תָּכְנִיָּה

prosper, *v.t.* & *i.* הִצְלִיחַ [צלח], עָשָׂה (חַיִל) הוֹן, שִׂגְשֵׂג

prosperity, *n.* שֶׁפַע, שִׁפְעָה, שִׂגְשׂוּג

prosperous, *adj.* מַצְלִיחַ, עָשִׁיר, מֻצְלָח, מְשַׂגְשֵׂג; שׁוֹפֵעַ

prostitute, *n.* זוֹנָה, קְדֵשָׁה, יַצְאָנִית

prostitute, *v.t.* זָנָה, זִנָּה

prostitution, *n.* זְנוּת, זְנוּנִים

prostrate, *v.t.* מִגֵּר; הִשְׁלִיךְ [שלך] אַרְצָה; כָּשַׁל כֹּחַ

prostrate, *adj.* אֵין אוֹנִים מִשְׁתַּטֵּחַ, מֻטָּל אַרְצָה

prostration, *n.* קִדָּה, חֲלוּשָׁה, נְפִילַת אַפַּיִם, אֲפִיסַת כֹּחוֹת, דִּכְדּוּךְ

prosy, *adj.* מְשַׁעֲמֵם, מְיַגֵּעַ

protagonist, *n.* גִּבּוֹר (בְּמַחֲזֶה)

protect, *v.t.* הֵגֵן [גנן], גּוֹנֵן

protection, *n.* הֲגָנָה, מָגֵן, מַחְסֶה

protector, *n.* מָגֵן

protégé, protégée, *n.* חָסוּי, חֲסוּיָה

protein, *n.* חֶלְבּוֹן

protest, *n.*, *v.t.* & *i.* מְחָאָה; מָחָה, מִחָה, עִרְעֵר

Protestant, *n.* מִתְנַגֵּד לַכְּנֵסִיָּה הָרוֹמִית

protocol, *n.* פְּרָטֵי כֹּל; טֶכֶס (נֹהַג) רִשְׁמִי (מְדִינִי)

protoplasm, *n.* אַבְחֹמֶר

prototype, *n.* דֻּגְמָה רִאשׁוֹנָה

protract, *v.t.* הֶאֱרִיךְ [ארך]

protraction, *n.* הַאֲרָכָה, הִתְמַהְמְהוּת

protrude, *v.i.* בָּלַט

protrusion, *n.* בְּלִיטָה, הִתְבַּלְטוּת

protuberance, *n.* קֶשֶׁר; חָט; פִּיקָה

proud, *adj.* גֵּא, יָהִיר

prove, *v.t.* & *i.* הוֹכִיחַ [יכח], אִמֵּת; הֶרְאָה [ראה]

provender, *n.* תֶּבֶן, מִסְפּוֹא

proverb, *n.* מָשָׁל, פִּתְגָּם

Proverbs, *n. pl.* (סֵפֶר) מִשְׁלֵי
provide, *v.t.* & *i.* סִפֵּק, כִּלְכֵּל, הֵכִין [כון]; הִמְצִיא [מצא]; הִתְנָה [תנה]
providence, *n.* זְהִירוּת, חִסָּכוֹן
Providence, *n.* הַשְׁגָּחָה (עֶלְיוֹנָה), אֱלֹהִים
province, *n.* גָּלִיל, מָחוֹז
provincial, *adj.* קַרְתָּנִי, קַטְנוּנִי
provision, *n.* אַסְפָּקָה, צֵידָה
provisional, *adj.* אַרְעִי, זְמַנִּי
proviso, *n.* תְּנַאי
provocation, *n.* הֲסָתָה
provocative, *adj.* מֵסִית
provoke, *v.t.* עוֹרֵר [עור], הֵסִית [סות]
provost, *n.* נְגִיד מִכְלָלָה; מְפַקֵּד מִשְׁטָרָה צְבָאִית; שׁוֹפֵט
prow, *n.* חַרְטוֹם אֳנִיָּה
prowess, *n.* גְּבוּרָה, אֹמֶץ
prowl, *v.i.* שׁוֹטֵט [שוט], הִתְגַּנֵּב [גנב]
proximity, *n.* קִרְבָה
proxy, *n.* בָּא כֹּחַ, מֻרְשֶׁה
prude, *n.* קַפְּדָן, מִתְחַסֵּד, צָנוּעַ; מַצְנִיעַ לֶכֶת
prudence, *n.* זְהִירוּת
prudent, *adj.* זָהִיר, מָתוּן
prudish, *adj.* מִתְחַסֵּד, צָנוּעַ
prune, *n.* אֲחוֹן, אַחְוָנִית, שָׁזִיף
prune, *v.t.* זָמַר (עֵצִים)
prurience, pruriency, *n.* תְּשׁוּקָה, תַּאַוְתָנוּת
pry, *v.t.* & *i.* אָרַב, עִיֵּן, הִתְבּוֹנֵן [בין]
psalm, *n.* מִזְמוֹר
Psalms, *n. pl.*, Psalter, *n.* תְּהִלִּים
pseudonym, *n.* שֵׁם עֵט, שֵׁם בָּדוּי
psyche, *n.* נֶפֶשׁ הָאָדָם
psychiatry, *n.* תּוֹרַת מַחֲלוֹת הַנֶּפֶשׁ
psychic, psychical, *adj.* נַפְשִׁי
psychological, psychologic, *adj.* נַפְשִׁי

psychologist, *n.* מֻמְחֶה בְּתוֹרַת הַנֶּפֶשׁ
psychology, *n.* תּוֹרַת הַנֶּפֶשׁ
psychopath, *n.* חוֹלֵה (רוּחַ) נֶפֶשׁ
psychopathy, *n.* מַחֲלַת (רוּחַ) נֶפֶשׁ
pub, *n.* מִסְבָּאָה
puberty, *n.* בַּגְרוּת מִינִית; צֶמֶל
pubescence, *n.* הִתְבַּגְּרוּת; כֹּחַל
public, *adj.* & *n.* צִבּוּרִי; צִבּוּר, קָהָל
publication, *n.* פִּרְסוּם
public house מִסְבָּאָה, בֵּית (מַרְזֵחַ) יַיִן
publicity, *n.* פִּרְסוּם, פִּרְסֹמֶת
public school בֵּית סֵפֶר עֲמָמִי
publish *v.t.* פִּרְסֵם, הוֹצִיא [יצא] לָאוֹר
publisher, *n.* מוֹצִיא לָאוֹר, מו״ל
pucker, *v.t.* & *i.* הִתְכַּוֵּץ [כוץ]; קִמֵּץ
pudding, *n.* חֲבִיצָה
puddle, *n.* שְׁלוּלִית, גֶּבֶא
pudenda, *n. pl.* מָעוֹר, עֶרְוָה, מְבוּשִׁים
puerile, *adj.* יַלְדוּתִי
puerility, *n.* יַלְדוּת
puff, *v.t.* & *i.* נָשַׁב, הִפִּיחַ [נפח], עִשֵּׁן, הִתְנַפֵּחַ [נפח]
pugilism, *n.* אֶגְרוֹפָנוּת
pugilist, *n.* אֶגְרוֹפָן
pugnacious, *adj.* שׁוֹאֵף קְרָבוֹת, אוֹהֵב מִלְחָמָה
puissance, *n.* עָצְמָה; מַעֲצָמָה
puke, *v.i.* הֵקִיא [קיא]
pull, *n.* מְשִׁיכָה; הַשְׁפָּעָה
pull, *v.t.* & *i.* מָשַׁךְ, סָחַב, עָקַר, תָּלַשׁ; חָתַר (בְּמָשׁוֹט)
pullet, *n.* פַּרְגִּית, תַּרְנְגֹלֶת צְעִירָה
pulley, *n.* גַּלְגִּלָּה
pulp, *n.* בְּשַׂר הַפְּרִי; בְּלִילָה; רְבִיכָה; מִקְפָּא
pulpit, *n.* דּוּכָן, בִּימָה
pulsate, *v.i.* נָקַף, דָּפַק (לֵב)

pulsation, *n.* נְקִיפָה, דְּפִיקָה (לֵב)
pulse, *n.* נְקִיפָה, דֹּפֶק
pulverize, *v.t.* & *i.* שָׁחַק, כָּתַת, דָּקַק, טָחַן
pumice, *n.* אֶבֶן סְפוֹג
pump, *n.* מַשְׁאֵבָה
pump, *v.t.* שָׁאַב
pumpkin, *n.* דְּלַעַת
pun, *n.* מִשְׂחַק מִלִּים, לָשׁוֹן נוֹפֵל עַל לָשׁוֹן
punch, *v.t.* חָרַר, נִקֵּב; אִגְרֵף
punch, *n.* מַכַּת אֶגְרוֹף; מַקֶּב; שִׁקּוּי יַיִן וּפֵרוֹת
punctilious, *adj.* דַּיְקָנִי, קַפְּדָנִי
punctual, *adj.* מְדֻיָּק, דַּיְקָן
punctuality, *n.* דַּיְקָנוּת, דִּיּוּק
punctually, *adv.* בְּדִיּוּק
punctuate, *v.t.* נִקֵּד
punctuation, *n.* נִקּוּד, סִימָנֵי פִּסּוּק
puncture, *n.* תֶּקֶר, נְקִירָה, נֶקֶר
puncture, *v.t.* נָקַר, דָּקַר
pungency, *n.* חֲרִיפוּת
pungent, *adj.* חָרִיף, חַד
punish, *v.t.* עָנַשׁ
punishment, *n.* עֹנֶשׁ
punitive, *adj.* שֶׁל עֳנָשִׁים
punt, *n.* סִירַת מוֹטוֹת; בְּעִיטָה (כַּדּוּרֶגֶל)
punt, *v.t.* & *i.* חָתַר בְּמוֹט; בָּעַט (כַּדּוּרֶגֶל)
puny, *adj.* רָפֶה, חַלָּשׁ, פָּחוּת, פָּעוּט
pup, *n.* גּוּר (כְּלָבִים)
pupa, *n.* גֹּלֶם
pupil, *n.* אִישׁוֹן, בָּבָה; חָנִיךְ, תַּלְמִיד
puppet, *n.* בֻּבָּה
puppy, *n.* כְּלַבְלָב
purblind, *adj.* קְצַר רְאִיָּה; חֲסַר בִּינָה
purchase, *n.* קְנִיָּה; מִקָּחָה
purchase, *v.t.* קָנָה, רָכַשׁ, הִשִּׂיג (נשג); הֵרִים [רום] (בְּמָנוֹף)
purchaser, *n.* קוֹנֶה
pure, *adj.* טָהוֹר, נָקִי, זַךְ, צַח; בַּר לֵבָב
purée, *n.* דַּיְסָה
purely, *adv.* אַךְ וְרַק, לַחֲלוּטִין
pureness, *n.* טֹהַר נִקָּיוֹן, בֹּר (לֵבָב), זֹךְ
purgative, *adj.* מְשַׁלְשֵׁל
purgatory, *n.* גֵּיהִנּוֹם, תָּפְתֶּה, שְׁאוֹל
purge, *n.* מְשַׁלְשֵׁל; טִהוּר
purge, *v.t.* & *i.* שִׁלְשֵׁל; טִהֵר
purification, *n.* טִהוּר, נִקּוּי, טָהֳרָה
purify, *v.t.* טִהֵר; זִכֵּךְ; צֵרֵף, זִקֵּק
purism, *n.* טַהֲרָנוּת (בַּלָּשׁוֹן)
purity, *n.* טָהֳרָה, נִקָּיוֹן, זַכּוּת
purloin, *v.t.* גָּנַב
purple, *adj.* אַרְגְּמָנִי
purple, *n.* אַרְגָּמָן, אַרְגְּוָן
purport, *n.* מוּבָן, כַּוָּנָה
purpose, *n.* תַּכְלִית, מַטָּרָה
purr, pur, *n.* רִנְרוּן (חָתוּל)
purr, pur, *v.t.* & *i.* רִנְרֵן
purse, *n.* אַרְנָק, חָרִיט; פְּרָס, גְּמָלָה
purse, *v.t.* שָׂם [שים] בְּאַרְנָק; קָמַט, כִּוֵּץ
purser, *n.* גִּזְבַּר בָּאֳנִיָּה
pursue, *v.t.* & *i.* רָדַף; הִתְמִיד [תמד], הִמְשִׁיךְ [משך], עִקֵּב
pursuit, *n.* רְדִיפָה; מִשְׁלַח יָד, עֵסֶק
purvey, *v.t.* & *i.* סִפֵּק
purveyance, *n.* אַסְפָּקָה, סִפּוּק
purveyor, *n.* סַפָּק
pus, *n.* מֻגְלָה
push, *n.*, *v.t.* & *i.* דְּחִיפָה; דָּחַף, הָדַף; הֵאִיץ [אוץ], הֵחִישׁ [חוש]; נִדְחַק [דחק]
pusillanimity, *n.* מֹרֶךְ לֵב, פַּחְדָנוּת
pusillanimous, *adj.* מוּג (רַךְ) לֵב, פַּחְדָן
puss, pussy, *n.* חָתוּל, חֲתוּלָה

put, *v.t.* שָׂם [שׂים], שָׁת [שׁית], נָתַן, שָׁפַת (סִיר), הִנִּיחַ [נוח], הִשְׁכִּיב [שׁכב]

put in הִכְנִיס [כנס]; בָּא [בוא]

put off דָּחָה; פָּשַׁט

put on לָבַשׁ, נָעַל

put out גֵּרַשׁ, הוֹצִיא [יצא]; הִרְגִּיז [רגז]; כִּבָּה; נִקֵּר

put through בִּצַּע

putrefaction, *n.* מַק, רִקָּבוֹן

putrefy, *v.t.* & *i.* רָקַב, הִרְקִיב [רקב]

putrid, *adj.* מַבְאִישׁ

putty, *n.* & *v.t.* מֶרֶק, טְפֹלֶת, טֶפֶל; טָפַל

puzzle, *n.* חִידָה, מְבוּכָה

puzzle, *v.t.* & *i.* הִפְלִיא [פלא], חָד [חוד]; הָיָה נָבוֹךְ

pygmy, *n.* & *adj.* גַּמָּד, נַנָּס; אֶצְבְּעוֹנִי

pyjamas, *v.* pajamas

pylon, *n.* שַׁעַר

pyramid, *n.* הָרָם, חַדּוּדִית

pyre, *n.* מִשְׂרֶפֶת, מְדוּרָה

pyromania, *n.* שִׁגָּעוֹן הַצָּתָה, שְׁטוּחַ בְּאֵשׁ

python, *n.* פֶּתֶן

Q, q

Q, q, *n.* קְיוּ, הָאוֹת הַשְּׁבַע עֶשְׂרֵה בָּאָלֶף בֵּית הָאַנְגְּלִי

quack, *n.* קִרְקוּר; רַמַּאי; רוֹפֵא אֱלִיל

quack, *v.t.* קִרְקֵר; רִמָּה

quackery, *n.* מִרְמָה, תַּרְמִית, רַמָּאוּת

quadrangle, *n.* מְרֻבָּע

quadrant, *n.* רְבִיעַ, רֶבַע הָעִגּוּל (הַמַּעְגָּל)

quadrate, *v.t.* & *i.* רִבַּע; הִתְאִים [תאם], הִקְבִּיל [קבל]

quadrennial, *adj.* בֶּן (שֶׁל) אַרְבַּע שָׁנִים, אַחַת לְאַרְבַּע שָׁנִים

quadrilateral, *adj.* מְרֻבָּע, מְרֻבַּע הַצְּלָעוֹת

quadruped, *adj.* & *n.* בַּעַל אַרְבַּע רַגְלַיִם, הוֹלֵךְ עַל אַרְבַּע

quadruple, *adj.* & *adv.* כָּפוּל אַרְבָּעָה, אַרְבַּעְתַּיִם, פִּי אַרְבָּעָה

quadruple, *v.t.* & *i.* הִכְפִּיל [כפל] פִּי אַרְבָּעָה

quaff, *n.* לְגִימָה

quaff, *v.t.* & *i.* גָּמַע

quagmire, *n.* בִּצָּה, אֶרֶץ הַבֹּץ

quail, *n.* שְׂלָו, סְלָו

quaint, *adj.* מוּזָר, יָשָׁן

quake, *n.* רְעִידָה, רַעַד, רַעַשׁ, חֲרָדָה

quake, *v.i.* רָעַד, רָעַשׁ, הִתְגָּעֵשׁ [געש]

qualification, *n.* תְּכוּנָה; מִדָּה; תְּנַאי

qualify, *v.t.* אִיֵּךְ, הִכְשִׁיר [כשר]; אִפְיֵן

qualitative, *adj.* אֵיכוּתִי

quality, *n.* אֵיכוּת, מִין, סוּג

qualm, *n.* מוּסַר כְּלָיוֹת, בְּחִילָה

quandry, *n.* מְבוּכָה, פִּקְפּוּק

quantitative, *adj.* כַּמּוּתִי, סְכוּמִי

quantity, *n.* כַּמּוּת, סְכוּם

quarantine, *n.* & *v.t.* הֶסְגֵּר; הִסְגִּיר [סגר]

quarrel, *n.* & *v.i.* רִיב, מְרִיבָה, קְטָטָה, מָדוֹן, מַחֲלֹקֶת; רָב [ריב], הִתְקוֹטֵט [קטט]

quarrelsome, *adj.* יָרִיב, אִישׁ מָדוֹן

quarry, *n.* & *v.t.* מַחְצָבָה; חָצַב אֲבָנִים

quart, *n.* רְבִיעִית, קְוַרְט (שְׁנֵי פִּינְטִים)
quarter, *n.* רֶבַע; רֹבַע; שְׁכוּנָה
quarter, *v.t.* & *i.* חִלֵּק לְאַרְבָּעָה; הִשְׁכִּין [שכן], אִכְסֵן
quarterly, *n.* & *adj.* רִבְעוֹן; שֶׁל רֶבַע
quarterly, *adv.* פַּעַם בִּשְׁלשָׁה חֳדָשִׁים
quartermaster, *n.* אַפְסְנַאי
quartet, quartette, *n.* רְבִיעִיָּה
quarto, *n.* תַּבְנִית רָבוּעַ (4°)
quartz, *n.* חַלָּמִישׁ
quash, *v.t.* בִּטֵּל, שָׂם [שים] קֵץ
quaver, *n.* רֶטֶט, סִלְסוּל
quaver, *v.t.* רָעַד, סִלְסֵל
quay, *n.* רָצִיף
queasy, *adj.* בּוֹחֵל
queen, *n.* מַלְכָּה
queer, *adj.* מְשֻׁנֶּה, מוּזָר
quell, *v.t.* הִכְרִיעַ [כרע], הִכְנִיעַ [כנע], הִשְׁקִיט [שקט]
quench, *v.t.* כִּבָּה; שָׁבַר (צָמָא)
querulous, *adj.* קוֹבֵל, מִתְלוֹנֵן
query, *n.* שְׁאֵלָה; סִימַן שְׁאֵלָה
query, *v.t.* שָׁאַל, חָקַר; הֵטִיל [נטל] סָפֵק
quest, *n.* בַּקָּשָׁה, מִשְׁאָלָה, חֲקִירָה, חִפּוּשׂ
quest, *v.t.* & *i.* שִׁחֵר, בִּקֵּשׁ, חִפֵּשׂ
question, *n.* שְׁאֵלָה, קֻשְׁיָה, בְּעָיָה
question, *v.t.* & *i.* שָׁאַל, חָקַר, הִרְהֵר
question mark סִימַן שְׁאֵלָה (?)
questionnaire, *n.* שְׁאֵלוֹן
queue, *n.* תּוֹר, שׁוּרָה
quibble, *n.* פִּלְפּוּל
quibble, *v.i.* הִתְפַּלְפֵּל [פלפל]
quick, *adj.* זָרִיז, מָהִיר
quick, *adv.* חִישׁ, מַהֵר, מְהֵרָה
quicken, *v.t.* & *i.* הֶחֱיָה [חיה], מִהֵר, הֵחִישׁ [חיש], זֵרֵז
quickly, *adv.* מַהֵר, מְהֵרָה
quickness, *n.* זְרִיזוּת, מְהִירוּת
quicksilver, *n.* כַּסְפִּית, כֶּסֶף חַי
quiesce, *v.i.* הֶחֱרִישׁ [חרש]
quiescence, *n.* שַׁלְוָה
quiescent, *adj.* נִרְגָּע; נִבְלָע (דִּקְדּוּק)
quiet, *n.* שֶׁקֶט
quiet, *v.t.* & *i.* הִשְׁתִּיק [שתק], הִשְׁקִיט [שקט], הִרְגִּיעַ [רגע]
quietly, *adv.* בִּמְנוּחָה, בְּשֶׁקֶט
quietude, *n.* מְנוּחָה, דְּמָמָה
quietus, *n.* סוֹף, מָוֶת
quill, *n.* נוֹצָה, מוֹךְ
quilt, *n.* שְׂמִיכָה
quince, *n.* חַבּוּשׁ
quinine, *n.* כִּינִין
quinsy, *n.* אַסְכָּרָה
quintessence, *n.* תַּמְצִית
quintet, quintette, *n.* חֲמִישִׁיָּה
quintuple, *adj.* כָּפוּל חָמֵשׁ, פִּי חָמֵשׁ
quintuplet, *n.* חֲמִישִׁיָּה
quip, *n.* לִגְלוּג, עֲקִיצָה
quit, *v.t.* עָזַב, נָטַשׁ
quit, *adj.* מְפֻטָּר, מְשֻׁחְרָר
quite, *adv.* לְגַמְרֵי, בְּהֶחְלֵט
quitter, *n.* מִשְׁתַּמֵּט, רַךְ לֵב
quiver, *n.* רַעַד, פִּרְפּוּר
quiver, *v.i.* רָעַד, הִזְדַּעְזַע [זעזע]
quiver, *n.* תְּלִי, אַשְׁפָּה
quixotic, *adj.* דִּמְיוֹנִי, קִישׁוֹטִי
quiz, *n.* חִידוֹן; מִבְחָן; צְחוֹק
quiz, *v.t.* בָּחַן; לִגְלֵג
quorum, *n.* מִנְיָן
quota, *n.* מִכְסָה
quotation, *n.* הֲבָאָה, מַרְאֵה מָקוֹם, מוּבָאָה, סַעַד, צִיטָטָה
quote, *n.* & *v.t.* הֵבִיא [בא] סַעַד, צִטֵּט
quotient, *n.* חֵלֶק, מָנָה

R, r

R, r, *n.* אַר, הָאוֹת הַשְּׁמוֹנֶה עֶשְׂרֵה בָּאָלֶף־בֵּית הָאַנְגְּלִי

rabbi, *n.* רַב

rabbinical, rabbinic, *adj.* רַבָּנִי

rabbit, *n.* שָׁפָן

rabble, *n.* אֲסַפְסוּף

rabid, *adj.* מִתְאַנֵּף, מִתְגָּעֵשׁ

rabies, *n.* כַּלֶּבֶת

race, *n.* גֶּזַע

race, *n.* הִתְחָרוּת, מֵרוֹץ

race, *v.t.* & *i.* רָץ [רוץ]; הִתְחָרָה [חרה], הֵרִיץ [רוץ]

racial, *adj.* גִּזְעִי

rack, *n.* קֹלֶב; דְּפוּפָה; פַּס שִׁנַּיִם (בִּמְכוֹנָה); סַד

racket, *n.* כַּף, מַחְבֵּט; הֲמֻלָּה; רַמָּאוּת

racketeer, *n.* רַמַּאי, שׁוֹדֵד

racy, *adj.* חָרִיף, חַד

radar, *n.* מַכָּ"ם, מַכְשִׁירֵי כִּוּוּן וּמֶרְחָק

radiance, radiancy, *n.* זֹהַר

radiant, *adj.* מַזְהִיר, מַקְרִין

radiate, *v.t.* & *i.* הִקְרִין [קרן]

radiation, *n.* הַקְרָנָה

radiator, *n.* מַקְרֵן

radical, *adj.* יְסוֹדִי; קִיצוֹנִי; שָׁרְשִׁי

radical, *n.* קִיצוֹנִי; שֹׁרֶשׁ, אוֹת שָׁרְשִׁית (דִּקְדּוּק); סִימַן הַשֹּׁרֶשׁ (√‾)

radicalism, *n.* קִיצוֹנִיּוּת

radio, *n.* רַדְיוֹ, אַלְחוּט

radioactive, *adj.* פְּעִיל הַקְרָנָה

radiogram, *n.* מִבְרָק אַלְחוּטִי

radiology, *n.* תּוֹרַת הַהַקְרָנָה

radiotelegraph, *n.* מִבְרָק אַלְחוּטִי

radiotherapy, *n.* רִפּוּי בְּאוֹרִית

radish, *n.* צְנוֹן, צְנוֹנִית

radium, *n.* אוֹרִית

radius, *n.* מָחוֹג, חֲצִי קֹטֶר, קֶרֶן; תְּחוּם; עֶצֶם (בְּאַמַּת הַיָּד), הַקָּנֶה הַגָּדוֹל

radix, *n.* שֹׁרֶשׁ

raffle, *n.* הַגְרָלָה; גּוֹרָל, פַּיִס, פּוּר

raffle, *v.t.* הִגְרִיל [גרל], הִפִּיל [נפל] גּוֹרָל

raft, *n.* דֹּבְרָה, רַפְסוֹדָה

rafter, *n.* אֲצִילָה, כָּפִיס, קוֹרַת גַּג

rag, *n.* סְמַרְטוּט, בְּלָאָה, סְחָבָה

ragamuffin, *n.* (בַּעַל) לְבוּשׁ בְּלָאִים, רֵיקָא, פּוֹחֵז, בְּלִיַּעַל

rage, *n.* חָרוֹן, כַּעַס, חֳרִי אַף

rage, *v.i.* זָעַף, הִתְקַצֵּף [קצף], הִתְגָּעֵשׁ [געש]

ragged, *adj.* בָּלוּי, לָבוּשׁ בְּלָאוֹת

raid, *n.* פְּשִׁיטָה, הִתְנַפְּלוּת

raid, *v.t.* פָּשַׁט עַל

rail, *n.* מַעֲקֶה, גָּדֵר, שְׂבָכָה, סָרִיג; פַּס בַּרְזֶל

rail, *v.t.* & *i.* גִּדֵּף, לָעַג; סָרַג; שָׁלַח בִּמְסִלַּת בַּרְזֶל

railing, *n.* מַעֲקֶה; פַּסֵּי בַּרְזֶל

railroad, railway, *n.* מְסִלַּת בַּרְזֶל

raiment, *n.* לְבוּשׁ, מַלְבּוּשׁ

rain, *n.* גֶּשֶׁם, מָטָר, יוֹרֶה (גֶּשֶׁם רִאשׁוֹן), מַלְקוֹשׁ (גֶּשֶׁם אַחֲרוֹן)

rain, *v.t.* & *i.* הִגְשִׁים [גשם], הִמְטִיר [מטר]

rainbow, *n.* קֶשֶׁת

raincoat, *n.* מְעִיל גֶּשֶׁם

raindrop, *n.* אֵגֶל, טִפַּת גֶּשֶׁם

rainfall, *n.* רְבִיעָה, יְרִידַת גְּשָׁמִים

rainy, *adj.* גָּשׁוּם, סַגְרִירִי

raise, *v.t.* הֵרִים [רום], הֶעֱלָה [עלה] (מְחִירִים); הֵנִיף [נוף] (דֶּגֶל); דָּלָה (מַיִם); זָקַף (רֹאשׁ); הֵקִים [קום] הִגְבִּיהַּ [גבה]; הֵעִיף [עוף] (עַיִן); גִּדֵּל (יְלָדִים); הִצְמִיחַ [צמח]; רִבָּה (מִקְנֶה); הִשִּׂיג [נשג] (כְּסָפִים); עוֹרֵר [עור] (תִּקְוָה, שְׁאֵלָה)

raise, *n.* הֲרָמָה; הוֹסָפָה, תּוֹסֶפֶת

raisin, *n.* צִמּוּק

rake, *n.* מֻפְקָר; מַגְרֵפָה; מַחְתָּה

rake, *v.t.* & *i.* הִתְפַּקֵּר [פקר]; גָּרַף, אָסַף; חָתָה

rally, *n.* מִפְגָּשׁ; הִתְעוֹרְרוּת, הִתְאַמְּצוּת; הִתְאוֹשְׁשׁוּת, הִתְעוֹדְדוּת

rally, *v.t.* & *i.* הִתְאַחֵד [אחד] (מֵחָדָשׁ), הִתְעוֹרֵר [עור]; קִבֵּץ; הִתְאוֹשֵׁשׁ [אשש], הִתְעוֹדֵד [עדד]

ram, *n.* רְאֵם; עַתּוּד; אַיִל; מַזַּל טָלֶה

ram, *v.t.* נָגַח; תָּקַע, אִיֵּל, תָּחַב, דָּחַף

ramble, *n.* הִתְשׁוֹטְטוּת, הִשְׂתָּרְכוּת

ramble, *v.i.* שׁוֹטֵט [שוט], נָדַד

rambler, *n.* מְשׁוֹטֵט, נוֹדֵד

ramification, *n.* הִסְתָּעֲפוּת, הִתְפַּצְּלוּת; עֳפִי, עָנָף

ramify, *v.t.* & *i.* הִסְתָּעֵף [סעף], הִתְפַּצֵּל [פצל]

ramp, *n.* שִׁפּוּעַ, מַעֲבָר מִדְרוֹנִי; סוֹלְלָה

ramp, *v.i.* זִנֵּק; טִפֵּס (צֶמַח); עָמַד עַל רַגְלָיו (לַיִשׁ)

rampage, *n.* הִתְנַהֲגוּת פְּרוּעָה

rampant, *adj.* פָּרוּעַ, עוֹבֵר גְּבוּל

rampart, *n.* סוֹלְלָה, דָּיֵק

ramshackle, *adj.* רָעוּעַ

ranch, *n.* חַוָּה

rancid, *adj.* מְקֻלְקָל, נָאֱלָח

rancor, rancour, *n.* אֵיבָה, שִׂטְנָה

random, *adj.* מִקְרִי, לְלֹא מַטָּרָה

random, *n.* הִזְדַּמְּנוּת, מִקְרֶה

range, *n.* שׁוּרָה, שַׁלְשֶׁלֶת (הָרִים); מִרְעֶה; מַעֲרָכָה; סֵדֶר; כִּירָה

range, *v.t.* & *i.* סִדֵּר, מִיֵּן; הִתְיַצֵּב [יצב] בְּמַעֲרָכָה; הִתְפַּשֵּׁט [פשט], הִשְׂתָּרַע [שרע]

rank, *adj.* סָרוּחַ, נִבְאָשׁ; פָּרוּעַ; נָאֱלָח

rank, *n.* שׁוּרָה, דַּרְגָּה, תּוֹר (חַיָּלִים)

rank, *v.t.* & *i.* הֶעֱמִיד [עמד] בְּשׁוּרָה

ransack, *n.* מְשִׁסָּה

ransack, *v.t.* & *i.* בָּזַז, שָׁלַל

ransom, *n.* כֹּפֶר, פִּדְיוֹן

ransom, *v.t.* נָתַן כֹּפֶר

rant, *v.i.* צָרַח, צָוַח

rap, *n.* דְּפִיקָה

rap, *v.t.* & *i.* דָּפַק, הִתְדַּפֵּק [דפק]

rapacious, *adj.* חַמְסָנִי, גַּזְלָנִי; לָהוּט, חַמְדָן

rape, *n.* אֹנֶס; לֶפֶת

rape, *v.t.* אָנַס

rapid, *adj.* & *n.* מָהִיר; אֲשֵׁדָה

rapidity, *n.* מְהִירוּת

rapture, *n.* אֹשֶׁר

rare, *adj.* נָדִיר, יְקַר הַמְּצִיאוּת; נָא, צָלוּי לְמֶחֱצָה

rarefy, *v.t.* & *i.* הִתְקַלֵּשׁ [קלש], דִּקֵּק

rarely, *adv.* לְעִתִּים רְחוֹקוֹת

rarity, *n.* נְדִירוּת

rascal, *n.* נָבָל

rash, *adj.* נִמְהָר, פָּזִיז

rash, *n.* תִּפְרַחַת (עוֹר)

rasp, *n.* מְשִׁיפָה

rasp, *v.t.* & *i.* גֵּרַד, שָׁף [שוף]

raspberry, *n.* פֶּטֶל, תּוּת

rat, *n.* עַכְבְּרוֹשׁ, חֻלְדָּה

rate, *n.* מְחִיר, עֵרֶךְ; שִׁעוּר, קֶצֶב

rate, *v.t.* & *i.* נָזַף; אָמַד; הֶעֱרִיךְ [ערך]

rather, *adv.* לְהֶפֶךְ, מוּטָב שֶׁ־; מְאֹד, בְּמִדָּה יְדוּעָה

ratification, *n.* אִשּׁוּר, קִיּוּם

ratify, *v.t.* אִשֵּׁר, קִיֵּם

rating, *n.* הַעֲרָכָה; מַדְרֵגָה; גְּעָרָה

ratio, *n.* עֵרֶךְ, יַחַס

ration, *n.* מָנָה

ration, *v.t.* קָצַב, חִלֵּק

rational, *adj.* שִׂכְלִי, שִׂכְלְתָנִי

rationalism, *n.* שִׂכְלְתָנוּת

rationalize, *v.t.* שִׂכֵּל, הִשְׂכִּיל [שכל]

rattle, *n.* רַעֲשָׁן, רַעַשׁ; קִשְׁקוּשׁ, קַשְׁקָשָׁה

rattle, *v.t.* & *i.* קִשְׁקֵשׁ, דִּבֵּר מַהֵר; הֵבִיךְ [בוך]

rattlesnake, *n.* עֶכֶס, עֶכֶן

raucous, *adj.* צָרוּד, נִחָר

ravage, *n.* חָרְבָּן, שׁוֹאָה

ravage, *v.t.* הֶחֱרִיב [חרב] הִשְׁחִית [שחת]

rave, *v.i.* הִשְׁתּוֹלֵל [שלל], דִּבֵּר מִתּוֹךְ הֲזָיָה (שִׁגָּעוֹן), הִשְׁתַּגַּע [שגע]; הִתְמַרְמֵר [מרמר]

ravel, *n.* סְבַךְ (חוּטִים), תִּסְבֹּכֶת

ravel, *v.t.* & *i.* סִבֵּךְ, הִסְתַּבֵּךְ [סבך]

raven, *n.* עוֹרֵב

ravenous, *adj.* זוֹלֵל, גַּרְגְּרָן

ravine, *n.* גַּיְא

ravish, *v.t.* אָנַס; לִבֵּב, קָסַם

ravishment, *n.* קְסִימָה, לִבּוּב; אִנּוּס

raw, *adj.* סַגְרִירִי (אֲוִיר); חַי (בָּשָׂר), בִּלְתִּי מְבֻשָּׁל; גָּלְמִי; גַּס (חֹמֶר); בִּלְתִּי מְחֻנָּךְ

ray, *n.* קֶרֶן אוֹר; שֶׁמֶץ

rayon, *n.* זְהוֹרִית

raze, *v.t.* עֵרָה; מָחָה, מָחַק

razor, *n.* מִגְלֵחַ, מְכוֹנַת (תַּעַר) גִּלּוּחַ, מוֹרָה

reach, *v.t.* & *i.* הִגִּיעַ [נגע], הִשִּׂיג [נשג]; הוֹשִׁיט [ישט] יָד

react, *v.i.* הֵגִיב [גוב], הִתְפָּעֵל [פעל]

reaction, *n.* תְּגוּבָה, פְּעֻלָּה (הַשְׁפָּעָה) חוֹזֶרֶת, נְסִיגָה

reactionary, *adj.* & *n.* נָסוֹג אָחוֹר

read, *v.t.* & *i.* קָרָא, הִקְרִיא [קרא]

reader, *n.* קוֹרֵא, מִקְרָאָה

readily, *adv.* בְּרָצוֹן, בְּחֵפֶץ לֵב; מִיָּד, בִּמְהִירוּת

readiness, *n.* נְכוֹנוּת

reading, *n.* קְרִיאָה, הַקְרָאָה

readjust, *v.t.* סִגֵּל שֵׁנִית

readjustment, *n.* הִסְתַּגְּלוּת, סִגּוּל מֵחָדָשׁ

ready, *adj.* מוּכָן, מְזֻמָּן

reagent, *n.* מַפְעִיל, מְעוֹרֵר

real, *adj.* אֲמִתִּי, מַמָּשִׁי

real estate, *n.* נִכְסֵי דְלָא נָיְדֵי, מְקַרְקְעִים

realistic, *adj.* מְצִיאוּתִי, מַמָּשִׁי

reality, *n.* מְצִיאוּת, מַמָּשׁוּת

realization, *n.* הִתְגַּשְּׁמוּת

realize, *v.t.* הִגְשִׁים [גשם], הִשִּׂיג [נשג]

really, *adv.* בֶּאֱמֶת

realm, *n.* מַמְלָכָה; תְּחוּם

realty, *n.* נִכְסֵי דְלָא נָיְדֵי

ream, *n.* חֲבִילַת נְיָר, רִים

ream, *v.t.* קִדֵּד

reamer, *n.* מַקְדֵּד

reap, *v.t.* קָצַר, אָסַף

reaper, *n.* קוֹצֵר; מַקְצֵרָה

reappear, *v.i.* הוֹפִיעַ [יפע] שׁוּב

rear, *adj.* אֲחוֹרִי, אֲחוֹרַנִּי

rear, *n.*, *v.t.* & *i.* אָחוֹר; רוֹמֵם [רום]; גִּדֵּל, רִבָּה, חִנֵּךְ; הִתְרוֹמֵם [רום] (סוּס), עָמַד עַל רַגְלָיו הָאֲחוֹרִיּוֹת

rearm, *v.t.* זִיֵּן, הִזְדַּיֵּן [זין] מֵחָדָשׁ

reason, *n.* בִּינָה; טַעַם, סִבָּה; דַּעַת

reason, *v.t.* & *i.* חָשַׁב, הִתְוַכֵּחַ [וכח]
reasonable, *adj.* צוֹדֵק, שִׂכְלִי
reassure, *v.t.* הִבְטִיחַ [בטח] מֵחָדָשׁ
rebate, *n.* הֲנָחָה
rebate, *v.t.* הוֹרִיד [ירד] מֵהַמְּחִיר
rebel, *adj.*, *n.* & *v.i.* מוֹרֵד; מָרַד
rebellion, *n.* מֶרֶד, הִתְקוֹמְמוּת
rebellious, *adj.* מוֹרֵד
rebirth, *n.* תְּחִיָּה
rebound, *n.* & *v.i.* הֵד, בַּת קוֹל; קְפִיצָה אָחוֹרָה; קָפַץ לְאָחוֹר
rebuff, *n.* דְּחִיפָה, סֵרוּב
rebuild, *v.t.* בָּנָה שֵׁנִית
rebuke, *n.* & *v.t.* נְזִיפָה, גְּעָרָה; גָּעַר
rebut, *v.t.* & *i.* הֵזֵם [זמם], סָתַר
rebuttal, *n.* הֲזָמָה
recalcitrant, *adj.* מַמְרֶה
recall, *v.t.* הִזְכִּיר [זכר]; נִזְכַּר [זכר], הֵשִׁיב [שוב], הֶחֱזִיר [חזר]
recall, *n.* הַחֲזָרָה, הֲשָׁבָה
recantation, *n.* חֲרָטָה
recapitulate, *v.t.* סִכֵּם
recapitulation, *n.* סִכּוּם
recapture, *v.t.* חָזַר וְלָכַד
recast, *v.t.* יָצַק שֵׁנִית
recede, *v.i.* נָסוֹג, נִרְתַּע [רתע]
receipt, *n.* קַבָּלָה
receive, *v.t.* קִבֵּל
recent, *adj.* חָדָשׁ, בָּא מִקָּרוֹב
receptacle, *n.* כְּלִי, בֵּית קִבּוּל
reception, *n.* קַבָּלַת פָּנִים
receptivity, *n.* קַבְּלוּן, תְּפִיסָה
recess, *n.* הַפְסָקָה; מִשְׁקָע; מַחֲבוֹא
recipe, *n.* תְּרוּפָה; מִרְשָׁם; פִּרְטָה
recipient, *adj.* & *n.* מְקַבֵּל
reciprocal, *adj.* הֲדָדִי
reciprocate, *v.t.* & *i.* גָּמַל, הֵשִׁיב [שוב]
reciprocation, reciprocity, *n.* הֲדָדִיּוּת
recital, *n.* מֵיפָע
recitation, *n.* הַקְרָאָה
recite, *v.t.* & *i.* סִפֵּר, אָמַר בְּעַל פֶּה, הִקְרִיא [קרא]
reckless, *adj.* נִמְהָר, אִי זָהִיר, פָּזִיז
reckon, *v.t.* & *i.* חָשַׁב, הִתְחַשֵּׁב [חשב], סָמַךְ עַל
reclaim, *v.t.* תָּבַע בַּחֲזָרָה, הִשְׁבִּיחַ [שבח]
reclamation, *n.* דְּרִישָׁה בַּחֲזָרָה; טִיּוּב
recline, *v.t.* & *i.* הִטָּה [נטה], הֵסֵב [סבב], שָׁכַב
recluse, *adj.* & *n.* בּוֹדֵד, מִתְבּוֹדֵד
recognition, *n.* הַכָּרָה, הוֹדָאָה
recognize, *v.t.* & *i.* הִכִּיר [נכר], הוֹדָה [ידה]
recoil, *n.* הַרְתָּעָה
recoil, *v.t.* & *i.* נִרְתַּע [רתע]
recollect, *v.t.* & *i.* זָכַר; נִזְכַּר [זכר]
recollection, *n.* זִכָּרוֹן
recommence, *v.t.* & *i.* הִתְחִיל [תחל] שׁוּב
recommend, *v.t.* הִמְלִיץ [מלץ], יָעַץ
recommendation, *n.* הַמְלָצָה, עֵצָה
recompense, *n.* תַּגְמוּל, גְּמוּל
recompense, *v.t.* & *i.* גָּמַל
reconcile, *v.t.* הִשְׁלִים [שלם], פִּשֵּׁר
reconciliation, *n.* הִתְפַּשְּׁרוּת, הַשְׁלָמָה
recondition, *v.t.* חִדֵּשׁ
reconnaissance, reconnoissance, *n.* סִיּוּר, רִגּוּל
reconquer, *v.t.* כָּבַשׁ שֵׁנִית
reconsider, *v.t.* חָשַׁב שֵׁנִית
reconstruct, *v.t.* חָזַר וּבָנָה
reconstruction, *n.* בְּנִיָּה מְחֻדֶּשֶׁת
reconvene, *v.t.* & *i.* הִתְכַּנֵּס [כנס] שֵׁנִית, כָּנַס שֵׁנִית

record, *n.* זִכְרוֹן דְּבָרִים, רְשִׁימָה; תַּקְלִיט
record, *v.t.* רָשַׁם, הִקְלִיט [קלט]
recorder, *n.* מַזְכִּיר, רוֹשֵׁם; מַקְלִיט
record player מָקוֹל
recount, *v.t.* סִפֵּר בִּפְרוֹטְרוֹט; מָנָה שֵׁנִית
recoup, *v.t.* שִׁלֵּם (קִבֵּל) פִּצּוּיִים
recourse, *n.* מִפְלָט
recover, *v.t. & i.* הֵשִׁיב [שוב], רָכַשׁ שֵׁנִית; הִתְרַפֵּא [רפא], הִבְרִיא [ברא]; כִּסָּה (רִפֵּד) שֵׁנִית
recovery, *n.* הֲשָׁבַת אֲבֵדָה; הַבְרָאָה, הַחְלָמָה
recreate, *v.t.* שָׁב [שוב] וְיָצַר; שִׁעֲשַׁע
recreation, *n.* יְצִירָה מֵחָדָשׁ; מַרְגּוֹעַ; שַׁעֲשׁוּעַ
recriminate, *v.t. & i.* הֶאֱשִׁים [אשם] אֶת הַמַּאֲשִׁים
recrimination, *n.* הַאֲשָׁמָה נֶגְדִּית, הַאֲשָׁמַת הַמַּאֲשִׁים
recruit, *n.* טִירוֹן (צָבָא)
recruit, *v.t. & i.* גִּיֵּס, הֵרִים [רום] צָבָא; סָעַד לִבּוֹ; הִבְרִיא [ברא]; שָׁב [שוב] וְהִצְטַיֵּד [ציד]
rectangle, *n.* מְרֻבָּע, מַלְבֵּן
rectangular, *adj.* מְרֻבָּע, יְשַׁר זָוִית
rectification, *n.* יִשּׁוּר; תִּקּוּן; זִקּוּק, צְרִיפָה
rectify, *v.t.* תִּקֵּן; זִקֵּק, זִכֵּךְ
rectitude, *n.* יֹשֶׁר, תֹּם
rector, *n.* נָגִיד, נְגִיד מִכְלָלָה
rectum, *n.* חַלְחֹלֶת
recumbent, *adj.* שׁוֹכֵב
recuperate, *v.t. & i.* הִבְרִיא [ברא], הֶחֱלִים [חלם], שָׁב [שוב] לְאֵיתָנוֹ
recuperation, *n.* הַבְרָאָה, הַחְלָמָה
recur, *v.i.* שָׁב [שוב] וְחָזַר; נִשְׁנָה [שנה]; נִזְכַּר [זכר]

recurrence, *n.* שִׁיבָה, חֲזָרָה
red, *adj.* אָדֹם
red cross, *n.* הַצְּלָב הָאָדֹם
redden, *v.t. & i.* אִדֵּם, הִתְאַדֵּם [אדם], הִסְמִיק [סמק] הִסְתַּמֵּק [סמק]
reddish, *adj.* אֲדַמְדַּם, אַדְמוֹנִי
redeem, *v.t.* גָּאַל, מִלֵּא (הַבְטָחָה), פָּרַע (חוֹב)
redeemer, *n.* גּוֹאֵל, פּוֹדֶה, מוֹשִׁיעַ
redemption, *n.* גְּאֻלָּה, פִּדְיוֹן
redevelop, *v.t. & i.* פִּתַּח שֵׁנִית, הִתְפַּתֵּחַ [פתח] שֵׁנִית
redness, *n.* אֹדֶם, סֹמֶק, סִקְרָה
redolent, *adj.* רֵיחָנִי, נִיחוֹחִי
redouble, *v.t. & i.* גָּדַל, רָבָה, הוֹסִיף [יסף], הִגְדִּיל [גדל]
redoubt, *n.* סוֹלְלָה
redress, *n.* פִּצּוּי; תִּקּוּן מְעֻוָּת
reduce, *v.t.* הִקְטִין [קטן], הִמְעִיט [מעט], הִפְחִית [פחת]
reduction, *n.* הֲנָחָה (מִמְּחִיר), הַפְחָתָה
redundant, *adj.* עוֹדֵף, מְיֻתָּר
re-echo, *n.* בַּת הֵד
re-echo, *v.t. & i.* הֵדֵּד (הִדְהֵד) שֵׁנִית
reed, *n.* סוּף, קָנֶה, אַגְמוֹן; אַבּוּב
reef, *n.* שֵׁן (צוּק) יָם
reek, *n.* בָּאְשָׁה, סִרְחוֹן; עָשָׁן, הֶבֶל
reek, *v.i.* בָּאַשׁ, הִסְרִיחַ [סרח]; הֶהְבִּיל [הבל]
reel, *n.* סְלִיל, אַשְׁוָה
reel, *v.t. & i.* הִסְלִיל [סלל], כָּרַךְ (עַל סְלִיל); הִתְמוֹטֵט [מוט]
re-elect, *v.t.* בָּחַר שׁוּב
re-enter, *v.t. & i.* נִכְנַס [כנס] שׁוּב; הִכְנִיס [כנס] שׁוּב
re-establish, *v.t.* הֵקִים [קום] שׁוּב, יִסֵּד שׁוּב

refer, *v.t.* & *i.* יִחֵס, הִתְיַחֵס [יחס] לְ, הִפְנָה [פנה]
referee, *n.* בּוֹרֵר
reference, *n.* עִיּוּן; עִנְיָן, יַחַס; הַמְלָצָה
referendum, *n.* מִשְׁאַל עָם
refill, *v.t.* מִלֵּא שׁוּב
refine, *v.t.* & *i.* זִקֵּק, סִנֵּן, הִסְתַּנֵּן [סנן]
refinement, *n.* זִקּוּק; עֲדִינוּת
refinery, *n.* בֵּית זִקּוּק
refit, *v.t.* & *i.* הִתְקִין [תקן] שׁוּב
reflect, *v.t.* & *i.* הִקְרִין [קרן] (אֲחוֹרָה); חָשַׁב; בִּיֵּשׁ; הִשְׁתַּקֵּף [שקף]
reflection, reflexion, *n.* הַקְרָנָה; הִרְהוּר; עִיּוּן; הַאֲשָׁמָה; הִשְׁתַּקְּפוּת
reflector, *n.* מַחֲזִירוֹר, מַקְרִין
reflex, *n.* בָּבוּאָה; תְּנוּעָה שֶׁלֹּא מֵרָצוֹן
reforest, *v.t.* יִעֵר שׁוּב
reform, *v.t.* & *i.* תִּקֵּן; הִשְׁתַּנָּה [שנה] לְטוֹבָה, הֵיטִיב [יטב] דַּרְכּוֹ
reformation, *n.* תִּקּוּן; שִׁנּוּי עֲרָכִין; תִּקּוּן (חִדּוּשׁ) הַדָּת
reformatory, *n.* בֵּית אֲסוּרִים לַעֲבַרְיָנִים צְעִירִים
reformer, *n.* מְתַקֵּן
refraction, *n.* תִּשְׁבֹּרֶת
refractory, *adj.* סוֹרֵר, סוֹרֵר וּמוֹרֶה
refrain, *n.* חֲזֹרֶת (שִׁיר)
refrain, *v.t.* & *i.* מָנַע, הִתְאַפֵּק [אפק]
refresh, *v.t.* & *i.* הֶחֱיָה [חיה], הִרְוָה [רוה]
refreshment, *n.* תִּקְרֹבֶת
refrigerate, *v.t.* קֵרֵר
refrigeration, *n.* קֵרוּר
refrigerator, *n.* מְקָרֵר
refuge, *n.* מִקְלָט
refugee, *n.* פָּלִיט
refulgent, *adj.* מַבְרִיק, מַזְהִיר
refund, *n.* כֶּסֶף מוּשָׁב
refund, *v.t.* הֶחֱזִיר [חזר] כֶּסֶף
refusal, *n.* סֵרוּב, מֵאוּן
refuse, *n.* פְּסֹלֶת, זֶבֶל
refuse, *v.t.* & *i.* סֵרֵב, מֵאֵן
refutation, *n.* דְּחִיָּה, הֲזָמָה
refute, *v.t.* הִכְחִישׁ [כחש]
regain, *v.t.* רָכַשׁ שׁוּב
regal, *adj.* מַלְכוּתִי; מְפֹאָר
regale, *v.t.* & *i.* שִׁעֲשַׁע, הֶאֱכִיל [אכל] וְהִשְׁקָה [שקה], אָכַל וְשָׁתָה
regalia, *n. pl.* גִּנּוּנֵי (סִימָנֵי) מְלָכִים; תִּלְבֹּשֶׁת הוֹד
regard, *n.* כָּבוֹד, חִבָּה; יַחַס; דְּרִישַׁת (פְּרִיסַת) שָׁלוֹם; מַבָּט
regard, *v.t.* & *i.* חָשַׁב לְ־, הִתְבּוֹנֵן [בין], כִּבֵּד, שָׂם [שים] לֵב
regenerate, *adj.* מְחֻדָּשׁ
regeneration, *n.* הִתְחַדְּשׁוּת
regent, *n.* עוֹצֵר, שַׁלִּיט
regild, *v.t.* הִזְהִיב [זהב] שׁוּב
regime, *n.* שִׁלְטוֹן; מִנְהָלָה
regiment, *n.* גְּדוּד
region, *n.* אֵזוֹר; מָחוֹז
regional, *adj.* גְּלִילִי, מְחוֹזִי
register, *n.* רְשִׁימָה
register, *v.t.* רָשַׁם, נִרְשַׁם [רשם]; שָׁלַח (בַּדֹּאַר) בְּאַחֲרָיוּת
registered, *adj.* רָשׁוּם
registrar, *n.* רַשָּׁם, דִּפְתְּרָן
registration, *n.* רִשּׁוּם, הַרְשָׁמָה
registry, *n.* מְקוֹם הָרִשּׁוּם
regress, regression, *n.* נְסִיגָה לְאָחוֹר
regret, *n.* דַּאֲבוֹן; חֲרָטָה; צַעַר
regret, *v.t.* הִתְחָרֵט [חרט], הִצְטַעֵר [צער]
regretful, *adj.* מִצְטַעֵר
regular, *adj.* קָבוּעַ, רָגִיל, תַּקִּין
regularity, *n.* קְבִיעוּת

regulate, *v.t.* וִסֵּת, כִּוֵּן, סִדֵּר, הִסְדִּיר [סדר]

regulation, *n.* הֶסְדֵּר, וִסּוּת, סִדּוּר; חֹק; תַּקָּנָה

regulator, *n.* וַסָּת

regurgitate, *v.t.* & *i.* הֶעֱלָה [עלה] גֵּרָה, הֵקִיא [קיא]

rehabilitate, *v.t.* הֵשִׁיב [שוב] (כְּבוֹד אָדָם) לְקַדְמוּתוֹ

rehabilitation, *n.* הֲשָׁבַת כְּבוֹד אָדָם

rehearsal, *n.* שִׁנּוּן, חֲזָרָה

rehearse, *v.t.* שִׁנֵּן, חָזַר

reign, *n.* שִׁלְטוֹן, מְלוּכָה, מַלְכוּת

reign, *v.i.* מָלַךְ, מָשַׁל, שָׁלַט

reimburse, *v.t.* הֵשִׁיב [שוב], הֶחֱזִיר [חזר] (כֶּסֶף, וְכוּ'), שִׁלֵּם בַּחֲזָרָה

reimbursement, *n.* תַּשְׁלוּם, הֲשָׁבַת מָמוֹן

rein, *n.* מוֹשְׁכָה (לְסוּס)

rein, *v.t.* & *i.* נָהַג בְּמוֹשְׁכוֹת

reincarnation, *n.* תְּחִיָּה, תְּחִיַּת הַנֶּפֶשׁ

reindeer, *n.* הָאַיָּל הַבֵּיתִי

reinforce, *v.t.* חִזֵּק

reins, *n. pl.* כְּלָיוֹת

reinstate, *v.t.* הֵשִׁיב [שוב] לְמַצָּבוֹ הַקּוֹדֵם, הֶחֱזִיר [חזר] לִמְקוֹמוֹ (מִשְׂרָתוֹ)

reinsure, *v.t.* בִּטַּח שׁוּב

reiterate, *v.t.* שָׁנָה, חָזַר עַל

reiteration, *n.* חֲזָרָה, שִׁנּוּן

reject, *v.t.* דָּחָה, פָּסַל, מֵאֵן

rejection, *n.* דְּחִיָּה, סֵרוּב, מֵאוּן

rejoice, *v.t.* & *i.* שִׂמַּח, שָׂמַח, שָׂשׂ [שיש], חָדָה

rejoicing, *n.* שָׂשׂוֹן, גִּילָה, שִׂמְחָה, דִּיצָה, חֶדְוָה

rejoin, *v.t.* & *i.* הִתְחַבֵּר [חבר] שׁוּב, הִצְטָרֵף [צרף] שׁוּב; הֵשִׁיב [שוב], עָנָה (בְּדִין)

rejoinder, *n.* מַעֲנֶה

rejuvenate, *v.t.* חִדֵּשׁ נְעוּרִים

rekindle, *v.t.* & *i.* הִבְעִיר [בער] שׁוּב, הִלְהִיב [להב] שׁוּב

relapse, *n.* נְסִיגָה, שִׁיבָה, הִשָּׁנוּת (חֳלִי)

relapse, *v.i.* חָזַר, שָׁב [שוב] חֳלִי

relate, *v.t.* & *i.* הִגִּיד [נגד], סִפֵּר, יִחֵס; הִתְיַחֵס [יחס]

relation, *n.* שַׁיָּכוּת, יַחַס; שְׁאֵר בָּשָׂר, קִרְבָה (מִשְׁפָּחָה)

relationship, *n.* קִרְבָה, יַחַס, שַׁיָּכוּת

relative, *adj.* & *n.* יַחֲסִי; קָרוֹב, שְׁאֵר בָּשָׂר; כִּנּוּי שֵׁם

relatively, *adv.* בְּאֹפֶן יַחֲסִי

relativity, *n.* יַחֲסוּת

relax, *v.t.* & *i.* הִשְׁקִיט [שקט] (עֲצַבִּים), הֵקֵל [קלל], הִסִּיחַ [נסח] דַּעַת, נָח [נוח]

relaxation, *n.* מְנוּחָה (נַפְשִׁית), שֶׁקֶט, נֹפֶשׁ, הִנָּפְשׁוּת

relay, *v.t.* & *i.* הֶעֱבִיר [עבר], הֶחֱלִיף [חלף]; הֵנִיחַ [נוח] שׁוּב

release, *n.* פְּטוּר; דְּרוֹר; שִׁחְרוּר

release, *v.t.* הִתִּיר [נתר]; שִׁחְרֵר

relegate, *v.t.* מָסַר; שִׁלַּח; הִגְלָה [גלה]

relentless, *adj.* אַכְזָרִי מְאֹד

relevance, relevancy, *n.* שַׁיָּכוּת, קֶשֶׁר

relevant, *adj.* שַׁיָּךְ

reliability, *n.* מְהֵימָנוּת, נֶאֱמָנוּת, הִסְתַּמְּכוּת

reliable, *adj.* מְהֵימָן, נֶאֱמָן, בֶּן סֶמֶךְ

reliance, *n.* בִּטָּחוֹן, אֵמוּן

relic, *n.* שָׂרִיד, מַזְכֶּרֶת

relict, *n.* אַלְמָנָה

relief, *n.* רְוָחָה, יֶשַׁע, סַעַד; תַּבְלִיט

relieve, *v.t.* מִלֵּא מָקוֹם, הֵקֵל [קלל] (כְּאֵב)

religion, *n.* דָּת, אֱמוּנָה

religious, *adj.* דָּתִי, אָדוּק, מַאֲמִין
relinquish, *v.t.* עָזַב, נָטַשׁ
relish, *n.* תַּבְלִין, תְּבָלִים; טַעַם
relish, *v.t.* & *i.* תִּבֵּל; הִתְעַנֵּג [ענג]
reluctance, *n.* אִי רָצוֹן
rely, *v.i.* בָּטַח, סָמַךְ, נִסְמַךְ [סמך]
remain, *v.i.* נִשְׁאַר [שאר], נוֹתַר [יתר]
remainder, *n.* שְׁאָר, שְׁאֵרִית, נוֹתָר
remains, *n. pl.* שְׂרִידִים
remand, *v.t.* עָצַר (אָדָם)
remark, *n.* & *v.t.* הֶעָרָה; הֵעִיר [עור]
remarkable, *adj.* מְצֻיָּן, נִפְלָא
remedy, *n.* & *v.t.* רְפוּאָה, תְּעָלָה,
תְּרוּפָה; תַּקָּנָה; רִפֵּא; תִּקֵּן
remember, *v.t.* & *i.* זָכַר; נִזְכַּר [זכר];
דָּרַשׁ בִּשְׁלוֹמוֹ
remembrance, *n.* זֵכֶר; זִכָּרוֹן; מַזְכֶּרֶת
remind, *v.t.* הִזְכִּיר [זכר]
reminiscences, *n. pl.* זִכְרוֹנוֹת
reminiscent, *adj.* מַזְכִּיר
remiss, *adj.* מְפַגֵּר, רַשְׁלָנִי
remission, *n.* כַּפָּרָה, פִּטּוּר
remit, *v.t.* & *i.* יָרַד (חֹם), מָסַר (כֶּסֶף)
remnant, *n.* נוֹתָר, שְׁאֵרִית, פְּלֵטָה
remodel, *v.t.* חִדֵּשׁ אֶת פְּנֵי־
remonstrance, *n.* נְזִיפָה, תּוֹכֵחָה
remonstrate, *v.t.* מָחָה
remorse, *n.* חֲרָטָה, מוּסַר כְּלָיוֹת
remorseful, *adj.* מִתְחָרֵט
remote, *adj.* רָחוֹק; נִדָּח
removal, *n.* סִלּוּק, הֲסָרָה; הַעֲבָרָה
remove, *v.t.* & *i.* הֵסִיר [סור], הִרְחִיק
[רחק], סִלֵּק, פִּנָּה; הֶעְתִּיק [עתק]
remunerate, *v.t.* שִׁלֵּם שָׂכָר
remuneration, *n.* גְּמוּל
renaissance, *n.* תְּחִיָּה
rend, *v.t.* & *i.* נִקְרַע [קרע], קָרַע;
נִבְקַע [בקע], נִתְקָרַע [קרע]

render, *v.t.* נָתַן, הֵשִׁיב [שוב], מָסַר
rendezvous, *n.* יַעַד, רַאָיוֹן, פְּגִישָׁה
rendezvous, *v.i.* רִאְיֵן, הִתְוַעֵד [ועד]
rendition, *n.* הַסְבָּרָה
renegade, *n.* מוּמָר
renew, *v.t.* & *i.* חִדֵּשׁ, הִתְחַדֵּשׁ [חדש]
renewal, *n.* חִדּוּשׁ, הִתְחַדְּשׁוּת
renounce, *v.t.* & *i.* וִתֵּר, הֵפֵר
renovate, *v.t.* חִדֵּשׁ
renovation, *n.* חִדּוּשׁ, הִתְחַדְּשׁוּת
renovator, *n.* מְחַדֵּשׁ
renown, *n.* שֵׁמַע, פִּרְסוּם
rent, *n.* שְׂכִירוּת; קֶרַע; סֶדֶק
rent, *v.t.* & *i.* הִשְׂכִּיר [שכר], הֶחְכִּיר
[חכר]; נִשְׂכַּר [שכר]
rental, *n.* חֲכִירָה
renunciation, *n.* וִתּוּר
reopen, *v.t.* & *i.* פָּתַח שׁוּב
reorganize, *v.t.* & *i.* אִרְגֵּן (הִתְאַרְגֵּן
[ארגן], הִסְתַּדֵּר [סדר]) מֵחָדָשׁ
repair, *n.* תִּקּוּן, בֶּדֶק (בַּיִת)
repair, *v.t.* תִּקֵּן
reparation, *n.* פִּצּוּי
repartee, *n.* תְּשׁוּבָה (נִמְרָצָה) כַּהֲלָכָה
repast, *n.* אֲרֻחָה, סְעֻדָּה, כֵּרָה, מִשְׁתֶּה
repay, *v.t.* & *i.* הֵשִׁיב [שוב] גְּמוּל,
שִׁלֵּם שׁוּב
repeal, *n.* & *v.t.* בִּטּוּל; בִּטֵּל
repeat, *n.* הַדְרָן
repeat, *v.t.* & *i.* שָׁנָה, חָזַר עַל
repeatedly, *adv.* שׁוּב, לֹא פַּעַם
repel, *v.t.* & *i.* הָדַף, הֵשִׁיב [שוב]
אָחוֹר
repellant, *adj.* דּוֹחֶה, מַבְחִיל
repent, *v.t.* & *i.* הִתְחָרֵט [חרט]; חָזַר
בִּתְשׁוּבָה
repentance, *n.* חֲרָטָה, חֲזָרָה בִּתְשׁוּבָה
repentant, *adj.* מִתְחָרֵט, בַּעַל תְּשׁוּבָה

repercussion, *n.* הַרְתָּעָה, הֵד

repetition, *n.* חֲזָרָה, הִשָּׁנוּת

repine, *v.t. & i.* הִתְרַעֵם [רעם], קָבַל

replace, *v.t.* מִלֵּא מָקוֹם, הֶחֱלִיף [חלף]; הֵשִׁיב [שוב] לִמְקוֹמוֹ

replacement, *n.* חִלּוּף מָקוֹם, תְּמוּרָה; הֲשָׁבָה, הַחֲזָרָה

replenish, *v.t.* מִלֵּא מֵחָדָשׁ

replenishment, *n.* מִלּוּי (מִלּוּא) מֵחָדָשׁ

replete, *adj.* מָלֵא וְגָדוּשׁ, מָלֵא וּמְמֻלָּא

replica, *n.* הֶעְתֵּק

reply, *n.* מַעֲנֶה, תְּשׁוּבָה

reply, *v.t. & i.* עָנָה, הֵשִׁיב [שוב]

report, *n.* שְׁמוּעָה, דּוֹ"חַ, דִּין וְחֶשְׁבּוֹן

report, *v.t. & i.* הוֹדִיעַ [ידע]; דִּוַּח, נָתַן דִּין וְחֶשְׁבּוֹן, סִפֵּר

reporter, *n.* עִתּוֹנַאי; מוֹדִיעַ

repose, *n.* שֵׁנָה, מְנוּחָה, דּוּמִיָּה

repose, *v.t. & i.* הֵנִיחַ [נוח]; נָח, שָׁכַב, הִשְׁכִּיב [שכב]

repository, *n.* גַּנְזַךְ, אוֹצָר

reprehend, *v.t.* גִּנָּה, נָזַף

reprehension, *n.* הַאֲשָׁמָה, תּוֹכֵחָה, נְזִיפָה

represent, *v.t.* יִצֵּג, הָיָה בָּא כֹּחַ, תֵּאֵר, צִיֵּר

representation, *n.* בָּאוּת כֹּחַ, נְצִיגוּת, תֵּאוּר, הַצָּגָה, חִזָּיוֹן

representative, *adj. & n.* מֻרְשֶׁה, בָּא כֹּחַ, מְיַפֵּה כֹּחַ

repress, *v.t.* הִשְׁקִיט [שקט] (מֶרֶד), דִּכֵּא, הִכְנִיעַ [כנע]

repression, *n.* דִּכּוּי, הַדְבָּרָה

repressive, *adj.* מְדַכֵּא; מְעַכֵּב

reprieve, *n.* רְוָחָה, הַרְוָחָה

reprieve, *v.t.* נָתַן רְוָחָה

reprimand, *n. & v.t.* נְזִיפָה; נָזַף

reprint, *n.* הֶטְפֵּס

reprint, *v.t.* הִדְפִּיס [דפס] שׁוּב, הִטְפִּיס [טפס]

reprisal, *n.* נְקִימָה

reproach, *n.* תּוֹכֵחָה, תּוֹכָחָה, גְּעָרָה

reproach, *v.t.* הוֹכִיחַ [יכח], חִסֵּד

reprobate, *n.* חַטָּא, עַוָּל

reprobation, *n.* הַאֲשָׁמָה, גִּנּוּי

reproduce, *v.t.* הוֹלִיד [ילד]; הֶעְתִּיק [עתק]

reproduction, *n.* הַעְתָּקָה; הוֹלָדָה; פְּרִיָּה וּרְבִיָּה

reproof, *n.* מוּסָר, תּוֹכָחָה, גְּעָרָה

reproval, *n.* גִּנּוּי, נְזִיפָה, תּוֹכָחָה

reprove, *v.t.* הוֹכִיחַ [יכח], גָּעַר בְּ־

reptile, *n.* רַחַשׁ, רֶמֶשׂ, שֶׁרֶץ

republic, *n.* קְהִלִיָּה

repudiate, *v.t.* כִּחֵשׁ, מָאַס; גֵּרַשׁ (אִשָּׁה, בַּעַל)

repudiation, *n.* הַכְחָשָׁה; שְׁמִטָּה (חוֹב); גֵּרוּשׁ, הִתְגָּרְשׁוּת

repugnance, *n.* גֹּעַל

repugnant, *adj.* דּוֹחֶה

repulse, *n.* הֲדִיפָה

repulse, *v.t.* הָדַף, הֵשִׁיב [שוב] אָחוֹר

repulsion, *n.* דְּחִיָּה, מַשְׂטֵמָה

repulsive, *adj.* דּוֹחֶה (לְאָחוֹר); מַבְחִיל מְעוֹרֵר גֹּעַל

reputable, *adj.* נִכְבָּד, חָשׁוּב

reputation, repute, *n.* שֵׁמַע, הַעֲרָכָה, שֵׁם (טוֹב, רַע)

request, *n.* דְּרִישָׁה, בַּקָּשָׁה

request, *v.t.* דָּרַשׁ, בִּקֵּשׁ

requiem, *n.* תְּפִלַּת אַשְׁכָּבָה, הַזְכָּרַת נְשָׁמוֹת

require, *v.t.* בִּקֵּשׁ, תָּבַע, דָּרַשׁ

requirement, *n.* צֹרֶךְ; דְּרִישָׁה; תְּנַאי

requisite, *adj.* נָחוּץ, הֶכְרֵחִי

requisite, *n.* הֶכְרֵחַ

requisition, *n.* תְּבִיעָה, הַחֲרָמָה
requisition, *v.t.* הֶחֱרִים [חרם]
requital, *n.* גְּמוּל, שִׁלּוּם; מִדָּה כְּנֶגֶד מִדָּה
requite, *v.t.* נָקַם
rescind, *v.t.* בִּטֵּל
rescission, *n.* בִּטּוּל
rescript, *n.* צַו
rescue, *n.* הַצָּלָה
rescue, *v.t.* הִצִּיל [נצל]
research, *n.* חֲקִירָה
resemblance, *n.* דִּמְיוֹן
resemble, *v.t.* & *i.* דָּמָה
resent, *v.t.* & *i.* הִתְרַעֵם [רעם]
resentful, *adj.* מִתְרַעֵם
resentment, *n.* תַּרְעֹמֶת, אֵיבָה, טִינָה
reservation, *n.* הַעְלָמָה; הַזְמָנָה
reserve, *v.t.* אָגַר, שָׁמַר, הֶחֱזִיק [חזק] (זְכוּת)
reserve, *n.* אוֹצָר; חֵיל מִלּוּאִים
reservoir, *n.* אָשׁוּחַ; בְּרֵכָה, מִקְוֵה מַיִם
reside, *v.i.* דָּר [דור], גָּר [גור], שָׁכַן
residence, *n.* זְבוּל, דִּירָה, מָעוֹן, מִשְׁכָּן, מְגוּרִים
resident, *n.* תּוֹשָׁב, דַּיָּר, דָּיוֹר
residential, *adj.* דִּיּוּרִי
residual, *adj.* & *n.* עוֹדֵף, נוֹתָר
residue, *n.* שְׁאֵרִית, יִתְרָה
resign, *v.t.* & *i.* וִתֵּר; הִתְפַּטֵּר [פטר]
resignation, *n.* הַכְנָעָה; הִתְפַּטְּרוּת
resilience, resiliency, *n.* גְּמִישׁוּת
resilient, *adj.* גָּמִישׁ
resin, *n.* שְׂרָף
resist, *v.t.* & *i.* הִתְנַגֵּד [נגד]
resistance, *n.* תְּנַגֹּדֶת, הִתְנַגְּדוּת
resistant, *adj.* מִתְקוֹמֵם, מִתְנַגֵּד
resolute, *adj.* תַּקִּיף
resolution, *n.* תַּקִּיפוּת; הַחְלָטָה
resolve, *v.t.* הֶחֱלִיט [חלט]
resonance, *n.* תְּהוּדָה
resonant, *adj.* מְהַדְהֵד
resort, *n.* תַּחְבּוּלָה, אֶמְצָעִי; קִיְטָנָה
resound, *v.i.* & *t.* הִשְׁמִיעַ [שמע] הֵדִים, הִדְהֵד, הִתְפַּשֵּׁט [פשט]
resource, *n.* מוֹצָא; עֵזֶר; עֹשֶׁר; תַּחְבּוּלָה
resources, *n. pl.* אֶמְצָעִים
resourceful, *adj.* בַּעַל תַּחְבּוּלוֹת, בַּעַל אֶמְצָעִים
respect, *n.* & *v.t.* כָּבוֹד; כִּבֵּד
respectable, *adj.* נִכְבָּד, מְכֻבָּד
respectful, *adj.* מַכִּיר פָּנִים, אָדִיב
respectfully, *adv.* בְּכָבוֹד
respective, *adj.* שׁוֹנֶה; מְיֻחָד
respiration, *n.* נְשִׁימָה
respiratory, *adj.* נְשִׁימִי
respire, *v.t.* & *i.* נָשַׁם
respite, *n.* הַרְוָחָה
resplendent, *adj.* מַזְהִיר
respond, *v.t.* & *i.* עָנָה, הֵשִׁיב [שוב]
respondent, *adj.* & *n.* מֵשִׁיב; נִתְבָּע
response, *n.* תְּשׁוּבָה, מַעֲנֶה
responsibility, *n.* אַחֲרָיוּת
responsible, *adj.* אַחֲרַאי
responsive, *adv.* מִתְפָּעֵל, מֵשִׁיב
rest, *n.* מְנוּחָה; מָוֶת; עוֹדֵף
rest, *v.t.* & *i.* נָח [נוח], שָׁבַת; הֵנִיחַ [נוח]; בִּסֵּס; נִשְׁעַן [שען] עַל
restaurant, *n.* מִסְעָדָה
restful, *adj.* מַרְגִּיעַ, שָׁלֵו
restitution, *n.* הֲשָׁבָה, פִּצּוּי
restive, *adj.* מוֹרֵד, עַקְשָׁנִי
restless, *adj.* סוֹעֵר, נִפְעָם, נִרְגָּז
restorative, *n.* מֵשִׁיב לִתְחִיָּה, מְחַזֵּק
restore, *v.t.* הֵשִׁיב [שוב] לְקַדְמוּתוֹ
restrain, *v.t.* עָצַר, מָנַע, גָּרַע; כָּלָא

restraint, *n.* עִכּוּב, מַעְצוֹר
restrict, *v.t.* הִגְבִּיל [גבל], צִמְצֵם
restriction, *n.* הַגְבָּלָה, צִמְצוּם, מַעְצוֹר
result, *n.* תּוֹצָאָה, תּוֹלָדָה
result, *v.i.* צָמַח מִ־, יָצָא מִ־, נוֹלַד [ילד]; נִגְמַר [גמר] בְּ־
resume, *v.t.* הִתְחִיל [תחל] שׁוּב; שָׁב [שוב] לְ־, חָזַר לְ־
résumé, *n.* סִכּוּם, קִצּוּר
resurgence, *n.* תְּחִיָּה
resurrection, *n.* תְּחִיַּת הַמֵּתִים, תְּחִיָּה
resuscitate, *v.t.* הֶחֱיָה [חיה], חִיָּה, הֵשִׁיב [שוב] נֶפֶשׁ
retail, *n.* קִמְעוֹנוּת
retail, *v.t.* מָכַר בְּקִמְעוֹנוּת
retailer, *n.* קִמְעוֹנַאי
retain, *v.t.* הֶחֱזִיק [חזק], שָׁמַר, עִכֵּב
retainer, *n.* דְּמֵי קְדִימָה, מִפְרָעָה
retaliate, *v.t.* הֵשִׁיב [שוב] גְּמוּל
retaliation, *n.* נְקִימָה, הִתְנַקְּמוּת
retaliatory, *adj.* נוֹקֵם
retard, *n.* אִחוּר
retard, *v.t.* אִחֵר, עִכֵּב
reticence, *n.* שַׁתְקָנוּת
reticent, *adj.* שַׁתְקָנִי
retina, *n.* רִשְׁתִּית (בְּעַיִן)
retinue, *n.* עֲבֵדָה, בְּנֵי לְוָיָה
retire, *v.t.* & *i.* פָּרַשׁ, הִסְתַּלֵּק [סלק], הִתְפַּטֵּר [פטר]; שָׁכַב לִישׁוֹן; נָסוֹג [סוג]
retirement, *n.* פְּרִישָׁה, נְסִיגָה; מְנוּחָה
retort, *n.*, *v.t.* & *i.* מַעֲנֶה חָרִיף; הֵשִׁיב [שוב] מַעֲנֶה חָרִיף
retouch, *v.t.* דִּיֵּת
retrace, *v.t.* בָּדַק שֵׁנִית
retract, *v.t.* & *i.* חָזַר בּוֹ
retraction, *n.* הֲשָׁבָה
retreat, *n.* נְסִיגָה, מִפְלָט
retreat, *v.i.* נָסוֹג [סוג]
retrench, *v.t.* & *i.* צִמְצֵם, הִפְחִית [פחת]
retribution, *n.* שִׁלּוּם, גְּמוּל
retrieve, *v.t.* מָצָא וְהֵבִיא [בוא] (צַיִד); תִּקֵּן
retriever, *n.* עִקְבָתָן (כֶּלֶב צַיִד)
retrograde, *adj.* נָסוֹג
retrogression, *n.* נְסִיגָה
retrospect, *v.i.* הִסְתַּכֵּל [סכל] בֶּעָבָר (לְאָחוֹר)
return, *n.* חֲזָרָה; הַחְזָרָה, הֲשָׁבָה
return, *v.t.* & *i.* הֵשִׁיב [שוב], הֶחֱזִיר [חזר]; שָׁב [שוב], חָזַר
reunion, *n.* הִתְאַסְּפוּת, הִתְאַחֲדוּת
reunite, *v.i.* הִתְחַבֵּר [חבר] שׁוּב, הִתְאַחֵד [אחד]
reveal, *v.i.* גִּלָּה, נִגְלָה [גלה]
revel, *v.i.* הִתְעַנֵּג [ענג] עַל, הִתְעַלֵּס [עלס] בְּ־
revelation, *n.* גִּלּוּי, הִתְגַּלּוּת
revelry, *n.* הוֹלֵלוּת
revenge, *n.*, *v.t.* & *i.* נְקָמָה, נָקָם; נָקַם, נִקֵּם, הִתְנַקֵּם [נקם]
revenue, *n.* הַכְנָסָה
reverberate, *v.i.* הֵדֵד, הִדְהֵד; הִקְרִין [קרן], הִשְׁתַּקֵּף [שקף]
revere, *v.t.* כִּבֵּד, הֶעֱרִיץ [ערץ]
reverence, *n.* כָּבוֹד, הַעֲרָצָה, קִדָּה
reverend, *adj.* & *n.* נִכְבָּד, נַעֲרָץ; רַב, כֹּהֵן
reverent, *adj.* מְכַבֵּד, מַעֲרִיץ
reverie, revery, *n.* הֲזָיָה
reversal, *n.* הִפּוּךְ
reverse, *n.*, *v.t.* & *i.* הֶפֶךְ; תְּבוּסָה; הַצַּד הַשֵּׁנִי; אָסוֹן, צָרָה; הָפַךְ, הִפֵּךְ, הִתְהַפֵּךְ [הפך]
reversible, *adj.* בַּר הִפּוּךְ

reversion, *n.* חֲזָרָה, הֲשָׁבָה
revert, *v.i.* הֶחֱזִיר [חזר] שׁוּב; הֵפֵךְ
review, *n.* & *v.t.* תִּסְקֹרֶת; מִסְקָר; חֲזָרָה; בִּקֹּרֶת, סִקֹּרֶת; בִּטָּאוֹן; סָקַר
revile, *v.t.* & *i.* גִּדֵּף
revilement, *n.* חֵרוּף
revise, *v.t.* הִגִּיהַּ [נגה], תִּקֵּן
revision, *n.* הַגָּהָה
revival, *n.* תְּחִיָּה
revive, revivify, *v.t.* הֶחֱיָה [חיה]
revocation, *n.* הֲפָרָה
revoke, *v.t.* הֵשִׁיב [שוב], בִּטֵּל
revolt, *n.* מֶרֶד, קֶשֶׁר
revolt, *v.i.* מָרַד, בָּחַל, הִתְקוֹמֵם [קום]
revolution, *n.* מַהְפֵּכָה; סִבּוּב
revolutionary, *adj.* & *n.* מַהְפְּכָנִי; מַהְפְּכָן
revolve, *v.t.* & *i.* סָבַב, סִבֵּב, הִסְתּוֹבֵב [סבב]
revolver, *n.* אֶקְדָּח
revulsion, *n.* מְנִיעָה, עֲקִירָה
reward, *n.* תַּגְמוּל
reward, *v.t.* & *i.* נָתַן שָׂכָר, גָּמַל
rewrite, *v.t.* כָּתַב שׁוּב
rhapsody, *n.* שִׁגָּיוֹן
rhetoric, *n.* נְאִימָה, מְלִיצָה
rhetorical, *adj.* נְאִימִי, מְלִיצִי
rheumatic, *adj.* שִׁגְרוֹנִי
rheumatism, *n.* שִׁגָּרוֹן
rhinoceros, *n.* קַרְנַף
rhubarb, *n.* רִבָּס, חֲמִיץ
rhyme, rime, *n.* חָרוּז
rhyme, *v.t.* & *i.* חָרַז
rhythm, *n.* קֶצֶב, מִשְׁקָל
rhythmic, *adj.* קָצוּב
rib, *n.* צֵלָע
ribald, *adj.* נָבָל
ribbon, *n.* רַהַט, סֶרֶט
rice, *n.* אֹרֶז
rich, *adj.* עָשִׁיר
riches, *n. pl.* עֹשֶׁר
richness, *n.* עֲשִׁירוּת
rick, *n.* עֲרֵמָה
rickets, *n.* רַכִּית, רַכֶּכֶת
rickety, *adj.* מֻכֵּה רַכִּית; רָעוּעַ
rid, *v.t.* פָּטַר, נִפְטַר [פטר]
riddance, *n.* פִּטּוּר
riddle, *n.* חִידָה; כְּבָרָה
riddle, *v.t.* & *i.* חָד [חוד] חִידָה; כָּבַר, נִפָּה
ride, *v.t.* & *i.* רָכַב; נָסַע
ride, *n.* רְכִיבָה; נְסִיעָה; טִיּוּל
rider, *n.* רוֹכֵב
ridge, *n.* תֶּלֶם; רֶכֶס
ridge, *v.t.* & *i.* הִתְלִים [תלם]; רָגַע (יָם)
ridicule, *n.* לַעַג, לִגְלוּג
ridicule, *v.t.* לָעַג, לִגְלֵג
ridiculous, *adj.* מְגֻחָךְ
rife, *adj.* שׁוֹפֵעַ; מְקֻבָּל, רָגִיל
rifle, *n.* רוֹבֶה
rifle, *v.t.* גָּזַל, שָׁדַד; חָרַץ (רוֹבֶה)
rift, *n.* בְּקִיעַ, סֶדֶק
rig, *n.* מִפְרָשׂ; אַבְזָרִים; מַכְשִׁיר; לְבוּשׁ
rig, *v.t.* הִלְבִּישׁ [לבש]; תִּקֵּן; פָּרַשׂ (מִפְרָשׂ); זִיֵּף
rigging, *n.* חִבֵּל, אַבְזָרֵי אֳנִיָּה (חֲבָלִים, מִפְרָשִׂים וְכוּ׳)
right, *adj.* יְמָנִי; נָכוֹן; צוֹדֵק; יָשָׁר
right, *n.* יָמִין; צֶדֶק, יֹשֶׁר; מִשְׁפָּט; זְכוּת
right, *v.t.* & *i.* זָקַף, הִזְדַּקֵּף [זקף], יִשֵּׁר; תִּקֵּן
right, *adv.* בְּצֶדֶק, כְּהֹגֶן
righteous, *adj.* תָּם; צוֹדֵק
rightful, *adj.* צוֹדֵק, בַּעַל חֲזָקָה
right-hand, right-handed, *adj.* יְמָנִי, יְמִינִי

rightly, *adv.* בְּצֶדֶק
rigid, *adj.* קָשֶׁה; קַפְּדָנִי
rigidity, *n.* קַפְּדָנוּת, עַקְשָׁנוּת, הַחְמָרָה יְתֵרָה
rigor, *n.* קַשְׁיוּת; קַפְּדָנוּת
rigorous, *adj.* קָשֶׁה; קַפְּדָנִי
rill, *n.* אָפִיק
rim, *n.* מִסְגֶּרֶת; חִשּׁוּק
rim, *v.t.* הִסְגִּיר [סגר], חָשַׁק
rime, *v.* rhyme
rind, *n.* קְלִפָּה, קְרוּם
ring, *n.* צִלְצוּל; טַבַּעַת; עִגּוּל; זִירָה; כְּנוּפְיָה
ring, *v.t. & i.* צִלְצֵל; כִּתֵּר
ringleader, *n.* רֹאשׁ כְּנוּפְיָה
ringlet, *n.* טַבַּעַת קְטַנָּה; תַּלְתַּל
rink, *n.* חֲלַקְלַקָּה
rinse, *v.t.* שָׁטַף, הֵדִיחַ [נדח], הִגְעִיל [געל]
riot, *n.* מְהוּמָה; חִנְגָּה
riot, *v.t. & i.* הֵקִים [קום] מְהוּמָה; הִתְהוֹלֵל [הלל]
rip, *n.* קֶרַע
rip, *v.t. & i.* קָרַע; נִקְרַע [קרע]
ripe, *adj.* בָּשֵׁל, בּוֹגֵר
ripen, *v.t. & i.* הִבְשִׁיל, גָּמַל
ripple, *n.* אַדְוָה
rise, *n. & v.i.* עֲלִיָּה, זְרִיחָה; קָם [קום], עָלָה; עָמַד; זָרַח; מָרַד; חָמֵץ
risk, *n. & v.t.* סִכּוּן; סִכֵּן
risky, *adj.* מְסֻכָּן
rite, *n.* טֶקֶס
ritual, *n.* פֻּלְחָן
rival, *adj. & n.* מִתְחָרֶה; צָרָה
rivalry, *n.* תַּחֲרוּת
rive, *v.t. & i.* נִבְקַע [בקע]; נִקְרַע [קרע]; בָּקַע, קָרַע
river, *n.* נָהָר, נַחַל
riverside, *n.* שְׂפַת נָהָר
rivet, *n. & v.t.* מַסְמֶרֶת; סִמְרֵר
rivulet, *n.* יוּבַל
roach, *n.* יְבוּסִי, מַקָּק
road, *n.* דֶּרֶךְ, כְּבִישׁ
roadblock, *n.* חֲסִימָה
roam, *v.i.* שׁוֹטֵט
roar, *n.* שְׁאָגָה, נְהִימָה
roar, *v.t.* שָׁאַג, נָהַם
roast, *n.* צָלִי
roast beef אֻשְׁפָּר
roast, *v.t. & i.* צָלָה, נִצְלָה [צלה]
rob, *v.t.* גָּזַל, שָׁדַד, חָמַס
robber, *n.* שׁוֹדֵד, גַּזְלָן
robbery, *n.* שֹׁד, גְּזֵלָה
robe, *n.* שִׂמְלָה, גְּלִימָה
robe, *v.t. & i.* לָבַשׁ; הִלְבִּישׁ [לבש]
robin, *n.* אַדְמוֹן
robust, *adj.* חָסֹן, חָזָק
rock, *n.* צוּר, סֶלַע
rock, *v.t. & i.* נִעְנַע, הִתְנַעְנֵעַ [נענע]
rocket, *n.* סִילוֹן, טִיל
rocking chair נַדְנֵדָה
rocky, *adj.* סַלְעִי
rod, *n.* זְמוֹרָה, מוֹט, מַקֵּל, קָנֶה (מִדָּה)
rodent, *adj. & n.* מְכַרְסֵם
rodeo, *n.* רוֹדֵיאוֹ (תַּחֲרוּת בּוֹקְרִים)
roe, *n.* אַיָּלָה; אֶשְׁכּוֹל (שַׁחֲלַת) בֵּיצֵי דָּגִים
roebuck, *n.* אַיָּל
rogue, *n.* נוֹכֵל, רַמַּאי
roguish, *adj.* מִשְׁתּוֹבֵב
role, *n.* תַּפְקִיד
roll, *n.* לַחְמָנִיָּה; גִּלְגּוּל; גַּלְגַּל; סְלִיל, גְּלִיל; רְשִׁימָה; כֶּרֶךְ; גְּוִיל
roll, *v.t. & i.* גִּלְגֵּל; כָּרַךְ; עִגֵּל, הִסְתּוֹבֵב [סבב], הִתְגַּלְגֵּל [גלגל]
roll call מִפְקָד

roller, *n.* מַעֲגִילָה
Roman, *adj.* & *n.* רוֹמִי, רוֹמַאי
romance, *n.* זֶמֶר עֲמָמִי
romantic, *adj.* רַגְשָׁן, רַגְשָׁנִי, מְאֹהָב
romanticism, *n.* רוֹמַנְטִיזְם
romp, *n.* & *v.i.* הוֹלֵלוּת; הִתְהוֹלֵל [הלל]
rood, *n.* צְלָב; מִדָּה (¼ אַקְר)
roof, *n.* & *v.t.* גַּג; עָשָׂה גַּג
roofless, *adj.* לְלֹא גַּג
rook, *n.* צְרִיחַ (שַׁחְמָט); רַמַּאי
rook, *v.t.* & *i.* הוֹנָה [ינה], רִמָּה
room, *n.* חֶדֶר; מָקוֹם; רֶוַח
room, *v.i.* דָּר [דור] בְּחֶדֶר
roomy, *adj.* מְרֻוָּח
roost, *n.*&*v.i.* לוּל; יָשַׁב עַל מוֹט (עוֹף)
rooster, *n.* תַּרְנְגוֹל
root, *n.* שֹׁרֶשׁ, מָקוֹר
root, *v.t.* & *i.* הִשְׁרִישׁ [שרש], שֵׁרֵשׁ
rope, *n.* חֶבֶל; עֲנִיבַת תְּלִיָּה
rope, *v.t.* & *i.* קָשַׁר (עָצַר) בְּחֶבֶל; גָּדַר, חָסַם (בְּחֶבֶל); לָכַד בִּפְלָצוּר
rosary, *n.* מַחֲרֹזֶת; עֲרוּגַת שׁוֹשַׁנִּים
rose, *n.* וֶרֶד, שׁוֹשַׁנָּה
rosin, *n.* שְׂרָף, נְטַף אֵלָה
rostrum, *n.* דּוּכָן; בָּמָה
rosy, *adj.* וָרֹד
rot, *n.* רִקָּבוֹן; פִּטְפּוּט
rot, *v.t.* & *i.* רָקַב, נִרְקַב [רקב]
rotary, *adj.* סוֹבֵב, סִבּוּבִי
rotate, *v.t.* & *i.* סָבַב, הִסְתּוֹבֵב [סבב]
rotation, *n.* הִסְתּוֹבְבוּת; חִלּוּף (זְרָעִים)
rote, *n.* שִׁנּוּן מִלִּים בְּעַל פֶּה
rotten, *adj.* נִרְקָב
rotund, *adj.* עָגֹל
rouge, *n.* סִקְרָה (פּוּךְ), אֹדֶם שְׂפָתַיִם
rouge, *v.t.* & *i.* פִּרְכֵּס, הִתְפַּרְכֵּס [פרכס]; סָקַר, נִסְקַר [סקר]

rough, *adj.* מְחֻסְפָּס; גַּס; סוֹעֵר (יָם)
roughness, *n.* חִסְפּוּס; גַּסּוּת, פְּרָאוּת
round, *adj.* & *adv.* עָגֹל; מִסָּבִיב
round, *n.* סִבּוּב; עִגּוּל
round, *v.t.* עִגֵּל, סִבֵּב
roundabout, *adj* & *n.* עָקִיף; עֲקַלְקַל, סְחַרְחֵרָה
roundish, *adj.* עֲגַלְגַּל
roundness, *n.* עֲגוּלִיּוּת
rouse, *v.t.* הֵעִיר [עור], עוֹרֵר [עור]
rout, *n.* מְבוּכָה; נְגִיפָה וּבְרִיחָה (צָבָא)
rout, *v.t.* & *i.* הִכָּה [נכה] וְנָגַף (בְּצָבָא), הֵפִיץ [פוץ] (אוֹיֵב)
route, *n.* דֶּרֶךְ, מַהֲלָךְ
route, *v.t.* הִדְרִיךְ [דרך]
routine, *n.* שִׁגְרָה
rove, *v.i.* שׁוֹטֵט [שוט], הִשְׁחִיל [שחל]
row, *n.* רִיב, מְהוּמָה; שׁוּרָה, תּוֹר, טוּר
row, *v.t.* & *i.* שָׁט [שוט], חָתַר בְּמָשׁוֹט
rowboat, *n.* סִירָה
rowing, *n.* שַׁיִט, חֲתִירָה
royal, *adj.* מַלְכוּתִי
royalist, *n.* מְלוּכָן
royalty, *n.* מַלְכוּת; שְׂכַר סוֹפְרִים
rub, *n.* חִכּוּךְ; מְחִיקָה; שִׁפְשׁוּף
rub, *v.t.* & *i.* שִׁפְשֵׁף, סָךְ [סוך], חִכֵּךְ
rubber, *n.* צֶמֶג; מוֹחֵק
rubbish, *n.* אַשְׁפָּה; שְׁטוּת
rubble, *n.* מַפֹּלֶת, חָצָץ
rubric, *n.* אֹדֶם; כּוֹתֶרֶת בְּעַמּוּד (בְּאוֹתִיּוֹת אֲדֻמּוֹת)
ruby, *n.* אֹדֶם, כַּדְכֹּד
rudder, *n.* הֶגֶה
rude, *adj.* גַּס, חָצוּף
rudiment, *n.* הַתְחָלָה; נֶבֶט
rudimentary, *adj.* שָׁרְשִׁי, הַתְחָלִי
rue, *n.* חֲרָטָה
rue, *v.t.* & *i.* הִתְחָרֵט [חרט]

rueful, *adj.* עָצוּב
ruff, *n.* צַוָּארוֹן קָלוּעַ
ruffian, *n.* עַוָּל, פָּרִיץ, בּוּר
ruffle, *n.* & *v.t.* מַלְמָלַת קְמָטִים; קָמַט, קִפֵּל, בִּלְבֵּל
rug, *n.* שָׁטִיחַ; שְׂמִיכָה
rugged, *adj.* מְחֻסְפָּס, גַּס; סוֹעֵר
ruin, *n.* חֻרְבָּן, חָרְבָּה, הֶרֶס; שֶׁבֶר
ruin, *v.t.* & *i.* הָרַס, הֶחֱרִיב [חרב]; רוֹשֵׁשׁ
ruination, *n.* הֲרִיסָה; רִישׁ, רִישׁוּת
rule, *n.*, *v.t.* & *i.* כְּלָל; חֹק; שִׁלְטוֹן; מָשַׁל; הֶחֱלִיט [חלט]; קִוְקֵו
ruler, *n.* שַׁלִּיט; סַרְגֵּל
rum, *n.* רוּם (יַיִ"שׁ)
rumble, *n.* שָׁאוֹן; כִּסֵּא מִתְקַפֵּל (בִּמְכוֹנִית)
ruminant, *adj.* & *n.* מַעֲלֵה גֵּרָה
ruminate, *v.t.* & *i.* הֶעֱלָה [עלה] גֵּרָה
rummage, *v.t.* & *i.* מִשְׁמֵשׁ, מִשֵּׁשׁ, חִפֵּשׂ
rumor, rumour, *n.* & *v.t.* שְׁמוּעָה, לַעַז; הֵפִיץ [פוץ] שְׁמוּעָה
rump, *n.* (בְּשַׂר) אֲחוֹרַיִם (שֶׁל בַּעֲלֵי חַיִּים); אַלְיָה
rumple, *n.* *v.t.* & *i.* קֶמֶט, קֶפֶל (שֵׂעָר); קָמַט, קִפֵּל; פָּרַע
rumpus, *n.* סִכְסוּךְ, קְטָטָה
run, *n.*, *v.t.* & *i.* רִיצָה; מֵרוֹץ; נַחַל; מַהֲלָךְ; קְרִיעָה (גֶּרֶב); הֵרִיץ [רוץ]; רָץ [רוץ]; נָזַל, דָּלַף; הִלֵּךְ; נִהֵל
run after רָדַף
run away בָּרַח, נָס [נוס], נִמְלַט [מלט]
runner, *n.* רָץ
running, *n.* רִיצָה; נְזִילָה
rung, *n.* שָׁלָב, חָוָק
runt, *n.* גַּמֶּדֶת (חַיָּה); נַנָּס
runway, *n.* מַסְלוּל
rupture, *n.* שְׁבִירָה; שֶׁבֶר
rupture, *v.t.* & *i.* שִׁבֵּר; נִשְׁבַּר [שבר]
rural, *n.* כַּפְרִי
ruse, *n.* תַּחְבּוּלָה
rush, *n.*, *v.t.* & *i.* פְּזִיזוּת, חִפָּזוֹן, מְרוּצָה, דַּחַק; סוּף, אַגְמוֹן; אָץ, [אוץ]; מִהֵר, הֵאִיץ [אוץ], הֵחִישׁ [חוש]
rusk, *n.* צְנִים
russet, *adj.* אַדְמוֹנִי, חוּם
Russian, *adj.* & *n.* רוּסִי, רוּסִית
rust, *n.*, *v.t.* & *i.* חֲלֻדָּה; הֶחֱלִיד [חלד]
rustic, *adj.* & *n.* כַּפְרִי
rustle, *n.* אִוְשָׁה, רִשְׁרוּשׁ
rustle, *v.i.* אִוֵּשׁ, רִשְׁרֵשׁ
rusty, *adj.* חָלוּד, חָלִיד
rut, *n.* יִחוּם, תַּאֲוָה
rut, *v.i.* יִחֵם, הִתְיַחֵם [יחם]
ruthless, *adj.* אַכְזָרִי, לְלֹא חֶמְלָה
rye, *n.* שִׁפּוֹן

S, s

S, s, *n.* אֶס, הָאוֹת הַתְּשַׁע עֶשְׂרֵה בָּאָלֶף בֵּית הָאַנְגְּלִי
Sabbath, *n.* שַׁבָּת
Sabbatic, Sabbatical, *adj.* שֶׁל שַׁבָּת
sabbatical year שַׁבָּתוֹן
saber, sabre, *n.* סַיִף, חֶרֶב
sable, *n.* נְמִיָּה; צֶבַע שָׁחוֹר; חֲרָדוֹת (בִּגְדֵי אֵבֶל)
sabotage, *n.* & *v.t.* חַבָּלָה; חִבֵּל
sac, *n.* שַׂק

saccharine, *adj.* & *n.* מָתוֹק; סָכָרִין
sack, *n.* שַׂק; בִּזָּה, שָׁלָל
sack, *v.t.* בָּזַז, שָׁדַד; שָׂם [שים] בַּשַּׂק; פִּטֵּר
sacrament, *n.* סְעֻדַּת הַקֹּדֶשׁ (לַנּוֹצְרִים)
sacramental, *adj.* שֶׁל קְדֻשָּׁה
sacred, *adj.* קָדוֹשׁ
sacredness, *n.* קְדֻשָּׁה, קֹדֶשׁ
sacrifice, *n.* קָרְבָּן, זֶבַח
sacrifice, *v.t.* & *i.* הִקְרִיב [קרב], זָבַח
sacrilege, *n.* חִלּוּל הַקֹּדֶשׁ
sacrilegious, *adj.* מְחַלֵּל הַקֹּדֶשׁ
sad, *adj.* עָצוּב, נוּגֶה
sadden, *v.t.* & *i.* הֶעֱצִיב [עצב], הִתְעַצֵּב [עצב]
saddle, *n.* & *v.t.* אֻכָּף, עָבִיט (לְגָמָל), מַרְדַּעַת; אִכֵּף
saddler, *n.* אֻשְׁכָּף, כָּרָר
Sadducee, *n.* צְדוּקִי
sadiron, *n.* מַגְהֵץ
sadly, *adv.* בְּעֶצֶב, מִתּוֹךְ יָגוֹן
sadness, *n.* תּוּגָה, יָגוֹן, עֶצֶב
safe, *n.* & *adj.* כַּסֶּפֶת, קֻפָּה; בָּטוּחַ
safeguard, *v.t.* & *n.* שָׁמַר; שְׁמִירָה
safely, *adv.* בְּבִטְחָה, בְּשָׁלוֹם
safety, *n.* בִּטָּחוֹן, בִּטְחָה
safety razor מְכוֹנַת גִּלּוּחַ
safety valve שַׁסְתּוֹם בִּטְחָה
saffron, *n.* כַּרְכֹּם
sag, *v.i.* שָׁקַע, הָיָה מֻטֶּה בָּאֶמְצַע
saga, *n.* אַגָּדָה, מַעֲשִׂיָּה
sagacious, *adj.* מְחֻכָּם
sagacity, *n.* פִּקְחוּת
sage, *adj.* & *n.* חָכָם, פִּקֵּחַ
sage, *n.* מַרְוָה (צֶמַח)
sail, *n.* מִפְרָשׂ
sail, *v.i.* שָׁט [שוט], הִפְלִיג [פלג]

sailboat, *n.* מִפְרָשִׂית
sailing, *n.* הַפְלָגָה
sailor, *n.* מַלָּח, סַפָּן, חוֹבֵל
saint, *n.* & *v.t.* קָדוֹשׁ; עָשָׂה לְקָדוֹשׁ
saintly, *adv.* כְּקָדוֹשׁ
sake, *n.* סִבָּה, תַּכְלִית
salad, *n.* מְלִיחַ, סָלָט
salamander, *n.* לְהָבִית
salary, *n.* מַשְׂכֹּרֶת
sale, *n.* מְכִירָה
salesman, *n.* מוֹכֵר, זַבָּן
salesmanship, *n.* זַבָּנוּת
salient, *adj.* בּוֹלֵט
saline, *adj.* מִלְחִי
saliva, *n.* רִיר
salivate, *v.t.* רָר [ריר]
sallow, *adj.* חִוֵּר
sally, *n.* הֲגָחָה, תְּקִיפָה
sally, *v.i.* הֵגִיחַ [גיח]
salmon, *n.* אִלְתִּית, סַלְמוֹן
salon, *n.* אוּלָם, טְרַקְלִין, סָלוֹן
saloon, *n.* מִסְבָּאָה
salt, *n.* & *v.t.* מֶלַח; הִמְלִיחַ [מלח]
saltless, *adj.* תָּפֵל, חֲסַר מֶלַח
saltpeter, saltpetre, *n.* מְלַחַת
salty, *adj.* מָלוּחַ
salubrity, *n.* הַבְרָאָה
salutary, *adj.* מַבְרִיא
salutation, *n.* בִּרְכַּת שָׁלוֹם
salute, *n.*, *v.t.* & *i.* הַצְדָּעָה; בֵּרֵךְ בְּשָׁלוֹם; הִצְדִּיעַ [צדע]
salvation, *n.* תְּשׁוּעָה, יְשׁוּעָה, הַצָּלָה
salve, *n.* מִשְׁחָה, רִקּוּחַ
salve, salvage, *v.t.* הִצִּיל [נצל]
same, *adj.* & *pron.* אוֹתוֹ, עַצְמוֹ; שָׁוֶה
sameness, *n.* זֶהוּת
sample, *n.* דֻּגְמָה
sample, *v.t.* לָקַח דֻּגְמָה, טָעַם

Samson, *n.* שִׁמְשׁוֹן
Samuel, *n.* (סֵפֶר) שְׁמוּאֵל
sanatorium, *n.* מִבְרָאָה
sanctification, *n.* קִדּוּשׁ
sanctify, *v.t.* קִדֵּשׁ
sanctimonious, *adj.* מִתְחַסֵּד, צָבוּעַ
sanction, *n.* & *v.t.* אִשּׁוּר; אִשֵּׁר
sanctuary, *n.* מִקְדָּשׁ, מִשְׁכָּן; מִפְלָט, מִקְלָט
sand, *n.* & *v.t.* חוֹל; פִּזֵּר (כִּסָּה) חוֹל
sandal, *n.* סַנְדָּל
sandpaper, *n.* נְיָר חוֹל
sandwich, *n.* כָּרִיךְ
sane, *adj.* בְּרִיא הַשֵּׂכֶל
sanguinary, *adj.* דָּמִי, מְלֵא דָמִים; צְמֵא דָם
sanitarium, *n.* מִבְרָאָה
sanitary, *adj.* תַּבְרוּאִי
sanitation, *n.* תַּבְרוּאָה
sanity, *n.* צְלִילוּת הַדַּעַת
sap, *n.*, *v.t.* & *i.* לֵחַ; חָתַר (מִתַּחַת); הִתִּישׁ [תשש] (כֹּחַ)
sapience, *n.* דַּעַת
sapling, *n.* נֶטַע
sapphire, *n.* סַפִּיר
sarcasm, *n.* עוֹקְצָנוּת, שְׁנִינָה
sarcastic, *adj.* עוֹקְצָנִי, לוֹעֵג; שָׁנוּן
sarcophagus, *n.* אָרוֹן (מֵתִים)
sardine, *n.* טָרִית
sardonic, *adj.* לַגְלְגָנִי, בָּז
sash, *n.* סֶרֶט; חֲגוֹרָה, אַבְנֵט; מִסְגֶּרֶת
satanic, satanical, *adj.* שְׂטָנִי
satchel, *n.* יַלְקוּט
sate, satiate, *v.t.* הִשְׂבִּיעַ [שבע]
sateen, *n.* סָטִין, אַטְלַס
satellite, *n.* לַוְיָן
satiation, satiety, *n.* שֹׂבַע, שָׂבְעָה
satire, *n.* מַהֲתַלָּה
satiric, satirical, *adj.* הִתּוּלִי
satirize, *v.t.* לָעַג לְ־
satisfaction, *n.* הַשְׂבָּעַת (שְׂבִיעַת) רָצוֹן; פִּצּוּי
satisfactory, *adj.* מַשְׂבִּיעַ רָצוֹן, מַסְפִּיק
satisfy, *v.t.* & *i.* הִשְׂבִּיעַ [שבע] רָצוֹן
saturate, *v.t.* הִרְוָה [רוה]
saturation, *n.* רְוָיָה
Saturday, *n.* שַׁבָּת, יוֹם הַשְּׁבִיעִי
satyr, *n.* שָׂעִיר; נוֹאֵף
sauce, *n.* רֹטֶב, מִיץ, צִיר
sauce, *v.t.* תִּבֵּל בְּרֹטֶב ;הִתְנַהֵג [נהג] בְּחֻצְפָּה
saucepan, *n.* מַרְחֶשֶׁת, אִלְפָּס
saucer, *n.* תַּחְתִּית, קְעָרִית
saucy, *adj.* שַׁחֲצָנִי, עַז פָּנִים
sauerkraut, *n.* כְּרוּב כָּבוּשׁ
saunter, *n.* & *v.i.* טִיּוּל מָתוּן; טִיֵּל
sausage, *n.* נַקְנִיק
savage, *adj.* & *n.* פֶּרֶא, פְּרָאִי
savagery, *n.* פְּרָאוּת
save, *v.t.* הִצִּיל [נצל], הוֹשִׁיעַ [ישע]; חָסַךְ, קִמֵּץ
save, *prep.* חוּץ מִן, לְבַד
saver, savior, saviour, *n.* גּוֹאֵל, מוֹשִׁיעַ
saving, *n.* חִסָּכוֹן; הַצָּלָה
Savior, Saviour, *n.* הַגּוֹאֵל, הַמָּשִׁיחַ
savor, savour, *n.* טַעַם, רֵיחַ
savor, savour, *v.t.* & *i.* טָעַם, תִּבֵּל
savory, savoury, *adj.* טָעִים, רֵיחָנִי
saw, *n.* מַסּוֹר, מָשָׁל
saw, *v.t.* & *i.* נִסֵּר, הִתְנַסֵּר [נסר]
sawdust, *n.* נְסֹרֶת
sawmill, *n.* מִנְסָרָה
saxophone, *n.* סַקְסוֹפוֹן
say, *v.t.* & *i.* אָמַר, דִּבֵּר
saying, *n.* אִמְרָה, אֲמִירָה, מָשָׁל, פִּתְגָּם

scab, *n.* שְׁחִין, גֶּלֶד
scabbard, *n.* נָדָן, תַּעַר
scaffold, *n.* גַּרְדּוֹם; פִּגּוּם
scald, *n.* & *v.t.* צְרִיבָה, כְּוִיָּה; כָּוָה,
צָרַב, שָׁלַק, הִגְלִישׁ [גלש] (חָלָב),
מָלַג, שָׁטַף בְּרוֹתְחִים
scale, *n.* & *v.t.* ;קַשְׂקֶשֶׂת; מֹאזְנַיִם, פֶּלֶס
סֻלָּם (בִּנְגִינָה); מַעֲלָה, מַדְרֵגָה;
הֵסִיר [סור] קַשְׂקַשֵּׂי הַדָּג; שָׁקַל;
עָלָה, טִפֵּס
scallion, *n.* בָּצָל יָרוֹק, בְּצַלְצוּל
אַשְׁקְלוֹן
scallop, *n.* רַכִּיכָה; קוֹנְכִית
scalp, *n.* & *v.t.* קַרְקֶפֶת; קִרְקֵף
scalpel, *n.* אִזְמֵל
scaly, *adj.* בַּעַל קַשְׂקַשּׂוֹת, קַשְׂקַשִּׂי
scamp, *n.* עַוָּל, נָבָל
scamper, *v.i.* רָץ [רוץ] בִּמְהִירוּת
scan, *v.t.* & *i.* הִסְתַּכֵּל [סכל], עִיֵּן
scandal, *n.* שַׁעֲרוּרִיָּה
scandalize, *v.t.* שִׁעֲרֵר
scandalous, *adj.* שַׁעֲרוּרִי
scant, *adj.* מְצֻמְצָם, מֻגְבָּל
scapegoat, *n.* שָׂעִיר לַעֲזָאזֵל
scapegrace, *n.* בַּטְלָן
scar, *n.* צַלֶּקֶת
scarce, *adj.* יְקַר הַמְּצִיאוּת, נָדִיר
scarcely, *adv.* בְּקשִׁי, כִּמְעַט שֶׁלֹּא
scarcity, *n.* מַחְסוֹר, נְדִירוּת
scare, *n.* & *v.t.* פַּחַד, בֶּהָלָה; הִפְחִיד
[פחד], הִבְהִיל [בהל]
scarecrow, *n.* דַּחְלִיל
scarf, *n.* רְדִיד, סוּדָר
scarlet, *adj.* & *n.* תּוֹלַעְנִי, סַסְגּוֹנִי;
שָׁנִי, תּוֹלַעַת
scarlet fever, scarlatina, *n.* שָׁנִית
scatter, *v.t.* & *i.* פִּזֵּר, הֵפִיץ [נפץ];
הִתְפַּזֵּר [פזר]

scavenger, *n.* זַבָּל, מְנַקֵּה רְחוֹבוֹת,
אַשְׁפְּתָן
scenario, *n.* עֲלִילָה
scene, *n.* מַחֲזֶה; מְסִבָּה
scenery, *n.* נוֹף; קְלָעִים (בִּימָה)
scent, *n.* רֵיחַ, הֲרָחָה
scent, *v.t.* & *i.* הֵרִיחַ [ריח], בִּשֵּׂם
scepter, sceptre, *n.* שַׁרְבִיט
sceptic, *v.* skeptic
scepticism, *v.* skepticism
schedule, *n.* & *v.t.* רְשִׁימָה, תָּכְנִית,
לוּחַ זְמַנִּים; עָשָׂה רְשִׁימָה, קָבַע
זְמַנִּים, תִּכְנֵן
scheme, schema, *n.*, *v.t.* & *i.* תָּכְנִית,
תַּרְשִׁים, תַּחְבּוּלָה; זָמַם
schemer, *n.* זוֹמֵם
schism, *n.* מַחֲלֹקֶת, פֵּרוּד
scholar, *n.* לַמְדָן, מְלֻמָּד, (תַּלְמִיד)
חָכָם
scholarly, *adj.* לָמִיד, לִמּוּדִי, לַמְדָנִי,
מְלֻמָּד
scholarship, *n.* חָכְמָה, הִתְלַמְּדוּת;
מִלְגָּה
scholastic, *adj.* & *n.* שֶׁל חָכְמָה, שֶׁל
בֵּית סֵפֶר, לִמּוּדִי
school, *n.* & *v.t.* בֵּית סֵפֶר; לִמֵּד, חִנֵּךְ
schoolboy, *n.* תַּלְמִיד
schoolteacher, *n.* מוֹרֶה, מוֹרָה
schooner, *n.* אֳנִיַּת מִפְרָשׂ, מִפְרָשִׂית
science, *n.* מַדָּע
scientific, *adj.* מַדָּעִי
scientist, *n.* מַדְּעָן
scintillate, *v.i.* נָצַץ, נִצְנֵץ
scintillation, *n.* הִתְנוֹצְצוּת
scion, *n.* נֵצֶר, חֹטֶר
scissors, *n. pl.* מִסְפָּרַיִם
scoff, *n.*, *v.t.* & *i.* לַעַג, לִגְלוּג; לִגְלֵג
scold, *n.*, *v.t.* & *i.* גְּעָרָה; גָּעַר

scoop, *n.* מַבְחֵשׁ, בַּחֲשָׁה; תַּרְוָד; יָעֶה; חֲדָשָׁה מַרְעִישָׁה (בְּעִתּוֹן)

scoop, *v.t.* חָשַׂף, דָּלָה, הֶעֱלָה [עלה], הוֹצִיא [יצא], הִשִּׂיג [נשג] (חֲדָשׁוֹת)

scoot, *v.i.* נָס [נוס], רָץ [רוץ]

scooter, *n.* גַּלְגִּלַּיִם

scope, *n.* הֶקֵּף, מֶרְחָב

scorch, *v.t.* & *i.* שָׁדַף, חָרַךְ; נֶחֱרַךְ [חרך], נִכְוָה [כוה]

score, *n.* חֶשְׁבּוֹן; עֶשְׂרִים; חוֹב; תָּוִים

score, *v.t.* & *i.* חִשְׁבֵּן, מָנָה; חָרַץ; רָשַׁם

scorn, *n.* & *v.t.* בּוּז, לִגְלוּג; בָּזָה, לָעַג

scorpion, *n.* עַקְרָב

Scotch, *adj.* & *n.* שׁוֹטְלַנְדִי, שׁוֹטְלַנְדִית; יֵי"שׁ, וִיסְקִי

scoundrel, *n.* בֶּן בְּלִיַּעַל, נָבָל

scour, *v.t.* & *i.* נִקָּה, שִׁפְשֵׁף

scourge, *n.* עֹנֶשׁ; פַּרְגּוֹל, שׁוֹט

scourge, *v.t.* הִלְקָה [לקה] רָצַע

scout, *n.* צוֹפֶה; מְרַגֵּל

scout, *v.t.* & *i.* תָּר [תור], רִגֵּל; לָעַג

scowl, *v.i.* & *n.* קִמֵּט מֵצַח, הִרְעִים [רעם] פָּנִים; מַבָּט (קוֹדֵר) זוֹעֵם

scrabble, *n.* גֵּרוּד, חִכּוּךְ, שְׂרִיטָה

scrabble, *v.t.* & *i.* גָּרַד, חָכַךְ, שָׂרַט

scramble, *n.* & *v.t.* הִתְחַבְּטוּת; מָרַס (טָרַף) בֵּיצִים

scrap, *n.* נְשֹׁרֶת, פְּסֹלֶת; קְטָטָה

scrape, *n.* גֵּרוּד, חִכּוּךְ

scrape, *v.t.* & *i.* גָּרַד, חָכַךְ

scraper, *n.* מַגְרֵד, מַחְטֵט, מַגְרֶדֶת

scratch, *n.* סְרִיטָה, שְׂרִיטָה, שָׂרֶטֶת

scratch, *v.t.* & *i.* גֵּרַד, הִתְגָּרֵד [גרד]; שָׂרַט, נִשְׂרַט [שרט], סָרַט, נִסְרַט [סרט]

scrawl, *n.*, *v.t.* & *i.* כְּתִיבָה גְּרוּעָה; כָּתַב כְּתִיבָה גְּרוּעָה; תִּוָּה

scream, *n.* צְעָקָה, צְוָחָה, צְרִיחָה

scream, *v.t.* & *i.* צָעַק, צָוַח, צָרַח

screech, *n.*, *v.t.* & *i.* צְעָקָה, צְוָחָה; צִרְצוּר, חֲרִיקָה; צָרַח, צָעַק; חָרַק, צִרְצֵר

screen, *n.* מָסָךְ, בַּד

screen, *v.t.* סָכַךְ, נִפָּה, הִצְפִּין [צפן]

screw, *n.* & *v.t.* בֹּרֶג; בָּרַג

screw driver, screwdriver, *n.* מַבְרֵג, סַבֹּרֶג

scribble, *n.*, *v.t.* & *i.* כְּתִיבָה גְּרוּעָה; כָּתַב כְּתִיבָה גְּרוּעָה, תִּוָּה

scribe, *n.* מַזְכִּיר, סוֹפֵר, לַבְלָר

scrimp, *n.*, *v.t.* & *i.* קַמְצָן; קִמֵּץ, צִמְצֵם

scrip, *n.* תְּעוּדָה

script, *n.* כְּתָב; נֹסַח

scripture, *n.* מִקְרָא

Scriptures, *n. pl.* כִּתְבֵי הַקֹּדֶשׁ, תַּנַ"ךְ

scroll, *n.* מְגִלָּה

scrub, *n.*, *v.t.* & *i.* סְבַךְ, חֹרֶשׁ; שִׁפְשׁוּף; עוֹבֵד עֲבוֹדָה שְׁחוֹרָה; נִקָּה, שִׁפְשֵׁף

scruple, *n.* & *v.i.* מִצְעָר, שֶׁמֶץ, קֹרְטוֹב; גֵּרָה; הַכָּרָה פְּנִימִית; פִּקְפּוּק, הִסּוּס; מַצְפּוּן; פִּקְפֵּק, הִסֵּס

scrupulous, *adj.* מַצְפּוּנִי; זָהִיר, דַּיְקָן

scrutinize, *v.t.* חָקַר וְדָרַשׁ, בָּחַן וּבָדַק

scrutiny, *n.* בְּדִיקָה

scud, *n.* & *v.i.* נְשִׂיאִים, עָבִים; רָץ [רוץ] (שָׁט [שוט]) בִּמְהִירוּת

scuffle, *n.* & *v.i.* מַצָּה; נִצָּה

scull, *n.* מָשׁוֹט קָצָר

scull, *v.t.* & *i.* חָתַר בְּמָשׁוֹט קָצָר

scullery, *n.* חֲדַר הֲדָחָה (לְיַד הַמִּטְבָּח)

sculptor, *n.* חַטָּב, פַּסָּל, גַּלָּף

sculpture, *n.* פִּסּוּל, חִטּוּב, גִּלּוּף, כִּיּוּר

sculpture, *v.t.* פִּסֵּל, חָטַב, כִּיֵּר

scum, *n.* קֶצֶף, חֶלְאָה

scum, *v.i.* הֵסִיר [סור] קֶצֶף
scurrilous, *adj.* גַּס, מְנַבֵּל פִּיו
scurvy, *n.* צַפְדִּינָה, גָּרָב
scuttle, *v.t.* טִבַּע (אֳנִיָּה)
scythe, *n.* מַגָּל, חֶרְמֵשׁ
sea, *n.* יָם
seaboard, *n.* שְׂפַת הַיָּם
seacoast, *n.* חוֹף יָם
seagull, *n.* שַׁחַף
seal, *n.* סְתִימָה, חוֹתֶמֶת; כֶּלֶב יָם
seal, *v.t.* סָתַם; חָתַם
sea level גֹּבַהּ (פְּנֵי) הַיָּם
seam, *n.* תֶּפֶר, אִמְרָה
seam, *v.t.* & *i.* אִחָה, תָּפַר, אִמֵּר
seaman, *n.* סַפָּן, מַלָּח, חוֹבֵל
seamstress, sempstress, *n.* תּוֹפֶרֶת
seaport, *n.* עִיר נָמָל
sear, *v.t.* שָׁדַף, הִכְוָה [כוה]
search, *n.*, *v.t.* & *i.* חִפּוּשׂ; חִפֵּשׂ
searchlight, *n.* זַרְקוֹר
seashore, *n.* חוֹף הַיָּם
seasickness, *n.* חֳלִי יָם, קֶבֶס
seaside, *n.* שְׂפַת (חוֹף) הַיָּם
season, *n.* עוֹנָה, תְּקוּפָה
season, *v.t.* & *i.* תִּבֵּל; הִרְגִּיל [רגל], הִתְרַגֵּל [רגל]; יִבֵּשׁ (עֵצִים)
seasonable, seasonal, *adj.* בְּעִתּוֹ; זְמַנִּי, מַתְאִים
seasoning, *n.* תְּבָלִים; תִּבּוּל
seat, *n.* מְקוֹם יְשִׁיבָה, מוֹשָׁב; כִּסֵּא
seat, *v.t.* הוֹשִׁיב [ישב]
seaweed, *n.* חִילָף, אַצָּה
secede, *v.i.* פָּרַשׁ, נִבְדַּל [בדל]
secession, *n.* הִתְבַּדְּלוּת, הִתְפָּרְדוּת
seclude, *v.t.* הִתְבּוֹדֵד
seclusion, *n.* הִתְבּוֹדְדוּת
second, *adj.* & *n.* שֵׁנִי, מִשְׁנֶה; שְׁנִיָּה
second, *v.t.* תָּמַךְ
secondary, *adj.* מִשְׁנִי
secondary school בֵּית סֵפֶר תִּיכוֹן
secondhand, *adj.* מְשֻׁמָּשׁ
secondly, *adv.* שֵׁנִית
secrecy, *n.* סֵתֶר, חֶבְיוֹן, סוֹדִיּוּת
secret, *n.* & *adj.* סוֹד; סוֹדִי, חֲשָׁאִי
secretariat, secretariate, *n.* מַזְכִּירוּת
secretary, *n.* מַזְכִּיר
secrete, *v.t.* הֶחְבִּיא [חבא], הִטְמִין [טמן]; הִפְרִישׁ [פרש]
secretion, *n.* הַצְפָּנָה; הַפְרָשָׁה; הֲרָרָה
secretive, *adj.* שׁוֹמֵר סוֹד; שַׁתְקָנִי; מֵרִיר
secretly, *adj.* חֶרֶשׁ, בְּסוֹד
secret service בּוֹלֶשֶׁת
sect, *n.* כַּת, כִּתָּה
sectarian, *adj.* כִּתָּתִי
section, *n.* גִּזְרָה; חֵלֶק; פֶּרֶק, סָעִיף; סִדְרָה, מִשְׁנָה; סִיעָה; סְנִיף
sector, *n.* מָחוֹז, קֶטַע
secular, *adj.* חִלּוֹנִי
secularism, secularity, *n.* חִלּוֹנִיּוּת
secure, *adj.* בָּטוּחַ
secure, *v.t.* אִבְטַח
security, *n.* בִּטָּחוֹן, אַבְטָחָה, בִּטְחָה, עֲרֵבוּת, מַשְׁכּוֹן
sedan, *n.* אַפִּרְיוֹן
sedate, *adj.* נִרְגָּע, מְיֻשָּׁב
sedative, *adj.* & *n.* מַרְגִּיעַ, מַשְׁקִיט
sedentary, *adj.* מְיֻשָּׁב
sedge, *n.* חִילָף, חֵלֶף
sediment, *n.* שְׁמָרִים; מִשְׁקָע
sedimentary, *adj.* מִשְׁקָעִי
sedition, *n.* מְרִי, מֶרֶד
seditious, *adj.* מוֹרֵד
seduce, *v.t.* פִּתָּה
seducer, *n.* מְפַתֶּה
seduction, *n.* פִּתּוּי

seductive, *adj.* מֵסִית, מַדִּיחַ

sedulous, *adj.* חָרוּץ, שַׁקְדָנִי

see, *v.t.* & *i.* רָאָה, חָזָה, הֵבִין [בין]

seed, *n.* זֶרַע

seed, *v.t.* & *i.* זָרַע, הִזְרִיעַ [זרע]

seeder, *n.* זוֹרֵעַ, מַזְרֵעָה

seedless, *adj.* חֲסַר זְרָעִים

seedling, *n.* שָׁתִיל

seeing, *n.* & *conj.* רְאִיָּה, רְאוּת; הוֹאִיל וְ־

seek, *v.t.* & *i.* חִפֵּשׂ, דָּרַשׁ

seeker, *n.* מְחַפֵּשׂ

seem, *v.i.* נִדְמֶה [דמה], נִרְאָה [ראה]

seemly, *adj.* יָאֶה, הָגוּן; מַתְאִים

seep, *v.i.* נָטַף, טִפְטֵף

seer, *n.* חוֹזֶה, נָבִיא

seesaw, *n.* נַדְנֵדָה

seethe, *v.t.* הִרְתִּיחַ [רתח]

segment, *n.* פֶּלַח, קֶטַע

segregate, *v.t.* הִפְרִיד [פרד], הִפְרִישׁ [פרש]

segregation, *n.* בִּדּוּל

seine, *n.* מִכְמֹרֶת

seismic, seismical, *adj.* שֶׁל רְעִידַת (תְּנוּדַת) הָאֲדָמָה, רַעֲשִׁי

seismograph, *n.* רַשַּׁמְרַעַשׁ

seize, *v.t.* & *i.* חָטַף, תָּפַס, אָחַז, טָרַף

seizure, *n.* תְּפִיסָה

seldom, *adv.* לְעִתִּים רְחוֹקוֹת

select, *adj.* נִבְחָר, מֻבְחָר, מְעֻלֶּה

select, *v.t.* בָּחַר, בָּרַר

selection, *n.* בְּחִירָה, בְּרֵרָה, מִבְחָר

selective, *adj.* בָּחִיר, שֶׁל בְּחִירָה

selector, *n.* בּוֹחֵר, בּוֹרֵר

self, *adj.* & *n.* עַצְמוֹ, אוֹתוֹ; גּוּף, עֶצֶם, נֶפֶשׁ

self-assurance, *n.* בִּטָּחוֹן עַצְמִי

self-control, *n.* שְׁלִיטָה עַצְמִית

self-defense, *n.* הֲגָנָה עַצְמִית

self-destruction, *n.* אִבּוּד עַצְמוֹ

self-esteem, *n.* כִּבּוּד עַצְמוֹ

self-evident, *adj.* מוּבָן מֵאֵלָיו

self-government, *n.* שִׁלְטוֹן עַצְמִי

selfish, *adj.* אָנֹכִיִּי

selfless, *adj.* שֶׁאֵינוֹ דּוֹאֵג לְעַצְמוֹ

self-respect, *n.* כָּבוֹד עַצְמִי

self-sacrifice, *n.* הַקְרָבָה עַצְמִית

selfsame, *adj.* הוּא בְּעַצְמוֹ

sell, *v.t.* & *i.* מָכַר, זִבֵּן; נִמְכַּר [מכר], הִזְדַּבֵּן [זבן]

seller, *n.* מוֹכֵר, זַבָּן

semantics, *n.* תּוֹרַת הַמַּשְׁמָעוּת (מִלִּים)

semaphore, *n.* אִתּוּת, מַחֲוָן, אִתּוּתוֹר

semblance, *n.* דְּמוּת, דִּמְיוֹן

semester, *n.* זְמָן

semiannual, *adj.* חֲצִי שְׁנָתִי

semen, *n.* (שִׁכְבַת) זֶרַע

semicircle, *n.* חֲצִי עִגּוּל, חֲצִי גֹּרֶן

semicolon, *n.* נְקֻדָּה וּפְסִיק (;)

seminary, *n.* בֵּית מִדְרָשׁ, סֵמִינַרְיוֹן

semiofficial, *adj.* חֲצִי רִשְׁמִי

Semite, *n.* & *adj.* שֵׁמִי

sempstress, *v.* seamstress

senate, *n.* בֵּית הַמְחוֹקְקִים, סֶנָט

send, *v.t.* & *i.* שָׁלַח, נִשְׁלַח [שלח]

sender, *n.* שׁוֹלֵחַ

senile, *adj.* תָּשׁוּשׁ, שֶׁל זִקְנָה

senility, *n.* זִקְנָה

senior, *adj.* & *n.* בְּכוֹר, רִאשׁוֹן

seniority, *n.* בְּכוֹרָה

sensation, *n.* הַרְגָּשָׁה, תְּחוּשָׁה

sensational, *adj.* מַפְלִיא; חוּשִׁי

sense, *n.* חוּשׁ, רֶגֶשׁ; מוּבָן; שֵׂכֶל

senseless, *adj.* חֲסַר רֶגֶשׁ; טִפְּשִׁי

sensibility, *n.* רְגִישׁוּת

sensible, *adj.* מוּחָשׁ, נָבוֹן
sensibly, *adv.* בְּחָכְמָה, בְּבִינָה
sensitive, *adj.* רָגִישׁ, רַגְשָׁנִי
sensory, *adj.* חוּשָׁנִי
sensual, *adj.* חוּשָׁנִי; תַּאֲוָנִי
sensuality, *n.* חוּשָׁנִיּוּת
sensuous, *adj.* חוּשִׁי, תַּאַוְתָנִי
sentence, *n.* מִשְׁפָּט, מַאֲמָר; גְּזַר דִּין, פְּסַק דִּין
sentence, *v.t.* הוֹצִיא [יצא] מִשְׁפָּט, חִיֵּב, הִרְשִׁיעַ [רשע]
sententious, *adj.* פִּתְגָּמִי; נִמְרָץ
sentient, *adj.* בַּעַל הַרְגָּשָׁה, מַרְגִּישׁ
sentiment, *n.* רֶגֶשׁ, הַרְגָּשָׁה דַּקָּה
sentimental, *adj.* רַגְשָׁנִי
sentimentality, *n.* רַגְשִׁיּוּת
sentinel, sentry, *n.* שׁוֹמֵר, שַׁמָּר, אִישׁ מִשְׁמָר
separable, *adj.* בַּר הַפְרָדָה
separate, *adj.* מֻפְרָד, מֻבְדָּל
separate, *v.t. & i.* הִפְרִיד [פרד], הִבְדִּיל [בדל] הִתְבַּדֵּל [בדל]
separately, *adv.* לְחוּד
separation, *n.* הַפְרָדָה, הִתְפָּרְדוּת; גֵּט
separator, *n.* מַפְרֵדָה; מַבְדִּיל, מַפְרִיד
September, *n.* סֶפְּטֶמְבֶּר
septic, *adj.* מַרְקִיב, שֶׁל רִקָּבוֹן
sepulcher, sepulchre, *n.* כּוּךְ, קֶבֶר
sepulcher, sepulchre, *v.t.* קָבַר
sepulture, *n.* קְבוּרָה
sequel, *n.* הֶמְשֵׁךְ; תּוֹצָאָה
sequence, *n.* רְצִיפוּת; תּוֹלָדָה
sequester, sequestrate, *v.t.* הִפְקִיעַ [פקע], עִקֵּל, הֶחֱרִים [חרם]
sequestration, *n.* תְּפִיסַת נְכָסִים, עִקּוּל
seraglio, *n.* הַרְמוֹן, אַרְמוֹן הַשֻּׁלְטָן
sere, *adj.* נוֹבֵל, קָמֵל
serenade, *n.* רַמְשִׁית

serene, *adj.* צַח, בָּהִיר; שׁוֹקֵט
serenity, *n.* שֶׁקֶט, מְנוּחָה, שַׁלְוָה
serf, *n.* עֶבֶד
serfdom, *n.* עַבְדוּת
sergeant, *n.* סַמָּל
serial, *adj.* שֶׁל סִדְרָה
serial, series, *n.* סִדְרָה
serious, *adj.* רְצִינִי, מְיֻשָּׁב
seriousness, *n.* רְצִינוּת
sermon, *n.* דְּרָשָׁה
sermonize, *v.t. & i.* הִטִּיף [נטף], דָּרַשׁ
serpent, *n.* נָחָשׁ, שְׁפִיפוֹן
serpentine, *adj.* פְּתַלְתֹּל, מְעֻקָּל
serum, *n.* נַסְיוּב
servant, *n.* מְשָׁרֵת, עֶבֶד
serve, *v.t. & i.* שֵׁרֵת, שִׁמֵּשׁ
service, *n.* שֵׁרוּת; תְּפִלָּה; צָבָא
servile, *adj.* עַבְדוּתִי
servility, *n.* עַבְדוּת, שִׁעְבּוּד
servitor, *n.* מְשָׁרֵת
servitude, *n.* עַבְדוּת, שִׁפְלוּת
sesame, *n.* שֻׁמְשׁוּם
session, *n.* יְשִׁיבָה, אֲסֵפָה
set, *n.* שְׁקִיעָה; כִּוּוּן; קְבוּצָה; מַקְלֵט; סֵדֶר, סִדְרָה, מַעֲרֶכֶת כֵּלִים, טֶקֶס
set, *v.t. & i.* הוֹשִׁיב [ישב], שָׂם [שים], שָׁפַת; עָרַךְ (שֻׁלְחָן) קָבַע, כּוֹנֵן [כון]; שָׁקַע; שָׁתַל
set aside הִשְׁלִיךְ [שלך] הַצִּדָּה, דָּחָה; הִפְרִישׁ [פרש], בִּטֵּל
set back עִכֵּב
set off קִשֵּׁט; פּוֹצֵץ [פצץ]
set sail הִפְלִיג [פלג]
set up יִסֵּד, כּוֹנֵן [כון]
setting, *n.* מַצָּע; מִשְׁבֶּצֶת
settle, *v.t. & i.* יָשַׁב; שִׁכֵּן, שָׁכַן; הִתְיַשֵּׁב [ישב], שָׁקַע (שְׁמָרִים); סִלֵּק, פָּרַע; הִשְׁתַּקַּע [שקע]; הִתְפַּשֵּׁר [פשר]

settlement, *n.* מוֹשָׁבָה; פְּשָׁרָה; יִשּׁוּב

settler, *n.* מִתְיַשֵּׁב

seven, *adj.* & *n.* שִׁבְעָה, שֶׁבַע

sevenfold, *adj.* & *adv.* שִׁבְעָתַיִם, פִּי (כָּפוּל) שִׁבְעָה (שֶׁבַע); שִׁבְעַת מוֹנִים

seventeen, *adj.* & *n.* שִׁבְעָה עָשָׂר, שְׁבַע עֶשְׂרֵה

seventeenth, *adj.* & *n.* הַשִּׁבְעָה עָשָׂר, הַשְּׁבַע עֶשְׂרֵה

seventieth, *adj.* הַשִּׁבְעִים

seventy, *adj.* & *n.* שִׁבְעִים

sever, *v.t.* & *i.* הִפְסִיק [פסק]; פָּרַד, הִפְרִיד [פרד]; חָתַךְ

several, *adj.* אֲחָדִים, כַּמָּה

severally, *adv.* לְבַד, כָּל אֶחָד בִּפְנֵי עַצְמוֹ; לְחוּד

severance, *n.* הַפְרָדָה, הַתָּרָה (קֶשֶׁר), קְצִיצָה, קְטִיעָה

severe, *adj.* מַחְמִיר, מַקְפִּיד, קָשֶׁה; מַמְאִיר, אָנוּשׁ

severely, *adv.* קָשׁוֹת

severity, *n.* קַפְּדָנוּת, הַחְמָרָה, אַכְזָרִיּוּת, רְצִינוּת

sew, *v.t.* & *i.* תָּפַר, חִיֵּט

sewer, *n.* תּוֹפֵר, חַיָּט

sewer, *n.* בִּיב

sewerage, *n.* בִּיּוּב

sewing machine מְכוֹנַת תְּפִירָה

sex, *n.* מִין

sexless, *n.* טֻמְטוּם

sextet, sextette, *n.* שִׁשִּׁיָּה

sexton, *n.* שַׁמָּשׁ, חַזָּן

sexual, *adj.* מִינִי

sexual intercourse תַּשְׁמִישׁ, בְּעִילָה, הִזְדַּוְּגוּת, מִשְׁגָּל, עוֹנָה, יְדִיעָה

sexuality, *n.* מִינִיּוּת

shabby, *adj.* מְכֹעָר, בָּלוּי

shackle, *v.t.* כָּבַל, אָסַר בַּאֲזִקִּים (בִּכְבָלִים)

shackles, *n. pl.* נְחֻשְׁתַּיִם, אֲזִקִּים, כְּבָלִים

shade, shadow, *n.* צֵל

shade, shadow, *v.t.* אִפְלֵל, הֵצֵל [צלל]

shady, *adj.* חָשׁוּךְ, מוּצָל; חָשׁוּד, לֹא מְכֻבָּד

shaft, *n.* חֵץ; מַחְפֹּרֶת; גַּל, טַלְטַל (בִּמְכוֹנָה); מוֹט, יָצוּל

shaggy, *adj.* שָׂעִיר; מְחֻסְפָּס

shake, *n.*, *v.t.* & *i.* זַעֲזוּעַ, נִעֲנוּעַ; זִעְזַע, חִלְחֵל, נִעְנַע, הִתְנַעְנֵעַ [נענע], נִעֵר, הִזְדַּעְזַע [זעזע], רָעַד; נוֹפֵף [נוף]; תָּקַע (לָחַץ) יָד; טֵרַף (מַשְׁקָאוֹת)

shaky, *adj.* מִתְנַעֲנֵעַ, רוֹפֵף, מִתְמוֹטֵט

shall, *v.* פֹּעַל עֵזֶר לְצַיֵּן אֶת הֶעָתִיד (גּוּף רִאשׁוֹן)

shallow, *adj.* לֹא עָמֹק, רָדוּד; שִׁטְחִי

sham, *n.* תַּרְמִית, זִיּוּף

sham, *v.t.* & *i.* הֶעֱמִיד [עמד] פָּנִים, הִתְרָאָה [ראה] כְּ־

shamble, *n.* מִטְבָּחַיִם, מַטְבֵּחַ

shame, *n.* חֶרְפָּה, בּוּשָׁה, כְּלִימָה; בַּיְשָׁנוּת

shame, *v.t.* בִּיֵּשׁ, הוֹבִישׁ [בוש], הִכְלִים [כלם]

shampoo, *n.* חֲפִיפָה; סַבֶּנֶת

shampoo, *v.t.* חָפַף, סִבֵּן אֶת הָרֹאשׁ

shamrock, *n.* תִּלְתָּן

shank, *n.* שׁוֹק

shanty, *n.* צְרִיף

shape, *n.* דְּמוּת, צוּרָה

shape, *v.t.* & *i.* צָר [צור]; יָצַר; עִצֵּב; קִבֵּל צוּרָה

shapeless, *adj.* גָּלְמִי, חֲסַר צוּרָה

shapely, *adj.* יְפֵה צוּרָה, יְפַת תֹּאַר

share, *n.* מְנָיָה; חֵלֶק, מָנָה; אֵת (מַחֲרֵשָׁה)
share, *v.t.* & *i.* חִלֵּק; הִשְׁתַּתֵּף [שתף]
sharecropper, *n.* אָרִיס
shareholder, *n.* בַּעַל מְנָיָה
sharer, *n.* מִשְׁתַּתֵּף
shark, *n.* כָּרִישׁ
sharp, *adj.* חָרִיף, שָׁנוּן, חַד, מְחֻדָּד
sharpen, *v.t.* & *i.* הִשְׁחִיז [שחז], חִדֵּד, הִתְחַדֵּד [חדד], לָטַשׁ
sharpener, *n.* מַשְׁחִיז; מַשְׁחֵזָה
sharpness, *n.* חֹד, חַדּוּת; חֲרִיפוּת
shatter, *v.t.* & *i.* נִפֵּץ, שִׁבֵּר; הִשְׁתַּבֵּר [שבר]
shave, *n.* תִּגְלַחַת, גִּלּוּחַ
shave, *v.t.* & *i.* גִּלַּח, הִתְגַּלַּח [גלח]
shaving, *n.* גִּלּוּחַ; שִׁיפָה
shawl, *n.* רְדִיד, מִטְפַּחַת
she, *pron.* הִיא
sheaf, *n.* & *v.t.* אֲלֻמָּה, עֹמֶר; אִלֵּם, עִמֵּר
shear, *v.t.* & *i.* גָּזַז, סִפֵּר
shearer, *n.* גּוֹזֵז
shears, *n. pl.* מִסְפָּרַיִם
sheath, *n.* תַּעַר, תִּיק
shed, *n.* צְרִיף
shed, *v.t.* & *i.* נָשַׁר, הִשְׁלִיךְ [שלך] (עָלִים); זָלַג (דְּמָעוֹת); שָׁפַךְ (דָּם); הֵפִיץ [נפץ] (אוֹר); פָּשַׁט עוֹרוֹ
sheen, *n.* זֹהַר, בָּרָק
sheep, *n.* צֹאן; כֶּבֶשׂ
sheepfold, *n.* דִּיר, מִכְלָה
sheer, *adj.* מֻחְלָט; זַךְ; דַּק; שָׁקוּף; תָּלוּל
sheet, *n.* סָדִין; גִּלָּיוֹן; לוּחַ (בַּרְזֶל)
shelf, *n.* כּוֹנָנִית, מַדָּף
shell, *n.* קְלִפָּה; תַּרְמִיל; כַּדּוּר; פָּגָז
shell, *v.t.* & *i.* קִלֵּף; בָּזַק, הִפְגִּיז [פגז]

shellac, *n.* לַכָּה
shellfish, *n.* רַכִּיכָה; סַרְטָן
shelter, *n.* מַחֲסֶה
shepherd, *n.* רוֹעֶה צֹאן
sherbet, *n.* שֶׁרְבֶּת, גְּלִידָה
sheriff, *n.* פְּקִיד הַמִּשְׁטָרָה הַמְּחוֹזִית
sherry, *n.* יֵין חֶרֶס, שֶׁרִי
shibboleth, *n.* סִיסְמָה, סִימַן הֶכֵּר, שִׁבֹּלֶת־שִׁבֹּלֶת
shield, *n.* & *v.t.* מָגֵן, שֶׁלֶט; הֵגֵן [גנן]
shift, *n.* שִׁנּוּי, הַחֲלָפָה; אֶמְצָעִי, תַּחְבּוּלָה; קְבוּצַת עוֹבְדִים
shift, *v.t.* & *i.* הֶעֱבִיר [עבר]; שִׁנָּה; הֶחֱלִיף [חלף] (סְבִיבָה)
shilling, *n.* מַטְבֵּעַ אַנְגְּלִי, שִׁילִינְג
shimmer, *n.* & *v.i.* נֹגַהּ; נִצְנֵץ
shimmery, *adj.* מְנַצְנֵץ
shin, *n.* & *v.t.* שׁוֹק; טִפֵּס
shine, *n.* & *v.i.* זְרִיחָה, זֹהַר; צִחְצוּחַ; זָרַח, הִבְרִיק [ברק]; צִחְצַח (נַעֲלַיִם)
shingle, *n.* & *v.t.* רַעַף; רִעֵף
shiny, *adj.* מֵאִיר, מַבְרִיק, מְצֻחְצָח
ship, *n.* אֳנִיָּה, סְפִינָה
ship, *v.t.* & *i.* שָׁלַח (סְחוֹרוֹת)
shipment, *n.* מִשְׁלוֹחַ (סְחוֹרוֹת)
shipper, *n.* שׁוֹלֵחַ סְחוֹרוֹת
shipping, *n.* מִשְׁלוֹחַ (סְחוֹרוֹת)
shipwreck, *n.* שֶׁבֶר (אֳנִיָּה); תְּבוּסָה; הֶרֶס
shipyard, *n.* מִסְפָּנָה
shire, *n.* מָחוֹז (בְּאַנְגְּלִיָּה)
shirk, *v.t.* הִשְׁתַּמֵּט [שמט]
shirt, *n.* כֻּתֹּנֶת, חָלוּק
shiver, *n.*, *v.t.* & *i.* רְעָדָה, צְמַרְמֹרֶת; רָעַד
shoal, *n.* מַיִם רְדוּדִים; עֵדָה (דָּגִים)
shock, *n.* הֶדֶף, בֶּהָלָה
shock, *v.t.* הָדַף, עָלַב, הֶחֱרִיד [חרד]

shocking, *adj.* מְזַעְזֵעַ, מַבְהִיל
shoe, *n.* נַעַל
shoe, *v.t.* נָעַל, הִנְעִיל [נעל]
shoehorn, *n.* כַּף נַעַל
shoelace, *n.* שְׂרוֹךְ נַעַל
shoemaker, *n.* רַצְעָן, סַנְדְּלָר
shoot, *n.* אֵב, נֵצֶר; שְׁלוּחָה, זְמוֹרָה
shoot, *v.t. & i.* יָרָה; הִשְׁלִיךְ [שלך]; צִלֵּם, הִסְרִיט [סרט] (סֶרֶט); הִצְמִיחַ [צמח]; עָבַר בִּמְהִירוּת
shooting star כּוֹכָב נוֹפֵל
shop, *n.* חֲנוּת; בֵּית מְלָאכָה
shop, *v.i.* קָנָה (בִּקֵּר) בַּחֲנֻיּוֹת
shopkeeper, *n.* חֶנְוָנִי, זַבָּן
shopper, *n.* קוֹנֶה
shopwindow, *n.* חַלּוֹן רַאֲוָה
shore, *n.* חוֹף, גָּדָה; מִשְׁעָן
short, *adj.* קָצָר; פָּחוּת; נִצְרָךְ
short, *n.* תַּמְצִית; קִצּוּר
shortage, *n.* מַחְסוֹר; גֵּרָעוֹן
short circuit קֶצֶר (חַשְׁמַל)
shorten, *v.t.* קִצֵּר; הִמְעִיט [מעט]
shortening, *n.* קִצּוּר; שֻׁמָּן
shorthand, *n.* קַצְרָנוּת, כְּתָבְצָר
shortly, *adv.* בְּקָרוֹב; בְּקָצָרָה
shortness, *n.* קֹצֶר
shorts, *n. pl.* מִכְנָסַיִם קְצָרִים
shortsighted, *adj.* קְצַר רְאוּת
shot, *n.* יְרִי, טְוָח; זְרִיקָה
shoulder, *n. & v.t.* כָּתֵף, שֶׁכֶם; כִּתֵּף; נָשָׂא; קִבֵּל עָלָיו אַחֲרָיוּת
shoulder blade שִׁכְמָה, עֶצֶם הַשִּׁכְמָה
shout, *n.* צְעָקָה, זְעָקָה
shout, *v.t. & i.* צָעַק, זָעַק
shove, *n., v.t. & i.* דְּחִיפָה; דָּחַף
shovel, *n. & v.t.* מַגְרֵפָה, יָעֶה, אֵת; גָּרַף, הֵרִים [רום], חָפַר, חָתָה
show, *n.* הַצָּגָה; תַּעֲרוּכָה; מַחֲזֶה
show, *v.t. & i.* הֶרְאָה [ראה], הִצִּיג [נצג]
shower, *n., v.t. & i.* מִקְלַחַת; גֶּשֶׁם קַל; הִתְקַלַּח [קלח]; הִמְטִיר [מטר]
shrapnel, *n.* רְסִיס, קְלַע פָּגָז
shred, *n.* גֶּזֶר, חֲתִיכָה, קֶרַע
shred, *v.t.* קָרַע, חָתַךְ, גָּזַר
shrew, *n.* מִרְשַׁעַת; חַדָּף
shrewd, *adj.* פִּקֵּחַ
shrewdness, *n.* עַרְמוּמִית; פִּקְחוּת
shriek, *n.* צְוָחָה, צְרִיחָה
shriek, *v.t. & i.* צָוַח, צָרַח
shrike, *n.* חַנְקָן
shrill, *adj.* חַד (קוֹל)
shrill, *v.i.* צִרְצֵר
shrimp, *n.* קְרוּמִית, חֲסִילוֹן; גַּמָּד
shrine, *n.* מִקְדָּשׁ; קֶבֶר קָדוֹשׁ; מִשְׁכָּן
shrink, *v.t. & i.* כִּוֵּץ, הִתְכַּוֵּץ [כוץ]
shrinkage, *n.* הִתְכַּוְּצוּת
shrivel, *v.t. & i.* צָמַק, הִצְטַמֵּק [צמק]
shroud, *v.t.* עָטַף בְּתַכְרִיכִים
shrouds, *n. pl.* תַּכְרִיכִים
shrub, *n.* שִׂיחַ
shrug, *v.t. & i.* הֵנִיעַ [נוע] (מָשַׁךְ) כְּתֵפַיִם
shudder, *n.* צַמַּרְמֹרֶת; חֲרָדָה; חַלְחָלָה
shudder, *v.i.* הִזְדַּעְזַע [זעזע], רָעַד
shuffle, *v.t. & i., n.* נִגְרַר [גרר]; עִרְבֵּב (קְלָפִים); עִרְבּוּב, תַּחְבּוּלָה
shun, *v.t.* סָר [סור] מִן; הִתְחַמֵּק [חמק]; הִתְרַחֵק [רחק]
shunt, *n. & v.t.* הַטָּיָה, הַפְנָיָה (רַכֶּבֶת); מֶתֶג; הֶעֱבִיר [עבר], הִפְנָה [פנה] הַצִּדָּה
shut, *v.t. & i.* סָגַר, נִסְגַּר [סגר]; נָעַל; קָפַץ (יָד); כָּלָא; עָצַם (עֵינַיִם); סָתַם (פֶּה); אָטַם (אֹזֶן)

shutter, *n.* תְּרִיס
shuttle, *n.* בְּכִיר, אֶרֶג, כִּרְכָּר
shuttle, *v.t. & i.* הָלַךְ וְחָזַר
shy, *adj.* בַּיְשָׁן; צָנוּעַ
sibyl, *n.* חוֹזָה, נְבִיאָה
sick, *adj.* חוֹלֶה, מִתְגַּעְגֵּעַ
sicken, *v.t. & i.* חָלָה; הֶחֱלָה [חלה]; עוֹרֵר [עור] גֹּעַל נֶפֶשׁ
sickle, *n.* מַגָּל
sickly, *adv.* חוֹלָנִי
sickness, *n.* חֳלִי, מַחֲלָה
side, *n.* צַד, עֵבֶר
side, *v.i.* צִדֵּד עִם, נָטָה אַחֲרֵי
sidelong, *adj.* צְדָדִי
sidetrack, *v.t.* הֶעֱבִיר [עבר], הִפְנָה [פנה]
sidewalk, *n.* מִדְרָכָה
sideways, sidewise, *adv.* הַצִּדָּה
sidle, *v.i.* קָרַב מִן הַצַּד
siege, *n. & v.t.* מָצוֹר; צָר [צור]
siesta, *n.* שְׁנַת צָהֳרַיִם
sieve, *n.* כְּבָרָה, נָפָה
sift, *v.t. & i.* נִפָּה, עִרְבֵּל
sigh, *n., v.t. & i.* אֲנָחָה; נֶאֱנַח [אנח]
sight, *n.* מַרְאֶה, מַבָּט; כַּוֶּנֶת (רוֹבֶה)
sight, *v.t.* רָאָה; כִּוֵּן
sightless, *adj.* עִוֵּר
sightly, *adj.* נָאֶה
sightseeing, *n,* תִּיוּר, סִיּוּר
sign, *n.* סִימָן, אוֹת; שֶׁלֶט; רֶמֶז; מַזָּל
sign, *v.t. & i.* חָתַם; רָמַז
signal, *n.* אוֹת, סִימָן
signal, *v.t. & i.* אִתֵּת, אוֹתֵת
signaling, signalling, *n.* אִתּוּת
signatory, *n.* חוֹתֵם
signature, *n.* חֲתִימָה
significance, *n.* חֲשִׁיבוּת, עֵרֶךְ
significant, *adj.* חָשׁוּב, רַב עֵרֶךְ

signification, *n.* מַשְׁמָעוּת
signify, *v.t. & i.* סִמֵּן; הִבִּיעַ [נבע]; הוֹרָה [ירה], הֶרְאָה [ראה]
signpost, *n.* צִיּוּן, תַּמְרוּר
silage, *n.* תַּחֲמִיץ
silence, *n.* דּוּמִיָּה, דְּמָמָה; שְׁתִיקָה
silence, *v.t.* הִשְׁתִּיק [שתק]; הֵדַם [דמם]
silent, *adj.* דּוֹמֵם; שׁוֹתֵק
silently, *adv.* בִּשְׁתִיקָה; בִּדְמָמָה
silex, *n.* חַלָּמִישׁ
silhouette, *n.* בָּבוּאָה, צְלָלִית
silk, *n.* מֶשִׁי
silkworm, *n.* תּוֹלַעַת מֶשִׁי
sill, *n.* סַף
silly, *adj.* טִפְּשִׁי
silo, *n.* מְגוּרָה, אָסָם
silt, *n., v.t. & i.* טִיט; סָתַם בְּטִיט
silver, *n.* כֶּסֶף
silver, *v.t.* הִכְסִיף [כסף]
silver, silvery, *adj.* כַּסְפִּי
silversmith, *n.* כַּסָּף, צוֹרֵף
silverware, *n.* כְּלֵי כֶסֶף
similar, *adj.* דּוֹמֶה
similarity, *n.* דִּמְיוֹן
simmer, *v.i.* רָתַח לְאַט
simper, *n.* חִיּוּךְ מְלָאכוּתִי
simper, *v.i.* חִיֵּךְ, גִּחֵךְ, הִצְטַחֵק [צחק]
simple, *adj.* פָּשׁוּט, תָּם; פֶּתִי, שׁוֹטֶה
simpleton, *n.* תָּם, טִפֵּשׁ, פֶּתִי
simplicity, *n.* עֲנָוָה; פַּשְׁטוּת; תְּמִימוּת
simplify, *v.t.* עָשָׂה פָּשׁוּט, הֵקֵל [קלל]
simply, *adv.* בְּפַשְׁטוּת
simplification, *n.* פֶּשֶׁט
simulate, *v.t.* הִתְחַפֵּשׂ [חפש]
simulation, *n.* הִתְחַפְּשׂוּת
simultaneous, *adj.* בּוֹ בִּזְמַן
simultaneously, *adv.* בְּעֵת וּבְעוֹנָה אַחַת

sin, *n.* עֲבֵרָה, חֵטְא, עָוֹן, פֶּשַׁע

sin, *v.i.* חָטָא

since, *adv.* & *prep.* מֵאָז, לְמִן; בֵּינְתַיִם

since, *conj.* מִכֵּיוָן שֶׁ־, יַעַן, הוֹאִיל וְ־

sincere, *adj.* כֵּן, נֶאֱמָן

sincerely, *adv.* בְּתָמִים, בֶּאֱמֶת

sincerity, *n.* כֵּנוּת, יֹשֶׁר

sinecure, *n.* נִכְסֵי כְּנֵסִיָּה; קִצְבַת כֹּמֶר; מִשְׂרָה בְּלֹא עֲבוֹדָה

sinew, *n.* גִּיד

sinful, *adj.* חוֹטֵא, פּוֹשֵׁעַ

sing, *v.i.* שָׁר [שיר], זִמֵּר

singe, *v.t.* חָרַךְ (שֵׂעָר)

singer, *n.* זַמָּר

single, *adj.* אֶחָד, יְחִידִי, יָחִיד; רַוָּק

single, *v.t.* & *i.* בֵּרֵר, בָּחַר

singular, *adj.* & *n.* אֶחָד, יָחִיד, מְיֻחָד; יוֹצֵא מִן הַכְּלָל; מִסְפָּר יָחִיד

singularity, *n.* יְחִידוּת, עַצְמִיּוּת

sinister, *adj.* שְׂמָאלִי; רַע, מַשְׁחִית, לֹא יָשָׁר; נוֹרָא

sink, *n.* כִּיּוֹר, אַגַּן רַחְצָה

sink, *v.t.* הִשְׁקִיעַ [שקע], טִבַּע

sink, *v.i.* יָרַד, טָבַע, שָׁקַע

sinless, *adj.* חַף מִפֶּשַׁע

sinner, *n.* רָשָׁע, פּוֹשֵׁעַ, חוֹטֵא

sinuous, *adj* מִתְפַּתֵּל, עֲקַלָּתוֹן

sinus, *n.* גַּת (בָּאַף, בַּמֹּחַ)

sip, *n.* לְגִימָה, גְּמִיעָה

sip, *v.t.* & *i.* גָּמַע, גִּמֵּא, לָגַם

siphon, *n.* גִּשְׁתָּה, מֵינֶקֶת

siphon, *v.t.* & *i.* גִּשֵּׁת

sir, *n.* אָדוֹן, מַר

sire, *n.* אָב, מֶלֶךְ, אָדוֹן; אֲדוֹנִי הַמֶּלֶךְ

sire, *v.t.* הוֹלִיד [ילד]

siren, *n.* צוֹפָר

sirloin, *n.* בְּשַׂר מֹתֶן

sirup, syrup, *n.* שֶׁרֶב, עָסִיס

sister, *n.* אָחוֹת

sister-in-law, *n.* גִּיסָה, יְבָמָה

sit, *v.t.* & *i.* יָשַׁב, רָכַב עַל; דָּגַר

site, *n.* מָקוֹם, אֲתַר

sitting, *n.* יְשִׁיבָה; דְּגִירָה

situate, *adj.* קָבוּעַ, נִמְצָא, יוֹשֵׁב, מוּנָח

situation, *n.* מַצָּב, מַעֲמָד; סְבִיבָה; מִשְׂרָה

six, *adj.* & *n.* שִׁשָּׁה, שֵׁשׁ

sixfold, *adj.* & *adv.* שִׁשְׁתַּיִם, פִּי שִׁשָּׁה, כָּפוּל שִׁשָּׁה, שֵׁשֶׁת מוֹנִים

sixteen, *n.* שִׁשָּׁה עָשָׂר, שֵׁשׁ עֶשְׂרֵה

sixteenth, *adj.* & *n.* הַשִּׁשָּׁה עָשָׂר הַשֵּׁשׁ עֶשְׂרֵה

sixth, *adj.* & *n.* שִׁשִּׁי, שִׁשִּׁית

sixtieth, *adj.* & *n.* הַשִּׁשִּׁים

sixty, *adj.* & *n.* שִׁשִּׁים

size, *n.* גֹּדֶל

size, *v.t.* מָדַד, הֶעֱרִיךְ [ערך]

sizzle, *n.* לְחִישָׁה, רְחִישָׁה

sizzle, *v.i.* רָחַשׁ, לָחַשׁ

skate, *v.i.* הִתְגַּלְגֵּל [גלגל]; הֶחֱלִיק [חלק]

skates, *n. pl.* גַּלְגִּלִּיּוֹת; מַחֲלִיקַיִם

skater, *n.* מַחֲלִיק (עַל קֶרַח), מִתְגַּלְגֵּל

skein, *n.* צְנֵפָה, אַשְׁוָה, סְלִיל, פְּקַעַת

skeleton, *n.* שֶׁלֶד

skeptic, sceptic, *n.* סַפְקָן, פַּקְפְּקָן

skepticism, scepticism, *n.* סַפְקָנוּת, פַּקְפְּקָנוּת

sketch, *n.* תַּרְשִׁים; צִיּוּר; תֵּאוּר, מִתְוָה

sketch, *v.t.* צִיֵּר; רָשַׁם, תִּוָּה

skewer, *n.* שַׁפּוּד

ski, *v.i.* גָּלַשׁ

skis, *n. pl.* מִגְלָשַׁיִם

skid, *v.i.* הִתְחַלֵּק [חלק], נִמְעַד [מעד]

skier, *n.* גַּלָּשׁ

skiff, *n.* אַרְבָּה

skill, *n.* אָמָּנוּת, יְדִיעָה, מֻמְחִיּוּת

skilled, *adj.* מֻמְחֶה, מְאֻמָּן

skillet, *n.* מַחֲבַת

skillful, skilful, *adj.* מֻכְשָׁר, מְאֻמָּן, מְנֻסֶּה

skim, *v.t.* & *i.* הֵסִיר [סור] אֶת הַקֶּצֶף (קְרוּם, זְבָדָה, שַׁמֶּנֶת), קִפָּה; דִּפְדֵּף (סֵפֶר), רִפְרֵף

skim milk חָלָב רָזֶה

skimp, *v.i.* קִמֵּץ

skimpy, *adj.* צַר עַיִן, כִּלַּי

skin, *n.* שֶׁלַח, גֶּלֶד, עוֹר; קְלִפָּה

skin, *v.t.* & *i.* הִפְשִׁיט [פשט] (עוֹר); קָרַם; הִגְלִיד [גלד]

skinny, *adj.* כָּחוּשׁ, רָזֶה

skip, *n.* דִּלּוּג

skip, *v.t.* & *i.* עָבַר, דִּלֵּג

skipper, *n.* רַב חוֹבֵל

skirmish, *n.* תִּגְרָה

skirmish, *v.i.* הִתְגָּרָה [גרה]

skirt, *n.* שִׂמְלָה, חֲצָאִית; שָׂפָה, גְּבוּל

skirt, *v.t.* גָּבַל בְּ־, הָיָה סָמוּךְ; סִבֵּב

skit, *n.* הַצָּגָה קַלָּה, תֵּאוּר מַצְחִיק

skittish, *adj.* עֵר, קַל דַּעַת; פַּחְדָן

skulk, *v.i.* הִתְחַבֵּא [חבא]

skull, *n.* גֻּלְגֹּלֶת, קַרְקֶפֶת, קָדְקֹד

skunk, *n.* בַּאֲשָׁן

sky, *n.* שָׁמַיִם, רָקִיעַ, מָרוֹם, מְרוֹמִים

skyscraper, *n.* מִגְדָּל שְׁחָקִים

slab, *n.* לוּחַ, טַבְלָה

slack, *adj.* עַצְלָנִי, נִרְפֶּה, רַשְׁלָנִי

slacken, *v.t.* & *i.* רִפָּה, דִּלְדֵּל

slackness, *n.* רִפְיוֹן, רַשְׁלָנוּת

slacks, *n. pl.* מִכְנָסַיִם

slag, *n.* סִיג, סִיגִים, פְּסֹלֶת

slake, *v.t.* שָׁבַר (צָמָא); הִשְׁקִיט [שקט], הֵקֵל [קלל] (כְּאֵב); כִּבָּה, מִחָה (סִיד)

slam, *n.*, *v.t.* & *i.* דְּפִיקָה, חֲבָטָה קָשָׁה; בִּקֹּרֶת חֲרִיפָה; סָגַר בְּכֹחַ (דֶּלֶת), חָבַט בְּרַעַשׁ; בִּקֵּר בַּחֲרִיפוּת

slander, *n.* & *v.t.* דִּבָּה, הַשְׁמָצָה; הוֹצִיא [יצא] דִּבָּה; הִלְשִׁין [לשן]

slanderous, *adj.* מַשְׁמִיץ, הוֹלֵךְ רָכִיל

slang, *n.* דִּבּוּר הֲמוֹנִי, עָגָה

slant, *n.* שִׁפּוּעַ

slant, *v.t.* & *i.* נָטָה, הִשְׁתַּפֵּעַ [שפע]

slap, *n.* & *v.t.* סְטִירָה; סָטַר

slash, *n.* חֲתָךְ, שֶׂרֶטֶת, שְׂרִיטָה, חֶרֶק

slash, *v.t.* & *i.* חָתַךְ, שָׂרַט, חֵרַק, קָרַע

slat, *n.* פַּס, קָנֶה (שֶׁל עֵץ אוֹ מַתֶּכֶת)

slate, *n.* שֶׁרֶד, חֶרֶט, מַכְתֵּב, צִפְחָה, לוּחַ צִפְחָה; רְשִׁימַת מֻעֲמָדִים (בִּבְחִירוֹת)

slaughter, *n.* טֶבַח, שְׁחִיטָה, הֶרֶג

slaughter, *v.t.* טָבַח, שָׁחַט

slaughterer, *n.* טַבָּח, שׁוֹחֵט

slaughterhouse, *n.* (בֵּית) מִטְבָּחַיִם

slave, *n.* & *v.i.* עֶבֶד; עָבַד בְּפֶרֶךְ

slavery, *n.* עַבְדוּת, עֲבוֹדַת פֶּרֶךְ

slaw, *n.* כְּרוּב סָלָט

slay, *v.t.* הָרַג, קָטַל, הֵמִית [מות]

slayer, *n.* רוֹצֵחַ, קַטְלָן

sleazy, *adj.* רוֹפֵף, דַּק

sled, sledge, *n.* מִזְחֶלֶת, מִגְרָרָה

sledge, sledge hammer, *n.* כֵּילָף

sleek, *adj.* חָלָק; עָרוּם

sleep, *n.* שֵׁנָה, תַּרְדֵּמָה; מָוֶת

sleep, *v.i.* יָשֵׁן, נִרְדַּם [רדם]

sleeper, *n.* יָשֵׁן; אֶדֶן; רַכֶּבֶת שֵׁנָה

sleeplessness, *n.* אִי שֵׁנָה, תְּעוּרָה

sleepwalker, *n.* סַהֲרוּרִי

sleepy, *adj.* יָשֵׁן, רָדִים; מְיַשֵּׁן

sleet, *n.* & *v.i.* שְׁלוּגִית (גֶּשֶׁם וְשֶׁלֶג מְעוֹרָבִים); יָרְדָה שְׁלוּגִית

sleeve, *n.* שַׁרְווּל

sleigh, *n.* מִזְחֶלֶת, מִגְרָרָה
slender, *adj.* דַּק, כָּחוּשׁ
sleuth, *n.* בַּלָּשׁ
slice, *n.* חֲתִיכָה (גְּבִינָה), פְּרוּסָה (לֶחֶם), נֵתַח (בָּשָׂר), פֶּלַח (אֲבַטִּיחַ, תַּפּוּז)
slice, *v.t.* חָתַךְ, נִתַּח, פָּרַס, פִּלַּח
slick, *adj.* & *n.* עָרוּם, רַמַּאי, מַחֲלִיק לָשׁוֹן
slicker, *n.* מְעִיל גֶּשֶׁם; עָרוּם; רַבּוּתָן
slide, *n.*, *v.t.* & *i.* חֲלַקְלַקָּה, גְּלִישָׁה; שְׁקוּפִית (לְפָנָס קֶסֶם); גָּלַשׁ; הֶחֱלִיק [חלק]
slight, *adj.*, *n.* & *v.t.* רָזֶה, דַּק; קַל עֵרֶךְ; זִלְזוּל; זִלְזֵל, בִּזָּה
slightly, *adv.* מְעַט, קְצָת
slim, *adj.* רָזֶה, דַּק, מוּעָט
slime, *n.* יָוֵן, בֹּץ, טִיט
sling, *n.* & *v.t.* מִקְלַעַת, קֶלַע; קִלַּע
slink, *v.t.* & *i.* צָפַן, הִתְגַּנֵּב [גנב]
slip, *n.*, *v.t.* & *i.* מְעִידָה; נֵצֶר, חֹטֶר; מִשְׁגֶּה; תַּחְתּוֹנִית; הִתְחַלֵּק [חלק], מָעַד, נִשְׁמַט [שמט]; שָׁגָה
slippers, *n. pl.* נַעֲלֵי בַּיִת
slippery, *adj.* חֲלַקְלַק; מַמְעִיד; עַרְמוּמִי
slit, *n.* סֶדֶק, בְּקִיעַ, חָרִיץ, שֶׁסַע
slit, *v.t.* סִדֵּק, בָּקַע, שִׁסַּע
slither, *v.i.* הֶחֱלִיק [חלק]
sliver, *n.* בְּקַעַת, שְׁבָב, גֶּזֶר עֵץ
sloe, *n.* דַּרְדַּר, קוֹץ
slogan, *n.* סִיסְמָה, מֵימְרָה
sloop, *n.* אֳנִיַּת מִפְרָשׂ (יְחִידַת הַתֹּרֶן)
slope, *n.* מִדְרוֹן, שִׁפּוּעַ, מוֹרָד
slope, *v.t.* & *i.* הִטָּה [נטה] בַּאֲלַכְסוֹן, שִׁפַּע, הִשְׁתַּפַּע [שפע]
sloppy, *adj.* רַשְׁלָנִי, נִרְפָּשׁ
slot, *n.* סֶדֶק, חָרִיץ
sloth, *n.* עַצְלוּת; בַּטָּלָה
slouchy, *adj.* מְדֻלְדָּל
slough, *v.t.* & *i.* הִשְׁלִיךְ [שלך], הִשִּׁיר [נשר]; נִפְרַד [פרד]
slough, *n.* בִּצָּה; קְרוּם פֶּצַע, גֶּלֶד, עוֹר; אַכְזָבָה
slovenly, *adj.* מְלֻכְלָךְ, רַשְׁלָנִי, מֻזְנָח
slow, *adj.* אִטִּי
slow, *adv.* לְאַט
slow, *v.t.* & *i.* הֵאֵט [אטט]
slowly, *adv.* לְאַט לְאַט
slowness, *n.* אִטִּיּוּת
sludge, *n.* בֹּץ, רֶפֶשׁ
slug, *n.* כַּדּוּר (לִכְלֵי יְרִיָּה); שַׁבְּלוּל, חִלָּזוֹן
sluggard, *n.* נִרְפֶּה, בַּטְלָן, עַצְלָן, עָצֵל
sluice, *n.* & *v.t.* סֶכֶר; הִשְׁקָה [שקה]
slum, *n.* שְׁכוּנַת עֹנִי, מְגוּרִים מְרוּדִים
slumber, *n.* נִים, נִמְנוּם, תְּנוּמָה
slumber, *v.i.* נִמְנֵם
slump, *n.* & *v.i.* יְרִידָה, נְפִילָה; יָרַד (מְחִיר)
slur, *n.* כֶּתֶם; פְּגִיעָה בְּכָבוֹד; סִימָן אִחוּד בִּנְגִינָה
slur, *v.t.* & *i.* אָלַח, הִכְתִּים [כתם]; הוֹצִיא [יצא] לַעַז; הֶעֱלִיב [עלב]
slush, *n.* רֶפֶשׁ, בֹּץ שְׁלָגִי
sly, *adj.* נוֹכֵל, עִקֵּשׁ, עָרוּם
slyly, *adv.* בְּעָרְמָה
smack, *n.*, *v.t.* & *i.* טַעַם; שֶׁמֶץ; סְטִירָה; נְשִׁיקָה; דּוּגִית; הִצְלִיף [צלף], סָטַר; נָשַׁק
small, *adj.* קָטָן, פָּעוּט, מוּעָט, זָעִיר
smallness, *n.* קֹטֶן, קַטְנוּת, זְעִירוּת
smallpox, *n.* אֲבַעְבּוּעוֹת
smart, *adj.* חָכָם, פִּקֵּחַ; חָרוּץ
smartness, *n.* חָכְמָה, פִּקְחוּת, חֲרִיפוּת
smash, *n.* נִפּוּץ, מַכָּה; פְּשִׁיטַת רֶגֶל

smash, *v.t.* & *i.* נִפֵּץ, הִכָּה [נכה]; שִׁבֵּר; פָּשַׁט רֶגֶל

smattering, *n.* יְדִיעָה שִׁטְחִית

smear, *n.* כֶּתֶם, רְבָב, לִכְלוּךְ

smear, *v.t.* הִכְתִּים [כתם], לִכְלֵךְ; הִשְׁמִין [שמן], נִבֵּל; טִיֵּט, טָפַל

smell, *n.* רֵיחַ, חוּשׁ הָרֵיחַ

smell, *v.t.* & *i.* הֵרִיחַ [ריח]

smelt, *v.t.* הִתִּיךְ [נתך], צָרַף

smelter, *n.* צוֹרֵף

smile, *n.* חִיּוּךְ, בַּת צְחוֹק

smile, *v.t.* & *i.* חִיֵּךְ

smirch, *n.* לִכְלוּךְ, כֶּתֶם

smirch, *v.t.* נִבֵּל, נִוֵּל, הִשְׁמִיץ [שמץ]

smirk, *n.* & *v.i.* גִּחוּךְ; גִּחֵךְ

smite, *v.t.* & *i.* הִכָּה [נכה]

smith, *n.* נַפָּח

smithy, *n.* מַפָּחָה, נַפָּחִיָּה

smock, *n.* מַעֲטֶפֶת

smoke, *n.*, *v.t.* & *i.* עָשָׁן; עָשַׁן, עִשֵּׁן

smoker, *n.* מְעַשֵּׁן, עַשְׁנָן

smokestack, *n.* מַעֲשֵׁנָה, אֲרֻבָּה

smoking, *n.* עִשּׁוּן

smoky, *adj.* עָשֵׁן, מְעֻשָּׁן

smooth, *adj.* חָלָק, חֲלַקְלַק

smooth, smoothen, *v.t.* הֶחֱלִיק [חלק]

smoothness, *n.* חֲלַקְלַקּוּת

smother, *v.t.* חָנַק; כִּבָּה (אֵשׁ)

smudge, *n.* כֶּתֶם, לִכְלוּךְ, רְבָב

smug, *adj.* נָאֶה, גֵּאֶה

smuggle, *v.t.* & *i.* הִבְרִיחַ [ברח] מֶכֶס, הִכְנִיס [כנס] בִּגְנֵבָה

smuggler, *n.* מַבְרִיחַ מֶכֶס

smut, *n.* & *v.i.* לִכְלוּךְ; הִתְלַכְלֵךְ [לכלך]

smutty, *adj.* מְלֻכְלָךְ

snack, *n.* מַטְעָם

snaffle, *n.* & *v.t.* מֶתֶג; מִתֵּג

snag, *n.* שֵׁן בּוֹלֶטֶת; זִיז עָנָף; קֹשִׁי

snail, *n.* חִלָּזוֹן

snake, *n.* נָחָשׁ

snap, *n.*, *v.t.* & *i.* נִתּוּק, שְׁבִירָה; חֲטִיפָה, פְּרִיכָה; תַּצְלוּם (רִגְעִי); נִתֵּק, שִׁבֵּר, נִתַּק, נִשְׁבַּר (פִּתְאֹם); הֵשִׁיב [שוב] בְּכַעַס; הִצְלִיף [צלף] (אֶצְבָּעוֹת)

snapdragon, *n.* לֹעַ אֲרִי

snappy, *adj.* זָרִיז, מָהִיר; רַתְחָנִי

snapshot, *n.* תַּצְלוּם רִגְעִי

snare, *n.* מַלְכֹּדֶת, פַּח, מוֹקֵשׁ

snare, *v.t.* לָכַד בְּפַח

snarl, *n.* תַּרְעֹמֶת, רִטּוּן

snarl, *v.t.* & *i.* סִבֵּךְ, הִסְתַּבֵּךְ [סבך]

snatch, *n.* & *v.t.* חֲטִיפָה; חָטַף

sneak, *v.i.* הִתְגַּנֵּב [גנב]; הִתְחַמֵּק [חמק], הִתְרַפֵּס [רפס]

sneer, *n.* לַעַג, לִגְלוּג

sneer, *v.i.* לָעַג, לִגְלֵג

sneeze, *n.* עִטּוּשׁ

sneeze, *v.i.* עִטֵּשׁ, הִתְעַטֵּשׁ [עטש]

sniff, *n.* הֲרָחָה

sniff, *v.t.* & *i.* הֵרִיחַ [ריח]; שָׁאַף (רוּחַ)

sniffle, *n.* & *v.i.* נַזֶּלֶת; נָזַל

snigger, *n.* צְחוֹק, גִּחוּךְ

snigger, *v.i.* גִּחֵךְ, חִיֵּךְ

snip, *n.* & *v.t.* גְּזִיז, חֲתִיכָה; גָּזַז

snipe, *n.* חַרְטוֹמָן

snipe, *v.t.* & *i.* צִלֵּף, הִצְלִיף [צלף], יָרָה מִמַּאֲרָב

sniper, *n.* צַלָּף

snitch, *v.t.* הָלַךְ רָכִיל

snivel, *n.* נַחַר, נַחֲרָה; נַזֶּלֶת

snivel, *v.i.* נָזַל; יִבֵּב

snob, *n.* רַבְרְבָן

snobbishness, *n.* רַבְרְבָנוּת

snooze, *n.* נִמְנוּם, תְּנוּמָה, שֵׁנָה קַלָּה

snooze, *v.i.* נִמְנֵם, הִתְנַמְנֵם [נמנם]
snore, *n.* & *v.i.* נְחִירָה; נָחַר
snort, *n.*, *v.t.* & *i.* נַחַר, נַחֲרַת סוּס; נָחַר
snout, *n.* חֹטֶם חַיָּה (חֲזִיר)
snow, *n.* שֶׁלֶג
snow, *v.t.* & *i.* הִשְׁלִיג [שלג], יָרַד שֶׁלֶג
snowball, *n.* כַּדּוּר שֶׁלֶג
snowflake, *n.* פְּתוֹת שֶׁלֶג
snowy, *adj.* מַשְׁלִיג
snub, *n.* פְּגִיעָה בְּכָבוֹד, זִלְזוּל
snub, *v.t.* דָּחָה (בְּאֹפֶן גַּס)
snuff, *v.t.* & *i.* הֵרִיחַ [ריח] טַבַּק, שָׁאַף; מָחַט (נֵר)
snug, *adj.* מִתְרַפֵּק; צַר וְחָמִים
snuggle, *v.t.* & *i.* הִתְרַפֵּק [רפק] עַל
so, *adv.* & *conj.* כַּךְ, כָּכָה, וּבְכֵן, לָכֵן; בִּתְנַאי, אִם
soak, *n.* שְׁרִיָּה
soak, *v.t.* & *i.* שָׁרָה, הִרְטִיב [רטב], סָפַג
soap, *n.* & *v.t.* בֹּרִית, סַבּוֹן; סִבֵּן
soar, *v.i.* הִמְרִיא [מרא], הִתְנַשֵּׂא [נשא]
sob, *n.* הִתְיַפְּחוּת
sob, *v.t.* & *i.* בָּכָה, הִתְיַפֵּחַ [יפח]
sobbing, *n.* יִבּוּב, יְלָלָה
sober, *adj.*, *v.t.* & *i.* רְצִינִי, מָתוּן, פִּכֵּחַ; הֵפִיג [פוג], פִּכַּח, הִתְפַּכֵּחַ [פכח]
soberness, sobriety, *n.* פִּכְּחוּת, פִּכָּחוֹן
soberly, *adv.* בְּפִכְּחוּת
so-called, *adj.* הַמְּכֻנֶּה
sociable, *adj.* חַבְרוּתִי
social, *adj.* חֶבְרָתִי, צִבּוּרִי
socialism, *n.* שִׁתְּפָנוּת
socialist, *n.* שִׁתְּפָנִי
society, *n.* חֶבְרָה
sociologic, sociological, *adj.* שֶׁל תּוֹרַת הַחֶבְרָה
sock, *n.* גֶּרֶב

socket, *n.* צִיר; שֶׁקַע
sod, *n.* עִשְׂבָּה
soda, *n.* נֶתֶר, פַּחְמַת הַנַּתְרָן; גַּזּוֹז
sodden, *adj.* מְבֻשָּׁל, סָפוּג
sodium, *n.* נַתְרָן
sodomy, *n.* סְדוֹמִיּוּת, מַעֲשֵׂה סְדוֹם
sofa, *n.* סַפָּה
soft, *adj.* רַךְ, נוֹחַ
soften, *v.t.* & *i.* רִכֵּךְ, הִתְרַכֵּךְ [רכך]
softly, *adv.* בְּרַכּוּת, לְאַט
softness, *n.* רֹךְ, רַכּוּת
soggy, *adj.* לַח
soil, *n.* אֲדָמָה, עָפָר
soil, *v.t.* & *i.* לִכְלֵךְ, הִתְלַכְלֵךְ [לכלך]
sojourn, *n.* & *v.i.* מְגוּרִים; גָּר [גור]
solace, *n.* & *v.t.* נֶחָמָה; נִחֵם
solar, *adj.* שִׁמְשִׁי
solder, *n.* הַלְחָמָה
solder, *v.t.* הִלְחִים [לחם], חִבֵּר
soldier, *n.* חַיָּל, אִישׁ צָבָא
soldiery, *n.* צָבָא, חַיִל
sole, *adj.* יְחִידִי
sole, *n.* & *v.t.* סֻלְיָה; גַּלְדָּה, כַּף (רֶגֶל); סַנְדָּל, דַּג משֶׁה רַבֵּנוּ; הִרְכִּיב [רכב] סֻלְיָה
solecism, *n.* שִׁבּוּשׁ דִּקְדּוּקִי, מִשְׁגֶּה; הֲפָרַת מִנְהָג
solely, *adv.* לְבַד, רַק
solemn, *adj.* חֲגִיגִי, רְצִינִי
solemnity, *n.* חֲגִיגִיּוּת, רְצִינוּת
solemnize, *v.t.* חָגַג
solicit, *v.t.* בִּקֵּשׁ, תָּבַע, הִפְצִיר [פצר]
solicitation, *n.* בַּקָּשָׁה, הַפְצָרָה, הַעְתָּרָה
solicitor, *n.* מְבַקֵּשׁ; עוֹרֵךְ דִּין
solicitous, *adj.* דּוֹאֵג, מִשְׁתַּדֵּל
solicitude, *n.* דְּאָגָה, אִי מְנוּחָה
solid, *adj.* מוּצָק; אָטוּם

solid, *n.* גּוּף מוּצָק; אֶטֶם
solidarity, *n.* אַחְדוּת
solidification, *n.* הִתְקַשּׁוּת, הַצָּקָה
solidify, *v.t.* & *i.* עָשָׂה מוּצָק, גִּבֵּשׁ, הִתְגַּבֵּשׁ [גבש], הִתְעַבָּה [עבה]
solidity, *n.* מוּצָקוּת; חֹזֶק
soliloquy, *n.* שִׂיחַת יָחִיד
solitary, *adj.* & *n.* יְחִידִי, בּוֹדֵד, גַּלְמוּד, עֲרִירִי
solitude, *n.* בְּדִידוּת
solo, *n.* שִׁירַת יָחִיד
solstice, *n.* תְּקוּפַת הַחַמָּה, תְּקוּפָה
solubility, *n.* הֲמַסּוּת, תְּמִסָּה
soluble, *adj.* נָמֵס
solution, *n.* הַפְרָדָה; הַתָּרָה; פִּתְרוֹן; תְּמִסָּה, פֵּשֶׁר
solve, *v.t.* פָּתַר, פֵּרַשׁ; מָצָא (חִידָה)
solvent, *adj.* & *n.* מָסִיס; בַּר (בַּעַל) פֵּרָעוֹן
somber, sombre, *adj.* כֵּהֶה, קוֹדֵר, נוּגֶה
some, *adj.* & *pron.* מְעַט, אֲחָדִים
somebody, *pron.* מִישֶׁהוּ, מִי שֶׁהוּא, פְּלוֹנִי
somehow, *adv.* אֵיךְ שֶׁהוּא, בְּאֵיזֶה אֹפֶן שֶׁהוּא
someone, *n.* & *pron.* מִי שֶׁהוּא, מִישֶׁהוּ
somersault, *n.* קְפִיצָה וְהִתְהַפְּכוּת, הִתְגַּלְגְּלוּת, הִזְדַּקְּרוּת
somersault, *v.i.* הִתְהַפֵּךְ [הפך], הִתְגַּלְגֵּל [גלגל], הִזְדַּקֵּר [זקר]
something, *n.* כְּלוּם, דְּבַר מָה, מַשֶּׁהוּ
sometimes, *adv.* לִפְעָמִים, מִזְּמַן לִזְמַן, לְעִתִּים
somewhat, *adv.* קְצָת
somewhere, *adv.* אֵיפֹה שֶׁהוּא, בְּאֵיזֶה מָקוֹם
somnambulist, *n.* סַהֲרוּרִי, מֻכֵּה יָרֵחַ
somnolent, *adj.* מְנַמְנֵם
son, *n.* בֵּן
sonata, *n.* נֶגֶן, יְצִירָה לִנְגִינָה
song, *n.* שִׁיר, זֶמֶר, מִזְמוֹר, רִנָּה; פְּרוּטָה
songster, *n.* זַמָּר, מְזַמֵּר; זַמֶּרֶת
son-in-law, *n.* חָתָן
sonnet, *n.* שִׁיר זָהָב, חֲרוּזָה
sonorous, *adj.* צְלִילִי, מְצַלְצֵל, קוֹלָנִי, קוֹלִי
soon, *adv.* בְּקָרוֹב, מַהֵר, מִיָּד
soot, *n.* פִּיחַ
soothe, *v.t.* הִשְׁקִיט [שקט], פִּיֵּס
soothsayer, *n.* מְנַחֵשׁ, יִדְּעוֹנִי
sooty, *adj.* מְפֻיָּח
sop, *v.t.* & *i.* שָׁרָה, סָפַג, הָיָה רָטֹב כֻּלּוֹ
sophism, *n.* פִּלְפּוּל, חִדּוּת
sophisticated, *adj.* מְחֻכָּם, נָבוֹן, מְפֻלְפָּל
sophomore, *n.* תַּלְמִיד בְּכִתָּה ב׳ (בְּבֵית סֵפֶר גָּבֹהַּ, בְּמִכְלָלָה)
soporific, *adj.* מְיַשֵּׁן, מַרְדִּים, מַקְהֶה הַחוּשִׁים
soprano, *n.* קוֹל) עֲלָמוֹת, סוֹפְּרָנוֹ
sorcerer, *n.* מְכַשֵּׁף, קוֹסֵם, מָגוֹשׁ
sorcery, *n.* כִּשּׁוּף, קֶסֶם
sordid, *adj.* בָּזוּי, נִבְזֶה, צַיְקָן
sore, *adj.* זוֹעֵם, מְצַעֵר; מַכְאִיב
sore, *n.* כְּאֵב; פֶּצַע; חַבּוּרָה, צַעַר
sorority, *n.* חֶבְרַת בַּחוּרוֹת (בְּמִכְלָלָה)
sorrel, *adj.* & *n.* שָׂרֹק, אֲדַמְדַּם־חוּם; חַמְצִיץ (צֶמַח)
sorrow, *n.* צַעַר, יָגוֹן, מַכְאוֹב, אֵבֶל
sorrow, *v.i.* הִצְטַעֵר [צער], הִתְאַבֵּל [אבל]
sorry, *adj.* חוֹמֵל, מִצְטָעֵר, מִתְחָרֵט
sort, *n.* מִין, טִיב, אֹפֶן

sort, *v.t.* & *i.* מִיֵּן; הִתְחַבֵּר [חבר]; הָלַם
sortie, *n.* הֲגָחָה
sot, *n.* שִׁכּוֹר, הֲלוּם יַיִן
sough, *n.* & *v.i.* אִוְשָׁה; רִשְׁרוּשׁ; אָוַשׁ, רִשְׁרֵשׁ, הִתְרַשְׁרֵשׁ [רשרש]
soul, *n.* נֶפֶשׁ, רוּחַ, נְשָׁמָה, בֶּן אָדָם
sound, *n.* צְלִיל; הֲבָרָה; זִים; מֵצַר יָם
sound, *adj.* בָּרִיא, שָׁלֵם
sound, *v.t.* & *i.* הִשְׁמִיעַ [שמע] (נָתַן) קוֹל; חִצְרֵר, צִלְצֵל; מָדַד עֹמֶק; בָּדַק, בָּחַן
soundless, *adj.* דּוֹמֵם, מַחְשֶׁה, שׁוֹתֵק, חֲסַר קוֹל
soundness, *n.* שְׁלֵמוּת; מְתֹם
soup, *n.* מָרָק
sour, *adj.* חָמוּץ
sour, *v.i.* חָמַץ, הֶחֱמִיץ [חמץ]
source, *n.* מַעְיָן, מָקוֹר, מוֹצָא
sourness, *n.* חֲמִיצוּת
souse, *n.* צִיר; שְׁרִיָּה; כְּבִישָׁה
souse, *v.t.* & *i.* כָּבַשׁ בְּצִיר (שִׁמֵּר)
south, *n.* דָּרוֹם, נֶגֶב
south, *adj.* דְּרוֹמִי
south, *adv.* דָּרוֹמָה, נֶגְבָּה
south, *v.i.* הִדְרִים [דרם]
southeast, *adj.* & *n.* דְּרוֹמִית מִזְרָחִית; דְּרוֹם־מִזְרָח
southerly, *adj.* דְּרוֹמִי, נֶגְבִּי
southward, southwards, *adv.* הַנֶּגְבָּה, דָּרוֹמָה
southwest, *adj.* & *n.* דְּרוֹמִית־מַעֲרָבִית; דְּרוֹם־מַעֲרָב
souvenir, *n.* מַזְכֶּרֶת
sovereign, *adj.* & *n.* רִבּוֹנִי; לִירָה שְׁטֶרְלִינְג (זָהָב)
sovereignty, *n.* רִבּוֹנוּת
soviet, *n.* מוֹעֵצָה רוּסִית

sow, *n.* חֲזִירָה
sow, *v.t.* & *i.* זָרַע
spa, *n.* מַעְיַן מַחְצָבִי
space, *n.* מָקוֹם, רֶוַח, מֶרְחָק
space, *v.t.* רָוַח
spacious, *adj.* מְרֻוָּח, נִרְחָב, רְחַב יָדַיִם
spade, *n.* אֵת, מָרָה
spade, *v.t.* חָפַר בְּאֵת, הָפַךְ אֲדָמָה
spaghetti, *n.* אִטְרִיּוֹת
span, *n.* טֶפַח; זֶרֶת, מִדָּה; זְמַן מֻגְבָּל; צֶמֶד (בָּקָר, סוּסִים וְכוּ׳); חֶלֶד
span, *v.t.* מָדַד; גִּשֵּׁר, עָבַר מֵעַל
spangle, *n.* & *v.i.* נָצִיץ; נָצַץ, נִצְנֵץ
Spaniard, *n.* סְפָרַדִּי, בֶּן סְפָרַד
spaniel, *n.* כֶּלֶב צַיִד
spank, *v.t.* & *i.* הִכָּה בְּכַף הַיָּד (בָּאֲחוֹרַיִם), סָטַר, הִרְבִּיץ [רבץ] (לְיֶלֶד); הָלַךְ מַהֵר
spar, *n.* תֹּרֶן; פַּצֶּלֶת
spare, *adj.* עוֹדֵף, יָתֵר; פָּנוּי, רָזֶה
spare, *v.t.* & *i.* חָמַל עַל, חָשַׂךְ, הִשְׁאִיר [שאר] בַּחַיִּים
sparingly, *adv.* בְּחִסָּכוֹן, בְּקִמּוּץ
spark, *n.* זִק, נִיצוֹץ, שְׁבִיב
sparkle, *v.t.* & *i.* נָצַץ, נִצְנֵץ, הִבְרִיק [ברק]
spark plug נֵר הַצָּתָה, מַצֵּת
sparrow, *n.* דְּרוֹר, אַנְקוֹר
sparse, *adj.* דָּלִיל, מְפֻזָּר וּמְפֹרָד
spasm, *n.* חַלְחָלָה, עֲוִית
spasmodic, *adj.* עֲוִיתִי
spate, *n.* מַבּוּל, זֶרֶם מַיִם
spatter, *n.* הַתָּזָה
spatter, *v.t.* & *i.* הִתִּיז [נתז]
spawn, *n.* בֵּיצֵי דָּגִים
spawn, *v.t.* & *i.* הֵטִיל [נטל] בֵּיצִים, שָׁרַץ
speak, *v.i.* דִּבֵּר, מִלֵּל

speaker, *n.* דּוֹבֵר; נוֹאֵם, דַּרְשָׁן
speaking, *n.* דִּבּוּר, מִלּוּל
spear, *n.* כִּידוֹן
spear, *v.t.* דָּקַר בְּכִידוֹן
special, *adj.* מְיֻחָד, נָדִיר, יוֹצֵא מִן הַכְּלָל
specialist, *n.* מֻמְחֶה, בַּעַל מִקְצוֹעַ
specialize, *v.i.* הִתְמַחָה [מחה]
specially, *adv.* בִּפְרָט, בְּיִחוּד
specie, *n.* מַטְבֵּעַ (זָהָב)
species, *n.* סוּג, מִין
specific, *adj.* מְיֻחָד
specification, *n.* פֵּרוּשׁ, פֵּרוּט
specify, *v.t.* פֵּרַט
specimen, *n.* דֻּגְמָה
specious, *adj.* נָכוֹן, לִכְאוֹרָה
speck, *n.* כֶּתֶם
speck, *v.t.* הִכְתִּים [כתם]
speckle, *n.* רְבָב, כֶּתֶם (קָטָן)
speckle, *v.t.* הִכְתִּים [כתם], נִמֵּר
spectacle, *n.* מַרְאֶה, חִזָּיוֹן
spectacles, *n. pl.* מִשְׁקָפַיִם
spectacular, *adj.* נֶהְדָּר
spectator, *n.* צוֹפֶה, עֵד רְאִיָּה
specter, spectre, *n.* רוּחַ מֵת, רָפָא
spectrum, *n.* תַּחֲזִית
speculate, *v.i.* הִרְהֵר, סִפְסֵר
speculation, *n.* סַפְסָרוּת; עִיּוּן
speculative, *adj.* עִיּוּנִי; סַפְסָרִי
speculator, *n.* סַפְסָר
speech, *n.* לָשׁוֹן; דִּבּוּר; נְאוּם; הַרְצָאָה
speechless, *adj.* אִלֵּם; נְטוּל כֹּחַ הַדִּבּוּר
speed, *n.* מְהִירוּת; הִלּוּךְ; תְּאוּצָה
speed, *v.i.* מִהֵר, אָץ [אוץ]
speedily, *adv.* חִישׁ, בִּמְהִירוּת
speedy, *adj.* זָרִיז, מָהִיר
spell, *n.* לַחַשׁ, חֶבֶר, קֶסֶם, כִּשּׁוּף
spell, *v.t.* & *i.* אִיֵּת; כִּשֵּׁף
spellbound, *adj.* מֻקְסָם, מְכֻשָּׁף
speller, *n.* מְאַיֵּת; סֵפֶר כְּתִיב
spelling, *n.* כְּתִיב, אִיּוּת
spend, *v.t.* & *i.* הוֹצִיא [יצא] (כֶּסֶף); בִּלָּה (זְמַן); כִּלָּה (כֹּחוֹת)
spendthrift, *n.* פַּזְרָן, בַּזְבְּזָן
sperm, *n.* זֶרַע, תָּא
spew, *v.t.* & *i.* הֵקִיא [קיא]
sphere, *n.* גַּלְגַּל; כַּדּוּר; מַזָּל; חוּג
spherical, *adj.* כַּדּוּרִי, עֲגַלְגַּל
sphinx, *n.* אָדָם חִידָה, בַּעַל תַּעֲלוּמוֹת
spice, *n.* תֶּבֶל, בֹּשֶׂם
spice, *v.t.* תִּבֵּל, בִּשֵּׂם
spices, *n. pl.* תְּבָלִים, תַּבְלִין
spicy, *adj.* מְתֻבָּל
spider, *n.* עַכָּבִישׁ
spigot, *n.* יָתֵד; דַּד; בֶּרֶז
spike, *n.* מַסְמֵר, יָתֵד; שִׁבֹּלֶת, מְלִילָה
spill, *n.*, *v.t.* & *i.* שֶׁפֶךְ, שְׁפִיכָה; נְגִירָה; שָׁבָב, קֵיסָם; שָׁפַךְ, נִשְׁפַּךְ [שפך]; הִגִּיר [נגר]
spin, *n.*, *v.t.* & *i.* טְוִיָּה; סִבּוּב; סָבַב, הִסְתּוֹבֵב [סבב]; טָוָה
spinach, *n.* תֶּרֶד
spinal, *adj.* שֶׁל חוּט (עַמּוּד) הַשִּׁדְרָה
spindle, *n.* פֶּלֶךְ, כִּישׁוֹר
spine, *n.* עַמּוּד הַשִּׁדְרָה; קוֹץ; עֹקֶץ
spinner, *n.* טֹוֶה, טַוַּאי
spinning, *n.* טְוִיָּה
spinning wheel אוֹפַן כִּישׁוֹר
spinster, *n.* רַוָּקָה (זְקֵנָה)
spiral, *adj.* בָּרְגִּי, חֶלְזוֹנִי, לוּלְיָנִי
spire, *n.* רֹאשׁ מִגְדָּל; חִלָּזוֹן
spirit, *n.* & *v.t.* רוּחַ; נְשָׁמָה; כַּוָּנָה; כֹּהַל; דֶּלֶק; עוֹדֵד, הִלְהִיב [להב]; חָטַף
spirited, *adj.* עַלִּיז, נִמְרָץ

spiritual, *adj.* רוּחָנִי

spirt, *v.* spurt

spit, *n.* & *v.t.* שַׁפּוּד; שִׁפֵּד

spit, *n.*, *v.t.* & *i.* רֹק; יָרַק, רָקַק

spite, *n.* & *v.t.* קִנְטוּר; קִנְטֵר, הִרְגִּיז [רגז]; הִכְעִיס [כעס]

spittle, *n.* רִיר, רֹק

spittoon, *n.* מַרְקָקָה

splash, *n.*, *v.t.* & *i.* נֶתֶז; הִתִּיז [נתז]

spleen, *n.* טְחוֹל; כַּעַס; מָרָה שְׁחוֹרָה

splendid, *adj.* מְצֻיָּן, נֶהְדָּר

splendor, splendour, *n.* תִּפְאֶרֶת, הוֹד, הֶדֶר, הָדָר

splice, *v.t.* חִבֵּר, אִחֵד

splint, *n.* גֶּשִׁישׁ

splinter, *n.* קֵיסָם, שָׁבָב

splinter, *v.t.* בִּקַּע, בָּקַע

split, *adj.* שָׁסוּעַ, מְבֻקָּע

split, *n.*, *v.t.* & *i.* סֶדֶק, בְּקִיעַ, שֶׁסַע; מַחֲלֹקֶת; פֵּרוּד; סָדַק; חִלֵּק; גָּזַר, נִבְקַע [בקע], שָׁסַע, בִּקַּע

spoil, *n.*, *v.t.* & *i.* שָׁלָל, בַּז, מַלְקוֹחַ; בָּזַז, שָׁלַל; הִשְׁחִית [שחת], קִלְקֵל

spoilage, *n.* קִלְקוּל, הַשְׁחָתָה

spoke, *n.* חִשּׁוּר

spoliation, *n.* גְּזֵלָה, חֲטִיפָה

sponge, *n.* סְפוֹג

sponge, *v.t.* & *i.* סָפַג; רָחַץ, הִתְרַחֵץ [רחץ] בִּסְפוֹג

spongy, *adj.* סְפוֹגִי

sponsor, *n.* אַחְרַאי; תּוֹמֵךְ

spontaneity, *n.* דְּחִיפָה פְּנִימִית

spontaneous, *adj.* מִתּוֹךְ דְּחִיפָה פְּנִימִית, בָּא מֵאֵלָיו

spool, *n.* סְלִיל; אַשְׁוָה

spoon, *n.* כַּף

spoon, *v.t.* הֶעֱלָה [עלה] בְּכַף

spoonful, *n.* מְלֹא כַף

sporadic, *adj.* בּוֹדֵד, מְפֻזָּר

spore, *n.* נֶבֶג, תָּא

sport, *n.* סְפּוֹרְט, מִשְׂחָק, שַׁעֲשׁוּעַ; לִגְלוּג

spot, *n.*, *v.t.* & *i.* מָקוֹם; כֶּתֶם; כָּתַם, טִנֵּף, נִמֵּר; הִכִּיר [נכר], מָצָא

spotless, *adj.* חֲסַר כֶּתֶם (דֹּפִי)

spotted, *adj.* בָּרֹד, מְנֻמָּר, כָּתוּם

spouse, *n.* בַּעַל, אִשָּׁה, נָשׂוּא, נְשׂוּאָה

spout, *n.* זַרְבּוּבִית

spout, *v.i.* הִשְׁתַּפֵּךְ [שפך]

sprain, *n.* & *v.t.* נֶקַע, נְקִיעָה; נָקַע

sprawl, *v.i.* הִשְׁתַּטֵּחַ [שטח], גָּהַר, הִסְתָּרַח [סרח]

spray, *n.* זְרִיָּה, רְסוּס

spray, *v.t.* רִסֵּס, הִתִּיז [נתז]

spread, *n.*, *v.t.* & *i.* הִתְפַּשְּׁטוּת; מַפָּה; מַצָּע; מִכְסֶה; מִמְרָח; פָּרַשׂ; הֵפִיץ [נפץ]; הִתְפַּשֵּׁט [פשט]; מָרַח (חֶמְאָה); פָּשַׂק (רַגְלַיִם)

spree, *n.* הִלּוּלָה

sprig, *n.* נֵצֶר

sprightly, *adj.* עַלִּיז, זָרִיז

spring, *n.*, *v.t.* & *i.* אָבִיב; מַבּוּעַ, עַיִן, מַעְיָן; קְפִיץ; קִפֵּץ; נָבַע; צָמַח, חָרַג

sprinkle, *v.t.* & *i.* זִלַּח, הִרְבִּיץ [רבץ]

sprinkler, *n.* זַלָּח; מַמְטֵרָה

sprinkling, *n.* זְלִיחָה, הַמְטָרָה

sprint, *n.* מְרוּצָה

sprite, *n.* שֵׁד, רוּחַ

sprout, *n.* נֶבֶט, צֶמַח

sprout, *v.i.* צָמַח, נָבַט

spruce, *n.* תַּרְנִית

spry, *adj.* קַל, זָרִיז

spume, *n.* קֶצֶף

spunk, *n.* אֹמֶץ לֵב

spunky, *adj.* אַמִּיץ לֵב

spur, *n.* & *v.t.* דָּרְבָן; דִּרְבֵּן

spurious, *adj.* מְזֻיָּף, כּוֹזֵב

spurn, *v.t.* בָּעַט בְּ, דָּחָה, מָאַס
spurt, spirt, *n.* שְׁפִיכָה, זֶרֶם
spurt, spirt, *v.t.* & *i.* קִלַּח, זִנֵּק, זָרַק
sputter, *v.t.* & *i.* רָקַק; דִּבֵּר בִּמְהִירוּת
spy, *n.* מְרַגֵּל
spy, *v.t.* & *i.* רִגֵּל, תָּר [תור]
squab, *n.* תָּסִיל, גּוֹזָל
squabble, *n.* & *v.i.* רִיב; רָב [ריב]
squad, *n.* חֶבֶר, סֶגֶל, צֶוֶת
squadron, *n.* טַיֶּסֶת
squalid, *adj.* מְגֹאָל, מְטֻנָּף
squall, *n.* נַחְשׁוֹל; סוּפָה; יְלָלָה
squally, *adj.* סוֹעֵר
squander, *v.t.* & *i.* בִּזְבֵּז, פִּזֵּר
square, *n.*, *v.t.* & *i.* רִבּוּעַ; (עֵרֶךְ) מְרֻבָּע; מַלְבֵּן; זָוִיתוֹן, מַזְוִית; כִּכָּר; רִבַּע; סִלֵּק (חֶשְׁבּוֹן); פָּרַע (חוֹב)
square, adj. מְרֻבָּע; נָכוֹן, יָשָׁר
square root שֹׁרֶשׁ מְרֻבָּע $(\sqrt{\ })$
squash, *n.* דְּלַעַת, קִשּׁוּא
squash, *v.t.* מָעַךְ
squat, *v.i.* רָבַץ, יָשַׁב שָׁפוּף
squatter, *n.* אָרִיס
squeak, *n.*, *v.t.* & *i.* חֲרִיקָה; חָרַק
squeal, *n.* & *v.i.* צְרִיחָה; צָרַח, צָוַח
squeamish, *adj.* בַּחֲרָן, נַקְרָן
squeeze, *n.* סְחִיטָה; לְחִיצָה; דֹּחַק
squeeze, *v.t.* סָחַט; לָחַץ; דָּחַק
squeezer, *n.* מַסְחֵט
squelch, *v.t.* הֶהֱסָה [הסה], הָמַם
squib, *n.* לַעַג
squill, *n.* חָצָב
squint, *n.* פְּזִילָה
squint, *v.t.* & *i.* מִצְמֵץ, פָּזַל
squire, *n.* נוֹשֵׂא כֵּלִים שֶׁל אַבִּיר, אָצִיל, בַּעַל נְכָסִים, תֹּאַר כָּבוֹד
squirm, *v.i.* הִתְפַּתֵּל [פתל]
squirrel, *n.* סְנָאִי
squirt, *n.* הַזָּיָה, הַתָּזָה
squirt, *v.t.* הִזָּה [נזה], הִתִּיז [נתז]
stab, *n.* דְּקִירָה
stab, *v.t.* & *i.* נָחַר, דָּקַר
stability, *n.* אֵיתָנוּת, קִיּוּם, קְבִיעוּת
stabilize, *v.t.* כּוֹנֵן [כון], יִצֵּב, יִשֵּׁר, שִׁוָּה, עָשָׂה קָבוּעַ
stable, *n.* אֻרְוָה, רֶפֶת
stable, *adj.* אֵיתָן, קָבוּעַ
staccato, *adj.* מְקֻטָּע (בִּנְגִינָה)
stack, *n.* עֲרֵמָה, גָּדִישׁ
stack, *v.t.* עָרַם, גָּדַשׁ
stadium, *n.* רִיס, אִצְטַדְיוֹן
staff, *n.* מַטֶּה, מַקֵּל; פְּקִידוּת
stag, *n.* אַיָּל
stage, *n.* בָּמָה; תַּחֲנָה; דַּרְגָּה
stage, *v.t.* הִצִּיג [נצג]
stagger, *v.i.* הִתְמוֹטֵט [מוט], מָעַד
stagnant, *adj.* עוֹמֵד, שׁוֹקֵט (עַל שְׁמָרָיו)
stagnate, *v.i.* חָדַל (עָמַד) מִנּוֹזֵל, הִקְפָּא [קפא], נֶאֱלַח [אלח]
stain, *n.*, *v.t.* & *i.* כֶּתֶם; לִכְלֵךְ; כָּתַם; נִכְתַּם [כתם]
stair, *n.* מַדְרֵגָה
staircase, stairway, *n.* (חֲדַר) מַדְרֵגוֹת
stake, *n.* & *v.t.* יָתֵד; עֵרָבוֹן, הִתְעָרְבוּת; תָּמַךְ; חִזֵּק; סִכֵּן; הִתְעָרֵב [ערב]
stale, *adj.* יָשָׁן, בָּלֶה, קָשֶׁה (לֶחֶם)
stalemate, *n.* בֵּין הַמְּצָרִים, נְקֻדַּת קִפָּאוֹן
stalk, *n.* קָנֶה, קֶלַח, גִּבְעוֹל, הֹצֶן
stall, *n.* אֻרְוָה
stall, *v.t.* & *i.* שָׂם [שים] בְּאֻרְוָה; נִתְקַע [תקע]
stallion, *n.* סוּס, הֹצֶן
stalwart, *adj.* חָזָק, עַז, תַּקִּיף, אַמִּיץ

stamen, *n.* אַבְקָן
stamina, *n.* כֹּחַ הַקִּיּוּם, חִיּוּנִיּוּת
stammer, *n.* גִּמְגּוּם
stammer, *v.t.* & *i.* גִּמְגֵּם, לִמְלֵם
stammerer, *n.* עִלֵּג, כְּבַד (פֶּה) לָשׁוֹן
stamp, *n.* חוֹתָם, חוֹתֶמֶת; בּוּל; תָּו
stamp, *v.t.* & *i.* רִקַּע; דָּרַךְ; בָּטַשׁ;
טָבַע, חָתַם; הִדְבִּיק [דבק] בּוּל
stampede, *n.* מְנוּסָה מְבֹהֶלֶת (חַיּוֹת)
stampede, *v.t.* & *i.* נָס [נוס] בְּבֶהָלָה
stanch, staunch, *adj.* & *n.* נֶאֱמָן, בַּר
סֶמֶךְ, בַּעַל דֵּעָה
stanch, staunch, *v.t.* & *i.* עָצַר, נֶעֱצַר
[עצר]
stand, *n.* עַמּוּד; דּוּכָן; עֶמְדָּה
stand, *v.t.* & *i.* עָמַד, קָם [קום], סָבַל
stand by הָיָה נָכוֹן (מוּכָן) עָמַד
לִימִין, תָּמַךְ, הֵגֵן [נגן]
stand for סִמֵּל, הִצִּיג [יצג]
stand out בָּלַט, הִצְטַיֵּן [צין]
standard, *adj.* רָגִיל, קָבוּעַ
standard, *n.* נֵס, דֶּגֶל; קְנֵה מִדָּה, תֶּקֶן
standardization, *n.* תִּקְנוּן
standardize, *v.t.* תִּקְנֵן, קָבַע תֶּקֶן
standing, *n.* עֲמִידָה; מַעֲמָד
standpoint, *n.* נְקֻדַּת מַבָּט
standstill, *n.* הַפְסָקָה, קִפָּאוֹן
stanza, *n.* בַּיִת (בְּשִׁיר)
staple, *n.* תּוֹצֶרֶת עִקָּרִית; מִצְרָךְ; פּוֹתָה
star, *n.*, *v.t.* & *i.* כּוֹכָב; מַזָּל; סִימָן;
שַׂחְקָן רָאשִׁי; סִמֵּן בְּכוֹכָב; קִשֵּׁט
בְּכוֹכָבִים; שִׂחֵק תַּפְקִיד רָאשִׁי;
הִצְטַיֵּן [צין]
starboard, *n.* יְמִין אֳנִיָּה
starfish, *n.* כּוֹכַב יָם
starch, *n.* & *v.t.* עֲמִילָן; עִמְלֵן
stare, *v.t.* & *i.* לָטַשׁ עֵינַיִם, הִשְׁתָּאָה
[שאה]

stark, *adj.* אַלִּים, עָרֹם; מֻחְלָט
starling, *n.* זַרְזִיר
Star-Spangled Bannner, The
הַהִמְנוֹן הַלְּאֻמִּי שֶׁל אַרְצוֹת הַבְּרִית
start, *n.* הַתְחָלָה; חִיל, רֶטֶט
start, *v.t.* & *i.* הִתְחִיל [תחל], יָצָא;
הִתְחַלְחֵל [חלחל]; סָלַד
startle, *v.t.* & *i.* נִרְתַּע [רתע]; הֶחֱרִיד
[חרד]
starvation, *n.* רָעָב, כָּפָן
starve, *v.t.* & *i.* רָעַב, הִרְעִיב [רעב]
state, *n.* מַצָּב; מְדִינָה; רָשׁוּת
state, *v.t.* אָמַר; הִבִּיעַ [נבע]
stately, *adj.* מְפֹאָר, נֶהְדָּר
statement, *n.* גִּלּוּי דַּעַת, אַחְוָה
stateroom, *n.* תָּא (בָּאֳנִיָּה, בְּרַכֶּבֶת)
statesman, *n.* מְדִינַאי
static, statical, *adj.* נָח; מִשְׁקָלִי
station, *n.* מַעֲמָד; תַּחֲנָה
station, *v.t.* הֶעֱמִיד [עמד]; שָׂת [שית]
stationary, *adj.* קָבוּעַ
stationery, *n.* (חֲנוּת) מִצְרְכֵי כְּתִיבָה,
נְיָר מִכְתָּבִים
statistics, *n. pl.* נִסְכֶּמֶת, מִסְפָּרִים,
לִוּוּחַ
statuary, *n.* פַּסָּל, פְּסָלִים
statue, *n.* פֶּסֶל, מַצֵּבָה
stature, *n.* קוֹמָה, גֹּבַהּ
status, *n.* מַצָּב, חֲזָקָה
status quo הַמַּצָּב הַקַּיָּם
statute, *n.* חֹק, חֻקָּה
statutory, *adj.* חֻקִּי, חֻקָּתִי
staunch, *v.* stanch
stave, *n.* בַּד; אַלָּה; חָוָק; בַּיִת
(בְּשִׁיר)
stave, *v.t.* שָׁבַר, שִׁבֵּר, פָּרַץ (פֶּרֶץ);
הִרְחִיק [רחק], דָּחָה
stay, *n.* שְׁהִיָּה; מְנִיעָה; סֶמֶךְ, מִשְׁעָן

stay, *v.t.* & *i.* תָּמַךְ; מָנַע, עִכֵּב; הִשְׁקִיט [שקט]; נִשְׁאַר [שאר], דָּר [דור] הִתְגּוֹרֵר [גור], הִתְאָרֵחַ [ארח]
stead, *n.* יִתְרוֹן, תּוֹעֶלֶת; מָקוֹם
steadfast, *adj.* תַּקִּיף, מֻחְלָט
steadfastness, *n.* אֱמוּנָה
steadily, *adv.* בִּקְבִיעוּת
steadiness, *n.* תְּמִידוּת, קְבִיעוּת, יַצִּיבוּת, בְּטִיחוּת
steady, *adj.* תְּמִידִי, בָּטוּחַ, קָבוּעַ, יַצִּיב
steady, *v.t.* יִצֵּב, כּוֹנֵן [כון], כִּוֵּן, חִזֵּק
steak, *n.* אֻמְצָה
steal, *v.t.* & *i.* גָּנַב, הִתְגַּנֵּב [גנב]
stealthy, *adj.* עָרוּם
steam, *n.* אֵדִים, קִיטוֹר; כֹּחַ, מֶרֶץ
steam, *v.t.* & *i.* אִדָּה, הִתְאַדָּה [אדה]; הִתְנוֹעֵעַ [נוע] (הִפְלִיג [פלג]) בְּכֹחַ הַקִּיטוֹר; בִּשֵּׁל בְּאֵדִים
steam engine קַטָּר, מְנוֹעַ קִיטוֹר
steamer, steamship, *n.* אֳנִיַּת קִיטוֹר
steamy, *adj.* אֵדִי, מְאֻדֶּה
steed, *n.* אַבִּיר, הֶצֶן, סוּס
steel, *n.* פְּלָדָה
steep, *adj.* תָּלוּל, מְשֻׁפָּע
steep, *n.* מוֹרָד, מִדְרוֹן, שִׁפּוּעַ
steep, *v.t.* שָׁרָה
steepen, *v.i.* הִשְׁתַּפֵּעַ [שפע]
steeple, *n.* מִגְדָּל
steer, *n.* שׁוֹר
steer, *v.t.* & *i.* נִהֵג, הִדְרִיךְ [דרך]
steerage, *n.* נַוָּטוּת, נְהִיגַת אֳנִיָּה; סִפּוּנִית, כִּתָּה זוֹלָה (רְבִיעִית) בָּאֳנִיָּה
steersman, *n.* הַגַּאי, נַוָּט
stem, *n.* שֹׁרֶשׁ; גֶּזַע; קָנֶה
stem, *v.t.* עִכֵּב
stench, *n.* בָּאְשָׁה, צַחֲנָה, סִרְחוֹן
stencil, *n.* שַׁעֲוָנִיָּה
stenographer, *n.* קַצְרָן, קַצְרָנִית
stenography, *n.* קַצְרָנוּת
step, *n.* צַעַד, פְּסִיעָה, מַדְרֵגָה; שָׁלָב
step, *v.t.* & *i.* צָעַד, דָּרַךְ, פָּסַע
stepbrother, *n.* אָח חוֹרֵג
stepchild, *n.* יֶלֶד חוֹרֵג
stepdaughter, *n.* בַּת חוֹרֶגֶת
stepfather, *n.* אָב חוֹרֵג
stepladder, *n.* סֻלָּם מִטַּלְטֵל
stepmother, *n.* אֵם חוֹרֶגֶת
steppe, *n.* עֲרָבָה
stepsister, *n.* אָחוֹת חוֹרֶגֶת
stepson, *n.* בֵּן חוֹרֵג
stereoscope, *n.* רְאִיגוּף
stereotype, *n.* אִמָּה (אִמָּהוֹת דְּפוּס)
sterile, *adj.* עָקָר, מְעֻקָּר
sterility, *n.* עֲקָרוּת
sterilization, *n.* הַעֲקָרָה; סֵרוּס; טִהוּר, חִטּוּי
sterilize, *v.t.* חִטֵּא, טִהֵר; עִקֵּר
sterilizer, *n.* מְעַקֵּר, מְחַטֵּא
sterling, *n.* & *adj.* תֶּקֶן (צְרִיפַת) כֶּסֶף (0.500) זָהָב (0.9166), כֶּסֶף (זָהָב) טָהוֹר (בְּכֵלִים וְכוּ׳) רַב עֵרֶךְ, אֲמִתִּי
stern, *adj.* תַּקִּיף, קַפְּדָנִי
stern, *n.* אֲחוֹרֵי הָאֳנִיָּה
sternum, *n.* עֶצֶם הֶחָזֶה
stethoscope, *n.* מַסְכֵּת
stevedore, *n.* סַוָּר
stew, *n.*, *v.t.* & *i.* תַּרְבִּיךְ; רִבֵּךְ
steward, *n.* מְנַהֵל מֶשֶׁק בַּיִת; מֶלְצַר (אֳנִיָּה)
stewpan, *n.* מַרְחֶשֶׁת
stich, *n.* חָרוּז
stick, *n.* מַקֵּל, שֵׁבֶט
stick, *v.t.* & *i.* תָּחַב; הִדְבִּיק [דבק]; נִדְבַּק [דבק]

sticky, *adj.* צָמִיג, דָּבִיק
stiff, *adj.* אָשׁוּן, לֹא גָמִישׁ, קָשֶׁה
stiffen, *v.t.* & *i.* הִקְשָׁה, הִתְקַשָּׁה [קשה]
stiff-necked, *adj.* קְשֵׁה עֹרֶף
stiffness, *n.* קַשְׁיוּת, קְשִׁי עֹרֶף
stifle, *v.t.* & *i.* כִּבָּה; חָנַק, נֶחֱנַק [חנק]
stigma, *n.* הוֹקָעָה, אוֹת קָלוֹן, כֶּתֶם; צִנּוֹר הָאַבְקָנִים
stigmatic, *adj.* מוֹקִיעַ, נִכְתָּם
stigmatize, *v.t.* הוֹקִיעַ [יקע], הִכְתִּים [כתם]
still, *adj.* דּוֹמֵם; מַחֲשֶׁה; שׁוֹתֵק; שׁוֹקֵט
still, *n.* דְּמָמָה; מִזְקֶקֶת, מַזְקֵקָה
still, *adv.* עוֹד, עֲדַיִן, בְּכָל זֹאת
stillborn, *adj.* נוֹלַד מֵת
still life טֶבַע דּוֹמֵם (בְּצִיּוּר)
stillness, *n.* דּוּמִיָּה; חֲשַׁאי
stilts, *n. pl.* קַבַּיִם
stimulant, *adj.* & *n.* מְגָרֶה; מְעוֹרֵר
stimulate, *v.t.* גֵּרָה, עוֹרֵר [עור]
stimulation, *n.* הִתְעוֹרְרוּת, גֵּרוּי
stimulus, *n.* גֵּרוּי
sting, *n.* עֹקֶץ; עֲקִיצָה
sting, *v.t.* & *i.* עָקַץ; הִכִּישׁ [נכש], הִכְאִיב [כאב]
stinginess, *n.* קַמְצָנוּת
stingy, *adj.* קַמְצָן, צַיְקָן
stink, *n.* & *v.t.* צַחַן, סִרְחוֹן; הִבְאִישׁ [באש], הִסְרִיחַ [סרח]
stint, *n.*, *v.t.* & *i.* מְשִׂימָה, הַגְבָּלָה, שִׁעוּר; צִמְצֵם, חָדַל
stipend, *n.* מִלְגָּה, פְּרָס, תְּמִיכָה
stipulate, *v.t.* הִתְנָה [תנה]
stipulation, *n.* תְּנַאי; הַתְנָיָה
stir, *n.*, *v.t.* & *i.* תְּנוּעָה, זִיעַ; רִגְשָׁה; חִרְחֵר, זָז [זוז], נָע [נוע], הֵנִיעַ [נוע]
stirring, *adj.* תְּנוּדָה, תְּנוּעָה
stirrup, *n.* אַרְכּוֹף

stitch, *n.* תֶּפֶר, שֶׁלֶל
stitch, *v.t.* & *i.* תָּפַר, שָׁלַל, כִּלֵּב
stoat, *n.* חֹלֶד אֵירוֹפָּאִי
stock, *n.* בּוּל עֵץ, גֹּלֶם, שׁוֹטֶה; גֶּזַע; מְלַאי; בָּקָר; מְנָיָה
stockade, *n.* חִפּוּף
stockbroker, *n.* סוֹכֵן מְנָיוֹת
stock exchange מִשְׁעָרָה, בֻּרְסָה
stockholder, *n.* בַּעַל מְנָיוֹת
stocking, *n.* גֶּרֶב
stocky, *adj.* גּוּץ וְעָבֶה; חָזָק
stockyard, *n.* מִכְלְאַת בְּהֵמוֹת
stoic, *adj.* & *n.* סַבְלָן; אֶרֶךְ (רוּחַ) אַפַּיִם
stoke, *v.t.* & *i.* סִפֵּק פֶּחָם לִמְכוֹנָה
stolid, *adj.* אֱוִילִי, טִפְּשִׁי; לֹא מִתְרַגֵּז
stomach, *n.* & *v.t.* קֵבָה; סָבַל
stone, *n.* אֶבֶן; גַּרְעִין, חַרְצָן; חַצֶּצֶת
stone, *v.t.* רָגַם, סָקַל, רִצֵּף
stonecutter, *n.* סַתָּת, חַצָּב
stony, *adj.* טַרְשִׁי, אַבְנִי, אַבְנוּנִי
stool, *n.* הֲדוֹם; שַׁרְפְרָף; יְצִיאָה (מֵעַיִם)
stoop, *n.* הִתְכּוֹפְפוּת; מִרְפֶּסֶת
stoop, *v.i.* כָּפַף, שָׁחָה, הִשְׁפִּיל [שפל]
stop, *n.* סְתִימָה; עֲמִידָה; הַפְסָקָה; תַּחֲנָה
stop, *v.t.* & *i.* הִפְסִיק [פסק]; עָצַר; עִכֵּב; פָּקַק; חָדַל; עָמַד (מִלֶּכֶת)
stoppage, *n.* מַעֲצוֹר
stopper, *n.* מַסְתֵּם, פְּקָק, מְגוּפָה
storage, *n.* אִחְסוּן, אַחְסָנָה
store, *n.* חֲנוּת, מַחְסָן
store, *v.t.* אִחְסֵן, שָׂם [שים] בְּמַחְסָן, שָׁמַר
storehouse, *n.* מַחְסָן, אַמְבָּר
storekeeper, *n.* חֶנְוָנִי
storey, *v.* story
stork, *n.* חֲסִידָה

storm, *n.* סְעָרָה, סַעַר, סוּפָה
storm, *v.t.* & *i.* סָעַר, הִסְתָּעֵר [סער], גָּעַשׁ, הִתְגָּעֵשׁ [געש]
story, *n.* סִפּוּר, מַעֲשִׂיָּה
story, storey, *n.* דְּיוֹטָה, קוֹמָה, עֲלִיָּה
storyteller, *n.* מְסַפֵּר
stout, *adj.* מוּצָק, מְגֻשָּׁם, שָׁמֵן, עָבֶה
stove, *n.* כִּירָה, תַּנּוּר
stow, *v.t.* הִנִּיחַ [נוח] בִּצְפִיפוּת, אִחְסֵן, הִסְתִּיר [סתר]
stowaway, *n.* סַמְיוֹן, נוֹסֵעַ סָמוּי, מִסְתַּתֵּר
straddle, *v.t.* & *i.* הָלַךְ (עָמַד) בְּפִשּׂוּק רַגְלַיִם
straggle, *v.i.* הָלַךְ בָּטֵל, שׁוֹטֵט
straight, *adj.* יָשָׁר, נָכֹחַ
straighten, *v.t.* יִשֵּׁר, תִּקֵּן
straightforward, *adj.* גְּלוּי לֵב, יָשָׁר
straightway, *adv.* תֵּכֶף וּמִיָּד
strain, *n.* כְּפִיָּה; מְתִיחָה; נְקִיעָה; נְעִימָה (לַחַן); גֶּזַע; שֹׁרֶשׁ
strain, *v.t.* & *i.* נָקַע; סִנֵּן; הִתְאַמֵּץ [אמץ]; מָתַח
strainer, *n.* מְסַנֶּנֶת
strait, *n.* מֵצַר, לְשׁוֹן (בְּרִיחַ, מֵצַר) יָם; מְצוּקָה
straiten, *v.t.* הֵצֵר [צרר], הֵצִיק [צוק]; צִמְצֵם
strait jacket מְעִיל לְחוֹלֵי רוּחַ
strand, *n.* חוֹף; גְּדִיל, סִיב, פְּתִיל; מַחֲרֹזֶת
strand, *v.t.* & *i.* הֶעֱלָה [עלה] עַל חוֹף (שִׂרְטוֹן); הִשְׁאִיר [שאר] (נִשְׁאַר) בִּמְצוּקָה
strange, *adj.* זָר, מוּזָר, תָּמוּהַּ, אָדִישׁ
strangeness, *n.* זָרוּת
stranger, *n.* נָכְרִי, זָר; לוֹעֵז
strangle, strangulate, *v.t.* חָנַק
strangulation, *n.* שִׁנּוּק, חֲנִיקָה, תַּשְׁנוּק, חֶנֶק
strap, *n.* & *v.t.* רְצוּעָה; קָשַׁר בִּרְצוּעָה, רָצַע, הִלְקָה [לקה] בִּרְצוּעָה, פִּרְגֵּל; הִשְׁחִיז [שחז] (תַּעַר) בִּרְצוּעָה
stratagem, *n.* תַּכְסִיס, תַּחְבּוּלָה, הַעֲרָמָה
strategic, strategical, *adj.* תַּכְסִיסִי
strategy, strategics, *n.* תַּכְסִיסָנוּת
stratify, *v.t.* & *i.* סִדֵּר בִּשְׁכָבוֹת
stratum, *n.* שִׁכְבָה
straw, *n.* קַשׁ
strawberry, *n.* תּוּת גִּנָּה, תּוּת שָׂדֶה
stray, *n.* תּוֹעֶה
stray, *v.i.* תָּעָה, טָעָה, שָׁגָה
streak, *n.* קַו, רְצוּעָה; תְּכוּנָה, אֹפִי
stream, *n.* זֶרֶם, נַחַל, פֶּלֶג, יוּבַל
stream, *v.i.* זָרַם; זָלַג
streamer, *n.* דֶּגֶל, נֵס, סֶרֶט
streamlined, *adj.* מְחֻדָּשׁ, מְעֻדְכָּן
street, *n.* רְחוֹב
streetcar, *n.* חַשְׁמַלִּית, קָרוֹן
strength, *n.* אוֹן, בֶּצֶר, כֹּחַ, חֹזֶק, עָצְמָה
strengthen, *v.t.* & *i.* חִזֵּק, אִמֵּץ, בִּצֵּר, הִתְחַזֵּק [חזק]
strenuous, *adj.* מַרְצִי, קָשֶׁה, תַּקִּיף, אַמִּיץ; נִלְהָב
stress, *n.* הַדְגָּשָׁה; לַחַץ, מְצוּקָה
stress, *v.t.* הִדְגִּישׁ [דגש]; לָחַץ
stretch, *n.* זְמַן; מֶרְחָק; מְתִיחָה
stretch, *v.t.* & *i.* מָתַח, פָּשַׁט, הוֹשִׁיט [ישט], הִתְמַתַּח [מתח]
stretcher, *n.* אֲלֻנְקָה
strew, *v.t.* פִּזֵּר, זָרָה
strict, *adj.* חָמוּר, מְדַקְדֵּק, מַקְפִּיד
strictly, *adv.* בְּעֶצֶם, בְּדִיּוּק
strictness, *n.* הַקְפָּדָה
stride, *n.* פְּסִיעָה גַּסָּה
stride, *v.i.* פָּסַע פְּסִיעוֹת גַּסּוֹת

strident, *adj.* צוֹרֵם
strife, *n.* מָדוֹן, רִיב, קְטָטָה, סִכְסוּךְ
strike, *n.* מַכָּה; שְׁבִיתָה
strike, *v.t. & i.* הִכָּה [נכה], קָפַח (שֶׁמֶשׁ); צִלְצֵל (פַּעֲמוֹן, שָׁעוֹן); פָּעַם, פָּגַע; הִפְלִיא [פלא]; שָׁבַת (פּוֹעֲלִים); נִצְנֵץ (רַעְיוֹן); הִצִּית [יצת] (גַּפְרוּר), גִּלָּה, מָצָא (נֵפְט); טָבַע (מַטְבְּעוֹת); הִכִּישׁ [נכש]
striker, *n.* שׁוֹבֵת
striking, *adj.* בּוֹלֵט, נִפְלָא
string, *n.* פְּתִיל; מֵיתָר; מַחֲרֹזֶת
string, *v.t.* קָשַׁר; מָתַח מֵיתָרִים; חָרַז, הִשְׁחִיל [שחל]
stringent, *adj.* מַחְמִיר; דָּחוּק; מְשַׁכְנֵעַ
strip, *n.* פַּס, סֶרֶט
strip, *v.t. & i.* הִפְשִׁיט [פשט], הִתְפַּשֵּׁט [פשט], עִרְטֵל
stripe, *n.* רְצוּעָה, סֶרֶט
stripe, *v.t.* רָצַע, הִלְקָה [לקה]
striped, *adj.* עָקֹד
strive, *v.i.* הִשְׁתַּדֵּל [שדל], הִתְאַמֵּץ [אמץ]; נִלְחַם [לחם]; הִתְחָרָה [חרה]
stroke, *n.* מַהֲלֻמָּה, מַכָּה; לְטִיפָה
stroke, *v.t.* לִטֵּף, הֶחֱלִיק [חלק]
stroll, *n.* טִיּוּל
stroll, *v.t. & i.* טִיֵּל, הִתְהַלֵּךְ [הלך]
stroller, *n.* טַיָּל, טַיְלָן
strong, *adj.* רַב, עָצוּם, חָרִיף, חָזָק
stronghold, *n.* בִּצָּרוֹן, מְצוּדָה, מִבְצָר
strop, *n.* רְצוּעַת הַשְׁחָזָה
strop, *v.t.* הִשְׁחִיז [שחז]
structural, *adj.* בִּנְיָנִי
structure, *n.* בִּנְיָן, מִבְנֶה
struggle, *n.* נַפְתּוּלִים, הֵאָבְקוּת, הִתְלַבְּטוּת
struggle, *v.i.* נֶאֱבַק [אבק]; פִּרְפֵּר
strumpet, *n.* זוֹנָה, יַצְאָנִית
strut, *n.* צַעַד גַּאַוְתָנִי
strut, *v.i.* צָעַד בְּגַאֲוָה
stub, *n.* גֶּדֶם; סַדָּן (עֵץ); שׁוֹבֵר, תֹּרֶף (בְּפִנְקַס הַמְחָאוֹת, קַבָּלוֹת)
stubble, *n.* גְּבָבָה, קַשׁ
stubborn, *adj.* עַקְשָׁנִי, קְשֵׁה עֹרֶף
stubbornness, *n.* עַקְשָׁנוּת, קְשִׁי עֹרֶף
stubby, *adj.* גּוּץ וְעָבֶה
stucco, *n.* כִּיּוּר, טִיחַ קִירוֹת
stucco, *v.t.* כִּיֵּר, טָח [טוח] קִירוֹת
stuck-up, *adj.* יָהִיר, גַּאַוְתָן
stud, *n. & v.t.* מַסְמֵר (סִיךְ) בּוֹלֵט; כַּפְתּוֹר (יָדִיּוֹת); בְּלִיטָה; מִלֵּא (שִׁבֵּץ) בְּלִיטוֹת
student, *n.* חוֹקֵר, תַּלְמִיד
studio, *n.* לִמּוּדִיָּה, אֻלְפָּן
studious, *adj.* שׁוֹקֵד
study, *n.* לִמּוּד, מֶחְקָר, עִיּוּן
study, *v.t. & i.* לָמַד, חָקַר, עִיֵּן
stuff, *n.* דָּבָר, חֹמֶר; אֶרֶג; גּוּף
stuff, *v.t. & i.* זָלַל, מִלֵּא, אָבַס, פִּטֵּם
stuffing, *n.* מִלּוּי; פִּטּוּם
stuffy, *adj.* מַחֲנִיק, מְחֻסַּר אֲוִיר
stultify, *v.t.* סִכֵּל, בִּטֵּל
stumble, *n.* מִכְשׁוֹל, תַּקָּלָה
stumble, *v.t. & i.* נִכְשַׁל, הִכְשִׁיל [כשל]; נִגַּף
stumbling block מִכְשׁוֹל, אֶבֶן נֶגֶף, תַּקָּלָה
stump, *n., v.t. & i.* גֶּדֶם, סַדָּן, כֹּרֶת; דּוּכַן נוֹאֲמִים; גָּדַע, גָּדַם; סִיֵּר וְנָאַם
stun, *n.* מַהֲלֻמָּה, תִּמָּהוֹן
stun, *v.t.* הָלַם, הִתְמִיהַּ [תמה]
stunning, *adj.* תַּאֲוָה לָעֵינַיִם, יָפֶה, מַרְהִיב עַיִן
stunt, *n.* פֶּלֶא, רְבוּתָה; עֲצִירַת גִּדּוּל
stupefaction, *n.* תִּמָּהוֹן, תַּדְהֵמָה
stupefy, *v.t.* הֵמַם, הִכָּה [נכה] בְּתִמָּהוֹן

stupendous, *adj.* מַפְלִיא, נִפְלָא
stupid, *adj.* שׁוֹטֶה, טִפֵּשׁ, כְּסִיל
stupidity, *n.* טִפְּשׁוּת
stupor, *n.* תַּדְהֵמָה
sturdy, *adj.* אֵיתָן, חָזָק, מוּצָק
sturgeon, *n.* חִדְקָן, אַסְפָּן
stutter, *n.* גִּמְגּוּם, לִמְלוּם
stutter, *v.t.* & *i.* גִּמְגֵּם, לִמְלֵם
stutterer, *n.* מְגַמְגֵּם, לַמְלְמָן
sty, *n.* שְׂעוֹרָה (בָּעַיִן); דִּיר חֲזִירִים
style, *n.* & *v.t.* סִגְנוֹן, אָפְנָה; כִּנָּה, קָרָא
stylish, *adj.* לְפִי הָאָפְנָה
stylist, *n.* מְסַגְנֵן
stylus, *n.* חֶרֶט
suave, *adj.* נָעִים, מַסְבִּיר פָּנִים
suavity, *n.* נְעִימוּת, סֵבֶר פָּנִים יָפוֹת
subaltern, *adj.* & *n.* מִשְׁנֶה, סֶגֶן
subcommittee, *n.* וַעֲדַת מִשְׁנֶה
subconscious, *adj.* & *n.* תַּת הַכָּרָתִי; תַּת יֶדַע, תַּת הַכָּרָה
subcontractor, *n.* קַבְּלָן מִשְׁנֶה
subdivide, *v.t.* & *i.* חִלֵּק שׁוּב
subdivision, *n.* חֲלֻקָּה מִשְׁנִית
subdue, *v.t.* הִכְנִיעַ [כנע], נִצַּח; הִנְמִיךְ [נמך]; הִדְבִּיר [דבר]
subject, *adj.* & *n.* נוֹשֵׂא, עִנְיָן; נָתִין; כָּפוּף לְ־, מְשֻׁעְבָּד; עָלוּל לְ־
subject, *v.t.* שִׁעְבֵּד, הִכְנִיעַ [כנע]
subjection, *n.* הַכְנָעָה, שִׁעְבּוּד
subjective, *adj.* נוֹשְׂאִי; פְּנִימִי, נַפְשִׁי
subjugate, *v.t.* שִׁעְבֵּד
subjugation, *n.* שִׁעְבּוּד
subjunctive, *n.* דֶּרֶךְ הָאִוּוּי
sublet, *v.t.* & *i.* הִשְׂכִּיר [שכר] לְשֵׁנִי
sublime, *adj.* נִשְׂגָּב
submarine, *n.* & *adj.* צוֹלֶלֶת, צוֹלְלָה; תַּת יַמִּי
submerge, *v.t.* & *i.* צָלַל, טִבַּע

submergence, submersion, *n.* טְבִיעָה, טְבִילָה, הַטְבָּעָה, צְלִילָה
submission, *n.* כְּנִיעָה; צִיּוּת
submissive, *adj.* נִכְנָע; שְׁפַל רוּחַ
submit, *v.i.* נִכְנַע [כנע], טָעַן; הִצִּיעַ [יצע]
subnormal, *adj.* תַּת (תָּקִין) רָגִיל
subordinate, *adj.* & *n.* כָּפוּף לְ־, פְּחוּת עֶרֶךְ; סְגָן, מִשְׁנֶה
subordinate, *v.t.* שִׁעְבֵּד; הוֹרִיד [ירד] בְּדַרְגָּה, שָׂם [שים] תַּחַת מָרוּת
subordination, *n.* כְּנִיעוּת; צִיּוּת, קַבָּלַת מָרוּת
suborn, *v.t.* הֵסִית [נסת], הִדִּיחַ [נדח]
subpoena, subpena, *n.* הַזְמָנָה לְדִין
subscribe, *v.t.* & *i.* חָתַם; הִתְחַיֵּב [חיב]
subscriber, *n.* חוֹתֵם
subscription, *n.* חֲתִימָה; הִתְחַיְּבוּת
subsequent, *adj.* מִתְאַחֵר
subservient, *adj.* מְשֻׁעְבָּד, נִכְנָע
subside, *v.i.* שָׁקַע, צָלַל (שְׁמָרִים); שָׁכַךְ (רוּחַ); הוּקַל [קלל] (כְּאֵב); שָׁקַט (יָם)
subsidiary, *adj.* מְסַיֵּעַ, צְדָדִי
subsidize, *v.t.* תָּמַךְ, נָתַן תְּמִיכָה
subsidy, *n.* תְּמִיכָה
subsist, *v.t.* & *i.* פִּרְנֵס, הִתְפַּרְנֵס [פרנס], כִּלְכֵּל, הִתְקַיֵּם [קום]
subsistence, *n.* מִחְיָה, פַּרְנָסָה, קִיּוּם
substance, *n.* חֹמֶר, גּוּף; תֹּכֶן; רְכוּשׁ
substantial, *adj.* מַמָּשִׁי; אָמִיד
substantial, *n.* עִקָּר
substantially, *adv.* בְּעִקָּר
substantiate, *v.t.* אִמֵּת
substantiation, *n.* הוֹכָחָה
substantive, *adj.* & *n.* מַהוּתִי; שֵׁם עֶצֶם
substitute, *n.* תְּמוּרָה; מְמַלֵּא מָקוֹם

substitute, *v.t.* הֵמִיר [מור]; מִלֵּא מָקוֹם
substitution, *n.* תַּחֲלִיף, חִלּוּף, תְּמוּרָה
substructure, *n.* יְסוֹד, אֹטֶם
subterfuge, *n.* תּוֹאֲנָה, אֲמַתְלָה; הוֹנָאָה
subterranean, *adj.* תַּת קַרְקָעִי
subtle, *adj.* מְפֻלְפָּל, פִּקְחִי, דַּק
subtlety, *n.* חָכְמָה, שְׁנִינוּת, דַּקּוּת
subtract, *v.t.* נִכָּה, חִסֵּר
subtraction, *n.* חִסּוּר, פְּעֻלַּת הַחִסּוּר
suburb, *n.* שְׁכוּנָה, פַּרְוָר
suburban, *adj.* פַּרְוָרִי
subvention, *n.* סִיּוּעַ, תְּמִיכָה
subversion, *n.* הֲפִיכָה, הֲפִיכַת מִשְׁטָר
subversive, *adj.* הוֹפֵךְ; מַשְׁחִית
subvert, *v.t.* הִשְׁחִית [שחת], הָפַךְ
subway, *n.* תַּחְתִּית
succeed, *v.t. & i.* בָּא [בוא] אַחֲרֵי, יָרַשׁ; הִצְלִיחַ [צלח]
success, *n.* הַצְלָחָה
successful, *adj.* מֻצְלָח
succession, *n.* רְצִיפוּת, תְּכִיפוּת; שׁוּרָה; יְרוּשָּׁה
successor, *n.* יוֹרֵשׁ, מְמַלֵּא מָקוֹם
succor, succour, *n.* סִיּוּעַ, סַעַד
succor, succour, *v.t.* סִיֵּעַ
succotash, *n.* פּוּלְתִּירָס
succulence, succulency, *n.* עֲסִיסִיּוּת
succulent, *adj.* עֲסִיסִי
succumb, *v.i.* מֵת [מות]
such, *adj. & pron.* כָּזֶה
suck, *n.* יְנִיקָה
suck, *v.t. & i.* יָנַק; מָצַץ; סָפַג
sucker, *n.* יוֹנֵק, יוֹנֶקֶת; פֶּתִי, שׁוֹטֶה
suckle, *v.t.* הֵינִיק [ינק]
suckling, *n.* יוֹנֵק, תִּינוֹק
suction, *n.* יְנִיקָה, מְצִיצָה
sudden, *adj.* פִּתְאוֹמִי
suddenly *adv.* פִּתְאוֹם
suddenness, *n.* פִּתְאוֹמִיּוּת
suds, *n. pl.* מֵי סַבּוֹן קְצֵפִיִּים
sue, *v.t. & i.* נִשְׁפַּט [שפט], תָּבַע לְדִין; הִתְחַנֵּן [חנן], חִזֵּר (אַחֲרֵי אִשָּׁה)
suet, *n.* חֵלֶב בְּהֵמוֹת מְחֻתָּךְ, פֶּדֶר
suffer, *v.t. & i.* סָבַל; הִרְשָׁה [רשה]
sufferance, *n.* סַבְלָנוּת; רְשׁוּת
suffering, *n.* סֵבֶל
suffice, *v.t. & i.* הָיָה דַּי, הִסְפִּיק [ספק]
sufficiency, *n.* דַּיּוּת
sufficient, *adj.* מַסְפִּיק
suffix, *n.* סוֹפִית, סִיֹּמֶת
suffocate, *v.t. & i.* חָנַק, נֶחֱנַק [חנק]
suffocation, *n.* חֶנֶק, תַּשְׁנוּק
suffrage, *n.* זְכוּת הַצְבָּעָה
suffuse, *v.t.* כִּסָּה, הִשְׁתַּפֵּךְ [שפך]
suffusion, *n.* הִשְׁתַּפְּכוּת, כִּסּוּי
sugar, *n.* סֻכָּר
sugar, *v.t.* סִכֵּר, הִמְתִּיק [מתק]
sugar beet סֶלֶק סֻכָּר
sugar cane קְנֵה סֻכָּר
suggest, *v.t.* הִצִּיעַ [יצע]; רָמַז; יָעַץ
suggestion, *n.* הַצָּעָה
suggestive, *adj.* רוֹמֵז, מְרַמֵּז
suicide, *n.* אִבּוּד עַצְמוֹ לָדַעַת
suit, *n.* חֲלִיפָה; תְּבִיעָה מִשְׁפָּטִית
suit, *v.t. & i.* הָלַם, הִתְאִים [תאם], מָצָא חֵן בְּעֵינֵי
suitable, *adj.* מַתְאִים
suite, *n.* בְּנֵי לְוָיָה; שׁוּרַת חֲדָרִים
suitor, *n.* מְבַקֵּשׁ, מַפְצִיר, חוֹזֵר אַחֲרֵי אִשָּׁה
sulfur, sulphur, *n.* גָּפְרִית
sulk, *v.i.* עָגַם, זָעַף
sulkiness, *n.* עָגְמַת נֶפֶשׁ
sullen, *adj.* קוֹדֵר, נִדְכֶּה
sulphate, *n.* גָּפְרָה

sulphide, sulphid, *n.* דּוּ תַּחְמֹצֶת הַגָּפְרִית
sulphuric, *adj.* גָּפְרִיתָנִי
sulphurous, *adj.* גָּפְרִיתִי
Sultan, *n.* שֻׁלְטָן
sultry, *adj.* חַם, מַחֲנִיק
sum, *n.* סַךְ, סְכוּם, סַךְ הַכֹּל
sum, summarize, *v.t.* סִכֵּם
summary, *adj.* תַּמְצִיתִי; תָּכוּף
summer, *n.* & *v.i.* קַיִץ; קִיֵּץ, הִתְקַיֵּץ [קיץ]
summit, *n.* פִּסְגָּה
summon, *v.t.* תָּבַע, הִזְמִין [זמן] (לְדִין); כִּנֵּס
summons, *n.* תְּבִיעָה, הַזְמָנָה (לְדִין)
sumptuous, *adj.* מְפֹאָר
sun, *n.* שֶׁמֶשׁ, חַמָּה, חֶרֶס, חַרְסָה
sun, *v.t.* & *i.* חִמֵּם, הִתְחַמֵּם [חמם]
sunbeam, *n.* קֶרֶן (חַמָּה) שֶׁמֶשׁ
sunbonnet, *n.* כּוֹבַע שֶׁמֶשׁ
sunburn, *n.* שִׁזּוּף, שְׁזִיפָה, הַשְׁחָמָה
Sunday, *n.* יוֹם רִאשׁוֹן, יוֹם א׳
sunder, *v.t.* הִפְרִיד [פרד]
sundial, *n.* שְׁעוֹן שֶׁמֶשׁ
sundown, *n.* שְׁקִיעַת הַחַמָּה
sundries, *n. pl.* שׁוֹנוֹת
sundry, *adj.* שׁוֹנֶה; אֲחָדִים
sunflower, *n.* חַמָּנִית
sunken, *adj.* מְשֻׁקָּע
sunlight, *n.* אוֹר הַשֶּׁמֶשׁ
sunny, *adj.* מָלֵא שֶׁמֶשׁ, חַרְסִי; בָּהִיר
sunrise, *n.* עֲלִיַּת הַחַמָּה
sunset, *n.* שְׁקִיעַת (בּוֹא) הַחַמָּה
sunshade, *n.* סוֹכֵךְ, שִׁמְשִׁיָּה, מֵצַל
sunstroke, *n.* מַכַּת שֶׁמֶשׁ
sup, *v.t.* & *i.* סָעַד אֲרֻחַת עֶרֶב
superabundance, *n.* שִׁפְעָה רַבָּה
superannuation, *n.* יְשִׁישׁוּת
superb, *adj.* נֶהְדָּר

supercargo, *n.* מְמֻנֶּה עַל הַמִּטְעָן
supercilious, *adj.* יָהִיר, שַׁחֲצָנִי
superficial, *adj.* שִׁטְחִי
superficiality, *n.* שִׁטְחִיּוּת
superfluity, *n.* יִתְרָה, עֹדֶף
superfluous, *adj.* מְיֻתָּר
superhuman, *adj.* עַל אֱנוֹשִׁי
superintend, *v.t.* הִשְׁגִּיחַ [שגח] עַל, פִּקַּח; נִהֵל
superintendence, superintendency, *n.* נִהוּל; פִּקּוּחַ
superintendent, *n.* מְנַהֵל; מְפַקֵּחַ
superior, *adj.* מְשֻׁבָּח, הַטּוֹב בְּיוֹתֵר
superiority, *n.* יִתְרוֹן, עֶלְיוֹנוּת
superlative, *adj.* הַגָּבֹהַּ בְּיוֹתֵר
superlative, *n.* עֶרֶךְ הַהַפְלָגָה (דִּקְדּוּק); מִבְחָר
superman, *n.* אָדָם עֶלְיוֹן
supernatural, *adj.* שֶׁלְּמַעְלָה מֵהַטֶּבַע
supernumerary, *n.* עוֹדֵף
supersede, *v.t.* לָקַח מָקוֹם
superstition, *n.* אֱמוּנָה תְּפֵלָה
superstitious, *adj.* הַבְלִי, הַבְלוּתִי
supervene, *v.i.* בָּא [בוא], קָרָה לְפֶתַע
supervise, *v.t.* פִּקַּח, הִשְׁגִּיחַ [שגח]
supervision, *n.* פִּקּוּחַ, הַשְׁגָּחָה
supervisor, *n.* מְפַקֵּחַ, מַשְׁגִּיחַ
supine, *adj.* אָדִישׁ
supper, *n.* אֲרֻחַת (סְעֻדַּת) עֶרֶב
supplant, *v.t.* לָקַח מָקוֹם
supple, *adj.* גָּמִישׁ
supple, *v.t.* & *i.* גִּמֵּשׁ, הִתְגַּמֵּשׁ [גמש]
supplement, *n.* תּוֹסֶפֶת, מוּסָף
supplement, *v.t.* מִלֵּא, נָתַן תּוֹסֶפֶת
supplementary, *adj.* נוֹסָף, מַשְׁלִים
suppleness, *n.* גְּמִישׁוּת
supplicant, suppliant, *adj.* & *n.* מִתְחַנֵּן, מַפְצִיר, מַעְתִּיר

supplicate, *v.t.* הִתְחַנֵּן [חנן], הֶעְתִּיר [עתר], בִּקֵּשׁ

supplication, suppliance, *n.* תְּחִנָּה, תַּחֲנוּן, עֲתִירָה, חִלּוּי

supplier, *n.* סַפָּק, מְסַפֵּק

supply, *n.* הַסְפָּקָה, אַסְפָּקָה, סִפּוּק

supply, *v.i.* סִפֵּק

support, *n.* תְּמִיכָה, מִשְׁעָן, מִסְעָד

support, *v.t.* תָּמַךְ, פִּרְנֵס

supporter, *n.* תּוֹמֵךְ, מְפַרְנֵס

suppose, *v.t.* סָבַר, שִׁעֵר

supposition, supposal, *n.* הַנָּחָה, סְבָרָה, הַשְׁעָרָה

suppository, *n.* פְּתִילָה (לִרְפוּאָה)

suppress, *v.t.* הִכְנִיעַ [כנע], כָּבַשׁ

suppression, *n.* דִּכְדּוּךְ

suppurate, *v.i.* מִגֵּל, הִתְמַגֵּל [מגל]

suppuration, *n.* מִגּוּל

supremacy, *n.* עֶלְיוֹנוּת

supreme, *adj.* עֶלְיוֹן, רִאשׁוֹן בְּמַעֲלָה

surcharge, *n.* מַעֲמָסָה כְּבֵדָה; הַפְקָעַת שְׁעָרִים

surcharge, *v.t.* הֶעֱמִיס [עמס] יוֹתֵר מִדַּי; הִפְקִיעַ [פקע] שַׁעַר

sure, *adj.* בָּטוּחַ, וַדַּאי

surely, *adv.* בֶּאֱמֶת, בֶּטַח, אָכֵן

sureness, *n.* וַדָּאוּת

surety, *n.* עֲרֻבָּה, מַשְׁכּוֹן

surf, *n.* דֳּכִי, שְׁאוֹן (קֶצֶף) גַּלִּים

surface, *n.* מִשְׁטָח, שֶׁטַח, פָּנִים

surfeit, *n.* גֹּדֶשׁ, עֹדֶף

surfeit, *v.t.* & *i.* זָלַל, גִּרְגֵּר, לָעַט

surge, *n.* מִשְׁבָּר, הִתְגָּעֲשׁוּת

surge, *v.i.* הִתְנַשֵּׂא [נשא], הִתְגָּעֵשׁ [געש]

surgeon, *n.* מְנַתֵּחַ

surgery, *n.* נִתּוּחַ

surgical, *adj.* נִתּוּחִי

surly, *adj.* נִזְעָם, יָהִיר

surmise, *n.* סְבָרָה, הַשְׁעָרָה, נִחוּשׁ

surmise, *v.t.* שִׁעֵר

surmount, *v.t.* גָּבַר, הִתְגַּבֵּר [גבר] עַל

surname, *n.* & *v.t.* חֲנִיכָה, כִּנּוּי; כִּנָּה

surpass, *v.t.* עָבַר עַל

surplus, *adj.* עוֹדֵף, יָתֵר, מְיֻתָּר

surplus, *n.* מוֹתָר, עֹדֶף

surprise, *n.* & *v.t.* הַפְתָּעָה; הִפְתִּיעַ [פתע], הִפְלִיא [פלא]

surprising, *adj.* מַתְמִיהַּ, מַפְלִיא

surrender, *n.*, *v.t.* & *i.* כְּנִיעָה, הַסְגָּרָה; נִכְנַע [כנע], הִסְגִּיר [סגר]

surreptitious, *adj.* מִתְגַּנֵּב

surrogate, *n.* מְמַלֵּא מָקוֹם, סְגָן; שׁוֹפֵט לְצַוָּאוֹת

surround, *v.t.* הִקִּיף [נקף]; עִטֵּר, סָבַב

surroundings, *n. pl.* סְבִיבָה

surtax, *n.* מַס נוֹסָף

surveillance, *n.* הַשְׁגָּחָה

survey, *n.* & *v.t.* סְקִירָה, מִסְקָר, סֶקֶר, מְשִׁיחַת (מְדִידַת) קַרְקָעוֹת; בָּחַן, סִקֵּר, מָדַד (מָשַׁח) קַרְקָעוֹת

surveying, *n.* מְשִׁיחַת קַרְקָעוֹת

surveyor, *n.* מָשׁוֹחַ, מוֹדֵד

survival, *n.* הִשָּׁאֲרוּת

survive, *v.t.* & *i.* נִשְׁאַר [שאר] בַּחַיִּים, שָׂרַד, נוֹתַר (נִתּוֹתַר) [יתר]

survivor, *n.* שָׂרִיד, פָּלִיט

susceptibility, *n.* עֵרוּת, רַגְשָׁנוּת, רְגִישׁוּת

susceptible, *adj.* רָגִישׁ, רַגְשָׁנִי, מִתְרַשֵּׁם

suspect, *adj.* *n.* & *v.t.* חָשׁוּד; חָשַׁד

suspend, *v.t.* תָּלָה; הִפְסִיק [פסק]

suspenders, *n. pl.* כְּתֵפִיּוֹת, מוֹשְׁכוֹת

suspense, *n.* מְתִיחוּת; רִפְיוֹן; הֶפְסֵק

suspension, *n.* תְּלִיָּה; עִכּוּב; הֶפְסֵק

suspicion, *n.* חֲשָׁד

suspicious, *adj.* חַשְׁדָנִי

sustain, *v.t.* תָּמַךְ, סָעַד, פִּרְנֵס; הוֹכִיחַ [וכח]; נָשָׂא, סָבַל
sustenance, *n.* מִחְיָה, סַעַד, מָזוֹן
suture, *n.* תֶּפֶר, תְּפִירָה
suzerainty, *n.* שִׁלְטוֹן
svelte, *adj.* עָנֹג, דַּק, גָּמִישׁ
swab, *n.* סְחָבָה; סְפוֹג
swab, *v.t.* שִׁפְשֵׁף, מָרַח; נִקָּה (פֶּצַע)
swaddle, swathe, *n.* & *v.t.* חִתּוּל; חִתֵּל
swagger, *n.* הִתְרַבְרְבוּת, הִתְפָּאֲרוּת
swagger, *v.i.* הִתְרַבְרֵב [רברב], הִתְפָּאֵר [פאר]
swain, *n.* בֶּן כְּפָר
swallow, *n.* סְנוּנִית, דְּרוֹר; לְגִימָה, בְּלִיעָה
swallow, *v.t.* & *i.* לָגַם, בָּלַע, לָעַט
swamp, *n.* בִּצָּה, יָוֵן
swan, *n.* בַּרְבּוּר
swap, swop, *v.t.* הֵמִיר [מור], הֶחֱלִיף [חלף]
sward, *n.* מִדְשָׁאָה
swarm, *n.* נָחִיל, נְחִיל דְּבוֹרִים, דְּבוֹרִית; הָמוֹן; עֵרֶב רַב; שֶׁרֶץ
swarm, *v.t.* שָׁרַץ, רָחַשׁ; הִתְקַהֵל [קהל], הִתְגּוֹדֵד [גדד]
swarthy, *adj.* שָׁזוּף, שְׁחַרְחַר
swash, *n.* שִׁכְשׁוּךְ, הַתָּזָה (מַיִם)
swash, *v.i.* שִׁכְשֵׁךְ, הִתִּיז [נתז]
swastika, swastica, *n.* צְלָב הַקֶּרֶס
swat, *v.t.* הִכָּה [נכה], הִצְלִיף [צלף]
swatter, *n.* כַּף זְבוּבִים, מַצְלֵף
swath, swathe, *n.* תְּנוּפַת מַגָּל; שׁוּרַת קָצִיר
swathe, *v.* swaddle
sway, *n.*, *v.t.* & *i.* הִתְנוֹעֲעוּת; נְטִיָּה; שִׁלְטוֹן; הַשְׁפָּעָה; נָטָה, הֵנִיעַ (נִעְנַע, הִתְנוֹעֵעַ) [נוע], שָׁלַט, מָשַׁל, הִשְׁפִּיעַ [שפע]

swear, *v.t.* & *i.* קִלֵּל, גִּדֵּף, נִשְׁבַּע (הִשְׁבִּיעַ) [שבע]
swearing, *n.* שְׁבוּעָה; חֵרוּף, גִּדּוּף
sweat, *n.* יֶזַע, זֵעָה
sweat, *v.t.* & *i.* הֵזִיעַ [זוע]
sweater, *n.* מֵיזָע; צְמְרִיָּה
Swede, *n.* שְׁוֵדִי
sweep, *n.* גְּרִיפָה, טִאטוּא; תְּנוּפָה
sweep, *v.t.* & *i.* גָּרַף, סָחַף; טִאטֵא
sweet, *adj.* מָתֹק; רֵיחָנִי; עָרֵב; נֶחְמָד
sweet, *n.* מֶתֶק, מְתִיקוּת
sweeten, *v.t.* & *i.* מִתֵּק, הִמְתִּיק [מתק]
sweetheart, *n.* אָהוּב, אֲהוּבָה
sweetness, *n.* מֹתֶק, מְתִיקוּת
sweets, *n. pl.* מַמְתַּקִּים
swell, *n.*, *v.t.* & *i.* תְּפִיחָה; גַּל; בְּלִיטָה; נִפַּח, הִתְנַפַּח [נפח], תָּפַח
swelling, *n.* נְפִיחָה, תְּפִיחָה, הִתְנַפְּחוּת; גֵּאוּת יָם
swelter, *n.* חֹם לוֹהֵט
swelter, *v.i.* נָמוֹג [מוג] מֵחֹם, זֵעָה
swerve, *n.* & *v.i.* סְטִיָּה; סָטָה
swift, *adj.* מָהִיר
swiftly, *adv.* מַהֵר, בִּמְהִירוּת
swiftness, *n.* מְהִירוּת
swim, *n.* שְׂחִיָּה; הִתְעַלְּפוּת, סְחַרְחֹרֶת
swim, *v.t.* & *i.* שָׂחָה, שָׁט [שוט]; הִתְעַלֵּף [עלף], הִסְתַּחְרֵר [סחרר]
swimming, *n.* שְׂחִיָּה; סְחַרְחֹרֶת (רֹאשׁ)
swimmer, *n.* שַׂחְיָן
swindle, *n.* הוֹנָאָה, רַמָּאוּת
swindle, *v.t.* רִמָּה
swindler, *n.* רַמַּאי
swine, *n.* חֲזִיר, חֲזִירָה
swing, *n.* נִעְנוּעַ; נַדְנֵדָה, עַרְסָל
swing, *v.t.* & *i.* נִדְנֵד, הִתְנַדְנֵד [נדנד], עִרְסֵל; נִתְלָה [תלה]

swipe, *v.t.* הִלְקָה [לקה]; גָּנַב
swirl, *v.t.* & *i.* הִתְחוֹלֵל [חלל], הִסְתּוֹבֵב [סבב]
swish, *n.* רִשְׁרוּשׁ
Swiss, *adj.* שְׁוֵיצָרִי
switch, *n.* מֶתֶג, מַפְסֵק; שׁוֹט; פֵּאָה נָכְרִית; מַעֲבִיר (פַּסֵּי רַכֶּבֶת, זֶרֶם חַשְׁמַל)
switch, *v.t.* הֶעֱבִיר [עבר]; הֵנִיעַ [נוע]; הִצְלִיף [צלף]; חִבֵּר
swivel, *n.* צִיר
swivel, *v.t.* & *i.* סוֹבֵב [סבב] עַל צִיר
swoon, *n.* הִתְעַלְּפוּת
swoon, *v.i.* הִתְעַלֵּף [עלף]
swoop, *n.* עִיטָה
swoop, *v.t.* & *i.* עָט [עוט, עיט]; טָשׁ [טוש]
swop *v.* swap
sword, *n.* חֶרֶב, סַיִף
swordfish, *n.* חַלְפִּית, דַּג הַחֶרֶב
swordsman, *n.* סַיָּף
sycamore, *n.* שִׁקְמָה
sycophancy, *n.* חֲנִיפָה
sycophant, *n.* מְלַחֵךְ פִּנְכָּה, מַחֲלִיק לָשׁוֹן
syllable, *n.* הֲבָרָה
syllogism, *n.* הֶקֵּשׁ
syllogize, *v.t.* & *i.* הִקִּישׁ [קיש]
symbol, *n.* סֵמֶל, אוֹת
symbolic, symbolical, *adj.* סִמְלִי
symbolism, *n.* סִמְלִיּוּת
symbolize, *v.t.* סִמֵּל, סְמֵּל
symmetrical, *adj.* שָׁוֶה עֵרֶךְ, תְּאוֹמִי
symmetry, *n.* תֵּאוּם, שִׁוּוּי עֵרֶךְ
sympathetic, *adj.* אָהוּד
sympathy, *n.* אַהֲדָה; חֶמְלָה
sympathize, *v.i.* אָהַד
symphony, *n.* תֵּאוּם צְלִילִים, סִמְפוֹנְיָה
symposium, *n.* מְסִבַּת רֵעִים
symptom, *n.* אוֹת, סִימָן
symptomatic, symptomatical, *adj.* סִימָנִי, מְסַמֵּן, מְצַיֵּן
synagogue, *n.* בֵּית הַכְּנֶסֶת
synchronization, *n.* תִּזְמֹנֶת
synchronize, *v.t.* & *i.* תִּזְמֵן
syncopation, *n.* הַבְלָעַת אוֹת, הַשְׁמָטָה
syndicate, *n.* הִתְאַחֲדוּת סוֹחֲרִים
synod, *n.* כְּנֵסִיָּה
synonym, synonyme, *n.* שֵׁם נִרְדָּף
synonymous, *adj.* נִרְדָּף
synopsis, *n.* תַּמְצִית, קִצּוּר
syntax, *n.* תַּחְבִּיר
synthesis, *n.* תִּרְכֹּבֶת, הַרְכָּבָה
synthetic, *adj.* מֻרְכָּב בְּאֹפֶן מְלָאכוּתִי
syphilis, *n.* עַגֶּבֶת
syringe, *n.* מַזְרֵק, חֹקֶן
syringe, *v.t.* הִזְרִיק [זרק]; חָקַן, חִקֵּן
system, *n.* שִׁיטָה
systematic, systematical, *adj.* שִׁיטָתִי
systematize, *v.t.* עָשָׂה בְּשִׁיטָה, סִדֵּר

T, t

T, t, *n.* טִי, הָאוֹת הָעֶשְׂרִים בָּאָלֶף בֵּית הָאַנְגְּלִי
tab, *n.* פֶּתֶק, תָּוִית; חֶשְׁבּוֹן
tabby, *n.* חָתוּל בַּיִת
tabernacle, *n.* מִשְׁכָּן (אַרְעִי); גּוּף אָדָם; אֹהֶל מוֹעֵד; בֵּית (תְּפִלָּה) כְּנֶסֶת
table, *n.* שֻׁלְחָן; דֶּלֶפֶק; לוּחַ; טַבְלָה; אֲרֻחָה; תֹּכֶן (הָעִנְיָנִים)

table, *v.t.* לְוַח; שָׂם [שים] עַל שֻׁלְחָן; דָּחָה (הַצָּעָה)
tablecloth, *n.* מַפָּה
tableland, *n.* מִישׁוֹר
tablespoon, *n.* כַּף
tablet, *n.* לוּחַ; טַבְלִית
taboo, tabu, *adj.* & *n.* מְחֻרָם, מְקֻדָּשׁ; חֵרֶם, הֶקְדֵּשׁ
tabular, *adj.* לוּחִי
tabulate, *v.t.* לְוַח
tacit, taciturn, *adj.* שׁוֹתֵק, שַׁתְקָנִי
tack, *n.* נַעַץ; תֶּפֶר מַכְלִיב; כִּוּוּן (אֳנִיָּה)
tackle, *n.* גַּלְגֶּלֶת, מַכְשִׁירִים, חֲבָלִים
tackle, *v.t.* & *i.* תָּפַשׂ, אָחַז בְּ־; נִסָּה
tact, *n.* נִימוּס, גִּנּוּן, תַּכְסִיס
tactful, *adj.* נִימוּסִי, בַּעַל נִימוּס
tactical, *adj.* תַּכְסִיסִי
tactics, *n. pl.* תַּכְסִיסָנוּת, טַכְסִיסֵי קְרָב
tactile, *adj.* מִשּׁוּשִׁי
tactless, *adj.* בִּלְתִּי מְנֻמָּס, גַּס
tadpole, *n.* רֹאשָׁן
taffy, *n.* סֻכָּרִיָּה, נֹפֶת; חֲנֻפָּה
tag, *n.* תָּוִית, פֶּתֶק; מִשְׂחַק יְלָדִים („תְּפֹשׂ אוֹתִי")
tail, *n.* זָנָב; אַלְיָה (כֶּבֶשׂ); שָׁבִיט (כּוֹכָב); כָּנָף (בֶּגֶד)
tailor, *n.* חַיָּט, תּוֹפֵר
tailor, *v.t.* & *i.* תָּפַר, חִיֵּט
taint, *n.* כֶּתֶם; מוּם
taint, *v.t.* & *i.* אָלַח; סִמֵּם; הִשְׁחִית [שחת], הִכְתִּים [כתם]
take, *v.t.* & *i.* לָקַח, נָטַל
take in הִכְנִיס [כנס]; קִפֵּל (מִפְרָשׂ)
take off הֵסִיר [סור], פָּשַׁט; טָס [טוס]
take on קִבֵּל עַל עַצְמוֹ, הִתְחַיֵּב [חוב]
take place קָרָה
talc, talcum, *n.* אֲבָקָה, טַלְק
tale, *n.* אַגָּדָה, סִפּוּר, מַעֲשִׂיָּה
talent, *n.* כִּשְׁרוֹן
talented, *adj.* כִּשְׁרוֹנִי, בַּעַל כִּשְׁרוֹן
talisman, *n.* קָמִיעַ
talk, *n.* דִּבּוּר; שִׂיחָה; נְאוּם
talk, *v.t.* & *i.* דִּבֵּר, שָׂח, שׂוֹחַח [שיח]
talkative, *adj.* פַּטְפְּטָנִי, דַּבְּרָנִי
talker, *n.* פַּטְפְּטָן, דַּבְּרָן
tall, *adj.* גָּדוֹל, רָם, גָּבֹהַּ
tallow, *n.* חֵלֶב
tally, *v.i.* הִתְאִים [תאם]
Talmud, *n.* תַּלְמוּד, גְּמָרָא
tame, *adj.* מְרֻסָּן, מְאֻלָּף, בֵּיתִי
tame, *v.t.* הִכְנִיעַ [כנע], אִלֵּף, רִסֵּן, הָפַךְ בֵּיתִי
tam-o'-shanter, *n.* כִּפָּה שׁוֹטְלַנְדִית
tamper, *v.i.* הִתְעָרֵב [ערב] בְּ־
tan, *adj.* & *n.* שְׁחֹם, שָׁזוּף; עָפָץ
tan, *v.t.* & *i.* עִבֵּד עוֹרוֹת, בִּרְסֵק; הִשְׁתַּזֵּף [שזף]
tandem, *adj.* & *n.* (בְּ) זֶה אַחַר זֶה; אוֹפַנַּיִם (כִּרְכָּרָה) לִשְׁנַיִם
tang, *n.* קוּף; טַעַם (רֵיחַ) חָרִיף
tangent, *adj.* & *n.* נוֹגֵעַ; מַשִּׁיק
tangerine, *n.* מַרְיוֹסֵף, יוֹסִיפוֹן
tangible, *adj.* מַמָּשִׁי
tangle, *n.* סְבַךְ
tangle, *v.t.* & *i.* סִבֵּךְ, הִסְתַּבֵּךְ [סבך]
tank, *n.* זַחַל; אָשׁוּחַ, מֵיכָל, טַנְק
tankard, *n.* מִזְרָק
tanner, *n.* עַבְּדָן, בֻּרְסִי
tannery, *n.* עַבְּדָנוּת, בֻּרְסְקִי
tannin, tannic acid, *n.* חֻמְצַת (עֲפָצִים) אוֹג
tanning, *n.* בֻּרְסְקוּת, עִבּוּד
tantalize, *v.t.* & *i.* הִתְגָּרָה [גרה], קִנְטֵר
tantamount, *adj.* שָׁקוּל כְּנֶגֶד
tantrum, *n.* הִתְפָּרְצוּת שֶׁל זַעַם, פֶּרֶץ

tap, *n.* דְּפִיקָה קַלָּה; בֶּרֶז; מַבְרֵז; מֵינֶקֶת, שְׁפוֹפֶרֶת; מְגוּפָה
tap, *v.t. & i.* דָּפַק דְּפִיקָה קַלָּה, מָשַׁךְ (הוֹצִיא [יצא]) מַשְׁקֶה מֵחָבִית, קָדַח (חוֹר בְּחָבִית); חָלַץ (פְּקָק), מִצָּה; חִבֵּר, קִשֵּׁר (לְרִשְׁתוֹת מַיִם, חַשְׁמַל, וְכוּ׳)
tape, *n.* סֶרֶט, דִּבְקוֹן
tape, *v.t.* עָנַד, קָשַׁר, מָדַד בְּסֶרֶט
taper, *v.t. & i.* הִתְמַעֵט [מעט], הָלַךְ וְהִתְחַדֵּד [חדד] בְּקָצֵהוּ
tapestry, *n.* טַפִּיט, מַרְבַד, שָׁטִיחַ
tapeworm, *n.* כֶּרֶץ
tapioca, *n.* קַסָּוִית
tape recorder מַקְלִיטוֹן
taproom, taphouse, *n.* מִמְזָגָה, מִסְבָּאָה
tar, *n. & v.t.* זֶפֶת; מַלָּח; זִפֵּת
tardy, *adj.* מְאֻחָר, מְפַגֵּר
tare, *n.* זוּן, בִּקְיָה; בֵּרוּץ נִכָּיוֹן (מִשְׁקָל)
target, *n.* מַטָּרָה, מִפְגָּע
tariff, *n.* תַּעֲרִיף (מֶכֶס), מְחִירָן
tarn, *n.* אֲגַם הָרִים
tarnish, *n.* רְבָב, כֶּתֶם; הַכְתָּמָה
tarnish, *v.t. & i.* הִכְהָה [כהה], הוּעַם [עמם]
tarpaulin, *n.* זַפְתּוּת, צַדְרָה, אַבַּרְזִין; מַלָּח
tarry, *adj.* מְזֻפָּת, מְזֻפָּף
tarry, *v.i.* שָׁהָה, הִתְמַהְמֵהַּ [מהמה]
tart, *adj.* חָמוּץ, חָרִיף
tart, *n.* קְרָצָה, עוּגַת פֵּרוֹת; יַצְאָנִית
tartar, *n.* שְׁמָרִים; חֲצַץ שִׁנַּיִם
task, *n.* מְשִׂימָה, מַטָּלָה, שִׁעוּר
tassel, *n.* פִּיף, גְּדִיל, צִיצִית
taste, *n., v.t. & i.* טַעַם; טָעַם
tasteful, *adj.* טָעִים
tasteless, *adj.* תָּפֵל, חֲסַר טַעַם
tatter, *n.* סְחָבָה
tatter, *v.t.* קָרַע
tatters, *n. pl.* סְמַרְטוּטִים, סְחָבוֹת
tattle, *n.* פִּטְפּוּט, לַהַג
tattle, *v.t.* הָלַךְ רָכִיל, פִּטְפֵּט
tattoo, *n. & v.t.* קַעֲקַע; קִעְקַע
taunt, *n. & v.t.* גִּדּוּף, הִתּוּל, לַעַג; גִּדֵּף
tavern, *n.* מִסְבָּאָה, בֵּית מַרְזֵחַ
tawdry, *adj.* נִקְלֶה, תָּפֵל
tawny, tawney, *adj.* צְהַבְהַב חוּם
tax, *n.* מַס, מֶכֶס, אַרְנוֹנָה, בְּלוֹ
tax, *v.t.* הִטִּיל [נטל] (שָׂם [שים]) מַס; הִטְרִיחַ [טרח]
taxation, *n.* הַטָּלַת מִסִּים
taxi, taxicab, *n.* מוֹנִית
taxidermy, *n.* פִּחְלוּץ
taxpayer, *n.* מְשַׁלֵּם מִסִּים
tea, *n.* תֵּה, טֵה
teach, *v.t. & i.* הוֹרָה [ירה], לִמֵּד
teacher, *n.* מוֹרֶה, מְלַמֵּד, רַב
teaching, *.n* הוֹרָאָה
teacup, *n.* כּוֹס תֵּה
teakettle, *n.* קֻמְקוּם תֵּה
teal, *n.* בַּרְוָזָן בַּר
team, *n.* פְּלֻגָּה; צֶמֶד
teamwork, *n.* שִׁתּוּף פְּעֻלָּה
tear, *n.* קֶרַע
tear, teardrop, *n.* דֶּמַע, דִּמְעָה, אֵגֶל
tear, *v.t. & i.* קָרַע, נִקְרַע [קרע]; דָּמַע, זָלַג דְּמָעוֹת
tearful, *adj.* דָּמוּעַ, מַדְמִיעַ
tease, *v.t.* קִנְטֵר, הִתְגָּרָה [גרה]
tease, teaser, *n.* קַנְטְרָן, מִתְגָּרֶה
teaspoon, *n.* כַּפִּית
teat, *n.* דַּד, פִּטְמָה
technical, *adj.* טֶכְנִי
technician, *n.* טֶכְנַאי
technique, *n.* טֶכְנִיקָה
tedious, *adj.* מְיַגֵּעַ, מְשַׁעֲמֵם

tee, *n.* מַטָּרָה; תְּלוּלִית (גּוֹלְף)
teem, *v.i.* שָׁרַץ, שָׁפַע, פָּרָה וְרָבָה
teenager, *n.* בֶּן (בַּת) י"ג־י"ט
teens, *n. pl.* שְׁנוֹת הָעֶשְׂרֵה
teeth, *n.pl.* שִׁנַּיִם
teethe, *v.i.* שִׁנֵּן, הִצְמִיחַ [צמח] שִׁנַּיִם
teetotaler, teetotaller, *n.* מִתְנַזֵּר מִיַּיִן
teetotalism, *n.* הִנָּזְרוּת מִן הַיַּיִן
telegram, *n.* מִבְרָק
telegraph, *n.*, *v.t.* & *i.* מִבְרָקָה; הִבְרִיק [ברק]
telegrapher, telegraphist, *n.* אַבְרֵק
telegraphy, *n.* הַבְרָקָה
telepathy, *n.* הַעֲבָרַת רְגָשׁוֹת
telephone, *n.* טֶלֶפוֹן, שָׂח רָחוֹק
telephone, *v.t.* & *i.* טִלְפֵּן, צִלְצֵל
telephotography, *n.* הַבְרָקַת תְּמוּנוֹת
telescope, *n.* מִשְׁקֶפֶת
television, *n.* סְכִיּוֹן
tell, *v.t.* & *i.* אָמַר, הִגִּיד [נגד], סִפֵּר
teller, *n.* מְסַפֵּר; גִּזְבָּר
telltale, *n.* מַלְשִׁין, הוֹלֵךְ רָכִיל
temerity, *n.* פְּזִיזוּת, הֶעָזָה, אֹמֶץ לֵב
temper, *n.* מֶזֶג; הִתְרַגְּזוּת
temper, *v.t.* עִרְבֵּב (צֶבַע); פִּיֵּס; חִסֵּם; הֵכִין [כון], הִנְמִיךְ [נמך] (קוֹל); סִגֵּל
temperament, *n.* מֶזֶג
temperamental, *adj.* רָגִישׁ, מְהִיר חֵמָה
temperance, *n.* הִסְתַּפְּקוּת; הִנָּזְרוּת מִן הַיַּיִן, כְּבִישַׁת הַיֵּצֶר
temperate, *adj.* בֵּינוֹנִי, מָתוּן
temperature, *n.* חֹם, מִדַּת הַחֹם; מֶזֶג אֲוִיר
tempered, *adj.* מְמֻזָּג; מְחֻסָּם, מְקֻשֶּׁה
tempest, *n.* סוּפָה, סְעָרָה, סַעַר
tempestuous, *adj.* סוֹעֵר, זוֹעֵף

temple, *n.* הֵיכָל, בֵּית מִקְדָּשׁ, מִקְדָּשׁ, בֵּית כְּנֶסֶת; רַקָּה, צֶדַע
tempo, *n.* זְמָנָה, מִפְעָם, קֶצֶב
temporal, *adj.* זְמַנִּי; חִלּוֹנִי; צִדְעִי
temporary, *adj.* עֲרָאִי, חוֹלֵף, זְמַנִּי
temporize, *v.i.* הִתְפַּשֵּׁר [פשר] (עִם תְּנָאֵי הַזְּמַן), הִסְתַּגֵּל [סגל]
tempt, *v.t.* נִסָּה, פִּתָּה
temptation, *n.* יֵצֶר הָרָע, פִּתּוּי
tempter, *n.* שָׂטָן, מְנַסֶּה, יֵצֶר הָרָע
ten, *adj.* & *n.* עֲשָׂרָה, עֶשֶׂר
tenable, *adj.* אָחִיז, שֶׁאֶפְשָׁר לְהָגֵן עָלָיו
tenacious, *adj.* אוֹחֵז בְּחָזְקָה, צָמִיג, מְדַבֵּק; מְשַׁמֵּר
tenacity, *n.* אֲחִיזָה, צְמִיגוּת, הִדָּבְקוּת
tenancy, *n.* אֲרִיסוּת, דַּיָּרוּת; חֲזָקָה
tenant, *n.* אָרִיס, דַּיָּר, חָכִיר
tenantry, *n.* אֲרִיסוּת, דַּיָּרוּת
Ten Commandments עֲשֶׂרֶת (הַדְּבָרִים) הַדִּבְּרוֹת
tend, *v.t.* & *i.* רָעָה (צֹאן), טִפֵּל בְּ־, שָׁמַר עַל, שֵׁרֵת; נָטָה
tendance, *n.* שְׁמִירָה, הַשְׁגָּחָה
tendency, *n.* נְטִיָּה, מְגַמָּה, כִּוּוּן
tender, *adj.* רַךְ, עָדִין
tender, *n.* שׁוֹמֵר, מַשְׁגִּיחַ; כֶּסֶף חוּקִי; מִכְרָז; קָרוֹן; (אֳנִיַּת) לְוַאי; מַשָּׂאִית
tender, *v.t.* & *i.* הִצִּיעַ [יצע]; רִכֵּךְ
tenderloin, *n.* בְּשַׂר יָרֵךְ
tenderly, *adv.* בְּרֹךְ, בַּעֲדִינוּת
tenderness, *n.* רַכּוּת, רֹךְ, עֲדִינוּת
tendinous, *n.* גִּידִי, מֵיתָרִי
tendon, *n.* גִּיד, מֵיתָר, אָלִיל
tendril, *n.* נְטִישָׁה (שֶׁל גֶּפֶן), שָׂרִיג, זַלְזַל
tenement house בֵּית דַּיָּרִים
tenet, *n.* יְסוֹד, דֵּעָה, עִקָּר
tenfold, *adj.* & *adv.* כָּפוּל עֲשָׂרָה, פִּי עֶשֶׂר, עֲשֶׂרֶת מוֹנִים

tennis, *n.* טֶנִיס
tenon, *n.* שֶׁגֶם
tenor, *n.* נְטִיָּה, כִּוּוּן; טֵנוֹר
tense, *adj.* מָתוּחַ
tense, *n.* זְמַן (דִּקְדּוּק)
tensile, *adj.* מִתְמַתֵּחַ
tension, *n.* מְתִיחוּת; מְתִיחָה, מֶתַח
tent, *n.* אֹהֶל
tent, *v.t.* & *i.* אָהַל
tentacle, *n.* כַּף מִשּׁוּשׁ
tentative, *adj.* שֶׁלְשֵׁם נִסָּיוֹן, עַרְאִי
tentatively, *adj.* כְּנִסָּיוֹן
tenth, *adj.* & *n.* עֲשִׂירִי, עֲשִׂירִית; עִשָּׂרוֹן
tenuous, *adj.* דַּק, דַּקִּיק, קָלוּשׁ
tenure, *n.* אֲחִיזָה, חֲזָקָה; וֶתֶק
tepid, *adj.* פּוֹשֵׁר
tercentenary, *adj.* & *n.* יוֹבֵל שְׁלֹשׁ מֵאוֹת
term, *n.* זְמַן; מֻנָּח; תְּנַאי; גְּבוּל
term, *v.t.* כִּנָּה, קָרָא בְּשֵׁם
terminal, *adj.* & *n.* שֶׁל גְּבוּל; סוֹף, גְּבוּל; תַּחֲנָה (סוֹפִית אוֹ רָאשִׁית)
terminate, *v.t.* & *i.* גָּמַר, חָדַל, סִיֵּם; נִגְמַר [גמר]
termination, *n.* סִיּוּם, גְּמַר, קֵץ
terminology, *n.* מַעֲרֶכֶת מֻנָּחִים
terminus, *n.* תַּחֲנָה סוֹפִית; גְּבוּל
termite, *n.* אַרְצִית, טֶרְמִיט
terrace, *n.* מִרְפֶּסֶת; מִדְרָג
terrapin, *n.* צָב הַיָּם
terrestrial, *adj.* אַרְצִי
terrible, *adj.* אָיֹם, נוֹרָא, מַפְחִיד
terrific, *adj.* נִפְלָא, עָצוּם; נוֹרָא
terrify, *v.t.* הִפְחִיד [פחד], הִבְהִיל [בהל]
territorial, *adj.* אַרְצִי
territory, *n.* אַרְצָה; גָּלִיל

terror, *n.* אֵימָה, פַּחַד, בֶּהָלָה, חִתָּה
terrorism, *n.* בִּרְיוֹנוּת, אֵימְתָנִיּוּת
terrorist, *n.* בִּרְיוֹן, אֵימְתָן
terrorize, *v.t.* הִפְחִיד [פחד], הִפִּיל [נפל] אֵימָה עַל
terse, *adj.* מְקֻצָּר
test, *n.* בְּחִינָה, מִבְחָן, בְּדִיקָה, נִסָּיוֹן
test, *v.t.* נִסָּה, בָּחַן
testament, *n.* צַוָּאָה; בְּרִית
New Testament הַבְּרִית הַחֲדָשָׁה
Old Testament כִּתְבֵי הַקֹּדֶשׁ, תַּנַ"ךְ
testicle, testis, *n.* אֶשֶׁךְ
testify, *v.t.* & *i.* הֵעִיד [יעד]
testimony, *n.* עֵדוּת; הוֹקָרָה
test tube מַבְחֵנָה
tetanus, *n.* צַפֶּדֶת
tether, *n.* רֶסֶן
text, *n.* גִּרְסָה, נֹסַח, פַּתְשֶׁגֶן
textbook, *n.* סֵפֶר לִמּוּד
textile, *adj.* & *n.* שֶׁל אֲרִיגָה; אֶרֶג
texture, *n.* אֲרִיגָה, מַסֶּכֶת
than, *conj.* מֵאֲשֶׁר, מִ־
thank, *v.t.* הוֹדָה [ידה]
thankful, *adj.* אֲסִיר תּוֹדָה
thankless, *adj.* כְּפוּי טוֹבָה
thanks, *n. pl.* חֵן חֵן, תּוֹדָה
thanksgiving, *n.* הוֹדָיָה
Thanksgiving Day יוֹם הַהוֹדָיָה
that, *adj.* הַהוּא, הַהִיא, הַלָּז, הַלֵּזוּ
that, *conj.* שֶׁ־, כִּי, בַּאֲשֶׁר
that, *pron.* אֲשֶׁר, שֶׁ־, הַ־
thatch, *n.* סְכָךְ
thatch, *v.t.* סִכֵּךְ
thaw, *n.*, *v.t.* & *i.* הַפְשָׁרָה, נְמִיסָה; הִפְשִׁיר [פשר] (שֶׁלֶג), נָמֵס [מסס] (קֶרַח)
the, *def. art.* & *adj.* הַ, הָ, הֶ (הֵא הַיְדִיעָה)

theater, theatre, *n.* גֵּיא חִזָּיוֹן, תֵּאַטְרוֹן
theatrical, *adj.* חֶזְיוֹנִי, תֵּאַטְרוֹנִי
thee, *pron.* אוֹתְךָ, אוֹתָךְ
theft, *n.* גְּנֵבָה
their, theirs, *adj.* & *pron.* שֶׁלָּהֶם, שֶׁלָּהֶן
them, *pron.* אוֹתָם, אוֹתָן
theme, *n.* חִבּוּר; נוֹשֵׂא
themselves, *pron.* אוֹתָם (בְּ) עַצְמָם, אוֹתָן (בְּ)עַצְמָן
then, *adv.* אָז, אַחַר כֵּן
then, *conj.* אִם כֵּן, וּבְכֵן, אֵפוֹא, לָכֵן
thence, *adv.* מִשָּׁם, מֵאָז, מִזֶּה
thenceforth, thenceforward, *adv.* מֵאָז וָהָלְאָה, מִשָּׁם וְאֵילָךְ
theocracy, *n.* שִׁלְטוֹן (הַדָּת) כֹּהֲנִים
theology, *n.* תּוֹרַת (הָאֱמוּנָה) הָאֱלֹהוּת
theorem, *n.* כְּלָל, הַנָּחָה
theoretical, theoretic, *adj.* עִיּוּנִי, רַעְיוֹנִי
theory, *n.* עִיּוּן, הַנָּחָה, הַשְׁעָרָה
therapeutic, therapeutical, *adj.* מַרְפֵּא, שֶׁל רְפוּאָה
there, *adv.* שָׁם, שָׁמָּה
there, *interj.* הִנֵּה
thereabouts, thereabout, *adv.* בְּקֵרוּב, בְּקֵרוּב מָקוֹם, קָרוֹב לָזֶה, בְּעֶרֶךְ שָׁם
thereafter, *adv.* אַחַר כַּךְ, אַחֲרֵי כֵן
thereby, *adv.* עַל יְדֵי זֶה, בָּזֶה
therefore, therefor, *adv.* לְפִיכָךְ, לָכֵן, עַל כֵּן
therein, *adv.* בָּזֶה, שָׁם, שָׁמָּה
there is יֵשׁ
thereof, *adv.* מִזֶּה
thereon, *adv.* עַל זֶה
thereupon, *adv.* אָז
there was הָיָה

therewith, *adv.* עִם זֶה
therewithal, *adv.* לְמַעְלָה (חוּץ) מִזֶּה
thermal, thermic, *adj.* חַם, שֶׁל חֹם
thermometer, *n.* מַדְחֹם
Thermos bottle (Reg.) שְׁמַרְחֹם
thermostat, *n.* סְדַרְחֹם
thesaurus, *n.* אוֹצָר, מִלּוֹן
these, *adj.* & *pron.* אֵלֶּה, אֵלּוּ, הַלָּלוּ
thesis, *n.* הַנָּחָה; מֶחְקָר; מַסָּה
thews, *n. pl.* שְׁרִירִים, כֹּחַ, עָצְמָה
they, *pron.* הֵם, הֵמָּה, הֵן, הֵנָּה
thick, *adj.* & *adv.* עָבֶה, סָמִיךְ
thicken, *v.t.* & *i.* עִבָּה, הִתְעַבָּה [עבה]
thicket, *n.* סְבַךְ, חֻרְשָׁה, חֹרֶשׁ
thickly, *adv.* בְּעֹבִי
thickness, *n.* עֹבִי
thief, *n.* גַּנָּב
thieve, *v.t.* & *i.* גָּנַב
thievery, *n.* גְּנֵבָה
thigh ,*n.* יָרֵךְ
thimble, *n.* אֶצְבָּעוֹן
thin, *adj.* דַּק, רָזֶה, צָנוּם
thin, *v.t.* & *i.* רָזָה, דָּלַל; הִרְזָה [רזה]
thine, thy, *adj.* & *pron.* שֶׁלְּךָ, שֶׁלָּךְ
thing, *n.* דָּבָר, עֶצֶם; עִנְיָן
think, *v.t.* & *i.* חָשַׁב, סָבַר
thinker, *n.* חוֹשֵׁב
thinking, *n.* מַחֲשָׁבָה, חֲשִׁיבָה
third, *adj.* & *n.* שְׁלִישִׁי, שְׁלִישִׁית
thirdly, *adv.* שְׁלִישִׁית
thirst, *n.* צָמָא, צִמָּאוֹן; תְּשׁוּקָה
thirst, *v.i.* צָמֵא, הִצְמָא [צמא]; עָרַג
thirsty, *adj.* צָמֵא; שׁוֹקֵק
thirteen, *adj.* & *n.* שְׁלֹשָׁה עָשָׂר, שְׁלֹשׁ עֶשְׂרֵה
thirteenth, *adj.* הַשְּׁלֹשָׁה עָשָׂר, הַשְּׁלֹשׁ עֶשְׂרֵה
thirtieth, *adj.* הַשְּׁלֹשִׁים

thirty, *adj.* & *n.* שְׁלשִׁים
this, *pron.* זֶה, זֹאת
this, *adj.* הַזֶּה, הַזֹּאת
thistle, *n.* בַּרְקָן, דַּרְדַּר
thither, *adv.* שָׁמָּה, לְשָׁם
thong, *n.* רְצוּעָה
thorax, *n.* חָזֶה, בֵּית הֶחָזֶה
thorn, *n.* קוֹץ, סִיר, חוֹחַ, סִלּוֹן
thorny, *adj.* קוֹצִי; קָשֶׁה
thorough, *adj.* שָׁלֵם, מֻחְלָט, גָּמוּר
thoroughbred, *adj.* טְהָר גֶּזַע
thoroughfare, *n.* דֶּרֶךְ צִבּוּרִי
thoroughly, *adv.* לְגַמְרֵי
thoroughness, *n.* שְׁלֵמוּת
those, *adj.* & *pron.* הָהֵם, הָהֵמָּה; הָהֵן, הָהֵנָּה
thou, *pron.* אַתָּה, אַתְּ
though, *conj.* אֲפִילוּ, אַף עַל פִּי כֵן, אִם כִּי
thought, *n.* מַחֲשָׁבָה, רַעְיוֹן, שַׂרְעַף, הִרְהוּר, עֶשְׁתּוֹן
thoughtful, *adj.* חוֹשֵׁב, זָהִיר, דּוֹאֵג
thoughtless, *adj.* אִי זָהִיר, חֲסַר מַחֲשָׁבָה
thousand, *adj.* & *n.* אֶלֶף
thousandth, *adj.* & *n.* הָאֶלֶף
thrall, *n.* עֶבֶד; עַבְדוּת
thrash, *v.t.* & *i.* דָּשׁ [דוש], הִלְקָה [לקה]
thrasher, *n.* דַּיָּשׁ
thrashing, *n.* דִּישָׁה, דַּיִשׁ; הַלְקָאָה
thrashing machine מְדִישָׁה
thread, *n.* חוּט, פְּתִיל; הֶלֶךְ (מַחֲשָׁבָה) סְלִיל (לְלָיְנִי)
thread, *v.t.* הִשְׁחִיל [שחל] חוּט; חָרַז
threadbare, *adj.* מְהוּהַּ, בָּלֶה וְשָׁחוּק
threat, *n.* אִיּוּם
threaten, *v.t.* & *i.* אִיֵּם

three, *adj.* & *n.* שְׁלֹשָׁה, שָׁלֹשׁ
threefold, *adj.* & *adv.* פִּי שְׁלֹשָׁה, כָּפוּל שְׁלֹשָׁה, שְׁלָשְׁתַּיִם
threescore, *adj.* & *n.* שִׁשִּׁים, שֶׁל שִׁשִּׁים
threesome, *n.* שְׁלִישִׁיָּה
threshold, *n.* מִפְתָּן, סַף
thrice, *adv.* שָׁלֹשׁ פְּעָמִים
thrift, *n.* חִסָּכוֹן
thrifty, *adj.* חַסְכָנִי
thrill, *n.* זַעֲזוּעַ, רַעַד, רַעֲדוּד
thrill, *v.t.* & *i.* רָעַד, הִרְעִיד [רעד], רִעְדֵּד
thrive, *v.i.* הִצְלִיחַ [צלח], גָּדַל
throat, *n.* גָּרוֹן
throb, *n.* דְּפִיקָה, נְקִיפָה
throb, *v.i.* דָּפַק (לֵב), נָקַף
throe, *n.* צִיר, גְּסִיסָה, חֵבֶל (חֶבְלֵי לֵדָה)
thrombosis, *n.* הִתְפַּקְקוּת (הַדָּם)
thrombus, *n.* דָּם קָרוּשׁ, חֲרָרַת דָּם
throne, *n.* כִּסֵּא הַמֶּלֶךְ
throng, *n.* הָמוֹן
throng, *v.t.* & *i.* דָּחַק, צִפֵּף, דָּחַס הִתְגּוֹדֵד [גדד] הִתְקַהֵל [קהל]
throttle, *n.* מַשְׁנֵק, מַצְעֶרֶת; גָּרוֹן
throttle, *v.t.* הִצְעִיר [צער], חִנֵּק
through, *prep.*, *adj.* & *adv.* עַל יְדֵי, דֶּרֶךְ, בִּגְלַל, מִפְּנֵי, מֵחֲמַת, בְּשֶׁל; כֻּלּוֹ, רֹאשׁוֹ וְרֻבּוֹ; מְפֻלָּשׁ
throughout, *adv.* & *prep.* כֻּלּוֹ, מֵרֹאשׁוֹ וְעַד סוֹפוֹ, בְּכָל
throw, *n.* זְרִיקָה, הַשְׁלָכָה
throw, *v.t.* & *i.* זָרַק, הִשְׁלִיךְ [שלך]
thrum, *v.i.* פָּרַט בְּחַדְגּוֹנִיּוּת
thrush, *n.* טֶרֶד (צִפּוֹר); דַּלֶּקֶת הַפֶּה (בִּילָדִים)
thrust, *n.* הֲדִיפָה, דְּקִירָה
thrust, *v.t.* & *i.* תָּקַע, דָּקַר, הָדַף

thud, *n.* חֲבָטָה
thug, *n.* לִסְטִים, שׁוֹדֵד
thumb, *n.* בֹּהֶן, אֲגוּדָל
thumbtack, *n.* נַעַץ
thump, *n.* חֲבָטָה, הַכָּאָה, מַכָּה
thump, *v.t.* & *i.* חָבַט, הִקִּישׁ [נקש], הִכָּה [נכה]
thunder, *n.*, *v.t.* & *i.* רַעַם; הִרְעִים [רעם]
thunderous, *adj.* מַרְעִים
thunderstruck, *adj.* הֲלוּם רַעַם, מֻכֵּה תִמָּהוֹן
Thursday, *n.* יוֹם חֲמִישִׁי, יוֹם ה׳
thus, *adv.* כַּךְ, כֹּה, כֵּן
thwart, *v.t.* עָצַר, מָנַע, שָׂם [שים] לְאַל, הֵפֵר [פרר]
thy, *adj.* שֶׁלְּךָ, שֶׁלָּךְ
thyme, *n.* קוֹרָנִית
thyroid, *n.* תְּרִיסִיָּה
thyroid gland בַּלּוּטַת הַתְּרִיס
thyself, *pron.* אַתָּה בְּעַצְמְךָ, אַתְּ בְּעַצְמֵךְ
tiara, *n.* שַׁהֲרוֹן, צִיץ, נֵזֶר
tibia, *n.* שׁוֹקָה, הַקָּנֶה הַגָּדוֹל שֶׁל הַשּׁוֹק
tic, *n.* עֲוִית הַפָּנִים
tick, *n.* קַרְצִית; צִפָּה; טִקְטוּק
ticket, *n.* כַּרְטִיס; פֶּתֶק קְנָס (מִשְׁטָרָה); רְשִׁימַת מֻעֲמָדִים (לִבְחִירוֹת)
tickle, *n.* & *v.t.* דִּגְדּוּג; דִּגְדֵּג, שִׂמַּח
tidal, *adj.* שֶׁל זִרְמָה
tide, *n.* זִרְמָה, גֵּאוּת וָשֵׁפֶל
tidiness, *n.* נִקָּיוֹן, סֵדֶר
tidings, *n. pl.* בְּשׂוֹרָה
tidy, *adj.* מְסֻדָּר, נָקִי
tidy, *v.t.* סִדֵּר, נִקָּה
tie, *n.* חֶבֶל; חִבּוּר, קֶשֶׁר, עֲנִיבָה, לוּלָאָה; אֶדֶן (רַכֶּבֶת); פַּס
tie, *v.t.* קָשַׁר, חִבֵּר; עָנַב (עֲנִיבָה)
tier, *n.* שׁוּרָה, נִדְבָּךְ
tie-up, *n.* עִכּוּב
tiger, *n.* נָמֵר
tight, *adj.* צַר, מָתוּחַ; קַמְצָנִי; מְהֻדָּק
tighten, *v.t.* מִתַּח, הִדֵּק, קָפַץ (יָד)
tights, *n.*, *pl.* הִדּוּקִים, מִכְנְסֵי גֶּרֶב
tigress, *n.* נְמֵרָה
tile, *n.* & *v.t.* רַעַף; רִעֵף
till, *prep.* & *conj.* עַד, עַד אֲשֶׁר
till, *v.t.* פָּלַח, חָרַשׁ, עָבַד אֲדָמָה
tillage, *n.* פַּלְחָה, עֲבוֹדַת אֲדָמָה
tiller, *n.* פַּלָּח, אִכָּר, עוֹבֵד אֲדָמָה; יָדִית הַהֶגֶה (סִירָה)
tilt, *n.*, *v.t.* & *i.* שִׁפּוּעַ; נָטָה, הִטָּה [נטה], הָפַךְ; נִלְחַם [לחם] בְּכִידוֹנִים
timber, *n.* עֵצָה, עֵצִים, עֲצֵי בִּנְיָן, נְסָרִים, קְרָשִׁים
timbre, *n.* נְעִימָה, צְלִיל
time, *n.* זְמַן, עֵת, תְּקוּפָה, עִדָּן; שָׁעָה, פַּעַם; פְּנַאי
time, *v.t.* & *i.* כִּוֵּן, עָשָׂה בְּעִתּוֹ; תִּכְנֵן
timeless, *adj.* לְלֹא גְבוּל, נִצְחִי
timer, *n.* מַדְזְמַן
timetable, *n.* לוּחַ הַשָּׁעוֹת (לִנְסִיעוֹת)
timid, *adj.* בַּיְשָׁנִי, פַּחְדָנִי
timidity, *n.* פַּחְדָנוּת, בַּיְשָׁנוּת
timorous, *adj.* פַּחְדָנִי, רַךְ לֵבָב
timothy, *n.* אִיתָן (עֵשֶׂב)
tin, *n.* בְּדִיל, בַּעַץ; פַּח, פַּחִית
tin, *v.t.* שִׁמֵּר בְּפַח; כִּסָּה בְּפַח
tincture, *n.* גָּוֶן, טַעַם; שִׁיוּר; תְּמִסָּה
tincture, *v.t.* גִּוֵּן, צָבַע, גִּוְנֵן
tinder, *n.* צְתִית (קַשׁ, קִיסָם, שְׁבָב)
tinfoil, *n.* נְיָר כֶּסֶף, פְּחִיחִית
tinge, *v.t.* גִּוְנֵן
tingle, *n.* תְּחוּשַׁת דְּקִירָה
tingle, *v.i.* חָשׁ [חוש] כְּעֵין דְּקִירָה

tinker, *n.* מְתַקֵּן בְּצוּרָה (עֲרָאִית) גְּרוּעָה; טַלַּאי

tinkle, *n.* צִלְצוּל, קִשְׁקוּשׁ

tinkle, *v.t. & i.* צִלְצֵל, קִשְׁקֵשׁ

tinsel, *n.* אֶרֶג מַבְרִיק וּמַתַּכְתִּי לְקִשּׁוּט; תִּקְשֹׁטֶת זוֹלָה

tinsmith, tinman, *n.* פֶּחָח

tint, *n. & v.t.* גִּוְנוּן; גִּוְנֵן

tiny, *adj.* קְטַנְטַן, קָטָן, זָעִיר

tip, *n.* רֹאשׁ, חֹד; רֶמֶז; הַעֲנָקָה, דְּמֵי (שֵׁרוּת) שְׁתִיָּה

tip, *v.t. & i.* הָפַךְ; הִטָּה [נטה], גִּלָּה (סוֹד); שִׁלֵּם דְּמֵי (שֵׁרוּת) שְׁתִיָּה

tipple, *n.* סֹבֶא, מַשְׁקֶה (חָרִיף)

tipple, *v.i.* סָבָא, שָׁכַר, הִשְׁתַּכֵּר [שכר]

tippler, *n.* שִׁכּוֹר, שַׁתְיָן

tipsy, *adj.* שָׁכוּר, שִׁכּוֹר, מְבֻסָּם

tiptoe, *n.* רָאשֵׁי אֶצְבָּעוֹת

tiptoe, *v.i.* הָלַךְ עַל רָאשֵׁי הָאֶצְבָּעוֹת

tirade, *n.* שֶׁצֶף חֲרָפוֹת, מַבּוּל מִלִּים

tire, *n.* צְמִיג

tire, *v.t. & i.* יָגַע, הִתְיַגֵּעַ [יגע], עָיֵף, נִלְאָה [לאה]

tired, *adj.* עָיֵף, נִלְאֶה, יָגֵעַ

tireless, *adj.* שֶׁלֹּא יֵדַע לֵאוּת, שֶׁאֵינוֹ מִתְיַעֵף

tiresome, *adj.* מְעַיֵּף, מְיַגֵּעַ

tissue, *n.* רִקְמָה, אָרִיג דַּק

tissue paper נְיָר (אֲרִיזָה) דַּק

titanic, *adj.* עֲנָקִי

titbit, *n.* מַטְעָם; חֲדָשׁוֹת; רִנּוּן

tithe, *n. & v.t.* מַעֲשֵׂר; עִשֵּׂר

titillate, *v.t.* דִּגְדֵּג

titillation, *n.* דִּגְדּוּג

title, *n.* שֵׁם סֵפֶר, תֹּאַר; זְכוּת; כְּתֹבֶת

title page שַׁעַר (סֵפֶר)

titter, *n. & v.i.* חִיּוּךְ, גִּחוּךְ; חִיֵּךְ

tittle, *n.* תָּג, קוֹצוֹ שֶׁל יוֹד

titular, *adj.* מְתֹאָר

to, *prep.* לְ־, אֶל, עַד

toad, *n.* קַרְפָּדָה

toadstool, *n.* פִּטְרִיָּה, כְּמֵהָה

toady, *n.* חוֹנֵף, מְלַחֵךְ פִּנְכָּה

toady, *v.t. & i.* הֶחֱנִיף [חנף]

toast, *n.* שְׁתִיַּת „לְחַיִּים"; קָלִי

toast, *v.t.* קָלָה; שָׁתָה „לְחַיִּים"

toastmaster, *n.* רַבְשָׁקֵה, שַׂר הַמַּשְׁקִים

tobacco, *n.* טַבָּק, טוּטוּן

toboggan, *n.* מִזְחֶלֶת

today, *n.* הַיּוֹם

toddle, *n. & v.i.* הִדַּדּוּת; הִדַּדָּה [דדה]

toddler, *n.* תִּינוֹק, מְדַדֶּה

toe, *n.* אֶצְבַּע הָרֶגֶל

toenail, *n.* צִפֹּרֶן

together, *adv.* כְּאֶחָד, יַחַד, בְּיַחַד, יַחְדָּו

toil, *n.* עָמָל, טִרְחָה

toil, *v.i.* עָמַל, טָרַח, יָגַע

toilet, *n.* בֵּית (שִׁמּוּשׁ, כִּסֵּא) כָּבוֹד

token, *n.* אוֹת; סֵמֶל; אֲסִימוֹן

tolerable, *adj.* בֵּינוֹנִי, שֶׁאֶפְשָׁר לְסוֹבְלוֹ

tolerance, toleration, *n.* סוֹבְלָנוּת

tolerant, *adj.* סוֹבְלָנִי

tolerate, *v.t.* סָבַל, נָשָׂא

toll, *n.* צִלְצוּל אִטִּי; מַס מַעֲבָר

toll, *v.t. & i.* צִלְצֵל (פַּעֲמוֹן, שָׁעָה)

tomato, *n.* עַגְבָנִיָּה

tomb, *n.* קֶבֶר

tomboy, *n.* רִיבָה עַלִּיזָה

tombstone, *n.* מַצֵּבָה, גּוֹלֵל, נֶפֶשׁ

tomcat, *n.* חָתוּל

tome, *n.* כֶּרֶךְ (סֵפֶר)

tomfoolery, *n.* שְׁטוּת, סִכְלוּת, הֶבֶל

tomorrow, *adv.* מָחָר

tomtit, *n.* יַרְגָּזִי (צִפּוֹר)

ton, *n.* טוֹן

tonal, *adj.* קוֹלִי, צְלִילִי

tone, *n.* צְלִיל, קוֹל; טַעַם, גּוֹן; מַצַּב רוּחַ; אֹפִי, טִיב
tone, *v.t.* & *i.* גִּוֵּן, הִתְגַּוֵּן [גון]; הִטְעִים [טעם]
tongs, *n. pl.* מֶלְקָחַיִם, צְבָת
tongue, *n.* לָשׁוֹן, שָׂפָה; דִּבּוּר
tongueless, *adj.* נְטוּל לָשׁוֹן, אִלֵּם
tongue-tied, *adj.* כְּבַד (פֶּה) לָשׁוֹן
tonic, *n.* & *adj.* אַתָּן; מְאַתֵּן, מְחַזֵּק
tonight, *adv.* הַלַּיְלָה
tonnage, *n.* מַעֲמָס; מַס (אֳנִיּוֹת)
tonsilitis, *n.* דַּלֶּקֶת הַשְּׁקֵדִים
tonsils, *n. pl.* לוּזִים, שְׁקֵדִים
tonsure, *n.* גִּלּוּחַ הָרֹאשׁ, גְּזִיזַת הַשֵּׂעָר
too, *adv.* גַּם, גַּם כֵּן, אַף; יוֹתֵר מִדַּי
tool, *n.* כְּלִי, מַכְשִׁיר, אֶמְצָעִי
toot, *n.*, *v.t.* & *i.* תְּקִיעָה, צְפִירָה; תָּקַע, צָפַר; הִכָּה (חָלִיל)
tooth, *n.* שֵׁן; זִיז, בְּלִיטָה
  molar tooth שֵׁן (מַתְאִימָה) טוֹחֶנֶת
  artificial tooth שֵׁן תּוֹתֶבֶת
toothache, *n.* כְּאֵב שִׁנַּיִם
toothbrush, *n.* מִבְרֶשֶׁת שִׁנַּיִם
toothpick, *n.* מַחְצָצָה, קֵיסָם
top, *n.* רֹאשׁ, פִּסְגָּה; אָמִיר (עֵץ); סְבִיבוֹן; (חֵלֶק) עֶלְיוֹן
top, *v.t.* זָמַר; הִכְתִּיר [כתר]; כִּסָּה אֶת הָרֹאשׁ; הִצְטַיֵּן [צין], עָלָה עַל
topaz, *n.* פִּטְדָה
topcoat, *n.* מְעִיל עֶלְיוֹן
top hat מִגְבַּע, גְּלִילוֹן
topic, *n.* נוֹשֵׂא, תֹּכֶן
topography, *n.* תֵּאוּר מְקוֹמוֹת
topple, *v.t.* & *i.* הִפִּיל [נפל]; נָפַל
topsy-turvy, *adj.* מָלֵא מְבוּכָה, הָפוּךְ
topsy-turvy, *adv.* לְלֹא סֵדֶר, בִּמְבוּכָה
torch, *n.* לַפִּיד, אֲבוּקָה
toreador, *n.* שַׁוָּר, לוֹחֵם שְׁוָרִים
torment, *n.* עִנּוּי, יִסּוּרִים
torment, *v.t.* עִנָּה, גָּרַם יִסּוּרִים
tormentor, *n.* מְעַנֶּה
tornado, *n.* זְוָעָה, סְעָרָה
torpedo, *n.* מוֹקֵשׁ יָם
torpedo, *v.t.* הִשְׁחִית [שחת] בְּמוֹקְשֵׁי יָם; כִּלָּה
torpid, *adj.* מְקֻהֶה; עַצְלָנִי; מְטֻמְטָם
torpor, *n.* חֹסֶר פְּעִילוּת, קֵהוּת; עַצְלָנוּת; טִמְטוּם
torrent, *n.* חַרְדֶּלֶת זֶרֶם, נַחַל, שֶׁטֶף
torrential, *adj.* שׁוֹטֵף
torrid, *adj.* בּוֹעֵר, לוֹהֵט; חָרֵב
torsion, *n.* פִּתּוּל, שְׁזִירָה
torso, *n.* גּוּפָה, גְּוִיָּה
tort, *n.* עַוָּתָה
tortoise, *n.* צָב
tortuous, *adj.* מִתְפַּתֵּל; עִקֵּשׁ, מָשְׁחָת
torture, *n.* עִנּוּי, יִסּוּרִים, סִגּוּף
torture, *v.t.* עִנָּה, סִגֵּף; סִלֵּף
toss, *v.t.* & *i.* הִשְׁלִיךְ [שלך], זָרַק; הִתְהַפֵּךְ [הפך] מִצַּד אֶל צַד, הִתְנוֹעֵעַ [נוע] (בְּלוֹרִית)
tot, *n.* דְּבַר מָה; פָּעוֹט, תִּינוֹק; סְכוּם
total, *n.* סַךְ הַכֹּל, סְכוּם
total, *v.t.* & *i.* סִכֵּם
totalitarian, *n.* & *adj.* דַּבָּר; דַּבָּרִי
totality, *n.* כְּלָלוּת
totally, *adv.* לְגַמְרֵי, כֻּלּוֹ
totter, *v.i.* הִתְמוֹטֵט [מוט], נָע [נוע]
touch, *n.* נְגִיעָה, מִשְׁמוּשׁ, מִבְחָן, מַגָּע; אֶבֶן בֹּחַן; פְּגִיעָה; שֶׁמֶץ
touch, *v.t.* & *i.* מִשֵּׁשׁ, מִשְׁמֵשׁ; פָּגַע; הִגִּיעַ [נגע]; נָגַע; הִשְׁפִּיעַ [שפע]; גּוֹנֵן
touchy, *adj.* פָּגִיעַ
tough, *adj.* קָשֶׁה, גַּס, קְשֵׁה עֹרֶף
toughen, *v.t.* & *i.* הִתְקַשָּׁה [קשה]
toughness, *n.* קֹשִׁי

tour, *n.* סִיּוּר
tour, *v.t.* & *i.* סִיֵּר
tourist, *n.* תַּיָּר
tournament, *n.* הִתְחָרוּת
tousle, *v.t.* פָּרַע, בִּלְבֵּל, סָתַר
tow, *n.* אַרְבָּה; חֶבֶל; נְעֹרֶת (חֹסֶן) פִּשְׁתָּן
tow, *v.t.* גָּרַר, מָשַׁךְ בְּחֶבֶל
toward, towards, *prep.* אֶל, לְ־, לִקְרַאת, כְּלַפֵּי, לְגַבֵּי
towel, *n.* מַגֶּבֶת, אֲלֻנְטִית
tower, *n.* מִגְדָּל, בַּחוּן
tower, *v.i.* הִתְרוֹמֵם [רום]
towery, *adj.* רָם
town, *n.* עִיר, כְּרָךְ
town hall בֵּית מוֹעֶצֶת הָעִיר
township, *n.* עִירִיָּה
toxemia, toxaemia, *n.* הַרְעָלַת דָּם
toxic, *adj.* אַרְסִי, מֻרְעָל
toxin, toxine, *n.* אֶרֶס, רַעַל
toy, *n.* שַׁעֲשׁוּעַ, מִשְׂחָק, צַעֲצוּעַ
toy, *v.i.* שִׂחֵק, הִשְׁתַּעֲשֵׁעַ [שעשע]
trace, *n.* עָקֵב, סִימָן; שֶׁמֶץ
trace, *v.t.* & *i.* עָקַב, הִתְחַקָּה [חקה], חִפֵּשׂ; שִׂרְטֵט
tracer, *n.* מְשַׂרְטֵט; עוֹקֵב
trachea, *n.* גַּרְגֶּרֶת, קְנֵה הַנְּשִׁימָה
trachoma, *n.* גַּרְעֶנֶת
track, *n.* עָקֵב; שֶׁמֶץ, רֹשֶׁם; נָתִיב; מַסְלוּל, מְסִלָּה, מַעְגָּל; מִפְשָׂק
track, *v.t.* & *i.* עָקַב, הִתְחַקָּה [חקה] אַחֲרֵי
tract, *n.* שֶׁטַח, כִּבְרַת אֶרֶץ; חִבּוּר, מַסֶּכֶת
tractable, *adj.* צַיְּתָן, נוֹחַ
tractate, *n.* מַסֶּכֶת; מַסָּה
traction, *n.* גְּרִירָה, מְשִׁיכָה, סְחִיבָה
tractor, *n.* טְרַקְטוֹר; גַּנָּד
trade, *n.* אֻמָּנוּת, מִקְצוֹעַ; מִסְחָר
trade, *v.t.* & *i.* סָחַר; הֶחֱלִיף [חלף]
trade-mark, *n.* תָּו (אוֹת סֵמֶל) מִסְחָרִי
trade-union. *n.* אֲגֻדָּה מִקְצוֹעִית
trader, *n.* סוֹחֵר, תַּגָּר
tradesman, *n.* סוֹחֵר, חֶנְוָנִי
tradition, *n.* מַסֹּרֶת, קַבָּלָה
traditional, *adj.* מָסָרְתִּי, מְקֻבָּל
traffic, *n.* תַּעֲבוּרָה, תְּנוּעָה; סַחַר, מַרְכֹּלֶת
traffic, *v.t.* & *i.* סָחַר
tragedy, *n.* אָסוֹן; מַעֲגָמָה (חִזָּיוֹן תּוּגָה)
tragic, tragical, *adj.* נוּגֶה, עָגוּם, טְרָגִי
trail, *n.* מִשְׁעוֹל, שְׁבִיל; עָקֵב; שֹׁבֶל
trail, *v.t.* & *i.* עָקַב, הִתְחַקָּה [חקה] אַחֲרֵי; סָחַב; הִסְתָּרֵךְ [סרך]; טִפֵּס (צֶמַח)
trailer, *n.* גְּרוּר; מְטַפֵּס (צֶמַח)
train, *n.* רַכֶּבֶת; תַּהֲלוּכָה; שֹׁבֶל (שִׂמְלָה); הֶלֶךְ (מַחֲשָׁבוֹת); בְּנֵי לְוָיָה
train, *v.t.* & *i.* אִמֵּן; אִלֵּף, חִנֵּךְ; הִדְרִיךְ [דרך]; כִּוֵּן (נֶשֶׁק)
trainer, *n.* מְאַמֵּן, מַדְרִיךְ
training, *n.* חִנּוּךְ, אִלּוּף, אִמּוּן, הַדְרָכָה
trait, *n.* אֹפִי, תְּכוּנָה
traitor, *adj.* & *n.* בּוֹגֵד, בָּגוֹד
trajectory, *n.* קִמְרוֹן (הַקָּלִיעַ בְּמַסָּעוֹ), מַסְלוּל
tram, *n.* חַשְׁמַלִּית
tramp, *n.*, *v.t.* & *i.* נָע וָנָד, נוֹדֵד, אוֹרֵחַ פּוֹרֵחַ; שְׁעָטָה; צָעַן, נָדַד; שָׁעַט, דָּרַךְ בְּחָזְקָה
trample, *v.t.* & *i.* בָּסָה, רָמַס, דָּרַךְ
trance, *n.* הַדְהָמָה, שְׁנַת מַרְמִיטָה
tranquil, *adj.* שׁוֹקֵט
tranquilize, tranquillize, *v.t.* & *i.* הִשְׁקִיט [שקט]

tranquility, tranquillity, *n.* שַׁלְוָה, שֶׁקֶט
transact, *v.t.* & *i.* סָחַר, נָשָׂא וְנָתַן, עָסַק, הִתְעַסֵּק [עסק]
transaction, *n.* מַשָּׂא וּמַתָּן, עֵסֶק, מִסְחָר
transatlantic, *adj.* עֵבֶר אַטְלַנְטִי
transcend, *v.t.* & *i.* עָלָה עַל, נִשְׂגַּב [שגב] מִ־
transcendent, transcendental, *adj.* נַעֲלֶה, דִּמְיוֹנִי, מֻפְלָא
transcribe, *v.t.* תִּעְתֵּק, הֶעְתִּיק [עתק]
transcript, *n.* תַּעְתִּיק
transcription, *n.* תִּעְתּוּק
transfer, *n.* הַעֲבָרָה, הַקְנָיָה
transfer, *v.t.* & *i.* הֶעֱבִיר [עבר], מָסַר
transfiguration, *n.* הִשְׁתַּנּוּת, שִׁנּוּי צוּרָה
transfigure, *v.t.* שִׁנָּה צוּרָה
transform, *v.t.* & *i.* שִׁנָּה (צוּרָה), הָפַךְ לְ־, נֶהְפַּךְ [הפך] לְ־
transformation, *n.* שִׁנּוּי, הִשְׁתַּנּוּת, הֲפִיכָה
transformer, *n.* שַׁנַּאי, מְשַׁנֶּה
transfuse, *v.t.* עֵרָה (הֶעֱבִיר [עבר]) דָּם
transfusion, *n.* עֵרוּי דָּם
transgress, *v.t.* & *i.* עָבַר עַל (גְּבוּל), חָטָא, פָּשַׁע
transgression, *n.* עֲבֵרָה, חֵטְא, פֶּשַׁע
transgressor, *n.* עֲבַרְיָן, חוֹטֵא, פּוֹשֵׁעַ
transient, *adj.* עוֹבֵר, חוֹלֵף, עֲרַאִי
transit, *n.* הַעֲבָרָה
transition, *n.* מַעֲבָר, שִׁנּוּי
transitive, *adj.* עוֹבֵר; יוֹצֵא (פֹּעַל)
transitory, *adj.* עוֹבֵר, חוֹלֵף, רִגְעִי
translate, *v.t.* תִּרְגֵּם
translation, *n.* תִּרְגּוּם
translator, *n.* מְתַרְגֵּם, תֻּרְגְּמָן
transliterate, *v.t.* לִעֵז
transliteration, *n.* לִעוּז
translucent, *adj.* שָׁקוּף לְמֶחֱצָה
transmigration, *n.* נְדוּדִים; גִּלְגּוּל (נְשָׁמוֹת)
transmission, *n.* מְסִירָה, הַעֲבָרָה; מִמְסָרָה
transmit, *v.t.* מָסַר, הֶעֱבִיר [עבר], הִנְחִיל [נחל]
transmitter, *n.* מַקְלֵט, אֲפַרְכֶּסֶת; מַשְׁדֵּר (רַדְיוֹ); מַתְאֵם
transmute, *v.t.* שִׁנָּה, תִּחְלֵף
transom, *n.* מַשְׁקוֹף; חַלּוֹנִית
transparent, *adj.* שָׁקוּף; בָּהִיר, מוּבָן
transpiration, *n.* הֲזָעָה
transpire, *v.t.* & *i.* הֵזִיעַ [זוע]; נִגְלָה [גלה], הָיָה, קָרָה
transplant, *v.t.* הֶעֱבִיר [עבר] נֶטַע, שָׁתַל (שׁוּב)
transport, *n.* הוֹבָלָה, הַעֲבָרָה; הִתְרַגְּשׁוּת, הִתְלַהֲבוּת
transport, *v.t.* הוֹבִיל [יבל], הֶעֱבִיר [עבר]; הִגְלָה [גלה]; הִתְלַהֵב [להב]
transportation, *n.* הוֹבָלָה, תַּחְבּוּרָה
transposition, *n.* סֵרוּס (דְּבָרִים), הֲפִיכַת הַסֵּדֶר
transverse, *adj.* לְעֵבֶר, לְרֹחַב
trap, *n.* מַלְכֹּדֶת, פַּח, מוֹקֵשׁ, מַאֲרָב
trap, *v.t.* & *i.* לָכַד בְּפַח; מִקֵּשׁ
trapeze, *n.* מִשְׂוֶרֶת, טְרַפֵּז
trash, *n.* אַשְׁפָּה
traumatic, *adj.* שֶׁל חֲבָלָה
travail, *n.* & *v.i.* עָמָל, טִרְחָה, עֲבוֹדַת פֶּרֶךְ; חֶבְלֵי לֵדָה, צִירִים; נֶהְפַּךְ [הפך] (צִירִים), חָלָה [חיל], נֶאֶחְזָה [אחז] (בְּצִירֵי יוֹלֵדָה)
travel, *n.* & *v.i.* נְסִיעָה; נָסַע
traveler, traveller, *n.* נוֹסֵעַ

travelogue, travelog, *n.* נְאוּם מַסָּעוֹת
traverse, *n., v.t. & i.* מַשְׁקוֹף, קוֹרָה, אִסְקֻפָּה, עֵרֶב; אֲלַכְסוֹן; עָבַר
travesty, *n.* גַּחְכִּית, חִקּוּי
trawl, *n. & v.t.* מִכְמֹרֶת; כָּמַר
trawler, *n.* פּוֹרֵשׁ מִכְמֹרֶת
tray, *n.* מַגָּשׁ, טַס
treacherous, *adj.* בּוֹגֵד
treachery, *n.* בְּגִידָה
treacle, *n.* פְּסֹלֶת הַסֻּכָּר, נֹפֶת
tread, *n.* הֲלִיכָה, דְּרִיכָה, צַעַד
tread, *v.t. & i.* צָעַד, דָּרַךְ, רָמַס
treadle, *n.* דַּוְשָׁה
treason, *n.* מַעַל, בֶּגֶד
treasure, *n.* אוֹצָר; מַטְמוֹן
treasure, *v.t.* אָצַר; הוֹקִיר [יקר]
treasurer, *n.* גִּזְבָּר
treasury, *n.* טַמְיוֹן, אוֹצַר הַמֶּמְשָׁלָה
treat, *v.t. & i.* הִתְנַהֵג [נהג] (עִם), טִפֵּל בְּ־; רִפֵּא; כִּבֵּד
treatise, *n.* מַסֶּכֶת, מֶחְקָר
treatment, *n.* רִפּוּא; טִפּוּל; הִתְנַהֲגוּת
treaty, *n.* בְּרִית, אֲמָנָה
treble, *adj. & v.t.* שְׁלָשְׁתַּיִם, פִּי שְׁלֹשָׁה; קוֹלְרָמִי; שִׁלֵּשׁ
tree, *n., v.t. & i.* אִילָן, עֵץ; טִפֵּס עַל עֵץ, הִתְחַבֵּא [חבא] בְּעֵץ
trefoil, *n.* אַסְפֶּסֶת, תִּלְתָּן
trellis, *n. & v.t.* עָרִיס; הִדְלָה [דלה]
tremble, *n.* זַעֲזוּעַ, צְמַרְמֹרֶת, חַלְחָלָה, רַעַד, חֲרָדָה
tremble, *v.i.* זִעְזַע, הִתְחַלְחֵל [חלחל], רָטֵט, רָתֵת, רָעַד, חָל [חיל]
tremendous, *adj.* עָצוּם, גָּדוֹל, נוֹרָא, שַׂגִּיא
tremor, *n.* רַעַד, רְעָדָה, חֲרָדָה, זַעֲזוּעַ, חַלְחָלָה, רֶטֶט
tremulous, *adj.* מְרַתֵּת, מְרַטֵּט, רוֹעֵד
trench, *n.* חֲפִירָה
trench, *v.t. & i.* חָפַר, הִתְחַפֵּר [חפר]
trend, *n.* זֶרֶם, נְטִיָּה, מְגַמָּה
trend, *v.i.* נָטָה
trepidation, *n.* חִתָּה, חֲרָדָה, פִּרְפּוּר
trespass, *n.* עֲבֵרָה; כְּנִיסָה לְלֹא רְשׁוּת
trespass, *v.i.* עָבַר גְּבוּל, חָטָא
trespasser, *n.* עֲבַרְיָן, חוֹדֵר לְקִנְיָן פְּרָטִי
tress, *n.* תַּלְתַּל
trestle, *n.* חֲמוֹר לְשֻׁלְחַן עֲבוֹדָה
trial, *n.* נִסָּיוֹן, מִבְחָן, מִשְׁפָּט
triangle, *n.* מְשֻׁלָּשׁ
triangulation, *n.* שִׁלּוּשׁ
tribal, *adj.* שִׁבְטִי
tribe, *n.* שֵׁבֶט, מַטֶּה
tribulation, *n.* שֶׁבֶר, תְּלָאָה, מְצוּקָה
tribunal, *n.* בֵּית דִּין, בֵּית מִשְׁפָּט
tribune, *n.* פָּקִיד רוֹמִי (נִבְחַר עַל יְדֵי הָעָם), מֵלִיץ יֹשֶׁר; בָּמָה, דּוּכָן
tributary, *adj.* מַעֲלֶה מַס
tributary, *n.* יוּבַל, פֶּלֶג
tribute, *n.* מַס (עוֹבֵד), אֶשְׁכָּר; הוֹדָיָה, הַכָּרַת טוֹבָה
trice, *n.* הֶרֶף עַיִן, רֶגַע קָט
trick, *n.* אֲחִיזַת עֵינַיִם, רְבוּתָה, עָקְבָה
trickery, *n.* מִרְמָה, הוֹנָאָה, הַעֲרָמָה, גְּנֵבַת דַּעַת
trickle, *n.* טִפְטוּף, הַרְעָפָה
trickle, *v.i.* טִפְטֵף, נָזַל
tricky, *adj.* עָרוּם
tricycle, *n.* תְּלַת אוֹפַן
trifle, *n.* מִצְעָר
trifle, *v.t. & i.* זִלְזֵל, בִּטֵּל; בִּזְבֵּז
trigger, *n.* הֶדֶק
trigonometry, *n.* תּוֹרַת הַמְּשֻׁלָּשִׁים
trill, *n.* רַעַד קוֹל, סִלְסוּל

trill, *v.t.* & *i.* סִלְסֵל

trim, *n.* תִּקּוּן, הַתְאָמָה, קִשּׁוּט

trim, *v.t.* הִקְצִיעַ [קצע], תִּקֵּן, סִדֵּר; גָּזַז, נָקַף (שֵׂעָר); כָּסַח (צִפָּרְנַיִם); יִסֵּר; מָחַט (מְנוֹרָה); דִּלֵּל (עֵצִים); זָמַר (עֲנָפִים); קִשֵּׁט

trinity, *n.* שִׁלּוּשׁ

trinket, *n.* עֲדִי, תַּכְשִׁיט קָטָן; מִצְעָר

trio, *n.* שְׁלִישִׁיָּה

trip, *n.* נְסִיעָה; מִכְשׁוֹל; מְעִידָה, מִשְׁגֶּה

trip, *v.t.* & *i.* טָפַף, מָעַד; הִכְשִׁיל [כשל], נִכְשַׁל [כשל]; הִפִּיל [נפל]; שָׁגָה; הֵרִים [רום] (עֹגֶן)

tripartite, *adj.* תְּלַת צְדָדִי

tripe, *n.* קֵבַת בְּהֵמָה; חֹסֶר עֵרֶךְ

triple, triplex, *adj.* מְשֻׁלָּשׁ, שְׁלָשְׁתַּיִם, פִּי שְׁלֹשָׁה

triple, *v.t.* & *i.* כָּפַל שְׁלָשְׁתַּיִם, שִׁלֵּשׁ

triplet, *n.* שְׁלִישִׁיָּה

triplicate, *adj.* & *n.* מְשֻׁלָּשׁ, תְּלַת הֶעְתֵּקִי; הֶעְתֵּק שְׁלִישִׁי

tripod, *n.* חֲצוּבָה

trite, *adj.* נָדוֹשׁ, מָעוּךְ מִתּוֹךְ שִׁמּוּשׁ, מָהוּהַ

trituration, *n.* שְׁחִיקָה, כְּתִישָׁה

triumph, *n.* נִצָּחוֹן

triumph, *v.i.* נִצַּח

triumphal, *adj.* שֶׁל נִצָּחוֹן

triumphant, *adj.* מְנַצֵּחַ

trivial, *adj.* קַל עֵרֶךְ, רָגִיל

troglodyte, *n.* שׁוֹכֵן מְעָרוֹת; קוֹף

troll, *n.* שִׁיר מַעְגָּל, קֶטַע שִׁיר; פִּתָּיוֹן

troll, *v.t.* & *i.* דָּג [דוג] בְּחַכָּה נִמְשֶׁכֶת; זִמֵּר לְפִי הַתּוֹר; הִלֵּל בְּשִׁיר

trolley, trolly, *n.* חַשְׁמַלִּית

trollop, *n.* יַצְאָנִית, מֻפְקֶרֶת

trombone, *n.* חֲצוֹצְרַת נְחֹשֶׁת

troop, *n.* & *v.i.* חֲבוּרָה (אֲנָשִׁים); גְּדוּד (חַיָּלִים); גְּנֻדָּה (פָּרָשִׁים); הִתְגּוֹדֵד [גדד]

trooper, *n.* רַכָּב (חַיָּל) פָּרָשׁ

trophy, *n.* מַזְכֶּרֶת נִצָּחוֹן; פְּרָס הִתְחָרוּת

tropical, *adj.* טְרוֹפִּי, שֶׁל הָאֵזוֹר הַחַם

trot, *n.* דְּהָרָה, שְׁעָטָה

troth, *n.* אֵמוּן; אֱמֶת

trouble, *n.* צָרָה, מְהוּמָה, טֹרַח, צַעַר

trouble, *v.t.* & *i.* הִפְרִיעַ [פרע], הִטְרִיחַ [טרח], דָּאַג

troublesome, *adj.* מַטְרִיחַ, מַטְרִיד

trough, *n.* אֵבוּס, שֹׁקֶת; עֲרֵבָה, מִשְׁאֶרֶת

trounce, *v.t.* הִלְקָה [לקה], הִכָּה [נכה]

troupe, *n.* לַהֲקָה

trousers, *n. pl.* מִכְנָסַיִם

trousseau, *n.* סִבְלוֹנוֹת

trout, *n.* שֶׁמֶק (אִלְתִּית)

trowel, *n.* כַּף הַסַּיָּדִים, מַגְרוֹפִית

truant, *adj.* נֶעְדָּר, בָּטֵל

truce, *n.* שְׁבִיתַת נֶשֶׁק, הֲפוּגָה

truck, *n.* מַשָּׂאִית

truculent, *adj.* פֶּרֶא

trudge, *v.i.* הָלַךְ (בִּכְבֵדוּת) מִתּוֹךְ עֲיֵפוּת

true, *adj.* אֲמִתִּי, נֶאֱמָן

truffle, *n.* כְּמֵהָה

truism, *n.* אֱמֶת מֻסְכֶּמֶת, פְּשִׁיטָא

truly, *adj.* בֶּאֱמֶת, אָכֵן, אָמְנָם, בְּרַם

trump, *v.t.* & *i.* נִצַּח בִּקְלָף שַׁלִּיט; עָלָה עַל; רִמָּה

trumpet, *n.* חֲצוֹצְרָה

trumpet, *v.t.* & *i.* חִצְצֵר, תָּקַע בַּחֲצוֹצְרָה

truncheon, *n.* אַלַּת שׁוֹטֵר

trundle, *n.* מְרִיצָה דּוּ אוֹפַנִּית; אוֹפַן, גַּלְגַּל (קָטָן)

trundle, *v.t.* & *i.* גִּלְגֵּל, הִתְגַּלְגֵּל [גלגל]
trunk, *n.* גֶּזַע (עֵץ), גּוּפָה; חֶדֶק (פִּיל); אַרְגָּז, מִזְוָדָה; מֶרְכָּזִיָּה (לְטֶלֵפוֹנִים)
truss, *n.* חֲגוֹרַת שֶׁבֶר, תַּחְבֹּשֶׁת, אֶגֶד; חֲבִילָה, צְרוֹר
truss, *v.t.* אָרַז (בַּחֲבִילָה), קָשַׁר
trust, *n.* אֵמוּן, בִּטָּחוֹן; פִּקָּדוֹן
trust, *v.t.* & *i.* בָּטַח בְּ־, הֶאֱמִין [אמן] בְּ־, הִפְקִיד [פקד] לְמִשְׁמֶרֶת
trustee, *n.* נֶאֱמָן, מְפַקֵּחַ, אַפִּטְרוֹפּוֹס
trustful, *adj.* בַּעַל בִּטָּחוֹן, בּוֹטֵחַ
trustworthy, *adj.* מְהֵימָן
truth, *n.* אֱמֶת, קֹשֶׁט
truthful, *adj.* כֵּן, אֲמִתִּי
try, *n.* נִסָּיוֹן, הִשְׁתַּדְּלוּת
try, *v.t.* & *i.* נִסָּה, הִשְׁתַּדֵּל [שדל]; שָׁפַט
tub, *n.* גִּגִּית; אַמְבָּט
tube, *n.* שְׁפוֹפֶרֶת
tuber, *n.* פֶּקַע, פְּקַעַת
tubercle, *n.* גַּבְשׁוּשִׁית; פֶּקַע
tuberculosis, *n.* שַׁחֶפֶת
tuberculous, *adj.* מְשֻׁחָף
tubular, *adj.* שְׁפוֹפַרְתִּי
tuck, *v.t.* תָּחַב
Tuesday, *n.* יוֹם שְׁלִישִׁי, יוֹם ג׳
tug, *n.* סְפִינַת (גְּרָר) גְּרִירָה, מְשִׁיכַת עֹז
tug, *v.t.* & *i.* גֵּרַר, מָשַׁךְ בְּחָזְקָה
tuition, *n.* הוֹרָאָה, לִמּוּד; שְׂכַר לִמּוּד
tulip, *n.* חֲזָמָה, צִבְעוֹנִי
tulle, *n.* צָעִיף, אָרִיג דַּק וּמְרֻשָּׁת
tumble, *n.* נְפִילָה, הִתְגַּלְגְּלוּת
tumble, *v.t.* & *i.* נָפַל, הִתְהַפֵּךְ [הפך], נִזְדַּקֵּר [זקר]
tumbler, *n.* כּוֹס; לוּלְיָן; תָּסִיל מִזְדַּקֵּר
tumidity, *n.* תְּפִיחוּת
tumor, tumour, *n.* גִּדּוּל, מִצְבֶּה
tumult, *n.* הֲמֻלָּה, מְבוּכָה
tumultuous, *adj.* הוֹמֶה, שׁוֹאֶה, רוֹעֵשׁ

tuna, *n.* טֻנּוּס
tune, *n.* נְגִינָה, לַחַן, נְעִימָה
tune, *v.t.* כִּוֵּן, הֵכִין [כון] (כִּוֵּן כְּלֵי זֶמֶר)
tuner, *n.* כַּוֶּנֶת, מַכְוֵן, מְכַוֵּן
tunic, *n.* סַרְבָּל
tuning fork מַצְלֵל
tunnel, *n.* מִנְהָרָה, נִקְבָּה
turban, *n.* מִצְנֶפֶת, טְבוּל
turbid, *adj.* דָּלוּחַ, עָכוּר
turbine, *n.* מֵנִיעַ מִסְתּוֹבֵב, טוּרְבִּינָה
turbulent, *adj.* תּוֹסֵס, סוֹעֵר, רוֹעֵשׁ
tureen, *n.* קְעָרָה עֲמֻקָּה
turf, *n.* כָּבוּל; רִיס (לְמֵרוֹץ סוּסִים)
turgid, *adj.* מְלִיצִי; נָפוּחַ
turkey, *n.* תַּרְנְגוֹל הֹדּוּ
Turkish, *adj.* & *n.* תֻּרְכִּי; תֻּרְכִּית
turmoil, *n.* מְבוּכָה, מְהוּמָה
turn, *n.* סִבּוּב, נְטִיָּה, כִּוּוּן; תּוֹר
turn, *v.t.* & *i.* סָר [סור]; הִפְנָה [פנה], סִבֵּב; הָפַךְ, הִשְׁתַּנָּה [שנה]; חָרַט (בְּמַחֲרֵטָה); הִרְהֵר; תִּרְגֵּם; הִתְחַמֵּץ [חמץ], הִתְגַּבֵּן [גבן] (חָלָב); הֵמִיר [מור] (דָּת)
turn down סֵרֵב, דָּחָה
turn out גֵּרֵשׁ; כִּבָּה; הוֹצִיא [יצא] (עֲבוֹדָה); יָצָא; הָיָה לְ־
turncoat, *n.* הֲפַכְפַּךְ, בּוֹגֵד
turner, *n.* חָרָט
turning, *n.* נְטִיָּה, פְּנִיָּה
turnip, *n.* לֶפֶת
turnout, *n.* אֲסֵפָה; מִפְנֶה (דֶּרֶךְ); תּוֹצֶרֶת; מֶרְכָּבָה; שְׁבִיתָה
turnover, *n.* הֲפִיכָה; פִּדְיוֹן (מִסְחָר), הוֹן חוֹזֵר, מַחֲזוֹר
turnpike, *n.* שַׁעַר הַמֶּכֶס
turpentine, *n.* שֶׁמֶן הָאֵלָה, עִטְרָן
turpitude, *n.* שִׁפְלוּת

turquoise, *n.* טַרְקִיָה (אֶבֶן טוֹבָה)
turret, *n.* מִגְדָּל קָטָן; מִגְדַּל צוֹפִים; צְרִיחַ הַנּוֹט (שֶׁל שִׁרְיוֹן); כַּנֶּנֶת
turtle, *n.* צָב הַיַּבָּשָׁה
turtledove, *n.* תּוֹר
tusk, *n.* שֶׁנְהָב (פִּיל), חָט (חֲזִיר)
tussle, *n.* הֵאָבְקוּת
tussle, *v.i.* נֶאֱבַק [אבק]
tutor, *n.* מוֹרֶה פְּרָטִי
tuxedo, *n.* מִקְטֹרֶן, חֲלִיפַת עֶרֶב
twaddle, *n.* פִּטְפּוּט, שִׂיחָה בְּטֵלָה
twaddle, *v.i.* פִּטְפֵּט
twain, *adj.* & *n.* שְׁנַיִם, צֶמֶד
tweed, *n.* אֲרִיג צֶמֶר עָבֶה
tweet, *n.* צִפְצוּף
twe zers, *n. pl.* מַלְקֵט
twelfth, *adj.* & *n.* הַחֵלֶק הַשְּׁנֵים עָשָׂר
twelve, *adj.* & *n.* שְׁנֵים עָשָׂר, שְׁתֵּים עֶשְׂרֵה, תְּרֵיסַר
twentieth, *adj.* & *n.* (הַחֵלֶק) הָעֶשְׂרִים
twenty, *adj.* & *n.* עֶשְׂרִים
twentyfold, *adj.* כָּפוּל עֶשְׂרִים
twice, *adv.* פַּעֲמַיִם, שְׁתֵּי פְּעָמִים
twiddle, *v.t.* & *i.* הִשְׁתַּעֲשַׁע [שעשע] (בְּזוּטוֹת) בִּשְׁטֻיּוֹת; חָבַק יָדַיִם, הִתְבַּטֵּל [בטל]
twig, *n.* שָׂרִיג, זַלְזַל, נְטִישָׁה, חֹטֶר, בַּד
twilight, *n.* בֵּין הַשְּׁמָשׁוֹת, בֵּין הָעַרְבַּיִם
twin, *adj.* זוּגִי, כָּפוּל
twin, *n.* תְּאוֹם, תְּיֹמֶת
twine, *n.* גְּדִיל, חוּט (מְשֻׁלָּשׁ)
twine, *v.t.* & *i.* פָּתַל, קָלַע; הִתְפַּתֵּל [פתל]
twinge, *n.* כְּאֵב פֶּתַע; פִּרְכּוּס
twinkle, *v.i.* נָצַץ (כּוֹכָב); עִפְעֵף, קָרַץ, פִּלְבֵּל, מִצְמֵץ עֵינַיִם
twirl, *n.* הִתְחוֹלְלוּת, סִבּוּב
twirl, *v.t.* & *i.* סִלְסֵל, סִבֵּב (שָׂפָם)
twist, *n.* שְׁזִירָה, קְלִיעָה
twist, *v.t.* & *i.* גָּנָה, פָּתַל; עִקֵּם, עִוֵּת, סִלֵּף; הִתְפַּתֵּל [פתל]
twit, *v.t.* גִּנָּה, הוֹכִיחַ [יכח], הִקְנִיט [קנט], הִרְעִים [רעם]
twitch, *n.* עֲוִית (הִתְכַּוְּצוּת) פֶּתַע, פִּרְכּוּס
twitch, *v.t.* & *i.* הִתְעַוָּה [עוה], הִתְכַּוֵּץ [כוץ]
twitter, *n.* & *v.t.* צִפְצוּף; צִפְצֵף
two, *adj.* & *n.* שְׁנַיִם, שְׁתַּיִם, שְׁנֵי־, שְׁתֵּי־
twofold, *adj.* כָּפוּל שְׁנַיִם
twosome, *adj.* זוּגִי
tycoon, *n.* תַּעֲשִׂיָּן רַב מִשְׁקָל
tympanum, *n.* תֹּף (הָאֹזֶן)
type, *n.* אוֹתִיּוֹת (דְּפוּס); מִין; סֵמֶל
type, *v.t.* תִּקְתֵּק (בִּמְכוֹנַת כְּתִיבָה)
typesetter, *n.* סַדָּר, מְסַדֵּר
typewriter, *n.* מְכוֹנַת כְּתִיבָה
typing, *n.* תִּקְתּוּק
typist, *n.* כַּתְבָנִית, תַּקְתְּקָנִית
typographer, *n.* מַדְפִּיס
typhoid, *adj.* & *n.* (שֶׁל) טִיפוּס;
typical, *adj.* אָפְיָנִי
tyrannical, tyrannic, *adj.* אַכְזָרִי, קְשֵׁה לֵב
tyranny, *n.* עֲרִיצוּת, אַכְזָרִיּוּת
tyrant, *n.* אַכְזָר, עָרִיץ

U, u

U, u, *n.* יוּ, הָאוֹת הָעֶשְׂרִים וְאַחַת בָּאָלֶף בֵּית הָאַנְגְּלִי
ubiquitous, *adj.* נִמְצָא בַּכֹּל (בְּכָל מָקוֹם)

udder, *n.* כְּחָל, עָטִין
ugliness, *n.* כִּעוּר, מְאוּס
ugly, *adj.* מְכֹעָר, מָאוּס
ukulele, *n.* יוּקַלִילִי, גִּיטָרָה קְטַנָּה
ulcer, *n.* כִּיב
ulcerous, *adj.* כִּיבִי
ulna, *n.* עֶצֶם הָאַמָּה, עֶצֶם הַגֹּמֶד
ulterior, *adj.* רָחוֹק;כָּמוּס, נִסְתָּר
ultima, *n.* מִלְרַע (דִּקְדּוּק)
ultimate, *adj.* סוֹפִי, מֻחְלָט, אַחֲרוֹן
ultimately, *adv.* לְבַסּוֹף, לָאַחֲרוֹנָה
ultimatum, *n.* אַתְרָאָה
ultra, *adj.* קִיצוֹנִי
ultraviolet, *adj.* עַל סָגֹל
ululation, *n.* יְלָלָה
umbel, *n.* סוֹכֵךְ
umber, *adj.* & *n.* שְׁחַמְחַם; שְׁחַמְתָּנִי
umbilicus, *n.* טַבּוּר
umbra, *n.* צֵל; רוּחַ (שֵׁד)
umbrage, *n.* צֵל; עֶלְבּוֹן
umbrageous, *adj.* מֵצֵל
umbrella, *n.* שִׁמְשִׁיָּה, מִטְרִיָּה, סוֹכֵךְ
umpire, *n.* בּוֹרֵר, שׁוֹפֵט, מַכְרִיעַ, שָׁלִישׁ
umpire, *v.t.* & *i.* פִּשֵּׁר, שָׁפַט בֵּין
unable, *adj.* חֲסַר אוֹנִים, שֶׁאֵינוֹ יָכֹל
unabridged, *adj.* בִּלְתִּי מְקֻצָּר
unacceptable, *adj.* לֹא מִתְקַבֵּל, לֹא רָאוּי (לְהִתְקַבֵּל)
unaccountable, *adj.* שֶׁאֵין לְבָאֵר
unaccustomed, *adj.* אִי רָגִיל
unacquainted, *adj.* שֶׁאֵין מַכִּיר
unadvised, *adj.* פָּזִיז, מָהִיר, נַעֲשֶׂה בְּלִי מַחֲשָׁבָה תְּחִלָּה
unafraid, *adj.* בִּלְתִּי (פּוֹחֵד) יָרֵא
unaffected, *adj.* טִבְעִי; בִּלְתִּי מֻשְׁפָּע
unaided, *adj.* חֲסַר עֶזְרָה
unalloyed, *adj.* חֲסַר סִיג, טָהוֹר
unalterable, *adj.* בִּלְתִּי מִשְׁתַּנֶּה
unanimity, *n.* פֶּה אֶחָד, הֶסְכֵּם כְּלָלִי
unanimous, *adj.* אָחִיד
unannounced, *adj.* בִּלְתִּי קָרוּא
unanswerable, *adj.* לֹא נִתָּן לִתְשׁוּבָה
unapproachable, *adj.* אַל נָגִישׁ
unarm, *v.t.* פֵּרֵק נֶשֶׁק
unarmed, *adj.* חֲסַר נֶשֶׁק, בִּלְתִּי מְזֻיָּן
unashamed, *adj.* חֲסַר בּוּשָׁה, שֶׁאֵינוֹ מִתְבַּיֵּשׁ
unasked, *adj.* בִּלְתִּי (מְבֻקָּשׁ) נִשְׁאָל
unassailable, *adj.* אַל נִתְקָף
unassisted, *adj.* שֶׁלֹּא נֶעֱזָר, חֲסַר סִיּוּעַ
unassuming, *adj.* צָנוּעַ, פָּשׁוּט, עָנָו, נֶחְבָּא אֶל הַכֵּלִים
unattractive, *adj.* בִּלְתִּי מַקְסִים, לֹא מוֹשֵׁךְ
unauthorized, *adj.* חֲסַר רְשׁוּת, חֲסַר סְמִיכוּת
unavailable, *adj.* בִּלְתִּי מָצוּי, שֶׁאֵינוֹ בְּנִמְצָא
unavoidable, *adj.* שֶׁאֵין לְהִמָּלֵט מִמֶּנּוּ, הֶכְרֵחִי
unaware, unawares, *adj.* & *adv.* שֶׁלֹּא מִדַּעַת, בְּלִי דַּעַת, שֶׁבְּלֹא יוֹדְעִים
unbalanced, *adj.* לֹא שָׁקוּל, בִּלְתִּי מְאֻזָּן
unbearable, *adj.* שֶׁקָּשֶׁה לִסְבֹּל, כָּבֵד מִנְּשׂא
unbeaten, *adj.* בִּלְתִּי מְנֻצָּח
unbecoming, *adj.* שֶׁאֵינוֹ הָגוּן, בִּלְתִּי מַתְאִים, לֹא הוֹלֵם
unbelief, *n.* חֹסֶר אֱמוּנָה, סַפְקָנוּת, כְּפִירָה
unbelievable, *adj.* בִּלְתִּי מְהֵימָן, שֶׁאֵין מַאֲמִינִים לוֹ
unbeliever, *n.* סַפְקָן, כּוֹפֵר
unbend, *v.t.* & *i.* יִשֵּׁר, הִתְיַשֵּׁר [ישר]

unbiased, unbiassed, *adj.* שֶׁאֵין לוֹ מִשְׁפָּט קָדוּם, בִּלְתִּי מְשֻׁחָד
unbind, *v.t.* פִּתַּח קֶשֶׁר, הִתִּיר [נתר]
unblushing, *adj.* בִּלְתִּי מִתְאַדֵּם, חֲסַר עֲנָוָה, חָצוּף
unborn, *adj.* טֶרֶם נוֹלַד, עֲתִידִי
unbosom, *v.t. & i.* גִּלָּה, הִתְוַדָּה [ידה], שָׁפַךְ נַפְשׁוֹ לִפְנֵי
unbounded, *adj.* בִּלְתִּי מֻגְבָּל
unbreakable, *adj.* בִּלְתִּי שָׁבִיר; בִּלְתִּי נִפְסָק
unbridled, *adj.* בִּלְתִּי מְרֻסָּן, פָּרִיץ
unbroken, *adj.* לֹא שָׁבוּר; בִּלְתִּי נִפְסָק, נִמְשָׁךְ; שֶׁאֵינוֹ מְאֻלָּף (סוּס)
unburden, *v.t.* פָּרַק מַשָּׂא, הֵקֵל (קלל) עַל הַלֵּב
unbutton, *v.t.* הִתִּיר [נתר] כַּפְתּוֹרִים
uncalled-for, *adj.* חוּץ לִמְקוֹמוֹ, לֹא (מְבֻקָּשׁ) דָּרוּשׁ, מְיֻתָּר
uncanny, *adj.* מִסְתּוֹרִי, מוּזָר
unceasing, *adj.* שֶׁאֵינוֹ חָדֵל, נִמְשָׁךְ
unceremonious, *adj.* גַּס, בִּלְתִּי מְנֻמָּס
uncertain, *adj.* מְסֻפָּק, לֹא בָּטוּחַ
uncertainty, *n.* פִּקְפּוּק, אִי (בְּטִיחוּת) וַדָּאוּת
unchain, *v.t.* שִׁחְרֵר, הִתִּיר [נתר] כְּבָלִים
unchallenged, *adj.* אַל תַּגְרִיתִי, לְלֹא הִתְנַגְּדוּת
unchangeable, *adj.* בִּלְתִּי מִשְׁתַּנֶּה
uncharitable, *adj.* לֹא נָדִיב, שֶׁאֵינוֹ בַּעַל צְדָקָה, אַכְזָרִי, אַל רַחוּם
uncharted, *adj.* שֶׁלֹּא רָשׁוּם בַּמַּפָּה
unchaste, *adj.* לֹא צָנוּעַ
unchecked, *adj.* בִּלְתִּי מְרֻסָּן, לֹא נִבְדָּק
uncircumcised, *adj. & n.* עָרֵל, לֹא (נִמּוֹל) מָהוּל
uncivil, *adj.* לֹא נִמּוּסִי, גַּס, אִי אָדִיב
uncivilized, *adj.* חֲסַר תַּרְבּוּת, פֶּרֶא
unclaimed, *adj.* לֹא נִדְרָשׁ
uncle, *n.* דּוֹד
Uncle Sam מֶמְשֶׁלֶת אַרְצוֹת הַבְּרִית
unclean, *adj.* אִי נָקִי, מְגֹאָל, טָמֵא
unclose, *v.t.* פָּתַח
unclothe, *v.t.* הִפְשִׁיט [פשט]
uncomfortable, *adj.* אִי נָעִים, לֹא נוֹחַ
uncommon, *adj.* אִי רָגִיל, נָדִיר
uncommunicative, *adj.* מַחֲרִישׁ, שׁוֹתֵק
uncomplaining, *adj.* לֹא מִתְלוֹנֵן
uncompromising, *adj.* תַּקִּיף בְּדַעְתּוֹ, בִּלְתִּי פַּשְׁרָנִי
unconcern, *n.* שִׁוְיוֹן נֶפֶשׁ, אֲדִישׁוּת
unconcerned, *adj.* אָדִישׁ, בִּלְתִּי מֻדְאָג
unconditional, *adj.* גָּמוּר, מֻחְלָט, לְלֹא תְּנַאי
unconfirmed, *adj.* בִּלְתִּי רִשְׁמִי, שֶׁלֹּא מְאֻשָּׁר
unconquerable, *adj.* נִמְנַע הַנִּצּוּחַ, שֶׁאֵין לְהִתְגַּבֵּר עָלָיו
unconscious, *adj.* מְחֻסַּר הַכָּרָה
unconstitutional, *adj.* אַל חֻקָּתִי, לֹא חֻקִּי, שֶׁאֵינוֹ כַּדִּין, שֶׁאֵינוֹ כַּהֲלָכָה
uncontrollable, *adj.* מוֹרֵד, שֶׁאִי אֶפְשָׁר לִשְׁלֹט עָלָיו
unconventional, *adj.* בִּלְתִּי מְקֻבָּל
uncooked, *adj.* בִּלְתִּי מְבֻשָּׁל
uncork, *v.t.* חָלַץ פְּקָק
uncounted, *adj.* לֹא סָפוּר
uncouple, *v.t.* הִתִּיר [נתר] קֶשֶׁר
uncouth, *adj.* גַּס, מְשֻׁנֶּה
uncover, *v.t. & i.* גִּלָּה, חָשַׂף, פָּרַע
unction, *n.* מְשִׁיחָה, מִשְׁחָה; לְבָבִיּוּת, רַגְשָׁנוּת דָּתִית
uncultivated, *adj.* בּוּר, בָּר, בִּלְתִּי מְעֻבָּד

uncultured, *adj.* חֲסַר תַּרְבּוּת, בּוּר

uncut, *adj.* בִּלְתִּי (מְלֻטָּשׁ) חָתוּךְ

undamaged, *adj.* בִּלְתִּי מְקֻלְקָל, לְלֹא (נֶזֶק) פְּגָם

undaunted, *adj.* לְלֹא (פַּחַד) חָת

undeceived, *adj.* לֹא (מֻטְעֶה) מְרֻמֶּה

undecided, *adj.* בִּלְתִּי מֻחְלָט, מֻטָּל בְּסָפֵק

undefeated, *adj.* בִּלְתִּי (מוּבָס) מוּפָר

undefined, *adj.* בִּלְתִּי (בָּרוּר) מֻגְדָּר

undemocratic, *adj.* דִּבָּרִי, בִּלְתִּי עַמּוֹנִי

undeniable, *adj.* שֶׁאֵין לְהַכְחִישׁ, שֶׁאֵין לִסְתֹּר

under, *adv.* & *prep.* פָּחוֹת מִ־, תַּחַת, מִתַּחַת לְ־, לְמַטָּה מִ־

under, *adj.* תַּחְתּוֹן, תַּחְתִּי, תַּת־

undercarriage, *n.* מִבְנֶה יְסוֹד; גּוּף (שֶׁלֶד) הַמְּכוֹנִית; גַּלְגַּלֵּי הַנְּחִיתָה (אֲוִירוֹן)

underclothes, underclothing, *n.* תַּחְתּוֹנִים

underestimate, *v.t.* הִמְעִיט [מעט] דְּמוּתוֹ, הֵקֵל [קלל] בְּ־

underfeed, *v.t.* נָתַן לֶחֶם צַר, כִּלְכֵּל בְּמִדָּה בִּלְתִּי מַסְפֶּקֶת

undergo, *v.t.* סָבַל, נָשָׂא, עָבַר

undergraduate, *n.* תַּלְמִיד מִכְלָלָה (טֶרֶם סִיֵּם חוֹק לִמּוּדָיו)

underground, *adj.* & *n.* תַּת קַרְקָעִי; כָּמוּס; (רַכֶּבֶת) תַּחְתִּית; בֶּטֶן אֲדָמָה; מַחְתֶּרֶת

underhanded, *adj.* טָמִיר, כָּמוּס, עָרוּם, נַעֲשֶׂה בְּתַרְמִית

underline, *v.t.* קִוְּקֵו; הִטְעִים [טעם], הִדְגִּישׁ [דגש]

underlying, *adj.* יְסוֹדִי

undermine, *v.t.* חָתַר מִתַּחַת לְ־

underneath, *adv.* & *prep.* תַּחַת, מִתַּחַת לְ־

undernourished, *adj.* לֹא נָזוֹן לְמַדַּי

underprivileged, *adj.* חֲסַר זְכֻיּוֹת, מְדֻלְדָּל

underrate, *v.t.* הִמְעִיט [מעט] דְּמוּתוֹ, הֵקֵל [קלל] בְּ־

undersell, *v.t.* מָכַר בְּזוֹל

undershirt, *n.* גּוּפִיָּה

undersign, *v.t.* חָתַם מַטָּה

undersized, *adj.* (חֵלֶק) גָּמוּד

underskirt, *n.* תַּחְתּוֹנִית

understand, *v.t.* & *i.* הֵבִין [בין], הִכִּיר [נכר], יָדַע

understanding, *n.* שֵׂכֶל, דַּעַת, בִּינָה, הֲבָנָה

understate, *v.t.* & *i.* נָקַט לָשׁוֹן הַמְעָטָה

understatement, *n.* לְשׁוֹן הַמְעָטָה

understudy, *n.* שַׂחְקָן מִשְׁנֶה

understudy, *v.t.* & *i.* לָמַד תַּפְקִיד בִּכְדֵי לְמַלֵּא מָקוֹם שַׂחְקָן

undertake, *v.t.* & *i.* נִסָּה, קִבֵּל עַל עַצְמוֹ, הִבְטִיחַ [בטח]

undertaker, *n.* קַבְּלָן; קַבְּרָן

undertaking, *n.* קַבְּלָנוּת; קַבְּרָנוּת

underwear, *n.* תַּחְתּוֹנִים

underweignt, *n.* מִשְׁקָל פָּחוֹת מֵהַמִּדָּה

underworld, *n.* שְׁאוֹל; הָעוֹלָם הַתַּחְתּוֹן

underwrite, *v.t.* חָתַם עַל, סָמַךְ

undeserved, *adj.* בִּלְתִּי רָאוּי, שֶׁלֹּא מַגִּיעַ

undesirable, *adj.* לֹא מְבֻקָּשׁ; לֹא רָצוּי

undeveloped, *adj.* בִּלְתִּי מְפֻתָּח

undisciplined, *adj.* בִּלְתִּי מְמֻשְׁמָע

undisguised, *adj.* בִּלְתִּי (מְסֻוֶּה) מְחֻפָּשׂ, חֲסַר הִתְנַכְּרוּת

undisputed, *adj.* אַל וִכּוּחִי

undistinguished, *adj.* לֹא מְצֻיָּן, בִּלְתִּי נִכָּר, אַל מֻפְלָא, אִי דָגוּל
undisturbed, *adj.* שַׁאֲנָן, שׁוֹקֵט, שָׁלֵו
undivided, *adj.* בִּלְתִּי מְחֻלָּק, אָחִיד
undo, *v.t.* פָּתַח, קִלְקֵל, הִתִּיר [נתר], בִּטֵּל
undoubted, *adj.* שֶׁאֵינוֹ מֻטָּל בְּסָפֵק, וַדַּאי, בָּטוּחַ
undoubtedly, *adv.* בְּוַדַּאי, לְלֹא סָפֵק
undress, *v.t.* & *i.* פָּשַׁט, הִתְפַּשֵּׁט [פשט]
undue, *adj.* שֶׁטֶּרֶם הִגִּיעַ זְמַנּוֹ, לֹא מַגִּיעַ
undulation, *n.* תְּנוּדָה גַּלִּית
undying, *adj.* אַלְמוֹתִי, שֶׁבְּלִי הַפְסָקָה
unearned, *adj.* שֶׁלֹּא זָכָה בּוֹ
unearth, *v.t.* גִּלָּה, הוֹצִיא [יצא] מִן הָאֲדָמָה (מִן הַקֶּבֶר)
uneasiness, *n.* אִי מְנוּחָה
uneasy, *adj.* חֲסַר מְנוּחָה, סַר
uneducated, *adj.* בִּלְתִּי מְחֻנָּךְ
unemotional, *adj.* אִי רָגִישׁ, בִּלְתִּי רִגְשִׁי
unemployed, *adj.* מְחֻסַּר עֲבוֹדָה
unemployment, *n.* אַבְטָלָה, חֹסֶר עֲבוֹדָה
unending, *adj.* עַד אֵין סוֹף
unendurable, *adj.* שֶׁאֵין לְשֵׂאתוֹ
unequal, *adj.* לֹא שָׁוֶה
unequaled, unequalled, *adj.* יָחִיד (חַד) בְּמִינוֹ
unequivocal, *adj.* שֶׁאֵינוֹ מִשְׁתַּמֵּעַ לִשְׁנֵי פָּנִים, בָּרוּר
unerring, *adj.* שֶׁאֵינוֹ טוֹעֶה, שֶׁאֵינוֹ שׁוֹגֶה; בָּטוּחַ בְּעַצְמוֹ
unessential, *adj.* בִּלְתִּי חָשׁוּב
uneven, *adj.* בִּלְתִּי זוּגִי, אִי יָשָׁר, לֹא חָלָק
uneventful, *adj.* חֲסַר הֲרַת מְאוֹרָעוֹת
unexampled, *adj.* לְלֹא דֻּגְמָה, שֶׁאֵין דּוֹמֶה לוֹ
unexpected, *adj.* פִּתְאוֹמִי, בִּלְתִּי צָפוּי
unexpectedly, *adv.* בְּמַפְתִּיעַ, בְּהֶסַּח הַדַּעַת
unexplained, *adj.* בִּלְתִּי מְבֹאָר
unexplored, *adj.* בִּלְתִּי נֶחְקָר
unfailing, *adj.* בִּלְתִּי מְאַכְזֵב, נֶאֱמָן
unfair, *adj.* לֹא צוֹדֵק, לֹא יָשָׁר
unfaithful, *adj.* בּוֹגֵד, שֶׁאֵינוֹ נֶאֱמָן
unfaithfulness, *n.* בְּגִידָה, מְעִילָה
unfamiliar, *adj.* בִּלְתִּי רָגִיל, זָר
unfasten, *v.t.* & *i.* פִּתַּח, הִתִּיר [נתר]
unfavorable, unfavourable, *adj.* שְׁלִילִי, נֶגְדִּי
unfeeling, *adj.* אַכְזָרִי, חֲסַר רֶגֶשׁ
unfetter, *v.t.* הִתִּיר [נתר] אֲזִקִּים
unfinished, *adj.* בִּלְתִּי (מֻשְׁלָם) גָּמוּר
unfit, *adj.* לֹא רָאוּי; פָּסוּל, פָּגוּם
unfix, *v.t.* פָּתַח, הִתִּיר [נתר]
unfledged, *adj.* לֹא מְפֻתָּח; חֲסַר נוֹצוֹת
unflinching, *adj.* לֹא נִרְתָּע, חֲסַר הִסּוּס
unfold, *v.t.* & *i.* פָּרַשׂ; פִּתַּח, גִּלָּה
unforced, *adj.* לֹא (מְחֻיָּב) מֻכְרָח
unforeseen, *adj.* בִּלְתִּי (נִרְאֶה מֵרֹאשׁ) צָפוּי
unforgettable, *adj.* לֹא יִשָּׁכַח
unforgivable, *adj.* אַל מָחוּל
unfortunate, *adj.* מִסְכֵּן, אֻמְלָל, חֲסַר מַזָּל
unfortunately, *adv.* לְדַאֲבוֹן־
unfounded, *adj.* בְּלִי בָּסִיס, שֶׁאֵין לוֹ רַגְלַיִם, שֶׁאֵין לוֹ יְסוֹד
unfrequented, *adj.* נִדָּח, בּוֹדֵד
unfriendly, *adj.* בִּלְתִּי יְדִידוּתִי
unfruitful, *adj.* עָקָר, סְרָק
unfurl, *v.t.* פִּתַּח, פָּרַשׂ
unfurnished, *adj.* בִּלְתִּי מְרֹהָט
ungainly, *adj.* חֲסַר חֵן

ungenerous, *adj.* חֲסַר נְדִיבוּת, צַר עַיִן, קַמְצָנִי
ungentle, *adj.* אִי נוֹחַ, בִּלְתִּי עָדִין
ungodly, *adj.* שֶׁאֵין אֱלֹהִים בְּלִבּוֹ, פּוֹרֵק עֹל שָׁמַיִם
ungovernable, *adj.* פֶּרֶא, שׁוֹבָב; בִּלְתִּי מְרֻסָּן
ungraceful, *adj.* חֲסַר חֵן, דֻּבִּי
ungrateful, *adj.* כְּפוּי טוֹבָה
unguarded, *adj.* בִּלְתִּי שָׁמוּר
unguent, *n.* מִשְׁחָה, דֹּהֶן
unhampered, *adj.* שֶׁאֵין מַפְרִיעַ אוֹתוֹ
unhandsome, *adj.* בִּלְתִּי נָאֶה, לֹא נֶחְמָד
unhandy, *adj.* מְגֻשָּׁם, גַּמְלוֹנִי, אִי זָרִיז, גַּס, אִי מָהִיר
unhappy, *adj.* לֹא שָׂמֵחַ, עָלוּב, אֻמְלָל
unharmed, *adj.* שֶׁלֹּא נִזּוֹק, לֹא מְקֻלְקָל
unhealthy, *adj.* חוֹלָנִי, לֹא בָּרִיא
unhesitating, *adj.* שֶׁאֵינוֹ (נִמְנָע) מְהַסֵּס, חֲסַר פִּקְפּוּק
unhitch, *v.t.* הִתִּיר [נתר] קֶשֶׁר
unholy, *adj.* לֹא קָדוֹשׁ, חִלּוֹנִי
unhonored, unhonoured, *adj.* בִּלְתִּי (אִי) מְכֻבָּד
unhook, *v.t. & i.* הֵסִיר [סור] מֵעַל וָו
unhurt, *adj.* בִּלְתִּי מֻכֶּה, חֲסַר פֶּצַע
unicellular, *adj.* חַדְתָּאִי
unidentified, *adj.* בִּלְתִּי מְזֹהֶה
unification, *n.* אִחוּד, הִתְאַחֲדוּת
unifier, *n.* מְאַחֵד
uniform, *adj. & n.* מַדִּים; חַד צוּרָתִי
uniformity, *n.* חַדְגּוֹנִיּוּת, שְׁוֵה צוּרָה
unify, *v.t.* אִחֵד
unilateral, *adj.* חַדְצְדָדִי
unimaginable, *adj.* שֶׁאֵינוֹ עוֹלֶה עַל הַדַּעַת

unimaginative, *adj.* אִי דִּמְיוֹנִי
unimpeachable, *adj.* חַף מִפֶּשַׁע
unimportant, *adj.* קַל עֵרֶךְ, בִּלְתִּי חָשׁוּב
uninformed, *adj.* חֲסַר יְדִיעָה
uninhabited, *adj.* בִּלְתִּי נוֹשָׁב
uninjured, *adj.* לֹא פָּצוּעַ, בִּלְתִּי (נִזּוֹק) נִפְגָּע
uninspired, *adj.* מְשֻׁלָּל רוּחַ הַקֹּדֶשׁ
unintelligible, *adj.* לֹא מוּבָן
unintentional, *adj.* לֹא בְּמֵזִיד, בְּשׁוֹגֵג
uninteresting, *adj.* בִּלְתִּי מְעַנְיֵן
uninterrupted, *adj.* בִּלְתִּי נִפְסָק
uninvited, *adj.* בִּלְתִּי מֻזְמָן, לֹא קָרוּא
union, *n.* הִתְאַחֲדוּת, בְּרִית, אַחְדוּת; אֲגֻדָּה (מִקְצוֹעִית)
unique, *adj.* יָחִיד, מְיֻחָד בְּמִינוֹ
unison, *n.* חַדְקוֹלִיּוּת, אַחְדוּת
unit, *n.* סְנִיף, יְחִידָה, חֲטִיבָה
unite, *v.t. & i.* אִחֵד, הִתְאַחֵד [אחד]
united, *adj.* מְאֻחָד
United Kingdom הַמַּמְלָכָה הַמְאֻחֶדֶת
United States אַרְצוֹת הַבְּרִית
unity, *n.* אַחְדוּת
universal, *adj.* כְּלָלִי, עוֹלָמִי, נִצְחִי
universe, *n.* עוֹלָם, תֵּבֵל, יְקוּם, בְּרִיאָה
university, *n.* מִכְלָלָה, אוּנִיבֶרְסִיטָה
unjust, *adj.* בִּלְתִּי צוֹדֵק
unkempt, *adj.* גַּס, פָּרוּעַ, לֹא סָרוּק
unkind, *adj.* אַכְזָר, רַע לֵב, לֹא טוֹב
unknowing, *adj.* בִּלְתִּי יוֹדֵעַ, לֹא מֵבִין
unknown, *adj.* בִּלְתִּי יָדוּעַ, אַלְמוֹנִי
unlace, *v.t. & i.* הִתִּיר [נתר] (נַעַל)
unlade, *v.t.* פָּרַק מַשָּׂא
unlawful, *adj.* אָסוּר, בִּלְתִּי חֻקִּי
unlearn, *v.t.* שָׁכַח (לִמּוּד)
unleash, *v.t.* הִתִּיר [נתר] רְצוּעָה
unleavened, *adj.* חָמֵץ

unleavened bread מַצָּה
unless, *conj.* כִּי אִם, אֶלָּא, אִם כֵּן
unlike, *adj.* & *adv.* שׁוֹנֶה; בְּאֹפֶן שׁוֹנֶה
unlikely, *adj.* מְסֻפָּק, שֶׁאֵינוֹ מִסְתַּבֵּר
unlimited, *adj.* בִּלְתִּי מֻגְבָּל
unload, *v.t.* & *i.* פָּרַק; הִתְפָּרֵק [פרק]
unlock, *v.t.* פָּתַח; גִּלָּה (לֵב)
unlovely, *adj.* מְכֹעָר, חֲסַר חֵן
unlucky, *adj.* רַע (בִּישׁ) מַזָּל, חֲסַר הַצְלָחָה
unman, *v.t.* הֵמֵס [מסס] לֵב; סֵרֵס
unmanageable, *adj.* אִי מְצַיֵּת, בִּלְתִּי מֻנְהָל
unmanly, *adj.* לֹא גַּבְרִי, מוּג לֵב
unmannerly, *adj.* חֲסַר דֶּרֶךְ אֶרֶץ, גַּס
unmarried, *adj.* בִּלְתִּי נָשׂוּא
unmask, *v.t.* & *i.* הֵסִיר [סור] (קָרַע) מַסֵּכָה; גִּלָּה אֶת (אָפְיוֹ) זֶהוּתוֹ
unmatched, *adj.* לֹא מַתְאִים, חֲסַר זִווּג; בִּלְתִּי מֻשְׁוֶה
unmeaning, *adj.* חֲסַר כַּוָּנָה, רֵיק, נָבוּב
unmeasured, *adj.* אִי מָדוּד, רְחַב יָדַיִם
unmentionable, *adj.* לֹא רָאוּי לְהִזָּכֵר
unmerciful, *adj.* אַכְזָרִי, קְשֵׁה לֵב
unmindful, *adj.* לֹא מַקְשִׁיב, לֹא נִזְהָר
unmistakable, *adj.* שֶׁאֵין לְטָעוֹת בּוֹ, בָּרוּר
unmitigated, *adj.* לֹא מֻקָל, לֹא מֻרְגָּע
unmoral, *adj.* בִּלְתִּי מוּסָרִי
unmoved, *adj.* לֹא מֻשְׁפָּע
unnamed, *adj.* לֹא נִקְרָא בְּשֵׁם, בִּלְתִּי מְכֻנֶּה
unnatural, *adj.* בִּלְתִּי טִבְעִי
unnecessary, *adj.* בִּלְתִּי הֶכְרֵחִי, מְיֻתָּר
unnerve, *v.t.* הֶחֱלִישׁ [חלש], הֵמֵס [מסס] לֵב, רִפָּה יָדַיִם
unnoticed, *adj.* בִּלְתִּי מֻכָּר, בִּלְתִּי נוֹדָע
unobserved, *adj.* לֹא נִרְאָה
unobtrusive, *adj.* בִּלְתִּי (נוֹעָז) מְחֻצָּף; בִּלְתִּי בּוֹלֵט
unoccupied, *adj.* פָּנוּי, שֶׁאֵינוֹ (תָּפוּס) עָסוּק
unoffended, *adj.* לֹא נֶעֱלָב
unofficial, *adj.* אִי רִשְׁמִי
unorganized, *adj.* לֹא מְאֻרְגָּן
unorthodox, *adj.* לֹא אָדוּק, בִּלְתִּי (מָסָרְתִּי) מְקֻבָּל
unpack, *v.t.* & *i.* הֵרִיק [ריק] מִזְוָדָה, הוֹצִיא [יצא] מֵאַרְגָּז
unpaid, *adj.* בִּלְתִּי נִפְרָע, לֹא שֻׁלַּם
unpalatable, *adj.* לֹא עָרֵב, בִּלְתִּי טָעִים
unparalleled, *adj.* שֶׁאֵין דּוֹמֶה לוֹ
unpeopled, *adj.* בִּלְתִּי מְיֻשָּׁב, חֲסַר אֲנָשִׁים
unperceived, *adj.* לֹא מֻרְגָּשׁ
unpleasant, *adj.* אִי נָעִים
unpolished, *adj.* בִּלְתִּי מְצֻחְצָח; גַּס, בִּלְתִּי אָדִיב
unpolluted, *adj.* אִי מְחֻלָּל, אִי מְטֻנָּף
unpopular, *adj.* אִי עֲמָמִי, בִּלְתִּי חֶבְרָתִי
unprecedented, *adj.* לְלֹא תַּקְדִּים
unpredictable, *adj.* שֶׁאִי אֶפְשָׁר לְנַבֵּא מֵרֹאשׁ
unprejudiced, *adj.* לֹא מְשֻׁחָד
unprepared, *adj.* אִי מוּכָן, בִּלְתִּי מְזֻמָּן
unpretending, *adj.* צָנוּעַ, פָּשׁוּט; שֶׁאֵינוֹ תּוֹבֵעַ
unprincipled, *adj.* חֲסַר עֶקְרוֹנוֹת, בִּלְתִּי מוּסָרִי
unprofitable, *adj.* בִּלְתִּי מוֹעִיל, לֹא מַכְנִיס רֶוַח
unprovoked, *adj.* בִּלְתִּי (מְשֻׁסֶּה) מְגֹרֶה
unpublished, *adj.* לֹא מֻדְפָּס, בִּלְתִּי מֻכְרָז, שֶׁלֹּא יָצָא לָאוֹר

unqualified, *adj.* בִּלְתִּי מְגֻבָּל, שֶׁאֵינוֹ מַתְאִים, שֶׁאֵין לוֹ הַיְדִיעוֹת הַמַּסְפִּיקוֹת
unquenchable, *adj.* שֶׁלֹּא נִתָּן לְרִוּוּי
unquestionable, *adj.* שֶׁלְּמַעְלָה מִכָּל חֲשָׁד, שֶׁלְּמַעְלָה מִכָּל סָפֵק
unravel, *v.t. & i.* הִתִּיר [נתר], הִפְקִיעַ [פקע] (חוּטִים); פָּתַר
unready, *adj.* בִּלְתִּי מְזֻמָּן, לֹא מוּכָן
unreal, *adj.* בִּלְתִּי מַמָּשִׁי, מְדֻמֶּה
unreasonable, *adj.* מֻפְרָז, מֻגְזָם
unrecognizable, *adj.* שֶׁאֵינוֹ נִכָּר
unrefined, *adj.* בִּלְתִּי מְזֻקָּק; גַּס
unreflecting, *adj.* בִּלְתִּי מַחְזִיר (קֶרֶן אוֹר, גַּל חֹם); שֶׁאֵינוֹ מְהַרְהֵר
unrelenting, *adj.* שֶׁלֹּא מְוַתֵּר, אַכְזָרִי
unreliable, *adj.* שֶׁאֵין לִסְמֹךְ עָלָיו
unrelieved, *adj.* לֹא נֶחֱלָף
unremitting, *adj.* בְּלֹא לֵאוּת, מַתְמִיד
unreserved, *adj.* פָּנוּי; בְּגִלּוּי לֵב, בִּלְתִּי (מְסֻיָּג) מְגֻבָּל
unresisting, *adj.* בִּלְתִּי מִתְנַגֵּד
unrest, *n.* תְּסִיסָה, אִי מְנוּחָה
unrestrained, *adj.* לֹא מִתְאַפֵּק, לֹא נִמְנָע
unrestricted, *adj.* בִּלְתִּי (מְסֻיָּג) מְגֻבָּל
unrighteous, *adj.* חוֹטֵא, שֶׁאֵינוֹ צַדִּיק, עַוָּל
unripe, *adj.* לֹא בָּשֵׁל
unrivaled, unrivalled, *adj.* שֶׁאֵין כָּמוֹהוּ, שֶׁאֵין דּוֹמֶה לוֹ
unroll, *v.t. & i.* פָּתַח (וְגִלְגֵּל)
unruffled, *adj.* שׁוֹקֵט, נָח
unruly, *adj.* שׁוֹבָב, פָּרוּעַ
unsafe, *adj.* מְסֻכָּן
unsafety, *n.* סַכָּנָה
unsalable, unsaleable, *adj.* בִּלְתִּי מָכִיר

unsanitary, *adj.* בִּלְתִּי תַּבְרוּאִי
unsatisfactory, *adj.* בִּלְתִּי (מַשְׂבִּיעַ רָצוֹן) מֵנִיחַ אֶת הַדַּעַת
unsatisfied, *adj.* שֶׁאֵינוֹ שְׂבַע רָצוֹן, בִּלְתִּי מְרֻצֶּה
unsavory, unsavoury, *adj.* תָּפֵל, סַר טַעַם; אַל מוּסָרִי
unsay, *v.t.* חָזַר בּוֹ מִדְּבָרָיו
unscathed, *adj.* בִּלְתִּי (מוּרָע) מֻזָּק
unschooled, *adj.* אִי מְחֻנָּךְ, בִּלְתִּי מְלֻמָּד
unscientific, *adj.* בִּלְתִּי מַדָּעִי
unscrew, *v.t.* הוֹצִיא [יצא] בֹּרֶג
unscrupulous, *adj.* בִּלְתִּי מוּסָרִי, חֲסַר עֶקְרוֹנוֹת
unsearchable, *adj.* סוֹדִי; אֵין חֵקֶר
unseasonable, *adj.* שֶׁחוּץ לִזְמַנּוֹ, שֶׁלֹּא בְּעִתּוֹ
unseat, *v.t.* הוֹרִיד [ירד] מִכִּסְאוֹ
unseemly, *adj.* לֹא נָאֶה, בִּלְתִּי מַתְאִים; פָּרוּץ
unseen, *adj.* בִּלְתִּי נִרְאֶה, סָמוּי מִן הָעַיִן
unselfish, *adj.* נְדִיב לֵב, זוּלָתָן
unsettle, *v.t.* הִפְרִיעַ [פרע], בִּלְבֵּל; עָקַר (מִמְּקוֹמוֹ)
unshackle, *v.t.* הִתִּיר [נתר] כְּבָלִים
unshaken, *adj.* לֹא מְחֻלְחָל, לֹא מֻרְגָּז, לֹא מֻרְעָד, אֵיתָן, יַצִּיב
unshaven, *adj.* בִּלְתִּי מְגֻלָּח, שָׂעִיר
unsheathe, *v.t.* הֵרִיק [ריק] (הוֹצִיא [יצא]) חֶרֶב מִתַּעְרָהּ, שָׁלַף
unship, *v.t.* פָּרַק (מַשָּׂא) מֵאֳנִיָּה, הֵסִיר [סור] מֵאֳנִיָּה
unsightly, *adj.* מְכֹעָר, מַכְלִים לַמַּבָּט
unskillful, unskilful, *adj.* בִּלְתִּי מְנֻסֶּה
unsociable, *adj.* בִּלְתִּי חֶבְרָתִי
unsolder, *v.t.* הֵמֵס [מסס] הַלְחָמָה, הִפְרִיד [פרד]

unsophisticated, *adj.* פָּשׁוּט, טִבְעִי
unsound, *adj.* שֶׁאֵינוֹ (מְבֻסָּס) מְיֻסָּד; לֹא בָּרִיא; בִּלְתִּי שָׁפוּי (בְּדַעְתּוֹ)
unsparing, *adj.* פַּזְרָנִי, בַּעַל יָד רְחָבָה; שֶׁאֵינוֹ מְרַחֵם
unspeakable, *adj.* שֶׁאֵין לְהַבִּיעַ, שֶׁאֵין לְבַטֵּא, נִמְנָע הַדִּבּוּר
unstable, *adj.* בִּלְתִּי קָבוּעַ, מִשְׁתַּנֶּה, חֲסַר יַצִּיבוּת
unsteady, *adj.* בִּלְתִּי קָבוּעַ, לֹא בָּטוּחַ
unstrung, *adj.* חֲסַר מֵיתָר, רְפֵה מֵיתָר, מְרֻפֵּה עֲצַבִּים
unsubstantial, *adj.* בִּלְתִּי מַמָּשִׁי, דִּמְיוֹנִי
unsuccessful, *adj.* לֹא מַצְלִיחַ, לֹא בַּר מַזָּל
unsuitable, *adj.* לֹא מַתְאִים, לֹא הוֹלֵם
unsurpassed, *adj.* יָחִיד בְּמִינוֹ
unsuspected, *adj.* לֹא חָשׁוּד
unsuspicious, *adj.* אִי חַשְׁדָנִי
unswerving, *adj.* חֲסַר (סְטִיָּה) נְטִיָּה
untangle, *v.t.* שִׁחְרֵר מִסְּבָךְ, פָּתַר
untarnished, *adj.* בִּלְתִּי (כָּהוּי) עָמוּם
untaught, *adj.* בִּלְתִּי מְלֻמָּד, בּוּר
unthinkable, *adj.* לֹא עוֹלֶה עַל הַדַּעַת
unthought-of, *adj.* לֹא בָּא בְּחֶשְׁבּוֹן
untidy, *adj.* אִי נָקִי, רַשְׁלָנִי
untie, *v.t.* הִתִּיר [נתר], פִּתַּח
until, *prep.* & *conj.* עַד, עַד אֲשֶׁר
untimely, *adj.* מֻקְדָּם, לֹא בִּזְמַנּוֹ
untiring, *adj.* בִּלְתִּי מְיַגֵּעַ, לֹא מִתְיַגֵּעַ
unto, *prep.* אֶל, לְ־, עַד
untold, *adj.* לֹא (מְסֻפָּר) מְפֹרָשׁ
untouched, *adj.* לֹא נִגַּע, לֹא מְשֻׁמָּשׁ
untoward, *adj.* סוֹרֵר, שׁוֹבָב
untrained, *adj.* לֹא מְדֻרָךְ, בִּלְתִּי (מְחֻנָּךְ) מְאֻלָּף
untried, *adj.* בִּלְתִּי מְנֻסֶּה
untroubled, *adj.* לֹא מֻרְגָּז, לֹא מֻטְרָד
untrue, *adj.* לֹא אֲמִתִּי
untruth, *n.* שֶׁקֶר, כָּזָב
untutored, *adj.* בִּלְתִּי מְחֻנָּךְ, בּוּר
unused, *adj.* לֹא מְשֻׁמָּשׁ
unusual, *adj.* אִי רָגִיל, לֹא מָצוּי
unutterable, *adj.* שֶׁאֵין (לְבַטֵּא) לְהַבִּיעַ
unvarnished, *adj.* בִּלְתִּי מְלֻכָּה
unvarying, *adj.* תָּדִיר, בִּלְתִּי מִשְׁתַּנֶּה
unveil, *v.t.* & *i.* הֵסִיר [סור] צָעִיף; גִּלָּה, הִתְגַּלָּה [גלה]
unwanted, *adj.* לֹא רָצוּי
unwarrantable, *adj.* בִּלְתִּי מְצֻדָּק
unwashed, *adj.* לֹא רָחוּץ
unwelcome, *adj.* לֹא מְקֻבָּל, לֹא רָצוּי
unwell, *adj.* לֹא בָּרִיא, חוֹלָנִי
unwholesome, *adj.* בִּלְתִּי (בָּרִיא) מוּסָרִי.
unwieldy, *adj.* כָּבֵד וְגָדוֹל, גַּס
unwilling, *adj.* מְסָרֵב, מְמָאֵן
unwillingly, *adv.* שֶׁלֹּא בְּרָצוֹן
unwind, *v.t.* הִתִּיר [נתר], פִּתַּח
unwise, *adj.* לֹא חָכָם, לֹא מְחֻכָּם
unwitting, *adj.* חֲסַר יְדִיעָה, מַסִּיחַ דַּעְתּוֹ
unworkable, *adj.* אִי מַעֲשִׂי
unworthy, *adj.* שֶׁאֵינוֹ כְּדַאי, לֹא רָאוּי
unwrap, *v.t.* & *i.* הֵסִיר [סור] (מַעֲטֶה) עֲטִיפָה
unwritten, *adj.* שֶׁלֹּא נִכְתָּב, שֶׁבְּעַל פֶּה
unwritten law תּוֹרָה שֶׁבְּעַל פֶּה
unyielding, *adj.* עִקֵּשׁ, קָשֶׁה, שֶׁלֹּא מְוַתֵּר
up, *adv.* & *prop.* עַל, לְמַעְלָה
upbraid, *v.t.* נָעַר בְּ־, גִּנָּה, הוֹכִיחַ [יכח]
upbringing, *n.* גִּדּוּל, חִנּוּךְ
upgrade, *n.* מַעֲלֶה, שִׁפּוּעַ, מִדְרוֹן
upgrade, *v.t.* עִלָּה דַּרְגָּה
upgrowth, *n.* הִתְקַדְּמוּת, הִתְפַּתְּחוּת

upheaval, *n.* מַהְפֵּכָה

uphill, *n.* מַעֲלֶה, מַעֲלֵה הַגִּבְעָה

uphold, *v.t.* חִזֵּק, תָּמַךְ, אִשֵּׁר

upholster, *v.t.* רִפֵּד

upholsterer, *n.* רַפָּד

upholstery, *n.* רַפָּדוּת, רִפּוּד

upkeep, *n.* כַּלְכָּלָה, פַּרְנָסָה

upland, *n.* רָמָה

uplift, *v.t.* הֵרִים [רום], נָשָׂא

upon, *prep.* עַל, אַחֲרֵי, בְּ־

upper, *adj.* עֶלְיוֹן, עִלִּי

uppermost, *adj.* הָעֶלְיוֹן

upraise, *v.t.* הֵקִים [קום], הֵרִים [רום]

upright, *adj.* זָקוּף, נִצָּב; כֵּן, יָשָׁר

uprightness, *n.* כֵּנוּת, יֹשֶׁר

uprise, *v.i.* הִתְעוֹרֵר [עור], עָלָה, גָּאָה

uprising, *n.* הִתְקוֹמְמוּת

uproar, *n.* שָׁאוֹן, הָמוֹן, מְהוּמָה

uproot, *v.t.* עָקַר, נָתַשׁ, שֵׁרֵשׁ, יָעָה

upset, *v.t.* בִּלְבֵּל, הָפַךְ, הָמַם

upshot, *n.* תּוֹצָאָה, מַסְקָנָה

upside, *n.* צַד עִלִּי

upside down רֹאשׁוֹ לְמַטָּה, הֲפֵכָה

upstairs, *adv.* לְמַעְלָה, בַּקּוֹמָה הָעֶלְיוֹנָה

upstart, *n.* הֶדְיוֹט שֶׁעָלָה לִגְדֻלָּה

up-to-date, *adj.* מְעֻדְכָּן, עַדְכָּנִי

uptown, *adv.* בְּמַעֲלֵה הָעִיר

upturn, *v.t.* הָפַךְ, פִּתַּח (הָאֲדָמָה)

upward, upwards, *adv.* מַעְלָה, לְמַעְלָה

uranium, *n.* אוּרָן

urban, *adj.* עִירוֹנִי, קַרְתָּנִי

urbane, *adj.* עָדִין, אָדִיב

urchin, *n.* שׁוֹבָב, זַאֲטוּט, פִּרְחָח

urea, *n.* אֶבֶן הַשֶּׁתֶן, חֹמֶר הַשֶּׁתֶן

uremia, uraemia, *n.* שַׁתֶּנֶת

ureter, *n.* שָׁפְכָן, צִנּוֹר הַשֶּׁתֶן

urge, *v.t. & i.* הִפְצִיר [פצר], הֵאִיץ [אוץ], עוֹרֵר, אִלֵּץ

urgency, *n.* תְּכִיפוּת

urgent, *adj.* דּוֹחֵק, מֵאִיץ, תָּכוּף

urinal, *n.* מִשְׁתָּנָה, עָבִיט

urinate, *v.i.* הִשְׁתִּין [שתן], הֵסִיךְ [סוך] אֶת רַגְלָיו

urine, *n.* שֶׁתֶן, מֵי רַגְלַיִם

urn, *n.* כְּלִי (לְאֵפֶר הַמֵּת); קַלְפֵּי (לְגוֹרָלוֹת); (כְּלִי) חֶרֶס; קֶבֶר

Ursa Major עַיִשׁ, הַדֹּב הַגָּדוֹל

Ursa Minor בֶּן עַיִשׁ, הַדֹּב הַקָּטָן

urticaria, *n.* חָרֶלֶת, סִרְפֶּדֶת

us, *pron.* אוֹתָנוּ; לָנוּ

usable, *adj.* שִׁמּוּשִׁי

usage, *n.* הִשְׁתַּמְּשׁוּת, שִׁמּוּשׁ, מִנְהָג, הֶרְגֵּל

use, *n.* שִׁמּוּשׁ, הִשְׁתַּמְּשׁוּת, תּוֹעֶלֶת, צֹרֶךְ

use, *v.t. & i.* הִשְׁתַּמֵּשׁ [שמש], הָיָה רָגִיל

useful, *adj.* מוֹעִיל, רַב תּוֹעֶלֶת

usefulness, *n.* תּוֹעֶלֶת

useless, *adj.* חֲסַר תּוֹעֶלֶת, שֶׁל שָׁוְא

usher, *n.* סַדְרָן; שׁוֹשְׁבִין

usher, *v.t.* הִכְנִיס [כנס], סִדֵּר

usual, *adj.* רָגִיל, שָׁכִיחַ

usually, *adv.* עַל פִּי רֹב

usurer, *n.* מַלְוֶה בְּרִבִּית

usurious, *adj.* נוֹשֵׁךְ, מַלְוֶה בְּרִבִּית

usurp, *v.t.* תָּפַס (שֶׁלֹּא כְּדִין), גָּזַל

usurpation, *n.* גְּזֵלָה, תְּפִיסָה (תְּבִיעָה) שֶׁלֹּא כְּדִין

usurper, *n.* חוֹטֵף, תּוֹפֵס (שֶׁלֹּא כְּדִין), גַּזְלָן

usury, *n.* נֶשֶׁךְ, רִבִּית, מַרְבִּית, תַּרְבִּית

utensil, *n.* כְּלִי תַּשְׁמִישׁ, כְּלִי

uterus, *n.* רֶחֶם, בֵּית הֵרָיוֹן

utilitarian, *adj. & n.* תּוֹעַלְתִּי; תּוֹעַלְתָּן

utilitarianism, *n.* תּוֹעַלְתָּנוּת

utility, *n.* תּוֹעֶלֶת
utilize, *v.t.* הִשְׁתַּמֵּשׁ [שמש] בְּ־ לְתוֹעַלְתּוֹ, הֵפִיק [פוק] תּוֹעֶלֶת
utmost, *adj.* & *n.* קִיצוֹנִי, כָּל מַה שֶּׁאֶפְשָׁר, גָּדוֹל, רָחוֹק בְּיוֹתֵר
utopia, *n.* חֲלוֹם שָׁוְא
utricle, *n.* שַׁלְפּוּחִית
utter, *adj.* מֻחְלָט, כָּלִיל, גָּמוּר
utter, *v.t.* דִּבֵּר, מִלֵּל, בִּטֵּא, הוֹצִיא [יצא] קוֹל
utterance, *n.* נִיב, בִּטּוּי, הַבָּעָה, דִּבּוּר
utterly, *adv.* לַחֲלוּטִין, כָּלִיל, לְגַמְרֵי
uttermost, *adj.* קִיצוֹנִי
uvula, *n.* לְהָאָה

V, v

V, v, *n.* וִי, הָאוֹת הָעֶשְׂרִים וּשְׁתַּיִם בָּאָלֶף בֵּית הָאַנְגְּלִי
vacancy, *n.* מָקוֹם (רֵיק) פָּנוּי; רֵיקוּת
vacant, *adj.* רֵיק, פָּנוּי
vacate, *v.t.* פִּנָּה מָקוֹם
vacation, *n.* חֹפֶשׁ, חֻפְשָׁה
vacationist, vacationer, *n.* קַיְטָן
vaccinate, *v.t.* חִסֵּן, הִרְכִּיב [רכב] אֲבַעְבֻּעוֹת
vaccination, *n.* הַרְכָּבַת אֲבַעְבּוּעוֹת
vaccine, *n.* תַּרְכִּיב, זֶרֶק
vacillate, *v.i.* הִסֵּס, פִּקְפֵּק
vacillation, *n.* הִסּוּס, פִּקְפּוּק, הִתְנוֹעֲעוּת
vacuum, *n.* רִיק, רֵיקוּת, רֵיקָנוּת, חָלָל
vacuum bottle תֶּרְמוֹס, שְׁמַרְחֹם
vacuum cleaner שַׁאֲבָק
vagabond, *n.* נוֹדֵד, נָע וָנָד
vagary, *n.* שִׁגָּעוֹן, הֲפַכְפְּכָנוּת; הֲזָיָה
vagina, *n.* קֵבָה, בֵּית הָרֶחֶם, פֹּת
vagrancy, *n.* נְדִידָה, נְדוּדִים
vagrant, *adj.* & *n.* נוֹדֵד, נָע וָנָד
vague, *adj.* סָתוּם, כֵּהֶה, לֹא בָּרוּר, מְסֻפָּק
vaguely, *adv.* בְּעֵרֶךְ, לֹא בִּבְרוּרוֹת
vain, *adj.* יָהִיר, גֵּא, שַׁחֲצָנִי; אַפְסִי
vainglory, *n.* גַּאֲוָה, יְהִירוּת, רַהַב, הִתְרַבְרְבוּת
vainly, *adv.* שָׁוְא, לַשָּׁוְא, חִנָּם
vale, *v.* valley
valediction, *n.* (בִּרְכַּת, נְאוּם) פְּרִידָה
valentine, *n.* אוֹהֵב, אֲהוּבָה; אִגֶּרֶת אַהֲבָה
valerian, *n.* נֵרְדְּ (צֶמַח); סַם מַרְגִּיעַ
valet, *n.* מְשָׁרֵת, שַׁמָּשׁ
valetudinary, *adj.* & *n.* חוֹלָנִי, חַלָּשׁ
valiant, *adj.* גִּבּוֹר, אַמִּיץ לֵב
valid, *adj.* שָׁרִיר, קַיָּם, תַּקִּיף
validate, *v.t.* אִשֵּׁר, קִיֵּם
validation, *n.* אִשּׁוּר, קִיּוּם
validity, *n.* תֹּקֶף
valise, *n.* מִזְוָדָה, חֲפִיסָה
valley, vale, *n.* עֵמֶק, בִּקְעָה, גַּיְא
valor, valour, *n.* גְּבוּרָה, חַיִל, אֹמֶץ
valorous, *adj.* אַמִּיץ לֵב, אִישׁ חַיִל
valuable, *adj.* יְקַר עֵרֶךְ, יָקָר
valuation, *n.* הַעֲרָכָה, שׁוּמָה, הַאֲמָדָה, אֹמֶד, אֻמְדָּנָה
value, *n.* מְחִיר, עֵרֶךְ, שֹׁוִי
value, *v.t.* אָמַד, הֶעֱרִיךְ (ערך), שָׂם [שום]
valued, *adj.* רַב עֵרֶךְ, יָקָר
valueless, *adj.* חֲסַר עֵרֶךְ
valve, *n.* שַׁסְתּוֹם; סְגוֹר (הַלֵּב)
valvular, *adj.* שֶׁל שַׁסְתּוֹם, שֶׁל סְגוֹר (הַלֵּב)

vampire, *n.* עַרְפָּד, מוֹצֵץ דָּם

van, *n.* חָלוּץ

van, *n.* מַשָּׂאִית קַלָּה, מְכוֹנִית מִשְׁלוֹחַ

vandal, *n.* מְחַבֵּל אָמָּנוּת, מַשְׁחִית יֹפִי

vandalism, *n.* חִבּוּל (יֹפִי) אָמָּנוּת

vane, *n.* שַׁבְשֶׁבֶת, שַׁפְשֶׁפֶת

vanguard, *n.* מִשְׁמַר הָרֹאשׁ, חָלוּץ (בְּצָבָא)

vanilla, *n.* שֶׁנֶף, וָנִיל

vanish, *v.i.* חָלַף, גָּז [גוז], נֶעְלַם [עלם], אָבַד

vanity, *n.* הֶבֶל, רִיק, רֵיקָנוּת, שָׁוְא; גַּנְדְּרָנוּת, הִתְפָּאֲרוּת

vanquish, *v.t.* כָּבַשׁ, נִצַּח

vantage, *n.* יִתְרוֹן

vapid, *adj.* תָּפֵל, פָּג, חֲסַר טַעַם

vapor, vapour, *n.* אֵד, קִיטוֹר, הֶבֶל

vaporization, vapourization, *n.* אִיּוּד, הִתְנַדְּפוּת, הִתְאַדּוּת; רִסּוּס

vaporize, vapourize, *v.t.* & *i.* אִיֵּד, הִתְאַיֵּד [איד], הִתְנַדֵּף [נדף]; רִסֵּס

vaporizer, vapourizer, *n.* מְאַיֵּד, מַרְסֵס, מַזְלֵף

vaporous, *adj.* אֵדִי, מְאַיֵּד

variability, *n.* הִשְׁתַּנּוּת, שְׁנִי

variable, *adj.* & *n.* מִשְׁתַּנֶּה, הֲפַכְפַּךְ; שְׁנִי, שַׁנְיָן

variance, *n.* שִׁנּוּי, הִשְׁתַּנּוּת; אִי הַסְכָּמָה, חִלּוּק דֵּעוֹת

variant, *adj.* & *n.* שׁוֹנֶה; נֹסַח אַחֵר

variate, *v.t.* שִׁנָּה

variation, *n.* שִׁנּוּי, הִשְׁתַּנּוּת

varicose, *adj.* צָבֶה, תָּפוּחַ, נָפוּחַ

varied, *adj.* מְגֻוָּן, רַבְגּוֹנִי, רַבְמִינִי

variegate, *v.t.* נִמֵּר, פִּתֵּךְ, גִּוֵּן

variegated, *adj.* רַבְצִבְעִי, צִבְעוֹנִי

variegation, *n.* רַבְגּוֹנִיּוּת, נִמּוּר

variety, *n.* גִּוּוּן; מִין, סוּג; בִּדּוּר

various, *adj.* שׁוֹנֶה, רַבְגּוֹנִי, מְגֻוָּן, רַבְצְדָדִי

varnish, *n.* לַכָּה

varnish, *v.t.* לִכָּה, צִחְצַח, מֵרַט

vary, *v.t.* & *i.* שִׁנָּה, הִשְׁתַּנָּה [שנה], הִתְחַלֵּף [חלף], נָטָה (לְצַד אֶחָד)

vase, *n.* צִנְצֶנֶת, אֲגַרְטֵל

vassal, *n.* עֶבֶד

vast, *adj.* גָּדוֹל, רָחָב, עָצוּם

vastness, *n.* מֶרְחָב, עֹצֶם, גֹּדֶל

vat, *n.* גִּגִּית, מַעֲטָן, חָבִית

vaudeville, *n.* תִּסְקֹרֶת

vault, *n.* כִּפָּה; כּוּךְ, מְעָרָה; קְפִיצַת פִּשּׂוּק

vault, *v.t.* & *i.* קָמַר; קָפַץ (בְּמוֹט)

vaunt, *v.t.* & *i.* הִתְפָּאֵר [פאר], הִתְרַבְרֵב [רברב]

veal, *n.* בְּשַׂר עֵגֶל

veer, *v.t.* & *i.* הֵסֵב [סבב], שִׁנָּה אֶת כִּוּוּנוֹ, הִפְנָה [פנה]

vegetable, *adj.* צִמְחִי

vegetable, *n.* יָרָק, יְרָקוֹת

vegetarian, *adj.* & *n.* צִמְחוֹנִי

vegetate, *v.t.* צָמַח; חַי [חיה] חַיֵּי עַצְלוּת וּבַטָּלָה

vegetation, *n.* צְמִיחָה; דֶּשֶׁא, יֶרֶק; הֲוָיָה רֵיקָה וּמְשַׁעֲמֶמֶת

vegetative, *adj.* צוֹמֵחַ

vehemence, *n.* עֹז, הִתְלַהֲבוּת; אַלִּימוּת

vehement, *adj.* עַז, נִמְרָץ, נִלְהָב; תַּקִּיף, אַלִּים

vehicle, *n.* כְּלִי רֶכֶב

veil, *n.* צָעִיף, הִנּוּמָה, רְעָלָה, מַסְוֶה

veil, *v.t.* הִסְתִּיר [סתר], כִּסָּה בְּצָעִיף, הִצְעִיף [צעף]

vein, *n.* עוֹרֵק (צֶמַח); וָרִיד; קַו, שִׂרְטוּט (בְּשַׁיִשׁ, בְּעֵץ); שִׁכְבַת מַחְצָב; תְּכוּנָה, צִבְיוֹן

velocity, *n.* מְהִירוּת
velvet, *n.* קְטִיפָה
venal, *adj.* מִתְמַכֵּר, מְקַבֵּל שֹׁחַד, נִמְכָּר בְּכֶסֶף
venality, *n.* תַּאֲוַת בֶּצַע, קַבָּלַת שֹׁחַד
vend, *v.t.* & *i.* מָכַר
vendee, *n.* קוֹנֶה
vendue, *n.* מְכִירָה פֻּמְבִּית
vendetta, *n.* נְקָמָה, גְּאֻלַּת הַדָּם
vendor, vender, *n.* מוֹכֵר, רוֹכֵל, תַּגָּר
veneer, *n.* לָבִיד, צִפּוּי; יִפְעָה חִיצוֹנִית
venerable, *adj.* נִכְבָּד, נְשׂוּא פָּנִים
venerate, *v.t.* כִּבֵּד
veneration, *n.* כִּבּוּד, יִרְאַת הָרוֹמְמוּת
venereal, *adj.* מִינִי, שֶׁל אַהֲבָה מִינִית; מְנֻגָּע בְּמַחֲלַת מִין
venereal disease מַחֲלַת מִין מִדַּבֶּקֶת (עַגֶּבֶת, זִיבָה)
venery, *n.* מִשְׁגָּל, בְּעִילָה, בִּיאָה, תַּשְׁמִישׁ (הַמִּטָּה)
Venetian blind תְּרִיס (מִתְקַפֵּל) גְּלִילָה, תְּרִיס רְפָפוֹת
vengeance, *n.* נָקָם
vengeful, *adj.* מִתְנַקֵּם
venison, *n.* בְּשַׂר צְבִי
venom, *n.* אֶרֶס, חֵמָה
venomous, *adj.* אַרְסִי; מַמְאִיר
venous, *adj.* וְרִידִי
vent, *n.* מוֹצָא, פֶּתַח; הַבָּעָה; פִּי הַטַּבַּעַת
vent, *v.t.* הוֹצִיא [יצא], עָשָׂה פֶּתַח, עָשָׂה חוֹר בְּ־, שָׁפַךְ (חֵמָה)
ventilate, *v.t.* אִוְרֵר
ventilation, *n.* אִוְרוּר
ventilator, *n.* מְאַוְרֵר
ventral, *adj.* בִּטְנִי
ventricle, *n.* קֵבִית (הַמֹּחַ) הַלֵּב
ventriloquism, ventriloquy, *n.* דִּבּוּר בֶּטֶן, אוֹב, פִּתּוּמוּת
ventriloquist, *n.* דַּבְּרָן מִבֶּטֶן, בַּעַל אוֹב, פִּתּוֹם
venture, *n.* הַעְפָּלָה, הֶעָזָה, נִסָּיוֹן
venture, *v.t.* & *i.* הֵהִין [הין], הֵעֵז [עזז], הִסְתַּכֵּן [סכן], נִסָּה
venturesome, *adj.* מֵהִין, מַעְפִּיל
venue, *n.* מְקוֹם (הַפֶּשַׁע) הַמִּשְׁפָּט, מוֹצָא הַמִּשְׁבָּעִים
Venus, *n.* נֹגַהּ, אַיֶּלֶת הַשַּׁחַר
veracious, *adj.* דּוֹבֵר אֱמֶת, נֶאֱמָן
veracity, *n.* כֵּנוּת, אֱמֶת
veranda, verandah, *n.* מִרְפֶּסֶת
verb, *n.* פֹּעַל
verbal, *adj.* מִלּוּלִי, פָּעֳלִי, שֶׁבְּעַל פֶּה
verbally, *adv.* מִלָּה בְּמִלָּה, בְּעַל פֶּה
verbatim, *adv.* בְּדִיּוּק, מִלָּה בְּמִלָּה
verbena, vervain, *n.* פֶּרַח הָעֶלֶה
verbose, *adj.* מְגַבֵּב (מַרְבֶּה) דְּבָרִים
verdant, *adj.* יָרֹק, מְכֻסֶּה יֶרֶק
verdict, *n.* גְּזַר דִּין, פְּסַק דִּין
verdure, *n.* יֶרֶק, דֶּשֶׁא; רַעֲנַנּוּת
verge, *n.* שַׁרְבִיט, מַקֵּל, שֵׁבֶט, גְּבוּל, סְפָר; חוּג, מַעְגָּל
verge, *v.i.* הָיָה סָמוּךְ, הִתְקָרֵב [קרב]
verification, *n.* אִמּוּת, הוֹכָחָה, הִתְאַמְּתוּת
verified, *adj.* מְאֻמָּת
verify, *v.t.* אִמֵּת
verily, *adv.* בֶּאֱמֶת, אָמְנָם
veritable, *adj.* אֲמִתִּי, מַמָּשִׁי
verity, *n.* אֱמֶת, אֲמִתִּיּוּת, כֵּנוּת
vermicide, *n.* מְכַלֵּה תּוֹלָעִים
vermifuge, *n.* מְגָרֵשׁ הַתּוֹלָע
vermillion, *n.* שָׁשַׁר
vermouth, *n.* (יַיִן) לַעֲנָה
vermin, *n. sing.* & *pl.* שֶׁרֶץ, שְׁרָצִים
vernacular, *adj.* מְקוֹמִי; נִיבִי, הֲמוֹנִי, שֶׁל מוֹלֶדֶת

vernacular, *n.* שָׂפָה הֲמוֹנִית, שְׂפַת אֵם, נִיב, בַּת לָשׁוֹן
vernal, *adj.* אֲבִיבִי
versatile, *adj.* רַבְצְדָדִי
versatility, *n.* רַבְצְדָדִיּוּת
verse, *n.* חָרוּז, שִׁיר, פִּיּוּט, פָּסוּק
versed, *adj.* בָּקִי, מֻבְהָק, מֻמְחֶה
versification, *n.* חַרְזָנוּת, חֲרִיזָה
versifier, *n.* חַרְזָן
versify, *v.t.* & *i.* חָרַז, הָפַךְ לְשִׁירָה
version, *n.* נֻסְחָה, גִּרְסָה
versus, *prep.* כְּנֶגֶד, לְעֻמַּת
vertebra, *n.* חֻלְיָה (שֶׁל הַשִּׁדְרָה)
vertebral, *adj.* חֻלְיָנִי
vertebrate, *adj.* שֶׁל בַּעֲלֵי חֻלְיוֹת
vertebrate, *n.* בַּעַל חֻלְיָה
vertical, *adj.* זָקוּף, נִצָּב, מְאֻנָּךְ, קָדְקֳדִי
vertiginous, *adj.* סְחַרְחַר
vertigo, *n.* סְחַרְחֹרֶת
vervain, *v.* verbena
verve, *n.* הַשְׁרָאָה, כִּשְׁרוֹן; חִיּוּנִיּוּת הִתְלַהֲבוּת, מֶרֶץ
very, *adj.* גּוּפוֹ, עַצְמוֹ, מֻחְלָט
very, *adv.* מְאֹד
vesicle, *n.* שַׁלְפּוּחִית, שַׁלְחוּף, בּוּעָה
vesper, *adj.* & *n.* נֹגַהּ; כּוֹכָב; עֶרֶב; תְּפִלַּת עֶרֶב; שֶׁל עֶרֶב
vessel, *n.* כְּלִי; סְפִינָה; אֲוִירוֹן; וָרִיד, עוֹרֵק; כְּלִי חֶמְדָּה
vest, *n.* אֲפֻדָּה, חֲזִיָּה
vest, *v.t.* & *i.* נָתַן (יִפּוּי כֹּחַ) לְ־, הֶעֱטָה [עטה]
vestibule, *n.* פְּרוֹזְדוֹר, אוּלָם, מִסְדְּרוֹן
vestige, *n.* עָקֵב, זֵכֶר, סִימָן
vestment, *n.* מַד
vestry, *n.* מֶלְתָּחָה
vetch, *n.* בִּקְיָה, כַּרְשִׁינָה

veteran, *n.* וָתִיק, רַב נִסְיוֹנוֹת
veterinarian, *n.* רוֹפֵא בְּהֵמוֹת,
veterinary, *adj.* & *n.* שֶׁל רְפוּאַת בְּהֵמוֹת
veto, *n.* כֹּחַ הַהֲפָרָה, קוֹל הֶכְרֵעַ
vex, *v.t.* הִרְגִּיז [רגז], הִקְנִיט [קנט], הִכְעִיס [כעס]
vexation, *n.* הַרְגָּזָה, הִתְרַגְּזוּת, קִנְטוּר
via, *prep.* דֶּרֶךְ
viaduct, *n.* גֶּשֶׁר (רַכָּבוֹת) דְּרָכִים
vial, *n.* צְלוֹחִית
viands, *n. pl.* מְזוֹנוֹת, מַאֲכָלִים
viaticum, *n.* אֵשֶׁל, הוֹצָאוֹת הַדֶּרֶךְ, צֵידָה לַדֶּרֶךְ; לֶחֶם קֹדֶשׁ
vibrate, *v.t.* & *i.* הִרְעִיד [רעד], רָעַד, נִעְנַע, הִתְנַעֲנַע [נענע], רִטֵּט
vibrant. *adj.* רַעֲדוּדִי, רָעוּד
vibration, *n.* תְּנוּדָה, זַעְזוּעַ, רִטּוּט
vibrator, *n.* רַטָּט
vice, *n.* פְּרִיצוּת, שְׁחִיתוּת; חֶסְרוֹן, מִגְרַעַת, דֹּפִי
vice, *v.* vise
vice, *prep.* בִּמְקוֹם
vice, *n.* סֶגֶן, מִשְׁנֶה
vice president סְגַן הַנָּשִׂיא
viceroy, *n.* מִשְׁנֶה לַמֶּלֶךְ
vice versa לְהֶפֶךְ
vicinity, *n.* קִרְבָה, סְבִיבָה, שְׁכֵנוּת
vicious, *adj.* מֻשְׁחָת, רַע; מְזֹהָם
vicissitude, *n.* חֲלִיפָה, תְּמוּרָה
victim, *n.* קָרְבָּן
victor, *n.* בַּעַל נִצָּחוֹן, מְנַצֵּחַ, כּוֹבֵשׁ
victorious, *adj.* נַצְּחָנִי, מְנַצֵּחַ
victory, *n.* נִצָּחוֹן, יֵשַׁע
victual, *v.t.* & *i.* סִפֵּק מָזוֹן, הִצְטַיֵּד [ציד]
victuals, *n. pl.* אֹכֶל, מָזוֹן
vide, *imp.* עַיֵּן, רְאֵה

vie, *v.i.* שָׁאַף לְעֶלְיוֹנוּת
view, *n.* דֵּעָה, הַשְׁקָפָה, רְאוּת
view, *v.t.* רָאָה, הִשְׁקִיף [שקף], בָּדַק, הִסְתַּכֵּל [סכל]
viewpoint, *n.* הַשְׁקָפָה, נְקֻדַּת רְאוּת
vigil, *n.* עֵרוּת; מִשְׁמָר, לֵיל שִׁמּוּרִים; תְּפִלַּת לַיְלָה; אַשְׁמוּרָה
vigilance, *n.* עֵרָנוּת, זְהִירוּת
vigilant, *adj.* עֵר, זָהִיר
vigor, vigour, *n.* אוֹן, עֱזוּז, עָצְמָה, מֶרֶץ
vigorous, *adj.* חָזָק, עַז, רַב כֹּחַ, אַמִּיץ
vile, *adj.* שָׁפָל, נִתְעָב, נָבָל
vilify, *v.t.* חֵרֵף, נִבֵּל (פִּיו)
villa, *n.* חֲוִילָה, וִילָה
village, *n.* כְּפָר, טִירָה
villager, *n.* בֶּן כְּפָר, כַּפְרִי
villain, *n.* עַוָּל, בְּלִיַּעַל
villainous, *adj.* בְּלִיַּעַל, מְעַוֵּל
villainy, *n.* נְבָלָה, שַׁעֲרוּרִיָּה, נְוָלוּת
villous, *adj.* שָׂעִיר, צַמְרִי
vim, *n.* עֹז, כֹּחַ
vindicate, *v.t.* הִצְדִּיק [צדק]
vindication, *n.* הַצְדָּקָה
vindictive, *adj.* מִתְנַקֵּם
vine, *n.* גֶּפֶן
vinegar, *n.* חֹמֶץ
vineyard, *n.* כֶּרֶם
vinous, *adj.* יֵינִי, שֶׁל יַיִן
vintage, *n.* בָּצִיר
vintner, *n.* יַיָּן, בּוֹצֵר
viola, *n.* בַּטְנוּן, וִיאוֹלָה
violate, *v.t.* עָבַר עַל, הֵפֵר [פרר], חִלֵּל; אָנַס; הִפְרִיעַ [פרע], הִפְסִיק [פסק]
violation, *n.* חִלּוּל; אֹנֶס; עֲבֵרָה; הֲפָרָה; הַפְסָקָה, הַפְרָעָה
violator, *n.* מְחַלֵּל; אַנָּס; עֲבַרְיָן

violence, *n.* אַלִּימוּת, תּוֹקְפָנוּת; הִתְחַלְּלוּת
violent, *adj.* אַלִּים, זוֹעֵם, תַּקִּיף
violet, *adj.* & *n.* סָגֹל; סִגְלִיָּה, סֶגֶלִית
violin, *n.* כִּנּוֹר
violinist, *n.* כַּנָּר
violoncello, *n.* בַּטְנוּנִית, וִיאוֹלוֹנְצֶ'לוֹ
viper, *n.* אֶפְעֶה
virago, *n.* אֵשֶׁת מְדָנִים, אֲרוּרָה
virgin, *n.* בְּתוּלָה
virginity, *n.* בְּתוּלִים
virile, *adj.* גַּבְרִי; אַמִּיץ, עַז
virility, *n.* גַּבְרוּת; אֹמֶץ, אוֹן; גְּבוּרָה
virtually, *adv.* בְּעֶצֶם
virtue, *n.* מִדָּה, סְגוּלָה, מַעֲלָה
virtuoso, *n.* אָמָּן רִאשׁוֹן בְּמַעֲלָה; חוֹבֵב (אוֹסֵף) דִּבְרֵי אָמָּנוּת
virtuous, *adj.* מוּסָרִי, צַדִּיק
virulent, *adj.* אַרְסִי; מֵמִית; מִדַּבֵּק
virus, *n.* נְגִיף; אֶרֶס, רוֹשׁ
visa, *n.* אַשְׁרָה, וִיזָה
visage, *n.* פָּנִים, פַּרְצוּף
vis-a-vis, *adv.* מוּל, פָּנִים אֶל פָּנִים
viscera, *n. pl.* קְרָבַיִם
viscidity, *n.* צְמִיגוּת, דְּבִיקוּת
viscosity, *n.* צְמִיגוּת
viscous, *adj.* דָּבִיק, צָמֹג
vise, vice, *n.* מַכְבֵּשׁ, מַלְחֶצֶת, מֶלְחָצַיִם
visibility, *n.* רְאִיּוּת
visible, *adj.* נִרְאֶה; גָּלוּי
vision, *n.* חָזוֹן, חִזָּיוֹן; רְאוּת, רְאִיָּה, חוּשׁ הָרְאִיָּה
visionary, *adj.* & *n.* חוֹזֶה, חוֹלֵם; דִּמְיוֹנִי
visit, *n.* בִּקּוּר
visit, *v.t.* & *i.* הִתְאָרַח [ארח] בְּבֵית מִשֶּׁהוּ, בִּקֵּר, פָּקַד

visitant, *adj.* & *n.* מְבַקֵּר

visitation, *n.* פְּקִידָה; עֹנֶשׁ; בִּקּוּר

visitor, *n.* אוֹרֵחַ, מְבַקֵּר

visor, vizor, *n.* מִצְחָה, סַךְ (שֶׁמֶשׁ)

vista, *n.* מַרְאֶה, מַרְאֶה רָחוֹק

visual, *adj.* חֲזוּתִי, שֶׁל רְאִיָּה, נִרְאֶה

visualize, *v.t.* & *i.* דִּמָּה בְּנַפְשׁוֹ, רָאָה בְּעֵינֵי רוּחוֹ

vital, *adj.* חִיּוּנִי, הֶכְרֵחִי

vitality, *n.* חִיּוּנִיּוּת, חִיּוּת

vitalize, *v.t.* חִיָּה

vitamin, *n.* אַב־מָזוֹן, חִיּוּנָה, וִיטָמִין

vitiate, *v.t.* בִּטֵּל (חוֹזֶה); הִשְׁחִית [שחת], זִהֵם, טִנֵּף

vitreous, *adj.* זְכוּכִי, זְגוּגִי

vitriol, *n.* גָּפְרָה, חֻמְצָה גָּפְרִיתָנִית

vituperate, *v.t.* גִּנָּה, חֵרֵף

vituperation, *n.* גִּנּוּי, חֵרוּף, גִּדּוּף

vivacious, *adj.* עַלִּיז, מָלֵא חַיִּים

vivacity, *n.* עַלִּיזוּת, שִׁפְעַת חַיִּים

vivarium, *n.* בִּיבָר, גַּן חַיּוֹת

vivid, *adj.* חַי; בָּהִיר, פָּעִיל

vivify, *v.t.* חִיָּה, הֶחֱיָה [חיה]

vivisection, *n.* נִתּוּחַ בְּגוּף הַחַי

vixen, *n.* שׁוּעָלָה; נִרְגֶּנֶת

vizor, *v.* visor

vocable, *n.* מִלָּה, תֵּבָה

vocabulary, *n.* אוֹצַר מִלִּים, מִלּוֹן

vocal, *adj.* קוֹלִי, קוֹלָנִי

vocal, *n.* תְּנוּעָה, אוֹת קוֹלִית

vocalist, *n.* זַמָּר

vocalize, *v.t.* & *i.* בִּטֵּא בְּקוֹל; זִמֵּר

vocation, *n.* מְלָאכָה, מִשְׁלַח יָד

vociferate, *v.t.* & *i.* צָעַק בְּקוֹל

vociferation, *n.* צַעֲקָנוּת, קוֹלָנִיּוּת

vogue, *n.* אָפְנָה

voice, *n.* קוֹל; כֹּחַ הַדִּבּוּר, בִּטּוּי, הַבָּעָה; דֵּעָה; הַצְבָּעָה

voice, *v.t.* בִּטֵּא, הִבִּיעַ [נבע]

voiceless, *adj.* נְטוּל (חֲסַר) קוֹל, דּוֹמֵם

void, *adj.* רֵיק, נָבוּב; בָּטֵל

void, *n.* חָלָל, תֹּהוּ

void, *v.t.* הֵרִיק [ריק], בִּטֵּל

volatile, *adj.* מִתְאַדֶּה, עַלִּיז, קַל דַּעַת

volatilize, *v.t.* & *i.* אִיֵּד, הִתְאַיֵּד [איד]

volcanic, *adj.* מִתְגַּעֵשׁ

volcano, *n.* הַר גַּעַשׁ

volition, *n.* בְּחִירָה, רָצוֹן

volley, *n.* יְרִיָּה בִּצְרוֹרוֹת; שֶׁטֶף (מִלִּים, אָלוֹת)

volt, *n.* ווֹלְט, מִדָּה שֶׁל מֶתַח חַשְׁמַלִּי

voltage, *n.* מֶתַח חַשְׁמַלִּי

voluble, *adj.* פַּטְפְּטָנִי, דַּבְּרָנִי

volume, *n.* כֶּרֶךְ (סֵפֶר); נֶפַח; כַּמּוּת הַקּוֹל

voluminous, *adj.* רַב (סְפָרִים) כְּרָכִים; רָחָב, מְרֻבֶּה

voluntary, *adj.* שֶׁמֵּרָצוֹן (חָפְשִׁי), שֶׁל רְשׁוּת

volunteer, *n.* מִתְנַדֵּב

volunteer, *v.t.* & *i.* הִתְנַדֵּב [נדב]

voluptuary, *n.* תַּאַוְתָן

voluptuous, *adj.* תַּאַוְתָנִי

vomit, *n.* קִיא, הֲקָאָה

vomit, *v.t.* & *i.* קָא [קיא], הֵקִיא [קיא]

voracious, *adj.* זוֹלֵל, גַּרְגְּרָן, רַעַבְתָן

voracity, *n.* זוֹלְלוּת, גַּרְגְּרָנוּת

vortex, *n.* מְעַרְבֹּלֶת, שִׁבֹּלֶת

vote, *n.* בְּחִירָה, קוֹל, הַצְבָּעָה

vote, *v.t.* & *i.* בָּחַר, הִצְבִּיעַ [צבע]

voter, *n.* בּוֹחֵר, מַצְבִּיעַ

vouch, *v.t.* & *i.* עָרַב, הָיָה עֵד לְ־

voucher, *n.* מֵעִיד, עָרֵב; קַבָּלָה, חֶשְׁבּוֹן, שׁוֹבֵר

vouchsafe, *v.t.* הוֹאִיל [יאל] בְּחַסְדּוֹ, הִרְשָׁה [רשה], נָתַן לְ־

vow, *n.* נֶדֶר
vow, *v.t.* & *i.* נָדַר
vowel, *n.* נְקֻדָּה, תְּנוּעָה
voyage, *n.* נְסִיעָה, תִּיּוּר
voyage, *v.i.* & *t.* נָסַע
vulcanize, *v.t.* & *i.* גִּפֵּר
vulgar, *adj.* פָּשׁוּט, גַּס; הֲמוֹנִי
vulgarity, *n.* גַּסּוּת; הֲמוֹנִיּוּת
vulgarize, *v.t.* הֵגֵס [גסס], עָשָׂה גַּס
Vulgate. *n.* הַתִּרְגּוּם הָרוֹמִי (לָטִינִי) שֶׁל הַתַּנַ"ךְ, הִתְהַמְנוּת הַתַּנַ"ךְ
vulnerability, *n.* פְּגִיעוּת
vulnerable, *adj.* פָּגִיעַ
vulture, *n.* עַיִט

W, w

W, w, *n.* דּוֹבְּלְיוּ, הָאוֹת הָעֶשְׂרִים וְשָׁלֹשׁ בָּאָלֶף בֵּית הָאַנְגְּלִי
wabble, *v.* wobble
wad, *n.* סֶתֶם, פְּקָק, מְגוּפָה; (חֹמֶר)מִלּוּי
wad, *v.t.* סָתַם פָּקַק; מִלֵּא (בְּמִלּוּי)
waddle, *n.* הֲלִיכָה (בַּרְוָזִית)
waddle, *v.i.* הִתְנַעְנֵעַ [נענע] בַּהֲלִיכָה (כְּבַרְוָז)
wade, *v.t.* & *i.* חָצָה, עָבַר (נָהָר) בָּרֶגֶל; הָלַךְ בִּכְבֵדוּת (בְּבִצָּה וְכוּ')
wafer, *n.* צַפִּיחִית
waffle, *n.* רָקִיק
waft, *n.* נִפְנוּף, רִפְרוּף
waft, *v.t.* & *i.* צָף [צוף], שָׁט [שוט], נִפְנֵף, רִפְרֵף
wag, waggle, *n.* נִעְנוּעַ, כִּשְׁכּוּשׁ, נִדְנוּד
wag, waggle, *v.t.* & *i.* הֵנִיעַ [נוע], נִעְנַע, כִּשְׁכֵּשׁ (זָנָב), נִדְנֵד
wage, *n.* שָׂכָר, מַשְׂכֹּרֶת
wage, *v.t.* עָשָׂה (מִלְחָמָה)
wager, *v.t.* & *i.* הִתְעָרֵב [ערב]
wager, *n.* הִתְעָרְבוּת, הַמְרָאָה
waggery, *n.* לֵצָנוּת, הֲלָצָה, מְשׁוּבָה
waggish, *adj.* לֵיצָנִי, הֲלָצִי, הִתּוּלִי
wagon, waggon, *n.* עֲגָלָה; קְרוֹן רַכֶּבֶת; עֶגְלַת (מְכוֹנִית) מַשָּׂא
wagtail, *n.* נַחֲלִיאֵלִי
waif, *n.* (יֶלֶד) הֶפְקֵר, אֲסוּפִי
wail, *v.t.* & *i.* קוֹנֵן [קין], יִלֵּל, הִתְאַבֵּל [אבל]
wail, *n.* קִינָה, יְלָלָה
waist, *n.* מֹתֶן, מָתְנַיִם
waistcoat, *n.* מָתְנִיָּה, חֲזִיָּה
wait, *n.* הַמְתָּנָה, חִכּוּי
wait, *v.t.* & *i.* הִמְתִּין [מתן], חִכָּה; שֵׁרֵת; הִגִּישׁ [נגש] (מַאֲכָלִים)
waiter, *n.* מֶלְצָר, דַּיָּל
waiting, *n.* צִפִּיָּה, חִכּוּי
waitress, *n.* מֶלְצָרִית, דַּיֶּלֶת
waive, *v.t.* וִתֵּר עַל (זְכוּת)
waiver, *n.* וִתּוּר
wake, *n.* עָקֵב; שִׁמּוּרִים, מִשְׁמָר
wake, *v.t.* & *i.* הֵקִיץ [קוץ], הֵעִיר [עור], הִתְעוֹרֵר [עור]; עָמַד עַל הַמִּשְׁמָר
wakeful, *adj.* עֵר, נְדוּד שֵׁנָה
wakefulness, *n.* עֵרוּת
waken, *v.t.* & *i.* הִתְעוֹרֵר [עור]
wale, *n.* & *v.t.* רְצוּעָה; רָצַע
walk, *n.*, *v.i.* & *t.* הֲלִיכָה; דֶּרֶךְ; טִיּוּל; הָלַךְ, טִיֵּל, פָּסַע, צָעַד, הִתְהַלֵּךְ [הלך]
walking, *n.* הֲלִיכָה
walkingstick מַקֵּל (הֲלִיכָה), יָד (לְטִיּוּל)

walkout, *n.* שְׁבִיתָה

wall, *n.* כֹּתֶל, קִיר, חוֹמָה

wall, *v.t.* גָּדַר, הֵקִיף [קוף] חוֹמָה

wallet, *n.* אַרְנָק

wallflower, *n.* מַנְתּוּר צָהֹב

wallop, *n.* & *v.t.* מַכָּה; הִכָּה [נכה]

wallow, *v.i.* הִתְבּוֹסֵס [בוס], הִתְגּוֹלֵל [גלל]; הִתְגַּלְגֵּל [גלגל] בְּמוֹתָרוֹת

wallpaper, *n.* נְיַר קִיר

walnut, *n.* אֱגוֹז

walrus, *n.* סוּס הַיָּם

waltz, *n.* רִקּוּד הַסְּחַרְחֹרֶת, וַלְס

waltz, *v.t.* & *i.* יָצָא בְּמָחוֹל הַסְּחַרְחֹרֶת, הִסְתַּחְרֵר [סחרר]

wan, *adj.* חִוֵּר, חוֹלָנִי

wand, *n.* שֵׁבֶט, מַקֵּל, מַטֶּה

wander, *v.i.* נָדַד, תָּעָה

wanderer, *n.* נָע וָנָד, נוֹדֵד, תּוֹעֶה

Wandering Jew הַיְּהוּדִי הַנּוֹדֵד; (צֶמַח מִשְׂתָּרֵעַ)

wane, *v.i.* הִתְמַעֵט [מעט], הָלַךְ וּפָחֹת

wane, *n.* הִתְמַעֲטוּת (הַיָּרֵחַ), גְּמַר (הַקַּיִץ)

wangle, *v.t.* & *i.* הִתְחַכֵּם [חכם], הִתְחַמֵּק [חמק]

want, *n.* מַחְסוֹר, חֹסֶר, צֹרֶךְ, הֶכְרֵחַ

want, *v.t.* & *i.* חָפֵץ, רָצָה; חָסַר, הִצְטָרֵךְ [צרך]

wanting, *adj.* נֶעְדָּר, לָקוּי, חָסֵר

wanton, *adj.* מֻשְׁחָת, הוֹלֵל, תַּאַוְתָנִי

wantonness, *n.* הֶפְקֵרוּת, פְּרִיצוּת

war, *n.* מִלְחָמָה

war, *v.i.* נִלְחַם [לחם], לָחַם

warbler, *n.* זַמִּיר

ward, *n.* כֶּלֶא; חֶדֶר (בְּבֵית חוֹלִים) מִשְׁמָר, הַשְׁגָּחָה; חָנִיךְ

warden, warder, *n.* שׁוֹמֵר, מְפַקֵּחַ; כַּלַּאי

wares, *n. pl.* סְחוֹרָה

warehouse, *n.* & *v.t.* מַחְסָן; אִחְסֵן

warfare, *n.* (תַּכְסִיסֵי) מִלְחָמָה, קְרָב

warily, *adv.* בִּזְהִירוּת

wariness, *n.* זְהִירוּת

warlike, *adj.* מִלְחַמְתִּי, קְרָבִי

warlock, *n.* קוֹסֵם, מְכַשֵּׁף, בַּעַל אוֹב

warm, *adj.* חַם, חָמִים; לְבָבִי; מִתְלַהֵב

warm, *v.t.* & *i.* חִמֵּם, הִתְחַמֵּם [חמם]; עִנְיֵן, הִתְעַנְיֵן [ענין]

warmth, *n.* חֹם, לְבָבִיּוּת, חֲמִימוּת

warn, *v.t.* הִתְרָה [תרה], הִזְהִיר [זהר]

warning, *n.* אַזְהָרָה, הַזְהָרָה

warp, *n.* שְׁתִי; חֶבֶל גְּרָר (שֶׁל אֳנִיָּה); עִקּוּל

warp, *v.t.* & *i.* עִקֵּם, סִלֵּף, נָטָה הַצִּדָּה; גָּרַר (מָשַׁךְ) בְּחֶבֶל

warrant, *n.* עֲרֻבָּה, יִפּוּי כֹּחַ, אִשּׁוּר; פְּקֻדַּת מַאֲסָר

warrant, *v.t.* הִצְדִּיק [צדק], יִפָּה כֹּחַ, הִרְשָׁה [רשה]

warranty, *n.* יִפּוּי כֹּחַ; עֲרֵבוּת

warrior, *n.* אִישׁ מִלְחָמָה, חַיָּל, אִישׁ צָבָא

warship, *n.* אֳנִיַּת מִלְחָמָה

wart, *n.* יַבֶּלֶת

wary, *adj.* זָהִיר

was, *v.* be

wash, *n.* כִּבּוּס, כְּבִיסָה, כְּבָסִים; רְחִיצָה

wash, *v.t.* & *i.* רָחַץ; כִּבֵּס; חָפַף (רֹאשׁ); נָטַל (יָדַיִם); שָׁטַף, נִשְׁטַף [שטף]

washcloth, *n.* מַטְלִית

washer, *n.* כַּבָּס, כּוֹבֵס; דִּסְקִית

washing, *n.* כִּבּוּס, כְּבִיסָה

washing machine מְכוֹנַת כְּבִיסָה

washroom, *n.* חֲדַר רַחְצָה

wasp, *n.* צִרְעָה

waste, *adj.* חָרֵב, שׁוֹמֵם; פָּסוּל

waste, *n.* הֶפְסֵד, בִּזְבּוּז, פְּסֹלֶת, שִׁמָּמוֹן
waste, *v.t. & i.* הֵשֵׁם [שום], כִּלָּה, בִּזְבֵּז; רָזָה, נִשְׁחַף [שחף]
wasteful, *adj.* מַשְׁחִית, בַּזְבְּזָן
waste (paper) basket, *n.* סַל (לִפְסֹלֶת) נְיָרוֹת
watch, *n.* שָׁעוֹן; אַשְׁמוּרָה, אַשְׁמֹרֶת, מִשְׁמֶרֶת, שְׁמִירָה, הַשְׁגָּחָה, מִשְׁמָר
watch, *v.t. & i.* שָׁמַר, נָטַר, צָפָה, צִפָּה
watchdog, *n.* כֶּלֶב שְׁמִירָה
watchmaker, *n.* שָׁעָן
watchman, *n.* שׁוֹמֵר, נוֹצֵר
watchtower, *n.* מִצְפֶּה
watchword, *n.* סִיסְמָה
water, *n.* מַיִם; יָם; שֶׁתֶן
water, *v.t. & i.* הִשְׁקָה [שקה], הִרְוָה [רוה]; זָלַג (דְּמָעוֹת); שָׁתָה; רָר [ריר] (הַפֶּה)
water closet בֵּית (כִּסֵּא) כָּבוֹד
watercourse, *n.* זֶרֶם, תְּעָלָה
water cure רִפּוּי בְּמַיִם
waterfall, *n.* אֶשֶׁד
watermelon, *n.* אֲבַטִּיחַ
waterproof, *adj.* אָטִים, בִּלְתִּי חָדִיר לְמַיִם
waterside, *n.* חוֹף יָם, שְׂפַת נָהָר
waterway, *n.* תְּעָלָה
watt, *n.* וַט, יְחִידַת מִדָּה לְחַשְׁמַל
wave, *n.* גַּל, מִשְׁבָּר; תְּנוּפָה; תַּלְתַּל
wave, *v.t. & i.* הֵנִיף [נוף], נִפְנֵף; נָע [נוע] (גַּל), הִתְנַפְנֵף [נפנף]; תִּלְתֵּל
waver, *v.i.* פִּקְפֵּק, הִבְלִיחַ [בלח], הִתְמוֹטֵט [מוט]
wavy, *adj.* גַּלִּי
wax, *n.* דּוֹנַג, שַׁעֲוָה
wax, *v.t. & i.* דִּגֵּן; הִתְגַּדֵּל [גדל] (הַיָּרֵחַ), נַעֲשָׂה [עשה] יוֹתֵר מָלֵא, הָיָה
way, *n.* דֶּרֶךְ, אֹרַח; אֹפֶן; מְגַמָּה
wayfaring, *n.* נְסִיעָה
waylay, *v.t.* אָרַב לְ־
wayward, *adj.* מַמְרֶה, סוֹרֵר
we, *pron.* אֲנַחְנוּ, אָנוּ, נַחְנוּ
weak, *adj.* חַלָּשׁ, תָּשׁוּשׁ, רָפֶה, חָלוּשׁ
weaken, *v.t. & i.* הֶחֱלִישׁ [חלש], רִפָּה, תָּשַׁשׁ, חָלַשׁ
weakling, *n.* אֵין אוֹנִים, תְּשׁוּשׁ רוּחַ
weakness, *n.* חֻלְשָׁה, רִפְיוֹן, תְּשִׁישׁוּת, חַלָּשׁוּת
wealth, *n.* עֹשֶׁר, רְכוּשׁ, הוֹן, כְּבֻדָּה
wealthy, *n.* עָשִׁיר, אָמִיד
wean, *v.t.* גָּמַל (יֶלֶד מִינִיקָה); הִרְחִיק [רחק] מִן הַהֶרְגֵּל
weapon, *n.* נֶשֶׁק, זַיִן, כְּלֵי זַיִן
wear, *v.t. & i.* לָבַשׁ; נָשָׂא; בָּלָה, בִּלָּה
weariness, *n.* תְּלָאָה
wearisome, *adj.* מְעַיֵּף, מַלְאֶה
weary, *adj.* מְעַיֵּף, עָיֵף, מְיֻגָּע
weary, *v.t. & i.* יָגַע, עָיֵף, הִתְיַגַּע [יגע]; עִיֵּף, הִתְעַיֵּף [עיף]
weasel, *n.* חֻלְדָּה
weather, *n.* אֲוִיר, מֶזֶג אֲוִיר
weather, *v.t. & i.* עָמַד בִּפְנֵי, סָבַל
weathercock, *n.* שַׁבְשֶׁבֶת
weave, *v.t. & i.* אָרַג, סֵרַג
weaver, *n.* אוֹרֵג
weaving, *n.* אֲרִיגָה, מִקְלַעַת
web, *n.* אֶרֶג, אָרִיג; קוּרֵי עַכָּבִישׁ; רֶשֶׁת; קְרוּם הַשְּׂחִיָּה
wed, *v.t. & i.* נָשָׂא (אִשָּׁה); נִשְּׂאָה (לְאִישׁ)
wedding, *n.* חֲתֻנָּה, נִשּׂוּאִים, חֻפָּה
wedge, *n.* יָתֵד, טְרִיז
wedge, *v.t.* בָּקַע, נָעַץ
wedlock, *n.* כְּלוּלוֹת, נִשּׂוּאִים

Wednesday, *n.* יוֹם רְבִיעִי, יוֹם ד׳
wee, *adj.* קְטַנְטַן, זָעִיר
weed, *n. v.t. & i.* עֵשֶׂב (שׁוֹטֶה) רַע; נִכֵּשׁ
weeds, *n. pl.* עֲשָׂבִים (שׁוֹטִים) רָעִים; בִּגְדֵי אֲבֵלִים
week, *n.* שָׁבוּעַ
weekday, *n.* יוֹם חֹל
week end סוֹף הַשָּׁבוּעַ
weekly, *adj.* שְׁבוּעִי
weekly, *n.* שְׁבוּעוֹן
weekly, *adv.* פַּעַם בְּשָׁבוּעַ
weep, *v.t. & i.* בָּכָה, דָּמַע
weeper, *n.* בַּכְיָן
weeping, *adj.* בּוֹכֶה, דּוֹמֵעַ; גָּשׁוּם
weevil, *n.* חִפּוּשִׁית הַסָּס, רְצִינָה, תּוֹלַעַת הַתְּבוּאָה
weigh, *v.t. & i.* שָׁקַל; סָבַר, חָשַׁב; הָיָה שָׁקוּל; הֵרִים [רום] (עֹגֶן)
weight, *n. & v.t.* מִשְׁקָל, כֹּבֶד; עֵרֶךְ; הִכְבִּיד [כבד]
weighty, *adj.* כָּבֵד, חָשׁוּב
weir, *n.* סֶכֶר; סְבַךְ נָהָר
weird, *adj.* גּוֹרָלִי; בִּלְתִּי טִבְעִי
welcome, *adj.* רָצוּי, שֶׁבּוֹאוֹ בָּרוּךְ
welcome, *n.* קַבָּלַת פָּנִים
welcome, *v.t. & interj.* קִבֵּל בְּסֵבֶר פָּנִים יָפוֹת, קִדֵּם בִּבְרָכָה; בָּרוּךְ הַבָּא
weld, *v.t.* רִתֵּךְ
welder, *n.* רַתָּךְ
welfare, *n.* בְּרִיאוּת, אֹשֶׁר
well, *adj.* בָּרִיא, טוֹב
well, *n.* בְּאֵר, בַּיִר; מָקוֹר (יְדִיעוֹת)
well, *adv.* טוֹב, הֵיטֵב, מְאֹד, יָפֶה
well-behaved, *adj.* הַמִּתְנַהֵג יָפֶה, בַּעַל מִדּוֹת טוֹבוֹת
well-being, *n.* בְּרִיאוּת
well-bred, *adj.* מְחֻנָּךְ הֵיטֵב, מְנֻמָּס
well-nigh, *adv.* קָרוֹב לְ־, כִּמְעַט
well-to-do, well-off, *adj.* אָמִיד, מַצְלִיחַ
welter, *v.i.* הִתְגּוֹלֵל [גלל], הִתְבּוֹסֵס [בוס]; הָיָה בִּמְבוּכָה
wen, *n.* מֻרְסָה, חַבּוּרָה, בּוּעָה
wench, *n.* נַעֲרָה; אָמָה, שִׁפְחָה
west, *n. & adj.* מַעֲרָב, יָם; מַעֲרָבִי
west, *adv.* מַעֲרָבָה
westerly, *adj. & adv.* מַעֲרָבִי, מַעֲרָבָה
western, *adj.* מַעֲרָבִי
westward, *adj. & adv.* מַעֲרָבָה, יָמָּה
wet, *adj.* לַח, רָטֹב; גָּשׁוּם
wet, wetness, *n.* רְטִיבוּת
wet, *v.t. & i.* הִרְטִיב [רטב], לִחְלֵחַ; הִתְרַטֵּב [רטב]
wet nurse מֵינֶקֶת
whack, *n.* סְטִירָה, מַכָּה, הַכָּאָה
whale, *n.* לִוְיָתָן
wharf, *n.* מַעֲגָן, רָצִיף
what, *adj. & pron.* מַה (מָה, מֶה); אֲשֶׁר, שֶׁ־
whatever, whatsoever, *adj. & pron.* מַה שֶּׁ־, כָּל שֶׁהוּא, אֵיזֶה שֶׁהוּ, כָּל אֲשֶׁר
wheal, *n.* צַלֶּקֶת, חַבּוּרָה
wheat, *n.* חִטָּה
wheel, *n.* גַּלְגַּל, אוֹפָן
wheel, *v.t. & i.* גִּלְגֵּל, הִתְגַּלְגֵּל [גלגל]; סוֹבֵב [סבב]
wheelbarrow, *n.* חֲדוֹפָן, מְרִיצָה
wheeze, *n. & v.i.* נְשִׁימָה כְּבֵדָה; נָשַׁם בִּכְבֵדוּת
when, *adv. & conj.* מָתַי, אֵימָתַי; כַּאֲשֶׁר, בִּזְמַן שֶׁ־, כְּשֶׁ־
whence, *adv.* מֵעַתָּה, אֵי מִזֶּה, מִנַּיִן
whenever, *adv.* בְּכָל פַּעַם שֶׁ־, בְּכָל עֵת אֲשֶׁר, כָּל אֵימַת שֶׁ־
where, *adv.* אֵיפֹה, אַיֵּה, לְאָן, אָנָה, בִּמְקוֹם אֲשֶׁר

whereabouts, whereabout, *n.* & *adv.* מָקוֹם; בְּאֵיזֶה מָקוֹם
whereas, *conj.* כְּפִי שֶׁ־, הֱיוֹת שֶׁ־, כֵּיוָן שֶׁ־, הוֹאִיל וְ־
whereat, *adv.* לַאֲשֶׁר; אָז
whereby, *adv.* בַּאֲשֶׁר; בַּמֶּה
wherefore, *adv.* לָמָּה, מַדּוּעַ, לְפִיכָךְ
wherein, *adv.* בַּאֲשֶׁר; בַּמֶּה
whereof, *adv.* בַּמֶּה, עַל מַה, מִמָּה, אֲשֶׁר מִמֶּנּוּ
whereto, *adv.* אָנָה, לְאָן, לְהֵיכָן, אֲשֶׁר אֵלָיו
whereupon, *adv.* עַל (לְשֵׁם) מַה, לַאֲשֶׁר.
wherewithal, *n.* אֶמְצָעִים
wherewithal, wherewith, *adv.* בַּמֶּה, אֲשֶׁר בּוֹ
wherever, *adv.* בְּאֵיזֶה מָקוֹם, בְּכָל מָקוֹם שֶׁ־
whet, *v.t.* הִשְׁחִיז [שחז], חִדֵּד, לָטַשׁ; עוֹרֵר [עור], גֵּרָה
whether, *conj.* אִם
whetstone, *n.* מַשְׁחֶזֶת, מַלְטֶשֶׁת
whey, *n.* מֵי גְבִינָה, קוֹם
which, *pron.* אֵיזֶה, אֵיזוֹ
whichever, whichsoever, *adj.* & *pron.* אֵיזֶה שֶׁהוּא, זֶה אוֹ זֶה
whiff, *n.* נְשִׁימָה, נְשִׁיבָה, נְשִׁיפָה
whiff, *v.t.* & *i.* נָשַׁב, נָשַׁף; הוֹצִיא [יצא] עִגּוּלֵי עָשָׁן
while, *n.* & *conj.* זְמַן, זְמַן מַה, עֵת; בִּזְמַן שֶׁ־, כָּל זְמַן שֶׁ־, כָּל עוֹד
while, *v.t.* בִּלָּה (זְמַן)
whilst, *conj.*, *v.* while
whim, whimsey, whimsy, *n.* צִבְיוֹן
whimper, *n.* יְבָבָה חֲרִישִׁית
whimsical, *adj.* צִבְיוֹנִי
whin, *n.* רֹתֶם
whine, *n.* יְלָלָה, יְבָבָה
whine, *v.t.* & *i.* יִלֵּל, יִבֵּב, בָּכָה
whinny, *n.* צָהֳלָה (סוּס), צְנִיפָה
whinny, *v.i.* צָהַל, צָנַף
whip, *n.* שׁוֹט, שֵׁבֶט, מַגְלֵב; עֶגְלוֹן; קֶצֶפֶת
whip, *v.t.* & *i.* הִלְקָה [לקה], חָבַט, הִצְלִיף [צלף]; הִקְצִיף [קצף]
whir, *n.* זִמְזוּם; מְהוּמָה, מְהִירוּת
whir, *v.i.* זִמְזֵם; הָמָה
whirl, *n.* הִסְתּוֹבְבוּת; הֲמֻלָּה
whirl, *v.t.* & *i.* הִסְתּוֹבֵב [סבב], סִבֵּב (בִּמְהִירוּת); הֵרִים בְּסוּפָה (עֲלֵי שַׁלֶּכֶת)
whirlpool, *n.* מְעַרְבֹּלֶת, שִׁבֹּלֶת מַיִם
whirlwind, *n.* סוּפָה, סְעָרָה
whisk, *n.* טֵאוּט מָהִיר; תְּנוּעָה קַלָּה; מַקְצֵף
whisk broom מַטְאֲטֵא בְּגָדִים
whiskers, *n. pl.* זָקָן; שְׂפַם הֶחָתוּל
whisky, whiskey, *n.* שֵׁכָר, יַיִן שָׂרָף
whisper, *n.* לְחִישָׁה, לַחַשׁ
whisper, *v.t.* & *i.* הִתְלַחֵשׁ [לחש], לָחַשׁ
whistle, *n.* מַשְׁרוֹקִית; שְׁרִיקָה
whistle, *v.t.* & *i.* שָׁרַק, צִפְצֵף
whit, *n.* שֶׁמֶץ, מַשֶּׁהוּ
white, *adj.* לָבָן
white, *n.* לֹבֶן; חֶלְבּוֹן
White House, The הַבַּיִת הַלָּבָן, בֵּית מוֹשָׁבוֹ שֶׁל נְשִׂיא ארה״ב
whiten, *v.t.* & *i.* לִבֵּן, הִלְבִּין [לבן]
whiteness, *n.* לֹבֶן
whitewash, *n.* סִיד, שִׂיד
whitewash, *v.t.* סִיֵּד; חִפָּה עַל, עָצַם עַיִן
whither, *adv.* אֲשֶׁר שָׁם; אָנָה, לְאָן
whitish, *adj.* לְבַנְבַּן
whitlow, *n.* כְּאֵב צִפֹּרֶן
Whitsuntide, *n.* חַג הַשָּׁבוּעוֹת

whittle, *v.t. & i.* חִתֵּךְ עֵץ בְּסַכִּין; הִמְעִיט [מעט] (בְּהוֹצָאוֹת)
whiz, whizz, *n. & v.t.* זִמְזוּם; זִמְזֵם
who, *pron.* מִי; אֲשֶׁר, שֶׁ־
whoever, *pron.* כָּל אֲשֶׁר, כָּל מִי שֶׁ־
whole, *adj.* שָׁלֵם, כָּל
whole, *n.* כֹּל, הַכֹּל
wholehearted, *adj.* בְּכָל לֵב
wholeness, *n.* שְׁלֵמוּת
wholesale, *n.* סִיטוֹנוּת
wholesaler, *n.* סִיטוֹנַאי, סִיטוֹן
wholesome, *adj.* בָּרִיא, מַבְרִיא
wholly, *adj.* כֻּלּוֹ, כָּלִיל, לְגַמְרֵי
whom, *pron.* אֶת מִי, אֶת אֲשֶׁר, אֲשֶׁר
whomsoever, *pron.* אֶת מִי שֶׁהוּא
whooping cough שַׁעֶלֶת
whore, *n.* זוֹנָה, יַצְאָנִית, מֻפְקֶרֶת, נוֹאֶפֶת
whore, *v.t. & i.* זָנָה, הִזְנָה [זנה], נָאַף
whortleberry, *n.* אֻכְמָנִית
whose, *pron.* שֶׁל מִי, אֲשֶׁר... לוֹ
why, *adv.* מִפְּנֵי מָה, מַדּוּעַ, לָמָּה
wick, *n.* פְּתִילָה
wicked, *adj.* רַע, רָשָׁע; שׁוֹבָב
wickedness, *n.* רִשְׁעוּת, רֶשַׁע
wicker, *n.* זֶרֶד, נֵצֶר
wicket, *n.* פִּשְׁפָּשׁ (פֶּתַח בַּשַּׁעַר); תָּא הַקֻּפָּה; קֶשֶׁת (בְּמִשְׂחַק קְרִיקֶט)
wide, *adj.* רָחָב; נִרְחָב, מְרֻוָּח
wide, *adv.* לִרְוָחָה; לְמֵרָחוֹק
wide-awake, *adj.* עֵרָנִי, עֵר לְגַמְרֵי
widen, *v.t. & i.* הִרְחִיב [רחב]; הִתְרַחֵב [רחב], רָחַב
wide-open, *adj.* פָּתוּחַ לִרְוָחָה
widespread, *adj.* נָפוֹץ בָּרַבִּים
widow, *n. & v.t.* אַלְמָנָה; אִלְמֵן
widower, *n.* אַלְמָן
widowhood, *n.* אַלְמוֹן, אַלְמְנוּת
width, *n.* רֹחַב; רְוָחָה
wield, *v.t.* עָצַר בְּ־, שָׁלַט עַל; תָּפַשׂ, מָשַׁךְ בְּ־
wife, *n.* אִשָּׁה, רַעְיָה, זוּגָה, עֵזֶר כְּנֶגְדּוֹ
wifehood, *n.* אִשּׁוּת
wig, *n.* פֵּאָה נָכְרִית
wigwag, *n.* אִתּוּת (בִּדְגָלִים וְכוּ')
wigwag, *v.t. & i.* אִתֵּת; הִתְנוֹעֵעַ [נוע]; כִּשְׁכֵּשׁ (זָנָב)
wild, *adj.* שׁוֹבָב; פָּרוּעַ; פֶּרֶא
wild ass עָרוֹד, פֶּרֶא, חֲמוֹר הַבָּר
wildcat, *n.* חָתוּל הַבָּר, שׁוּנְרָה; פֶּרֶא אָדָם; עֵסֶק בִּישׁ; קְדִיחַת בְּאֵר (לְלֹא סִכּוּי הִמָּצְאוּת נֵפְט)
wilderness, *n.* יְשִׁימוֹן, מִדְבָּר
wildness, *n.* פִּרְאוּת
wile, *n.* עָרְמָה
will, *n.* רָצוֹן; צַוָּאָה
will, *v.t. & i.* רָצָה, חָפֵץ; הוֹרִישׁ [ירש], צִוָּה, הִשְׁאִיר [שאר]
willful, wilful, *adj.* מֵזִיד, עַקְשָׁן, עַקְשָׁנִי
willing, *adj.* רוֹצֶה, מְרֻצֶּה, חָפֵץ
willow, *n.* עֲרָבָה, צַפְצָפָה
willy-nilly, *adj. & adv.* שֶׁלֹּא בְּרָצוֹן; מִתּוֹךְ הֶכְרֵחַ
wilt, *n. v.t. & i.* קְמִילָה, כְּמִישָׁה; קָמַל, כָּמַשׁ, נָבַל; חָלַשׁ, עִלֵּף
wily, *adj.* עָרוּם
win, *n., v.t. & i.* נִצָּחוֹן, הַצְלָחָה, נִצַּח, זָכָה; רָכַשׁ לֵב; הִרְוִיחַ [רוח]
wince, *n.* הִרָּתְעָה
wince, *v.i.* סָלַד, נִרְתַּע [רתע]
winch, *n.* אַרְכֻּבָּה, מָנוֹף
wind, *n.* רוּחַ; נְשִׁימָה; פִּטְפּוּט
wind, *v.t. & i.* כָּרַךְ, נִלְפַּת [לפת]; הִתְפַּתֵּל [פתל]; כִּוֵּן (שָׁעוֹן)
windfall, *n.* נֶשֶׁר; רֶוַח פִּתְאֹמִי

windmill, *n.* טַחֲנַת רוּחַ
window, *n.* חַלּוֹן, אֶשְׁנָב, צֹהַר
windowpane, *n.* זְגוּגִית, שִׁמְשָׁה
windpipe, *n.* גַּרְגֶּרֶת
windshield, *n.* שִׁמְשַׁת מָגֵן, מְגֵן רוּחַ
windup, *n.* גֶּמֶר, סִיּוּם
windy, *adj.* שֶׁל רוּחַ, סוֹעֵר; פַּטְפְּטָנִי
wine, n., *v.t.* & *i.* יַיִן, חֶמֶר; שָׁתָה, הִשְׁקָה [שקה] יַיִן
wineglass, *n.* גָּבִיעַ (כּוֹס) שֶׁל יַיִן
wing, *n.* כָּנָף; אֲגַף (צָבָא)
wing, *v.t.* & *i.* דָּאָה, עָף [עוף], עוֹפֵף [עוף]; פָּצַע (כָּנָף), נִכְנַף [כנף]
wink, *n.* קְרִיצַת עַיִן; רֶמֶז, רְמִיזָה
wink, *v.t.* & *i.* מִצְמֵץ, קָרַץ עַיִן; רָמַז
winner, *n.* מְנַצֵּחַ, זוֹכֶה
winnow, *n.* מִזְרֶה
winnow, *v.t.* & *i.* זָרָה, נִפָּה; הֵפִיץ [פוץ]
winter, *n.* חֹרֶף
winter, *v.t.* & *i.* חָרַף, הֶחֱרִיף [חרף]
wintry, *adj.* חָרְפִּי
wipe, *v.t.* קִנַּח, נִגֵּב, מָחָה (אַף); הִשְׁמִיד [שמד]
wire, *n.* חוּט (מַתֶּכֶת) בַּרְזֶל, תַּיִל; מִבְרָק
wire, *v.t.* & *i.* חִזֵּק (קָשַׁר) בְּחוּט בַּרְזֶל; הִבְרִיק [ברק]
wireless, *adj.* & *n.* אַלְחוּטִי; אַלְחוּט
wiring, *n.* חִבּוּר חוּטֵי חַשְׁמַל, תִּיּוּל
wisdom, *n.* בִּינָה, חָכְמָה, חָכְמוֹת
wisdom tooth שֵׁן הַבִּינָה
wise, *adj.* נָבוֹן, פִּקֵּחַ, חָכָם
wiseacre, *n.* מִתְחַכֵּם, שׁוֹטֶה
wisecrack, *n.* הֶעָרָה מְחֻכֶּמֶת
wisecrack, *v.i.* דִּבֵּר וְהִתְחַכֵּם [חכם]
wish, *n.* מִשְׁאָלָה, רָצוֹן; אִחוּל
wish, *v.t.* & *i.* חָפֵץ, אִוָּה, רָצָה, הִתְאַוָּה [אוה]; אִחֵל
wishbone, *n.* עֶצֶם הֶחָזֶה (בָּעוֹף)
wishful, *adj.* מִשְׁתּוֹקֵק
wisp, *n.* חֲבִילַת (אֲגֻדַּת) חָצִיר (קַשׁ); מַטְאֲטֵא קָטָן
wistful, *adj.* מִתְגַּעְגֵּעַ, שָׁקוּעַ בְּמַחֲשָׁבוֹת
wit, *v.t.* & *i.* יָדַע
wit, *n.* שֵׂכֶל, חָכְמָה, עָרְמָה, פִּקְחוּת; חִדּוּד, שְׁנִינָה; פִּקֵּחַ
witch, *n.* מְכַשֵּׁפָה, קוֹסֶמֶת, בַּעֲלַת אוֹב
witchcraft, witchery, *n.* קְסָמִים, קִסּוּם, כְּשָׁפִים, כִּשּׁוּף, אוֹב
with, *prep.* עִם, אֶת, בְּ־
withdraw, *v.t.* & *i.* הוֹצִיא [יצא], הֵסִיר [סור]; הִסְתַּלֵּק [סלק], פָּרַשׁ; יָצָא, נָסוֹג [סוג]
withdrawal, *n.* לְקִיחָה בַּחֲזָרָה, הִסְתַּלְּקוּת, פְּרִישָׁה; נְסִיגָה
wither, *v.t.* & *i.* נִכְמַשׁ [כמש]; הוֹבִישׁ [יבש]; רָזָה; יָבֵשׁ, נָבֵל
withhold, *v.t.* מָנַע, עָצַר; הֶחֱזִיק [חזק]
within, *prep.* פְּנִימָה
within, *adv.* בְּתוֹךְ, בִּפְנִים, בְּקֶרֶב
without, *adv.* בַּחוּץ, מִחוּץ
without, *prep.* בְּלִי
withstand, *v.t.* & *i.* סָבַל, עָמַד בִּפְנֵי
witness, *n.* עֵד; שָׂהֵד; עֵדוּת
witness, *v.t.* & *i.* הֵעִיד [עוד], סִהֵד
witticism, *n.* חִדּוּד, הֲלָצָה, שְׁנִינָה
wittingly, *adv.* בְּכַוָּנָה
witty, *adj.* הֲלָצִי, חִדּוּדִי, חָרִיף
wizard, *n.* קוֹסֵם, מְכַשֵּׁף, יִדְּעוֹנִי, אַשָּׁף
wobble, wabble, *v.i.* הִתְנוֹעֵעַ [נוע], רָעַד
woe, wo, *n.* יָגוֹן, תּוּגָה, מַדְוֶה
woeful, woful, *adj.* עָצוּב, נוּגֶה
wolf, *n.* זְאֵב; רוֹדֵף נָשִׁים
woman, *n.* אִשָּׁה, בַּעֲלָה, נְקֵבָה
womanhood, *n.* אִשּׁוּת, נָשִׁיּוּת

womankind, *n.* נָשִׁים

womb, *n.* רֶחֶם

wonder, *n.* פֶּלֶא, תִּמָּהוֹן, הִתְפַּלְּאוּת, הִשְׁתּוֹמְמוּת

wonder, *v.i.* הִתְפַּלֵּא [פלא], הִשְׁתּוֹמֵם [שמם], תָּמַה

wonderful, *adj.* נִפְלָא, מַפְלִיא, תָּמוּהַּ

wonderment, *n.* הִתְפַּלְּאוּת, הִשְׁתּוֹמְמוּת

wondrous, *adj.* נִפְלָא, מֻפְלָא

wont, *adj.* רָגִיל, מֻרְגָּל

wont, *n.* הֶרְגֵּל, מִנְהָג

woo, *v.t.* רָדַף (חִזֵּר) אַחֲרֵי (אִשָּׁה)

wood, *n.* עֵץ, עֵצָה; יַעַר, חֹרֶשׁ

woodchopper, *n.* חוֹטֵב עֵצִים

woodcock, *n.* חַרְטוּמָן

woodcut, *n.* פִּתּוּחַ עֵץ, תַּחֲרִיט

wooden, *adj.* עֵצִי

woodpecker, *n.* נַקָּר

wood pigeon צוֹצֵל, צוֹצֶלֶת, יוֹנַת בָּר

wood pulp מוֹךְ הָעֵץ

woodworker, *n.* חָרַשׁ עֵץ, נַגָּר

woof, *n.* עֵרֶב, נֶפֶשׁ הַמַּסֶּכֶת

wool, *n.* צֶמֶר

woolen, woollen, *adj.* צַמְרִי

woolen, woollen, *n.* אֲרִיג צֶמֶר

woolens, *n. pl.* בִּגְדֵי צֶמֶר, סְחוֹרַת צֶמֶר

woolly, *adj.* צָמִיר, צַמְרִי

word, *n.* מִלָּה, תֵּבָה; דִּבּוּר; הַבְטָחָה

wording, *n.* נֹסַח, הַבָּעָה (בְּמִלִּים)

work, *n.* עֲבוֹדָה, מְלָאכָה, פְּעֻלָּה

work, *v.t.* & *i.* עָבַד, פָּעַל; הֶעֱבִיד [עבד]; הִשְׁפִּיעַ [שפע]

workable, *adj.* מַעֲשִׂי, בַּר בִּצּוּעַ

worker, workman, *n.* פּוֹעֵל, שָׂכִיר

workmanship, *n.* אֻמָּנוּת, מְלָאכָה

workroom, *n.* חֲדַר עֲבוֹדָה

workshop, *n.* בֵּית מְלָאכָה

world, *n.* עוֹלָם, תֵּבֵל, חֶלֶד; אֶרֶץ

worldly, *adj.* אַרְצִי, חָמְרִי, חִלּוֹנִי

worm, *n.* תּוֹלָע, תּוֹלַעַת, רִמָּה; סְלִיל

worm-eaten, *adj.* אֲכוּל תּוֹלָעִים, מְתֻלָּע

wormwood, *n.* לַעֲנָה

worn-out, *adj.* מָהוּהַּ, בָּלוּי

worry, *n.* דְּאָגָה, חֲרָדָה

worry, *v.t.* & *i.* דָּאַג; חָשַׁשׁ לְ־; נָשַׁךְ (טָרַף) עַד מָוֶת; הִדְאִיב [דאב], צִעֵר, הֶעֱצִיב [עצב], הִצְטַעֵר [צער]

worse, *adj.* & *adv.* גָּרוּעַ (רַע) מִן

worsen, *v.t.* & *i.* עָשָׂה (הָיָה) יוֹתֵר (רַע) גָּרוּעַ

worship, *n.* הַעֲרָצָה; פֻּלְחָן (דָּתִי); עֲבוֹדַת אֱלֹהִים; תְּפִלָּה; כְּבוֹד מַעֲלָתוֹ (רֹאשׁ עִיר, שׁוֹפֵט)

worship, *v.t.* & *i.* עָבַד אֱלֹהִים, הִתְפַּלֵּל [פלל], הֶעֱרִיץ [ערץ]

worst, *adj.* & *n.* הַגָּרוּעַ (הָרַע) בְּיוֹתֵר

worsted, *adj.* & *n.* מְשֻׁזָּר, חוּט מָשְׁזָר

worth, *adj.* כְּדַאי, רָאוּי; שֶׁמְּחִירוֹ שָׁוֶה

worth, *n.* עֵרֶךְ, שֹׁוִי, מְחִיר

worthless, *adj.* חֲסַר עֵרֶךְ

worthy, *adj.* רַב עֵרֶךְ, הָגוּן, נִכְבָּד, רָאוּי, זַכַּאי

wound, *n.* פֶּצַע, מַכָּה, חַבּוּרָה

wound, *v.t.* & *i.* פָּצַע, הִכְאִיב [כאב]

wrangle, *n.* וִכּוּחַ, רִיב, מַחֲלֹקֶת

wrangle, *v.i.* רָב [ריב], הִתְוַכַּח [יכח]

wrap, *n.* גְּלִימָה, עֲטִיפָה, גְּלוֹם

wrap, *v.t.* עָטַף, עָטָה, חִתֵּל, כִּסָּה

wrapper, *n.* עֲטִיפָה, מַעֲטֶה; עוֹטֵף

wrath, *n.* רֹגֶז, חָרוֹן, חֳרִי אַף, חֵמָה, כַּעַס, זַעַם

wrathful, *adj.* כּוֹעֵס, זוֹעֵם

wreak, *v.t.* נָקַם

wreath, *n.* זֵר, עֲטָרָה
wreathe, *v.t.* & *i.* עָשָׂה לְזֵר, הִסְתָּרֵג [סרג]
wreck, *n.* כִּלָּיוֹן, הֶרֶס, אָבְדָן; טֵרוּף סְפִינָה
wreck, *v.t.* & *i.* שִׁבֵּר, נִפֵּץ, הִשְׁחִית [שחת], נִטְרְפָה [טרף] סְפִינָה
wreckage, *n.* חֻרְבָּן, כִּלָּיוֹן; שִׁבְרֵי אֳנִיָּה
wren, *n.* גִּדְרוֹן
wrench, *n.* מַפְתֵּחַ בְּרָגִים; עִקּוּם, נְקִיעָה
wrench, *v.t.* & *i.* נָקַע; עִקֵּם; עִוֵּת (סֵרֵס) (מִלָּה, מִשְׁפָּט)
wrest, *v.t.* עָקַר, מָשַׁךְ בְּחָזְקָה, הוֹצִיא [יצא] בְּחָזְקָה
wrestle, *v.t.* & *i.* הִתְגּוֹשֵׁשׁ [גשש], נֶאֱבַק [אבק]
wrestle, wrestling, *n.* הֵאָבְקוּת, נַפְתּוּלִים, הִתְגּוֹשְׁשׁוּת
wrestler, *n.* מִתְגּוֹשֵׁשׁ
wretch, *n.* חֵלֶךְ, חֶלְכָה, מִסְכֵּן, אֻמְלָל
wretched, *adj.* חֶלְכָה, מִסְכֵּן, אֻמְלָל
wretchedness, *n.* מִסְכֵּנוּת, אֻמְלָלוּת
wriggle, *n.*, *v.t.* & *i.* הִתְפַּתְּלוּת; כִּשְׁכּוּשׁ (זָנָב); הִתְפַּתֵּל [פתל], נִעְנַע; כִּשְׁכֵּשׁ (זָנָב)
wright, *n.* בַּעַל מְלָאכָה, אוּמָן
wring, *v.t.* סָחַט; מָלַק; פָּרַשׂ (יָדַיִם)
wringer, *n.* סוֹחֵט, מַסְחֵט, מַעְגִּילָה
wrinkle, *n.* קֶמֶט
wrinkle, *v.t.* & *i.* קָמַט, הִתְקַמֵּט [קמט]
wrinkly, wrinkled, *adj.* מְקֻמָּט, כָּמוּשׁ
wrist, *n.* פֶּרֶק (אַמַּת, שֹׁרֶשׁ) הַיָּד
wristwatch, *n.* שְׁעוֹן יָד
writ, *n.* כְּתָב, שְׁטָר; פְּקֻדָּה
write, *v.t.* & *i.* כָּתַב; חִבֵּר
writer, *n.* מְחַבֵּר, כּוֹתֵב, סוֹפֵר
writhe, *v.t.* & *i.* עִקֵּם, עִוָּה; הִתְעַקֵּם [עקם], הִתְעַוֵּת [עוה] (מִכְּאֵב)
writing, *n.* כְּתָב; כְּתִיבָה; חִבּוּר
written, *adj.* כָּתוּב
wrong, *adj.* לֹא נָכוֹן, לֹא צוֹדֵק, טוֹעֶה מֻטְעֶה; לֹא מַתְאִים
wrong, *n.* רַע, שֶׁקֶר, עַוְלָה, טָעוּת
wrong, *v.t.* הֵרַע [רעע], עָוָה (עַל)
wrongdoer, *n.* מְעַוֵּל, חוֹטֵא, רָשָׁע
wrought, *adj.* עָשׂוּי, מְעֻבָּד
wry, *adj.* עָקֹם, מְעֻקָּל, מְעֻוָּת
wych-elm, *n.* תְּאַשּׁוּר

X, x

X, x, *n.* אֶכְּס, הָאוֹת הָעֶשְׂרִים וְאַרְבַּע בָּאָלֶף בֵּית הָאַנְגְּלִי; כַּמּוּת בִּלְתִּי יְדוּעָה
xenophobia, *n.* שִׂנְאַת נָכְרִים
X ray קַרְנֵי (X) רֶנְטְגֶן
xylography, *n.* חֲרִיתַת עֵץ
xylophone, *n.* מַכּוֹשִׁית, כְּסִילוֹפוֹן

Y, y

Y, y, *n.* אוּאַי, הָאוֹת הָעֶשְׂרִים וְחָמֵשׁ בָּאָלֶף בֵּית הָאַנְגְּלִי
yacht, *n.* אֳנִיַּת טִיּוּל
yacht, *v.i.* שָׁט [שוט] (נָסַע) בָּאֳנִיַּת טִיּוּל

yachtsman, *n.* בַּעַל אֳנִיַּת טִיּוּל
yam, *n.* תַּפּוּחַ אֲדָמָה מָתוֹק
yank, *v.t.* & *i.* עָקַר, מָשַׁךְ בְּחָזְקָה, הוֹצִיא [יצא] בְּחָזְקָה
Yankee, *n.* יְלִיד אֲמֵרִיקָה
yap, *v.i.* & *n.* נָבַח; פִּטְפֵּט; פַּטְפְּטָן, נְבִיחָה
yard, *n.* תֹּרֶן; חָצֵר; אַמָּה, 0.9144 מֶטֶר
yardstick, *n.* קְנֵה מִדָּה, אַמָּה
yarn, *n.* מַטְוֶה; תִּקְוָה (פְּתִיל, חוּט) סִפּוּר בַּדִּים, בְּדוּתָה, בְּדָיָה
yaw, *n.* נְטִיָּה, נְטִיַּת אֳנִיָּה מִן הַדֶּרֶךְ
yaw, *v.t.* & *i.* נָטָה מֵהַדֶּרֶךְ
yawn, *n.* פִּהוּק
yawn, *v.i.* פִּהֵק
yea, *adv.* כֵּן, אָמְנָם כֵּן
yean, *v.t.* & *i.* הִמְלִיטָה [מלט] (טְלָאִים, גְּדָיִים)
year, *n.* שָׁנָה, יָמִים
yearbook, *n.* שְׁנָתוֹן
yearly, *adj.* & *adv.* שְׁנָתִי; בְּכָל שָׁנָה
yearn, *v.i.* הִתְגַּעְגֵּעַ [געגע] לְ־, הִתְאַוָּה [אוה] לְ־, כָּסַף
yearning, *n.* גַּעְגּוּעִים, כִּסּוּפִים, כִּלְיוֹן עֵינַיִם, כְּלוֹת נֶפֶשׁ
yeast, *n.* שְׁמָרִים; קֶצֶף
yell, *n.* צְעָקָה, צְוָחָה, צְרִיחָה
yell, *v.t.* & *i.* צָעַק, צָוַח, צָרַח
yellow, *adj.* צָהֹב; מוּג לֵב
yellow, *n.* צְהִיבוּת; חֶלְמוֹן (בֵּיצָה)
yellowish, *adj.* צְהַבְהַב, כְּתַמְתַּם
yelp, *v.i.* יִלֵּל, נָבַח
yelp, *n.* נְבִיחָה, יְלָלָה
yeoman, *n.* פָּקִיד בְּבֵית הַמֶּלֶךְ; בַּעַל אֲחֻזָּה; בֶּן חוֹרִין
yes, *adv.* הֵן, כֵּן
yesterday, *n.* & *adv.* אֶתְמוֹל, תְּמוֹל
yet, *adv.* עֲדַיִן, עוֹד
Yiddish, *n.* אִידִית, יְהוּדִית, זַ'רְגּוֹן
yield, *n.* יְבוּל, תְּנוּבָה, הַכְנָסָה
yield,, *v.t.* & *i.* נָתַן פְּרִי; מָסַר, וִתֵּר עַל, נִכְנַע [כנע]
yoke, *n.* עֹל; עַבְדוּת אֵסֶל
yoke, *v.t.* נָתַן עֹל עַל, שִׁעְבֵּד
yokefellow, *n.* כְּנָת, רֵעַ, עָמִית, חָבֵר
yolk, *n.* חֶלְמוֹן
yonder, *adv.* & *adj.* שָׁם; הַלָּזֶה, הַהוּא (הָהֵם וְכוּ')
yore, *adv.* לְפָנִים, בִּימֵי קֶדֶם
you, ye, *pron.* אַתָּה, אַתְּ, אַתֶּם, אַתֶּן; אוֹתְךָ, אוֹתָךְ, אֶתְכֶם, אֶתְכֶן; לְךָ, לָךְ, לָכֶם, לָכֶן
young, *adj.* צָעִיר, רַךְ בְּשָׁנִים
young, *n.* צֶאֱצָאִים, וְלָדוֹת, גּוֹזָלִים
youngster, *n.* עֶלֶם, בָּחוּר
your, yours, *adj.* & *pron.* שֶׁלְּךָ, שֶׁלָּךְ, שֶׁלָּכֶם, שֶׁלָּכֶן
yourself, *pron.* אַתָּה בְּעַצְמְךָ, אַתְּ בְּעַצְמֵךְ
yours truly שֶׁלְּךָ (שֶׁלָּךְ) בֶּאֱמוּנָה
youth, *n.* נֹעַר, נְעוּרִים, בַּחֲרוּת; בָּחוּר, נַעַר
youthful, *adj.* צָעִיר, רַעֲנָן
yule, *n.* חַג הַמּוֹלָד
yuletide, *n.* תְּקוּפַת חַג הַמּוֹלָד

Z, z

Z, z, *n.* זֶד, זִי, הָאוֹת הָעֶשְׂרִים וָשֵׁשׁ בָּאָלֶף בֵּית הָאַנְגְּלִי
zany, *n.* בַּדְּחָן, לֵצָן
zeal, *n.* קַנָּאוּת, חֵשֶׁק, מְסִירוּת

zealot, *n.* קַנַּאי
zealous, *adj.* קַנָּאִי, נִלְהָב
zebra, *n.* זֶבְּרָה, סוּס עָקֹד
zebu, *n.* זֶבּוּ, שׁוֹר גִּבֵּן
zed, *n.* זֶד, שֵׁם הָאוֹת „Z"
zenith, *n.* זֵנִית, לֵב הַשָּׁמַיִם; פִּסְגָּה
zephyr, *n.* רוּחַ יָם, רוּחַ צַח; צֶמֶר סְרִיגָה רַךְ
zero, *n.* אַיִן, לֹא כְּלוּם, אֶפֶס, שֵׁם הַסִּפְרָה „0"
zest, *n.* הִתְלַהֲבוּת, חֵשֶׁק, טַעַם
zigzag, *adj.* & *n.* עֲקַלְקַל, עֲקַלָּתוֹן, זִגְזַגִּי; זִגְזַג
zinc, *n.* אָבָץ
zinc ointment אַבְצִית (מִשְׁחָה)
Zion, *n.* (הַר) צִיּוֹן; יְרוּשָׁלַיִם; יִשְׂרָאֵל
Zionism, *n.* צִיּוֹנוּת
Zionist, *n.* צִיּוֹנִי
zipper, *n.* רוֹכְסָן, רִצְרָץ
zither, *n.* צִיתָר
zodiac, *n.* (גַּלְגַּל) הַמַּזָּלוֹת
zonal, *adj.* אֲזוֹרִי
zone, *n.* אֵזוֹר
zoo, *n.* גַּן חַיּוֹת, בִּיבָר
zoology, *n.* זוֹאוֹלוֹגְיָה, תּוֹרַת הַחַי
zyme, *n.* תֹּסֶס
zymosis, *n.* תְּסִיסָה